CLÍNICA MAYO

GUÍA PARA UN EMBARAZO SALUDABLE

Roger W. Harms, M.D.

Editor en jefe

Editores médicos asociados

Robert V. Johnson, M.D.
Mary M. Murry, C.N.M.

HarperResource

An Imprint of HarperCollins*Publishers*

TRILLAS

Una edición de:

Intersistemas, S.A. de C.V.
Aguiar y Seijas 75
Lomas de Chapultepec
11000, México, D.F.
Tel.: (5255) 55202073
Fax: (5255) 55403764
intersistemas@intersistemas.com.mx
www.intersistemas.com.mx
www.medikatalogo.com

TRILLAS

Editorial Trillas, S.A. de C.V.
Av. Río Churubusco 358,
Col. Pedro María Anaya,
México, D.F. C.P. 03340
Tel. (5255) 5688 4233
Fax. (5255) 5604 1364
E-mail: edtrillas@trillas.com.mx

PRIMERA EDICIÓN EN IDIOMA ESPAÑOL 2005
Coedición producida por Intersistemas, S.A de C.V. y Editorial Trillas, S.A. de C.V.

Diseño por la Mayo Clinic Health Information, Rochester, Minn.

Las fotografías de archivo del estilo de vida son de PhotoDisc, Stockbyte y © Thinkstock. Las personas que aparecen en estas fotos son modelos, y las fotos se utilizan sólo con propósitos ilustrativos. No hay correlación entre las personas que aparecen y el padecimiento o tema que se discute.

Información para el catálogo de la Biblioteca del Congreso en trámite.

ISBN edición original:
0-06-074637-8
ISBN edición en español:
970-655-756-3

Traducción
M en C. Mayra Lerma Ortiz

Cuidado de la edición en español
Dra. Xochiquetzal Aguilar García
José Alberto Victoria Dorantes

Impreso en México

Acerca de este libro

Comprender la forma en que está ordenada la información le resultará útil para el empleo de la *Guía para un embarazo saludable de la Clínica Mayo*. El libro está dividido en cuatro partes.

Parte 1: Embarazo, parto y el recién nacido
Esta sección ofrece un panorama de mes a mes sobre el desarrollo de su bebé lo mismo que acerca de los cambios físicos y emocionales. También le proporciona información detallada sobre el trabajo de parto, el parto y el cuidado posparto y del recién nacido.

Parte 2: Guías de decisión para embarazo, parto y maternidad (paternidad)
Cada guía está diseñada para ayudarle a tomar la mejor decisión para usted y su situación.

Parte 3: Guía de referencia del embarazo
En ella encontrará consejos útiles de autoayuda para las agruras, la náusea, el dolor de espalda, la fatiga y muchas otras preocupaciones comunes del embarazo.

Parte 4: Complicaciones del embarazo y parto
Esta sección proporciona detalles sobre complicaciones que pueden presentarse durante el embarazo, junto con información sobre este estado cuando se tienen problemas de salud.

A lo largo del libro, el término *proveedor de cuidados de salud* cubre los diversos tipos de profesionales médicos que proporcionan cuidados durante el embarazo. Cuando se usa el término médico, éste indica que es probable que un médico sea el mejor tipo de profesional al cuidado de la salud para obtener este tipo de atención.

Sobre la Clínica Mayo

La Clínica Mayo evolucionó de la práctica de frontera del Dr. William Worrall Mayo y la sociedad de sus dos hijos, Willliam J. y Charles H. Mayo, a principios de la década de 1900. Presionados por las demandas de su ocupada práctica quirúrgica en Rochester, Minn., los hermanos Mayo invitaron a otros médicos a unirse a ellos, siendo pioneros de la práctica privada en grupo de la medicina. Actualmente, con más de 2,000 médicos y científicos en sus tres sedes principales en Rochester, Minn., Jacksonville, Fla., y Scottsdale, Ariz., la Clínica Mayo está dedicada a proporcionar diagnóstico integral, respuestas precisas y tratamientos eficaces.

Con la profundidad de sus conocimientos, experiencia y pericia, la Clínica Mayo ocupa una posición sin paralelo como recurso de información de la salud. Desde 1983, la Clínica Mayo ha publicado información de la salud confiable para millones de consumidores a través de cartas, libros y servicios en línea que han ganado premios. Los ingresos por las actividades de publicación apoyan los programas de la Clínica Mayo, incluyendo la educación y la investigación médicas.

Personal editorial

Editor en jefe
Roger W. Harms, M.D.

Editores médicos asociados
Robert V. Johnson, M.D.
Mary M. Murry, C.N.M.

Gerente editorial
Paula Marlow Limbeck

Colaboradores de la edición médica
Kristi Boldt, M.D.
Virginia Caspersen, R.N., M.S., I.B.C.L.C.
Abimbola Famuyide, M.D.
Jennifer Friedmann, M.D.
Shari Frueh, R.N., B.S.N.
Robert Heise Jr., M.D.
Sasikala Hemkumar, M.D.
Keith Johansen, M.D.
Bruce Johnston, M.D.
Thomas Kastner, M.D.
Elizabeth LaFleur, R.N., B.S.N., I.B.C.L.C
Kathleen A. Mann, R.N.
Mary Marnach, M.D.
Dawn E. Nelson, R.N.
Margaret Pfeifer, M.D.
Petra Polasek, M.D.
Susan Sobolewski, R.N.
Charla Schultz, R.D., L.D.
Cheryl Stuhldreher, R.N., M.S.N, I.B.C.L.C.
Catherine Walsh Vockley, M.S., C.G.C.

Director creativo
Daniel Brevick

Director de arte
Stewart Koski

Investigación editorial
Anthony Cook
Danielle Gerberi
Deirdre Herman
Michelle Hewlett
Stephen Johnson

Autores colaboradores
Rachel Bartony
Lee Engfer
Julie Freeman
Kelly Kershner
Jennifer Koski
Amy Michenfelder

Editor de estilo
Mary Duerson

Correctores de estilo
Miranda Attlesey
Louise Hutter Filipic
Donna Hanson

Ilustración
Michael A. King
Kent McDaniel
M. Alice McKinney
James D. Postier
Chris Srnka

Índice
Larry Harrison

Editor en jefe, libros/boletines
Christopher Frye

Directora editorial
Sara Gilliland

Editores HarperCollins
Stephen W. Hanselman,
Senior Vice President, Publisher,
HarperResource
Leah Carlson-Stanisic, Design Manager
Karen Lumley,
Senior Production Manager
Donna Ruvituso,
Executive Managing Editor
Toni Sciarra, Senior Editor

prefacio

Este libro es para personas que pronto tendrán un bebé. Si es una de ellas, ¡acepte nuestras más sinceras felicitaciones! Hay pocas cosas en la vida de cualquiera que igualen la importancia —y el gozo— de dar a luz. Esta nueva persona será tan importante para usted como padre que hará cualquier cosa para nutrir, proteger y dar amor a este bebé especial. Sin duda, su deseo por iniciar ese cuidado se refleja en su interés en este libro, una guía para comenzar una nueva vida saludable para ambos, madre y bebé.

Aunque el embarazo es algo normal, es maravillosamente complejo, e implica cambios en la anatomía y fisiología de la mamá y en las relaciones de la familia entera. Estos cambios son mínimos comparados con el milagro del desarrollo de una sola célula formada a partir del espermatozoide y el óvulo para dar un ser humano nuevo y único. No conozco nada en la Medicina que sea más emocionante, fascinante o satisfactorio de observar.

Nunca hubo un tiempo en que se diera una mejor oportunidad de iniciar una vida con buena salud, y la sabiduría dicta que busque información de personas confiables. Este libro es la compilación de la experiencia desde muchos puntos de vista y métodos de cuidado. La Clínica Mayo cuenta como parte central de su grandeza con un concepto de cada aspecto médico creado por un equipo de profesionales, cada uno con visión y cualidades especiales. Este libro refleja tal filosofía. No sólo proviene de un equipo de obstetras con conocimiento médico especializado respecto a los problemas del embarazo, sino que la E.P.T. Mary Murry, es la principal coeditora, y proporciona la sabiduría y experiencia de una partera con preparación científica a estas páginas. Nuestro equipo ha aportado sus múltiples capacidades para ayudarle a tener una embarazo más saludable y feliz.

Es nuestro deseo sincero que encuentre este libro informativo, útil y significativo mientras espera a su nuevo bebé. Esperamos que su necesidad de información sólida esté cubierta en estas páginas. También esperamos que su embarazo sea una experiencia maravillosa, y que su nuevo bebé cuente con la bendición de una buena salud.

Dr. Roger W. Harms
Editor en Jefe

contenido

Parte 1

embarazo, parto y el recién nacido

El embarazo trae cambios. Desde el momento de la concepción, el cuerpo comienza a transformarse en formas que acomodan la nueva vida que se inicia dentro de usted. A medida que el bebé crece y se desarrolla, usted también se ajusta, tanto en lo físico como en lo emocional. Al final del embarazo, se prepara para el trabajo de parto y el alumbramiento y, una vez que llega su bebé, comienza la transición hacia la vida como la madre de esta persona única.

"Embarazo, parto y el recién nacido" le ofrece orientación sobre los muchos cambios del embarazo, desde su planeación hasta las primeras semanas en casa con el recién nacido.

prepárese para tener un bebé

¿Está lista para tener un bebé?

Quizás está pensando en iniciar una familia o quizás está tratando de concebir, o puede ser que ya sepa que está embarazada. Si es así, ¡felicidades!

Cuando uno decide tener un bebé, la vida cambia. Las elecciones que haga ahora —incluso si no ha concebido— pueden tener un efecto duradero sobre su futuro hijo.

Los cambios que trae el embarazo pueden ser emocionantes, inquietantes, una bendición y también agotadores. Al prepararse para este viaje, a veces impredecible, deje que este libro le sirva como guía. La parte 1, "Embarazo, parto y el recién nacido", le ayuda a planear y prepararse para el embarazo. En segmentos de cuatro semanas, va recorriendo el desarrollo del bebé y los cambios físicos y emocionales que usted podría tener durante este proceso. Le ofrece una guía sobre el trabajo de parto y el alumbramiento. Por último, le proporciona información y consejos sobre su recién nacido y su transición al papel de padres.

La parte 2, "Guías de decisión para embarazo, parto y maternidad", incluye información para ayudarle a tomar decisiones sobre asuntos tales como la selección del proveedor de cuidados de la salud para su embarazo, la explicación de las opciones sobre pruebas prenatales y la elección de analgesia para el parto. La parte 3, "Guía de referencia del embarazo", ofrece explicaciones y consejos de autocuidado para muchas de las preocupaciones comunes del embarazo. La parte 4, "Complicaciones del embarazo y parto", le proporciona un panorama de algunos de los problemas que se pueden desarrollar con dicho embarazo.

Piense en el embarazo como en una maravillosa oportunidad de nutrir a su hijo en todas las formas, y use este libro para prepararse para los emocionantes cambios que le esperan.

Antes del embarazo: darle lo mejor al bebé

Cuando se trata de un embarazo, pensar con anticipación puede darle a usted y a su bebé el mejor principio posible. Cualquiera que sea el punto en que se encuentre en la planeación de una familia, las decisiones que tome ahora pueden tener influencia en la salud de su bebé y en la suya.

Si está pensando en tener un bebé, quizá desee hacerse algunas preguntas clave como:

- ¿Por qué deseo tener al bebé?
- ¿Siente lo mismo mi pareja acerca de tener un hijo?
- ¿Cómo afectará mi estilo de vida actual y futuro el hecho de tener un bebé? ¿Estoy lista y dispuesta a hacer dichos cambios?
- ¿Tengo el apoyo emocional y financiero que necesito para criar a un hijo?
- ¿Podré proporcionarle a mi bebé el cuidado adecuado?

Al mismo tiempo, piense en su salud física. Sin duda, entre mejor sea su salud antes de concebir, mayores serán las oportunidades de evitar problemas que pueden afectar a usted y a su bebé.

Si no ha pensado en ninguno de estos puntos hasta ahora, no significa que tendrá un embarazo difícil; pero, entre más pronto establezca las condiciones para un resultado positivo, mejores serán sus probabilidades. Esto se aplica cuando aún se encuentra en la etapa de planeación, está intentando concebir o ya viene un bebé en camino.

Las siguientes secciones ofrecen más información sobre cómo hacer lo mejor para usted y su bebé antes, durante y, en algunos casos, después del embarazo.

Nutrición: haga que cada bocado cuente

La buena nutrición no sólo es importante durante el embarazo. Incluso si sólo está planeando embarazarse, comer una dieta sana y bien balanceada es una de las mejores cosas que puede hacer por usted misma y su hijo.

Una vez que se embarace, comerá por dos, pero si cree que esto consiste en comer el doble, quizá se desilusione. Comer por dos (usted y su bebé) significa que necesitará comer dos veces mejor que en el pasado.

Si ya tiene buenos hábitos alimentarios, ya ha comenzado a proporcionar a su bebé la nutrición que él o ella necesitará. Durante el curso de su embarazo, deseará incrementar su ingesta de hierro, calcio, ácido fólico y otras vitaminas y nutrientes esenciales, ya que estos nutrientes son importantes para el desarrollo de su bebé. También necesitará evitar ciertos alimentos que implican un riesgo, de manera que ni usted ni su bebé enfermen. Aun así, en su mayor parte, simplemente es posible que deba hacer más de lo que ya hace.

Si su nutrición es mala o con frecuencia se pone a dieta, se salta comidas o consume una variedad limitada de alimentos, comience a hacer cambios ahora. De hecho, es crítico que los buenos hábitos alimentarios formen parte de su planeación del embarazo desde un inicio. La razón: la mayoría de los órganos principales de su bebé se forman durante las primeras semanas del embarazo —antes de que siquiera sepa que está embarazada—. Con demasiado pocas calorías o nutrientes, el desarrollo celular puede ser menor al ideal y quizá su bebé tenga poco peso al nacer, lo cual suele aumentar su riesgo de problemas de salud a corto o largo plazo.

Es buena idea hacer una cita previa al embarazo con el médico, enfermera-partera o algún otro profesional de cuidados de la salud. Prepárese para hablar de los siguientes temas.

❑ **Control de la natalidad.** Si ha estado tomando píldoras anticonceptivas, es probable que el proveedor de cuidados de la salud desee que cambie a otro método contraceptivo durante uno o dos meses después de dejar las píldoras. Esto se debe a que por lo general el ciclo menstrual tarda varios meses en volver a su patrón normal. Hasta que esto suceda, es más difícil determinar cuándo se presenta la ovulación y calcular su fecha probable de parto.

❑ **Inmunidad.** Entre más pronto determine si es inmune a infecciones que pueden causar defectos serios de nacimiento en los bebés, mejor. Si no es inmune a enfermedades infecciosas serias como varicela y sarampión alemán (rubéola), es posible que el proveedor de cuidados de la salud le recomiende vacunarse por lo menos un mes antes de que intente embarazarse.

❑ **Problemas de salud actuales y pasados.** Si tiene algún padecimiento crónico como diabetes, asma o alta presión sanguínea (hipertensión), deseará asegurarse de que esté bajo control. Incluso si no ha tenido problemas para mantener la salud durante un tiempo, los padecimientos crónicos pueden requerir cuidados especiales durante el embarazo. Esto se debe a que un bebé en crecimiento puede imponer nuevas exigencias sobre su organismo.

❑ **Historia familiar.** Informe al proveedor de cuidados de salud si su historia familiar o la de su pareja implica un mayor riesgo de tener un hijo con defectos de nacimiento.

❑ **Medicamentos.** Quizá el proveedor de cuidados de salud le recomiende suspender ciertos medicamentos de prescripción o que cambie las dosis de éstos antes de embarazarse. Asegúrese de que esté informado sobre cualquier medicamento de venta sin receta que usted tome con regularidad. Esto incluye productos de hierbas como hierba de San Juan, kava, valeriana y ginko. Si no está tomando una multivitamina, deseará comenzar a tomar una. Asegúrese de que incluya ácido fólico, el cual es una vitamina B que puede ayudar a prevenir defectos serios de nacimiento al inicio del embarazo.

❑ **Edad.** Si tiene más de 35 años, tiene mayor riesgo de problemas de fertilidad, aborto y trastornos relacionados con el embarazo como hipertensión y diabetes gestacional. Quizá desee discutir este incremento en los riesgos con el proveedor de cuidados de salud y desarrollar un plan para evitar las complicaciones. (Para mayor información, vea "Momento del embarazo: ¿importa la edad?" en la página 35.)

❑ **Dificultades del embarazo.** Si ha tenido abortos previos o problemas para embarazarse, hable con el proveedor de cuidados de la salud acerca de ello. Éste puede ser capaz de determinar las posibles causas que podrían corregirse. Por lo menos, ambos pueden discutir sus preocupaciones y temores acerca del embarazo.

❑ **Estilo de vida.** Si fuma, bebe, lleva una dieta pobre o carece de un programa regular de ejercicio, éste es el momento perfecto para dejar sus malos hábitos y adoptar un estilo de vida más sano. Si fuma y desea dejar de hacerlo, el proveedor de cuidados de la salud puede ponerla en contacto con la ayuda que necesita para ello. Asimismo, puede aconsejarla sobre cómo mejorar sus hábitos alimentarios, comenzar un programa de ejercicio o reducir el estrés.

❑ **Su pareja.** Si es posible, haga que su pareja la acompañe a la visita previa a la concepción. Él podrá responder preguntas sobre los problemas médicos, los factores de riesgo de infecciones o defectos de nacimiento de su familia. La salud de su pareja y su estilo de vida son importantes porque pueden afectarla a usted.

Comer bien no significa que tenga que seguir una dieta rígida. Para obtener una nutrición adecuada y ganar el peso que necesita para tener un embarazo sano, deberá consumir muchos tipos diferentes de alimentos. Sólo recuerde: lo que coma o beba tendrá un efecto directo sobre el desarrollo de su bebé.

Ganar peso

Es importante que gane peso durante el embarazo. Según su peso y estatura previos a la concepción, es posible que el proveedor de cuidados de salud recomiende un rango de aumento de peso durante el embarazo. Se espera qe aumente de peso pero esto no significa que pueda ganar un número ilimitado de kilos. Por otra parte, un aumento adecuado de peso es necesario para un embarazo saludable.

Con el paso de los años, las recomendaciones para ganar peso han cambiado en forma importante. Hasta hace poco, los expertos médicos pensaban que un aumento mínimo de peso era lo mejor para la madre y el bebé. ¡Es probable que le hayan dicho a su madre que no ganara más de siete kilos! Ahora, si tiene un peso normal para su estatura cuando se embarace, los estudios sugieren que ganar de 11 a 16 kilos es lo más saludable para usted y su bebé.

El peso que gana durante el embarazo no proviene todo de grasa. El peso del bebé que lleva y un aumento en la sangre y los líquidos corporales contribuyen para su aumento de peso.

Aunque este rango puede considerarse ideal, lo mejor es colaborar con el proveedor de cuidados de la salud para determinar lo mejor para usted. Esta decisión se basará en su peso previo al embarazo, índice de masa corporal (IMC), historia médica, salud, salud del bebé en desarrollo y si el embarazo es gemelar o múltiple. Durante sus visitas prenatales, es posible que el proveedor de cuidados de salud dé seguimiento a su aumento de peso respecto al tiempo.

Si es posible, haga un esfuerzo para ganar peso poco a poco, de manera que el mayor aumento suceda en el último trimestre. Durante el primer trimestre, 150 a 200 calorías diarias adicionales le ayudarán a mantener el

EMBARAZO Y AUMENTO DE PESO

El siguiente es un rápido desglose de dónde se repartiría el peso si ganara de 11 a 15 kilogramos durante su embarazo:

- El bebé: 3 a 4 kg
- Placenta: 700 g
- Líquido amniótico: 1 kg
- Crecimiento de las mamas: 0.5 a 1.5 kg
- Agrandamiento del útero: 1 kg
- Acumulación de grasa y desarrollo muscular: 3 a 3.5 kg
- Aumento del volumen sanguíneo: 1.5 a 2 kg
- Aumento en el volumen de líquidos: 1 a 1.5 kg

aumento de peso entre 500 y 750 gramos al mes. Entre más activa sea, más calorías deberá consumir.

En el segundo y tercer trimestres, necesitará un total de 300 a 500 calorías diarias adicionales a la dieta normal. Los lineamientos sugieren aumentar 250 a 500 g por semana en el segundo y tercer trimestres. La falta de aumento de peso durante el segundo trimestre se relaciona con un bajo peso al nacer del bebé si usted inicia el embarazo con peso normal o por debajo de lo normal. Si tiene sobrepeso, pero saludable en otros aspectos, es poco probable que una ganancia de peso por debajo del promedio afecte el crecimiento fetal.

Cómo obtiene sus calorías adicionales es tan importante como la cantidad de kilos que ve en la báscula. Aunque puede obtener con facilidad 200 o más calorías al comerse una barra de chocolate, esta opción no le ofrece la nutrición que necesita. Obtendrá la misma provisión de calorías —lo mismo que valiosos carbohidratos, calcio, proteínas y hierro— al añadir a la dieta diaria una rebanada de pan de trigo entero, un vaso de leche descremada y 30 g (una onza) de carne magra.

¿CUÁL ES MI IMC?

El índice de masa corporal (IMC) es una medida que emplean los proveedores de cuidados de salud para evaluar su peso y salud. Utilice este cuadro para determinar su IMC.

	SALUDABLE		SOBREPESO		OBESIDAD			
IMC	19	24	25	29	30	35	40	45
TALLA	**PESO EN KG**							
1.47	41	51.8	53.6	62.1	64.4	75.2	86	96.8
1.50	42.3	53.5	55.8	64.4	66.6	77.9	89.1	99.9
1.52	43.7	55.4	57.6	66.6	68.9	80.6	91.8	103.5
1.55	45	57.2	59.4	69	71.1	83.3	95	107.1
1.57	46.8	59	61.2	71.1	73.8	86	98.1	110.7
1.60	48.2	60.8	63.5	73.4	76.	88.7	101.3	114.3
1.63	49.5	63	65.3	76.	78.3	91.8	104.4	117.9
1.65	51.3	64.8	67.5	78.3	81	94.5	108	121.5
1.68	53.1	66.6	69.8	80.6	83.7	97.2	111.2	125.1
1.70	54.5	68.9	71.6	83.3	86	100.4	114.8	129.2
1.73	56.3	71.1	73.8	85.5	88.7	103.5	117.9	132.8
1.75	57.6	72.9	76	88.2	91.4	106.2	121.5	136.8
1.78	59.4	75.2	78.3	90.9	94	109.4	125.1	140.9
1.80	61.2	77.4	80.6	93.6	96.8	112.5	128.7	144.9
1.83	63	79.7	82.8	95.9	99.5	116.1	132.3	149
1.85	64.8	81.9	85	98.6	102.2	119.3	135.9	153
1.88	66.6	82.8	87.3	101.3	104.9	122.4	140	157.5
1.90	68.4	86.4	90	104.4	108	125.6	143.6	161.5
1.93	70.2	88.7	93	107.1	110.7	129.2	147.6	166

(Fuente: Institutos Nacionales de Salud de EUA)

Un IMC mayor a 30 durante el embarazo puede incrementar los riesgos para usted y su bebé. Las probabilidades de padecer diabetes gestacional y parto por cesárea son mayores. Para el bebé, puede aumentar el riesgo de defectos de nacimiento como espina bífida y trastornos cardiacos. Asimismo, puede incrementar las probabilidades de tener un bebé con alto peso al nacer (macrosomia), lo cual dificulta el nacimiento a través de la vagina.

Si inicia el embarazo con un IMC mayor de 30, trabaje de cerca con el proveedor de cuidados de la salud para vigilar el aumento de peso y la salud. Quizá le pidan que limite su incremento de peso a siete o doce kilos o incluso menos durante el embarazo. Los lineamientos determinan un aumento de cerca de un kilogramo en el primer trimestre y 300 gramos cada semana en el segundo y tercer trimestres.

Un IMC bajo —menor de 18.5— también puede significar un riesgo para el bebé y usted. Puede tener mayores probabilidades de parto prematuro (antes de la semana 37), lo cual significa que el bebé nace antes de que esté desarrollado por completo. El IMC materno bajo también puede incrementar la probabilidad de tener un bebé de bajo peso al nacer (menos de 2.5 kilos).

De nueva cuenta, lo mejor es hablar con el proveedor de cuidados de salud acerca de su incremento de peso. Si tiene un IMC bajo, quizá le pidan que aumente entre 13 y 18 kilos, lo cual es un poco más que el rango normal. Las guías sugieren un incremento de 2.5 kilos en el primer trimestre y por lo menos medio kilogramo cada semana en el segundo y tercer trimestres.

ABUSO DURANTE EL EMBARAZO

Para algunas mujeres, el embarazo no es una etapa de feliz espera. Es un tiempo de miedo. Los estudios indican que cuatro a ocho por ciento de las mujeres embarazadas informan haber sido víctimas de abuso físico durante el embarazo.

El abuso físico puede incluir que su pareja la golpee, abofetee, patee o dé puñetazos. El abuso sexual puede incluir violación o ser forzada a realizar otros actos sexuales en contra de su voluntad.

El abuso también puede ser verbal o emocional. Este tipo de abuso suele incluir gritos, amenazas o decir cosas que le hagan sentir avergonzada o insignificante.

Si está embarazada y se encuentra en una situación de abuso, es muy importante que siempre busque ayuda. Recuerde que no sólo debe considerar su salud, sino la de su bebé nonato. Hable con el proveedor de cuidados de salud o con un miembro del equipo profesional.

También puede comunicarse con la Línea de Emergencia Nacional de Violencia Doméstica (en EUA) al (800) 799-SAFE o al (800) 799-7233 u (800) 787-3224 (TTY) o en la Red al *www.ndvh.org*. Además, muchos estados y comunidades cuentan con líneas de emergencia para violencia doméstica.

Adopte las bases de la nutrición

Durante el embarazo, es importante comer una variedad de alimentos sanos. Hacer por lo menos tres comidas al día y tomar bocadillos sanos es quizá la mejor manera de consumir una mayor gama de alimentos. Si la náusea matutina hace que esto sea imposible, intente comer una serie de tentempiés o pequeñas comidas a lo largo del día. Recuerde que puede obtener raciones de varios grupos de alimentos al mismo tiempo si los combina. Una rebanada de pizza de queso, por ejemplo, contaría como raciones de granos (corteza), verduras (salsa de tomate) y lácteos.

Cuando esté embarazada, trate de comer más que el número mínimo de raciones que se recomiendan de manera típica para cada categoría de la pirámide de alimentos. El incremento sugerido para las raciones mínimas que aparecen en la lista de la siguiente página le proporcionará 1,800 a 2,800 calorías diarias.

Para ser más consciente de sus elecciones de alimentos y llevar un registro de sus raciones, quizá desee sacar copias de la página de "Sugerencias para las porciones mínimas diarias" y anotar lo que come durante el día. Si determina que hay mucho en una categoría y poco en otras, intente balancear sus selecciones. También puede emplear esta lista para señalar sus preocupaciones al proveedor de cuidados de salud. Si es incapaz de cumplir con las recomendaciones debido a que tiene alergias, aversiones personales o confusión sobre el tamaño de las raciones, el proveedor de cuidados de la salud podrá ayudarle.

Ponga mucha atención a las listas de ingredientes y a la información nutricional en las etiquetas de los alimentos. Esta información puede ayudarle a vigilar la cantidad de azúcares y grasas, las cuales añaden calorías pero poca nutrición a su dieta. Las etiquetas también revelan la cantidad de edulcorantes artificiales y sodio en los alimentos procesados. Aunque se cree que la mayoría de los edulcorantes de uso comercial son seguros, intente limitar la ingesta de alimentos y bebidas con este tipo de edulcorantes. Entre ellos se incluyen dulces, yogur, refrescos y mezclas para preparar bebidas.

El requerimiento de sal aumenta durante el embarazo. No obstante, no es muy recomendable comer demasiados alimentos y bocadillos salados. Esto puede aplicarse en especial si padece hipertensión o si desarrolla complicaciones en su embarazo. En general, no haga ningún cambio drástico en su ingesta de sodio a menos que el proveedor de cuidados de la salud le indique que lo haga.

Tomar suplementos de vitaminas y minerales

El mejor lugar para obtener las vitaminas y los minerales que necesita son los alimentos. No obstante, durante el embarazo puede ser difícil consumir suficientes comidas para obtener suficiente ácido fólico, hierro y calcio; es por ello que muchos proveedores de cuidados de salud prescriben vitaminas prenatales.

Incluso si toma una vitamina prenatal u otros suplementos, persiste la necesidad de una dieta bien balanceada. De hecho, tomar suplementos de ninguna manera compensa los malos hábitos de alimentación. A continuación le damos más información sobre los nutrientes más críticos para su salud y la de su bebé:

- **Ácido fólico.** El ácido fólico es una vitamina B que es esencial en el inicio del embarazo. Los Centros para el Control y la Prevención de las Enfermedades (CDC por sus siglas en inglés) y el Servicio de Salud Pública

SUGERENCIAS PARA LAS PORCIONES MÍNIMAS DIARIAS

La siguiente es una guía sobre los tipos y cantidades de alimentos que puede consumir para tener una buena nutrición durante el embarazo.

Categoría de alimento	Número de porciones diarias durante el embarazo	Buenas opciones
Panes y cereales	Por lo menos nueve raciones Una ración = una taza de pasta, cereal o arroz cocidos; una rebanada de pan; seis galletas saladas; un pan de hamburguesa, un *muffin* inglés o un pequeño *bagel*	Cereales, *bagels*, arroz integral, panes, rollos y galletas saladas de granos enteros, pasta de trigo integral
Verduras	Cuatro o más raciones Una ración = una taza de verduras cocidas o crudas	Lechuga de hoja (romana, endivias), espinaca, pimientos rojos y verdes, camotes, calabaza invernal, chícharos, ejotes, brócoli, zanahorias, maíz, tomates
Frutas	Tres o más raciones Una ración = una taza de fruta cocida o un pedazo mediano de fruta	Manzanas, albaricoques, plátanos, uvas, mango, piña, fresas, frambuesas, naranjas, toronjas, melón, durazno, pasas
Leche, yogur, queso	Tres o más raciones Una ración = una taza de leche o yogur; 30 g (una onza) de queso	Leche descremada; queso, yogur y queso cottage desgrasados
Carne, pescado, huevos, frijoles secos	Por lo menos tres raciones Una ración = 180 a 270 (seis a nueve onzas)	Garbanzos, chícharos secos y frijoles, pescado, carne magra de res y cerdo, crema de cacahuate, pavo
Grasas y azúcares	Utilizar poco	Mantequilla, margarina, crema agria, nueces, aguacate, aceite de oliva, aderezo para ensalada, azúcar, jarabe, miel, dulce y postres

de EUA recomiendan que todas las mujeres en edad fértil consuman 600 microgramos (0.6 miligramos) de ácido fólico al día, ya sea que planeen o no quedar embarazadas. ¿Por qué? Los estudios han demostrado que esta cantidad reduce de manera significativa el riesgo de defectos en el tubo neural. Tales defectos incluyen el cierre incompleto de la columna (espina bífida) y una falta parcial o total del cerebro (anencefalia). No obstante, esta

Sus elecciones para comer hoy

protección puede no llegar a tiempo si no toma ácido fólico sino hasta que averigua que está embarazada. Esto se debe a que los defectos del tubo neural se presentan en las primeras cuatro semanas del embarazo, antes de que se dé cuenta de que tendrá un bebé.

Por fortuna, hay muchas maneras de obtener el ácido fólico que requiere —incluyendo tomar un suplemento o multivitamina y comer alimentos ricos en folato.

Si ha tenido un feto con defectos en el tubo neural en un embarazo previo, es probable que el proveedor de cuidados de salud le prescriba un suplemento diario de 4,000 microgramos (4 mg) de ácido fólico. Quizá lo deba tomar un mes antes de la fecha en que planea quedar embarazada y durante el primer trimestre del embarazo. Sin embargo, no consuma más de 1,000 microgramos (1 mg) de ácido fólico al día sin la aprobación del proveedor de cuidados de salud. Demasiado ácido fólico en su dieta puede ocultar la deficiencia de vitamina B-12.

LAS BUENAS FUENTES DE ÁCIDO FÓLICO (FOLATO) EN LA DIETA INCLUYEN:

- Cereales fortificados para el desayuno
- Panes fortificados de trigo entero
- Verduras de hojas verdes
- Chícharos y frijoles secos
- Frutas cítricas y sus jugos, como los de naranja y toronja
- Plátanos
- Melón
- Tomates

- **Hierro.** Este mineral, que se encuentra en los glóbulos rojos, siempre es parte importante de su dieta, pero adquiere mayor importancia durante el embarazo —cuando su volumen sanguíneo se expande para cubrir los cambios en su cuerpo—. Si no obtiene suficiente hierro, puede llegar a desarrollar una anemia por deficiencia de este mineral, un padecimiento que causa fatiga y una reducción de la resistencia a las infecciones. El hierro también se necesita para formar tejidos para su bebé y la placenta. De hecho, al nacer su bebé necesita suficiente hierro almacenado para que le dure los primeros seis meses de vida.

  Es casi imposible comer suficientes alimentos para obtener los 30 mg de hierro que necesita a diario durante el embarazo. Éste es el doble del hierro que requiere una adulta no embarazada. Por tanto, es necesario un suplemento de hierro —junto con una dieta que incluya alimentos ricos en este mineral.

  Para ayudar a su cuerpo a absorber el hierro de sus suplementos prenatales o normales, tómelo con una bebida rica en vitamina C. Los jugos de naranja, tomate y verduras son sus mejores opciones. También puede mejorar la absorción de hierro tomando alimentos ricos en vitamina C al mismo tiempo que ingiere comidas que contengan hierro. Por ejemplo, ponga algunas fresas sobre su cereal fortificado con hierro del desayuno.

LAS BUENAS FUENTES DE HIERRO EN LA DIETA INCLUYEN:

- Carne roja magra
- Carne de aves
- Pescado
- Espinaca
- Tofu
- Frutas secas, como pasas y ciruelas
- Nueces, como almendras, cachús (castaña de café) y cacahuates
- Panes y cereales de granos enteros y fortificados

- **Calcio.** Este mineral ayuda a formar huesos y dientes sanos. Cuando se encuentra embarazada o amamantando, necesita de 1,000 a 1,500 mg al día. Esto es cerca de 40 por ciento más de lo que requiere la mayoría de las mujeres adultas. Si le gustan los productos lácteos y los consume con regularidad, es fácil obtener el calcio adicional. Si no le agradan, intente comer otros alimentos que contengan calcio.

La mayoría de los suplementos prenatales también contienen calcio, pero por lo general no en cantidad suficiente para cubrir sus requerimientos diarios. Hay varias clases de suplementos de calcio. Si el proveedor de cuidados de la salud le recomienda uno, asegúrese de que esté hecho de carbonato o citrato de calcio, que son fáciles de absorber. Nunca tome calcio de concha de ostra o de hueso —también conocido como dolomita o apetito de calcio— ya que puede estar contaminado con plomo u otros compuestos dañinos.

Durante el embarazo, también necesita proteínas, carbohidratos y grasas en su dieta para mantener su nivel de energía y proporcionar el material para la construcción de células, el crecimiento de tejidos y el desarrollo cerebral. Las vitaminas A y C también son importantes. La vitamina A promueve la salud de la piel, la vista y el crecimiento óseo. La vitamina C forma encías, dientes y huesos sanos para su bebé. También mantiene sanos los tejidos de la madre y mejora la absorción del hierro. Los panes, cereales, el arroz y la pasta de granos enteros, son buenas fuentes de vitamina A, y las frutas como mango, kiwi y naranjas proporcionan vitamina C.

Si no puede obtener suficiente de estos nutrientes mediante su dieta, es posible que sean útiles los suplementos. Colabore con el proveedor de cuidados de salud para asegurarse de que no consuma cantidades excesivas de ningún mineral ni vitamina. Las grandes dosis de estas últimas pueden dañar a su bebé. Por ejemplo, una cantidad excesiva de vitamina A —más de 10,000 unidades internacionales (UI)— tomada diariamente puede ocasionar defectos en los huesos, corazón, sistema nervioso, cabeza y cara del bebé. Evite suplementar más de las 5,000 UI.

Las buenas fuentes de calcio en la dieta incluyen:

- Leche
- Queso
- Yogur
- Salmón
- Sardinas en lata con huesos
- Espinaca
- Brócoli
- Frijoles secos
- Papaya
- Naranjas
- Alimentos fortificados con calcio como algunos jugos de frutas y cereales para el desayuno

Si lleva una dieta vegetariana

Si es vegetariana, puede seguir con su dieta durante el embarazo y tener un bebé sano, pero necesitará planear y revisar su ingesta de alimentos. Para obtener la nutrición que requiere, coma una gran variedad de alimentos y balancee su consumo todos los días.

Si suele incluir pescado, leche y huevos en su dieta, le será más fácil obtener el hierro, calcio y proteínas que necesita. Si no consume ningún producto animal, es decir, es una vegetariana estricta, deberá planear con cuidado su consumo diario de alimentos. Es frecuente que las vegetarianas estrictas tengan dificultades para obtener suficiente cinc, vitamina B-12, hierro, calcio y ácido fólico. Para evitar este problema, pruebe lo siguiente:

- **Coma por lo menos cuatro porciones diarias de alimentos ricos en calcio.** Las fuentes no lácteas incluyen brócoli, col rizada; frijoles secos, y jugos, cereales y productos de soya fortificados con calcio.
- **Añada más productos ricos en energía en su dieta.** Esto es de particular importancia si tiene problemas para ganar suficiente peso. Las buenas fuentes incluyen nueces, mantequillas de éstas, semillas y frutas secas.
- **Pida consejos sobre los suplementos.** Muchas vegetarianas estrictas requieren suplementos de vitamina B-12. Una vitamina prenatal que suplemente otras necesidades nutricionales también puede ser necesaria. Para estar segura de lo que es adecuado para usted, consulte con el proveedor de cuidados de salud y, si lo recomienda, un dietista certificado.

Comer y cocinar sin riesgos

Hay un viejo refrán que dice: "Mantén caliente la comida caliente, fría la fría y que todo esté limpio". Durante el embarazo, este refrán podría ayudarle a evitar que usted y su bebé se enfermen seriamente. Los cambios en su metabolismo y circulación durante el embarazo pueden incrementar su riesgo de intoxicación por bacterias en la comida.

Si llega a enfermar por esta razón, es probable que su reacción sea más grave que si no estuviera embarazada. Ya sea que tenga o no los signos y síntomas de la intoxicación por alimentos, su bebé puede enfermar. Esto se debe a que las toxinas bacterianas pasan de la madre al bebé a través de la placenta.

Salmonella y *Listeria* son dos bacterias que se encuentran en forma común en la comida. La salmonela contamina con frecuencia la carne cruda de aves, pescado, huevos, leche y productos que contienen estos ingredientes. Con el envenenamiento por salmonela, presentará signos y síntomas 24 horas después de comer los alimentos contaminados. Éstos incluyen vómito, diarrea, fiebre, dolor de cabeza y dolor abdominal. La mayoría de las personas se recuperan en dos a cuatro días. Durante el embarazo, puede tardar más.

La *Listeria* es común. Una especie particular llamada *Listeria monocytogenes* puede provocar la enfermedad por alimentos contaminados conocida como listeriosis. Las fuentes principales de bacterias son la leche bronca (sin pasteurizar), los quesos blandos como el brie y el feta, las aves crudas, las salchichas y las carnes frías. Evite estos alimentos durante el embarazo.

Los signos y síntomas de la listeriosis son similares a los de la influenza. Incluyen fiebre, fatiga, náusea, vómito y diarrea. Cerca de un tercio de los casos de la enfermedad se presentan durante el embarazo. Los casos graves pueden causar un aborto o infecciones en el recién nacido en el torrente sanguíneo o en el líquido que rodea al cerebro (meningitis).

Para protegerse y proteger al bebé, tome estas precauciones:

Compre con cuidado
Cuando vaya a comprar comestibles, elija al último los productos más perecederos para reducir el tiempo que no están bajo refrigeración. Estos productos incluyen carne, aves, pescado y huevos. Una vez que llegue a casa, desempaque y almacene estos alimentos de inmediato.

Revise su refrigerador
Para controlar el crecimiento bacteriano, ajuste la temperatura en su refrigerador entre 1° y 4.5°C. Conserve su congelador a 18°C bajo cero o menos. Vigile estas temperaturas mediante un termómetro barato para refrigerador. Además, mantenga su refrigerador y congelador libre de alimentos que hayan pasado su fecha de caducidad. Si no ha limpiado su contenido por un tiempo, éste es un buen momento para hacerlo.

Mantenga limpias manos y superficies
Siempre lave sus manos y debajo de sus uñas antes de comenzar a preparar cualquier alimento. Ésta es quizá la mejor manera de prevenir las enfermedades por alimentos contaminados. Mantenga separadas las comidas crudas de las cocidas cuando las esté preparando. Utilice tablas para picar diferentes para carnes y verduras. Lave las tablas de picar, los cuchillos y otras superficies de trabajo con agua caliente y jabonosa después de usarlos. Para ayudar a prevenir la contaminación durante la preparación de comida, lave sus manos después de manejar alimentos crudos.

Es posible que, durante su embarazo, deba hacer cambios al seleccionar los alimentos que come y decidir cómo prepararlos, en especial con los siguientes productos:

Frutas y verduras crudas
Lávelas siempre con cuidado con agua antes de comer. En algunos casos, quizá desee incluso lavar las cáscaras o pelar las frutas o las verduras. No coma brotes de alfalfa.

Carne molida
La carne para hamburguesas, el pollo molido y las salchichas requieren de manejo especial. Esto se debe a que la bacteria *Escherichia coli* (*E. coli*) se encuentra en forma común sobre la superficie de la carne y se distribuye en todo el producto durante el proceso de molido. A menos que cocine la carne molida hasta que se cueza bien, es probable que no eleve lo suficiente su temperatura interna para matar toda la *E. coli*. Por tanto, evite las hamburguesas o las salchichas término medio o semicrudas. La carne molida cocida está lista cuando la carne toma un color gris claro y los jugos no tienen color. Todas las demás carnes, incluyendo las de aves, deben cocerse por completo antes de comerse. Utilice un termómetro para carne para asegurarse del cocimiento.

Pescados y mariscos
Estos son alimentos muy nutritivos y pueden seguir siendo parte de su dieta durante el embarazo. El pescado es una gran fuente de ácidos grasos omega-3, los cuales son buenos para el desarrollo cerebral del bebé en crecimiento.

Tanto el pescado fresco como el congelado deben prepararse de manera adecuada para eliminar la contaminación viral o bacteriana. Cuando cocine, utilice la regla de los cuatro minutos. Esto implica medir la parte más gruesa del pescado y cocinarlo cuatro minutos por centímetro a 230°C. Los mariscos como almejas, ostras y camarones deben hervirse durante cuatro a seis minutos.

Mientras está embarazada, evite cualquier pescado o marisco crudo o poco cocido. También es buena idea comprar pescado y mariscos frescos el mismo día que planea comérselos. Tenga presente que las toxinas ambientales pueden ser un problema con algunos peces de agua dulce y pescados y mariscos de mar.

A pesar de que se prohibieron en 1979, los bifenilos policlorados (PCB, por sus siglas en inglés) siguen contaminando las aguas. Los PCB se pueden acumular en niveles potencialmente dañinos en el pescado. También existe el peligro del mercurio de metilo, un producto secundario de los desechos industriales y la quema de combustibles que se libera al aire y luego contamina el agua.

Las mujeres embarazadas o en lactancia que consumen mercurio pueden dañar el cerebro y el sistema nervioso en desarrollo de su bebé. Los niños pequeños también son más sensibles a los efectos dañinos del mercurio de metilo que otros niños de más edad o los adultos, que ya tienen sistemas nerviosos bien desarrollados.

Si está embarazada, podría estarlo o está amamantando, la Agencia de Protección Ambiental de EUA (EPA, por sus siglas en inglés), recomienda seguir los siguientes pasos para limitar su exposición a los contaminantes ambientales que pueden estar presentes en algunos pescados y mariscos.

* Elija pescado con bajos niveles de mercurio, como salmón del Pacífico, merluza, lenguado, camarones, y trucha y pez gato de granja. Evite el cazón, pez espada, macarela reina o tilapia, ya que estas especies tienden a tener más contaminantes químicos.
* Limite el consumo de peces de agua dulce pescados por familiares y amigos a no más de 180 g por semana.
* Límite el consumo de pescado comprado en una tienda o restaurante a no más de 360 g por semana.
* Preste atención especial a las recomendaciones locales acerca de la seguridad de comer pescados de ciertos lagos, ríos y arroyos para la recreación. Es posible que existan carteles de advertencia en sus orillas o que se incluya la información en las licencias locales para pescar. También esté pendiente de las advertencias publicadas por la Administración de Alimentos y Fármacos de EUA (FDA, por sus siglas en inglés) acerca de cualquier riesgo que presenten los peces en venta en tiendas y restaurantes.

Para mantenerse al día sobre las últimas noticias sobre consumo de pescado en todo el país y en su área, consulte el sitio en red de la EPA en *www.epa.gov/waterscience/fishadvice/advice.html.* Para consejos actualizados sobre cualquier peligro derivado del consumo de peces atrapados en zonas costeras y mar adentro por familiares o amigos, visite el sitio en red de la FDA en *www.cfsan.fda.gov/~lrd/tphgfish.html.*

Ejercicio: al paso del embarazo

El embarazo parece el momento perfecto para sentarse y relajarse. Una vez que su cuerpo comienza a cambiar, notará que se siente más cansada de lo normal. Quizá también deba enfrentar problemas relacionados con el embarazo tales como dolor de espalda, calambres musculares, inflamación y estreñimiento.

Pero, ¿adivine qué? Quedarse sentada no le ayudará. De hecho, el embarazo ofrece una gran razón para mantenerse activa. El ejercicio puede ayudar a reducir las quejas comunes del embarazo, incrementar su nivel de energía y mejorar su salud general. Además, lo mejor de todo, le ayudará a prepararse para el parto y el alumbramiento aumentando su vigor y fuerza muscular. Si se encuentra en buenas condiciones físicas antes de dar a luz, quizá incluso acorte sus tiempos de parto y recuperación.

Aun así, es natural preguntarse si el ejercicio es seguro durante el embarazo. La respuesta es afirmativa, pero con precaución. Antes de comenzar o seguir con cualquier programa de ejercicio, hable con el proveedor de cuidados de salud. Esto tiene especial importancia si tiene algún padecimiento médico conocido, como enfermedad tiroidea.

También es importante saber que el embarazo mismo implica exigencias físicas. Puede esperar ganar de 11 a 16 kilos. El embarazo no es un momento para intentar bajar de peso o mantener el que tiene ahora. Además, su corazón bombeará 50 por ciento más sangre; y su cuerpo consumirá 20 por ciento más oxígeno mientras descansa y todavía más cuando se ejercite.

A medida que el abdomen crezca, la postura cambiará, poniendo más presión sobre los músculos de la espalda y cambiando su equilibrio. Hacia el final de la gestación, las articulaciones y los ligamentos de la pelvis se aflojarán preparándose para el parto. Todos estos cambios afectarán la forma en que el cuerpo responde al ejercicio. Las lesiones en músculos y articulaciones tienen más probabilidades de ocurrir si no tiene cuidado.

Buenas maneras de empezar

Para la persona promedio, los Centros de Control y Prevención de las Enfermedades y el Colegio Estadounidense de Medicina del Deporte recomiendan realizar 30 minutos o más de ejercicio moderado la mayoría de los días de la semana, si no es que todos. Si está embarazada y no presenta complicaciones, quizá desee cumplir con este objetivo. No obstante, ejercitarse aunque sea tres o cuatro días por semana durante 20 minutos o más puede ofrecer beneficios para la salud.

Caminar es un excelente ejercicio para los principiantes. Proporciona acondicionamiento aeróbico moderado y causa un estrés mínimo en sus articulaciones. Otras opciones positivas son las actividades de entrenamiento sin soportar peso, como la natación o la bicicleta estacionaria. Antes de iniciar cualquier actividad, consulte al proveedor de cuidados de salud.

Tendrá mayores probabilidades de cumplir con un plan de ejercicio si éste implica actividades que disfrute. Elija las que puedan incluirse con facilidad en su programa diario. Los programas que se realicen en momentos y lugares inconvenientes pueden desanimarla por completo. Si necesita ayuda respecto a la motivación, comuníquese con su hospital o centro obstétrico locales. Muchos de ellos ofrecen clases de acondicionamiento prenatal. Ahí podrá aprender maneras seguras de ejercitarse y estará acompañada por otras mujeres embarazadas.

Deportes y actividades que deben tomarse con precaución

Por lo general, es seguro realizar ejercicio durante el embarazo. No obstante, después del primer trimestre, evite los ejercicios de piso que requieran que se mantenga acostada sobre la espalda durante periodos prolongados. El peso del bebé puede causar problemas en la circulación sanguínea. Estar de pie sin moverse durante largo tiempo también puede afectar el sistema circulatorio.

Tan pronto como se entere de que está embarazada, tenga especial cuidado con las actividades que impliquen un alto riesgo de caídas o de daño abdominal. La gimnasia, montar a caballo, esquiar cuesta abajo o en agua, y los deportes vigorosos con raquetas presentan un mayor riesgo de lesiones. Asimismo, sería recomendable tener cuidado si participa en deportes de alto contacto, como futbol *soccer* o baloncesto. Estas actividades implican el riesgo

PADECIMIENTOS MÉDICOS QUE REQUIEREN PRECAUCIÓN CON EL EJERCICIO

Ejercitarse es bueno para la salud durante el embarazo. Pero si tiene algún problema médico, quizá deba ser más cautelosa respecto a la actividad física. Los padecimientos que pueden requerir precaución incluyen:

- Anemia
- Enfermedad tiroidea
- Diabetes
- Enfermedades con convulsiones, como epilepsia
- Ritmo cardiaco irregular
- Historia de parto prematuro

Otros trastornos requieren una vigilancia especial durante el ejercicio o prohíben cualquier forma de éste. Son ejemplos de estas enfermedades:

- Padecimientos del corazón
- Enfermedades infecciosas como la hepatitis
- Hipertensión severa
- Enfermedad pulmonar
- Historia de abortos múltiples
- Sangrado uterino
- Placenta previa

Otras circunstancias pueden afectar su programa de ejercicio. Si está esperando gemelos o presenta un embarazo múltiple, padece un problema que le coloca en alto riesgo de parto prematuro o el feto presenta poco aumento de peso, necesitará revisar detenidamente, junto con el proveedor de cuidados de salud, lo que es y no es permisible. No obstante, esto no significa que todo tipo de ejercicio esté prohibido. Si no está limitada a permanecer en cama, caminar puede ser adecuado.

de caer o chocar contra otra persona. Además, con frecuencia requieren que uno brinque o cambie de dirección con rapidez. Puede ser que se encuentre en mayor riesgo de lastimarse el cartílago y los ligamentos que sostienen sus articulaciones porque éstos se aflojan durante el embarazo.

Las actividades bajo el agua y a gran altitud también pueden ser problemáticas. Bucear con esnorquel por lo general está bien; sin embargo, evite bucear a profundidad durante el embarazo, ya que la descompresión implica un riesgo potencial para el feto. Las actividades físicas como caminar a altitudes mayores de 1,800 metros sobre el nivel del mar pueden ponerle en riesgo de padecer enfermedad de la altura, si no ha tenido oportunidad de aclimatarse, lo cual podría poner en peligro su salud y la de su bebé.

Escuche a su cuerpo

Si está en buena condición física, quizá pueda ejercitarse sin problemas casi al mismo nivel en que lo hacía antes del embarazo, siempre y cuando se sienta cómoda y el proveedor de cuidados de salud haya dado su aprobación.

Mientras se ejercita, escuche los mensajes que le envía su cuerpo. Si éste le dice que reduzca el paso, siga sus consejos, sin importar lo buena que sea su condición. Esté pendiente de mareos, náuseas, visión borrosa, fatiga y falta de aire. Éstos pueden ser signos de golpe de calor, lo cual puede amenazar su vida y la de su bebé.

El dolor en pecho y abdomen y el sangrado vaginal son otros signos de peligro que le indican que reduzca el paso, se detenga y obtenga ayuda si es necesario. Nunca se ejercite si hay dolor, ya que éste es la forma en que el cuerpo le dice que reduzca el paso o se detenga. Discuta el dolor y otros signos de peligro con el proveedor de cuidados de salud.

Además de escuchar a su cuerpo, es bueno tomar algunas medidas preventivas. Con frecuencia es posible evitar las lesiones y los calambres si estira sus músculos antes y después del ejercicio. Para evitar la deshidratación, beba líquidos durante el ejercicio, sin importar si tiene sed o no. Tome medidas para evitar que su cuerpo se caliente en exceso. Si el clima es caliente, haga ejercicio a la intemperie al inicio de la mañana o al final de la tarde. Si se ejercita en interiores, hágalo en habitaciones con buena ventilación o utilice un ventilador.

No importa qué tan dedicada esté a mantenerse en forma, no se ejercite al punto del agotamiento.

Estilo de vida: viva por dos

Una vez que se embarace, todos le aconsejarán lo que debe y no debe hacer. Pareciera que cada día trae una nueva advertencia sobre su salud. Para empeorar las cosas, la información a veces contradice lo que puede haber escuchado el año o la semana pasada. Esto puede hacer que se pregunte qué cambios, si es que alguno, debe hacer en su vida.

Quizá se pregunte: ¿está bien beber una copa de vino de vez en vez con la cena? ¿Debo evitar a los fumadores? ¿Debo renunciar a la cafeína? ¿Puedo darme un baño caliente en tina sin dañar a mi bebé? ¿Podría abortar si tengo relaciones sexuales?

El cuerpo sufrirá cambios importantes durante el embarazo. Cuántos cambios debe hacer en su estilo de vida depende de sus hábitos actuales. Las actividades de alto riesgo como fumar, beber alcohol y usar drogas recreativas no deberían realizarse durante el embarazo. Es posible que otros hábitos y actividades sólo necesiten controlarse con cuidado o evitarse por un tiempo.

Si tiene alguna duda acerca de la manera en que los aspectos de su estilo de vida puede afectar su salud o la de su bebé, consulte al proveedor de cuidados de salud. Mientras tanto, piense en el embarazo como el momento perfecto para deshacerse de los malos hábitos y adoptar nuevos.

Beber alcohol

La pregunta: ¿una copita no afectará a mi bebé, verdad? La respuesta: quizá no, pero los expertos concuerdan en que ningún nivel de alcohol ha demostrado ser seguro durante el embarazo. Aunque tiene mayores probabilidades de dañar a su bebé si bebe en exceso, incluso el consumo moderado o mínimo de alcohol puede ser nocivo.

La razón: si bebe alcohol, también lo hace su bebé. No importa si bebe cerveza, vino u otras formas de licor. Una vez que entra en el torrente sanguíneo, el alcohol atraviesa la placenta hacia el bebé. Beber en forma continua durante el embarazo incrementa el riesgo de aborto y muerte fetal. También puede causar daño permanente a su bebé.

El síndrome alcohólico fetal (SAF) es el problema más serio ocasionado por el consumo excesivo de alcohol durante el embarazo. Cada año nacen entre 1,300 y 8,000 bebés en Estados Unidos con este padecimiento. El SAF puede causar defectos de nacimiento como deformidades faciales, problemas cardiacos, bajo peso al nacer y retraso mental. Los bebés que nacen con SAF también pueden tener problemas permanentes de crecimiento, capacidad reducida para fijar la atención, problemas de aprendizaje y problemas de conducta.

Los niños cuyas madres beben, incluso en cantidad moderada, pueden nacer con efecto alcohólico fetal (EAF). Este problema puede provocar algunos, los defectos del SAF, aunque no todos. Dependiendo del daño, se puede considerar que estos niños tienen defectos de nacimiento relacionados con el alcohol (DNRA) o trastornos del neurodesarrollo relacionados con el alcohol (TNRA).

El daño causado por el alcohol es permanente, pero también es posible prevenirlo por completo. Tan pronto como sepa que está embarazada, no beba alcohol. Si está planeando embarazarse, es buena idea dejar de beber. La exposición al alcohol puede causar defectos de nacimiento en las etapas tempranas del embarazo, antes de que sepa que espera un hijo.

Pequeñas cantidades de alcohol pueden terminar en la leche del seno y pasar a su bebé. Es mejor que se abstenga de beber alcohol hasta que haya terminado la lactancia.

Si piensa que requiere ayuda para dejar de beber alcohol, hable con el proveedor de cuidados de salud.

Fumar

No hay duda: fumar es peligroso para usted y su bebé. Fumar durante el embarazo aumenta el riesgo de:

- Nacimiento prematuro, lo cual significa dar a luz a su bebé antes de la 37.ª semana de embarazo. Esto hace que su bebé presente el riesgo de tener bajo peso al nacer y otros problemas de salud.
- Problemas con la placenta, la cual nutre al bebé durante el embarazo.
- Óbito, en el cual el bebé muere en el útero antes de nacer.
- Tener un bebé con peso bajo. Los bebés nacidos con un peso menor a 2.5 kilos tienen mayores probabilidades de padecer problemas de salud y discapacidades crónicas.
- Tener un hijo con ciertos defectos de nacimiento.

- Que su bebé muera debido al síndrome de muerte súbita infantil (SMSI). El SMSI se presenta cuando un bebé aparentemente sano muere en forma inesperada durante el sueño.
- Tener un bebé con dificultades de conducta y problemas respiratorios crónicos, como asma.

¿Cómo causa tanto daño el tabaco? El humo del cigarrillo contiene miles de sustancias químicas. Dos de ellas —monóxido de carbono y nicotina— son toxinas que pueden moverse por su torrente sanguíneo y dañar a su bebé en desarrollo. Ambos pueden reducir el flujo de oxígeno hacia el feto. Y la nicotina, la cual hace que aumenten su ritmo cardiaco y su presión arterial y que se constriñan sus vasos sanguíneos, también puede reducir la provisión de nutrientes para su bebé.

Lo mejor es dejar de fumar antes de quedar embarazada y renunciar por completo al hábito, incluso después de que nazca el bebé. También es aconsejable que usted y su bebé se mantengan alejados del humo de otros fumadores. La exposición regular al humo de segunda mano parece ser capaz de causar problemas de salud para su bebé antes y después de nacer.

Si todavía fuma después de quedar embarazada, recuerde que nunca es tarde para dejar el hábito. Incluso si lo deja en una etapa avanzada del embarazo, puede reducir la exposición de su bebé a sustancias peligrosas. Dejarlo para siempre también reduce su riesgo de desarrollar cáncer, enfermedades cardiacas y otras enfermedades serias.

Fumar es una adicción y un hábito. Dejar de hacerlo puede ser muy difícil. Si está lista para romper con el hábito, pida ayuda al proveedor de cuidados de salud. Es muy importante que consulte con éste antes de utilizar productos como parches o goma de mascar de nicotina. Aunque éstos pueden ayudarle a dejar de fumar, hay riesgos relacionados con su uso durante el embarazo. El proveedor de cuidados de salud puede ayudarle a evaluar los beneficios y riesgos de los productos para dejar de fumar y ayudarle a encontrar apoyo o clases en su área.

Uso de drogas ilícitas

Si está embarazada, la regla sobre el uso de drogas ilícitas es simple: no lo haga. El uso de estas sustancias puede dañar a su bebé. Esto incluye cocaína, marihuana, heroína, metadona, LSD, feniciclidina (PCP), metanfetamina y cualquier otro tipo de droga recreativa o de la calle.

Mientras está embarazada, las drogas que toma pueden pasar al bebé. Esto puede afectar el desarrollo del feto y el futuro de su hijo durante su crecimiento. Asimismo, puede ocasionar la muerte del feto o síntomas de abstinencia en recién nacidos, los cuales, si no reciben tratamiento, pueden llevarlos a la muerte.

Por ejemplo, si usa cocaína durante el embarazo, se arriesga a un aborto, problemas con la placenta, y trabajo de parto y parto prematuros. La cocaína también causa restricción del crecimiento y defectos de nacimiento. Después del nacimiento, la cocaína puede pasar al bebé a través de la leche materna.

Los peligros relacionados con el uso de drogas pueden dañarla a usted y a su bebé. Las drogas de uso intravenoso pueden causar infecciones, incluyendo virus de la inmunodeficiencia humana (VIH), el virus del SIDA. El dinero gastado en drogas puede robar lo que se necesita para proporcionarle cuidados de salud, alojamiento y nutrición a usted y su familia.

Si le es difícil dejar de usar drogas, hable con el proveedor de cuidados de salud, éste podrá ayudarle a encontrar el apoyo que necesita.

Tomar bebidas con cafeína

Lo mejor es evitar la cafeína durante el embarazo siempre que le sea posible. Por lo menos, limitar la cantidad que consume. Los estudios se han mostrado divididos respecto al asunto; pero, en general, los resultados muestran que un consumo moderado —200 miligramos (mg) o menos al día, una cantidad cercana a la que contienen una o dos tazas de café— no tiene efectos negativos sobre las mujeres embarazadas y sus bebés.

No obstante, no se aplica lo mismo para las grandes cantidades de café —500 mg o más al día, o cinco o más tazas de café—. El consumo regular de esta cantidad de cafeína puede causar una reducción en el peso al nacer de su bebé y en la circunferencia de su cabeza. El bajo peso al nacer podría impedir al bebé mantener una temperatura corporal sana y niveles adecuados de azúcar en sangre, lo cual conduciría a otros problemas.

El café es la fuente más común de cafeína. El té, las bebidas carbonatadas, la cocoa y el chocolate también contienen cafeína. Para reducir la cantidad de cafeína que consume en un día, considere el consumo de bebidas descafeinadas o, en el caso de las bebidas preparadas en agua hirviendo, reduzca el tiempo que las deja en preparación. Por ejemplo, dejar reposar la bolsita de té sólo un minuto en el agua, en lugar de varios minutos, puede reducir a la mitad el contenido de cafeína.

Aunque los tés de hierbas pueden parecer una alternativa segura durante el embarazo, evítelos. Se sabe poco acerca de las hierbas y sus efectos en el embarazo. En algunos casos, suelen ser dañinos. La hierba consuelda, por ejemplo, es capaz de causar problemas serios en hígado. Para mayor información sobre productos herbales, vea la página 471.

Precauciones en casa

Hay mucho que hacer para prepararse para la llegada del bebé, además del trabajo acostumbrado que continúa a pesar de su embarazo; pero, ¿es seguro pintar las paredes, usar productos de limpieza doméstica, limpiar los excrementos de las mascotas, sentarse frente a una pantalla de computadora o tomar un baño caliente para aliviar los músculos tensos? Sí, siempre y cuando tome algunas precauciones simples en los siguientes aspectos.

- **Pintar.** En general, evite la exposición a las pinturas con base de aceite, plomo y mercurio —sustancias que pueden encontrarse en las pinturas viejas que se están desprendiendo de las superficies—. También evite otros compuestos que tengan solventes como removedores de pintura. Incluso si sólo va a pintar una habitación pequeña o una pieza de mobiliario para el bebé, tenga cuidado. Trabaje en un área bien ventilada para minimizar la posibilidad de inhalar los vapores, y use ropa y guantes protectores. No coma ni beba en el área donde está pintando. Además, sea en extremo cuidadosa cuando emplee una escalera. Los cambios en la forma del cuerpo pueden alterar el sentido del equilibrio.

- **Limpieza doméstica.** No se ha demostrado que el uso de limpiadores domésticos normales dañe el desarrollo del bebé. Aun así, es buena idea mantenerse alejada de los limpiadores para horno que emiten fuertes vapores en un espacio reducido. No mezcle sustancias como amoniaco y cloro porque la combinación puede producir vapores tóxicos. Cuando limpie, evite inhalar cualquier vapor cáustico fuerte. Utilice guantes protectores para evitar la absorción de cualquier sustancia a través de su piel. Quizá también considere optar por limpiadores como vinagre y bicarbonato, u otros productos que no contengan sustancias fuertes ni tóxicas.

- **Limpieza de la caja de arena.** Los gatos que cazan roedores pueden ser portadores de un parásito que causa una infección conocida como toxoplasmosis. Algunas mujeres que tienen gatos son inmunes a la enfermedad antes de embarazarse. Por lo general, su propio gato no implica un gran riesgo; pero, si usted no es inmune y llegara a pasarle una primera infección activa al bebé, se podrían producir defectos de nacimiento como ceguera, sordera y retraso mental. Cuando deseche la arena sucia, utilice guantes de hule o, mejor aún, pida a otra persona que lo haga. Cambie la arena con frecuencia para evitar la acumulación de polvo de heces de gato.

- **Tomar un baño caliente.** Un baño puede ayudarle a relajarse y aliviar los dolores musculares sin implicar riesgo alguno para la salud. Pero trate de evitar exposiciones prolongadas en tinas calientes con temperaturas mayores de 38°C. Las altas temperaturas también pueden causar que disminuya su presión sanguínea incrementando su riesgo de sufrir un desmayo. En resumen, si está en una tina tibia o caliente y se marea, ha permanecido demasiado tiempo en ella.

Sexo

Por lo general, es posible tener relaciones sexuales hasta muy avanzado el tercer trimestre, siempre y cuando no tenga problemas con su embarazo, pero es posible que no siempre desee tenerlas. Durante las primeras etapas del embarazo, el cambio hormonal, la nueva ganancia de peso y la reducción de los niveles de energía pueden afectar el deseo sexual. La falta de interés puede continuar durante el primer trimestre, cuando hay mayores probabilidades de que se presenten náuseas y agotamiento.

Durante el segundo trimestre, el incremento del flujo sanguíneo a sus órganos sexuales y sus pechos puede encender de nuevo su deseo. Incluso puede aumentar su interés normal en el sexo. No obstante, al iniciar su trimestre final, su interés puede reducirse de nuevo y su abdomen en crecimiento puede dificultar las relaciones en forma física. Además, el aumento de la fatiga y del dolor de espalda pueden afectar su estado de ánimo.

El temor de dañar a su bebé también hace que muchas parejas eviten las relaciones sexuales. Algunas personas pueden preocuparse de que el sexo cause un aborto, en especial durante el primer trimestre, pero esto no se debe a las relaciones. Los abortos que se dan durante este periodo por lo general son el resultado de defectos genéticos, no de algo que usted hizo o no hizo.

Los orgasmos pueden causar contracciones uterinas. La mayoría de los estudios indican que, si usted tiene un embarazo normal, los orgasmos —con o sin sexo— no llevan a un trabajo de parto prematuro ni se relacionan con la ruptura de la fuente o con el nacimiento prematuro. Las relaciones sexuales más de una vez por semana al final del embarazo pueden incrementar el riesgo de infección intrauterina. En ese caso, es probable que el proveedor de cuidados de la salud le recomiende la abstinencia durante las últimas semanas.

Si presenta determinados problemas durante el embarazo, es posible que el proveedor de cuidados de salud le pida que deje de tener relaciones sexuales. Éste puede ser el caso si presenta contracciones prematuras, sangrado vaginal o problemas con el cérvix o la placenta. Condiciones especiales como tener un embarazo doble o múltiple pueden hacer que se prohíban las relaciones al final del embarazo.

El embarazo no tiene que significar que se termine la cercanía física con su pareja. Si las relaciones son difíciles o no están permitidas, prueben a tocarse, acariciarse y darse masaje.

Medicamentos: tomar con cuidado

¿Debe evitar todos los medicamentos cuando está embarazada? No. Aunque algunos fármacos deben evitarse, es posible que le recomienden otros de acuerdo con sus necesidades.

Esto no significa que todos los medicamentos son seguros siempre y cuando los necesite. Incluso los productos que no requieren receta como la aspirina y el jarabe para la tos pueden causar efectos secundarios en usted y su bebé. Consulte con el proveedor de cuidados de salud antes de tomar cualquier medicamento —incluyendo los que se obtienen sin receta, los de prescripción y los remedios de hierbas.

Si padece un problema de salud que requiere medicamentos con regularidad —como asma, hipotiroidismo, hipertensión y depresión—, no los suspenda hasta que hable con el proveedor de cuidados de la salud. Éste podrá ayudarle a evaluar lo que puede tomar sin peligro antes, durante y después del embarazo. En muchos casos, continuar con su medicamento puede ser la mejor opción. En otros, es posible que le recomienden que suspenda un medicamento determinado, o que cambie por uno que elimine el riesgo o que implique un menor peligro para su bebé.

En algunos casos, los estudios pueden ayudar a determinar si un fármaco en particular es seguro para las mujeres embarazadas; aun así, no siempre es fácil ni posible determinar los efectos a corto y largo plazo de los medicamentos. La

FDA evalúa los fármacos en términos de su seguridad durante el embarazo. Pero la mayoría de los medicamentos no se han estudiado en mujeres embarazadas. Por tanto, no se sabe con seguridad si causan daño a los fetos en crecimiento o si afectan a los niños más adelante en su vida.

Se ha demostrado que algunos fármacos son dañinos en extremo para el feto en desarrollo, incluso en las primeras semanas del embarazo. Algunos de los medicamentos más peligrosos incluyen:

- El fármaco para acné isotretinoína
- El medicamento multiusos talidomida
- El medicamento para psoriasis acitretina

Si está tomando cualquiera de estos medicamentos, evite quedar embarazada hasta que suspenda su uso. El proveedor de cuidados de la salud le aconsejará sobre la mejor manera de dejar de tomar el fármaco y cuánto tiempo necesita esperar antes de que sea seguro concebir. No reinicie el medicamento sin hablar con el proveedor de cuidados de salud.

Para más información específica sobre los medicamentos, vea "Medicamentos" en la página 467, en la parte 3, "Guía de referencia del embarazo". Hable con el proveedor de cuidados de salud sobre cualquier pregunta específica que tenga acerca de los medicamentos.

Vacunas

Es posible que durante el embarazo se encuentre en mayor riesgo de presentar complicaciones debidas a enfermedades infecciosas, como influenza. De hecho, esta enfermedad puede resultar mortal. Es por ello que se recomienda vacunarse contra ella durante el embarazo. Se cree que la vacuna, que está hecha con virus inactivados, es segura en cualquier etapa de la gestación, pero algunos expertos recomiendan que las mujeres embarazadas esperen hasta su segundo trimestre, cuando haya pasado el mayor riesgo de aborto. Si todavía se encuentra en sus primeros meses de embarazo cuando se presenta la temporada de influenza, pregunte al proveedor de cuidados de salud si recomienda esperar o aplicarse la vacuna.

Otras vacunas, como la de varicela, sarampión alemán (rubéola) y sarampión, no se han aprobado para mujeres embarazadas. Muchas de estas enfermedades se presentan durante la infancia y ahora son relativamente raras debido a los programas de inmunización infantil, pero usted se encontraría en alto riesgo de complicaciones serias si las contrajera durante el embarazo. Si es susceptible a la varicela y planea concebir, es posible que el proveedor de cuidados de salud le recomiende vacunarse y posponer el embarazo por un mes o más.

Si ya está embarazada y se determina que no es inmune a las enfermedades infecciosas serias, necesitará evitar exponerse a ellas. Después del embarazo es posible que el proveedor de cuidados de la salud le recomiende vacunarse contra enfermedades como la rubéola, de manera que tenga inmunidad en futuros embarazos. Una vez que se vacune, sin embargo, no deberá volver a embarazarse por lo menos durante un mes.

Trabajo: planear con anticipación

Si planea trabajar durante el embarazo, no es la única que lo hace. Muchas mujeres permanecen en su trabajo hasta que están listas para dar a luz.

El embarazo implica algunas preguntas serias que debe responder antes de que pase mucho tiempo. Algunas de ellas incluyen:

- ¿Cuándo debo informar a mi jefe y compañeros de trabajo?
- ¿Cómo enfrento la fatiga o las náuseas matutinas en el trabajo?
- ¿Si continúo trabajando, dañaré a mi bebé o afectaré a mi embarazo?
- ¿Qué duración debe tener mi incapacidad por maternidad?

Quizá tenga muchas más dudas y preocupaciones acerca del trabajo durante el embarazo. Siéntase en libertad de preguntar al proveedor de cuidados de la salud. Además, busque ayuda si tiene problemas para cumplir con las exigencias diarias.

Dé la noticia en el trabajo

Cada persona tiene una idea diferente acerca del momento perfecto para informar a los demás de que está embarazada. Muchas mujeres esperan para informar a los demás, excepto a su pareja, a que pase el primer trimestre, cuando ha pasado el mayor riesgo de aborto. Otras no pueden esperar para compartir la noticia.

En el trabajo, no hay momento perfecto para informar a los demás. Lo mejor es no esperar demasiado, en especial si tiene problemas de salud u otras complicaciones que resolver con su supervisor. No importa cuándo dé la noticia, considere los siguientes consejos:

- **Informe a su jefe en persona.** Su jefe merece escuchar las noticias en forma directa, en lugar de enterarse por rumores en la sala de descanso. Incluso si le avisa a una o dos personas en las cuales confía, los secretos suelen ser difíciles de guardar. Si comienza a tener problemas para mantenerse despierta en las juntas o corre continuamente al baño, lo mejor es informarle a su jefe que está embarazada, en lugar de dejar que piense que está enferma o que perdió el interés en el trabajo.
- **Esté pendiente de posibles conflictos.** En la actualidad, es ilegal retrasar un ascenso, reducir la cantidad de un aumento o retirar una oferta de trabajo sólo porque una mujer está embarazada. No obstante, si habrá pronto una revisión de salario o es candidata para un nuevo puesto o un proyecto importante, es posible que desee esperar antes de dar la noticia. Después de todo, esta decisión debe basarse en su desempeño hasta el momento. Sin embargo, si desea evitar encargarse de una tarea especial que sería imposible terminar antes de que llegue su bebé, quizá desee hablar más pronto.
- **Mantenga abiertas las opciones.** Es posible que su jefe y sus compañeros de trabajo deseen saber el tiempo exacto que planea trabajar y cuándo piensa regresar. Comparta algunos planes generales al principio del embarazo, pero deje espacio suficiente para negociar en caso de que la idea de trabajar hasta que se rompa la fuente pierda su

atractivo en el último trimestre. Por ejemplo, podría decir: "Mi objetivo es trabajar durante todo el embarazo, pero es probable que no pueda tomar una decisión final hasta que llegue al tercer trimestre". Incluso si decide establecer sus planes en detalle, asegúrese de reconocer que algunas circunstancias o problemas imprevistos podrían causar cambios.

- **Conozca las opciones.** Una vez que dé la gran noticia en el trabajo, acuda a la oficina de recursos humanos de su compañía. Reúna información sobre los seguros de salud, los beneficios por incapacidad y las políticas de permisos familiares y por maternidad. Quizá también desee revisar las políticas de la compañía acerca de los horarios flexibles o la posibilidad de trabajar desde la casa, lo cual puede reducir sus horarios antes del nacimiento de su bebé, o trabajar desde su casa después de obtener su permiso por maternidad.
- **Ofrezca soluciones.** Antes de compartir las noticias sobre su embarazo, piense en cómo podría dividirse su trabajo. Considere quién podría capacitarse para tomar su puesto durante algunos meses si fuera necesario. Esto es de particular importancia si se encuentra en un puesto administrativo, o necesita cambiar sus responsabilidades laborales debido a que su puesto actual podría implicar riesgos de salud para su bebé. La conclusión: si ayuda a crear soluciones, hay menos probabilidades de que su jefe y sus compañeros de trabajo se concentren en los problemas que podría crear su embarazo.
- **Conozca la ley.** Aunque las políticas acerca de las horas de trabajo, los permisos por enfermedad y las prestaciones por cuidados de la salud varían de una compañía a otra, las leyes federales ofrecen protección para las mujeres embarazadas y para las que no pueden trabajar debido a la necesidad de cuidar un recién nacido. En EUA estas leyes se conocen como el Acta de Discriminación por Embarazo de 1978 y el Acta de Incapacidad Médica Familiar de 1993.

Tenga en cuenta, sin embargo, que algunas compañías pequeñas pueden estar exentas de estas leyes. Además, es posible que no tenga derecho a ciertas prestaciones si es una empleada relativamente nueva. Consulte el manual de su compañía y la oficina de recursos humanos si tiene dudas sobre sus derechos.

Sobreviva a los mareos y la somnolencia

El mito de la supermujer es sólo eso: un mito. Aunque para la mayoría de las mujeres es seguro trabajar durante el embarazo, a veces puede ser difícil mantener el mismo paso que se tenía antes de éste.

Una razón de ello es la náusea matutina. Hasta 70 por ciento de las mujeres embarazadas presenta náuseas y vómito al inicio del embarazo. Por lo general, se presenta al inicio y va cediendo durante el segundo trimestre, pero algunas mujeres se siguen sintiendo mal después del primer trimestre. Unas cuantas desafortunadas tienen problemas durante todo el embarazo. Para colmo, el problema —conocido en forma común como náuseas matutinas— puede ocurrir en cualquier momento del día.

Puede tomar medidas para ayudar a controlar un poco mejor las náuseas matutinas:

- **Evite los detonadores de la náusea.** Muchas mujeres han visto que ciertos alimentos y olores pueden agravar la náusea durante el embarazo. Si éste es su caso, aléjese de cualquier cosa que provoque el malestar. Por ejemplo, si los olores de los platillos calientes en la cafetería de la compañía le revuelven el estómago, comience a llevar su comida o a comer en su escritorio. Las colonias y perfumes fuertes que le repugnen pueden ser más difíciles de eliminar, pero si su compañera o compañero de trabajo en el cubículo adyacente usa un aroma particularmente fuerte, vea si puede pedir su ayuda. Por ejemplo, podría decirle: "Por lo general, me encanta la loción para después de afeitar que usas, pero, desde que estoy embarazada, todas las colonias parecen empeorar mis náuseas matutinas. Dado que te sientas tan cerca, ¿podrías pensar en dejar de usar tu loción por un tiempo?".
- **Coma tentempiés y comidas ligeras.** Las galletas saladas y otros alimentos simples pueden ser una salvación cuando comience a sentirse con náuseas. Una vez que encuentre los productos que funcionan mejor para usted, tenga una provisión de ellos en su cajón del escritorio o en su bolsa para las emergencias. Comer algunos bocados puede evitar que su estómago esté lleno o vacío por completo, dos situaciones que pueden empeorar las náuseas. Comer algunas galletas antes de levantarse de la cama puede evitar que se sienta enferma al iniciar el día.
- **Beba suficiente líquido.** Su cuerpo usa más agua al inicio del embarazo. Si no bebe suficientes líquidos, puede empeorar su náusea. Un buen objetivo es tomar de seis a ocho vasos de 250 mililitros al día. Las bebidas con cafeína no cuentan.
- **Descanse lo suficiente.** Entre más cansada esté, más náuseas tendrá. Por tanto, es importante dormir bien durante la noche. Apresurarse mucho en la mañana también puede provocar malestar. Intente acostarse más temprano y levantarse un poco antes para maximizar la cantidad de sueño que obtiene y minimizar el estrés que siente cuando se prepara para el día de labores.

Incluso con un poco más de sueño durante la noche, es posible que note que tiene menos energía durante el día. Esto se aplica en especial en el primer y tercer trimestres, cuando es posible que se sienta cansada la mayor parte del tiempo. La fatiga es la forma en que su cuerpo le indica que se calme, pero esto puede ser difícil durante la jornada laboral. Para lograr estar bien durante el día, pruebe lo siguiente:

- **Tome descansos breves con frecuencia.** Los periodos regulares de descanso pueden mejorar su productividad, en especial si la fatiga interfiere con su capacidad de concentrarse o tomar decisiones. Incluso pasar diez minutos con las luces apagadas, los ojos cerrados y los pies en alto puede ayudarle a recuperar energía. Levantarse y moverse un poco durante algunos minutos también suele ayudar a sentirse más fresca.
- **Reprograme sus tareas.** Si está agotada cuando llega la tarde, realice sus tareas más difíciles o las que requieran mayor concentración más

temprano. Si tarda más en recuperar energía en la mañana, trate de programar las tareas extenuantes para la tarde. Quizá desee ver si puede hacer arreglos para tener horarios de trabajo más flexibles que le permitan empezar a trabajar más tarde.

Considere reducir los compromisos y actividades fuera de la oficina para poder descansar más por la noche. Si tiene un trabajo físicamente agotador, es todavía más importante descansar en las tardes y fines de semana. Si permanece sentada todo el día frente al escritorio, sin embargo, caminar un poco, tomar una clase de ejercicio prenatal o salir por la noche sería la mejor manera de evitar sentirse agotada. Una regla práctica: conserve el equilibrio.

- **Acepte y utilice la ayuda.** Es posible que esté acostumbrada a hacer la limpieza de su casa, cortar el pasto del jardín y hacer encargos después del trabajo; pero, para conseguir un poco más de descanso y relajamiento, es posible que deba contratar los servicios de su vecino adolescente para que le ayude con la limpieza o la jardinería. Quizá incluso desee aprovechar los sitios de venta por internet y los servicios a domicilio para ganar tiempo.

  Durante las horas de trabajo, no se muestre demasiado orgullosa, y acepte la ayuda y el apoyo de sus compañeros. Si los colegas se ofrecen a contestar su teléfono mientras usted cierra la puerta de su oficina para tomar una siesta de diez minutos, o reprograman sus juntas al final de la tarde de manera que pueda asistir a sus clases de parto, déjelos. Al permitirles mostrar su apoyo, reforzará la unión con sus colaboradores.

Manténgase cómoda

Cargar todo el tiempo con un bebé en crecimiento puede hacer que las actividades cotidianas como sentarse, pararse, agacharse y levantar algo sean incómodas. También puede provocar presión constante sobre la vejiga y la espalda, y retención de líquidos en las piernas y pies.

Vaciar la vejiga con frecuencia ayudará a aliviar la presión. Moverse un poco cada par de horas alivia la presión muscular y ayuda a prevenir la acumulación de líquidos; pero quizá necesite intentar otras estrategias para sentirse cómoda a lo largo de la jornada laboral y evitar riesgos potenciales de salud. A continuación se indica cómo manejar las actividades comunes en el trabajo:

- **Estar sentada.** Si tiene un trabajo de oficina, la silla en que se sienta es importante, y no sólo durante el embarazo. Mientras el peso de su cuerpo aumenta y cambia su centro de gravedad, es útil contar con una silla cuya altura e inclinación pueda ajustar. Los brazos ajustables, un asiento firme y cojines en el respaldo, además de un buen respaldo, pueden facilitar en gran medida que se mantenga sentada por muchas horas y le pueden permitir que se ponga de pie sin mucha dificultad.

  Si no cuenta con una silla con estas opciones, tome medidas para mejorar la que tiene; por ejemplo, si necesita más acojinado o apoyo para su espalda, utilice un pequeño cojín o invierta en uno diseñado para dar soporte a la parte inferior de la espalda. Este tipo de cojín también puede servir como apoyo en el asiento del auto, lo cual podría facilitar la conducción si tiene que hacer un largo recorrido.

Mientras está sentada, lo mejor es elevar sus pies sobre un banquito o una caja para reducir un poco la tensión sobre su espalda. Esto también puede reducir sus probabilidades de desarrollar venas varicosas o coágulos en las venas de sus piernas. Utilizar un escabel también puede ayudar a reducir la inflamación en pies y piernas. Los escabeles con la base redonda incluso pueden mecerse con suavidad con sus pies. Este movimiento es bueno para su circulación y puede ser calmante si se siente inquieta. Evite cruzar sus piernas.

- **Estar de pie.** Es posible que estar de pie por periodos prolongados no parezca una propuesta arriesgada, pero durante el embarazo incrementa la dilatación de los vasos sanguíneos. Permanecer largo tiempo de pie puede hacer que la sangre se acumule en las piernas, lo cual conduce a dolor, mareos e incluso desmayos.

  Estar de pie también puede colocar presión en su espalda. Si estar de pie es parte de su trabajo, ponga un pie sobre una caja o un banco bajo para reducir la presión sobre su espalda y la acumulación de sangre. Cambie el pie que apoya con cierta frecuencia. También suele ser útil emplear medias de descanso y tomar descansos frecuentes durante el día. La mayoría de los proveedores de cuidados de salud recomiendan usar zapatos con tacones bajos y anchos en lugar de tacones altos o zapatos planos.

  Si su trabajo requiere que esté de pie durante cuatro o más horas al día, pregunte al proveedor de cuidados de salud si tiene recomendaciones o preocupaciones específicas que requieran que deje de trabajar durante su embarazo o que modifique sus tareas laborales.

- **Agacharse y levantar peso.** Para prevenir o aliviar el dolor de espalda, haga los movimientos adecuados al agacharse o levantar pesos. Para levantar algo del suelo, párese con los pies separados por una distancia equivalente al ancho de su espalda y agáchese doblando las rodillas, no la cintura. Mantenga su espalda lo más derecha posible cuando sujete la carga. Luego mantenga a esta última cercana a su cuerpo mientras usa los músculos de sus piernas para levantarse y subir el objeto. No tuerza el cuerpo al ponerse de pie.

Controle el estrés

En algunas ocasiones, el estrés en el trabajo puede ser excitante. Puede inspirarla para esforzarse y lograr más de lo que nunca creyó posible. No obstante, también puede agotarla y robarle el tiempo y la energía que necesita para cuidarse a sí misma y a su bebé en crecimiento. Comer bien y ejercitarse, por ejemplo, puede ser inútil cuando se pasa mucho tiempo resolviendo asuntos estresantes del trabajo.

Aunque quizá sea imposible eliminar el estrés relacionado con el trabajo, puede intentar minimizarlo. Hable sobre los problemas con un compañero o amigo comprensivo o con su pareja. Es probable que el proveedor de cuidados de salud sea otra fuente de apoyo, o que éste le pueda referir con otro profesional o con un grupo de apoyo que le ayuden a enfrentar el estrés antes de que afecte su bienestar.

El sentido del humor y la compañía de gente positiva y optimista también es útil, lo mismo que ser consciente de una perspectiva amplia. Cuando sienta que comienza a enojarse o alterarse como resultado del estrés, deténgase y pregúntese si puede hacer algo por cambiar la situación. Si no es posible, quizá sólo deba tratar de que no le afecte.

Los ejercicios de relajamiento también le ayudarán a liberar la presión que puede acumularse durante el curso del día. La mayoría de estos ejercicios pueden realizarse en cualquier parte y en todo momento. Éstos incluyen:

- **Respiración.** Inhale despacio a través de la nariz y luego sostenga la respiración mientras cuenta hasta cinco. Exhale despacio y profundo cuando termine de contar. Repita este ejercicio tres o cuatro veces.
- **Dar nuevo foco a sus pensamientos.** Piense en una experiencia positiva o en un lugar que disfrute. Si necesita ayuda o inspiración, contemple una imagen o un objeto que tenga un significado agradable para usted. Escuchar música también puede ayudarle a relajarse y a alejar su mente por unos momentos de lo que la preocupa. Si esto no es posible mientras trabaja, pruebe este ejercicio durante su descanso, mientras se dirige a casa o cuando llegue a ella.
- **Escribir un diario.** Escriba durante diez minutos en un cuaderno siempre que se sienta frustrada o necesite liberarse del estrés del día. Olvídese de la gramática y la ortografía. Escriba sólo los pensamientos y sentimientos que desea expresar. Una vez que termine, lea lo que escribió. Quizá se sorprenda de encontrar conceptos o soluciones a sus problemas. Por lo menos, dejará salir algo de presión.

Tome precauciones adecuadas en el trabajo

Es posible que, si su trabajo no incluye labores físicas pesadas, piense que puede seguir trabajando sin preocupaciones durante el embarazo. Quizá sea verdad, pero varios estudios indican que ciertas actividades y condiciones de trabajo pueden incrementar su riesgo de parto prematuro y de dar a luz un bebé de bajo peso. Estas actividades y condiciones incluyen:

- Levantar objetos pesados en forma repetitiva
- Estar de pie largo tiempo
- Vibraciones pesadas, como las que producen las grandes máquinas
- Viajes largos y estresantes hacia el trabajo y de regreso a la casa

Otras condiciones de trabajo también pueden ser causa de preocupación. Los cambios constantes de horario, por ejemplo, pueden complicar que obtenga el descanso apropiado. Un medio de trabajo caluroso puede reducir su vigor y capacidad para realizar actividades físicas pesadas. Las actividades que requieren agilidad y buen equilibrio pueden volverse más difíciles al final del embarazo.

Si cualquiera de estos aspectos se aplica en su caso, es posible que deba revisarlos con el proveedor de cuidados de salud y, probablemente, con su empleador. El proveedor de cuidados de salud le podrá indicar si necesita tomar cualquier precaución especial o modificar sus responsabilidades. Él o ella también podrán hacer las recomendaciones específicas a lo largo de las etapas del embarazo y, si se necesita, proporcionar documentos para su empleador explicando cualquier restricción de trabajo que pudiera necesitar.

Los siguientes son otros asuntos sobre el sitio de trabajo sobre los cuales puede tener dudas o preocupaciones.

Exposición a sustancias dañinas

Las buenas noticias: mientras usted y la compañía para la cual trabaja sigan las prácticas estándar de la Administración de Seguridad y Salud Ocupacionales (OSHA, por sus siglas en inglés) en lo tocante a sustancias dañinas, es poco probable que su feto sufra daño.

Para su seguridad, tenga presente cualquier sustancia a la que esté expuesta en el trabajo —en especial si se encuentra en la rama de cuidado de salud o de manufactura—. En Estados Unidos, la ley federal exige a las industrias que tengan en su archivo hojas de información sobre la seguridad de los materiales reportando las sustancias peligrosas en el sitio de trabajo, y que esta información esté disponible para los empleados.

Las sustancias que se sabe son dañinas para un feto en desarrollo incluyen plomo, mercurio, radiaciones ionizantes (rayos X) y los fármacos empleados para tratar el cáncer. Se sospecha que las sustancias químicas como los gases anestésicos y los solventes orgánicos como el benceno son dañinos, aunque los resultados de los estudios no son concluyentes.

Informe al proveedor de cuidados de la salud sobre cualquier parte de su trabajo que la exponga a sustancias químicas, fármacos o radiación. También comente sobre cualquier equipo que emplee para minimizar su exposición. Esto puede incluir batas, guantes, máscaras y sistemas de ventilación.

El proveedor de cuidados de salud puede emplear esta información para determinar si existen riesgos y, si es así, lo que puede hacerse para eliminarlos o reducirlos. Para ayudar a evaluar el riesgo, es posible que le pida que lleve un diario de las actividades de su sitio de trabajo durante una o dos semanas.

Por fortuna, parece que los agentes ambientales causan pocos defectos de nacimiento. Del pequeño porcentaje de estos defectos que se han determinado como debidos a una causa ambiental, la mayor parte implica el uso de alcohol, tabaco o drogas durante el embarazo —no a sustancias en el sitio de trabajo—. No obstante, evite exponerse a sustancias dañinas conocidas o sospechosas.

Un alto riesgo de infección

Si es una profesional del cuidado de la salud, trabaja en una guardería, es maestra de escuela, es veterinaria o maneja carne, es posible que esté expuesta a infecciones en el curso de su trabajo. Cuando se está embarazada, hay varias infecciones de gran importancia. Éstas incluyen sarampión alemán (rubéola), varicela, eritema infeccioso (parvovirus), citomegalovirus (CMV), toxoplasmosis, herpes simple, hepatitis B y SIDA.

Quizá ya sea inmune a algunas de estas enfermedades, ya sea porque las ha tenido o porque la vacunaron contra ellas. Si no tiene inmunidad, evite las situaciones en las cuales se vea expuesta a estas enfermedades, y practique las medidas de control de infecciones siempre que sea posible.

Si trabaja en un medio para el cuidado de la salud, utilice guantes, lávese las manos con regularidad y evite comer en el trabajo. Si trabaja en una guardería, lávese las manos después de cambiar pañales, despues de ayudar a los niños a ir al baño y antes de comer. No bese ni comparta la comida con los niños a quienes supervisa.

Si le preocupa estar en alto riesgo de adquirir una infección en el trabajo, hable con el proveedor de cuidados de salud. Después de revisar su salud, su estado de inmunización y sus deberes laborales, es posible que éste le aconseje tomar precauciones especiales para evitar la exposición.

Computadoras en el sitio de trabajo

A medida que las computadoras se han vuelto más comunes en el sitio de trabajo, han surgido dudas acerca de los riesgos relacionados con sentarse durante horas frente a una pantalla —también conocida como terminal de presentación en video (VDT, por sus siglas en inglés)—. De hecho, las pantallas de computadora emiten una pequeña cantidad de radiación no ionizante, pero hasta ahora los estudios indican que este nivel bajo de radiación no es peligroso para un feto en desarrollo.

Si todavía le preocupa o sólo desea ser precavida, tome algunas medidas simples: siéntese una distancia entre 55 y 70 cm —el largo aproximado de su brazo— de su terminal y entre 90 y 120 cm de las de sus colaboradores. A estas distancias, la cantidad de radiación no ionizante que la alcanza se reduce de manera significativa.

Las VDT también producen otra forma de energía —llamada campos electromagnéticos (CEM)—. Ésta también proviene de fuentes tales como los cables de electricidad y los aparatos eléctricos. Algunos estudios han sugerido que exponerse a niveles altos de CEM puede implicar riesgos para la salud. No obstante, las investigaciones han demostrado que el uso de VDT no expone a los trabajadores a CEM mayores que los que se derivan de otras fuentes. Mejor aún, los estudios recientes no han mostrado que las VDT impliquen riesgos de salud para las mujeres embarazadas —incluso si trabajan frente a la computadora durante todo el día—.

Algunas personas que trabajan con la computadora se quejan de padecer tensión en todas partes, desde el cuello y la espalda hasta sus muñecas y manos. No obstante, muchos de estos problemas pueden evitarse o aliviarse si se toman descansos regulares programados del trabajo. Además, utilice la posición adecuada de las manos y ajuste su equipo de oficina según su estatura y la comodidad que desea.

Prepárese para la incapacidad por maternidad y paternidad

Haga planes con anticipación para determinar cuánto tiempo puede permanecer lejos del trabajo. En la mayoría de los casos, el tiempo que esté ausente será sin goce de sueldo a menos que pueda usar una incapacidad por enfermedad, días de vacaciones o días económicos para formar parte de su incapacidad por maternidad.

Antes de tener a su bebé, asegúrese de verificar las prestaciones que continuarán aplicándose durante su ausencia y cuáles, si hay alguna, cesarán. Si el padre de su bebé planea tomar un permiso por paternidad, deberá preguntar lo mismo en su sitio de trabajo.

El cuidado de los bebés es otro aspecto que requiere planeación. Algunos proveedores de cuidados para niños tienen largas listas de espera o quizá no acepten lactantes. No espere hasta que su permiso por maternidad esté a punto de terminar para investigar sus opciones. Para evitar este problema, hable con los familiares, amigos y compañeros de trabajo que hayan enfrentado el mismo asunto. A través de sus experiencias, puede comenzar a pensar acerca de sus opciones de cuidado para su bebé y sobre los pasos que debe seguir.

Momento del embarazo: ¿importa la edad?

Cerca de cuatro millones de mujeres estadounidenses dan a luz cada año. Aunque algunas son adolescentes, la mayoría tienen entre 20 y 30 años. Con los avances actuales en las tecnologías de reproducción asistida, algunas madres primerizas tienen entre 45 y 50 años o son aun mayores. En el año 2000, por ejemplo, 255 mujeres estadounidenses mayores de 50 años dieron a luz.

En las últimas tres décadas, aumentó la edad promedio de las madres primerizas en Estados Unidos. En 1970, el promedio de edad para tener el primer bebé era de 21.4 años. En 2002, la edad promedio de las madres primerizas era un poco más de 25 años, 25.1. Aunque las cifras varían en gran medida de un estado a otro y para los diferentes grupos étnicos, esta tendencia hacia una mayor edad se está extendiendo, en todos los grupos étnicos y en los 50 estados.

¿Por qué ha aumentado la edad promedio de las mamás primerizas? Es probable que las razones sean dos. En las últimas tres décadas, el porcentaje de bebés nacidos de madres adolescentes se ha reducido. En 1970, estos bebés constituían 17.6 por ciento del total. Para el 2000, este porcentaje había caído a 11.8. Una posible razón para esto es el uso de anticonceptivos. Entre 1970 y 1990, el número de parejas que emplearon anticonceptivos, en especial condones, durante su primera experiencia sexual se elevó de manera importante.

La otra razón tiene que ver con las mujeres en el otro extremo del espectro de edad —las de 35 años o más—. En las últimas tres décadas, el porcentaje de niños nacidos de estas mujeres se ha incrementado de 6.3 por ciento en 1970 a 13.4 por ciento en el 2000. Las oportunidades educacionales y profesionales con frecuencia se citan para explicar que las mujeres estadounidenses esperen más tiempo para ser madres. De hecho, de 1970 a 2000, el porcentaje de mujeres que cursaron cuatro años o más en la universidad casi se triplicó. Durante el mismo periodo, la participación de las mujeres en la fuerza de trabajo estadounidense se incrementó en casi 40 por ciento.

La etapa entre los 20 y 34 años de edad sigue siendo la más "popular" para el embarazo, y es responsable de cerca de tres cuartos de todos los nacimientos. Esto no ha cambiado mucho en 30 años, aunque el porcentaje de mujeres que tiene el primer bebé poco después de los 20 años ha disminuido, y el porcentaje de mujeres que da a luz por primera vez poco después de los 30 años ha aumentado. Cuando se evalúa el total de nacimientos anuales en Estados Unidos, las mujeres de 20 años siguen siendo las responsables de más de la mitad de éstos.

Fertilidad y edad

Si tiene entre 30 y 50 años, es posible que se pregunte si tendrá dificultades para embarazarse. La fertilidad disminuye con la edad. Una mujer se encuentra en su pico de fertilidad entre los 20 y 24 años. Si ya tiene entre 30 y 35 años, es probable que sea entre 15 y 20 por ciento menos fértil que cuando tenía entre 20 y 25. Si tiene entre 35 y 40 años, quizá sea 25 a 50 por ciento menos fértil que cuando se encontraba en el pico. Si tiene entre 40 y 45 años, su reducción en la fertilidad puede ser de hasta 95 por ciento.

Ésta es otra forma de verlo: en Estados Unidos, cerca de diez por ciento de las mujeres entre 20 y 30 años reportan cierta dificultad para quedar embarazadas. Este porcentaje aumenta a 25 por ciento en las mujeres de entre 30 y 40 años, y a más de 50 por ciento entre las mujeres mayores de 40 años.

Los estudios sugieren que su fertilidad se reduce poco a poco entre los 25 y los 35 años. Luego decae en forma más drástica después de los 35 años. Las estadísticas indican lo siguiente: cerca de un tercio de las parejas en las cuales la mujer es mayor de 35 años tiene dificultades para concebir un hijo. No obstante, algunos estudios sugieren que, aunque esta caída en la fertilidad reduce sus probabilidades de quedar embarazada en un mes dado, esto no reduce sus probabilidades generales de concebir. En otras palabras, si tiene entre 35 y 40 años, es posible que tarde un poco más en embarazarse que en una etapa anterior de su vida.

¿Por qué se reduce la fertilidad con el tiempo? Los investigadores piensan que esto tiene que ver ante todo con la cantidad y calidad de sus óvulos. La receptividad de su útero y los cambios hormonales relacionados con la edad también pueden jugar un papel.

Calidad del óvulo

Cuando una mujer nace, sus ovarios contienen todos los óvulos que tendrá en su vida —cerca de dos millones— aunque se encuentran sin desarrollar. A medida que madura, la mayoría de los óvulos sin desarrollar desaparecen, dejando sólo cerca de 40,000 alrededor de la pubertad. Durante su vida fértil —cerca de 30 años para la mayoría de las mujeres— sólo cerca de 400 de estos óvulos se desarrollan por completo, típicamente uno por mes. Cuando se han utilizado todos los óvulos y sus ovarios ya no producen suficiente estrógeno para estimular de manera adecuada la cubierta de su útero y vagina, la mujer llega a la menopausia.

¿SE REDUCE LA FERTILIDAD DEL HOMBRE CON EL TIEMPO?

Uno escucha historias sobre hombres que se convierten en padres a los 60 o 70 años de edad —a veces incluso a los 80 años—. Esto puede ser verdad en casos aislados, pero los científicos han visto que con la edad los hombres también presentan una reducción en la fertilidad. Esto ocurre más tarde que en las mujeres y casi siempre se inicia entre los 35 y 40 años. Un estudio determinó una disminución de 40 por ciento en la probabilidad de que un hombre pudiera embarazar a su pareja desde los 35 a los 40 años.

¿Qué causa la reducción de la fertilidad en los hombres? Para que un espermatozoide de su pareja fertilice al óvulo, debe madurar de manera apropiada, sobrevivir al acto sexual y al paso a través del aparato reproductor, y permanecer viable hasta que el óvulo esté listo. Después, debe penetrar la firme cápsula (zona pelúcida) del óvulo, fertilizarlo y proporcionarle material genético normal para el desarrollo temprano del bebé. Todo esto implica grandes dificultades. Bajo las mejores circunstancias, el espermatozoide es capaz de fertilizar un óvulo sólo durante dos o tres días después de la eyaculación.

A medida que un hombre envejece, los espermatozoides tienen mayores dificultades para realizar todas estas tareas. Incluso desde los 30 años, sus espermatozoides tienen mayores probabilidades de tener problemas cromosómicos, lo cual puede afectar de manera adversa el funcionamiento del espermatozoide y el desarrollo temprano del embrión. Además, es posible que los espermatozoides no naden tan bien como solían hacerlo, aunque, a menos que también tenga una baja cuenta de espermatozoides, no es probable que esto afecte su fertilidad. Los médicos y científicos están investigando si los cambios en testículos y próstata afectan de manera adversa la producción de espermatozoides y las propiedades bioquímicas del semen. Aunque la edad de un hombre parece no tener mucho efecto sobre la bioquímica de su semen, los científicos están identificando nuevas sustancias que pueden afectar la función del esperma con el tiempo. El tabaco y algunos medicamentos quizá reducen la fertilidad masculina.

Los estudios sugieren que, a medida que la mujer alcanza los 35 años y los óvulos envejecen, su calidad es menor. No tienen un aspecto diferente al de los óvulos más jóvenes, y su edad avanzada no parece hacer que tengan menos éxito cuando los fertilice el espermatozoide de su pareja. No obstante, algunas investigaciones indican que cuando se da la fertilización, un óvulo viejo tiene menos probabilidades que uno nuevo para desarrollarse en un blastocisto —la esfera de células que se implanta en el útero, ocasionando el embarazo.

Una posible razón para ello es que los óvulos viejos tienen mayores probabilidades de presentar problemas cromosómicos que los jóvenes, tanto anormalidades como cambios degenerativos leves. Cuando la concepción ocurre, estos problemas pueden impedir que el óvulo fertilizado se implante y se desarrolle de manera normal dentro de su útero o incluso resultar en un aborto temprano. El grupo de anormalidades cromosómicas llamadas aneuploidia es la causa más común de aborto al principio del embarazo. De hecho, la aneuploidia causa aborto incluso antes de que una mujer sepa que está embarazada.

Cantidad de óvulos

Los científicos piensan que algunas mujeres pueden usar sus óvulos con mayor rapidez que otras, reduciendo así las probabilidades de concebir. Cuando la cantidad de óvulos disponibles disminuye por debajo de un cierto nivel mínimo, la fertilidad puede verse comprometida. Es típico que las mujeres comiencen a perder más óvulos por ciclo menstrual alrededor de las edades de 35 a 40 años, cuando la fertilidad también comienza a decaer con mayor rapidez. Los médicos y científicos esperan desarrollar algún día terapias para retardar la aceleración de la pérdida de óvulos, prolongando así la vida reproductiva de las mujeres.

Receptividad uterina

Algunos estudios han determinado que las mujeres entre 35 y 40 años tienden a presentar una disminución en la receptividad uterina, lo cual puede impedir que un embrión se implante de manera apropiada. No obstante, otros estudios han indicado justo lo contrario, sin mostrar evidencia de reducción de receptividad con el aumento de la edad.

Cambios en niveles hormonales

Al llegar a los 35 años, el cuerpo produce más hormona foliculoestimulante (FSH, por sus siglas en inglés) y estradiol, y menos de una hormona llamada inhibina B. Los científicos piensan que estos cambios comprometen de manera indirecta la formación de folículos —las bolsas diminutas que contienen un solo óvulo inmaduro— en sus ovarios y el crecimiento y engrosamiento de su recubrimiento uterino en preparación para el embarazo, lo mismo que el desarrollo del embrión en crecimiento. Son necesarios más estudios.

Se ha demostrado que las pruebas para detectar estos cambios hormonales dan predicciones válidas de su capacidad de embarazarse mediante el uso de tecnologías de reproducción asistida, como la fertilización *in vitro* (FIV), pero nunca se han estudiado fuera de este contexto; así es que es probable que no sean útiles para medir si uno es capaz de embarazarse "a la antigua".

Complicaciones del embarazo y edad

Si tiene entre 30 y 50 años y planea quedar embarazada, es posible que esté preocupada acerca del riesgo de aborto o de sufrir problemas de salud. Quizá también le preocupe que su bebé se encuentre en alto riesgo de presentar anormalidades cromosómicas o defectos de nacimiento.

El riesgo de ciertas complicaciones aumenta con la edad. La práctica obstétrica estadounidense ha evolucionado hasta considerar los 35 años como el umbral de la preocupación. De hecho, el cambio en el riesgo es paulatino respecto al tiempo; no hay efecto de "interruptor de la luz" a los 35 años.

Además, la madre mayor de la actualidad se encuentra bajo un riesgo bastante menor que el de la madre mayor de hace 20 años. En el pasado, era típico que las mujeres que daban a luz después de los 35 años estaban teniendo el último de varios hijos, lo cual por sí mismo implicaba el riesgo de sufrir complicaciones. Asimismo, era frecuente que estas mujeres recibieran un cuidado prenatal inadecuado. Hoy en día, más mujeres que dan a luz después de los 35 años están teniendo su primer o segundo hijo, y tienen mayores probabilidades de recibir buen cuidado prenatal.

Si inicia su embarazo en buena salud, recibe cuidado prenatal regular y adopta un estilo de vida saludable, es muy probable que las cosas progresen con normalidad, con pocas o ninguna complicación. De hecho, un acervo creciente de estudios sugiere que, aunque hay riesgos al tener un bebé después de los 35 años, dichos riesgos se pueden manejar y hay grandes probabilidades de tener resultados positivos. No obstante, es una buena idea enterarse sobre los riesgos potenciales del embarazo a las distintas edades. De esta manera, estará preparada, sin importar lo que suceda.

Riesgos para usted
Las mujeres embarazadas mayores de 35 años enfrentan un incremento en los siguientes riesgos:

- **Pérdida del embarazo.** El riesgo de aborto aumenta después de los 35 años, y crece todavía más después de los 40 años. Para las mujeres de 40 años, el peligro de aborto es de alrededor de 25 por ciento, o uno de cada cuatro embarazos. Este aumento en el riesgo de pérdida del embarazo se debe sobre todo a anormalidades cromosómicas en el bebé.
- **Embarazos múltiples.** Las mujeres mayores de 35 años tienen mayores probabilidades de embarazarse mediante tecnologías de reproducción asistida, como la fertilización *in vitro* (FIV), que las mujeres más jóvenes. Debido a que es típico que estos procedimientos impliquen la implantación de dos o tres óvulos fertilizados en el útero, hay mayores probabilidades de que se obtengan embarazos gemelares o múltiples.

    Incluso sin la FIV, el riesgo de tener gemelos se eleva al aumentar la edad de la madre. Los cambios hormonales pueden hacer que haya mayores probabilidades de que una mujer libere más de un óvulo al mismo tiempo, incrementando sus probabilidades de concebir gemelos no idénticos (fraternales).
- **Hipertensión.** A medida que envejece, tiene mayores probabilidades de desarrollar alta presión sanguínea por primera vez durante el embarazo. También hay mayores probabilidades de desarrollar preeclampsia —un padecimiento marcado por hipertensión, hinchazón de cara y manos, y proteína en la orina después de la vigésima semana de embarazo.
- **Diabetes gestacional.** A medida que pasa el tiempo, tiene mayores probabilidades de desarrollar diabetes durante el embarazo, cuando nunca la ha tenido. Esto se llama diabetes gestacional. Si se deja sin tratar, su bebé puede crecer en exceso durante su embarazo, haciendo que incremente la probabilidad de un nacimiento por cesárea. Esto también aumenta la probabilidad del recién nacido de que nazca con la piel amarilla, debido a la acumulación de una sustancia llamada bilirrubina (ictericia) y dificultad para controlar su azúcar sanguíneo (hipoglucemia).
- **Placenta previa.** Si tiene más de 35 años, tiene un riesgo mayor de desarrollar placenta previa durante el embarazo. La placenta previa es un problema en el cual la placenta se encuentra en mala posición, cubriendo el cérvix en forma parcial o total. Esto puede provocar sangrado en el último trimestre del embarazo, lo cual podría significar

que debe ser hospitalizada. Es típico que esto requiera un nacimiento por cesárea.

- **Posición fetal anormal.** La investigación muestra que las mujeres mayores de 35 años tienen mayores probabilidades de dar a luz un bebé orientado con los glúteos o los pies primero al nacer, u otra posición que dificulte el nacimiento vaginal. Esto aumenta la probabilidad del nacimiento por cesárea.
- **Parto prematuro.** Las mujeres mayores de 35 años tienen mayores probabilidades de presentar contracciones que comienzan a abrir el cérvix antes del final de la 37.ª semana. Para reducir el riesgo de parto prematuro, no fume mientras está embarazada.
- **Nacimiento por cesárea.** Dado que las mujeres embarazadas mayores de 35 años tienden a presentar más complicaciones en general, más de ellas tienen partos por cesárea. Es posible que otros factores intervengan. Los científicos sugieren que debido a que las mujeres mayores de 35 años tienen mayores probabilidades que las mujeres jóvenes de lograr un embarazo mediante tecnologías de reproducción asistida, también tienen mayores probabilidades de tener gemelos o triates, incrementando la necesidad de una cesárea. Además, los proveedores de cuidados de salud tienden a vigilar estos embarazos muy de cerca —y quizá están más dispuestos a recurrir a la cesárea ante el menor signo de problemas—. Por ejemplo, cuando el bebé se vigila de manera electrónica durante el parto, hay mayor probabilidad de signos preocupantes como la reducción del ritmo cardiaco. Esto puede llevar al nacimiento por cesárea.

Las mujeres mayores de 35 años también tienen más probabilidades que las más jóvenes de que su parto se inicie por métodos médicos (inducción), con frecuencia por propia elección. Esto también incrementa la probabilidad de la cesárea. Algunos estudios muestran que las mujeres mayores tienen mayor capacidad de ganar peso excesivo durante el embarazo, lo cual incrementa el riesgo de tener dificultades en el parto y, como resultado, de ser sometidas a cesárea.

Riesgos para el bebé

Los bebés nacidos de mujeres mayores de 35 años tienen incremento en los siguientes riesgos:

- **Óbito.** Por razones que aún no están bien entendidas, las mujeres mayores de 35 años tienen un mayor riesgo de dar a luz un bebé muerto.
- **Nacimiento antes de 32 semanas.** La investigación sugiere que los bebés nacidos de mujeres mayores de 35 años tienen mayores probabilidades que otros de llegar antes de las 32 semanas de gestación, cuando hay mayor riesgo de complicaciones y muerte.
- **Bajo peso al nacer.** Los médicos definen a un bebé de bajo peso al nacer como el que nace a término con un peso menor de 2.5 kg. Estos bebés tienden a crecer con mayor lentitud al principio, aunque la mayoría tienden a alcanzar a los bebés de peso normal a la edad de uno y medio a dos años. Al nacer, los bebés con bajo peso tienen mayores

probabilidades de tener hipoglucemia y problemas para mantener la temperatura corporal (hipotermia). Para reducir el riesgo de tener un bebé de bajo peso, no fume durante el embarazo.

- **Macrosomía.** Este padecimiento, en el cual el bebé pesa 4.5 kg o más al nacer, es más común en las mujeres después de los 30 años. Si su bebé es demasiado grande, el parto puede ser más difícil para ambos. Es más probable que presente un nacimiento por cesárea, y es posible que el bebé sufra alguna lesión al nacer, como fractura de la clavícula. Los recién nacidos pueden presentar problemas por hipoglucemia o ictericia.
- **Anormalidades cromosómicas.** Los bebés nacidos de mujeres mayores de 35 años presentan mayor riesgo de nacer con un problema cromosómico, en particular trisomía 21, 18 o 13. La trisomía es el tipo más común de anormalidad cromosómica. Esto significa que el bebé tiene tres copias del cromosoma en lugar de dos. El síndrome de Down, una de las anormalidades cromosómicas más comunes, también se conoce como trisomía 21, lo que significa que el bebé tiene tres copias del cromosoma 21. Las trisomías 13 y 18 por lo general son mucho más graves que el síndrome de Down, pero también son menos frecuentes.

  Si tiene menos de 30 años, el riesgo de tener un niño vivo con síndrome de Down es menor de uno en 1,000. A los 30 años, su riesgo es de uno en 1,000; a los 35 años, es de alrededor de uno en 400 (un cuarto de uno por ciento), y a los 40 años, es de alrededor de uno en 100 (uno por ciento).

  Si tiene entre 30 y 50 años, es posible que opte por hacerse una prueba prenatal, como amniocentesis, para determinar la presencia de anormalidades cromosómicas como el síndrome de Down. No obstante, estas pruebas implican riesgos. Si le preocupa la posibilidad de que su bebé tenga anormalidades cromosómicas, hable con el proveedor de cuidados para la salud acerca del mejor plan de acción para usted.
- **Defectos de nacimiento (anormalidades no cromosómicas).** Algunos estudios sugieren que el riesgo de dar a luz un bebé con una anormalidad no cromosómica, como defecto cardiaco congénito, pie zambo o hernia diafragmática, incrementa a medida que envejece una mujer. No obstante, otros estudios han reportado resultados opuestos. Se requiere mayor investigación.

Este mes, también puede interesarle:
- **"Guía de decisión: para comprender las pruebas de portador genético para los futuros padres", página 269**
- **"Guía de decisión: para comprender las pruebas prenatales", página 289**
- **"Complicaciones: problemas de salud materna y embarazo", página 507**

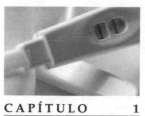

primer mes: primera a cuarta semanas

*M*i esposo y yo estuvimos tratando de concebir durante casi un año. Me sentí feliz cuando mi ciclo menstrual se retrasó. Mi esposo, siempre cauteloso, tomó una actitud de esperar y ver.

Una vez que pasaron algunos días sin que comenzara mi ciclo menstrual, compré una prueba doméstica de embarazo. Mi esposo esperó en la sala mientras me hacía la prueba que nos indicaría si íbamos a ser padres. La prueba dio una tenue línea azul positiva. Se la enseñé a mi esposo, quién dijo emocionado, "¿Es un quizá?".

Ningún quizá. Estábamos esperando a nuestro primer hijo.

—*Experiencia de una pareja*

El crecimiento de su bebé durante la primera a la cuarta semanas

Si es como la mayoría de los futuros padres, su mente está llena de preguntas. ¿Cómo se ve mi bebé ahora? ¿De qué tamaño es? ¿Cómo cambiará esta semana? Familiarizarse con la manera en que se desarrolla su bebé, semana tras semana, le ayudará a responder algunas de estas preguntas. Quizá también le ayude a comprender algunos de los cambios que tienen lugar en su cuerpo.

Primera y segunda semanas: preconcepción y fertilización

Preconcepción
Puede parecer un poco extraño, pero la primera semana de su embarazo es en realidad su último periodo menstrual antes de quedar embarazada. ¿Por qué? Los médicos y otros profesionales del cuidado de la salud calculan la fecha probable de parto contando 40 semanas a partir del inicio de su último ciclo. Esto significa que consideran su menstruación como parte del embarazo, aunque aún no ha sido concebido su bebé.

Es típico que la concepción se dé cerca de dos semanas después del inicio de su último periodo menstrual. Cuando el bebé nazca habrán pasado cerca de 38 semanas desde que éste fue concebido, pero su embarazo habrá durado, de manera "oficial", 40 semanas.

Incluso mientras sucede la menstruación, su cuerpo comienza a producir una hormona llamada folículo estimulante, que promueve el desarrollo del óvulo en su ovario. El óvulo madura dentro de una pequeña cavidad en dicho ovario llamada folículo. Unos días después, su cuerpo produce una hormona llamada luteinizante, que hace que el folículo se hinche, estalle y atraviese la pared del ovario y libere el óvulo. Esto se llama ovulación. Sólo tiene dos ovarios, pero, en un ciclo dado, nada más en uno de ellos se produce la ovulación.

El óvulo se mueve con lentitud por la trompa de Falopio, la cual conecta su ovario con el útero. Ahí lo esperan los espermatozoides para fertilizarlo. Las estructuras semejantes a dedos que se encuentran en la unión entre el ovario y la trompa de Falopio, llamadas fimbrias, atrapan el óvulo cuando sucede la ovulación, manteniéndolo en el camino correcto.

Si tiene relaciones sexuales antes y durante este tiempo, puede quedar embarazada. Si la fertilización no ocurre, por cualquier razón, el óvulo y el recubrimiento de su útero se desecharán mediante el periodo menstrual.

Fertilización

Es aquí donde todo comienza. Su óvulo y el espermatozoide de su pareja se unen para formar una célula —el punto inicial de una extraordinaria cadena de sucesos—. La célula microscópica se dividirá una y otra vez. En cerca de 38 semanas, habrá crecido hasta formar una nueva persona constituida por más de dos billones de células: su hermoso bebé.

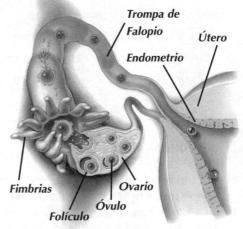

El proceso se inicia cuando usted y su pareja tienen relaciones sexuales. Cuando él eyacula, libera semen en su vagina, el cual contiene hasta mil millones de espermatozoides. Cada espermatozoide posee una larga cola en forma de látigo que lo impulsa hacia el óvulo.

Centenas de millones de estos espermatozoides nadarán hasta su sistema reproductor. Con la ayuda de su útero y de las trompas de Falopio, éstos viajarán desde la vagina, a través de la abertura de su útero (cérvix), recorriendo su útero hasta la trompa de Falopio. Muchos espermatozoides se pierden en el camino. Sólo algunos de ellos alcanzan la posición del óvulo en la trompa de Falopio. La fertilización se realiza cuando un solo espermatozoide tiene éxito en este viaje y penetra la pared del óvulo.

Su óvulo tiene una cubierta de células nutrientes llamada corona *radiata* y una capa gelatinosa llamada zona pelúcida. Para fertilizar el óvulo, el espermatozoide de su pareja debe penetrar esta cubierta. En este punto, su óvulo mide cerca de 1/79 de centímetro de diámetro, demasiado pequeño para ser visible.

Es posible que hasta 100 espermatozoides intenten penetrar la pared del óvulo, y varios pueden comenzar a entrar en la cápsula externa de éste; pero al final sólo uno tiene éxito y entra al óvulo. Después de eso, la membrana de este último cambia y es imposible que el resto de los espermatozoides la penetren.

En ocasiones, madura más de un folículo y se libera más de un óvulo. Esto puede dar como resultado nacimientos múltiples si cada óvulo es fertilizado por un espermatozoide.

Cuando el espermatozoide entra al centro del óvulo, ambas células se fusionan para convertirse en una entidad unicelular llamada cigoto, el cual tiene 46 cromosomas —23 de la madre y 23 del padre—. Estos cromosomas contienen miles y miles de genes. Este material genético determinará el sexo, el color de ojos y de cabello, la estatura, las facciones y —por lo menos hasta cierto punto— la inteligencia y personalidad. La fertilización se ha completado.

¿NIÑO O NIÑA?

El sexo de su bebé se determina en el momento en que se concibe. De los 46 cromosomas que constituyen su material genético, dos cromosomas, los llamados sexuales —uno de su óvulo y otro del espermatozoide de su pareja—, determinan el sexo del bebé. El óvulo contiene sólo cromosomas sexuales X, mientras que el espermatozoide puede contener un cromosoma sexual X o uno Y.

Si, en el instante de la fertilización, un espermatozoide con un cromosoma sexual X se junta con el óvulo, que también tiene un cromosoma X, su bebé será una niña (XX). Si el espermatozoide contiene un cromosoma Y, al unirse con el óvulo dará un niño (XY). Siempre es la contribución genética del padre la que determina el sexo del bebé.

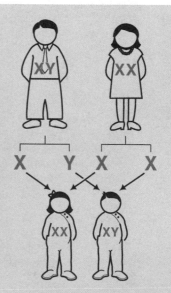

Tercera y cuarta semanas: implantación y desarrollo inicial

Aunque su bebé acaba de ser concebido, se pone a trabajar de inmediato. El siguiente paso en el proceso es la división celular. En un lapso cercano a doce horas, su cigoto unicelular se divide en dos células; luego esas dos se parten en dos, y así sucesivamente; y el número de células se va duplicando cada doce horas. La división celular continúa a medida que el cigoto se mueve recorriendo la trompa de Falopio hacia el útero. Dos o tres días después de la fertilización, el óvulo se convierte en una masa de 13 a 32 células, semejante a una pequeña frambuesa. En esta etapa, su bebé en desarrollo se llama mórula. Esta estructura deja la trompa de Falopio para entrar al útero.

CALCULE LA FECHA DEL NACIMIENTO

Utilice este cuadro para determinar las fechas importantes durante su embarazo. Por ejemplo, si el primer día de su último periodo menstrual fue el 27 de marzo, su fecha estimada para el parto es el 1 de enero.

Si el primer día de su último periodo menstrual no aparece en la lista, utilice la fecha más cercana que aparezca en ella, y ajuste todas las demás fechas de acuerdo con esto. Por ejemplo, si el primer día de su último periodo menstrual fue el 4 de abril (un día después de la fecha 3 de abril en la lista), su fecha estimada del nacimiento es el 9 de enero (un día después del que aparece en la lista de 8 de enero).

Semana 1 Si el primer día de su último periodo menstrual fue:	Semana 3 Es probable que la concepción haya ocurrido alrededor de:	Semanas 5-10 Periodo de mayor riesgo de defectos de nacimiento		Semana 12 Disminuye riesgo de aborto	Semana 23 Algunos bebés prematuros ahora pueden sobrevivir	Semana 40 (a término) Fecha estimada de nacimiento
		Se inicia formación de órganos	Los órganos principales están formados			
Enero 2	Enero 16	Feb 6	Mar 13	Mar 27	Jun 12	Oct 9
Enero 9	Enero 23	Feb 13	Mar 20	Abril 3	Jun 19	Oct 16
Enero 16	Enero 30	Feb 20	Mar 27	Abril 10	Jun 26	Oct 23
Enero 23	Feb 6	Feb 27	Abril 3	Abril 17	Jul 3	Oct 30
Enero 30	Feb 13	Mar 6	Abril 10	Abril 24	Jul 10	Nov 6
Feb 6	Feb 20	Mar 13	Abril 17	Mayo 1	Jul 17	Nov 13
Feb 13	Feb 27	Mar 20	Abril 24	Mayo 8	Jul 24	Nov 20
Feb 20	Mar 6	Mar 27	Mayo 1	Mayo 15	Jul 31	Nov 27
Feb 27	Mar 13	Abril 3	Mayo 8	Mayo 22	Ag 7	Dic 4
Mar 6	Mar 20	Abril 10	Mayo 15	Mayo 29	Ag 14	Dic 11
Mar 13	Mar 27	Abril 17	Mayo 22	Jun 5	Ag 21	Dic 18
Mar 20	Abril 3	Abril 24	Mayo 29	Jun 12	Ag 28	Dic 25
Mar 27	Abril 10	Mayo 1	Jun 5	Jun 19	Sep 4	Enero 1
Abril 3	Abril 17	Mayo 8	Jun 12	Jun 26	Sep 11	Enero 8
Abril 10	Abril 24	Mayo 15	Jun 19	Jul 3	Sep 18	Enero 15
Abril 17	Mayo 1	Mayo 22	Jun 26	Jul 10	Sep 25	Enero 22
Abril 24	Mayo 8	Mayo 29	Jul 3	Jul 17	Oct 2	Enero 29
Mayo 1	Mayo 15	Jun 5	Jul 10	Jul 24	Oct 9	Feb 5
Mayo 8	Mayo 22	Jun 12	Jul 17	Jul 31	Oct 16	Feb 12
Mayo 15	Mayo 29	Jun 19	Jul 24	Ag 7	Oct 23	Feb 19
Mayo 22	Jun 5	Jun 26	Jul 31	Ag 14	Oct 30	Feb 26
Mayo 29	Jun 12	Jul 3	Ag 7	Ag 21	Nov 6	Mar 5

En los cuatro o cinco días posteriores a la fertilización, su bebé en desarrollo —formado en este momento por cerca de 500 células— alcanza su destino dentro de su útero. Ha cambiado de una masa sólida de células a un grupo de ellas acomodado alrededor de una cavidad llena de líquido. En esta etapa se llama blastocisto. La sección interna del blastocisto es una masa compacta de células que se desarrollará formando a su bebé. La capa externa

Semana 1	Semana 3	Semanas 5-10		Semana 12	Semana 23	Semana 40
Si el primer día de su último periodo menstrual fue:	Es probable que la concepción haya ocurrido alrededor de:	Periodo de mayor riesgo de defectos de nacimiento		Disminuye riesgo de aborto	Algunos bebés prematuros ahora pueden sobrevivir	(a término) Fecha estimada de nacimiento
		Se inicia la formación de órganos	Los órganos principales están formados			
Jun 5	Jun 19	Jul 10	Ag 14	Ag 28	Nov 13	Mar 12
Jun 12	Jun 26	Jul 17	Ag 21	Sep 4	Nov 20	Mar 19
Jun 19	Jul 3	Jul 24	Ag 28	Sep 11	Nov 27	Mar 26
Jun 26	Jul 10	Jul 31	Sep 4	Sep 18	Dic 4	Abril 2
Jul 3	Jul 17	Ag 7	Sep 11	Sep 26	Dic 11	Abril 9
Jul 10	Jul 24	Ag 14	Sep 18	Oct 2	Dic 18	Abril 16
Jul 17	Jul 31	Ag 21	Sep 25	Oct 9	Dic 25	Abril 23
Jul 24	Ag 7	Ag 28	Oct 2	Oct 16	Enero 1	Abril 30
Jul 31	Ag 14	Sep 4	Oct 9	Oct 23	Enero 8	Mayo 7
Ag 7	Ag 21	Sep 11	Oct 16	Oct 30	Enero 15	Mayo 14
Ag 14	Ag 28	Sep 18	Oct 23	Nov 6	Enero 22	Mayo 21
Ag 21	Sep 4	Sep 25	Oct 30	Nov 13	Enero 29	Mayo 28
Ag 28	Sep 11	Oct 2	Nov 6	Nov 20	Feb 5	Jun 4
Sep 4	Sep 18	Oct 9	Nov 13	Nov 27	Feb 12	Jun 11
Sep 11	Sep 25	Oct 16	Nov 20	Dic 4	Feb 19	Jun 18
Sep 18	Oct 2	Oct 23	Nov 27	Dic 11	Feb 26	Jun 25
Sep 25	Oct 9	Oct 30	Dic 4	Dic 18	Mar 5	Jul 2
Oct 2	Oct 16	Nov 6	Dic 11	Dic 25	Mar 12	Jul 9
Oct 9	Oct 23	Nov 13	Dic 18	Enero 1	Mar 19	Jul 16
Oct 16	Oct 30	Nov 20	Dic 25	Enero 8	Mar 26	Jul 23
Oct 23	Nov 6	Nov 27	Enero 1	Enero 15	Abril 2	Jul 30
Oct 30	Nov 13	Dic 4	Enero 8	Enero 22	Abril 9	Ag 6
Nov 6	Nov 20	Dic 11	Enero 15	Enero 29	Abril 16	Ag 13
Nov 13	Nov 27	Dic 18	Enero 22	Feb 5	Abril 23	Ag 20
Nov 20	Dic 4	Dic 25	Enero 29	Feb 12	Abril 30	Ag 27
Nov 27	Dic 11	Enero 1	Feb 5	Feb 19	Mayo 7	Sep 3
Dic 4	Dic 18	Enero 8	Feb 12	Feb 26	Mayo 14	Sep 10
Dic 11	Dic 25	Enero 15	Feb 19	Mar 5	Mayo 21	Sep 17
Dic 18	Enero 1	Enero 22	Feb 26	Mar 12	Mayo 28	Sep 24
Dic 25	Enero 8	Enero 29	Mar 5	Mar 19	Jun 4	Oct 1

de células, llamada trofoblasto, se convertirá en la placenta, la que proporcionará alimento a su bebé durante su crecimiento.

Después de llegar a su útero, el blastocisto se adhiere a la superficie por un tiempo. Luego libera las enzimas que degradan el recubrimiento del útero, permitiéndole incrustarse ahí. Es típico que esto suceda una semana después de la fertilización. Alrededor del duodécimo día después de ésta, el blastocisto ya está incrustado con firmeza en su nuevo hogar. Se adhiere de manera estrecha al recubrimiento de su útero, llamado endometrio, donde recibe nutrimento de su torrente sanguíneo.

También dentro de los doce días siguientes a la fertilización, comienza a formarse la placenta. Al principio, pequeñas proyecciones brotan de la pared del blastocisto. De estos brotes, se desarrollan masas ondulantes de tejido lleno de diminutos vasos sanguíneos llamadas vellos coriónicos, los cuales crecen entre los capilares de su útero hasta llegar a cubrir la mayor parte de la placenta.

Catorce días después de la concepción y cuatro semanas después de su último ciclo menstrual, su bebé mide cerca de un milímetro de largo. Está dividido en tres capas diferentes a partir de las cuales se desarrollarán todos los tejidos y órganos:

- La capa superior se llama ectodermo. Dará lugar a un surco a lo largo de la línea media del cuerpo de su bebé, llamado tubo neural. El cerebro, la médula, los nervios espinales y la columna vertebral se desarrollarán aquí.
- La capa media de células se llama mesodermo. Ésta formará el inicio del corazón de su bebé y un sistema circulatorio primitivo —vasos y células sanguíneos, y vasos linfáticos—. Los cimientos para huesos, músculos, riñones, ovarios o testículos también se desarrollarán aquí.
- La capa interna de células se conoce como endodermo. Ésta se convertirá en un tubo simple recubierto con membranas mucosas, a partir del cual se desarrollarán los pulmones, los intestinos y la vejiga urinaria del bebé.

Su cuerpo durante la primera a la cuarta semanas

Durante el embarazo, es natural tener curiosidad acerca del desarrollo de su bebé, pero también es natural querer saber más acerca de los cambios que suceden en su propio cuerpo. Los cambios son significativos. En el tiempo en que su diminuto cigoto crece hasta ser un infante de talla normal, su cuerpo se prepara para proporcionar a su bebé el nutrimento que requerirá para crecer y desarrollarse de manera adecuada, lo mismo que para el trabajo de parto y el alumbramiento.

Primera semana: preconcepción

En el tiempo previo a la concepción, es importante hacer elecciones de estilo de vida que preparen su cuerpo para el embarazo y la maternidad. Estas elecciones también darán a su futuro bebé el mejor principio posible en la vida.

No fume, no beba alcohol ni use drogas. Si está tomando un medicamento de prescripción, pida a su proveedor de cuidados de la salud consejos acerca de su uso durante el embarazo, y asegúrese de tomar un suplemento vitamínico diario que contenga por lo menos 400 microgramos de ácido fólico.

Obtener suficiente ácido fólico reducirá el riesgo de su bebé de desarrollar defectos en el tubo neural. Este componente del embrión da lugar al cerebro, médula y nervios espinales y columna vertebral. La espina bífida, un defecto de la columna que da como resultado que las vértebras de su bebé no se fusionen, es un ejemplo de defecto del tubo neural que puede evitarse en gran medida si obtiene suficiente ácido fólico.

Segunda y tercera semanas: ovulación, fertilización e implantación

El recubrimiento de su útero, el cual nutrirá a su bebé, está en desarrollo. Su cuerpo secreta hormona folículo estimulante, la cual hará que madure un óvulo en su ovario. A medida que ovula y el óvulo es liberado hacia su trompa de Falopio, las hormonas implicadas en el proceso —estrógeno y progesterona— producen un ligero aumento en la temperatura de su cuerpo y un cambio en las secreciones de sus glándulas cervicales.

Cuando la fertilización ocurre, el cuerpo lúteo —una pequeña estructura que rodea al bebé en desarrollo— comienza a crecer y producir pequeñas cantidades de progesterona. Esto ayuda a apoyar su embarazo. La progesterona evita que su útero se contraiga, además promueve el crecimiento de los vasos sanguíneos en su pared uterina, lo cual es esencial para nutrir a su bebé.

Casi cuatro días después de la fertilización, su bebé en desarrollo se encuentra en la etapa de blastocisto. Alrededor de ese tiempo, su placenta comienza a producir una hormona llamada gonadotropina coriónica humana (GCH). Esta hormona puede detectarse en un inicio en su sangre y poco después en la orina. Las pruebas de embarazo domésticas pueden detectar la GCH en una muestra de su orina alrededor de seis a doce días después de la fertilización.

Alrededor del tiempo en que su bebé en crecimiento viaja por sus trompas de Falopio y se implanta en el recubrimiento de su útero —cerca de una semana después de la fertilización—, su endometrio ha crecido lo suficiente para recibirlo.

Al implantarse su bebé, es posible que note un poco de manchado, un flujo menstrual escaso o una descarga vaginal amarillenta. Quizá confunda esto con el inicio de su periodo menstrual normal. De hecho el manchado puede ser un primer signo de embarazo. Proviene de la pequeña cantidad de sangrado que puede ocurrir cuando su bebé en desarrollo se implanta en el recubrimiento del útero.

Asimismo, alrededor del tiempo de la implantación, las proyecciones en forma de dedo que se convertirán en su placenta comienzan a producir grandes cantidades de las hormonas estrógeno y progesterona. Estas hormonas son de hecho las causantes del crecimiento y los cambios en su útero, endometrio, cérvix, vagina y mamas.

En este punto, está embarazada; aunque es demasiado pronto para que haya faltado un periodo menstrual o para que presente otros síntomas de embarazo. En estos primeros días después de la fertilización, el aborto es común, incluso antes de saber que está embarazada. Los científicos calculan que tres de cada cuatro embarazos perdidos son el resultado de una falla en la implantación. En los primeros siete a diez días después de la concepción, las infecciones o la exposición a factores ambientales dañinos, como drogas, tabaco, alcohol, medicamentos y sustancias químicas, pueden interferir con el éxito de la implantación en el útero. En esta etapa del embarazo, tales exposiciones pueden provocar la pérdida del embarazo, pero no defectos de nacimiento. La mayor

Cuándo hacerse la prueba doméstica de embarazo

Creo que estoy embarazada. ¿Cuándo me puedo hacer la prueba doméstica de embarazo?

Lo mejor será esperar por lo menos hasta el primer día de retraso en su menstruación —y quizá un poco más—. La razón es esta: las pruebas domésticas de embarazo miden una hormona que se produce después de que el óvulo fertilizado se implanta en la pared del útero. Esta hormona, llamada GCH, no está presente sino seis a doce días después de la fertilización. El tiempo varía, así que, cuando se hace la prueba el primer día de retraso de la menstruación, es posible que no detecte un embarazo en desarrollo.

¿Qué tan precisas son las pruebas?

Son bastante buenas. Un estudio reciente demostró que dichas pruebas son capaces de diagnosticar 90 por ciento de los embarazos en el primer día de retraso de la menstruación. Una semana después del primer día de retraso, este porcentaje se elevó hasta 97.

Para obtener los resultados más precisos de la prueba:

- Siga de manera exacta las direcciones específicas de su prueba doméstica de embarazo.
- Haga la prueba con la primera orina de la mañana, la cual tiene la mayor concentración de GCH.

¿Cómo funciona la prueba de embarazo?

Después de que su bebé en desarrollo induce la producción de GCH, esta hormona puede detectarse en su sangre y poco después en la orina. Las pruebas domésticas de embarazo pueden detectar la GCH en su orina. Dichas pruebas por lo general requieren que coloque una barra de prueba de embarazo en una muestra de su orina. En unos minutos, la presencia de un punto o una línea sobre la barra de la prueba indicará si está presente la GCH en su orina; si lo está, la prueba es positiva, lo cual significa que está embarazada.

¿Y si la prueba dice que estoy embarazada?

Si el resultado de la prueba es positivo, haga planes para ver a su proveedor de cuidados de salud para iniciar el cuidado prenatal. Pídale que le prescriba vitaminas prenatales.

¿Y si la prueba dice que no estoy embarazada?

Si el resultado es negativo, pero tiene los signos y síntomas de embarazo, espere algunos días y haga una segunda prueba o pida que le hagan una segunda prueba de embarazo en la oficina de su proveedor de cuidados de salud.

parte del tiempo, sin embargo, las pérdidas de embarazo resultan de errores en el proceso de desarrollo que no están bajo el control de nadie.

Cuarta semana: inicio del embarazo

Incluso en esta etapa temprana del embarazo, su cuerpo sufre cambios físicos importantes.

Su corazón y sistema circulatorio

Durante las primeras semanas de embarazo, su cuerpo comienza a producir más sangre para llevar oxígeno y nutrientes a su bebé. El incremento es mayor en las primeras doce semanas, cuando el embarazo presenta enormes exigencias para su circulación. Al final de su embarazo, su volumen sanguíneo habrá aumentado entre 30 y 50 por ciento. Incrementar su ingesta de fluidos en esta etapa de su embarazo puede ayudar a que su cuerpo se ajuste a este cambio.

Para cubrir este incremento en el flujo sanguíneo, su corazón comienza a bombear más fuerte y rápido. Es posible que su pulso se acelere hasta 15 latidos por minuto.

Estos cambios dramáticos en su cuerpo pueden darle de por sí síntomas de embarazo. Por ejemplo, quizá esté tan cansada que tenga ganas de ir a la cama justo después de su cena, o quizá desee tomar siestas con mayor frecuencia. Intente descansar cuando se sienta fatigada.

Sus mamas

Uno de los primeros cambios físicos del embarazo es un cambio en la forma en que se sienten sus mamams. Quizá las sienta sensibles, con hormigueo o doloridas, o quizá más grandes y pesadas. Quizá piense que sus mamas y pezones ya comienzan a crecer. Éste puede ser el caso, incluso en esta etapa tan temprana del embarazo.

Estimuladas por el incremento en la producción de estrógeno y progesterona, sus mamas crecerán durante todo el embarazo a medida que las glándulas productoras de leche en su interior van creciendo. Quizá también note que los anillos de piel café o rojiza alrededor de sus pezones (areolas) comienzan a crecer y oscurecerse. Éste es el resultado del incremento en la circulación sanguínea y el crecimiento de células pigmentadas. Puede ser un cambio permanente para su cuerpo.

Su útero

A las cuatro semanas de embarazo, su útero también comienza a cambiar. Su recubrimiento se engruesa, y los vasos sanguíneos de éste comienzan a crecer para nutrir a su bebé en crecimiento.

Su cérvix

Su cérvix, la abertura en su útero a través de la cual saldrá su bebé, comienza a ablandarse y cambiar de color. Es posible que su proveedor de cuidados de salud busque este cambio durante su primer examen como confirmación de su embarazo.

Recursos de autocuidado

Los cambios corporales durante su primer mes de embarazo pueden producir algunos signos y síntomas molestos. Para más información sobre cómo tratar los problemas comunes, como sensibilidad en las mamas, fatiga, dolores de cabeza y aumento en la necesidad de orinar, vea la parte 3, "Guía de referencia del embarazo", en la página 413.

Sus emociones durante la primera a la cuarta semanas

El embarazo puede producir emoción, aburrimiento, ansiedad y mucha satisfacción —a veces todo al mismo tiempo—. Es probable que esté sufriendo algunas emociones nuevas e inesperadas, algunas tranquilizantes y otras inquietantes.

Su reacción al embarazo

Ya sea que su embarazo fuera planeado o no, es posible que tenga sentimientos conflictivos hacia él. Incluso si está fascinada por estar embarazada, es posible que tenga estrés emocional adicional en su vida ahora. Quizá le preocupe que su bebé sea sano y la manera en que se ajustará a la maternidad. Es posible que también le aflija el incremento en las exigencias financieras de criar a un niño. Si trabaja fuera de casa, quizá le preocupe si será capaz de mantener su productividad durante el embarazo, en especial si su trabajo es muy demandante. No se culpe por sentirse de esta manera. Estas preocupaciones son naturales y normales.

Cambios del estado de ánimo

Es posible que ajustarse al embarazo y prepararse para nuevas responsabilidades le haga sentirse animada un día y desanimada al otro. Quizá sus emociones cambien desde la emoción hasta el agotamiento, desde el deleite a la depresión. Sus estados de ánimo también pueden cambiar en forma considerable durante el curso del día.

Algunos de estos cambios de estado de ánimo son el resultado del estrés físico que coloca el bebé en crecimiento en su cuerpo. Otros son resultado de la fatiga, pura y simple. Asimismo, los cambios en el estado de ánimo también son producto de la liberación de ciertas hormonas y de los cambios en su metabolismo.

Para cubrir las exigencias de su bebé en crecimiento, se producen diferentes hormonas a distintos niveles durante todo su embarazo. A pesar de que los mecanismos no están bien comprendidos, los médicos creen que estos cambios hormonales contribuyen a las alteraciones del estado de ánimo durante el embarazo. Es muy probable que las fluctuaciones repentinas en la progesterona, el estrógeno y otras hormonas jueguen un papel en dichas alteraciones. Los efectos de las hormonas de las glándulas tiroides y suprarrenales también están recibiendo una atención considerable de los científicos.

Es muy posible que su estado de ánimo se vea influido de manera importante por el apoyo y cariño que reciba de su pareja y familia. Quizá ahora, como nunca antes, necesite su comprensión, apoyo y aliento a medida que avanza el embarazo y desarrolla su identidad como madre.

La reacción de su pareja ante el embarazo

Si tiene sentimientos mixtos acerca del embarazo, existe la probabilidad de que su pareja también los tenga. Es posible que esté muy emocionado ante el prospecto de ser padre, pues esto le ofrece nuevas posibilidades. Quizá esté feliz al anticipar el compartir una relación de amor con una hija o un hijo.

Por otra parte, quizá tenga dudas y preocupaciones. Quizá dude si puede cubrir los retos financieros de la paternidad o se pregunte si lo correcto es traer a una criatura a un mundo tan lleno de problemas. Quizá tema que el bebé cambiará para siempre su estilo de vida.

Estos sentimientos son normales. Pocos futuros padres se sienten preparados del todo para lo que les espera. De hecho, es probable que la realidad de la inminente paternidad de su pareja no se haga consciente de inmediato. Es posible que no sea sino hasta la 24.ª semana de embarazo, cuando su pareja ponga su mano sobre su abdomen y pueda sentir las patadas del bebé, que en realidad se dé cuenta de que va a ser padre.

Anime a su pareja para que identifique sus dudas y preocupaciones, y para que sea honesto acerca de lo que siente, lo bueno y lo malo. Haga lo mismo. Discutir sus sentimientos con honestidad y en forma abierta fortalecerá su relación con su pareja, y les ayudará a ambos a iniciar la importante tarea de preparar su hogar para el bebé.

La relación con su pareja

Convertirse en futura madre puede quitar tiempo a otros papeles y relaciones. Quizá ya se vea como progenitora. Como resultado, es posible que pierda parte de su identidad psicológica como pareja y amante.

Habrá veces en que su pareja esté interesada en tener relaciones sexuales y usted no. Si rechaza sus acercamientos en la recámara, quizá piense que lo está rechazando a él. En realidad es probable que sólo esté cansada, triste o preocupada. Deje que su pareja sepa que necesita su presencia, apoyo y ternura, pero que quizá, por el momento, sin que sea directamente sexual.

Los malos entendidos y conflictos entre usted y su pareja son inevitables y normales durante el embarazo. Quizá considere que el interés creciente de su pareja en el trabajo, por ejemplo, sea una forma de alejarse de la relación, lo cual le hará sentirse dolida y rechazada. Es posible que su pareja, por otra parte, simplemente esté tratando de proporcionar una mayor seguridad para su familia.

Comprensión y comunicación son la clave para prevenir o minimizar los conflictos. Hable de manera abierta y honesta con su pareja, de manera que pueda anticipar los puntos de estrés en su relación y tomar medidas para minimizarlos y evitarlos.

Citas con su proveedor de cuidados de salud

Se hizo una prueba doméstica de embarazo y resultó positiva. Éste es el momento para hacer su primera cita con la persona que eligió como su proveedor de cuidados de salud obstétricos. Ya sea que haya elegido a un médico familiar, ginecólogo-obstetra o enfermera-partera, esta persona la educará, tratará y tranquilizará durante el embarazo. El desarrollo de una fuerte relación con su proveedor de cuidados de salud comienza ahora, muy al principio de su embarazo. Los proveedores de cuidados de salud disfrutan de la celebración inherente al embarazo y nacimiento, y también desean mejorar la forma en que usted lo celebre.

Su primera visita al proveedor de cuidados de salud una vez que ha descubierto que está embarazada se concentrará sobre todo en la evaluación de su salud general, en la identificación de cualquier factor de riesgo para su embarazo y en determinar la edad de gestación de su bebé.

Para mayor información sobre cómo elegir el proveedor de cuidados de salud adecuado, vea "Guía de decisión: elección de su proveedor de cuidados de salud para el embarazo", en la página 277.

Preparación para la cita

En su primera cita, el proveedor de cuidados de salud revisará su salud pasada y presente, incluyendo cualquier condición médica crónica que tenga y los problemas que haya tenido en embarazos pasados, si es que los hubo. Reunir la mayor cantidad posible de información acerca de su salud pasada y presente es uno de los mayores objetivos de su proveedor de cuidados de la salud en su primera visita. Las respuestas que da tienen un impacto en el cuidado que recibe.

Algunos proveedores de cuidados de la salud hacen que la primera parte de esta cita sea una conversación sólo con usted —la futura mamá— y luego invitan a su pareja a pasar. Esto le da la oportunidad de discutir en privado cualquier asunto de salud o social sobre su pasado que no quiera compartir con su pareja. En el tiempo anterior a la consulta, es posible que desee anotar detalles sobre su ciclo menstrual, su uso de anticonceptivos, su historial médico y el de su pareja, su medio de trabajo y su estilo de vida.

Su primera cita con el proveedor de cuidados de salud también le dará la oportunidad de preguntar sobre todas las dudas que tenga. Facilite esta tarea comenzando a anotar todas las preguntas cuando se le ocurran. Es más fácil organizar sus pensamientos antes de la cita que hacerlo en el corto tiempo en que está ahí.

Cuándo llamar a un profesional del cuidado de la salud durante la primera a la cuarta semanas

Es normal tener temores y preocupaciones acerca de los cambios físicos que está sufriendo con su embarazo. Las cosas no siempre son muy claras. ¿Es normal un poco de sangrado al principio del embarazo o es señal de un aborto temprano? ¿El dolor de cabeza prolongado es sólo el resultado de un incremento en la circulación sanguínea o es algo más serio? Puede ser difícil decir cuándo debería sonreír y aguantar o cuándo debe tomar medidas. Si éste es su primer embarazo, quizá tenga más dudas.

Al hacer estos juicios, recurra a su doctor, la enfermera-partera u otro proveedor de cuidados de salud como primer recurso. Cuando tenga su primera consulta, pida una lista de los signos y síntomas sobre los cuales deberá informarle de inmediato. Esto le dará una buena idea de lo que su proveedor de cuidados de salud considera una emergencia.

¿La conclusión? Cuando tenga dudas, llame. Es mejor prevenir que lamentar.

Este mes, también puede interesarle:
- **La "Guía de decisión: elección de su proveedor de cuidados de salud para el embarazo", página 277**
- **"Complicaciones: problemas de salud materna y embarazo", página 507**

Cuándo llamar

📞 Ésta es una guía sobre posibles signos y síntomas problemáticos y de cuándo debe notificar a su proveedor de cuidados de salud en el primer mes.

Signos o síntomas	Cuándo avisar a su proveedor de cuidados de salud
Sangrado o manchado vaginal	
Ligero manchado que dura sólo un día	Siguiente consulta
Cualquier manchado o sangrado que dure más de un día	En 24 horas
Sangrado moderado a abundante	De inmediato
Cualquier cantidad de sangrado acompañado por dolor, cólicos, fiebre o escalofríos	De inmediato
Salida de tejido	De inmediato
Dolor	
Sensación ocasional de jalado, torcimiento o pellizcado en uno o ambos lados de su abdomen	Siguiente consulta
Dolores leves y ocasionales de cabeza	Siguiente consulta
Un dolor de cabeza moderado y molesto que no se quita después de tratamiento con acetaminofeno	En 24 horas
Dolor de cabeza grave o persistente, en especial con mareos, languidez, náusea o vómito, o trastornos visuales	De inmediato
Dolor pélvico moderado o grave	De inmediato
Cualquier grado de dolor pélvico que no cede en cuatro horas	De inmediato
Dolor con fiebre o sangrado	De inmediato
Vómito	
Ocasional	Siguiente consulta
Una vez al día	Siguiente consulta
Más de tres veces al día o con incapacidad para comer o beber entre los episodios de vómito	En 24 horas
Con dolor o fiebre	De inmediato
Otros	
Escalofríos o fiebre (39°C o más)	De inmediato
Micción dolorosa	Mismo día
Aumento en la frecuencia de la micción	Siguiente consulta
Incapacidad para orinar	Mismo día
Estreñimiento ligero	Siguiente consulta
Estreñimiento grave, sin movimientos intestinales por tres días	Mismo día

CAPÍTULO   2

segundo mes: quinta a octava semanas

El crecimiento de su bebé durante la quinta a la octava semanas

Su bebé está creciendo y cambiando. Durante la quinta a la octava semanas de su embarazo, las células del bebé se multiplican con rapidez y comienzan a realizar funciones específicas. Este proceso de especialización se llama diferenciación, y es necesario para producir todas las células diferentes que constituyen a un ser humano. Como resultado de la diferenciación, las características externas de su bebé también comienzan a tomar forma.

Quinta semana

Su bebé, que ya no es una masa de células —y su nombre oficial es embrión—, comienza a tomar una forma definida.

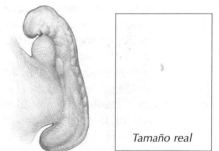

Tamaño real

Se ha dividido en tres capas. A partir de ellas, se desarrollarán todos los tejidos y órganos. En la capa superior, se desarrolla un surco que luego se cierra para formar el tubo neural, el cual dará lugar finalmente al cerebro, la médula y los nervios espinales, y la columna vertebral de su bebé. Éste corre a lo largo de la línea media del cuerpo, desde un extremo a otro del embrión. El cierre del tubo neural se inicia en la sección media del embrión, y continúa hacia arriba y hacia abajo, como una doble cremallera. La porción de arriba se engruesa para comenzar a formar el cerebro.

A partir de la capa intermedia del embrión se están formando el corazón y el sistema circulatorio. Un abultamiento que está en el centro del embrión formará el corazón del bebé. Para el final de la semana, ya se han formado los primeros elementos de la sangre y algunos vasos sanguíneos, tanto en el embrión como en la placenta en desarrollo.

Los primeros latidos del corazón de su bebé se presentan entre los 21 y 22 días después de la concepción, aunque usted y su proveedor de cuidados de salud aún no los pueden escuchar. No obstante, es muy posible ver este movimiento en un ultrasonido. Con estos cambios se inicia la circulación, haciendo que el sistema circulatorio sea el primer sistema de órganos en funcionamiento.

Asimismo, su bebé tiene una capa interna de células a partir de la cual se desarrollarán los pulmones, intestinos y la vejiga urinaria. En esta semana no pasa gran cosa en la capa interna. Todavía faltará un tiempo para que esas áreas tomen forma.

En el momento de la concepción, su bebé era un cigoto unicelular de tamaño microscópico. Para la quinta semana de su embarazo, tres semanas después de la concepción, el tamaño de su bebé es de cerca de 1.5 milímetros, cerca del tamaño de la punta de una pluma.

Sexta semana

El crecimiento es rápido durante la sexta semana. El tamaño de su bebé se triplica, y éste comienza a mostrar las características faciales básicas. Empiezan a desarrollarse vesículas ópticas, las cuales formarán los ojos más tarde. Asimismo, comienzan a generarse las vías que constituirán el oído interno. Se forma una abertura para la boca mediante la

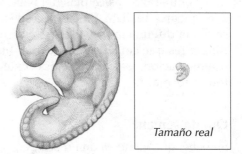

Tamaño real

invaginación de tejido desde arriba y desde los lados de la cara. Debajo de la boca, en donde se desarrollará el cuello, hay pequeños dobleces que al final darán lugar al cuello y la mandíbula inferior del bebé.

Alrededor de la sexta semana de su embarazo, el tubo neural a lo largo de la espalda de su bebé ya se ha cerrado. El cerebro está creciendo con rapidez para llenar la cabeza ya formada y en crecimiento. De igual manera, el cerebro de su bebé está desarrollando sus distintas regiones. Algunos nervios craneales son visibles.

En el frente del pecho, el corazón de su bebé bombea sangre rudimentaria a través de los principales vasos sanguíneos y late a ritmo regular. También se están comenzando a formar los sistemas digestivo y respiratorio. Además, 40 pequeños bloques de tejido se están desarrollando a lo largo de la línea media de su bebé. Éstos formarán el tejido conjuntivo, las costillas, así como los músculos de la espalda y los costados del bebé. Se aprecian ahora pequeños bultos que crecerán para formar los brazos y piernas de su bebé.

Para la sexta semana de su embarazo, cuatro semanas después de la concepción, su bebé mide cerca de 3.2 milímetros de largo.

Séptima semana

En esta semana, el cordón umbilical, el enlace vital entre su bebé y su placenta, se puede ver con claridad en el sitio del útero donde su bebé está implantado. El cordón umbilical contiene dos arterias y una vena grande. Nutrientes y sangre rica en oxígeno pasan de la placenta a su

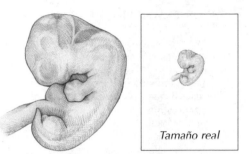

Tamaño real

bebé mediante la única vena, y luego regresan a la placenta a través de las dos arterias. Una célula sanguínea tarda cerca de 30 segundos en realizar el recorrido completo.

Además, el cerebro de su bebé se sigue volviendo más complejo. Ya se han formado las cavidades y pasajes necesarios para la circulación del líquido espinal. El cráneo en crecimiento de su bebé todavía es transparente. Si pudiera observarlo bajo una lupa, podría ver la superficie lisa del diminuto cerebro en desarrollo de su bebé.

En esta semana, la cara de su bebé se está haciendo más definida. Ahora se pueden apreciar una perforación para la boca, pequeñas ventanas en la nariz, pequeñas ranuras para las orejas y color en el iris de los ojos. Se están formando los cristalinos de los ojos del bebé. La porción media de los oídos está conectando el oído interno al mundo externo.

Los brazos, piernas, manos y pies del bebé están tomando forma, aunque todavía falta cerca de una semana para el inicio de los dedos en manos y pies. El brote para el brazo que surgió justo la semana pasada ya ha desarrollado una parte para el hombro y otra para la mano, la cual parece una pequeña paleta.

A las siete semanas de su embarazo, su bebé mide 8.5 milímetros de largo, un poco más grande que la parte superior de una goma de lápiz.

Octava semana

Los dedos de manos y pies de su bebé comienzan a formarse en esta semana, aunque todavía están unidos. Los pequeños brazos y piernas se hacen más largos y definidos. Las áreas en forma de paleta de manos y pies se ponen en evidencia. Las muñecas, los codos y los tobillos se aprecian con claridad. Es posible que su bebé ya pueda incluso flexionar sus codos y muñecas.

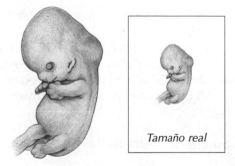

Tamaño real

También comienzan a formarse los párpados de su bebé, y hasta que éstos no terminen de crear los ojos no se verán abiertos. Además, en esta semana

Riesgos tempranos para la salud de su bebé

Su bebé en desarrollo presenta la mayor vulnerabilidad durante el periodo de la tercera a la octava semana después de la concepción. Esto es, entre la quinta y la décima semana del embarazo. Todos los órganos principales se están formando durante este tiempo, y una lesión en el embrión puede causar un defecto de nacimiento grave, como la espina bífida.

Las causas que pueden dañar a su bebé incluyen:

- **Teratógenos.** Son sustancias que causan defectos físicos en su bebé en desarrollo. Son ejemplos el alcohol, ciertos medicamentos y las drogas recreativas. Evítelos.
- **Infecciones.** Virus y bacterias pueden causar daño a su bebé al inicio del embarazo. El bebé sólo puede adquirir una de estas infecciones a través de la madre, pero es posible que ni siquiera se sienta muy enferma con algunos de los padecimientos que pueden causar defectos serios. Por fortuna, habrá recibido vacunaciones contra muchas de estas infecciones. Es posible que tenga inmunidad natural contra otras. Aun así, tiene sentido tomar precauciones apropiadas para evitar la exposición a las infecciones como varicela, sarampión, paperas, rubéola o citomegalovirus (CMV).
- **Radiación.** Las dosis altas de radiación ionizante, como la radioterapia para el cáncer, pueden dañar a su bebé, pero las dosis bajas de los rayos X diagnósticos no implican un incremento importante en el riesgo de defectos de nacimiento. No obstante, cuando se está embarazada lo mejor es no someterse a los rayos X a menos que sea necesario, de la misma manera que no se sometería a ningún procedimiento médico ni tomaría medicamento alguno a menos que fuera esencial en cualquier otro momento. Si es posible que tenga algún problema serio de salud donde los rayos X pueden proporcionar información importante, quizá lo mejor es aplicarlos. A menos que sean muy extensos, los rayos X pueden hacer más bien que mal, incluso al inicio del embarazo. Si se sometió a rayos X antes de saber que estaba embarazada, no se alarme. Hable con su proveedor de cuidados de salud.
- **Mala nutrición.** Los hábitos de alimentación pobres en extremo durante el embarazo pueden dañar a su bebé. Comer demasiado poco de un nutriente específico causa que el desarrollo celular sea mucho menor al ideal. No obstante, hay pocas probabilidades de dañar el crecimiento temprano del embrión por la falta de calorías, incluso si la náusea y el vómito limitan las calorías que puede consumir.

Asegúrese de tomar un suplemento vitamínico diario que contenga por lo menos 400 microgramos de ácido fólico. Esto reducirá el riesgo de que su bebé desarrolle espina bífida u otros defectos del tubo neural.

empiezan a tomar forma reconocible las orejas, el labio superior y la punta de la nariz de su bebé.

El tracto digestivo sigue creciendo, en especial los intestinos. La función cardiaca y la circulación están ahora más desarrolladas. El corazón del bebé bombea a 150 latidos por minuto, cerca del doble del ritmo de un adulto.

En la octava semana del embarazo, su bebé es apenas mayor de 1.25 cm de largo.

Su cuerpo durante la quinta a la octava semanas

El segundo mes del embarazo trae enormes cambios para su cuerpo. Es el momento en que hay mayores probabilidades de que empiece a sentir molestias y trastornos importantes como náusea, agruras, fatiga, insomnio y micción frecuente. Pero, no deje que esto la desanime. Considérelo como señales de que su embarazo progresa en forma normal. Un estudio reciente, de hecho, determinó que las mujeres que presentaban signos y síntomas relacionados con el embarazo en la octava semana tenían menos probabilidades de sufrir un aborto.

La importancia de las hormonas

Las hormonas son los mensajeros químicos que regulan muchos aspectos de su embarazo. La hormona progesterona es producida primero por sus ovarios y luego por la placenta. Evita que su útero se contraiga y también promueve el crecimiento de vasos sanguíneos en las paredes de éste, esenciales para nutrir a su bebé. Sus ovarios y placenta también producen estrógeno, el cual causa crecimiento y cambios en su útero, endometrio, cérvix, vagina y pechos. El estrógeno también influye en muchos procesos clave del organismo, como la cantidad de insulina que produce.

Su placenta genera dos hormonas importantes más: la gonadotropina coriónica humana (GCH) y el lactógeno placentario humano (LPH). La GCH ayuda a mantener el cuerpo lúteo, el cual es una masa de células que permanecen en el ovario después de que el óvulo se libera del folículo maduro. El LPH es la hormona que más participa en el crecimiento del bebé, ya que altera el metabolismo de la madre para que azúcares y proteínas estén a mayor disposición del embrión. Asimismo, estimula los senos para que se desarrollen y preparen para producir leche.

Cómo cambia su cuerpo

Las hormonas liberadas a lo largo de su embarazo hacen dos cosas: influyen sobre el crecimiento de su bebé y envían señales que cambian la manera en que funcionan sus propios órganos. De hecho, los cambios hormonales del embarazo afectan casi todas las partes de su cuerpo.

El siguiente es un panorama de lo que ocurre, y en dónde ocurre:

Sus hormonas

La producción de hormonas sigue creciendo este mes. Es probable que dicho aumento dé como resultado algunos signos y síntomas desagradables. Quizá sufra de náusea, vómito, dolor en los senos, dolor de cabeza, mareos, incremento en la micción, insomnio y sueños vívidos. La náusea y el vómito pueden ser el cambio más significativo relacionado con las hormonas que haya sentido desde el mes pasado.

Los científicos no están muy seguros de las razones por las cuales los cambios hormonales causan náusea y vómito. Los cambios en su sistema gastrointestinal como respuesta a los altos niveles de hormonas casi con seguridad juegan cierto papel. El incremento en la progesterona reduce la velocidad a la cual su comida pasa por su tracto digestivo. Por tanto, su estómago se vacía un poco más despacio, lo cual puede hacer que tenga mayor propensión a la náusea y el vómito. Es posible que el estrógeno tenga un efecto directo sobre el cerebro que cause náusea.

Náusea y vómito afectan hasta 70 por ciento de las mujeres embarazadas. Es típico que estos incómodos problemas se inicien entre la cuarta y la octava semanas de embarazo. Por lo general ceden alrededor de las catorce semanas y, aunque es común que se denominen náuseas matutinas, pueden presentarse en cualquier momento del día.

Para algunas mujeres, la náusea y el vómito al inicio del embarazo van acompañadas por salivación excesiva —un padecimiento raro conocido como ptialismo—. Es posible que las mujeres con esta afección no estén produciendo más saliva de la normal, pero quizá tengan problema para tragarla debido a las náuseas.

Su corazón y sistema circulatorio

Su cuerpo sigue produciendo más sangre para llevar oxígeno y nutrientes a su bebé. El aumento en la producción de sangre continuará durante todo el embarazo. Será mucho mayor este mes y el siguiente, mientras el embarazo hace enormes demandas sobre su circulación.

A pesar de este esfuerzo, sus vasos sanguíneos se dilatan todavía con mayor rapidez, y su circulación apenas tiene una deficiencia de volumen sanguíneo. Para compensar estos cambios, su corazón sigue bombeando con más fuerza y rapidez. Es posible que estos cambios en su sistema circulatorio causen fatiga, mareos y dolores de cabeza.

Sus mamas

Estimuladas por el aumento en la producción de estrógeno y progesterona, sus mamas siguen creciendo a medida que las glándulas productoras de leche en ellas aumentan de tamaño. Quizá también note que sus areolas, los anillos de piel rojiza o café alrededor de sus pezones, comienzan a crecer y oscurecerse. Éste es el resultado del aumento en la circulación sanguínea. Es posible que presente sensibilidad, hormigueo o dolor en las mamas, o incluso que se sientan más grandes y pesadas.

Su útero

Si éste es su primer embarazo, su útero solía ser del tamaño de una pera, pero ahora comienza a expandirse. Para el momento en que dé a luz a su bebé, se habrá expandido cerca de 1,000 veces respecto a su tamaño original.

Para albergar a su bebé en crecimiento, el útero se expande desde un área dentro de la pelvis hasta llegar justo debajo de la caja torácica. Durante este mes y el siguiente, el útero se acomodará en su pelvis. Sin embargo, su creciente tamaño puede hacer que sienta la necesidad de orinar con mayor frecuencia. Quizá también tenga fugas de orina cuando estornude, tosa o ría. Éste es un asunto de simple geografía. Durante los primeros meses de embarazo, la vejiga se encuentra justo enfrente y un poco por debajo de su útero. A medida que este último crece, su vejiga encuentra menos espacio.

Durante estas semanas, la placenta sigue creciendo y fijando su unión con el útero. A veces esto causa un sangrado ligero, el cual por lo general es normal. Pero si esto sucede, informe a su proveedor de cuidados de salud.

Su cérvix

Este mes, su cérvix toma un color azulado y sigue ablandándose. Durante el curso de su embarazo, el cérvix se va volviendo cada vez más blando. Esto lo prepara para su adelgazamiento (borramiento) y apertura (dilatación), partes necesarias del alumbramiento.

Para la séptima semana del embarazo, el tapón mucoso está bien establecido en su cérvix. Esta estructura bloquea el canal cervical durante el embarazo, para evitar que los gérmenes entren en su útero. El tapón se afloja y sale al final del embarazo, casi siempre cuando el cérvix comienza a adelgazarse y abrirse en preparación para el parto.

Su vagina

Quizá presente cierto sangrado vaginal durante las primeras doce semanas del embarazo. Las estadísticas indican que hasta 40 por ciento de las mujeres embarazadas presentan dicho sangrado; no obstante, también la estadística indica que menos de la mitad de estas mujeres tendrán abortos.

EL EFECTO DE CALENTAMIENTO

Si ha estado embarazada antes, es posible que note que engorda más que la vez anterior. Quizá también note que los efectos secundarios parecen presentarse más pronto esta vez.

Podría llamar a esto el efecto de "calentamiento". Lo mismo que un globo que es más fácil de inflar la segunda o la tercera vez, es posible que su útero se expanda con mayor rapidez y facilidad una vez que ha sido sometido a un embarazo. Sus músculos y ligamentos abdominales ya se han estirado antes, así es que ceden con mayor facilidad a medida que su útero se expande la segunda vez.

La desventaja es que, dado que su útero crece con mayor rapidez, es probable que sienta algunos síntomas como presión pélvica y dolor de espalda más pronto en este embarazo que en el primero.

Recursos de autocuidado

Los cambios en su cuerpo durante la quinta a la octava semana del embarazo pueden producir algunos signos y síntomas molestos. Para mayor información sobre cómo tratar los trastornos comunes como sensibilidad en los senos, fatiga, languidez y vómito, ver la parte 3, "Guía de referencia del embarazo", en la página 415.

Sus emociones durante la quinta a la octava semanas

El embarazo es un viaje psicológico lo mismo que biológico. Todavía es la hija de sus padres, no obstante pronto será la madre de su propio hijo. Tendrá un nuevo papel y una nueva identidad. Las emociones que siente ante esta realidad pueden ser positivas y negativas en forma avasalladora.

Anticipación

La anticipación es una parte normal de hacer la transición a la maternidad. Es un momento para reunir información sobre cómo ser buena madre. Esto comienza al inicio del embarazo.

Tiene sus fundamentos en la crianza que recibió como hija y de la observación de otras familias que ha encontrado. Los recuerdos de cómo la educaron, junto con sus ideales personales sobre la maternidad, sirven como imágenes en su banco personal de las cuales puede echar mano al pensar cómo será su estilo para educar.

Durante este tiempo de anticipación, quizá tenga sueños y fantasías acerca de cómo será su bebé. Estas imágenes no son un desperdicio de tiempo, sino el comienzo del lazo emocional con su bebé.

Preocupaciones y temores

Durante su segundo mes de embarazo, la emoción que sintió cuando se enteró que estaba embarazada puede haberse visto afectada por el temor. ¿Qué pasa si pudo haber hecho algo que le hizo daño a su bebé —antes de saber que estaba embarazada—? ¿Qué hay de la aspirina que tomó para el dolor de cabeza? ¿O de esa copa de vino que tomó en la cena? ¿O de la gripe que le dio?

Es importante darse cuenta de que no puede planear ni controlar todo lo que pasa en su embarazo, pero también es importante hacer elecciones sobre su estilo de vida que le den la mejor oportunidad de tener un embarazo sano. Si tiene preocupaciones, compártalas con su proveedor de cuidados de salud. Hacerlo puede tranquilizar su mente.

También puede estar preocupada por otras cosas. ¿Cómo enfrentará el dolor del parto y el alumbramiento? ¿Será una buena madre? Discuta estas preocupaciones con su pareja. Si las esconde, podrían causar tensión en su relación. Es posible que creen un sentido de alejamiento entre usted y su pareja en un momento cuando ambos necesitan la calidez de una relación amorosa cercana.

Durante el inicio del embarazo, algunas mujeres tienen sueños o sentimientos que les provocan ansiedad. Estos pensamientos pueden parecer absurdos o irracionales, sin embargo son normales y muy comunes. Para la mayoría de los nuevos padres, tales pensamientos por lo general son pasajeros. No obstante, si los pensamientos y sentimientos problemáticos persisten y la alteran, considere consultar con su proveedor de cuidados de salud, quien podría referirla con un terapeuta o consejero que le ayude a manejar tales pensamientos.

Citas con su proveedor de cuidados de salud

Qué esperar en la primera cita

Cuando llegue el día de su primera cita, deje suficiente tiempo en su horario para ella, hasta dos o tres horas, de manera que no se sienta apresurada. Es probable que la atiendan varias personas, incluyendo enfermeras y personal del consultorio, que trabajan con su proveedor de cuidados de salud.

Después de discutir su historia médica con usted, su proveedor de cuidados de salud le hará un examen físico y calculará la fecha probable de parto. También puede esperar que durante su primera consulta prenatal, o justo después de ella, le hagan varias pruebas de laboratorio.

Evaluación de su historia médica

En su primera cita, su proveedor de cuidados de salud revisará su salud pasada y presente, incluyendo cualquier condición médica crónica que tenga, y los problemas que haya tenido en cualquier embarazo previo si lo ha tenido. Reunir la mayor información posible sobre su salud pasada y presente es uno de los principales objetivos de su proveedor de cuidados de salud en su primera visita. Las respuestas que dé tendrán un impacto sobre la atención que reciba.

Vaya a su consulta preparada para responder preguntas acerca de estos temas, sobre su embarazo hasta la fecha y sobre la cobertura de su seguro.

LISTA DE REVISIÓN PARA LA PRIMERA CITA

✔ Es probable que la discusión de su historia médica en su primera consulta con su proveedor de cuidados de salud cubra los siguientes temas:

❑ Detalles de cualquier embarazo previo

❑ El lapso típico transcurrido entre sus periodos menstruales

❑ El primer día de su última menstruación

❑ Su uso de anticonceptivos

❑ Medicamentos de prescripción o de venta sin receta que esté tomando

❑ Alergias que tenga

❑ Padecimientos médicos o enfermedades que haya tenido o tenga

❑ Cirugías anteriores si las ha tenido

❑ Su medio de trabajo

❑ Sus conductas de estilo de vida, como ejercicio, dieta, tabaquismo o exposición a humo de segunda mano, y el uso de bebidas alcohólicas o drogas recreativas

❑ Factores de riesgo para enfermedades de transmisión sexual —como el hecho de que usted o su pareja tengan más de una pareja sexual.

❑ Problemas médicos pasados o presentes, como diabetes, alta presión sanguínea (hipertensión), lupus o depresión, en su familia inmediata o la de su pareja —padre, madre, hermanos.

❑ Antecedentes familiares, en ambos padres, de bebés con anormalidades congénitas o enfermedades genéticas.

❑ Detalles sobre su ambiente doméstico, como el hecho de que se sienta o no segura

Mientras analiza su historia médica con su proveedor de cuidados de salud, también tendrá la oportunidad de hacer las muchas preguntas que puede tener sobre su embarazo. Si ha estado haciendo una lista de preguntas, llévela a su primera cita de manera que no olvide nada.

El examen físico

Durante el examen físico en su primera visita prenatal, es probable que su proveedor de cuidados de salud revise su peso, estatura y presión sanguínea y evalúe su salud general. El examen pélvico es parte importante de esta evaluación.

Es posible que, durante el examen, su proveedor de cuidados de salud examine su vagina empleando un instrumento llamado espéculo, el cual permite tener una vista clara de su cérvix, el cuello de su útero. Los cambios en el cuello y en el tamaño del útero permiten a su proveedor de cuidados de salud saber qué tan avanzado está el embarazo.

Mientras el espéculo se encuentra colocado, es probable que su proveedor de cuidados de salud tome con suavidad algunas células y moco del cuello para una prueba de Papanicolau y para determinar si hay infecciones. El Papanicolau detecta anormalidades que indican estados precancerosos o cancerosos en cérvix. Las infecciones del cuello como las enfermedades de transmisión sexual del tipo de la gonorrea y la clamidiasis pueden afectar su embarazo y la salud de su bebé.

Después de retirar el espéculo, es posible que su proveedor de cuidados de salud inserte dos dedos enguantados en su vagina para revisar su cérvix y, con la otra mano sobre su abdomen, revise el tamaño de su útero y sus ovarios. Muchos proveedores de cuidados de salud evalúan el tamaño de su canal de nacimiento durante este examen. Estas mediciones pueden ayudar a determinar si es posible que tenga problemas durante el parto y el alumbramiento, aunque es difícil hacer una predicción precisa en una etapa tan temprana del embarazo. Pero si su pelvis parece demasiado estrecha para que la cabeza de un bebé pase con facilidad a través del canal de nacimiento, es probable que su proveedor de cuidados de salud anote esto en su expediente como algo que debe revaluar más tarde.

Quizá le preocupe tener un examen pélvico. Muchas mujeres lo hacen. Durante el examen, intente relajarse lo más posible. Respire despacio y con profundidad. Si está tensa, sus músculos también lo estarán, lo cual puede hacer que el examen sea más molesto. Recuerde, un examen pélvico típico toma sólo un par de minutos.

Quizá presente un poco de sangrado vaginal después de su examen pélvico y de la prueba de Papanicolau, en especial 24 horas después de la consulta. Es probable que el sangrado sólo sea un manchado ligero, o quizá sea un poco más. Por lo general desaparece en un día. Esto ocurre con frecuencia porque el cérvix ablandado por el embarazo sangra un poco después del Papanicolau. El sangrado proviene del exterior del cuello y no es peligroso para su bebé. Si le preocupa, llame a su proveedor de cuidados de salud.

Cálculo de su fecha probable de parto

Su proveedor de cuidados de salud está tan interesado en su fecha de término como usted. ¿A qué se debe esto? A que el establecimiento de dicha fecha al inicio del embarazo permite a su proveedor de cuidados de salud dar seguimiento al crecimiento de su bebé con la mayor exactitud y precisión posibles. Es más difícil proporcionar una fecha precisa de término si su proveedor de cuidados de salud no la atiende al principio del embarazo. Una idea firme de la fecha de nacimiento de su bebé le ayuda al proveedor de cuidados de salud a interpretar los resultados de laboratorio. Ciertas pruebas de laboratorio cambian en el curso del embarazo. Como resultado, alguna prueba podría interpretarse de manera equivocada como anormal si la estimación de la edad de su bebé no es precisa. Conocer la fecha de nacimiento también afecta de manera importante la forma en que su proveedor de cuidados de salud podría manejar el parto prematuro, si éste ocurriera.

PARTO PREMATURO: ¿ESTÁ EN RIESGO?

Su proveedor de cuidados de salud querrá evaluar su riesgo de parto prematuro —esto es, un parto y alumbramiento que ocurren antes del final de la 37.ª semana de embarazo—. Las causas exactas de parto prematuro se desconocen, pero algunos factores parecen incrementar el riesgo de que una mujer lo presente, incluyendo:

- Un nacimiento prematuro anterior
- Un embarazo con gemelos, triates o más
- Varios abortos previos
- Una infección del líquido amniótico o de las membranas fetales
- Un exceso de líquido amniótico (hidramnios)
- Anormalidades del útero
- Problemas con la placenta
- Una enfermedad o trastorno serio en la madre
- Fumar cigarrillos
- Uso de drogas ilícitas
- Edad materna avanzada

En los Estados Unidos, las mujeres negras están en mayor riesgo de parto prematuro que las nativas estadounidenses, hispanas, blancas, asiáticas o isleñas del Pacífico.

Para estimar una fecha de término, la mayoría de los proveedores de cuidados de salud toman la fecha en que se inició su último periodo menstrual, suman siete días y luego restan tres meses. Por ejemplo, si su último periodo se inició el 20 de noviembre, al agregar siete días (27 de noviembre), y quitar tres meses, le da una fecha de término del 27 de agosto.

Pruebas de laboratorio

Las pruebas de rutina de laboratorio durante su primera visita prenatal incluyen pruebas de sangre para determinar su tipo de sangre (A, B, AB u O) y el factor rhesus (por ejemplo, Rh positivo o Rh negativo), y determinar si ha estado expuesta a la sífilis, el sarampión alemán (rubéola) o la hepatitis B. La mayoría de las estadounidenses fueron vacunadas contra la rubéola cuando eran niñas y todavía presentan inmunidad; pero si usted no lo fue, mientras esté embarazada, debe evitar el contacto con cualquiera que tenga la enfermedad. La exposición al sarampión alemán puede tener serias consecuencias para su bebé.

También se examina su sangre en busca de anticuerpos contra glóbulos rojos —casi siempre, anticuerpos Rh—. Estos tipos de anticuerpos pueden incrementar el riesgo de que su bebé desarrolle anemia o ictericia después de nacer. También se le ofrecerá una prueba para el virus de la inmunodeficiencia humana (VIH), el que causa el SIDA. Asimismo, es probable que le hagan las pruebas de inmunidad contra varicela, sarampión, paperas y toxoplasmosis. Es posible que algunas mujeres sean evaluadas respecto a problemas tiroideos. Es típico que sólo sea necesario insertar una aguja y tomar una muestra de sangre para realizar todas estas pruebas.

Quizá le pidan que proporcione una muestra de orina. Un análisis de ésta puede determinar si tiene una infección en vejiga o riñones, la cual requeriría tratamiento. La muestra de orina también puede evaluarse respecto a un incremento en el azúcar, indicando diabetes, y en la proteína, señalando posible enfermedad renal.

Aproveche al máximo su primera consulta

Sin importar que éste sea o no su primer embarazo, su primera consulta prenatal con su proveedor de cuidados de salud le da la oportunidad de revisar su salud y estilo de vida, y de hablar con honestidad acerca de estar embarazada y dar a luz. Para aprovechar al máximo su primera consulta, tenga los siguientes puntos en cuenta:

- Pase algún tiempo de su visita hablando con su proveedor de cuidados de salud acerca de su estilo de vida general y sobre cómo podría mejorarlo para tener el embarazo más sano posible. Los posibles temas a tratar incluyen nutrición, ejercicio, tabaquismo, uso del alcohol y cómo manejar su embarazo en el sitio de trabajo.
- Comente cualquier preocupación o temor que pueda tener acerca de su embarazo y alumbramiento. Entre más pronto se resuelvan dichos temores y preocupaciones, más rápido obtendrá tranquilidad.
- Comunique sus ideas y sea persistente. Si su proveedor de cuidados de salud no responde a sus preguntas a su entera satisfacción o utiliza palabras que usted no comprende, pregunte de nuevo hasta entender.
- Sea honesta y precisa cuando hable con su proveedor de cuidados de salud. La calidad de la atención que reciba depende en gran medida del tipo de información que usted proporcione.

Establezca la siguiente cita

Su salud determina el número de visitas de seguimiento que recomendará su proveedor de cuidados de salud. La mayoría de las mujeres tienen consulta cada cuatro a seis semanas hasta el octavo mes. Luego las visitas se hacen más frecuentes, cada quince días, hasta el inicio del noveno mes; siendo después semanales hasta la llegada del bebé. Si tiene un problema de salud crónico como diabetes o alta presión arterial (hipertensión), quizá necesite tener visitas más frecuentes con su proveedor de cuidados de salud. Si tiene buena salud, y ya ha estado embarazada antes y pasado por el trabajo de parto, quizá pueda programar menos consultas. Si se presenta cualquier problema y preocupación entre citas, comuníquese con su proveedor de cuidados de salud.

Cuándo llamar a un profesional del cuidado de la salud durante la quinta a la octava semanas

Si tiene dudas, llame. Siempre es mejor prevenir que lamentar.

Este mes, también puede interesarle:
- La "Guía de decisión: manejo de los viajes durante el embarazo", página 321
- "Complicaciones: hiperemesis gravídica", página 550

Ésta es una guía sobre posibles signos y síntomas problemáticos y de cuándo debe notificar a su proveedor de cuidados de salud en el segundo mes.

Signos o síntomas	Cuándo avisar a su proveedor de cuidados de salud
Sangrado o manchado vaginal	
Ligero manchado que dura sólo un día	Siguiente consulta
Cualquier manchado o sangrado que dure más de un día	En 24 horas
Sangrado moderado a abundante	De inmediato
Cualquier cantidad de sangrado acompañado por dolor, cólicos, fiebre o escalofríos	De inmediato
Salida de tejido	De inmediato
Dolor	
Sensación ocasional de jalado, torcimiento o pellizcado en uno o ambos lados de su abdomen	Siguiente consulta
Dolores ocasionales de cabeza	Siguiente consulta
Un dolor de cabeza moderado y molesto que no se quita después de tratamiento con acetaminofeno	En 24 horas
Dolor de cabeza grave y persistente, en especial con mareos, languidez, náusea o vómito, o trastornos visuales	De inmediato
Dolor pélvico moderado o grave	De inmediato
Cualquier grado de dolor pélvico que no cede en cuatro horas	De inmediato
Dolor con fiebre o sangrado	De inmediato
Vómito	
Ocasional	Siguiente consulta
Una vez al día	Siguiente consulta
Más de tres veces al día o con incapacidad para comer o beber entre los episodios de vómito	En 24 horas
Con dolor o fiebre	De inmediato
Otros	
Escalofríos o fiebre (39°C o más)	De inmediato
Micción dolorosa	Mismo día
Aumento en la frecuencia de la micción	Siguiente consulta
Incapacidad para orinar	Mismo día
Estreñimiento ligero	Siguiente consulta
Estreñimiento grave, sin movimientos intestinales por tres días	Mismo día

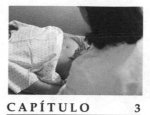

tercer mes: novena a duodécima semanas

El crecimiento de su bebé durante la novena a la duodécima semanas

Novena semana

En esta semana la forma de su bebé comienza a definirse como humana, y parece menos un renacuajo y más una persona. La cola embrionaria en el extremo de la médula espinal de su bebé se está encogiendo y desapareciendo, y su cara es más redonda.

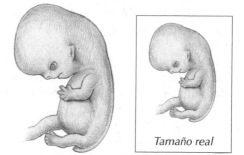

Tamaño real

La cabeza de su bebé es bastante grande en comparación con el resto de su cuerpo y está inclinada sobre el pecho. En manos y pies se siguen formando los dedos, y los codos son más pronunciados. Se están formando los pezones y los folículos pilosos.

El páncreas, los conductos y la vesícula biliares, así como el ano ya se han formado, y los intestinos se están haciendo más largos. Los órganos reproductores internos, como testículos y ovarios, comienzan a desarrollarse esta semana, pero los genitales externos de su bebé aún no tienen características notorias femeninas o masculinas.

Es posible que su bebé comience a realizar algunos movimientos esta semana, pero no será capaz de sentirlos durante varias semanas más.

A las nueve semanas de embarazo, siete semanas después de la concepción, su bebé mide casi 2.5 centímetros de largo y pesa un poco menos de cuatro gramos.

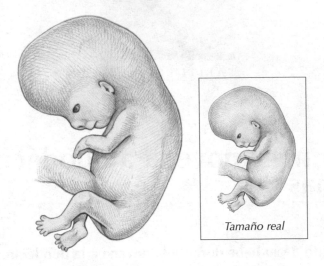

Tamaño real

Décima semana

Alrededor de la décima semana ya se han formado los inicios de todos los órganos vitales de su bebé. La cola embrionaria ha desaparecido por completo, y se han generado los dedos en pies y manos. Los huesos del esqueleto están en formación. Los párpados de su bebé están más desarrollados, y los ojos se ven cerrados. El oído externo comienza a adquirir la forma final. Su bebé también comienza a desarrollar los gérmenes dentales.

El cerebro de su bebé comienza ahora a crecer más rápido. Esta semana se producen casi 250,000 nuevas neuronas por minuto en su cerebro.

Si su bebé es niño, en esta semana los testículos comenzarán a producir la hormona masculina testosterona.

Decimoprimera semana

A las once semanas y un día de su embarazo y hasta que su bebé llegue a término, se le llama en forma oficial feto. Con todos los sistemas de órganos en su lugar, la decimoprimera semana inicia un tiempo de rápido crecimiento. Desde ahora hasta su 20.ª semana de embarazo —la mitad del tiempo de embarazo—, el peso del bebé aumentará 30 veces y su longitud casi se triplicará. Para adecuarse a todo este crecimiento, los vasos sanguíneos de su placenta aumentan en tamaño y número para mantener la provisión de nutrientes para su bebé.

Las orejas de su bebé se desplazan hacia arriba a los lados de la cabeza en esta semana, y también sus órganos reproductores se están desarrollando con rapidez. Para el final de la semana, lo que era un pequeño brote de tejido de los genitales externos se ha desarrollado en un pene o en un clítoris y labios mayores reconocibles.

Ochenta por ciento del tamaño real

Duodécima semana

La cara de su bebé se define todavía más esta semana, al refinarse el mentón y la nariz. Esta semana también marca la llegada de las uñas en los dedos de pies y manos. El ritmo cardiaco de su bebé puede acelerarse unos cuantos latidos por minuto.

Para la duodécima semana de su embarazo, su bebé casi mide 7.5 cm y pesa cerca de 24 gramos. El final de esta semana señala el término de su primer trimestre.

Su cuerpo durante la novena a la duodécima semana

El tercer mes de embarazo es el último de su primer trimestre. Algunas de las primeras molestias e incomodidades del embarazo, como las náuseas matutinas y la micción frecuente, pueden ser especialmente problemáticas este mes; pero el final se acerca —por lo menos durante un tiempo. Para la mayoría de las mujeres, los efectos secundarios del inicio del embarazo disminuyen en gran medida en el segundo trimestre.

Sus hormonas

La producción de hormonas se sigue incrementando esta semana, pero se está dando un cambio. Para el final de la duodécima semana de embarazo, el bebé y la placenta del bebé estarán produciendo más estrógeno y progesterona que los ovarios.

Es probable que el aumento en la producción hormonal de su cuerpo siga produciendo signos y síntomas molestos, como náusea y vómito, dolor en las mamas, dolores de cabeza, mareos, aumento en la necesidad de orinar, insomnio y sueños vívidos. Es probable que la náusea y el vómito sean especialmente molestos. Si padece náuseas matutinas, es probable que le dure todo el mes, pero que ceda a la mitad del siguiente. Casi siempre sucede esto hacia el final del mes siguiente.

En cuanto a las ventajas, el incremento en el volumen sanguíneo y en la producción de la hormona gonadotropina coriónica humana (GCH) funcionan juntos este mes para darle ese "resplandor" de embarazo. El mayor volumen sanguíneo lleva más sangre a sus vasos, lo cual da como resultado esa piel que parece estar algo sonrojada y turgente. La parte final del resplandor viene de las hormonas GCH y progesterona, las cuales incrementan la grasa que producen las glándulas en su cara, haciendo que su piel se vea más lisa y un poco más brillante.

Una posible desventaja: si era común que presentara brotes de acné durante su periodo menstrual antes de estar embarazada, esta grasa adicional puede hacer que tenga más tendencia a padecer acné.

Su corazón y sistema circulatorio

El incremento en la producción de sangre de su organismo continuará durante todo su embarazo, pero este mes marca el final del tiempo del mayor aumento. Para acomodar este cambio, su corazón sigue bombeando más fuerte y también con mayor rapidez. Es posible que estos cambios en su sistema circulatorio sigan causando signos y síntomas poco agradables, como fatiga, mareos y dolores de cabeza.

Sus ojos

Mientras está embarazada, su cuerpo retiene líquido adicional. Esto hace que la capa externa del ojo, llamada córnea, se haga aproximadamente tres por ciento más gruesa. Es típico que este cambio se haga obvio alrededor de la décima semana del embarazo, y dura hasta seis semanas después del nacimiento del bebé. Al mismo tiempo, la presión de líquido dentro de sus ojos, llamada presión intraocular, se reduce cerca de diez por ciento durante el embarazo.

Como resultado de estos dos sucesos, quizá su visión comience a ser un poco borrosa durante este mes. Si usa lentes de contacto, en particular si son duros, es posible que le resulte incómodo usarlos. Aun así, no hay necesidad de cambiarlos. Sus ojos volverán a la normalidad después del alumbramiento.

Sus mamas

Sus mamas y las glándulas productoras de leche dentro de ellas siguen creciendo, estimuladas por el aumento en la producción de estrógeno y progesterona. Las areolas, los anillos de piel café o rojiza alrededor de sus pezones, también pueden parecer más grandes y oscuras. Es posible que sus mamas se sigan sintiendo sensibles o doloridas, aunque es probable que el dolor haya cedido un poco. Asimismo, es posible que sus mamas se sientan más grandes y pesadas.

Su útero

Hasta la duodécima semana de embarazo, su útero cabe dentro de su pelvis. Es probable que sea difícil para otra persona decir que usted está embarazada sólo mirándola. No obstante, es muy probable que presente signos y síntomas relacionados con el embarazo. Durante todo este mes, debido al tamaño creciente de su útero y a su proximidad con la vejiga, es posible que siga sintiendo la necesidad de orinar con mayor frecuencia. Para el final del mes su útero se habrá expandido saliendo de su cavidad pélvica, así que la presión sobre su vejiga no será tan grande.

Sus huesos, músculos y articulaciones
Quizá siga sintiendo algunas punzadas, pellizcos o jalones en la parte inferior del abdomen. Los ligamentos que sostienen su útero se están estirando para soportar este crecimiento. Al inicio del segundo trimestre, es común presentar un dolor agudo de un lado o del otro, casi siempre provocado por un movimiento repentino. Este dolor es el resultado de un estiramiento fuerte del ligamento redondo que sujeta el útero a la pared abdominal. No es dañino, pero puede doler.

Aumento de peso
Cuando suma el peso del bebé, la placenta, el líquido amniótico, el incremento en el volumen sanguíneo que ha producido su cuerpo, el líquido acumulado en sus propios tejidos corporales y el aumento de tamaño en su útero y sus mamas, es probable que haya ganado un kilogramo alrededor de la duodécima semana de embarazo. Si su peso previo al embarazo se encontraba en el rango normal, es posible que gane de 11 a 16 kilos durante dicho embarazo. La mayor parte de su incremento en peso se dará en la segunda mitad del embarazo y después de la 33.ª o 34.ª semanas, cuando es probable que gane cerca de medio kilogramo por semana.

Recursos de autocuidado

Los cambios en su cuerpo durante el tercer mes de embarazo pueden producir algunos signos y síntomas desagradables. Para mayor información sobre cómo enfrentar las quejas comunes como dolor o retortijones abdominales, acné, fatiga, micción frecuente y vómito, vea la parte 3, "Guía de referencia del embarazo", en la página 413.

Sus emociones durante la novena a la duodécima semanas

Imagen corporal

Es posible que en los primeros meses del embarazo le preocupen los cambios físicos que ocurren en su cuerpo. Dado el énfasis que nuestra cultura pone en ser delgado, es probable que la perturben estos cambios. En pocas palabras, puede sentirse gorda y poco atractiva. Estos sentimientos pueden ser especialmente fuertes este mes, a medida que empieza a desarrollar una pequeña panza.

Los cambios en la forma y el funcionamiento de su cuerpo pueden afectar sus sentimientos. Quizá se sienta menos atractiva en general y para su pareja en particular. Quizá le molesten en especial los aspectos de imagen corporal si éste es su primer embarazo.

Si tiene una imagen corporal negativa, es posible que tenga problemas para disfrutar o incluso desear las relaciones sexuales con su pareja. Quizá no sea capaz de imaginar para qué desearía hacer el amor su compañero.

Si se siente así, tenga presente un par de cosas: para la mayoría de las mujeres, el interés en el sexo continúa durante el embarazo, pero puede disminuir un poco. Esto es normal. Asimismo, aunque le sea difícil de creer, es probable que su pareja esté orgullosa de los cambios físicos en su cuerpo debidos al embarazo. Pregúntele sobre ello.

Hay más aspectos en una relación sexual que la penetración. El masaje puede elevar la sensualidad e intimidad y llevar en forma cómoda a dicha penetración. O puede ser un fin placentero en sí mismo. Encuentre el equilibrio que funcione mejor para usted y su pareja.

Citas con su proveedor de cuidados de salud

Es probable que tenga su segunda visita prenatal con su proveedor de cuidados de salud este mes. Quizá esta consulta sea más breve que la primera, pero es muy posible que incluya muchas de las mismas cosas. Su proveedor de cuidados de salud revisará su peso y su presión sanguínea. Rara vez se requerirá otro examen pélvico a menos que algo desusado se haya descubierto en su primera visita.

Algo que debe esperar en esta segunda cita: si ésta ocurre alrededor de la duodécima semana de su embarazo, es probable que su proveedor de cuidados de salud emplee un instrumento especial para escuchar llamado Doppler, el cual puede permitirle oír por primera vez el latido del corazón de su bebé.

Cuándo llamar a un profesional del cuidado de la salud durante la novena a la duodécima semanas

Cuando tenga dudas llame. Es mejor prevenir que lamentar.

Cuándo llamar

📞 Ésta es una guía sobre posibles signos y síntomas problemáticos y de cuándo debe notificar a su proveedor de cuidados de salud en el tercer mes.

Signos o síntomas	Cuándo avisar a su proveedor de cuidados de salud
Sangrado o manchado vaginal	
Ligero manchado que dura sólo un día	Siguiente consulta
Cualquier manchado o sangrado que dure más de un día	En 24 horas
Sangrado moderado a abundante	De inmediato
Cualquier cantidad de sangrado acompañado por dolor, cólicos, fiebre o escalofríos	De inmediato
Salida de tejido	De inmediato
Dolor	
Sensación ocasional de jalado, torcimiento o pellizcado en uno o ambos lados de su abdomen	Siguiente consulta
Dolores ocasionales de cabeza	Siguiente consulta
Un dolor de cabeza moderado y molesto que no se quita después de tratamiento con acetaminofeno	En 24 horas
Dolor de cabeza grave y persistente, en especial con mareos, languidez, náusea o vómito, o trastornos visuales	De inmediato
Dolor pélvico moderado o grave	De inmediato
Cualquier grado de dolor pélvico que no cede en cuatro horas	De inmediato
Dolor con fiebre o sangrado	De inmediato
Vómito	
Ocasional	Siguiente consulta
Una vez al día	Siguiente consulta
Más de tres veces al día o con incapacidad para comer o beber entre los episodios de vómito	En 24 horas
Con dolor o fiebre	De inmediato
Otros	
Escalofríos o fiebre (39°C o más)	De inmediato
Micción dolorosa	Mismo día
Aumento en la frecuencia de la micción	Siguiente consulta
Incapacidad para orinar	Mismo día
Estreñimiento ligero	Siguiente consulta
Estreñimiento grave, sin movimientos intestinales por tres días	Mismo día

CAPÍTULO 4

cuarto mes: decimotercera a decimosexta semanas

¡Fiu! Terminamos el primer trimestre. Mi esposo y yo ahora nos sentimos cómodos al decirle a la gente que esperamos un bebé. Mi abdomen comienza a sobresalir un poco, lo cual es a la vez divertido y un poquito atemorizante. También me siento mejor, con menos náuseas y cansancio. ¡Gracias por el segundo trimestre!

—Experiencia de una madre.

El crecimiento de su bebé durante la decimotercera a decimosexta semanas

Decimotercera semana

Al entrar al segundo trimestre, ya se han formado todos los órganos, nervios y músculos de su bebé y comienzan a funcionar juntos. Sus ojos y orejas se pueden identificar con claridad, aunque los párpados están fusionados para proteger los ojos en desarrollo. No se volverán a abrir hasta cerca de la 30.ª semana. El tejido que se convertirá en hueso se está desarrollando alrededor de la cabeza y dentro de los brazos y piernas del bebé. Si pudiera espiar a su bebé esta semana, podría ver algunas costillas diminutas.

El bebé es capaz ahora de mover su cuerpo de manera espasmódica, flexionando los brazos y pateando con sus piernas, pero no podrá sentir estos movimientos hasta que el bebé crezca un poco más. Incluso es posible que el bebé pueda meter su pulgar en la boca esta semana. Lo chupará más adelante.

Decimocuarta semana

El sistema reproductor de su bebé es el sitio de mayor acción esta semana. Si va a tener un niño, su glándula próstata está en desarrollo. Si es una niña, sus ovarios están descendiendo desde el abdomen hacia la pelvis. Además, debido a que la glándula tiroides ya está funcionando, su bebé comienza a producir hormonas esta semana. Para el final de ella, el techo de la boca de su bebé (paladar) se habrá formado por completo.

Decimoquinta semana

Esta semana comienzan a aparecer las cejas y cabello en el cuero cabelludo de su bebé. Si éste va a tener el cabello oscuro, los folículos pilosos comenzarán a fabricar el pigmento que le dará color.

Los ojos y orejas ya tienen la apariencia de los de un bebé, y las orejas casi han alcanzado su posición final, aunque todavía están un poco bajas en la cabeza. Además, su bebé está desarrollando una piel tan delgada que se pueden ver los vasos sanguíneos a través de ella.

Los huesos y la médula ósea que conforman el sistema esquelético de su bebé se siguen generando esta semana, lo mismo que el desarrollo muscular. Para el final de esta semana, su bebé podrá cerrar su puño.

Decimosexta semana

Los sistemas esquelético y nervioso ya han hecho suficientes conexiones como para coordinar el movimiento corporal y de las extremidades. Además, los músculos faciales de su bebé están ahora lo bastante desarrollados como para permitir una serie de expresiones. Dentro de su útero, su bebé estará haciendo bizco o frunciendo el ceño, aunque estos movimientos no son expresiones conscientes de emociones.

El sistema esquelético de su bebé se sigue desarrollando a medida que se deposita más calcio en los huesos. Si va a tener una niña, esta semana se están formando millones de óvulos en sus ovarios. A partir de la decimosexta semana, los ojos de su bebé son sensibles a la luz.

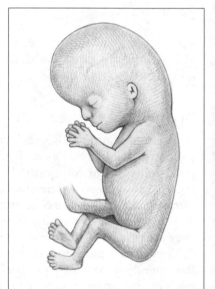

Ochenta por ciento de su tamaño real

Aunque es probable que usted ni siquiera lo sepa, es posible que su bebé tenga ataques frecuentes de hipo. Es frecuente que el hipo se presente antes de que los movimientos respiratorios del bebé se hagan comunes. Dado que la tráquea de su bebé está llena con líquido en lugar de aire, el hipo no hace su sonido característico.

A las dieciséis semanas de embarazo, su bebé tiene entre 10 y 12.5 centímetros de largo y pesa un poco menos de 90 gramos.

Su cuerpo durante la decimotercera a la decimosexta semanas

Este mes se inicia su segundo trimestre, lo cual a veces se llama el periodo de oro del embarazo. El nombre es adecuado. Los efectos secundarios del inicio del embarazo se reducen, pero las molestias del tercer trimestre aún no comienzan. Además, el riesgo de aborto se reduce ahora en gran medida. Las nuevas sensaciones son comunes durante este tiempo.

Los cambios que se iniciaron en su primera semana de embarazo aumentan y se aceleran —y se hacen más obvios para los demás—. El siguiente es un panorama de lo que sucede y en dónde sucede.

Sus hormonas

Durante todo su embarazo, la placenta, los ovarios y las glándulas pituitaria y suprarrenales generan hormonas. Sus niveles hormonales siguen aumentando este mes, influyendo sobre el crecimiento de su bebé y afectando cada sistema de órganos en su cuerpo.

Su corazón y sistema circulatorio

Su sistema circulatorio se sigue expandiendo con rapidez. Es posible que esta expansión tienda a reducir su presión sanguínea. De hecho, es probable que, durante las primeras 24 semanas de su embarazo, la presión sanguínea sistólica (el número superior) disminuya en cerca de cinco a 10 puntos, y la diastólica (el número inferior) en diez a 15 puntos. Después de ello, regresarán poco a poco a los niveles previos al embarazo.

Quizá sienta mareos o languidez durante el clima caliente o cuando toma un baño caliente en tina o regadera. Esto ocurre porque el calor hace que los diminutos vasos sanguíneos de su piel se dilaten, reduciendo de manera temporal la cantidad de sangre que regresa a su corazón.

Su cuerpo sigue haciendo más sangre este mes. Justo ahora, la sangre adicional que produce es en su mayor parte plasma, la porción líquida de la sangre. Durante las primeras 20 semanas del embarazo, la producción de plasma es mayor y más rápida que la producción de glóbulos rojos. Hasta el momento en que se equiparan, la producción de glóbulos rojos es superada, lo cual da como resultado menores concentraciones de estas células.

Si no obtiene el hierro que necesita este mes para ayudar a su cuerpo a hacer más glóbulos rojos, es posible que se ponga anémica. La anemia se produce cuando no hay suficientes glóbulos rojos en la sangre, y por tanto no hay suficiente proteína hemoglobina para llevar oxígeno a los tejidos de su cuerpo. La anemia puede hacer que se canse más y tenga mayor susceptibilidad a la enfermedad, pero, a menos que dicha anemia sea grave, es poco probable que lastime a su bebé. El embarazo está diseñado de manera que, aunque usted no obtenga suficiente hierro, su bebé sí lo haga.

Es posible que el incremento del flujo sanguíneo por su cuerpo ocasione algunos nuevos signos y síntomas desagradables este mes. Es probable que sus tejidos nasales estén inflamados y sean frágiles. Quizá produzca más moco, lo cual da como resultado inflamación y congestión nasales. También puede suceder que presente sangrado nasal y en las encías cuando cepille sus dientes, incluso si nunca le pasó antes. Cerca de 80 por ciento de las mujeres embarazadas presentan ablandamiento y sangrado de las encías. Ninguno de estos problemas la dañará o dañará a su bebé, pero pueden ser desconcertantes y molestos.

Su sistema respiratorio

Estimulada por la progesterona, su capacidad pulmonar aumenta este mes. Con cada movimiento, sus pulmones inhalan y exhalan hasta 30 a 40 por ciento más aire que antes. Estos cambios en su sistema respiratorio permiten a su sangre llevar grandes cantidades de oxígeno a su placenta y su bebé. Además, dejan que su sangre elimine más dióxido de carbono de su cuerpo del que elimina de manera normal.

Quizá note que respira un poco más rápido este mes. Es posible que también presente falta de aire. Dos tercios de las mujeres embarazadas lo hacen, casi siempre alrededor de la decimotercera semana de gestación. Esto se debe a que su cerebro reduce el nivel de dióxido de carbono en su sangre para facilitar la transferencia de más dióxido de carbono de su bebé a usted. Para hacerlo, el cerebro ajusta el volumen y velocidad respiratorios. Como resultado, muchas mujeres sienten falta de aire.

Para adecuarse al incremento en la capacidad pulmonar, su caja torácica se agrandará en el curso de su embarazo, en cinco a 7.5 centímetros de circunferencia.

Su sistema digestivo

El incremento en las cantidades de las hormonas progesterona y estrógeno durante el embarazo tiende a relajar todos los músculos lisos de su cuerpo, incluyendo su tracto digestivo. Bajo la influencia de estas hormonas, su sistema digestivo se vuelve más lento. Los movimientos que empujan la comida que ingiere desde su esófago hacia su estómago también son más lentos, y su estómago tarda más en vaciarse.

Este retraso está diseñado para permitir que los nutrientes tengan mayor tiempo de ser absorbidos hacia su torrente sanguíneo y lleguen a su bebé. Por desgracia, cuando se combina esto con un útero en expansión que se recarga sobre otros órganos en su abdomen, el retraso también puede causar agruras y estreñimiento, dos de los efectos más comunes e incómodos del embarazo. Quizá presente estos molestos efectos secundarios este mes.

Cerca de la mitad de las mujeres embarazadas sufren de agruras. Éstas se producen cuando el ácido de la digestión retrocede hacia el esófago, el conducto que une su garganta con su estómago. Cuando esto sucede, los ácidos estomacales irritan el recubrimiento del esófago, ocasionando la sensación de ardor característica.

La historia es muy parecida con el estreñimiento, el cual también afecta por lo menos a la mitad de las mujeres embarazadas. Se produce, o por lo menos es fomentado, por la mayor lentitud del sistema digestivo y la presión del útero siempre en expansión. Además, su colon absorbe más agua durante el embarazo, lo cual tiende a endurecer las heces y hacer que los movimientos intestinales sean más difíciles.

Sus mamas

Sus mamas y las glándulas productoras de leche dentro de ellas siguen creciendo este mes, estimuladas por un incremento en la producción de estrógeno y progesterona. El oscurecimiento de la piel alrededor de los anillos de piel café o rojiza alrededor de sus pezones (areolas) puede ser muy notorio ahora. Aunque parte de este incremento en la pigmentación desaparecerá después del parto, es probable que estas áreas se mantengan más oscuras que antes del embarazo. Es posible que sus mamas se sigan sintiendo sensibles o doloridas, o que le parezcan más grandes y pesadas.

Su útero

Su abdomen, lo mismo que su útero, se está expandiendo para darle más espacio a su bebé en crecimiento. Esto se hará mucho más notorio este mes.

Ahora que se encuentra en su segundo trimestre, su útero está más pesado. También se encuentra más alto y proyectado hacia delante, lo cual cambia su centro de gravedad. Sin siquiera saberlo, quizá esté comenzando a ajustar su postura y la manera en que está de pie, se mueve y camina. En ocasiones es posible que sienta que va a caer. Esto es normal. Regresará a su elegante postura habitual una vez que nazca su bebé.

A medida que su útero se hace demasiado grande para acomodarse en la pelvis, sus órganos internos están siendo desplazados de sus lugares acostumbrados. Además, sus músculos y ligamentos circundantes están soportando una mayor tensión. Es posible que todo este crecimiento cause algunos dolores y molestias este mes.

La presión de su útero sobre las venas que devuelven la sangre desde sus piernas puede causar calambres en ellas, en especial durante la noche. Quizá también note que su ombligo comienza a sobresalir. Esto, también, es el resultado de la presión del útero en crecimiento. Después del nacimiento de su bebé, es muy probable que su ombligo vuelva a la normalidad.

Es posible que sienta cierto dolor en la parte inferior del abdomen durante este mes. Es probable que esto se relacione con el estiramiento de los músculos y ligamentos alrededor de su útero en expansión, lo cual no significa una amenaza para usted o su bebé. No obstante, si tiene dolores abdominales, informe a su proveedor de cuidados de salud sobre ello.

Su tracto urinario

La hormona progesterona relaja los músculos de sus uréteres, los conductos que llevan la orina desde sus riñones a su vejiga, retrasando el flujo de dicha orina. Además, el útero en expansión impide en mayor grado el flujo de orina. Estos cambios, combinados con una tendencia para excretar más glucosa en la orina, pueden hacer que sea más susceptible a sufrir infecciones en vejiga y riñones este mes.

Si orina todavía con mayor frecuencia que la normal, siente ardor al orinar o presenta fiebre, es posible que tenga una infección en el tracto urinario. Informe sobre estos signos y síntomas a su proveedor de cuidados de salud. El dolor en abdomen y espalda también pueden indicar una infección de este tipo. El reconocimiento y tratamiento de las infecciones en el tracto urinario tienen especial importancia durante el embarazo. Cuando éstas se dejan sin tratar pueden ser causa común de parto prematuro más adelante.

Sus huesos, músculos y articulaciones

Este mes, sus huesos, músculos y articulaciones siguen adaptándose al estrés de sostener a su bebé. Los ligamentos que dan apoyo a su abdomen se están volviendo más elásticos, y las articulaciones entre sus huesos pélvicos comienzan a ablandarse y aflojarse. Al final, estos cambios facilitarán que su pelvis se expanda durante el parto de manera que su bebé pueda salir. Por ahora, dichos cambios pueden estar ocasionando algo de dolor en la espalda.

Es posible que la parte inferior de su columna vertebral comience a curvarse hacia atrás para compensar el desplazamiento en su centro de gravedad provocado por el crecimiento de su bebé. Sin este cambio, es probable que sufra caídas; pero la modificación de su postura provoca tensión en los músculos y ligamentos de su espalda y quizá le cause cierto dolor.

Su vagina

Es probable que note que tiene más descarga vaginal este mes. Esto es normal y producto de los efectos hormonales en las células que recubren su vagina. Las hormonas del embarazo estimulan la producción de moco, pero la mayor parte de esta descarga normal es el recambio de las células en rápido crecimiento de su vagina. Estas células se combinan con la humedad normal de la vagina para formar una descarga delgada y blanca. Se cree que su alta acidez juega un papel en la supresión del crecimiento de bacterias potencialmente dañinas.

Los cambios hormonales del embarazo pueden alterar el equilibrio de su medio vaginal. Cuando esto sucede, un tipo de microorganismo de los que viven ahí puede crecer con mayor rapidez que los otros, provocando una infección vaginal. Si presenta una descarga vaginal verdosa o amarillenta, con olor fuerte o acompañada de enrojecimiento, comezón e irritación de la vulva, comuníquese con su proveedor de cuidados de la salud, pero no se alarme. Las infecciones vaginales son comunes en el embarazo y pueden tratarse con éxito.

Hay medicamentos de venta sin receta para infecciones por levaduras, pero no los utilice mientras esté embarazada sin hablar primero con su proveedor de cuidados de salud. Dado que otros tipos de infecciones vaginales pueden causar signos y síntomas similares a los provocados por las infecciones con levaduras, lo mejor es que su proveedor de cuidados de salud determine con exactitud el tipo de infección vaginal que tiene antes de iniciar el tratamiento.

Su piel

Las hormonas de embarazo que trabajan en su cuerpo pueden comenzar a causar cambios en su piel este mes. Uno de los más comunes —oscurecimiento de la piel— ocurre en 90 por ciento de las mujeres embarazadas. Quizá note que la piel es más oscura en sus pezones y alrededor de ellos, en el área entre su vulva y ano (perineo), alrededor de su ombligo, y en sus axilas y la región interna de los muslos. Estos cambios serán más pronunciados si tiene piel oscura. El oscurecimiento de la piel casi siempre disminuye después del nacimiento, pero algunas áreas suelen permanecer más oscuras de lo que eran antes del embarazo.

Quizá también note cierto oscurecimiento de la piel de su cara. Esta condición, llamada cloasma o la máscara del embarazo, afecta a cerca de la mitad de las mujeres embarazadas, sobre todo a las que tienen cabello oscuro y piel clara. Por lo general aparece en frente, sienes, mejillas, mentón y nariz. Quizá no sea tan intenso como otros aumentos en la pigmentación, y por lo general desaparece por completo después del nacimiento.

Otros cambios pueden incluir:

- Oscurecimiento de la línea blanca que corre desde su ombligo hasta el vello púbico.
- Oscurecimiento de lunares, pecas y marcas en la piel preexistentes.
- Enrojecimiento y comezón en palmas de las manos y plantas de los pies. Se cree que esto es producto del aumento en la producción de estrógeno, y este cambio en la piel afecta a dos tercios de las mujeres embarazadas.
- Manchas azuladas en piernas y pies, en especial cuando tiene frío. Este cambio en la piel, producto del aumento en el estrógeno, desaparecerá después de que nazca su bebé.
- Nuevos y numerosos lunares.
- Crecimiento más rápido de las uñas de pies y manos, o uñas quebradizas o blandas y con surcos.
- Incremento del sudor y de erupciones por calor. Es frecuente que las mujeres embarazadas transpiren más, como resultado de la acción de las hormonas y la necesidad de controlar el calor producido por el bebé en desarrollo. La humedad de la piel hace que las erupciones por calor sean más frecuentes.

La mayoría de estos cambios en la piel no deben preocuparla. Por lo general desaparecen después de que nace el bebé. Los cambios en los lunares o los nuevos lunares son la excepción. Aquellos que aparecen durante el embarazo por lo general no son del tipo relacionado con cáncer en piel. No obstante, es buena idea mostrarle cualquier lunar nuevo a su proveedor de cuidados de la salud.

Aumento de peso

Quizá gane cerca de medio kilogramo por semana este mes, para dar un total aproximado de dos kilos. Es típico que su aumento semanal de peso varíe un poco —incrementando 750 gramos una semana y sólo 450 gramos a la siguiente—. A menos que se dé un cambio muy dramático del peso, los proveedores de cuidados de salud suelen fijarse más en las tendencias a largo plazo que en los cambios de un solo mes.

Recursos de autocuidado

Los cambios en su cuerpo durante el cuarto mes de embarazo pueden producir algunos signos y síntomas desagradables. Para mayor información sobre cómo enfrentar las quejas comunes como dolor de espalda, estreñimiento, agruras y calambres en las piernas, vea la parte 3, "Guía de referencia del embarazo", en la página 413.

Sus emociones durante la decimotercera a la decimosexta semanas

Es probable que su bebé le parezca más real este mes, en especial ahora que ya no le quedan sus pantalones vaqueros, y ha logrado escuchar los latidos del corazón de éste durante sus visitas a su proveedor de cuidados de la salud. Es posible que también encuentre que sus náuseas se van reduciendo, duerme mejor y su energía comienza a volver. Como resultado, es probable que se sienta de mejor humor y más apta ante el reto de preparar un hogar para su bebé.

Golpee mientras el hierro todavía esté caliente. Mientras se sienta con ánimo y energía, comience a ocuparse de los detalles "domésticos" del embarazo. Si le interesa tomar clases para el parto para usted y su pareja, investigue las opciones e inscríbase. Pregunte a familiares y amistades para que le recomienden algún pediatra u otros proveedores de cuidados de la salud para su bebé. Una vez que haya identificado unos cuantos candidatos, programe reuniones con ellos de manera que pueda discutir su filosofía y los procedimientos del consultorio (ver "Guía de decisión: elección del proveedor de cuidados de salud para su bebé", en la página 359). Éste es un buen momento para familiarizarse con las políticas de incapacidad o permiso de maternidad y paternidad, y de investigar las opciones de guarderías si ambos, usted y su pareja, regresarán al trabajo después de que nazca el bebé.

Al ocuparse de estos detalles, quizá le resulte difícil concentrarse, e incluso sienta que su mente divaga u olvida cosas. Esto es normal, sin importar qué tan organizada era (o no era) antes del embarazo. Réstele importancia a estos momentos de olvido. Volverá a su estado acostumbrado en unos cuantos meses.

Citas con su proveedor de cuidados de la salud

Este mes, las citas con su proveedor de cuidados de salud pueden concentrarse en darle seguimiento al crecimiento de su bebé, confirmar la fecha de término y vigilar cualquier problema con su salud.

En esta visita, es posible que su proveedor de cuidados de salud mida el tamaño de su útero para ayudarle a determinar la edad de su bebé. Esto se hace determinando la llamada altura del fondo —la distancia desde la parte superior del útero (*fundus*) hasta su hueso púbico.

Después de vaciar su vejiga, su proveedor de cuidados de salud puede encontrar la parte superior del útero dando golpecitos y presionando con suavidad sobre su abdomen, y midiendo desde ese punto hacia abajo a lo largo del frente de su abdomen hasta su hueso púbico.

Además de efectuar la revisión de la altura del fondo, es probable que su proveedor de cuidados de salud revise su peso y presión sanguínea, y le comente sobre cualquier signo y síntoma que haya presentado. Si no lo ha hecho ya, es posible que pueda escuchar el latido del corazón de su bebé empleando un instrumento especial llamado Doppler.

Si aún no ha decidido acerca de las pruebas prenatales de diagnóstico, éste es un buen momento para revisarlas con su proveedor de cuidados de salud y hacer un plan (ver "Guía de decisión: para comprender las pruebas prenatales", en la página 289, para obtener ayuda sobre estas decisiones).

Cuándo llamar a un profesional del cuidado de salud durante la decimotercera a decimosexta semanas

Es probable que el cuarto mes de embarazo le parezca más fácil que los primeros tres. Aun así, conocer sus posibles problemas y saber cuándo comunicarse con su proveedor de cuidados de salud es tan importante ahora como lo era durante el primer trimestre.

Este mes, también puede interesarle:
- **"Guía de decisión: para comprender las pruebas prenatales", página 289**
- **"Complicaciones: parto prematuro", página 533**
- **"Complicaciones: depresión durante el embarazo", 545**

Cuándo llamar

Ésta es una guía sobre posibles signos y síntomas problemáticos y de cuándo debe notificar a su proveedor de cuidados de salud en el cuarto mes.

Signos o síntomas	Cuándo avisar a su proveedor de cuidados de salud
Sangrado, manchado o descarga vaginal	
Ligero manchado	Mismo día
Cualquier manchado o sangrado que dure más de un día	De inmediato
Sangrado moderado a abundante	De inmediato
Cualquier cantidad de sangrado acompañado por dolor, cólicos, fiebre o escalofríos	De inmediato
Salida de tejido	De inmediato
Descarga vaginal persistente, verdosa o amarillenta, con olor fuerte, o acompañada por enrojecimiento, comezón e irritación alrededor de la vulva durante todo el día	En 24 horas
Dolor	
Sensación ocasional de jalado, torcimiento o pellizcado en uno o ambos lados de su abdomen	Siguiente consulta
Dolores leves y ocasionales de cabeza	Siguiente consulta
Un dolor de cabeza moderado y molesto que no se quita después de tratamiento con acetaminofeno	En 24 horas
Dolor de cabeza grave o persistente, en especial con mareos, languidez, náusea o vómito, o trastornos visuales	De inmediato
Dolor pélvico moderado o grave	De inmediato
Cualquier grado de dolor pélvico que no cede en cuatro horas	En 24 horas
Calambres en las piernas que la despiertan durante el sueño	Siguiente consulta
Dolor en las piernas con enrojecimiento e inflamación	De inmediato
Dolor con fiebre o sangrado	De inmediato
Vómito	
Ocasional	Siguiente consulta
Una vez al día	Siguiente consulta
Más de tres veces al día o con incapacidad para comer o beber entre los episodios de vómito	En 24 horas
Con dolor o fiebre	De inmediato

Signos o síntomas	Cuándo avisar a su proveedor de cuidados de salud
Otros	
Escalofríos o fiebre (39°C o más)	De inmediato
Micción dolorosa	Mismo día
Deseo de sustancias no comestibles, como barro, tierra y almidón de lavandería	Siguiente consulta
Desánimo continuo, pérdida del gusto por las cosas que por lo general disfrutaba	Siguiente consulta
Los signos y síntomas anteriores junto con pensamientos de dañarse a sí misma o a los demás	De inmediato

Para cerca de tres de cada 100 mujeres embarazadas, la consulta de este mes con su proveedor de cuidados de la salud les traerá noticias sorpresivas acerca de que esperan gemelos, triates o más bebés, lo que se conoce como gestaciones múltiples.

El número de mujeres que tiene estas gestaciones va en aumento. Dos factores ayudan a explicar el incremento. Primero, más mujeres mayores de 30 años están teniendo bebés, y las gestaciones múltiples ocurren con mayor frecuencia en éstas. Segundo, el uso de medicamentos de fertilidad y de tecnologías de reproducción asistida da como resultado un mayor número de gestaciones múltiples. Los signos físicos de embarazos múltiples, como un útero mayor de lo normal o más de un latido cardiaco fetal, se detectan con facilidad durante un examen físico de rutina. Los resultados de una prueba triple también pueden indicar gemelos u otros múltiples.

Si su proveedor de cuidados de salud sospecha que tiene un embarazo múltiple, es probable que le haga un examen por ultrasonido para confirmar dicha sospecha. Durante el examen de ultrasonido, se emplean ondas sonoras para crear una imagen semejante a la de televisión de su útero y su bebé —o bebés—. Debido al uso extenso que se hace en la actualidad del ultrasonido, más de 90 por ciento de los embarazos con gemelos se diagnostican antes del parto.

Cómo se hacen los gemelos

Los gemelos idénticos se presentan cuando un solo óvulo fertilizado se divide y desarrolla en dos fetos con idéntica constitución genética.

Los gemelos fraternos, el tipo más común, se dan cuando dos óvulos diferentes son fertilizados por dos espermatozoides distintos.

Los gemelos pueden ser de dos tipos: idénticos y fraternos. Los idénticos se dan cuando un óvulo fertilizado se separa en dos y desarrolla dos fetos. En el aspecto genético, los dos bebés son idénticos. Tendrán el mismo sexo y un aspecto idéntico.

Los gemelos fraternos se dan cuando dos óvulos separados son fertilizados por dos espermatozoides diferentes. En este caso, los gemelos pueden ser dos niños, dos niñas o un niño y una niña. En el aspecto genético, los gemelos no se parecen más que lo que se parecen otros hermanos.

Es posible determinar si los gemelos son idénticos o fraternos con un ultrasonido. Por ejemplo, si uno es un niño y el otro una niña, son fraternos. Además, la membrana alrededor de los fetos puede o no sugerir que son gemelos idénticos. Es probable que se requieran pruebas adicionales después de nacidos los bebés para determinar si son idénticos.

Los triates pueden darse en varias formas. En la mayoría de los casos, tres óvulos diferentes producidos por la madre son fertilizados por tres espermatozoides separados. Otra posibilidad es que un óvulo fertilizado se separe en dos, creando gemelos idénticos, y que un segundo óvulo sea fertilizado por un segundo espermatozoide dando como resultado un tercer bebé fraterno. También es posible que un solo óvulo fertilizado se divida en tres, dando como resultado tres bebés idénticos, aunque esto es muy raro.

Lo que significan los múltiples para la mamá

Si está embarazada de gemelos, triates u otros múltiples, algunos de los efectos secundarios del embarazo pueden ser particularmente desagradables. La náusea, el vómito, las agruras, el insomnio y la fatiga pueden ser muy molestos. Dado el mayor espacio que necesitan sus bebés en crecimiento, quizá también presente dolores abdominales y falta de aire. Más adelante en el embarazo, es posible que sienta presión en su hueso púbico, la estructura localizada sobre la parte más baja del frente de su pelvis.

Un embarazo múltiple significa que es probable que deba ver a su proveedor de cuidados de salud con mayor frecuencia. El cuidado especial es esencial en estos embarazos, ya que permite a su proveedor de cuidados de salud seguir el crecimiento de sus bebés de cerca y vigilar en forma estrecha su salud, anticipando problemas potenciales antes de que ocurran.

Debido a que debe nutrir a más de un bebé, su nutrición y el aumento de peso se vuelven todavía más importantes. Es probable que deba comer más, ganar más peso y obtener una mayor cantidad de hierro. Si son gemelos, es posible que su proveedor de cuidados de salud le recomiende añadir cerca de 300 calorías diarias, para obtener un total de 2,700 a 2,800 calorías. Con los gemelos, la Asociación Dietética Estadounidense recomienda un aumento de peso de 15.5 a 20.5 kilos. Con triates, recomienda aumentar 23 kilos.

La reducción en la cuenta de células sanguíneas (anemia) es más probable con un embarazo múltiple, por tanto, es posible que su proveedor de cuidados de salud le recomiende tomar un suplemento con 60 a 100 miligramos de hierro elemental. Quizá también le pida limitar algunas de sus actividades, como trabajar, viajar o ejercitarse. Colabore con su proveedor de cuidados de salud para desarrollar una lista de recomendaciones.

Posibles complicaciones de los múltiples

Llevar más de un bebé incrementa las probabilidades de algunas complicaciones del embarazo. Entre más bebés lleve, mayores serán dichas probabilidades. Éstas pueden incluir:

- **Parto prematuro.** El parto prematuro ocurre cuando las contracciones comienzan a abrir el cérvix antes de la 37.ª semana de embarazo. Sucede con mayor frecuencia en los embarazos múltiples que en los de un solo bebé.

  El parto prematuro puede dar como resultado el nacimiento prematuro de uno o más de los bebés. Casi 60 por ciento de los gemelos y más de 90 por ciento de los triates nacen antes de la 37.ª semana de gestación. La edad promedio de gestación de los gemelos es de 37 semanas. Es frecuente que los triates nazcan a las 35 semanas, a veces antes. Casi todos los cuádruples y los múltiples de mayor orden vienen con anticipación.

  Los bebés que nacen en forma prematura tienen mayores probabilidades de presentar bajo peso al nacer (menos de 2.5 kilos) y otras complicaciones de salud.

Por esta razón, su proveedor de cuidados de salud deseará vigilarla de cerca para detectar signos de parto prematuro. Usted deseará hacer lo mismo. Si comienza a tener contracciones, pero éstas se hacen más frecuentes o fuertes, comuníquese de inmediato con su proveedor de cuidados de la salud.

Dependiendo de la edad de sus bebés, el parto prematuro en ocasiones puede manejarse mediante una observación cuidadosa y reposo en cama. Para mayor información sobre el tema, vea la página 533.

- **Preeclampsia.** La alta presión sanguínea provocada por el embarazo (preeclampsia) también es más común en las madres de múltiples. Tiende a ocurrir más pronto en las que llevan más de un bebé. Los signos y síntomas de preeclampsia incluyen aumento rápido de peso, dolores de cabeza y abdominales, problemas de visión e inflamación en manos y pies. Comuníquese con su proveedor de cuidados de salud si presenta estos problemas.
- **Mayor riesgo de nacimiento por cesárea.** La probabilidad de tener un parto por cesárea es mayor con los gemelos y otros múltiples. No obstante, cerca de la mitad de las mujeres que llevan gemelos pueden esperar dar a luz por vía vaginal. Si lleva más de dos bebés, es posible que su proveedor de cuidados de salud le recomiende el nacimiento por cesárea como el método más seguro para el nacimiento de los bebés.
- **Transfusión gemelo-gemelo.** Este tipo de transfusión ocurre sólo en los gemelos idénticos. Puede suceder cuando un vaso sanguíneo de la placenta conecta los sistemas circulatorios de ambos bebés. Es posible que un feto reciba mucha sangre y el otro muy poca. El bebé que recibe mucha puede crecer más y desarrollar una sobrecarga de sangre en su sistema circulatorio. El otro gemelo puede ser más pequeño, crecer con mayor lentitud y volverse anémico. La situación puede poner en peligro a uno o a ambos bebés. En ocasiones, puede ser necesario el parto prematuro de los bebés.

Algunos tratamientos nuevos pueden ayudar. Los estudios sugieren que el uso de la amniocentesis para drenar el exceso de líquido puede ayudar. En algunos hospitales especializados, se usa la cirugía láser para sellar la conexión entre los vasos sanguíneos. En general, un equipo de obstetras y neonatólogos de cuidados de alto riesgo se encarga de estos bebés, los cuales por lo general se traen al mundo tan pronto como los beneficios del nacimiento prematuro superan a los problemas potenciales de éste.

- **Síndrome del gemelo desaparecido.** En ocasiones, un ultrasonido temprano puede indicar gemelos, pero los ultrasonidos posteriores pueden presentar poca o ninguna evidencia de uno de ellos. Esto se llama síndrome del gemelo desaparecido. Los expertos no están seguros de las razones por las que esto sucede. Puede ser frustrante o confuso, pero no se culpe por ello. Las futuras madres no tienen ningún control sobre este resultado.
- **Gemelos unidos.** Pueden resultar de la división incompleta de los gemelos idénticos. En el pasado, los bebés con este problema se denominaban en forma común como siameses. Esto ocurre en raras ocasiones, sólo en uno de cada 100,000 nacimientos. Los gemelos unidos pueden estarlo en el pecho, la cabeza o la pelvis. En ocasiones, dichos gemelos comparten uno o más órganos internos. A veces, se emplea la cirugía para separarlos. El éxito de la operación depende en parte del sitio de unión de los gemelos y cuántos órganos comparten.

CAPÍTULO   5

quinto mes: decimoséptima a vigésima semanas

Se inicia con estas pequeñas vibraciones, como si alguien me hiciera ligeras cosquillas desde dentro. Me toma por sorpresa, y luego desaparece antes de que pueda poner la mano sobre mi abdomen. Ahora estos toques inesperados son la felicidad de mis días. Siento moverse a mi bebé.

—Experiencia de una madre—

El crecimiento de su bebé durante la decimoséptima a la vigésima semanas

Decimoséptima semana

Las cejas y el cabello de su bebé siguen apareciendo esta semana. Es probable que éste siga teniendo hipo. Aunque no puede oírlo, quizá comience a sentirlo, en especial si éste es su segundo bebé.

Esta semana comienza a desarrollarse la grasa café bajo la piel de su bebé, la cual lo ayudará a mantenerse caliente después de nacer, cuando el cambio de temperatura de su útero respecto al mundo exterior será, sin exagerar, bastante notorio. Su bebé añadirá otras capas de grasa en los últimos meses del embarazo.

Decimoctava semana

Esta semana, los huesos de su bebé comienzan a endurecerse en un proceso

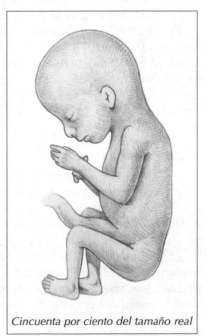

Cincuenta por ciento del tamaño real

llamado osificación. Los huesos de las piernas y del oído interno de su bebé se encuentran entre los primeros en osificarse. Con los huesos del oído interno ya lo bastante desarrollados para funcionar y las terminaciones nerviosas ya "conectadas" al oído, el bebé puede oír los sonidos. Es posible que escuche los latidos de su corazón, los gruñidos de su estómago o la sangre que se mueve por el cordón umbilical. Quizá incluso el bebé se sobresalte con los ruidos fuertes.

De igual manera, el bebé ya puede tragar. Es posible que, dentro de su útero, el bebé esté tragando una buena dosis de líquido amniótico todos los días. Los científicos creen que esto puede estar relacionado con la conservación del líquido amniótico a un nivel adecuado y constante.

Decimonovena semana

Esta semana la piel de su bebé se recubre con una capa resbalosa, blanca y grasosa denominada vernix caseosa o vernix para abreviar, la cual ayuda a proteger su delicada piel, lo que evita que se raspe o rasguñe. Bajo la vernix, un vello fino como pelusa llamado lanugo cubre la piel del bebé.

Esta semana, los riñones de su bebé se han desarrollado lo bastante como para fabricar orina. Ésta se excreta hacia el saco amniótico, la bolsa dentro de su útero que contiene a su bebé y al líquido amniótico.

El oído de su bebé está ahora bien desarrollado, y es probable que esté escuchando muchos sonidos diferentes, incluso sus conversaciones. La voz de mamá es desde luego la más prominente en cualquier conversación. Si canta o habla con su bebé, es razonable pensar que éste puede percibirlo. No está tan claro si el bebé puede ahora reconocer sonidos particulares.

El cerebro de su bebé está desarrollando millones de neuronas motoras, nervios que ayudan a los músculos y el cerebro a comunicarse. Como resultado, es probable que su bebé esté haciendo ahora movimientos musculares conscientes, como chuparse un dedo o mover la cabeza, lo mismo que movimientos involuntarios. Usted puede o no ser capaz de sentir dichos movimientos. Si aún no lo hace, pronto lo hará.

Vigésima semana

Esta semana, la piel de su bebé se va engrosando y va desarrollando distintas capas bajo la protección de la vernix. Las capas de la piel incluyen la de la epidermis, la capa más externa de la piel; la dermis, la capa intermedia que constituye 90 por ciento de la piel; y el subcutis, la capa más profunda de la piel, constituida en su mayor parte de grasa.

El cabello y las uñas de su bebé siguen creciendo. Si pudiera espiarlo esta semana, vería un feto muy parecido a un bebé, con cejas delgadas, cabello en la cabeza y extremidades bien desarrolladas.

A la mitad del periodo de su embarazo, 20 semanas, es probable que haya comenzado a sentir los movimientos de su bebé. Tome nota de la fecha, e informe a su proveedor de cuidados de salud en su siguiente consulta. Su bebé mide ahora cerca de 15 cm y pesa aproximadamente 260 gramos —un poco más de 1/4 de kilo.

Su cuerpo durante la decimoséptima a la vigésima semanas

Este mes llegará a la mitad de su embarazo —20 semanas—. Su útero se expandirá hasta su ombligo.

En algún momento durante este mes, tendrá una experiencia muy especial. Sentirá los primeros movimientos leves de su bebé, lo que los médicos y otros profesionales del cuidado de la salud llaman avivamiento.

Estos movimientos se pueden sentir como mariposas en su estómago o como si este último gruñera. Al principio, pueden ser erráticos, pero se irán haciendo más regulares más adelante en su embarazo. El tiempo más activo para muchos bebés es la segunda mitad del séptimo mes y el octavo mes completo.

Los muchos cambios que se iniciaron en sus primeras semanas de embarazo siguen aumentando y acelerándose. Es probable que su embarazo sea obvio ahora para todos.

Sus hormonas
Sus niveles de hormonas siguen creciendo este mes, influyendo en el crecimiento de su bebé y afectando todos sus sistemas de órganos.

Su corazón y sistema circulatorio
Su sistema circulatorio se sigue expandiendo con gran rapidez. Como resultado, es probable que su presión sanguínea se mantenga por debajo de lo normal este mes y el siguiente. Después de eso, es muy posible que regrese a su nivel de antes del embarazo. Quizá se sienta aturdida, mareada, náuseosa o lánguida cuando se ponga de pie después de estar recostada o de tomar un baño caliente.

Asimismo, su cuerpo sigue haciendo más sangre. Durante este mes, el volumen adicional que está produciendo es en su mayor parte plasma, la porción líquida de la sangre. Después de ello, su cuerpo incrementará la producción de glóbulos rojos —si está obteniendo suficiente hierro.

La anemia por deficiencia de hierro, un problema marcado por una reducción de glóbulos rojos, puede presentarse si no obtiene los 30 miligramos de hierro que necesita al día para alimentar el aumento en la producción de glóbulos rojos. Este padecimiento se desarrolla casi siempre después de 20 semanas de embarazo. Puede hacer que se sienta cansada y más susceptible a la enfermedad, pero, a menos que sea grave, es poco probable que lastime a su bebé.

Quizá siga sintiendo algunos efectos secundarios molestos del embarazo este mes, como congestión y hemorragias nasales y sangrado de las encías cuando se cepilla los dientes. Estos cambios son el resultado de un incremento de flujo sanguíneo hacia sus vías aéreas y encías.

Su sistema respiratorio

Estimulada por la hormona progesterona, su capacidad pulmonar sigue aumentando este mes. Con cada respiración, sus pulmones continúan inhalando y exhalando hasta 40 por ciento más aire que antes. Quizá también siga respirando un poco más rápido. Muchas mujeres sienten una ligera falta de aire.

Su sistema digestivo

Bajo la influencia de las hormonas del embarazo, su sistema digestivo funciona con lentitud. Debido a esto y a la expansión de su útero, es probable que siga presentando agruras y estreñimiento. No es la única que los presenta, si esto le sirve de consuelo. La mitad de las mujeres embarazadas sufren de agruras o de estreñimiento.

Sus mamas

Los cambios en sus mamas pueden ser especialmente notorios en este mes. Dado que fluye más sangre hacia ellas y las glándulas productoras de leche están creciendo en su interior, es posible que ahora sean dos talla más grandes de lo que eran antes de su embarazo. También, es probable que las venas en ellas sean más visibles ahora.

Su útero

No hace falta decirlo: su útero se sigue expandiendo. Alrededor de la 20.ª semana, llegará hasta su ombligo. Cuando alcance su tamaño completo, se extenderá desde el área del pubis hasta la base de la caja torácica.

Igual que su bebé crece dentro de su útero, también lo hace su placenta. Alrededor de las 17 semanas de embarazo, su placenta mide más de 2.5 cm de grueso, y contiene miles de vasos sanguíneos para transportar oxígeno y nutrientes hasta su bebé.

Es casi seguro que ahora el tamaño de su útero está afectando su centro de gravedad y, por tanto, la manera en que se para, se mueve y camina. Al irse ajustando a esta nueva realidad, es posible que se sienta muy torpe. Quizá también sienta dolores y molestias continuos, en especial en la espalda y la parte baja de su abdomen.

Alrededor de la 20.ª semana de embarazo, es probable que sienta un dolor parecido a tirones o punzadas en la ingle o un agudo calambre en su costado, en especial después de hacer un movimiento repentino o de estirarse para alcanzar algo. Este dolor es el resultado del estiramiento de su ligamento redondo, uno de los varios ligamentos que sostienen su útero. El dolor relacionado con el estiramiento de su ligamento redondo por lo general dura varios minutos, y luego desaparecen. Aunque puede ser fuerte, no es dañino.

No obstante, es una buena idea discutir cualquier dolor abdominal continuo con su proveedor de cuidados de salud. El dolor abdominal puede ser un síntoma de parto prematuro u otros problemas.

Su tracto urinario

El flujo lento de orina se mantiene este mes, como resultado de la expansión del útero y la relajación de los músculos en los conductos que llevan la orina desde sus riñones hasta la vejiga. Debido a esto, se encuentra en riesgo constante de desarrollar una infección del tracto urinario.

Los signos y síntomas de este tipo de infecciones incluyen orinar con mayor frecuencia de la normal y ardor al hacerlo, fiebre, y dolor abdominal y en la espalda. Si tiene cualquiera de estos problemas, comuníquese con su proveedor de cuidados de la salud. Incluso si no presenta una infección en el tracto urinario, es mejor prevenir que lamentar. Estas infecciones son causa común de parto prematuro.

Sus huesos, músculos y articulaciones

Los ligamentos que sostienen su abdomen se vuelven todavía más elásticos, y las articulaciones entre sus huesos pélvicos siguen ablandándose y aflojándose. Además, es probable que la parte inferior de su columna vertebral se esté curvando hacia atrás para ayudarle a evitar caer hacia delante. En conjunto, es probable que estos cambios en sus huesos, articulaciones y ligamentos le estén causando cierto dolor de espalda.

El dolor de espalda afecta a la mitad de las mujeres embarazadas. Puede iniciarse en cualquier momento durante el embarazo, pero lo más común es que se inicie entre el quinto y el séptimo mes. Es posible que sienta que el dolor de espalda es sólo una molestia. Si era un problema para usted antes del embarazo, es probable que este dolor interfiera de manera significativa con sus actividades diarias.

Si tiene dolor de espalda que no se quita o se presenta junto con dolor en la parte baja del abdomen, comuníquese con su proveedor de cuidados de salud de inmediato.

Su vagina

Es posible que este mes siga notando más descarga vaginal. Esta descarga, delgada, blanca y con un olor leve, es producto de los efectos de las hormonas del embarazo sobre las glándulas de su cérvix y de la piel de su vagina. Es normal en el embarazo y no debe preocuparse.

No obstante, llame a su proveedor de cuidados de salud si su descarga vaginal es verdosa o amarillenta, su olor es fuerte o va acompañada de enrojecimiento, comezón e irritación de la vulva. Estos son signos y síntomas de una infección vaginal, lo cual es común en el embarazo y puede tratarse con éxito.

Su piel

Si los cambios en su piel aparecieron el mes pasado, es probable que todavía sean evidentes este mes y durante el resto del embarazo. Además de los cambios en la piel típicos en el cuarto mes, es posible que este mes presente un ligero oscurecimiento en la cara. Asimismo, se verá más oscura la piel de pezones, ombligo, axilas, parte interna de los muslos y perineo —el área entre el ano y la vulva.

La mayoría de estos cambios no deben preocuparla en absoluto. Por lo general desaparecen después de que nace el bebé. Los cambios en los lunares o los nuevos lunares son la excepción. Si tiene un nuevo lunar o alguno de los antiguos ha cambiado mucho de tamaño o apariencia, comuníquese con su proveedor de cuidados de salud.

Aumento de peso

Es probable que gane cerca de medio kilogramo por semana este mes, para un total de cerca de dos kilos. Para el momento que alcance su 20.ª semana, puede haber ganado cerca de cinco kilos.

Recursos de autocuidado

Los cambios en su cuerpo durante el quinto mes de embarazo pueden producir algunos signos y síntomas desagradables. Para mayor información sobre cómo tratar quejas comunes como hemorragias nasales, oscurecimiento de la piel y falta de aire, vea la parte 3, "Guía de referencia del embarazo", en la página 413.

Sus emociones durante la decimoséptima a la vigésima semanas

Sienta el movimiento de su bebé

Alrededor de la 20.ª semana del embarazo —o antes si éste es por lo menos su segundo embarazo— es probable que haya comenzado a sentir el movimiento de su bebé. Estos primeros movimientos se llaman avivamiento, y son una gran fuente de entretenimiento y tranquilidad para la mayoría de las mujeres. Estos primero movimientos le recuerdan la realidad de que su bebé es un individuo aparte y único, y le permiten comenzar a imaginar cómo será. También son un recordatorio mucho más agradable del embarazo que la náusea u otros signos y síntomas.

Es probable que el proceso de apegarse en forma emocional con su bebé se encuentre ahora en pleno desarrollo. A medida que avanza su embarazo, ambos, usted y su pareja, podrán sentir los movimientos del bebé —él lo hará colocando la mano sobre su abdomen—. Esto incrementa sus lazos emocionales con su bebé.

Quizá se pregunte si puede comunicarse con su bebé, o influenciarlo de manera positiva, en este punto de su embarazo. Es difícil saber esto. Apenas se comienzan a estudiar las capacidades de los bebés en el útero, pero desde luego no le hace daño tocar música suave o hablarle con dulzura y amor a su bebé. Además, puede hacerle sentir bien y ayudarla a sensibilizarse respecto a las necesidades de este último, una parte importante en el proceso de convertirse en madre.

Hacerse un ultrasonido

Si se somete a un examen de ultrasonido este mes, tendrá una experiencia extraordinaria. El ultrasonido le permite ver la silueta y forma de su bebé, incluyendo su diminuto corazón latiendo en el pequeño pecho.

La mayoría de las veces, los bebés están sanos por completo, y un examen de ultrasonido es una experiencia emocionante y satisfactoria. Para muchas futuras madres, es tan emocionante como la primera vez que sienten el movimiento del bebé. El ultrasonido también proporciona a los padres una forma más directa de percibir el embarazo.

Invite a su pareja a que la acompañe a su examen de ultrasonido. Esta imagen tangible puede fortalecer su participación emocional en el embarazo y fomentar su apego con el bebé.

Para mayor información sobre cómo se realiza una examen de ultrasonido, y de lo que puede observar en él, vea "Guía de decisión: para comprender las pruebas prenatales" en la página 289.

Citas con su proveedor de cuidados de salud

Su visita con su proveedor de cuidados de salud este mes se concentrará de nuevo en el seguimiento del desarrollo de su bebé, en confirmar su fecha de término y evaluar si hay algún problema con su propia salud. Si recuerda la fecha en que sintió por primera vez el movimiento de su bebé, infórmela a su proveedor de cuidados de salud. Esta fecha será una pieza más en el rompecabezas para determinar la edad del bebé con mayor precisión.

Igual que durante su visita el mes pasado, es probable que su proveedor de cuidados de salud también mida el tamaño de su útero verificando la altura del fondo —la distancia desde la parte superior (*fundus*) de su útero hasta el hueso del pubis—. Esta medición ayudará a su proveedor de cuidados de salud a tener mayor seguridad sobre la edad y el crecimiento de su bebé. Desde la 18.ª hasta la 34.ª semanas del embarazo, es probable que la altura del fondo, en centímetros, sea igual al número de semanas de su embarazo.

Además de llevar a cabo la prueba de la altura del fondo, es probable que su proveedor de cuidados de salud revise su peso y presión sanguínea, y le pregunte sobre cualquier signo o síntoma que haya presentado. Durante la consulta de este mes, es posible que le hagan un examen de ultrasonido. Éste es también el mes cuando se hace una amniocentesis genética si se desea. En la amniocentesis, se toma una muestra de líquido amniótico del saco que rodea al bebé, dicha muestra puede analizarse para determinar si el bebé presenta ciertas anormalidades, como síndrome de Down.

Este mes, también puede interesarle:
- **"Guía de decisión: para comprender las pruebas prenatales", página 289**
- **"Complicaciones: anemia por deficiencia de hierro", página 553**

Cuándo llamar a un profesional del cuidado de la salud durante la decimoséptima a la vigésima semanas

Conocer los posibles problemas y cuándo comunicarse con su proveedor de cuidados de salud es tan importante ahora como lo fue antes.

CUÁNDO LLAMAR

Esta es una guía sobre posibles signos y síntomas problemáticos y de cuándo debe notificar a su proveedor de cuidados de salud en el quinto mes

Signos o síntomas	Cuándo avisar a su proveedor de cuidados de salud
Sangrado o manchado vaginal	
Ligero manchado	Mismo día
Cualquier manchado o sangrado que dure más de un día	De inmediato
Sangrado moderado a abundante	De inmediato
Cualquier cantidad de sangrado acompañado por dolor, cólicos, fiebre o escalofríos	De inmediato
Salida de tejido	De inmediato
Descarga vaginal persistente, verdosa o amarillenta, con olor fuerte, o acompañada por enrojecimiento, comezón e irritación alrededor de la vulva durante todo el día	En 24 horas
Dolor	
Sensación ocasional de jalado, torcimiento o pellizcado en uno o ambos lados de su abdomen	Siguiente consulta
Dolores leves y ocasionales de cabeza	Siguiente consulta
Un dolor de cabeza moderado y molesto que no se quita después de tratamiento con acetaminofeno	En 24 horas
Dolor de cabeza grave o persistente, en especial con mareos, languidez, náusea o vómito, o trastornos visuales	De inmediato
Dolor pélvico moderado o grave	De inmediato
Cualquier grado de dolor pélvico o abdominal que no cede en cuatro horas	En 24 horas
Calambres en las piernas que la despiertan durante el sueño	Siguiente consulta
Dolor en las piernas con enrojecimiento e inflamación	De inmediato
Dolor con fiebre o sangrado	De inmediato

Signos o síntomas	Cuándo avisar a su proveedor de cuidados de salud
Vómito	
Ocasional	Siguiente consulta
Una vez al día	Siguiente consulta
Más de tres veces al día o con incapacidad para comer o beber entre los episodios de vómito	En 24 horas
Con dolor o fiebre	De inmediato
Otros	
Escalofríos o fiebre (39°C o más)	De inmediato
Micción dolorosa	Mismo día
Descarga continua o excesiva de líquido acuoso por la vagina	De inmediato
Deseo de sustancias no comestibles, como barro, tierra y almidón de lavandería	Siguiente consulta
Desánimo continuo, pérdida del gusto por las cosas que por lo general disfrutaba	Siguiente consulta
Los signos y síntomas anteriores junto con pensamientos de dañarse a sí misma o a los demás	De inmediato
Fatiga y debilidad, falta de aire, palpitaciones cardiacas, mareos o aturdimiento	Siguiente consulta si ocurre en forma ocasional; el mismo día si ocurre con frecuencia

sexto mes: vigesimoprimera a vigesimocuarta semanas

El crecimiento de su bebé durante la vigesimoprimera a la vigesimocuarta semanas

Vigesimoprimera semana

Esta semana su bebé comenzará a absorber pequeñas cantidades de azúcares del líquido amniótico que traga durante el día, y dichos azúcares pasarán a través de su sistema digestivo, el cual ahora está lo bastante desarrollado para manejarlos. No obstante, los azúcares de su líquido amniótico sólo constituyen una pequeña parte del nutrimento del bebé. La mayor parte de lo que necesita este último llega hasta él a través de la placenta.

También en esta semana, la médula ósea de su bebé comienza a fabricar células sanguíneas. La médula ósea trabaja junto con el hígado y el bazo, los cuales han sido los responsables de generar células sanguíneas hasta ahora.

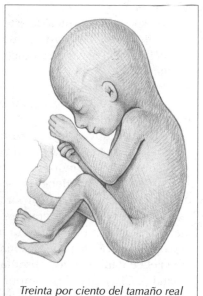

Treinta por ciento del tamaño real

Vigesimosegunda semana

Los sentidos del gusto y el tacto progresan mucho esta semana. Las papilas gustativas comienzan a formarse en la lengua de su bebé, y el cerebro y las terminaciones nerviosas son ahora lo bastante maduras para procesar la sensación del tacto. Si pudiera verlo esta semana, podría observar cómo experimenta con su recién descubierto sentido del tacto —sintiendo su cara, chupándose el dedo o tocando otras partes de su cuerpo—. En este punto, su bebé no está buscando nada en particular, sino tocando todo lo que está a mano.

Asimismo, sigue desarrollándose el sistema reproductor del bebé. Si es un niño, sus testículos comienzan a descender de su abdomen esta semana. Si es niña, su útero y sus ovarios se encuentran ahora en su lugar, y su vagina se ha desarrollado. Su nena ya ha fabricado todos los óvulos que necesitará para su vida reproductiva.

Para las 22 semanas de embarazo, el bebé mide cerca de 19 centímetros de largo de la cabeza a las nalgas, y pesa cerca de 500 gramos.

Vigesimotercera semana

Los pulmones de su bebé se desarrollan con rapidez esta semana, comenzando apenas a prepararse para la vida en el exterior. Estos órganos inician la producción de una sustancia que recubre los alvéolos pulmonares (surfactante). Dicha sustancia permite que los alvéolos se inflen con facilidad, y también evita que se colapsen y se peguen sus paredes al desinflarse.

Si su bebé naciera antes de este momento, sus pulmones no podrían trabajar, pero ahora es posible que éstos puedan trabajar fuera del útero. No obstante, su bebé necesitará mucho más surfactante para poder respirar aire sin ayuda.

Además, los vasos sanguíneos en los pulmones de su bebé están creciendo y desarrollándose como preparación para la respiración. Su bebé hace movimientos semejantes a los de la respiración, pero sólo se trata de pruebas. Lo que hace es mover líquido amniótico hacia adentro o hacia fuera de los pulmones, ya que todavía está recibiendo el oxígeno a través de la placenta y no hay aire en los pulmones sino hasta después del nacimiento.

Aunque su bebé ya tiene un aspecto de infante, todavía parece muy frágil y delicado, con poca grasa corporal y piel delgada, arrugada y suelta. Cuando la producción de grasa se iguale con la de piel, su bebé crecerá llenando esta última. Se parecerá menos a un anciano y más a un bebé.

Los bebés nacidos a las 23 semanas en ocasiones logran sobrevivir si reciben el cuidado médico apropiado en la unidad de cuidado intensivo neonatal (UCIN), pero las complicaciones son comunes y por lo general graves. A las 23 semanas, los vasos sanguíneos del cerebro son delicados e inmaduros, en especial en las regiones en crecimiento rápido de las zonas profundas de la parte media del cerebro, llamada matriz germinal. La inmadurez de estos vasos sanguíneos incrementa el riesgo de sangrado cerebral espontáneo después del nacimiento, denominado hemorragia intracraneal (HIC) o hemorragia intraventricular (HIV). Si este sangrado es grave, puede causar que los bebés corran riesgo de problemas del desarrollo. Además, debido a que las retinas oculares no se forman del todo sino hasta el final del embarazo, los bebés nacidos a las 23 semanas pueden desarrollar un problema ocular llamado retinopatía del prematuro, la cual causa deficiencias visuales.

Por fortuna, el pronóstico a largo plazo para los bebés prematuros mejora cada año a medida que aumenta el conocimiento en el campo de la Medicina fetal. Como resultado, un bebé nacido tan prematuramente como las 23 semanas puede llegar a ser un niño sano y normal —si recibe cuidados de la mejor calidad y tiene la suficiente fortuna como para no desarrollar complicaciones—. No hay duda, sin embargo, que lo mejor para el bebé a esta edad es permanecer en el útero.

Vigésima cuarta semana

Es probable que en esta semana su bebé comience a adquirir el sentido de que su cuerpo se encuentra invertido o no dentro del saco amniótico. Esto se debe a que su oído interno, el cual controla el equilibrio en el cuerpo, ya se ha desarrollado.

Los bebés nacidos a las 24 semanas tienen una probabilidad mayor de 50 por ciento de sobrevivir. Las probabilidades mejoran con cada semana que pasa. Aun así, las complicaciones son frecuentes y serias.

Para la 24.ª semana de su embarazo, el bebé mide 38 centímetros de largo y pesa cerca de 750 gramos.

Su cuerpo durante la vigesimoprimera a la vigesimocuarta semanas

En este mes se inicia la segunda mitad de su embarazo. Su útero se expandirá más allá de su ombligo y es probable que sienta las primeras patadas de su bebé. Esto difiere mucho de los movimientos erráticos, semejantes a mariposas en el estómago, del mes pasado. El siguiente es un panorama de lo que está sucediendo y en dónde está sucediendo.

Sus hormonas

Se están produciendo diferentes hormonas a distintas velocidades para cubrir las demandas de su bebé en crecimiento. A medida que se desarrolla el embarazo, los niveles de estrógeno y progesterona aumentan hasta alcanzar cantidades diez veces mayores que las de una mujer que no está embarazada.

A lo largo de los primeros cinco meses de embarazo, su nivel de progesterona era un poco mayor que el de estrógeno. Este mes, su nivel de estrógeno se está nivelando. A las 21 o 22 semanas, las dos hormonas tendrán casi el mismo nivel. Para la 24.ª semana, su nivel de estrógeno será un poco mayor que el de progesterona.

Su corazón y sistema circulatorio

Es probable que su presión sanguínea se mantenga por debajo de lo normal este mes. Después de la 24.ª semana, es muy probable que regrese al nivel anterior a su embarazo. Asimismo, su cuerpo sigue fabricando más sangre este mes. Para este momento, la producción de glóbulos rojos estará alcanzando a la de plasma —si está obteniendo suficiente hierro—. Si no está tomando los 30 miligramos diarios de hierro que necesita, puede estar en riesgo de desarrollar anemia por deficiencia de hierro.

Quizá siga padeciendo congestión y hemorragias nasales, y sangrado de las encías cuando cepilla sus dientes. Estos cambios son el resultado del aumento sostenido de flujo sanguíneo en sus vías nasales y encías.

Su sistema respiratorio

Para alojar su creciente capacidad pulmonar, su caja torácica se hace más grande. Para cuando nazca su bebé, ésta se habrá expandido en cinco a 7.5 centímetros. Después del nacimiento, volverá a su tamaño anterior al embarazo.

Es probable que los cambios en su sistema respiratorio sigan haciendo que respire un poco más rápido, pero probablemente cualquier falta de aire ya se ha reducido. En ocasiones, su respiración se hará todavía más fácil al final del embarazo, cuando el bebé comienza a descender hacia la pelvis preparándose para nacer.

Sus mamas

Sus mamas siguen creciendo este mes, y es probable que estén listas para producir leche. Quizá observe gotitas de un líquido acuoso o amarillento que aparece en sus pezones, incluso en esta etapa tan temprana. Esta primera leche (calostro) está cargada con anticuerpos activos provenientes de su cuerpo que combaten las infecciones. Si amamanta a su bebé, el calostro será su alimento durante los primeros días después de su nacimiento.

Los vasos sanguíneos de sus mamas siguen siendo más visibles también, y se ven a través de su piel como líneas rosadas o azules.

Su útero

Es posible que este mes, quizá alrededor de su 22.ª semana de embarazo, su útero comience a practicar para el trabajo de parto y el parto, iniciando ejercicios con su masa muscular y fortaleciéndose para el gran trabajo que se aproxima. Estas contracciones de calentamiento se llaman contracciones de Braxton-Hicks, son de tipo ocasional e indoloro, y se sienten como un apretón en la parte superior del útero o en la parte inferior del abdomen y la ingle.

Las contracciones de Braxton-Hicks también se llaman parto falso. Esto se debe a que son muy diferentes de las contracciones implicadas en el verdadero trabajo de parto. Las contracciones de Braxton-Hicks se presentan con ritmo irregular y varían en duración e intensidad. Las contracciones del trabajo de parto verdadero siguen un patrón, se van haciendo más prolongadas, fuertes y cercanas entre sí. Las contracciones de Braxton-Hicks tienden a concentrarse en un área, mientras que las de un trabajo de parto verdadero tienden a irradiar a lo largo del abdomen y la parte inferior de la espalda.

A pesar de lo dicho, es fácil confundir las contracciones de Braxton-Hicks con las reales. Llame a su proveedor de cuidados de la salud si tiene contracciones que le preocupan, en especial si se vuelven dolorosas o si tiene más de seis en una hora. Las contracciones dolorosas y regulares en esta etapa de su embarazo pueden ser un signo de parto prematuro.

La mayor diferencia entre el verdadero parto y las contracciones de Braxton-Hicks es el efecto sobre su cérvix. Con las de Braxton-Hicks el cérvix no cambia; con el trabajo de parto verdadero el cérvix comienza a abrirse (dilatarse). Quizá necesite acudir con su proveedor de cuidados de la salud para determinar si las contracciones son las verdaderas.

Su tracto urinario

Sigue estando en riesgo de desarrollar una infección del tracto urinario este mes. Éste es el resultado de los cambios corporales normales en el embarazo. El flujo lento de la orina es producto del crecimiento de su útero y de un tono muscular más fláccido inducido por la progesterona en los uréteres, los cuales llevan la orina de sus riñones a la vejiga.

Si está orinando con una frecuencia todavía mayor que la acostumbrada, siente ardor al orinar o tiene fiebre y dolor abdominal o de espalda, llame a su proveedor de cuidados de la salud. Estos son signos o síntomas de infección del tracto urinario, la cual es una causa común de parto prematuro.

Sus huesos, músculos y articulaciones

Los ligamentos que sostienen a su abdomen siguen estirándose este mes, y las articulaciones de los huesos de su pelvis continúan ablandándose y aflojándose en preparación para el nacimiento. Además, es probable que la parte baja de su columna vertebral se siga curvando hacia atrás para evitar que usted se caiga hacia delante debido al peso de su bebé en crecimiento. En conjunto, estos cambios en sus huesos, articulaciones y ligamentos pueden ser causa continua de dolor en la espalda.

Su vagina

Es probable que siga presentando una descarga vaginal delgada y blanca con poco o ningún olor. Es normal. Muchas mujeres presentan un aumento en la descarga vaginal durante el embarazo.

No obstante, si su descarga vaginal es verdosa o amarillenta, tiene un olor fuerte, o va acompañada de enrojecimiento, comezón o irritación de la vulva, puede ser causa de preocupación. Estos son signos y síntomas de una infección vaginal, uno de los efectos secundarios de las hormonas del embarazo. Llame a su proveedor de cuidados de salud si presenta cualquiera de estos problemas.

Aumento de peso

De nueva cuenta, es probable que aumente cerca de 500 gramos por semana este mes, para llegar a un total de dos kilos. Quizá aumente 750 gramos una semana y sólo 250 gramos la siguiente, pero esto no es causa de preocupación. Mientras su incremento de peso permanezca relativamente estable, sin ningún aumento o reducción repentinos, estará muy bien.

Recursos de autocuidado

Los cambios en su cuerpo durante el sexto mes de embarazo pueden producir algunos signos y síntomas desagradables. Para mayor información sobre cómo enfrentar las quejas comunes como dolor de espalda, torpeza, calambres en las piernas, y erupciones, vea la parte 3, "Guía de referencia del embarazo", en la página 413.

Sus emociones durante la vigesimoprimera a la vigesimocuarta semanas

Para confrontar sus temores

Es posible que este mes comience a tener algunos temores acerca del proceso de dar a luz. De hecho, quizá los haya tenido por un tiempo. ¿Qué tal si no llego a tiempo al hospital? ¿Cómo hago para descubrirme frente a extraños? ¿Qué pasa si pierdo el control durante el parto? ¿Y si algo está mal con el bebé?

Es probable que su pareja se esté haciendo las mismas preguntas. Con frecuencia, los futuros padres tienen las mismas preocupaciones que sus parejas pero no lo admiten. Cada uno piensa que debe ser "fuerte" para el otro. Es probable que su pareja también esté preocupada de que le pase algo a usted durante el trabajo de parto y el parto.

Las clases de preparación para el parto son un excelente lugar para resolver estos temores. Es típico que se inicien entre el sexto y el séptimo mes de embarazo, e impliquen sesiones semanales durante seis a ocho semanas. Estas clases son una oportunidad única. Le permiten hablar sobre sus temores con otras parejas que probablemente los comparten. Además, le dan acceso a un educador entrenado que podrá resolver sus temores punto por punto, eliminando cualquier mito y proporcionando información útil. Esto aligerará su carga emocional.

Tome el tiempo para sentarse y hacer una lista de sus temores, y pida a su pareja que haga lo mismo. Luego comparen sus listas. Comparta estas preocupaciones con el educador en la clase de partos, con las otras parejas de su clase y con su proveedor de cuidados de salud. Compartir ayuda. Cuando comparte sus temores, éstos tienen menos poder sobre usted.

La intimidad con su pareja

Si es como muchas mujeres, es posible que esté más interesada en el sexo que al principio del embarazo, incluso puede ser que lo esté más que antes de estar embarazada. Disfrute este sentimiento mientras dure —y antes de que llegue el bebé e imponga cambios en su estilo de vida—. Este aumento en la sexualidad de ninguna manera es universal y puede ser que ni siquiera lo sienta. A medida que entra en los meses finales del embarazo, es posible que sienta que su deseo disminuye otra vez o incluso más que antes.

Citas con su proveedor de cuidados de salud

Es posible que este mes la consulta con su proveedor de cuidados de la salud se concentre en el seguimiento del desarrollo de su bebé y en vigilar los problemas con su salud.

Lo mismo que durante su visita el mes pasado, su proveedor de cuidados de salud puede medir el tamaño de su útero determinando la altura del fondo —la distancia desde la parte superior del útero (*fundus*) hasta el hueso del pubis—. Es probable que dicha altura en este mes se dé entre 21 a 24 centímetros— casi igual al número de semanas de embarazo.

Además de realizar la prueba de altura del fondo, es probable que su proveedor de cuidados de salud revise su peso y presión sanguínea, y determine el ritmo cardiaco de su bebé. Su proveedor de cuidados de salud también puede preguntarle sobre cualquier signo o síntoma que pueda estar sufriendo.

Cuándo llamar a un profesional del cuidado de la salud durante la vigesimoprimera a la vigesimocuarta semanas

Saber sobre los problemas potenciales y cuándo llamar a su proveedor de cuidados de salud es tan importante ahora como antes. Como siempre, si tiende dudas, llame.

Este mes, también puede interesarle:
- La "**Guía de decisión: consideración de un parto vaginal después de una cesárea**", página 345
- "**Guía de decisión: exploración de la cesárea electiva**", página 351

CUÁNDO LLAMAR

Esta es una guía sobre posibles signos y síntomas problemáticos y de cuándo debe notificar a su proveedor de cuidados de salud en el sexto mes.

Signos o síntomas	Cuándo avisar a su proveedor de cuidados de salud
Sangrado, manchado o descarga vaginal	
Ligero manchado	Mismo día
Cualquier manchado o sangrado que dure más de un día	De inmediato
Sangrado moderado a abundante	De inmediato
Cualquier cantidad de sangrado acompañado por dolor, cólicos, fiebre o escalofríos	De inmediato
Salida de tejido	De inmediato
Descarga vaginal persistente, verdosa o amarillenta, con olor fuerte, o acompañada por enrojecimiento, comezón e irritación alrededor de la vulva durante todo el día	En 24 horas
Dolor	
Sensación ocasional de jalado, torcimiento o pellizcado en uno o ambos lados de su abdomen	Siguiente consulta
Dolores leves y ocasionales de cabeza	Siguiente consulta
Un dolor de cabeza moderado y molesto que no se quita después de tratamiento con acetaminofeno	En 24 horas
Dolor de cabeza grave o persistente, en especial con mareos, languidez, náusea o vómito, o trastornos visuales	De inmediato
Dolor pélvico o abdominal moderado o grave	De inmediato
Calambres en las piernas que la despiertan durante el sueño	Siguiente consulta
Dolor en las piernas con enrojecimiento e inflamación	De inmediato
Dolor con fiebre o sangrado	De inmediato

Signos o síntomas	Cuándo avisar a su proveedor de cuidados de salud
Vómito	
Ocasional	Siguiente consulta
Una vez al día	Siguiente consulta
Más de tres veces al día o con incapacidad para comer o beber entre los episodios de vómito	En 24 horas
Con dolor o fiebre	De inmediato
Otros	
Escalofríos o fiebre (39°C o más)	De inmediato
Descarga continua o excesiva de líquido acuoso por la vagina	De inmediato
Inflamación repentina de cara, manos o pies	De inmediato
Trastornos de la visión (oscura, borrosa)	De inmediato
Deseo de sustancias no comestibles, como barro, tierra y almidón de lavandería	Siguiente consulta
Desánimo continuo, pérdida del gusto por las cosas que por lo general disfrutaba	Siguiente consulta
Los signos y síntomas anteriores junto con pensamientos de dañarse a sí misma o a los demás	De inmediato
Fatiga y debilidad, falta de aire, palpitaciones cardiacas, mareos o aturdimiento	Siguiente consulta si ocurre en forma ocasional; el mismo día si ocurre con frecuencia
Desmayos	De inmediato
Micción más frecuente con dolor o ardor al orinar, fiebre, dolor en abdomen o espalda	Mismo día

séptimo mes: vigesimoquinta a vigesimoctava semanas

El crecimiento de su bebé durante la vigesimoquinta a vigesimoctava semanas

Vigesimoquinta semana

Las manos de su bebé están ahora totalmente desarrolladas y completas, con sus diminutas uñas y la capacidad de doblar sus dedos en un pequeño puño, y durante la semana es probable que esté usando estas manos para descubrir diferentes partes de su cuerpo. Está explorando su medio y las estructuras dentro de su útero, incluido el cordón umbilical. No obstante, todavía les falta desarrollo a las conexiones nerviosas hacia las manos de su bebé; y, si desea sujetarse el dedo gordo del pie, no le será fácil.

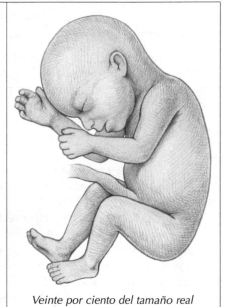

Veinte por ciento del tamaño real

Vigesimosexta semana

Ahora están bien formadas las cejas y pestañas del bebé. El cabello sobre su cabeza es más largo y más abundante. Su bebé todavía se ve rojo y arrugado, pero con cada día que pasa se acumula más grasa bajo la piel; y, a medida que sigue ganando peso en las próximas catorce semanas hasta su nacimiento, este arrugado traje de piel se ajustará mejor.

También están formadas las huellas digitales y de las plantas de los pies. Se han desarrollado todos los componentes que forman los ojos, pero es probable que el bebé no los abra hasta dentro de dos semanas. Para la 26.ª semana, su bebé pesa entre 750 gramos y un kilo.

Vigesimoséptima semana

Para la 27.ª semana, su bebé presenta una versión más delgada, pequeña y rojiza de lo que será su aspecto al nacer. Sus pulmones, hígado y sistema inmune no han madurado del todo. Si naciera esta semana, sus probabilidades de supervivencia serían de por lo menos 85 por ciento.

Es posible que su bebé comience a reconocer su voz esta semana, lo mismo que la de su pareja, pero es probable que todavía le cueste un poco de trabajo oír con claridad, dado que sus orejas están cubiertas con vernix, la capa densa y grasosa que protege la piel de raspones o rasguños. También es difícil para su bebé escuchar a través del líquido amniótico de su útero —de la misma manera en que es difícil oír bajo el agua.

A las 27 semanas, su bebé tiene tres o cuatro veces la longitud que tenía a las 12 semanas.

Vigesimoctava semana

Es probable que los ojos de su bebé, que han estado sellados durante los últimos meses para permitir el desarrollo de las retinas, comiencen a abrirse y cerrarse esta semana. Si pudiera verlo en este momento, es probable que pudiera determinar su color de ojos, pero es posible que éste no sea el definitivo. El color de ojos de su bebé puede cambiar en los primeros seis meses de vida, en especial si los tiene azules o gris azulados al nacer.

El cerebro de su bebé también sigue desarrollándose y expandiéndose con rapidez esta semana. Además, sigue acumulando capas de grasa bajo la piel.

Ahora, su bebé duerme y despierta con horarios regulares, pero estos horarios no son como los del adulto, ni siquiera como los de un recién nacido. Con este tamaño, es probable que su bebé duerma sólo 20 a 30 minutos por vez. Es probable que note los movimientos de su bebé con facilidad cuando está sentada o se recuesta.

Para la 28.ª semana del embarazo, el final de su séptimo mes, su bebé mide cerca de 25 centímetros de la coronilla a las nalgas y pesa cerca de un kilo.

Su cuerpo durante la vigesimoquinta a vigesimoctava semanas

Esta semana, su útero se expandirá hasta llegar al punto medio entre su ombligo y sus pechos. Su bebé estará mucho más activo, sobre todo en la segunda mitad del mes. Para el final de la 28.ª semana, habrá completado 70 por ciento de su embarazo. ¡La meta está cerca!

El siguiente es un panorama de lo que sucede y en dónde sucede.

Su corazón y sistema circulatorio

Este mes es probable que su presión sanguínea aumente, regresando a un punto casi igual al que tenía antes del embarazo. Además, quizá sienta una sensación como de aleteo o latidos alrededor de su corazón. Puede sentir como si su corazón se hubiera saltado un latido. Esta sensación puede preocuparla, pero por lo general no significa nada serio. Es frecuente que la sensación se reduzca en los últimos meses del embarazo.

Aun así, si presenta dicha sensación, informe a su proveedor de cuidados de salud sobre ella, en especial si también tiene dolor en el pecho o falta de aire. Es probable que su proveedor de cuidados de salud desee realizar algunas pruebas para evaluar con mayor cuidado su condición.

Su sistema respiratorio

Su capacidad pulmonar sigue aumentando este mes estimulada por la hormona progesterona. Este cambio en su sistema respiratorio le permite a su sangre llevar oxígeno y eliminar dióxido de carbono a una mayor velocidad. Como resultado, es posible que siga respirando un poco más rápido y que sienta cierta falta de aire.

Su sistema digestivo

El paso del alimento por su sistema digestivo sigue siendo lento este mes debido a la progesterona, y su útero en expansión continúa oprimiendo y presionando sus intestinos. Como resultado, es probable que siga padeciendo agruras, estreñimiento o ambos.

Sus mamas

Las glándulas productoras de leche dentro de sus mamas siguen creciendo este mes, preparándose para la lactancia. Quizá note que las pequeñas glándulas protuberantes en su piel que rodean sus areolas también son más prominentes ahora. Ésta es otra forma en que su cuerpo se prepara para amamantar. Cuando llegue el momento, estas glándulas secretarán aceites para humectar y suavizar la piel alrededor de pezones y areolas. Esto ayudará a evitar que sus pezones se agrieten e irriten debido a las exigencias de amamantar.

Su útero

Este mes su útero llegará cerca del punto medio entre su ombligo y sus pechos. Para el momento en que el embarazo llegue a término, ocupará el área desde el pubis hasta la base de su caja torácica.

Es probable que su bebé sea mucho más activo este mes, en particular durante la segunda mitad. Para muchos bebés, el momento más activo es entre la 27.ª y la 32.ª semanas. Con el incremento en la actividad, es posible que tenga dificultades para diferenciar entre las contracciones de práctica, las contracciones verdaderas, y las patadas o puñetazos del bebé.

Si le preocupa, recuerde un par de cosas. Las contracciones falsas (Braxton-Hicks) parecen no tener ritmo ni razón, varían en duración y fuerza y ocurren con un patrón irregular, si es que se puede llamar así. Las verdaderas contracciones del trabajo de parto siguen un patrón. Se vuelven más fuertes, largas y cercanas entre sí. Además, las verdaderas contracciones tienden a irradiar por su abdomen y la parte inferior de la espalda. Las falsas se concentran en un área, casi siempre la parte superior del útero o la parte baja de su abdomen y la ingle.

Si presenta contracciones que la preocupan, comuníquese con su proveedor de cuidados de salud. Esto tiene especial importancia si sus contracciones se hacen dolorosas o si tiene más de seis por hora. Las contracciones regulares en esta etapa del embarazo pueden ser signo de parto prematuro.

Su tracto urinario

Su flujo de orina sigue siendo lento este mes, debido a la expansión de su útero y al relajamiento de los conductos que llevan la orina desde los riñones a la vejiga. Como resultado, se encuentra en riesgo continuo de desarrollar una infección del tracto urinario. Si orina con mayor frecuencia y también tiene ardor, dolor, fiebre o cambio en el olor o color de la orina, es posible que tenga una infección. Llame a su proveedor de cuidados de salud. Las infecciones del tracto urinario son causa común de parto prematuro.

Sus huesos, músculos y articulaciones

Los ligamentos que sostienen sus huesos pélvicos siguen haciéndose más elásticos este mes. En su momento, esto hará que le sea más fácil a su pelvis expandirse durante el nacimiento de manera que su bebé pueda salir. Ahora, sin embargo, la falta del sostén acostumbrado de estos ligamentos incrementa su riesgo de tensión en la espalda.

También es común que las articulaciones de la pelvis duelan debido a esta nueva flexibilidad. Este dolor aparece en la parte media frontal de su pelvis o a cada lado de la línea media de su espalda.

Si hasta ahora no le ha dado dolor de espalda, es posible que comience a tenerlo este mes. Este dolor afecta a la mitad de las mujeres embarazadas, y es típico que comience entre el quinto y el séptimo mes de la gestación.

Es probable que siga curvando la parte inferior de su columna hacia atrás para compensar la forma en que su centro de gravedad se ha desplazado debido al peso de su bebé. Si no hiciera esto, podría caer. Este cambio de postura somete los músculos y ligamentos de su espalda a cierta tensión, y es posible que le ocasione dolor de espalda.

Su vagina

Quizá siga observando mayor descarga vaginal este mes, un efecto secundario de las hormonas del embarazo sobre las células de su vagina. Si dicha descarga es poco viscosa y blanca con poco o ningún olor, no hay razón para preocuparse. Si es verdosa o amarillenta, con fuerte olor o acompañada por enrojecimiento, comezón o irritación de la vulva, consulte a su proveedor de cuidados de la salud. Es posible que tenga una infección vaginal, también uno de los efectos secundarios de las hormonas del embarazo. Pero no se alarme, las infecciones vaginales son comunes en el embarazo y pueden tratarse.

Aumento de peso

Es probable que este mes siga ganando cerca de 500 gramos por semana, para alcanzar un total de dos kilos. Si le preocupa su incremento de peso, recuerde esto: la mayor parte del peso que está ganando no es grasa. En su mayor parte es el peso del bebé, la placenta, el líquido amniótico y el líquido que se acumula en los tejidos de su cuerpo.

Recursos de autocuidado

Los cambios en su cuerpo durante el séptimo mes del embarazo pueden producir algunos signos y síntomas desagradables. Para mayor información sobre cómo enfrentar las preocupaciones comunes como el estreñimiento y la comezón, vea la parte 3, "Guía de referencia del embarazo", en la página 413.

Sus emociones durante la vigesimoquinta a vigesimoctava semanas

Disfrute su embarazo

Este mes marca el final del segundo trimestre del embarazo. No hay duda de que las cosas serán emocionantes durante los últimos tres meses hasta que nazca su bebé, pero también es muy probable que sean un poco estresantes. Estará ocupada comprando las últimas provisiones, terminando el cuarto del bebé, asistiendo a las clases para el parto y haciendo visitas más frecuentes a su proveedor de cuidados de salud. Asimismo, los últimos tres meses del embarazo traerán nuevas exigencias físicas para su cuerpo.

Haga un esfuerzo para disfrutar realmente de este mes de su embarazo —antes de que se inicien la locura y las molestias de los últimos meses—. Tome un tiempo para pensar en el embarazo hasta ahora, y anote sus pensamientos en un diario. Escuche música suave o hable con dulzura y amor a su bebé. Tómese fotografías de manera que pueda demostrar a su bebé cómo se veía cuando él o ella estaban "en construcción". Haga cualquier cosa que funcione para que disfrute las emociones y sensaciones de estar embarazada. Se irán en algunos meses.

Citas con su proveedor de cuidados de salud

Durante la visita de este mes, es posible que su proveedor de cuidados de salud nuevamente dé seguimiento al desarrollo de su bebé midiendo el tamaño de su útero. Es probable que la altura del fondo en este mes —la distancia desde la parte superior (*fundus*) de su útero hasta su hueso del pubis— sea de entre 25 y 28 centímetros, casi equivalente al número de semanas de embarazo.

Es posible que, en la visita de este mes, su proveedor de cuidados de salud pueda decirle si su bebé está colocado con la cabeza, los glúteos o los pies hacia abajo en su útero. Los bebés con los glúteos o los pies hacia abajo se encuentran en la llamada presentación de nalgas. En la mayoría de los casos, estos bebés necesitan nacer por cesárea. No obstante, su bebé todavía tiene mucho tiempo para cambiar de posición y es probable que lo haga. Así es que no se preocupe si este mes se encuentra en dicha posición.

Además de revisar el tamaño, posición y ritmo cardiaco de su bebé, es posible que su proveedor de cuidados de salud también evalúe su propia salud en la visita prenatal de este mes. Podrá determinar su peso y presión sanguínea y preguntarle sobre cualquier signo o síntoma que presente.

También es posible que le hagan una prueba de tolerancia a la glucosa para determinar si padece diabetes gestacional, una forma temporal de diabetes que se desarrolla en algunas mujeres que no tenían la enfermedad antes del embarazo. Además, si tiene un factor rhesus (Rh) negativo, es probable que le hagan pruebas de anticuerpos contra Rh este mes. Quizá también reciba su primera inyección de inmunoglobulina Rh (RhIg). Asimismo, puede ser que le hagan una prueba sanguínea para determinar si no hay anemia.

Prueba de respuesta a la glucosa

La prueba de respuesta a la glucosa por lo general se hace entre la 26.ª y la 28.ª semanas de embarazo, aunque es posible que su proveedor de cuidados de salud realice la prueba antes si los riesgos lo requieren. Para hacer la prueba, primero deberá beber un vaso entero de una solución de glucosa. Después de casi una hora, su proveedor de cuidados de salud o algún otro profesional de la salud tomará una muestra de sangre de una vena de su brazo, de manera que puedan determinar el nivel de glucosa. Si los resultados son anormales, tendrá que regresar para una segunda prueba llamada prueba oral de tolerancia a la glucosa.

Si necesita la segunda prueba, le pedirán que ayune desde la noche anterior. Cuando llegue al consultorio de su proveedor de cuidados de la salud, beberá otra solución de glucosa más concentrada. Durante las siguientes tres horas, le tomarán varias muestras de sangre, las cuales darán diferentes valores de glucosa en sangre. Los estudios muestran que, entre las mujeres cuya primera prueba de glucosa resultó anormal, cerca de 15 por ciento recibirá un diagnóstico de diabetes gestacional con esta prueba de seguimiento.

Si le diagnostican diabetes gestacional, tendrá que esforzarse por controlar con cuidado su glucosa sanguínea durante el resto de su embarazo, de manera que su bebé no crezca demasiado. También deberá someterse con regularidad a mediciones de la glucosa sanguínea hasta que dé a luz. Su proveedor de cuidados de salud puede recomendarle un plan de tratamiento adecuado.

Pruebas de anticuerpos Rh

El factor Rh es un tipo de proteína que se encuentra en la superficie de los glóbulos rojos en la mayoría de la gente. Más de 85 por ciento de las personas lo tiene, y se dice que son Rh positivos. Los que no lo tienen son Rh negativos.

Cuando no está embarazada, el tipo de Rh no tiene efecto sobre su salud, y si es Rh positiva tampoco tiene de qué preocuparse durante el embarazo; pero, si es Rh negativa y su bebé Rh positivo —lo cual puede suceder si su pareja es Rh positiva—, puede producirse un problema llamado incompatibilidad de Rh.

Si resultó Rh negativa al inicio de su embarazo, puede hacerse una prueba de sangre para detectar anticuerpos Rh este mes, quizá al final. Si los resultados indican que no está produciendo anticuerpos Rh, es probable que su proveedor de cuidados de salud le aplique una inyección intramuscular de RhIg, sólo como medida de precaución. La inyección de RhIg cubrirá cualquier célula Rh positiva que pueda estar flotando en su torrente sanguíneo, evitando que puedan ser reconocidos como extraños. Si no hay factor Rh que combatir, no se formarán anticuerpos. Piense en esto como en un ataque preventivo contra la formación de anticuerpos Rh.

Cuándo llamar a un profesional del cuidado de la salud durante la vigesimoquinta a vigesimoctava semanas

En este punto de su embarazo debe estar alerta ante la posibilidad de parto prematuro. Este último significa que las contracciones comienzan a abrir (dilatar) su cuello del útero antes del final de la 37.ª semana. Los bebés nacidos antes de tiempo por lo general presentan bajo peso, lo cual se define como menos de 2.5 kilos. Su bajo peso y otros problemas relacionados con el nacimiento prematuro los pone en riesgo de varios problemas de salud.

Esté atenta de estos signos y síntomas de parto prematuro:

- Contracciones uterinas, quizá indoloras, que se sienten como tensión abdominal
- Contracciones acompañadas con dolor en la parte baja de la espalda o sensación de pesadez en la parte baja de la pelvis y la parte superior de sus muslos
- Cambios en la descarga vaginal, como ligero manchado o sangrado, fugas de líquido acuoso por su vagina o descarga espesa teñida con sangre

Si nota más de cinco contracciones uterinas en una hora, incluso si no son dolorosas, tome estas medidas: beba un gran vaso de agua y recuéstese. Si presenta seis o más contracciones en la siguiente hora, llame a su proveedor de cuidados de salud o a su hospital o vaya a este último. Esto tiene especial importancia si presenta sangrado junto con cólicos o dolor. Cualquier sangrado vaginal en esta etapa del embarazo sería una advertencia de parto prematuro y debe ser evaluado.

Este mes, también puede interesarle:
- "Complicaciones: parto prematuro", página 533
- "Complicaciones: diabetes gestacional", página 547
- "Complicaciones: incompatibilidad de factor rhesus", página 559

Cuándo llamar

Ésta es una guía sobre posibles signos y síntomas problemáticos y de cuándo debe notificar a su proveedor de cuidados de salud en el séptimo mes.

Signos o síntomas	Cuándo avisar a su proveedor de cuidados de salud
Sangrado, manchado o descarga vaginal	
Ligero manchado	Mismo día
Cualquier manchado o sangrado que dure más de un día	De inmediato
Sangrado moderado a abundante	De inmediato
Cualquier cantidad de sangrado acompañado por dolor, cólicos, fiebre o escalofríos	De inmediato
Descarga vaginal persistente, verdosa o amarillenta, con olor fuerte, o acompañada por enrojecimiento, comezón e irritación alrededor de la vulva durante todo el día	En 24 horas
Dolor	
Contracciones uterinas, más de seis cada hora por dos o más horas	De inmediato
Sensación ocasional de jalado, punzada o pellizcado en uno o ambos lados de su abdomen	Siguiente consulta
Dolores leves y ocasionales de cabeza	Siguiente consulta
Un dolor de cabeza moderado y molesto que no se quita después de tratamiento con acetaminofeno	En 24 horas
Dolor de cabeza grave o persistente, en especial con mareos, languidez, náusea o vómito, o trastornos visuales	De inmediato
Dolor abdominal o pélvico moderado o grave	De inmediato
Calambres en las piernas que la despiertan durante el sueño	Siguiente consulta
Dolor en las piernas con enrojecimiento e inflamación	De inmediato
Dolor con fiebre o sangrado	De inmediato

Signos o síntomas	Cuándo avisar a su proveedor de cuidados de salud
Vómito	
Ocasional	Siguiente consulta
Una vez al día	Siguiente consulta
Más de tres veces al día o con incapacidad para comer o beber entre los episodios de vómito	En 24 horas
Con dolor o fiebre	De inmediato
Otros	
Escalofríos o fiebre (39°C o más)	De inmediato
Descarga continua o excesiva de líquido acuoso por la vagina	De inmediato
Inflamación repentina de cara, manos o pies	Mismo día
Trastornos de la visión (oscura, borrosa)	De inmediato
Deseo de sustancias no comestibles, como barro, tierra y almidón de lavandería	Siguiente consulta
Desánimo continuo, pérdida del gusto por las cosas que por lo general disfrutaba	Siguiente consulta
Los signos y síntomas anteriores junto con pensamientos de dañarse a sí misma o a los demás	De inmediato
Fatiga y debilidad, falta de aire, palpitaciones cardiacas, mareos o aturdimiento	Siguiente consulta si ocurre en forma ocasional; el mismo día si ocurre con frecuencia
Desmayos	De inmediato
Micción más frecuente con dolor o ardor al orinar, fiebre, dolor en abdomen o espalda	Mismo día

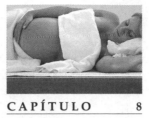

CAPÍTULO   8

octavo mes: vigesimonovena a triesimosegunda semanas

El crecimiento de su bebé durante la vigesimonovena a la trigesimosegunda semanas

Vigesimonovena semana

El peso y tamaño de su bebé siguen aumentando esta semana. Como resultado, es probable que sienta un aumento de la actividad dentro de su útero, y que los movimientos de su bebé sean más frecuentes y vigorosos. Es posible que algunos de los puñetazos y patadas de su bebé la dejen sin aliento.

Trigésima semana

Su bebé sigue adquiriendo peso y capas de grasa. Desde ahora hasta su 37.ª semana de embarazo, seguirá ganando cerca de 250 gramos por semana.

Es posible que su bebé esté practicando movimientos respiratorios esta semana moviendo su diafragma con ritmo repetitivo. Incluso estos movimientos pueden provocar hipo al bebé. Es posible que note en forma ocasional ligeros estiramientos del útero, como pequeños espasmos, debido a que el bebé continúa haciendo estos movimientos respiratorios.

A las 30 semanas de embarazo, su bebé pesa cerca de 1.5 kilos y mide cerca de 27 centímetros desde la coronilla hasta las nalgas.

Trigésima primera semana

Esta semana, el sistema reproductor de su bebé se sigue desarrollando. Si su bebé es hombre, sus testículos están descendiendo desde el punto en que se encuentran, cerca de los riñones, hacia el escroto a través de las ingles. Si es una mujer, su clítoris es ahora relativamente prominente. No obstante, sus labios aún son pequeños y no lo cubren.

Los pulmones de su bebé están ahora más desarrollados, pero no han madurado del todo. Si su bebé naciera esta semana, es probable que necesite permanecer seis semanas o más en la unidad de cuidados intensivos neonatales, (UCIN), y requiera de la ayuda de un aparato para respirar. No obstante, dado que el cerebro de su bebé está más maduro que hace algunas semanas, tendrá un menor riesgo de presentar sangrado cerebral.

Trigesimosegunda semana

El lanugo, la capa de vello suave semejante a pelusa que ha crecido sobre la piel de su bebé en los últimos meses, comienza a caerse esta semana. Es probable que su bebé pierda la mayor parte de lanugo en las siguientes semanas. Justo después de su nacimiento, es posible que vea algunos restos de este vello en sus hombros o su espalda.

Esta semana, es posible que note un cambio en los movimientos del bebé, ahora que éste ha crecido al punto de que el útero le resulta estrecho. Aunque es probable que el bebé se mueva tanto como antes, las patadas y otros movimientos pueden parecer menos fuertes.

Quizá desee verificar los movimientos del bebé de vez en vez, en especial si piensa que ha notado una disminución en la actividad. Para hacerlo, recuéstese sobre su lado izquierdo durante 30 a 60 minutos, y lleve una cuenta de la frecuencia con que siente que se mueve su bebé. Las patadas y otros movimientos de su bebé pueden parecer un poco restringidos, dada la limitación de espacio dentro de su útero. Si nota menos de diez movimientos en dos horas, llame a su proveedor de cuidados de salud. Una disminución repentina del movimiento podría indicar algún problema.

Alrededor de las 32 semanas, su bebé pesa cerca de dos kilos y mide casi 29 centímetros de largo de la coronilla hasta las nalgas. Aunque a nadie le daría gusto que su bebé fuera prematuro, es un alivio saber que casi todos los bebés nacidos a esta edad sobrevivirán y tendrán una vida normal.

Su cuerpo durante la vigesimonovena a la trigesimosegunda semanas

Este mes, su útero seguirá en expansión hacia la base de su caja torácica, creando un nuevo conjunto de cambios físicos y signos y síntomas. Casi todos los signos y síntomas del final del embarazo son producto de la expansión de su útero. Además, es probable que de nuevo comience a sentirse cansada casi todo el tiempo. El siguiente es un panorama de lo que sucede y en dónde sucede:

Su corazón y sistema circulatorio

Su corazón y sistema circulatorio siguen trabajando tiempos adicionales para llevar oxígeno y nutrientes a su bebé. Para cubrir las necesidades del embarazo, su cuerpo produce una cantidad de sangre mayor que la habitual y su corazón bombea con mayor rapidez. Es posible que, al iniciar este mes, su corazón bombee 20 por ciento más rápido que antes del embarazo.

Por desgracia, los cambios en su sistema circulatorio que alimentan el crecimiento de su bebé pueden ser la causa de algunos efectos secundarios nuevos y desagradables para usted. A medida que sus venas crecen para adecuarse al incremento del flujo sanguíneo y que el bebé comprime algunos de las venas en su pelvis, es posible que note que éstas comienzan a sobresalir y a convertirse en líneas visibles azuladas o rojizas bajo la superficie de su piel, en particular en sus pies y tobillos.

Si es así, no es la única. Cerca de 20 por ciento de las embarazadas desarrollan venas varicosas. Éstas se producen debido a la debilidad de las válvulas en las venas que llevan la sangre de regreso al corazón. Es típico que aparezcan en los últimos meses del embarazo, cuando las venas de sus piernas ya se han expandido y el útero ha crecido al punto de hacer mayor presión sobre ellas.

Quizá también esté desarrollando venas de araña (arañas vasculares). Estas pequeñas manchas rojizas con líneas elevadas que se ramifican desde un centro, como patas de araña, son otra consecuencia del aumento en la circulación sanguínea. Quizá las note en su cara, cuello, parte superior del pecho, y brazos, y es probable que desaparezcan algunas semanas después del nacimiento del bebé.

Si tiene muy mala suerte, quizá también tenga hemorroides. Éstas son venas varicosas en el recto. Son producto del incremento en el volumen sanguíneo y en la presión que hace el útero en crecimiento sobre las venas de la pelvis, las cuales devuelven la sangre al corazón desde sus piernas y los órganos de la pelvis. El estreñimiento aumenta el riesgo. Algunas mujeres desarrollan hemorroides por primera vez durante el embarazo. En el caso de las que las han padecido antes, el embarazo las hace crecer y ser más molestas.

Quizá también note que sus párpados y su cara se hinchan, sobre todo en la mañana. Esto también es el resultado de un aumento en la circulación sanguínea. Cerca de la mitad de las mujeres embarazadas presentan este cambio durante los últimos tres meses del embarazo.

Su sistema respiratorio

El útero en expansión sigue desplazando su diafragma —el músculo plano y ancho que se encuentra bajo sus pulmones— hacia arriba y fuera de su lugar normal. Para el momento en que nace el bebé, su diafragma se habrá elevado cerca de cuatro centímetros fuera de su posición normal.

Este mes, su útero empuja hacia arriba lo suficiente como para que sienta que debe esforzarse más para mover su diafragma. Como resultado, es probable que sienta falta de aire, como si no hubiera suficiente. Esto puede desconcertarla un poco, pero no hay necesidad de preocuparse por su bebé. Es posible que se reacomoden sus capacidades pulmonares, pero debido al efecto de la progesterona sobre el centro respiratorio de su cerebro, usted está respirando con mayor profundidad. Con cada respiración, lleva más aire a sus pulmones del que llevaba antes del embarazo.

Sus mamas

Sus mamas siguen creciendo este mes. Aunque quizá a veces se sienta como si llevara todo el peso adicional en las mamas, éste no es el caso. Durante el curso de su embarazo, sus mamas en crecimiento constituirán sólo de 500 a

1,500 gramos de su aumento de peso. Sólo una pequeña porción de dicho peso adicional provendrá de la grasa. La mayor parte del incremento en sus mamas se derivará del crecimiento de las glándulas productoras de leche y del aumento en la circulación sanguínea.

Desde el inicio de su embarazo, su glándula pituitaria ha estado fabricando prolactina, una de las hormonas que prepara y estimula la producción de leche en las glándulas de sus mamas.

Durante el siguiente par de semanas, es probable que este y otros cambios hagan que comience a fabricar calostro, una sustancia cargada de proteínas que nutrirá a su bebé durante sus primeros días de vida. Si aún no comienza a escurrir calostro de sus mamas, es posible que comience a hacerlo este mes.

Su útero

Su útero se sigue expandiendo, provocando muchos de los efectos secundarios desagradables que señalamos antes. Quizá tenga venas varicosas, hemorroides, falta de aire, agruras y estreñimiento, y puede ser que todo se presente en la misma semana.

Es probable que su útero siga practicando para el trabajo de parto y el parto mediante la producción de un trabajo de parto falso (contracciones de Braxton-Hicks). Recuerde, las contracciones falsas son un fenómeno esporádico. Las contracciones de un parto verdadero siguen un patrón; se van haciendo más largas, fuertes y cercanas entre sí. Si presenta contracciones que la preocupen, comuníquese con su proveedor de cuidados de salud, en especial si son dolorosas o si ocurren más de cinco en una hora. Las contracciones dolorosas y regulares pueden ser un signo de parto prematuro (antes de la 37.ª semana).

Su tracto urinario

Dado el incremento en la presión del útero en crecimiento sobre la vejiga, es posible que comience a tener fugas de orina esta semana, en especial cuando ríe, tose o estornuda. Éste es uno de los efectos secundarios más molestos del embarazo, pero no durará para siempre. Es muy probable que desaparezca después del nacimiento de su bebé.

En este mes aún se encuentra en riesgo de desarrollar una infección del tracto urinario, como consecuencia del flujo lento de orina ocasionado por la expansión del útero y el relajamiento de los músculos de los uréteres, que llevan la orina de sus riñones a su vejiga.

Si orina con mayor frecuencia de la normal, padece ardor al hacerlo, o presenta fiebre, dolor abdominal o dolor en la espalda, comuníquese con su proveedor de cuidados de salud. Estos son signos y síntomas de infección del tracto urinario y no deben ignorarse. Las infecciones urinarias pueden dañar sus riñones y provocar parto prematuro.

Su vagina

Si presenta sangrado vaginal color rojo brillante en cualquier momento de este mes, llame a su proveedor de cuidados de salud. El sangrado podría ser signo de placenta previa, un problema en el cual la placenta cubre de manera parcial o total la abertura interna del cérvix y se desgarra y separa de este último a medida que el útero se expande. Este problema, que ocurre en uno de 200 embarazos, es una emergencia médica.

Sus huesos, músculos y articulaciones

Los altos niveles de hormonas del embarazo siguen ablandando y aflojando el tejido conjuntivo de su cuerpo. En el área de la pelvis, las articulaciones entre los huesos se van relajando. Ésta es una preparación necesaria para el alumbramiento, pero puede estar causando dolor en sus caderas, quizá sólo de un lado. El dolor en la parte baja de la espalda provocado por el crecimiento en su útero puede estar incrementando sus molestias.

Asimismo, el crecimiento del útero puede estar haciendo presión sobre los dos nervios ciáticos, los cuales van desde la parte inferior de su espalda hacia sus piernas y pies. Éstos pueden provocar dolor, hormigueo o adormecimiento que desciende por sus glúteos, caderas o muslos —un padecimiento llamado ciática—. Este problema es desagradable, pero es temporal y por lo general no es grave. Es probable que cuando su bebé cambie de posición más cerca del momento del parto, su dolor de ciática mejore.

Su piel

Además de las venas varicosas y de las arañas vasculares, es posible que comiencen a aparecer otros cambios en la piel este mes. La piel de su abdomen estará seca y le dará comezón debido al estiramiento y la tensión. Cerca de 20 por ciento de las mujeres embarazadas presenta comezón en el abdomen o en todo el cuerpo.

Si su comezón es grave y presenta manchas rojizas e hinchadas en la piel, es probable que tenga la afección conocida como PUPPE, que significa pápulas urticáricas pruríticas y placas del embarazo. La PUPPE afecta a cerca de una de cada 150 mujeres embarazadas. Por lo general aparece primero en el abdomen y luego se extiende hacia brazos, piernas, glúteos o muslos. Los científicos no están seguros de las causas de la PUPPE, pero ésta tiende a ser familiar. También es más común en las mujeres embarazadas por primera vez y entre las que llevan gemelos u otros múltiples. La PUPPE puede tratarse con medicamentos de prescripción.

Quizá también comience a notar rayas rosadas, rojizas o violáceas sobre la piel que cubre a las mamas, abdomen o quizá incluso sus brazos, glúteos o muslos. Éstas son estrías debidas al estiramiento, y cerca de la mitad de las mujeres embarazadas las presentan. En contradicción de la creencia popular, las estrías no se relacionan necesariamente con el incremento de peso. Parecen ser producto, en forma literal, del estiramiento de la piel, unido con un incremento normal en la hormona cortisol, la cual puede debilitar las fibras elásticas de su piel. Los científicos piensan que sus genes juegan el papel más importante para determinar si le saldrán estrías.

No hay nada que pueda hacer para evitarlas. Dado que se desarrollan desde las capas profundas de tejido conjuntivo bajo la piel, la aplicación de cremas o ungüentos en esta última no tendrá ningún efecto. Con el tiempo, se aclararán hasta tomar un color rosa pálido o grisáceo, pero no desaparecerán por completo.

Su cabello
Puede notar este mes que su cabello parece tener más volumen y brillo. Éste es el resultado de un cambio inducido por el embarazo en el ciclo de crecimiento de su pelo.

En forma normal, el cabello crece cerca de 1.25 centímetros por mes durante dos a ocho años. Luego entra en una fase de reposo, deja de crecer y, por último, cae. Durante el embarazo, el cabello tiende a permanecer más tiempo en la fase de reposo. Dado que se cae menos cabello cada día, tendrá más cabello.

Si le está sucediendo esto, disfrútelo mientras dure. Una vez que nazca su bebé, la fase de reposo de su cabello se acortará y perderá más cabello cada día. Es posible que, incluso durante algunos meses, sienta que tiene menos cabello. Luego su pelo regresará a la normalidad, casi siempre en un lapso de seis meses a un año.

Aumento de peso
Es probable que este mes aumente 500 gramos por semana, para hacer un total de dos kilos. A medida que avanza el mes, quizá note ardor, adormecimiento, hormigueo o dolor en las manos. Éstos son síntomas del síndrome del túnel del carpo, una consecuencia del aumento de peso y la inflamación en el embarazo que afecta a cerca de 25 por ciento de las mujeres embarazadas.

Con el peso y el líquido adicionales en su cuerpo, el nervio dentro del túnel del carpo de su muñeca puede comprimirse, lo que ocasiona los síntomas clásicos de este síndrome. Los efectos de este trastorno pueden ser molestos, pero es probable que desaparezcan una vez que nazca el bebé.

Recursos de autocuidado

Los cambios en su cuerpo durante el octavo mes del embarazo pueden producir algunos signos y síntomas desagradables. Para mayor información sobre cómo resolver las quejas comunes como túnel del carpo, ciática, cambios en piel, o venas varicosas, vea la parte 3, "Guía de referencia del embarazo", en la página 413.

Sus emociones durante la vigesimonovena a la trigesimosegunda semanas

Venza la ansiedad
En sólo unas semanas, será responsable de un nuevo ser humano. Es probable que este hecho apenas comience a penetrar su mente durante este

mes. Como resultado, es posible que se sienta ansiosa y agobiada, en especial si se trata de su primer bebé. Para ayudar a mantener controlada la ansiedad, revise las decisiones que necesita tomar antes de que nazca su bebé. ¿Va a llevarlo con un pediatra o con un doctor familiar? ¿Lo va a amamantar o usará fórmula? Si es niño, ¿hará que lo circunciden? Tomar una posición con respecto a estos puntos le ayudará a sentir que tiene mayor control de la situación. Además, hará que sus nuevas responsabilidades parezcan menos graves una vez que llegue su bebé.

La ansiedad, o incluso la anticipación natural que siente acerca del nacimiento de su bebé pueden hacer que le sea difícil conciliar el sueño o mantenerse dormida toda la noche. Si se siente inquieta o ansiosa durante la noche, pruebe algunos de los ejercicios de relajamiento que aprendió en sus clases para el parto. Quizá le ayuden a descansar mejor, y hacerlos ahora será buena práctica para el gran evento.

Citas con su proveedor de cuidados de salud

Es probable que la consulta de este mes con su proveedor de cuidados de salud sea la última cita mensual. Es posible que el próximo mes deba ver a su proveedor cada dos semanas, y luego cada semana hasta que el bebé nazca. Durante su visita de este mes, su proveedor de cuidados de salud revisará de nueva cuenta su aumento de peso y su presión sanguínea y le preguntará sobre cualquier signo o síntoma que pueda tener. Quizá también le pida que describa el "programa" de actividad y los movimientos de su bebé.

Lo mismo que con otras visitas, su proveedor de cuidados de salud también determinará el crecimiento de su bebé midiendo el tamaño de su útero. Es probable que la altura del fondo este mes —la distancia desde la parte superior (*fundus*) de su útero hasta su hueso del pubis— sea de entre 29 y 32 centímetros, casi equivalente al número de semanas de su embarazo.

RECUERDE LOS SIGNOS Y SÍNTOMAS DEL PARTO PREMATURO

El riesgo de parto prematuro se conserva este mes. El siguiente es un recordatorio de los signos y síntomas que debe vigilar:

- Contracciones uterinas —quizá indoloras— que se sienten como un endurecimiento del abdomen.
- Contracciones acompañadas por dolor en la parte baja de la espalda, o pesadez en la parte inferior de la pelvis o la parte superior de los muslos.
- Cambios en la descarga vaginal, como ligero manchado o sangrado, líquido acuoso que escurre por su vagina o descarga espesa teñida con sangre.

Si nota más de seis contracciones en una hora, incluso si no son dolorosas, llame a su proveedor de cuidados de salud o al hospital. Esto es de especial importancia si presenta sangrado vaginal junto con cólicos o dolor abdominal.

Este mes, también puede interesarle:
- "Guía de decisión: considere la circuncisión para su hijo", página 355
- "Guía de decisión: elija el proveedor de cuidados de salud para su bebé", página 359
- "Guía de decisión: ¿pecho o biberón?", página 363

CUÁNDO LLAMAR

Ésta es una guía sobre posibles signos y síntomas problemáticos y de cuándo debe notificar a su proveedor de cuidados de salud en el octavo mes.

Signos o síntomas	Cuándo avisar a su proveedor de cuidados de salud
Sangrado, manchado o descarga vaginal	
Cualquier cantidad de sangrado	De inmediato
Descarga vaginal persistente, verdosa o amarillenta, con olor fuerte, o acompañada por enrojecimiento, comezón e irritación alrededor de la vulva durante todo el día	En 24 horas
Dolor	
Contracciones uterinas, más de seis cada hora por dos o más horas	De inmediato
Sensación ocasional de jalado, torcimiento o pellizcado en uno o ambos lados de su abdomen	Siguiente consulta
Dolores leves y ocasionales de cabeza	Siguiente consulta
Un dolor de cabeza moderado y molesto que no se quita después de tratamiento con acetaminofeno	En 24 horas
Dolor de cabeza grave o persistente, en especial con mareos, languidez, náusea o vómito, o trastornos visuales	De inmediato
Dolor abdominal o pélvico moderado o grave	De inmediato
Calambres en las piernas que la despiertan durante el sueño	Siguiente consulta
Dolor en las piernas con enrojecimiento e inflamación	De inmediato
Dolor con fiebre o sangrado	De inmediato
Vómito	
Ocasional	Siguiente consulta
Una vez al día	Siguiente consulta
Más de tres veces al día o con incapacidad para comer o beber entre los episodios de vómito	En 24 horas
Con dolor o fiebre	De inmediato

Signos y síntomas	Cuándo avisar a su proveedor de cuidados de salud
Otros	
Escalofríos o fiebre (39°C o más)	De inmediato
Descarga continua o excesiva de líquido acuoso por la vagina	De inmediato
Inflamación repentina de cara, manos o pies	Mismo día
Trastornos de la visión (oscura, borrosa)	De inmediato
Deseo de sustancias no comestibles, como barro, tierra y almidón de lavandería	Siguiente consulta
Desánimo continuo, pérdida del gusto por las cosas que por lo general disfrutaba	Siguiente consulta
Los signos y síntomas anteriores junto con pensamientos de dañarse a sí misma o a los demás	De inmediato
Fatiga y debilidad, falta de aire, palpitaciones cardiacas, mareos o aturdimiento	Siguiente consulta si ocurre en forma ocasional; el mismo día si ocurre con frecuencia
Desmayos	De inmediato
Micción más frecuente con dolor o ardor al orinar, fiebre, dolor en abdomen o espalda	Mismo día

CAPÍTULO   9

noveno mes: trigesimotercera a trigesimosexta semanas

El crecimiento de su bebé durante la trigesimotercera a la trigesimosexta semanas

Trigesimotercera semana

Su bebé sigue ganando peso con bastante rapidez, incrementando cerca de 250 gramos por semana. De hecho, las siguientes cuatro semanas serán un periodo de crecimiento extraordinario. A medida que su embarazo se acerca al término en el siguiente mes, su bebé ganará peso con una mayor lentitud.

Las pupilas de su bebé están ahora suficientemente desarrolladas para constreñirse, dilatarse y detectar la luz. Los pulmones de su bebé están desarrollados casi por completo, lo cual permite cierto optimismo si nace esta semana. Los bebés nacidos en esta etapa necesitan de cuidado adicional, pero casi todos serán sanos.

Trigesimocuarta semana

La capa protectora blanca y serosa que protege la piel de su bebé (vernix) se vuelve más gruesa esta semana. Cuando nazca su bebé, es posible que vea restos de esta sustancia, en especial bajo sus brazos, detrás de las orejas y en el área de las ingles.

Al mismo tiempo, el cabello suave semejante a pelusa que ha crecido en la piel durante los meses pasados (lanugo) ha desaparecido casi por completo.

A las 34 semanas de embarazo, su bebé pesa cerca de 2.5 kilos y mide cerca de 32 centímetros de la coronilla a las nalgas.

Trigesimoquinta semana

Su bebé sigue ganando peso, acumulando grasa en todo su cuerpo, en especial alrededor de los hombros. De hecho, es probable que en las siguientes tres semanas se dé el periodo de aumento más rápido de peso, con incrementos semanales de hasta 250 gramos.

Dadas las condiciones de falta de espacio dentro de su útero, es posible que sienta menos movimientos de su bebé esta semana. La falta de espacio puede hacer más difícil que este bebé de mayor tamaño y fuerza logre darle un puñetazo, pero es probable que sienta muchos estiramientos, vueltas y meneos.

Trigesimosexta semana

Para esta semana, su bebé habrá llenado por completo esa piel que alguna vez estuvo arrugada. Si pudiera verlo ahora, observaría un infante que casi describiría como regordete, con una cara pequeña pero redonda por completo. La redondez de la cara de su bebé es el resultado de depósitos recientes de grasa y poderosos músculos para mamar totalmente desarrollados y listos para la acción.

A las 36 semanas de embarazo, el final de su noveno mes, su bebé pesa cerca de 2.7 kilos o un poco más.

Su cuerpo durante la trigésimotercera a la trigésimosexta semanas

Su organismo está trabajando mucho este mes para prepararse para el trabajo de parto y el parto. Su bebé es grande y es posible que altere su sueño. Sus músculos están doloridos de cargar este paquete. Súmelo todo, y es probable que se sienta cansada la mayor parte del tiempo. Si está agotada, tome un descanso. Descanse con los pies en alto. La fatiga es la manera que tiene su cuerpo de decirle que se calme.

El siguiente es un panorama de lo que sucede y en dónde sucede.

Su sistema respiratorio

Su diafragma, desplazado por su útero en expansión, sigue ocupando parte del espacio que se reserva en forma normal para sus pulmones, alterando la manera en que respira. Como resultado, es probable que se siga sintiendo como si no lograra obtener suficiente aire. Si su bebé desciende todavía más en su útero y pelvis este mes, como lo hacen algunos, es probable que esto cambie y, al aliviarse parte de la presión hacia arriba sobre su diafragma, pueda respirar con mayor facilidad.

Sus mamas

Las glándulas productoras de leche dentro de sus mamas siguen creciendo este mes, incrementando en general el tamaño de sus mamas. Es posible que ahora también sean más notorias las diminutas glándulas productoras de aceites que humectan la piel alrededor de los pezones y areolas.

Su útero

Este mes, su bebé comienza a tomar su posición dentro del útero, se alista para hacer su entrada en escena. Si está en la posición adecuada, como la mayoría, su cabeza está hacia abajo, con brazos y piernas flexionados en forma estrecha contra su pecho.

Quizá sienta que su bebé desciende este mes, encajándose todavía con mayor profundidad en su pelvis, en preparación para el nacimiento. Esto es lo que se conoce como borramiento, aunque éste es un término algo engañoso. Aunque la parte superior de su abdomen puede sentir alivio, éste por lo general se ve más que compensado por el incremento en la presión en pelvis, caderas y vejiga.

Algunas mujeres, en especial las madres primerizas, presentan el aligeramiento varias semanas antes de dar a luz. Otras lo presentan el día que comienza el trabajo de parto. Es difícil decir cuándo se encajará su bebé en la pelvis o si usted notará cuando esto suceda.

Su sistema digestivo

Si su bebé se encaja este mes, es posible que note un cambio en algunos de sus problemas gastrointestinales, como las agruras y el estreñimiento. Quizá sienta más deseos de comer porque su bebé ya no está presionando tanto su estómago ni sus intestinos. Si ha tenido agruras, quizá se vuelvan menos frecuentes o graves.

Su tracto urinario

Quizá siga teniendo fugas de orina este mes, en especial cuando ríe, tose o estornuda. Este problema es el resultado de que su bebé en crecimiento presiona su vejiga.

¿Las malas noticias? Si su bebé se encaja este mes, es probable que sus problemas urinarios se intensifiquen. Quizá sienta más presión en la vejiga a medida que su bebé se encaja más en la pelvis. Basta decir que se familiarizará más con el cuarto de baño. En las últimas semanas de su embarazo, es posible que se levante varias veces por noche sólo para orinar. Es muy posible que todo esto desaparezca después de que nazca el bebé.

Sus huesos, músculos y articulaciones

El tejido conjuntivo de su cuerpo sigue ablandándose y aflojándose este mes en preparación para el trabajo de parto y el parto. Esto puede ser especialmente notorio en su área pélvica. Quizá sienta como que sus piernas se están desprendiendo del resto de su cuerpo —para que lo sepa, no lo están haciendo.

No deje su programa de ejercicios, pero tenga cuidado al ejercitarse este mes. Dado todo el ablandamiento y aflojamiento que se está llevando a cabo, es fácil sufrir una lesión muscular o articular.

Quizá siga teniendo dolor en un lado de las caderas o en la parte baja de la espalda debido al crecimiento de su útero. Es posible que también presente ciática —hormigueo o adormecimiento en sus glúteos, caderas o muslos ocasionado por la presión del útero sobre sus dos nervios ciáticos—. Sin embargo, si su bebé se encaja este mes, este dolor puede ceder.

Su vagina

Es posible que su cérvix comience a dilatarse este mes. Alrededor del tiempo en que esto se inicia, es posible que sienta un dolor agudo y punzante en la vagina. Esto no significa que está en trabajo de parto. La causa de dicho dolor no está bien entendida, pero no significa un peligro para usted o para su bebé.

El cérvix puede comenzar a dilatarse semanas, días u horas antes de que se inicie el trabajo de parto. Es posible que no se dilate en absoluto antes de comenzar el trabajo de parto, sobre todo si ha tenido un bebé antes. Cada mujer es diferente.

El dolor vaginal al final del embarazo por lo general no es nada de lo que uno deba preocuparse, pero informe a su proveedor de cuidados de salud acerca de éste si le causa demasiadas molestias. Una advertencia: no confunda el dolor vaginal con el abdominal. Si el dolor en la parte baja de su abdomen va acompañado por fiebre, escalofríos, diarrea o sangrado, llame a su proveedor de cuidados de salud.

Recuerde, es casi seguro que presente algunas contracciones (dolores de parto) este mes. Quizá no le molesten en absoluto, y es posible que ni siquiera las note. Si siente cólicos al mismo tiempo que el útero parece hacerse una bola y endurecerse, preste atención a la regularidad y frecuencia de las contracciones. Las contracciones de práctica son impredecibles e, incluso cuando son frecuentes, no adquieren un ritmo regular. Las contracciones del parto verdadero son frecuentes —cada cinco minutos o menos— y se repiten con intervalos regulares.

Su piel

Los cambios en la piel inducidos por el embarazo que pueden ser evidentes este mes incluyen:

- Venas varicosas, en particular en piernas y tobillos
- Arañas vasculares, en especial en cara, cuello, parte superior del pecho o brazos
- Sequedad y comezón en su abdomen o en todo su cuerpo
- Estrías en la piel de mamas, abdomen, brazos, glúteos o muslos

Muchos de estos cambios mejorarán o desaparecerán después de que nazca el bebé. Es probable que permanezca cierta evidencia de las estrías, aunque por lo general se aclaran hasta ser de color rosa o gris claro.

Aumento de peso

Es probable que aumente 500 gramos por semana este mes, para un total de cerca de dos kilos. Cuando llegue a término el próximo mes, quizá habrá ganado un total de 11 a 16 kilos.

Recursos de autocuidado

Los cambios en su cuerpo durante el noveno mes de embarazo pueden producir algunos signos y síntomas desagradables. Para mayor información sobre cómo enfrentar quejas como agruras, torpeza, ciática y falta de aire, vea la parte 3, "Guía de referencia del embarazo", en la página 413.

Prepare su cuerpo para el parto

Este mes y el siguiente puede realizar ciertos ejercicios que le ayudarán a preparar su cuerpo para el parto. Estos ejercicios, descritos a continuación, se concentran en los músculos que estarán sometidos al mayor esfuerzo durante el trabajo de parto y el parto.

Ejercicios de Kegel

Por qué hacerlos
Los músculos de la base de la pelvis ayudan a sostener su útero, vejiga e intestino. Darles tonicidad mediante los ejercicios de Kegel le ayudará a aliviar las molestias durante los últimos meses del embarazo, y es posible que le permitan minimizar dos problemas comunes que suelen iniciarse durante el embarazo y continuar después: fugas de orina y hemorroides. De hecho, un estudio reciente determinó que el fortalecimiento de los músculos de la base de la pelvis durante el embarazo parece reducir su riesgo de desarrollar incontinencia urinaria, tanto durante el embarazo como después.

Cómo hacerlos
Identifique los músculos de la base de su pelvis —los que rodean a su vagina y ano—. Para asegurarse de que encontró los músculos adecuados, trate de detener el flujo de orina mientras va al baño. Si lo detiene, es que ha encontrado los músculos adecuados; sin embargo, no convierta esto en un hábito. De hecho, hacer los ejercicios de Kegel mientras orina o cuando su vejiga está llena puede debilitar sus músculos, y también puede llevar a un vaciado incompleto de la vejiga e incrementar su riesgo de desarrollar una infección del tracto urinario.

Si tiene problemas para encontrar los músculos adecuados, pruebe con una técnica diferente. Coloque un dedo dentro de su vagina y sienta cómo se endurece esta última cuando aprieta. Los músculos que apretó son los de la base de su pelvis.

Una vez que haya identificado dichos músculos, vacíe su vejiga y colóquese de pie o sentada. Luego, tensiónelos con firmeza. Haga esto a intervalos frecuentes durante cinco segundos por vez, cuatro o cinco veces seguidas. Trabaje hasta que pueda tener los músculos en contracción hasta por diez segundos, relajando por diez segundos entre contracciones. Haga tres series de diez ejercicios de Kegel durante el día, y también tres series de mini-Kegels. Cuente con rapidez hasta diez o 20, contraiga y relaje los músculos de la base de su pelvis cada vez que dice un número.

No flexione los músculos de abdomen, muslos o glúteos mientras hace los ejercicios de Kegel; esto en realidad empeora el tono muscular de los músculos de la base de su pelvis. Y no sostenga la respiración. Sólo relájese y concéntrese en contraer los músculos alrededor de su vagina y ano.

Posición del sastre

Por qué hacerla

La posición del sastre mejora su postura, y fortalece y estira los músculos de su espalda, muslos y pelvis. Puede ayudarle a mantener flexibles las articulaciones de su pelvis, mejorar el flujo sanguíneo hacia la parte inferior de su cuerpo y facilitar el parto.

Cómo hacerla

Siéntese en el piso con la espalda derecha y junte las plantas de sus pies, con los talones hacia adentro en dirección a las ingles. Deje que sus rodillas caigan en forma confortable hacia los lados, de manera que sienta el estiramiento en la parte interna de sus muslos. No haga rebotar sus rodillas hacia arriba y abajo.

Este ejercicio no es tan difícil como parece. El embarazo tiende a hacer las articulaciones más flexibles. Pero si es demasiado difícil para usted, intente sentarse recargando la espalda en una pared, colocando cojines debajo de cada muslo, o sentarse con las piernas cruzadas y cambiando la pierna del frente de vez en vez. Mantenga la espalda derecha.

Cuclillas y deslizamiento por la pared

Por qué hacerlos

Si es capaz de acuclillarse por lapsos de unos pocos minutos durante el trabajo de parto, es posible que esto le ayude a abrir la salida de su pelvis dando más espacio al bebé para que descienda. Acuclillarse durante el trabajo de parto es cansado, así que quizá desee prepararse fortaleciendo los músculos necesarios. Practique ponerse en cuclillas con frecuencia durante los últimos meses del embarazo. El ejercicio denominado deslizamiento por la pared también puede ser útil.

Cómo hacerlos

Cuclillas. Póngase de pie con sus pies separados a una distancia equivalente al ancho de su espalda. Vaya descendiendo despacio hasta acuclillarse, mantenga su espalda derecha y sus talones apoyados en el piso. Si estos últimos tienden a levantarse, separe más las piernas. Sostenga la posición durante diez a 30 segundos, descansando sus manos sobre sus rodillas.

Vuelva a ponerse de pie, empujando con sus brazos sobre sus rodillas. Repita cinco veces.

Deslizamiento por la pared. Póngase de pie con su espalda recargada contra una pared y los pies separados a una distancia equivalente al ancho de su espalda. Deslícese hacia abajo sobre la pared hasta estar en posición sentada, pero no baje tanto como para que sus rodillas sobresalgan por encima de los dedos de sus pies. Apoye sus manos sobre sus muslos para tener mejor equilibrio, y mantenga sus pies y rodillas apuntando hacia delante. Sostenga la posición por unos segundos, y vuelva a deslizarse hacia arriba. Repita de tres a cinco veces, aumentando poco a poco hasta diez repeticiones.

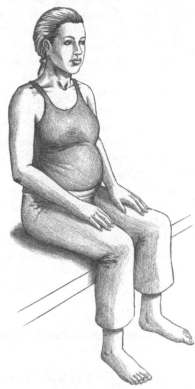

Inclinación de la pelvis

Por qué hacerla

Este ejercicio fortalece los músculos de su abdomen, ayuda a aliviar el dolor de espalda durante el embarazo y el trabajo de parto, y es posible que ayude a facilitar el alumbramiento. Es probable que las inclinaciones pélvicas también mejoren la flexibilidad de su espalda y ayuden a prevenir el dolor en ella.

Cómo hacerla

Colóquese "en cuatro puntos" apoyando sus manos y rodillas con la cabeza alineada con su espalda. Empuje su pelvis hacia delante y jale su abdomen hacia dentro, curvando un poco su espalda. Sostenga la posición algunos segundos y luego relaje su abdomen y espalda, manteniendo esta última relativamente plana. No deje que su espalda se curve. Repita tres o cuatro veces hasta llegar a diez repeticiones.

También puede hacer las inclinaciones de pelvis cuando está de pie. Párese derecha con la espalda apoyada en una pared y presione la curva de la cintura contra esta última, o sólo párese y mueva su pelvis hacia delante y hacia atrás.

Masaje del perineo

Por qué hacerlo

Dar masaje en el área entre su abertura vaginal y el ano (perineo) en las últimas semanas antes del parto puede ayudar a estirar estos tejidos en preparación para el parto y puede ayudar a minimizar el dolor cuando la cabeza de su bebé surja por la abertura vaginal. Incluso puede ayudarle a evitar la necesidad de una incisión en el perineo que agrande dicha abertura vaginal (episiotomía) cuando emerja la cabeza del bebé. Desde hace largo tiempo las parteras recomiendan el masaje en perineo. Aún no hay evidencia definitiva de que prevenga el trauma al perineo, pero algunos estudios han demostrado resultados prometedores.

Cómo hacerlo

Lave muy bien sus manos con jabón y agua caliente y asegúrese de que sus uñas estén recortadas. Luego ponga algún lubricante suave sobre sus dedos gordos e insértelos en su vagina. Presione hacia abajo en dirección al recto, estirando los tejidos. Repita a diario durante ocho a diez minutos. Su pareja puede ayudar con este proceso, si lo desea. Quizá sienta cierto ardor u otra molestia al dar masaje al perineo. Esto es normal; sin embargo, deténgase si el dolor es agudo.

Un par de puntos adicionales: no tiene que practicar el masaje al perineo si la idea de esto le incomoda. Y si lo hace, no es garantía de que evitará la episiotomía. Ciertas situaciones de nacimiento, como las que implican un bebé grande o que se encuentra en posición anormal, requieren de una episiotomía por la seguridad del bebé. Quizá tenga que esperar y ver qué le trae la experiencia del trabajo de parto y el parto.

Sus emociones durante la trigésimotercera a la trigésimosexta semanas

Prepárese para el trabajo de parto

Es probable que este mes piense mucho sobre cuándo comenzará el trabajo de parto y la experiencia que éste le brindará. Es comprensible que sienta un grado creciente de tensión, lo mismo que los temores y preocupaciones sobre la salud de su bebé.

Quizá también pase algún tiempo pensando en el dolor que sentirá al dar a luz. ¿Qué tan malo será en realidad? ¿Cuánto durará? ¿Cómo lo enfrentaré? Estas preguntas pueden ser muy persistentes en especial si éste es su primer bebé.

Es natural sentirse un poco ansiosa acerca del trabajo de parto y el alumbramiento. Después de todo, no hay forma de saber con anticipación cómo será su trabajo de parto, pero tome en cuenta que las mujeres pasan por estas experiencias todos los días. Es un proceso natural.

Puede hacer cosas ahora que la ayudarán a prepararse para el parto.

- Infórmese. Es probable que saber lo que sucederá con su cuerpo al dar a luz disminuya sus temores y tensiones cuando suceda en realidad. Además, si está más relajada, es posible que sienta menos dolor. Las clases para el parto son un lugar excelente para conocer otras futuras madres y aprender sobre los cambios que atraviesa su cuerpo durante el trabajo de parto y el parto.

- Hable con otras mujeres que hayan tenido experiencias positivas en el parto. Pregunte sobre las técnicas que funcionaron para ellas durante los procesos del trabajo de parto y el parto.
- Dígase que hará su mejor esfuerzo, dadas sus circunstancias y fuerzas. No hay forma correcta ni equivocada de tener un bebé.
- Familiarícese con las diversas opciones de alivio del dolor que estarán disponibles durante su trabajo de parto. Trate de no crear ideas fijas sobre lo que sí usará y lo que no. Hasta que llegue el momento preciso, no sabrá cuáles son sus necesidades. Para mayor información sobre alivio del dolor durante el trabajo de parto, vea "Guía de decisión: Para comprender sus opciones de alivio del dolor durante el parto", en la página 325.

Citas con su proveedor de cuidados de salud

Es probable que este mes vea dos veces a su proveedor de cuidados de salud, un incremento comparado con las consultas mensuales que había tenido hasta ahora. Lo mismo que en las citas anteriores, es posible que su proveedor de cuidados de salud revise su peso y su presión sanguínea, lo mismo que la actividad y los movimientos de su bebé. También es probable que mida su útero y le pregunte sobre cualquier signo o síntoma que haya presentado. Puede ser que su útero mida entre 33 y 34 centímetros en la primera mitad de este mes —casi equivalente al número de semanas de su embarazo—. Después de eso, la altura del fondo no concordará en forma tan estrecha con el número de semanas de su embarazo.

Es muy posible que su proveedor de cuidados de salud le haga una prueba de estreptococo de grupo B (EGB), que típicamente vive en el organismo sin causar daño. Se hace la prueba en un cultivo de bacterias tomado del interior del área vaginal y rectal. Aunque el EGB no significa riesgo alguno para usted, las mujeres que son portadoras pueden pasar la bacteria a sus bebés durante el trabajo de parto y el parto. Si se detecta el EGB, es probable que le den antibióticos una vez que empiece el trabajo de parto.

Asimismo, durante su visita de este mes, puede ser que su proveedor de cuidados de salud también verifique la posición de su bebé. Para la 33.ª semana de su embarazo, es probable que su bebé se haya movido hacia la posición que tendrá para el alumbramiento, ya sea con la cabeza, los glúteos o los pies primero. No obstante, si ha tenido varios hijos, hay una mayor posibilidad de que su bebé cambie de posición en las últimas semanas.

Para determinar cuál es la posición de su bebé dentro de su útero, su proveedor de cuidados de salud determinará cuál es la parte del cuerpo de su bebé que está encajada en su pelvis. Ésta se llama la presentación. En la mayoría de los casos, es la cabeza del bebé.

Para determinar la presentación de su bebé, en la mayoría de las visitas es probable que su proveedor de cuidados de la salud intente sentir la posición de su bebé a través del exterior del abdomen. A medida que se acerca su fecha de término, es posible que su proveedor de cuidados de la salud realice un examen vaginal si no tiene la certeza sobre la posición del bebé. En un examen vaginal, su proveedor de cuidados de la salud examina por dentro de la vagina para sentir qué parte del bebé está sobre la abertura del cérvix. Si su proveedor de cuidados de la salud todavía está inseguro de la posición del bebé, es posible que use un ultrasonido para determinar la presentación.

Si la presentación de su bebé es de cabeza, todo va bien; si su bebé tiene presentación de nalgas o de pies, pueden presentarse problemas más adelante, ya que dichas presentaciones son una causa importante de parto por cesárea.

Si su bebé se encuentra en posición de nalgas y todavía no se ha encajado en su pelvis, es posible que su proveedor de cuidados de salud recomiende intentar voltear al bebé a la posición adecuada en unas cuantas semanas. Este procedimiento se llama versión externa, y funciona como usted lo imagina: su proveedor de cuidados de salud aplica presión en su abdomen para tratar de mover al bebé a la posición adecuada o presentación de cabeza. Con frecuencia se utilizan medicamentos para relajar el útero y aliviar el dolor. La versión externa por lo general se intenta dos a cuatro semanas antes de la fecha de término.

Cuándo llamar a un profesional del cuidado de la salud durante la trigésimotercera a la trigésimosexta semanas

Su embarazo casi ha terminado —su bebé llegará antes de que se dé cuenta. No obstante, todavía es importante conocer los problemas que podrían presentarse y cuándo comunicarse con su proveedor de cuidados de salud. Cuando tenga dudas, llame.

Este mes, también puede interesarle:
- **La "Guía de decisión: para comprender sus opciones de alivio del dolor durante el parto", página 325**
- **"Complicaciones: parto prematuro", página 533**
- **"Complicaciones: estreptococo del grupo B", página 564**

Cuándo llamar

Ésta es una guía sobre posibles signos y síntomas problemáticos y de cuándo debe notificar a su proveedor de cuidados de salud en el noveno mes.

Signos o síntomas	Cuándo avisar a su proveedor de cuidados de salud
Sangrado, manchado o descarga vaginal	
Sangrado vaginal un poco mayor que el manchado	Mismo día
Dolor	
Contracciones uterinas, más de seis cada hora por dos o más horas	De inmediato
Sensación ocasional de jalado, punzada o pellizcado en uno o ambos lados de su abdomen	Siguiente consulta
Dolores leves y ocasionales de cabeza	Siguiente consulta
Un dolor de cabeza moderado y molesto que no se quita después de tratamiento con acetaminofeno	En 24 horas
Dolor de cabeza grave o persistente, en especial con mareos, languidez o trastornos visuales	De inmediato
Dolor abdominal o pélvico moderado o grave	Mismo día
Dolor con fiebre o sangrado	De inmediato
Vómito	
Ocasional	Siguiente consulta
Una vez al día	Siguiente consulta
Más de tres veces al día o con incapacidad para comer o beber entre los episodios de vómito	En 24 horas
Con dolor o fiebre	De inmediato
Otros	
Escalofríos o fiebre (39°C o más)	De inmediato
Descarga continua o excesiva de líquido acuoso por la vagina	De inmediato
Inflamación repentina de cara, manos o pies	De inmediato
Aumento repentino de peso	Mismo día
Trastornos de la visión (oscura, borrosa)	De inmediato
Falta grave de aire	De inmediato
Comezón grave	Siguiente consulta
Micción más frecuente con ardor al orinar, fiebre, dolor en abdomen o espalda	Mismo día

CAPÍTULO   10

décimo mes: trigesimoséptima a cuadragésima semanas

*C*reo que la forma en que la naturaleza hace que las futuras madres esperen con ansia el parto es hacer que los últimos meses sean tan incómodos. Estoy lista. Después de todo, logré manejar nueve meses de embarazo. Puedo enfrentar cualquier cosa que venga.

—Experiencia de una madre—

El crecimiento de su bebé durante la trigesimoséptima a la cuadragésima semanas

Trigesimoséptima semana

Para el final de esta semana, se considerará que su bebé ha llegado a término. Aún no ha terminado de crecer, pero la velocidad de aumento de peso se ha reducido a cerca de 15 gramos diarios. A medida que se deposita grasa, el cuerpo de su bebé se vuelve poco a poco más redondo.

El sexo parece jugar algún papel para determinar el peso al nacer. Si tiene un niño, quizá pese un poco más que una niña que nazca con un periodo similar de gestación.

Trigesimoctava semana

Desde hace varias semanas, el desarrollo de su bebé se trata más de mejorar la función de los órganos que de construirlos. Su cerebro y sistema nervioso funcionan mejor cada día, pero este proceso de desarrollo continúa a través de la infancia e incluso hasta el final de la adolescencia. Ésta es la razón por la cual la exposición a las drogas y el alcohol pueden dañar al bebé en forma profunda sin cambiar su apariencia. Este mes, el cerebro del bebé se ha preparado para manejar las complicadas funciones de respirar, digerir, mantener el ritmo cardiaco apropiado y comer.

A las 38 semanas de embarazo, su bebé pesa cerca de 3.1 kilos y mide cerca de 35.5 cm de la coronilla a las nalgas.

Trigesimonovena semana

Para esta semana, su bebé ha perdido la mayor parte de la vernix y el lanugo que cubría su piel, aunque se pueden observar restos de ellos tras el nacimiento.

El bebé cuenta ahora con suficiente grasa debajo de la piel para mantener su temperatura corporal siempre y cuando usted le ayude un poco. Dicha grasa le dará el familiar aspecto regordete y saludable cuando nazca.

Aunque el cuerpo ha estado tratando de ponerse al día, la cabeza del bebé es todavía la parte más grande, y a esto se debe que sea mejor la presentación de cabeza al nacer.

Además, esta semana su placenta sigue proporcionando anticuerpos al bebé —sustancias proteicas que ayudan a protegerlo contra bacterias y virus—. Durante los primeros seis meses de la vida de su bebé, estos anticuerpos ayudarán al sistema inmune del bebé a rechazar las infecciones. Algunos de estos mismos anticuerpos le serán proporcionados después del nacimiento a través de la leche.

La posición ideal —y más común— de nacimiento se muestra aquí. En ella, el diámetro menor de la cabeza del bebé abre el paso a través del canal de nacimiento.

Alrededor de la 39.ª semana del embarazo, su bebé pesa entre 3.2 y 5.4 kilos, pero ahora las diferencias individuales en los bebés se están volviendo dramáticas. Es normal que un bebé de 39 semanas pese de 2.7 a 4.1 kilos.

Cuadragésima semana

Su fecha de término llegará esta semana, pero hay muchas probabilidades de que vendrá y pasará sin incidentes. Los doctores y científicos calculan que sólo cinco por ciento de las mujeres dan a luz en sus fechas de término. Es tan normal tener su bebé una semana después como lo es hacerlo una semana antes. Trate de ser paciente, aunque con todo el trabajo que ha hecho, ¡esto no es fácil!

Una vez que comienza el trabajo de parto, su bebé sufrirá muchos cambios preparándose para nacer, incluyendo un incremento en las hormonas. Esto puede ayudar a mantener la presión arterial y los niveles de azúcar sanguíneo después del nacimiento. También puede tener algo que ver con comunicarle a su útero que el momento ha llegado.

En el trabajo de parto, su bebé está preparado para que el flujo de sangre hacia la placenta se reduzca un poco con cada contracción. Su bebé puede soportar estas interrupciones, siempre y cuando no sean demasiado frecuentes ni duren mucho tiempo. Los cambios que su bebé presentará al nacer son en verdad asombrosos. Todo lo que ha sucedido hasta ahora es el prólogo para este suceso maravilloso y glorioso.

A las 40 semanas, el bebé promedio pesa cerca de 3.2 a 3.6 kilos y mide entre 46 y 52 centímetros con las piernas completamente extendidas. Su propio bebé puede tener un peso y un tamaño un poco mayores o menores, aún así, ser normal y sano.

Su cuerpo durante la trigesimoséptima a la cuadragésima semanas

Antes del embarazo, su útero pesaba apenas 60 gramos y podía sostener menos de 15 gramos en su interior. Al término, se habrá multiplicado en peso por un factor de 20, hasta pesar cerca de 1.2 kilos, y se habrá estirado para contener a su bebé, su placenta y cerca de un litro de líquido amniótico. Al final de este mes, después de 40 semanas de crecimiento y cambio, pasará por el trabajo de parto y el nacimiento, dando a luz a un nuevo ser humano: su inigualable bebé.

El siguiente es un panorama de lo que sucede y dónde sucede:

Su sistema respiratorio

Quizá todavía sienta cierta falta de aire. Si su bebé se encaja más en la pelvis antes de que se inicie el trabajo de parto, lo cual es más común en las mamás primerizas, quizá sienta menos presión en su diafragma. Como resultado, es probable que pueda respirar con mayor profundidad y facilidad durante las semanas finales del embarazo.

Su sistema digestivo

Este sistema conserva la lentitud esta semana, influido por las hormonas. Como resultado, es probable que todavía presente agruras y estreñimiento. Si su bebé se encaja este mes, la situación puede mejorar. Con menos presión en el estómago, la digestión puede ser más fácil.

Sus mamas

Estimulados por progesterona y estrógeno, sus mamas alcanzarán su mayor tamaño este mes. A medida que se acerca el momento del nacimiento, sus pezones comenzarán a escurrir calostro —la leche amarillenta que producen las mamas al principio.

A medida que sus mamas han crecido en el curso del embarazo, es posible que los pezones se hayan invertido, metiéndose en sus pechos. Si sus pezones están invertidos y planea amamantar, no se preocupe: puede usar algunas técnicas especiales para preparar los pezones para la lactancia. Pida mayor información a su proveedor de cuidados de salud o al consejero de lactancia.

Su útero

Este mes, su útero terminará su expansión. Cuando llegue a término, se extenderá desde su área púbica hasta la base de su caja torácica. Si su bebé no se ha encajado aún en su pelvis, esto podrá suceder en este mes. Si éste es su primer bebé, quizá presente el aligeramiento semanas antes de entrar en trabajo de parto. Si ha dado a luz antes, es más probable que el aligeramiento y el inicio del trabajo de parto se presenten más cerca uno de otro.

Su tracto urinario

Este mes, es probable que sienta de nuevo la necesidad de orinar con mayor frecuencia, a medida que el bebé se encaja más en su pelvis y presiona su vejiga. Quizá le parezca difícil dormir bien por la noche debido a que debe levantarse con tanta frecuencia para orinar. Es probable que también tenga fugas de orina, en especial cuando ríe, tose o estornuda. Tenga paciencia. Su embarazo casi ha terminado.

Sus huesos, músculos y articulaciones

La bien llamada hormona relaxina, producida por su placenta, sigue relajando y aflojando los ligamentos que mantienen juntos sus tres huesos pélvicos. Esto permitirá que su pelvis se abra más durante el alumbramiento —lo suficiente para permitir el paso de la cabeza de su bebé—. Por ahora es probable que siga sintiendo los efectos de la relaxina en cuanto a la torpeza y la sensación de que sus piernas están flojas.

Si su bebé se encaja un par de semanas antes de que empiece el trabjo de parto, lo cual es más común en las madres primerizas, quizá también sienta cierta presión o dolores y molestias en su pelvis.

Su vagina

En algún punto de las siguientes semanas, su cérvix comenzará a abrirse (dilatarse). Es posible que esto se inicie un par de semanas antes del parto, o apenas unas horas antes de éste. Al final, su abertura cervical se estirará desde cero hasta diez centímetros de diámetro de manera que pueda expulsar a su bebé. A medida que comienza a dilatarse su cérvix, quizá sienta un dolor ocasional agudo y punzante dentro de su vagina. Quizá también sienta presión, dolor o espasmos agudos en el área del perineo —la zona entre la abertura vaginal y el ano— debido a la presión que ejerce el bebé sobre la base de la pelvis.

Es posible que, cuando su cérvix comience a adelgazarse y relajarse, pierda el tapón de moco que ha estado bloqueando su abertura cervical durante el embarazo para impedir que las bacterias entren a su útero. No hay una fuerte relación entre la pérdida del tapón de moco y el inicio del trabajo de parto. Puede darse hasta dos semanas antes de que comience el trabajo de parto —o justo antes de éste—. Cuando esto sucede, es probable que note que presenta una descarga vaginal densa o moco filamentoso transparente, rosado o teñido con sangre. No se preocupe si no nota este cambio. Algunas mujeres ni siquiera se dan cuenta cuando pierden su tapón mucoso.

En una cantidad aproximada de diez por ciento de las mujeres embarazadas, el saco amniótico se rompe o tiene fugas antes de que se inicie la labor de parto, y el líquido que proporcionaba un colchón al bebé sale como gotas o como chorro. Si esto le sucede, siga las instrucciones de su proveedor de cuidados de salud, ya que es probable que éste quiera evaluarla a usted y a su bebé tan pronto como se rompan sus membranas (rotura de la fuente). Mientras tanto, no haga nada que pueda introducir bacterias en su vagina. Esto significa no usar tampones ni tener relaciones sexuales.

Si el líquido que sale de su vagina no es transparente e incoloro, informe a su proveedor de cuidados de salud. El fluido vaginal de color verdoso o con mal olor, por ejemplo, podría ser signo de infección uterina o de que su bebé ha dejado salir un poco de heces hacia el líquido.

Su piel

Quizás este mes siga sufriendo los siguientes cambios en la piel inducidos por el embarazo:
- Venas varicosas, sobre todo en piernas y tobillos
- Arañas vasculares, en especial en cara, cuello, parte superior del pecho, y brazos
- Sequedad y comezón en su abdomen o sobre todo el cuerpo
- Estrías en la piel que cubre senos, abdomen, brazos, glúteos o muslos

Muchos de estos cambios disminuirán o desaparecerán después de que nazca su bebé, aunque la evidencia de las estrías permanecerá.

Aumento de peso

Su bebé gana peso con mayor lentitud esta semana. Como resultado, quizá note que su propio aumento de peso se ha reducido o hasta detenido. Incluso es bastante común perder cerca de medio kilo al final del embarazo. Para el momento en que llegue a término en su fecha de parto, es probable que haya aumentado cerca de 11 a 16 kilos. El siguiente es un desglose de cómo se puede haber distribuido dicho peso:

Su bebé	3.25 a 4.5 kilogramos
Placenta	0.75 kilogramos
Líquido amniótico	1 kilogramo
Crecimiento de senos	1/2 a 1.5 kilogramos
Agrandamiento del útero	1 kilogramo
Acumulación de grasa y desarrollo muscular	3 a 4 kilogramos
Incremento de volumen sanguíneo	1.5 a 2 kilogramos
Incremento de volumen de líquidos	1 a 1.5 kilogramos

Total	**12 a 16.25 kilogramos**

Recursos de autocuidado

Los cambios en su cuerpo durante el último mes de embarazo pueden producir algunos signos y síntomas desagradables. Para mayor información sobre cómo aliviar las quejas comunes como dolor de espalda, estreñimiento, comezón y fugas de orina, vea la parte 3, "Guía de referencia del embarazo", en la página 413.

Sus emociones durante la trigesimoséptima a la cuadragésima semanas

A la espera de que todo termine

En este punto, es probable que esté cansada de estar embarazada. Quizá tenga problemas para dormir porque no encuentra una posición cómoda. Una vez que se adormece, es probable que tenga que despertarse cada dos horas para usar el baño. El tiempo parece haberse detenido.

Para enfrentar el aburrimiento y la incomodidad, intente mantenerse ocupada. Trabaje en un hobby, lea el último *bestseller* y pase tiempo con sus amigos y familiares. Mantener su mente activa le ayudará a que los días se le pasen más pronto hasta que llegue por fin el gran día y empiece el trabajo de parto. Además, ¿quién sabe cuándo tendrá tanto tiempo para usted misma de nuevo?

Aprenda a relajarse

Es un hecho: si está asustada y ansiosa durante el parto, le será más difícil. El estrés pone en acción toda una gama de reacciones en su cuerpo que pueden interferir con el proceso del parto. Los instructores para el parto le llaman el ciclo de temor-tensión-dolor.

La relajación es la liberación de la tensión de su mente y cuerpo mediante un esfuerzo consciente. Es una habilidad que se aprende y algo que debe practicar con regularidad para que sea efectiva.

Hay varias técnicas de relajación que son útiles durante el parto. La relajación progresiva de los músculos, la relajación por el contacto, el masaje y la visualización guiada son sólo algunas opciones. Es probable que haya aprendido sobre estas técnicas en su curso para el parto, pero a continuación presentamos un repaso rápido:

- **Relajación muscular progresiva.** Comenzando desde su cabeza o sus pies, relaje un grupo muscular por vez, moviéndose hacia el otro extremo de su cuerpo.
- **Relajación por el contacto.** Comenzando por sus sienes, su pareja aplica presión firme pero suave durante varios segundos. Luego pasa a la base de su cráneo, hombros, espalda, brazos, manos, piernas y pies. A medida que su pareja toque cada parte de su cuerpo, relaje el grupo muscular de esa área.
- **Masaje.** Su pareja da masaje a su espalda y sus hombros, haciendo movimientos de barrido a lo largo de sus brazos y piernas, y pequeños movimientos circulares sobre su frente y sienes. Estos movimientos le ayudarán a relajar los músculos y harán que su cerebro libere endorfinas, lo cual mejorará su sensación de bienestar. Experimente con diferentes técnicas hasta que encuentre la que funcione mejor para usted.
- **Visualización guiada.** Imagínese a sí misma en un medio que le da una sensación de relajamiento y bienestar —ese lugar especial y apacible al que viaja con su imaginación—. Concéntrese en los detalles, como los olores, colores o sensaciones en su piel. Para mejorar estas imágenes, escuche una cinta de ruidos de la naturaleza o música suave.
- **Meditación.** Concéntrese en un solo punto: un objeto en la habitación, una imagen mental o una palabra que se repite a sí misma. Cuando sienta que se distrae, concéntrese de nuevo en su punto focal.
- **Técnicas de respiración.** Inhale por la nariz, imaginando que le entra aire fresco y puro a los pulmones. Exhale despacio a través de su boca, imaginando que sale toda sus tensión. Practique respirando en ambas formas: con mayor lentitud y con mayor rapidez de lo normal. Puede utilizar ambas técnicas, y otras, durante el trabajo de parto.

Practique estas técnicas con frecuencia durante el mes. Entre más las practique con anticipación, mejor funcionará cuando en verdad las necesite. Cuando practique, asegúrese de que el ambiente es tranquilo y de estar cómoda. Utilice cojines si lo desea, o ponga música suave.

Citas con su proveedor de cuidados de salud

Es probable que este mes vea a su proveedor de cuidados de salud una vez por semana, hasta la llegada del bebé. Lo mismo que en las visitas anteriores, es probable que determine su peso y su presión arterial, así como la actividad y movimientos de su bebé. Asimismo, es probable que mida su útero y le pregunte sobre cualquier signo o síntoma que pueda presentar.

Es posible que le haga un examen pélvico este mes. Este examen permitirá a su proveedor de cuidados de salud determinar si su bebé tiene presentación de cabeza, de pies o de nalgas dentro de su útero. La mayoría de los bebés tienen presentación de cabeza. A medida que se acerque la fecha de término, su proveedor de cuidados de salud puede referirse al plano de la parte de presentación. *Parte de presentación* es el término médico para la parte del cuerpo de su bebé que se encuentra encajada más profundamente en la pelvis. *Estación* se refiere a qué tan encajada está la parte de presentación.

Es posible que, durante los exámenes pélvicos de este mes, su proveedor de cuidados de salud también revise su cérvix para ver qué tanto se ha ablandado, lo mismo que su abertura (dilatación) y adelgazamiento (borramiento). Si este proceso se ha iniciado, es probable que su proveedor de cuidados de salud se refiera a él en números y porcentajes. Por ejemplo, puede decirle que tiene tres centímetros de dilatación y 30 por ciento de borramiento. Cuando esté lista para pujar, el cérvix tendrá 10 cm de dilatación y 100 por ciento de borramiento.

No ponga mucho interés en estos números. Este tipo de examen no dice mucho, con la posible excepción de qué tan bien podría funcionar la inducción del parto. Puede durar semanas con tres centímetros de dilatación, o entrar al parto sin dilatación ni borramiento algunos. De hecho, a menos que se le esté considerando para parto inducido, su proveedor de cuidados de salud preferirá evitar el examen cervical por entero.

Cuándo llamar a un profesional del cuidado de la salud durante la trigesimoséptima a la cuadragésima semanas

¿Es hora de ir al hospital?

La decisión sobre cuándo ir al hospital puede ser difícil. Quizá leyó que debe esperar hasta que las contracciones se presenten cada tres a cinco minutos por lo menos durante una hora. Es posible que una amiga le haya dicho que debe ir al hospital cuando ya no pueda hablar ni caminar durante las contracciones. Es probable incluso que otra persona le haya dicho que espere hasta que el dolor pase de la parte más inferior de su abdomen hasta arriba de su ombligo. Puede ser que su pareja quiera que ignore todos estos consejos, ¡y vaya al hospital ahora!

No hay respuesta correcta a la pregunta de si es hora de ir al hospital. De hecho, las instrucciones de cuándo hacerlo varían de uno a otro proveedor de cuidados de salud. Para ayudarle a entender lo que puede ser un punto confuso, tome el camino fácil: siga las instrucciones de su proveedor de cuidados de salud —al pie de la letra—. Están hechas a su medida y a la de su embarazo, no al de otra persona.

Un punto adicional: si su trabajo de parto parece ir progresando con rapidez y las contracciones son frecuentes, más vale que vaya al hospital pronto. Además, si tiene un historial de partos rápidos o sabe que su mamá o hermanas lo tienen, aumentan sus probabilidades de que éste también lo sea.

Complicaciones durante la trigesimoséptima a cuadragésima semanas

La siguiente es una guía sobre los signos y síntomas importantes en el último mes de embarazo que requieren atención médica inmediata:

Sangrado vaginal

Si tiene sangrado de color rojo brillante en cualquier momento del mes, llame de inmediato a su proveedor de cuidados de la salud. Éste podría ser un signo de abrupción, un problema serio en el cual su placenta se separa de la pared del útero. Esta condición es una emergencia médica. No confunda este tipo de sangrado con el de tipo ligero que podría tener después de un examen pélvico, ya que este último es normal y no es causa de preocupación.

Dolor abdominal constante y grave

Si tiene dolor abdominal constante y grave, llame a su proveedor de cuidados de salud de inmediato. Aunque es poco común, éste puede ser otro signo de abrupción de la placenta. Si también presenta fiebre y descarga vaginal, es posible que tenga una infección.

Disminución del movimiento

Es normal que el vigor de las actividades de su bebé se reduzca un poco durante los últimos días antes del nacimiento. Es casi como si su bebé descansara y acumulara toda la energía para el gran día. Pero en general, el número de movimientos no debe decaer en gran medida. La disminución de la frecuencia en el movimiento puede ser señal de que algo está mal. Para verificar el movimiento de su bebé, recuéstese sobre su lado izquierdo y cuente la frecuencia con que lo siente moverse. Si nota menos de diez movimientos en dos horas, o si le preocupa en algún aspecto la reducción de dichos movimientos, llame a su proveedor de cuidados de salud.

trabajo de parto y parto

Las últimas semanas del embarazo pueden sentirse como un tiempo de espera... y espera. Puede parecer como si el tiempo casi se hubiera detenido mientras ansía la llegada del parto. Tenga en cuenta, sin embargo, que su fecha de término no es sino un estimado de la fecha en que puede realizarse el nacimiento. Puede dar a luz antes o después de esa fecha. De hecho, el trabajo de parto puede empezar tres semanas antes o dos semanas después de ese día y aún considerarse normal.

Haga sus preparaciones finales

Aproveche al máximo el tiempo que queda antes de que llegue el bebé. ¿Qué puede hacer para estar lo más lista posible? La siguiente es una lista de cosas que hacer.

Tome clases para el parto, si no lo ha hecho ya

Las clases para el parto le ayudarán a usted y a su pareja a prepararse por completo para el trabajo de parto y el alumbramiento. Dado que varían de nombre en la mayoría de los hospitales y centros de maternidad, pregunte sobre ellos como parte de su cuidado prenatal. Es típico que se ofrezcan clases como sesiones de una a dos horas en el curso de varios meses o como sesiones de un día completo que se realizan en uno o dos fines de semana.

Es frecuente que dichos cursos sean impartidos por enfermeras, y que cubran algo más que sólo las técnicas de respiración empleadas para la relajación durante el trabajo de parto, o el llamado parto natural. Es típico que toquen todos los aspectos del trabajo de parto y el alumbramiento, lo mismo que el cuidado del recién nacido. Es muy probable que aprenda sobre los signos de que se inicia el trabajo de parto, las opciones para el alivio del dolor durante este último, las posiciones para dar a luz, el cuidado posnatal y la atención del recién nacido, incluyendo información sobre el amamantamiento.

Es típico que en estas clases también aprenda lo que sucederá con su cuerpo durante el trabajo de parto y el parto, de manera que se sienta positiva en lugar de temerosa. En especial si es madre primeriza, encontrará que las clases para el parto le ayudan a calmar sus temores y a contestar muchas de sus dudas latentes. Además, puede conocer otras parejas en espera que tienen preguntas y preocupaciones semejantes a las suyas, lo cual puede ser consolador. Si planea tener un acompañante para el parto, como su pareja u otra persona querida, para que le apoye durante el trabajo de parto y el parto, haga que esa persona asista junto con usted a las clases.

Los libros sobre el embarazo, como éste, proporcionan una buena manera de aprender mucho sobre el tema, pero no son un reemplazo completo para las clases minuciosas sobre ello.

Revise sus opciones para el trabajo de parto y el parto

Además de asistir a clases de preparación para el parto en sus últimos meses de embarazo, es posible que usted y su pareja deseen discutir con su

No tenga miedo de preguntar

Cuando haga planes para el nacimiento junto con su proveedor de cuidados de salud, no se avergüence de ninguna duda. Por ejemplo, quizá se pregunte:

¿Qué tal si tengo que ir al baño durante el trabajo de parto?

En el pasado, era normal que se aplicara una lavativa a la mujer cuando entraba en trabajo de parto, ya que la teoría era que vaciar el intestino reducía el riesgo de infección para la madre y el bebé y estimulaba contracciones más fuertes. Ésta ya no es una práctica común. Por lo general, su intestino se vaciará sin intervención durante el trabajo de parto. En ocasiones, se expulsa una pequeña cantidad de heces durante el nacimiento. Esto es perfectamente normal, y no hay de qué preocuparse.

Algunas mujeres podrán levantarse y orinar cada par de horas. Es probable que su proveedor de cuidados de salud le anime a hacerlo porque una vejiga llena puede retardar el descenso del bebé. No obstante, es difícil sentir que se tiene la vejiga llena cuando se presentan las contracciones, en especial si le aplicaron una epidural, o quizá no desee moverse por temor a que empeoren las contracciones. Su equipo de cuidado de la salud le proporcionará un cómodo o vaciará su vejiga en forma intermitente por medio de un catéter.

¿Rasurarán mi vello púbico?

No es probable. Rasurar el vello púbico de una mujer embarazada también era una práctica estándar, con el fin de preparar un sitio limpio para el nacimiento. Ahora se sabe que el vello no contribuye a la infección, así es que ahora rara vez, o nunca, se rasura a la madre.

¿Tendré que mostrarme frente a extraños?

Durante el trabajo de parto, el equipo que la atiende llevará a cabo exámenes vaginales periódicos para revisar sus avances. En el momento del parto, estarán presentes su proveedor de cuidados de salud, su acompañante y, típicamente, por lo menos una enfermera. Quizá también esté presente un pediatra, quien examinará al bebé justo después de nacer. La presencia de otras personas en la sala de parto depende en gran medida de usted misma. Los profesionales médicos que ayudan en el alumbramiento ven nacimientos casi todos los días, así que están acostumbrados a la caótica pero asombrosa experiencia del parto. El personal de algunos hospitales universitarios puede solicitar que proveedor de cuidados de salud cualquier pregunta que tengan sobre el trabajo de parto y parto. Es posible revisar cualquier procedimiento, como la cesárea, que pudiera llegar a necesitarse.

Hable en forma abierta con su proveedor de cuidados de salud acerca de la manera en que quiere que nazca su bebé. Puede estar preparada tomando algunas de estas decisiones desde ahora.

Discuta con su proveedor de cuidados de salud sus preferencias para el alivio del dolor. Incluso si prefiere dar a luz sin alivio del dolor, quizá desee enterarse sobre los tipos principales de anestésicos que se emplean para el parto. La anestesia regional —que insensibiliza el cuerpo de la cintura para abajo— se usa con gran frecuencia en la actualidad. La epidural es una forma de anestesia regional. Proporciona un nivel continuo de anestésico a través de un tubo flexible que se coloca en la parte baja de su espalda. (Ver "Guía de decisión: Para comprender sus opciones de alivio del dolor durante el parto", en la página 325.)

se permita a los estudiantes de Medicina observar los trabajos de parto y los nacimientos, incluyendo quizá el suyo. Recuerde que los estudiantes de Medicina, que también son profesionales, pueden ser capaces de dar una mano o apoyo adicional durante el nacimiento de su hijo, así que considere su presencia como una ventaja.

¿Qué tal si hago ruidos fuertes durante el parto?

El parto es un acto físico que requiere de su participación. Como cuando se esfuerza en casa realizando las tareas domésticas o ejercitándose, es posible que haga ruidos de esfuerzo o gruña durante el trabajo de parto y el nacimiento. No se preocupe por esto. Es completamente normal, y los profesionales médicos que ayudan a nacer a los bebés no se extrañarán en absoluto.

¿Lastima el trabajo de parto al bebé?

Aunque los bebés no deben atravesar una gran distancia desde el útero hasta el mundo exterior, la ruta puede ser un reto. Durante las etapas más difíciles del trabajo de parto y el nacimiento, su bebé es apretado y empujado por el estrecho canal vaginal. Asimismo, el bebé debe moverse como sacacorchos a través del canal óseo de la pelvis materna. Durante la parte intensa del trabajo de parto, el latido cardiaco del bebé se hace más lento de manera intermitente como respuesta al estrés del viaje, pero esto es de esperarse y no es grave.

Su pareja puede preguntarse:

¿Qué pasa si algo le sucede a mi pareja durante el trabajo trabajo de parto y el parto?

La mayoría de los hombres no admiten que tiene el temor de que su pareja muera durante el parto, pero dicho temor puede ser muy grande, lo expresen o no. La muerte materna es rara en extremo hoy en día. Si tiene preocupación sobre el bienestar de su pareja durante el trabajo de parto y el parto, hable con tiempo acerca de esto con ella o con su proveedor de cuidados de salud. Puede ser un alivio escuchar de boca de un experto médico la confirmación de que el trabajo de parto y el parto nunca han sido más seguros para las mujeres en Estados Unidos, gracias a la calidad del cuidado médico disponible.

El trabajo de parto es un trabajo, y no es el momento de aprender y tomar decisiones acerca de los procedimientos que ha recomendado su proveedor de cuidados de salud. Así que, revise de antemano junto con éste sus preferencias y prácticas acostumbradas. Por ejemplo, ¿cuáles son sus opiniones sobre el alivio del dolor? ¿Cuándo se usarían medicamentos para acelerar el parto? ¿Aprueba las posiciones para dar a luz que no sea la tradicional acostada sobre la espalda? ¿Bajo qué circunstancias se realizaría un corte para agrandar la abertura vaginal (episiotomía)?

Además, averigüe los pasos que debería tomar una vez que se encuentra en trabajo de parto. ¿Cuándo deberá notificar a su proveedor de cuidados de salud? ¿Debe dirigirse directamente al hospital o llamar primero al consultorio del proveedor de cuidados de salud? ¿Hay otras medidas que su proveedor desee tomar?

A partir de sus discusiones en las visitas prenatales, usted y su proveedor de cuidados de la salud pueden elaborar un plan de nacimiento en forma oral o por escrito —una guía de cómo desea dar a luz a su bebé—, pero recuerde: cualquier plan de nacimiento puede requerir cambios dependiendo del curso que tome el trabajo de parto y parto, así que sea realista. Y ser realista significa ser flexible. Piense en su plan de nacimiento como en una guía —no un mandato.

La mayoría de las mujeres que dan a luz por primera vez no tiene una visión precisa de cómo será el proceso y quizá piensen que tendrán más control del que en realidad podrán tener. Además, no todos los partos se dan de acuerdo con lo planeado, porque ningún parto es igual al otro. A veces suceden problemas que nadie esperaba. Es en esos casos cuando el equipo de cuidados de la salud necesita responder con prontitud. Si eso sucede, recuerde que eligió a su proveedor de cuidados de la salud porque confiaba en él o ella. Controle lo que pueda, pero esté lista para aceptar cuando no pueda controlar algo.

Regístrese previamente en el hospital

Pregunte sobre la forma de registrarse con anticipación en el hospital o la clínica de maternidad donde planea dar a luz. Llenar los papeles necesarios y cubrir los trámites del seguro con anterioridad puede ahorrarle trabajo adicional cuando por fin llega el gran día, y usted se encuentra en trabajo de parto. Es frecuente que se incluyan recorridos como parte de las clases. Ver dónde planea dar a luz puede ayudarle a visualizar el suceso.

Prepare su maleta para el hospital

Dado que su fecha de término no es exacta, es buena idea tener su maleta empacada y lista con anticipación para el hospital. Los siguientes son algunos artículos que querrá tener a mano.

Para el trabajo de parto y el parto
- Un reloj con trabajo de segundero para medir el tiempo de las contracciones
- Calcetines o pantuflas —las salas de parto con frecuencia se mantienen frías

- Anteojos —quizá deba quitarse los lentes de contacto
- Bálsamo labial —es posible que sus labios se resequen durante las técnicas de relajamiento por respiración
- Dulce sólido para chupar
- Una pelota de tenis o un rodillo para dar masaje a la espalda, lo cual puede ser útil si el dolor en la parte baja de la espalda se vuelve un problema
- Un reproductor de discos compactos o MP3
- Material de lectura
- Bocadillos para su acompañante
- Una cámara con baterías de repuesto y mucha película o, si tiene una cámara digital, una tarjeta de memoria adicional
- Una cámara de video, con la batería totalmente cargada
- Una lista de números telefónicos para llamar cuando llegue el bebé
- Una tarjeta de crédito telefónico —es posible que no se permita el uso de celulares en el hospital

Para después de dar a luz
- Pijamas o un camisón que se abra en el frente y permita amamantar con facilidad
- Una bata
- Un sostén para amamantar o, si planea usar biberón, un sostén de apoyo
- Ropa interior
- Artículos de tocador, cosméticos y una secadora de pelo
- Regalos "del bebé" para sus hermanos
- Una pequeña cantidad de dinero para bocadillos o artículos que haya olvidado traer

Para regresar a casa
- Ropa suelta —quizá algún atuendo de mitad del embarazo
- Ropa para el bebé, incluyendo un gorrito
- Una cobija para el bebé

Si aún no quiere ponerlo todo en la maleta —sus cosméticos, por ejemplo—, haga una lista de manera que pueda reunir los objetos con facilidad cuando se prepare para partir. Por lo general, no es necesario apurarse —incluso puede darle tiempo de darse un baño de regadera—, pero lo mejor es estar organizada.

Además, tenga a mano un asiento en el auto para el viaje del bebé a casa.

Intente relajarse

La mayoría de las mujeres llegan al final de su embarazo con una mezcla de anticipación y, con frecuencia, nerviosismo. Pero, trate de no preocuparse; los cuerpos de las mujeres están hechos para soportar el trabajo de parto y el parto. El trabajo de parto, como su nombre lo indica, es una labor. Esto es cierto, pero puede ayudar a que la experiencia transcurra con la mayor tranquilidad posible aprendiendo acerca del proceso de nacimiento y practicando técnicas de relajación.

Muchas mujeres presentan un incremento en la energía durante la última semana del embarazo, una conducta que con frecuencia se llama anidación. Quizá se encuentre con que realiza una limpieza a fondo y con que está ansiosa de iniciar cualquier proyecto que haya dejado de lado. Aunque la idea de regresar a una casa muy limpia puede ser tentadora, trate de no agotarse. Necesitará la energía para el trabajo que le espera.

En las últimas semanas del embarazo, termine las tareas finales, pero, más importante, intente concentrarse en disfrutar el tiempo antes de la llegada del bebé. Obséquiese una buena cena o una salida divertida, goce un hobby favorito, lea un buen libro, acurrúquese con su pareja, visite a amigos y familiares. Mantenerse ocupada pero relajada le ayudará a pasar el tiempo hasta que llegue el día del parto.

Cómo se prepara su cuerpo para el parto

Está haciendo preparaciones finales emocionantes para la llegada de su bebé. Su cuerpo, en sí mismo, también se prepara para el trabajo de parto y el alumbramiento.

A medida que se acerca el parto, su cuerpo sufre ciertos cambios que señalan que es probable que su bebé nazca pronto. Estos cambios incluyen el borramiento, trabajo de parto falso (contracciones de Braxton-Hicks) y pérdida del tapón mucoso.

Borramiento

A medida que se acerca su fecha de término, quizá sienta que el bebé ha bajado, encajándose más en su pelvis en preparación para el trabajo de parto y el parto. Este paso natural en la gestación de un bebé se llama borramiento.

Es posible que usted note el borramiento, ya que el perfil de su abdomen puede cambiar —puede parecer más bajo y más inclinado hacia delante—. Quizá note que le es más fácil respirar, pues el bebé se desplaza hacia abajo y alivia la presión sobre su diafragma. Ingerir una comida completa puede volverse más cómodo al tener más espacio en la parte superior del abdomen. Por otra parte, sin embargo, es probable que sienta mayor presión sobre su vejiga debido al peso y la posición del bebé. Quizá sienta punzadas dolorosas cuando el bebé golpee la base de su pelvis. Sentirá que su centro de gravedad está más bajo, lo cual le hará perder un poco el equilibrio.

Es posible que algunas mujeres, como las que ya llevan al bebé encajado, no noten ningún cambio.

Si éste es su primer embarazo, es probable que el borramiento se presente en cualquier momento entre dos a cuatro semanas antes de que comience el trabajo de parto. Con los embarazos subsecuentes, los bebés pueden encajarse apenas horas antes de que se inicie el trabajo de parto o incluso durante el trabajo de parto mismo. El borramiento rara vez es indicación de parto inminente.

La posición y el plano de su bebé

A medida que se acerca el final de su embarazo, es probable que su proveedor de cuidados de salud le hable, en términos médicos, de la posición y el plano de su bebé.

La *posición* se refiere a la colocación del bebé dentro del útero; por ejemplo, de cara hacia la derecha o la izquierda, o con la cabeza o los pies primero. Durante la gestación, el bebé flota dentro del útero y cambia de posición con cierta libertad; pero, casi siempre entre la 32.ª y la 36.ª semanas del embarazo, éste gira para colocarse —de manera ideal— en una posición de cabeza, ubicándose para el trabajo de parto y el parto. La posición de cabeza se denomina presentación en vértice. No obstante, los bebés pueden descender con los pies primero (presentación de pies) o yacer de lado (colocación transversa) dentro del útero. A medida que se acerca la fecha de término, es probable que su proveedor de cuidados de salud verifique la posición de su bebé sintiendo su abdomen y, a veces, haciendo un examen interno o utilizando un ultrasonido.

En los nacimientos vaginales, el bebé debe pasar a través de la cavidad ósea de la pelvis al desplazarse hacia abajo desde el útero y hasta la vagina (canal de nacimiento). El *plano* se refiere a la distancia que ha avanzado la cabeza de su bebé dentro de la cavidad pélvica y se mide en centímetros. Cada plano es un centímetro. Se dice que un bebé que se encuentra arriba de la cavidad pélvica se encuentra en plano -5. Un bebé en plano cero se encuentra a medio camino en la pelvis.

Una vez que se inicia el trabajo real de parto, la cabeza del bebé continúa a través de la pelvis hacia los planos +1, +2 y +3. En el plano +5, se corona su cabeza, emergiendo de la vagina y completando su paso a través de la cavidad pélvica.

Para la mayoría de las mujeres en su primer parto, el bebé ya estará en el plano cero al iniciarse el trabajo. En el plano cero, se dice que el bebé está encajado en la pelvis, ya que la parte más grande de la cabeza de éste ha entrado en la salida pélvica. En las mujeres que van a tener su tercer o cuarto bebé, es posible que esto no suceda sino hasta que el trabajo de parto haya avanzado varias horas.

Contracciones de Braxton-Hicks

Es posible que, durante su segundo y tercer trimestres de embarazo, presente contracciones ocasionales e indoloras —la sensación de que su útero se contrae y relaja—. Son especialmente notorias cuando coloca su mano sobre su abdomen. Éstas son las llamadas contracciones de Braxton-Hicks, y son la manera que tiene su cuerpo de prepararse para el parto. Su útero está ejercitando su masa muscular con el fin de fortalecerse para el gran trabajo que le espera: el trabajo de parto y el nacimiento de su hijo.

A medida que se aproxima su fecha de término, es típico que las contracciones se hagan más fuertes e incluso en ocasiones más dolorosas. A veces, las contracciones de Braxton-Hicks, que también se llaman dolores de parto falso, se confunden con el trabajo de parto verdadero. No obstante, las contracciones de Braxton-Hicks son irregulares y con frecuencia cesan con el reposo. Las contracciones del trabajo de parto verdadero se presentan con intervalos regulares y aumentan de fuerza e intensidad, sin importar su actividad.

Pérdida del tapón mucoso

Durante el embarazo, la abertura de su útero (cérvix) está bloqueada por un grueso tapón de moco. Este tapón forma una barrera entre el cuello del útero y la vagina de manera que las bacterias no puedan entrar a su útero y causar una infección. A veces, unas cuantas semanas, días u horas antes de que se inicie el trabajo de parto, este tapón se desprende, y es posible que presente lo que los proveedores de cuidados de salud llaman salida del tapón mucoso. Quizá note una pequeña cantidad de moco color café y teñido con sangre que escurre de su vagina. Algunas mujeres no notan la salida de este tapón. Su desprendimiento podría ser una señal de que las cosas podrían suceder pronto, aunque el parto puede estar todavía a una semana o más de distancia.

¿INDUCE EL PARTO COMER ALIMENTOS CONDIMENTADOS?

La mayoría de las mujeres han escuchado por lo menos de un remedio popular para iniciar el trabajo de parto. Quizá escuchó que alguno de los siguientes le ayudará a provocar el parto a medida que se acerca su fecha de término:

- Caminar con frecuencia
- Tener relaciones sexuales
- Ejercitarse
- Usar laxantes
- Estimular sus pezones
- Comer alimentos condimentados
- Manejar en un camino disparejo
- Ayunar
- Estar asustada
- Tomar aceite de ricino
- Beber té de hierbas

¿Hay alguna verdad en estas historias de viejas? Algunos de estos remedios populares tienen ciertas bases científicas. La estimulación de los pezones puede causar contracciones uterinas, en una forma similar a la que se presenta cuando el bebé mama justo después de nacer. Es posible, en el aspecto biológico, que el sexo desencadene las contracciones porque el semen contiene sustancias similares a las que se emplean en los medicamentos inductores del parto. Estos hechos no implican que su proveedor de cuidados de salud le recomiende el empleo de ninguno de estos métodos. En realidad, es posible que le recomiende evitar el sexo durante el noveno mes de embarazo para prevenir infecciones intrauterinas, y la estimulación de los pezones podría provocar contracciones que son lo bastante prolongadas y fuertes como para dañar al bebé.

La mayoría de los remedios populares no se basan en la ciencia y simplemente no funcionan. Incluso algunos son incorrectos. Por ejemplo, ayunar en realidad no es bueno para usted ni para el bebé. ¿Hay algo que pueda hacer para que inicie el trabajo de parto? En realidad no, sólo sea paciente y deje que la Madre Naturaleza siga su curso.

Signos de que está en trabajo de parto

A medida que se acerca su fecha de término, después de alrededor de la 36.ª semana de su embarazo, es posible que su proveedor de cuidados de salud desee examinarla con más frecuencia, casi siempre cada semana. La principal razón médica para esto es estar pendientes de la preeclampsia, la forma seria de hipertensión en el embarazo. Es muy probable que también revise si hay signos tempranos de trabajo de parto (preparto), además de vigilar su salud y la de su bebé aún no nacido. También es muy posible que su proveedor de cuidados de salud repase los signos de trabajo de parto junto con usted y su pareja.

Ésta es quizá una de las preguntas más comunes que escuchan los profesionales médicos de las madres en espera: "¿Cómo sabré cuándo se inicia el trabajo de parto?". Habrá escuchado decir a otras madres que "simplemente lo sabrá". Quizá no le parezca muy consoladora esa información.

Es común que las madres y los padres primerizos se preocupen de que el bebé nazca camino al hospital. Esta situación, en realidad, pocas veces ocurre. El trabajo de parto puede comenzar abruptamente y progresar rápidamente. Con más frecuencia, sin embargo, no ocurre así. Normalmente, signos más sutiles son los que inican que está en trabajo de parto.

Adelgazamiento y ablandamiento del cérvix

Un signo de que se inicia el trabajo de parto es que su cérvix comienza a adelgazarse (borrarse) y ablandarse (madurar) en preparación para el parto. A medida que el trabajo de parto avance, llegará un momento en que el cérvix irá desde un grosor de 2.5 cm o más a ser tan delgado como un papel. Es probable que no sea consciente de este proceso a menos que le revisen el cérvix durante un examen pélvico. El borramiento se mide en porcentajes o en términos de longitud cervical; y, si su proveedor de cuidados de salud dice: "Tiene un borramiento de cerca de 50 por ciento", significa que su cérvix presenta cerca de la mitad de su grosor original.

Cuando su cérvix se ha borrado 100 por ciento es que se ha adelgazado por completo. Este borramiento es lo que permite que su cérvix se estire, permitiendo al bebé moverse hacia abajo a través de la abertura del cérvix hacia la vagina (canal de nacimiento) para el alumbramiento.

¿QUÉ DESENCADENA EL TRABAJO DE PARTO?

Durante cerca de 270 días, su futuro bebé se ha desarrollado dentro de su útero. Ahora se acerca el momento de que su bebé haga su entrada en el mundo exterior.

Pero, lo que desencadena el milagro del nacimiento es todavía un misterio médico. De alguna manera, su cuerpo sabe —en forma precisa la mayoría de las veces— cuándo su bebé ha madurado lo suficiente para vivir fuera del útero.

Nuestra comprensión actual de la manera en que se inicia el trabajo de parto implica las señales químicas producidas por su cuerpo (prostaglandinas), las cuales adelgazan, reblandecen y dilatan su cérvix. Al término, algo hace que su cuerpo produzca prostaglandinas en grandes cantidades, lo cual hace que las contracciones uterinas que puede haber sentido durante su embarazo se hagan más fuertes. Estas contracciones, a su vez, causan una producción todavía mayor de prostaglandinas, y el ciclo se acelera transformándose en el trabajo de parto. Por definición, el trabajo de parto es una serie de contracciones uterinas que abren su cérvix para dar a luz. Parece que una compleja comunicación cruzada entre el sistema glandular del bebé, la placenta y el útero materno desencadena la producción de estas prostaglandinas. Llegar a una comprensión total de esta interacción sigue siendo uno de los retos de la ciencia.

Dilatación del cérvix

Es probable que, en sus últimos días de embarazo, su proveedor de cuidados de salud también le diga que su cérvix comienza a abrirse (dilatarse), otro signo de que se acerca el trabajo de parto. Con el primer embarazo, el borramiento por lo general se inicia antes que la dilatación. Con los embarazos subsecuentes, por lo general se aplica lo contrario.

La dilatación se mide en centímetros, y el cérvix se abre de cero a 10 centímetros durante el curso del trabajo de parto. Su proveedor de cuidados de salud calcula qué tan dilatado está el cuello sintiendo la abertura del cérvix durante el examen pélvico. El adelgazamiento, reblandecimiento y dilatación del cérvix pueden preceder a otros signos del trabajo de parto, como las contracciones.

¿CÓMO SE SIENTE EL TRABAJO DE PARTO?

¿Cómo se sienten las contracciones (los dolores de parto)? Quizá con excepción de los cólicos menstruales, la sensación puede ser diferente a cualquier otra que haya experimentado. Esto se debe a que no está acostumbrada a sentir que se contraen los músculos uterinos.

En el trabajo de parto verdadero, la contracción por lo general se inicia en la parte alta del útero e irradia hacia el abdomen y la parte inferior de la espalda. Puede sentir dolor en la parte baja del abdomen y la espalda, las caderas o la parte superior de los muslos. La sensación se ha descrito como una molestia, presión, saciedad, cólicos y dolor de espalda.

Las mujeres responden al dolor del trabajo de parto de diferentes maneras. Para algunas, las contracciones pueden parecer un fuerte cólico menstrual. Para otras, el dolor puede ser más fuerte y difícil de soportar. ¿Cómo manejará el dolor? ¿Qué tan fuerte será? ¿Cómo lo enfrentará?

El dolor del parto puede terminar siendo más fácil o más difícil de lo que imaginaba. La mejor manera para prepararse para cualquiera de ambos casos es tomar clases sobre ello, de manera que tenga expectativas realistas acerca del trabajo de parto y el parto.

No deje que el miedo se sume al dolor. Recuerde que las contracciones tienen un propósito positivo, el cual es ayudarle a dar a luz a su bebé. El dolor no durará para siempre; tiene un límite definido; y hay opciones disponibles para aliviar el dolor, opciones de las cuales las mujeres eligen una o más como parte de sus planes para el nacimiento.

Ruptura de la fuente

En algún punto durante el trabajo de parto, la bolsa de agua (saco amniótico) que alberga a su bebé comienza a escurrir o se rompe, y el líquido que ha servido de amortiguador para su bebé sale de su vagina como un goteo o un chorro. Lo mismo que otras mujeres embarazadas, quizá tema que su parto se iniciará cuando su fuente se rompa (ruptura de membranas) en público.

En realidad, pocas mujeres sufren una ruptura dramática de la fuente, y, si la presentan, por lo general sucede en casa, casi siempre en la cama. La mayoría de las veces, la fuente se rompe mientras está en trabajo de parto activo y en el hospital o bajo el cuidado de su proveedor de cuidados de salud. De hecho, su proveedor de cuidados de salud quizá rompa su fuente por usted durante el trabajo de parto, si ésta no se ha roto por sí sola.

Trastornos digestivos

Muchas mujeres presentan diarrea o náusea al inicio del trabajo de parto.

Contracciones

Al inicio del trabajo de parto, el útero comienza a contraerse. Estas contracciones son lo que desplaza a su bebé hacia abajo hacia el canal de nacimiento. Las contracciones (dolores de parto) con frecuencia se inician con cólicos o molestias en la parte baja de la espalda y el abdomen que no se detienen cuando usted cambia de posición. Con el tiempo, estas contracciones se hacen más fuertes y regulares.

Las contracciones por sí solas pueden ser o no una indicación de que se inicia el trabajo de parto. Muchas mujeres presentan trabajo de parto falso (contracciones de Braxton-Hicks) y creen que están en trabajo de parto verdadero. Para distinguir entre el trabajo de parto real y el falso, considere:

La frecuencia de sus contracciones
Utilice un reloj para medir la frecuencia de sus contracciones registrando el tiempo desde el inicio de una al principio de la siguiente. El trabajo de parto verdadero desarrollará un patrón regular, y sus contracciones se irán haciendo más próximas. En el trabajo de parto falso, las contracciones permanecen irregulares.

La duración de sus contracciones
Mida la duración de cada contracción calculando cuándo se inicia y cuándo se detiene. Las contracciones verdaderas duran cerca de 30 segundos al principio y se van haciendo más largas —hasta 75 segundos— y más fuertes de manera progresiva. Las contracciones del trabajo de parto falso tienen duración e intensidad variables.

Así pues, ¿cuándo comenzará su trabajo de parto? En realidad nadie lo puede decir. Su proveedor de cuidados de salud puede especular de manera informada, pero el hecho es que su cérvix puede comenzar a adelgazarse, ablandarse y abrirse (borrarse y dilatarse) poco a poco en un periodo de semanas o incluso de un mes o más en algunas personas. En otras, estos cambios pueden ocurrir en unas horas.

¿Es hora de ir al hospital?

Una vez que haya comenzado a tener contracciones regulares, la siguiente pregunta es: ¿cuándo es el momento de salir hacia el hospital o clínica de maternidad, o de llamar a su proveedor de cuidados de salud?

Es probable que su proveedor de cuidados de salud le dé instrucciones sobre cuándo dirigirse hacia el hospital o la clínica de maternidad. Por ejemplo, le pueden dar indicaciones de que llame a su proveedor de cuidados de salud cuando le cueste trabajo caminar o hablar durante las contracciones. A muchas mujeres se les indica ir al hospital o a la clínica de maternidad después de una hora de contracciones con cinco minutos de separación entre una y otra. Quizá deba salir antes si su parto parece estar progresando con rapidez.

A medida que se acerque su fecha de término, mantenga el tanque de la gasolina lleno y haga uno o dos simulacros de partida al hospital o clínica. En especial, es buena idea familiarizarse con los sitios para estacionar el auto cuando llegue el momento y cómo llegar al piso de obstetricia. Haga arreglos para sus otros hijos, incluyendo un plan de emergencia para que le ayude un amigo o vecino en caso de que deba salir a medianoche o que no haya llegado alguien que viene de fuera.

¿Fue una falsa alarma?

En la televisión y las películas, una mujer embarazada despierta a medianoche, coloca la mano con sabiduría sobre su abdomen y despierta con calma a su esposo con las palabras: "Querido, ya es hora". En la vida real, quizá dude de su capacidad para juzgar el inicio del trabajo de parto, en especial si es su primer bebé.

Quizá salga hacia el hospital o la clínica de maternidad con contracciones regulares cada cinco minutos; y, después de llegar, simplemente se detienen. Es posible que su proveedor de cuidados de salud la regrese a casa si sus contracciones no se encuentran en la etapa de trabajo de parto activo y su cérvix no se ha dilatado. Si esto sucede, trate de no sentirse apenada ni frustrada, mejor considérelo como un buen simulacro.

Diferenciar un trabajo de parto falso de uno verdadero puede ser difícil. A veces, la única manera de estar segura es someterse a un examen vaginal para evaluar si su cérvix se está abriendo (dilatando). Cuando tenga dudas o si tiene preguntas acerca de si se trata del trabajo de parto real, llame a su proveedor de cuidados de salud.

La mayoría de los profesionales médicos querrán que vaya al hospital si se rompe su fuente. Si está preocupado por su salud, es posible que su proveedor de cuidados le indique que vaya antes al hospital o la clínica de maternidad. Siempre es buena idea discutir este plan con él o ella.

Las etapas del trabajo de parto y parto

El trabajo de parto no es un suceso estático que se da de una vez. Es una secuencia de hechos, o un proceso, que tiene lugar durante el transcurso de una hora o toma hasta 24 horas o más.

¿Cuánto tardará su trabajo de parto? Eso depende de muchos factores. Como regla, el parto es más prolongado con el primer bebé. Esto se debe a que las aberturas del útero (cérvix) y la vagina (canal del nacimiento) de las madres primerizas son menos flexibles, y por tanto el trabajo de parto y el parto toman más tiempo. Para las mujeres que dan a luz por primera vez, el trabajo de parto por lo general dura entre doce y 24 horas, con un promedio de catorce horas. Para las mujeres que han dado a luz antes, el trabajo de parto por lo general dura entre cuatro y ocho horas, con un promedio de seis horas.

El tiempo que toma el trabajo de parto y la forma en que progresa difiere de una mujer a otra y de un nacimiento a otro. Aunque cada parto es único, la secuencia de hechos que tiene lugar es en general la misma.

El trabajo de parto se divide de manera formal en tres etapas naturales. La primera ocurre cuando el útero, por sí mismo, abre su cuello para permitir el descenso del bebé. La segunda consiste en pujar y dar a luz —el nacimiento de su bebé—. La tercera es la salida de la placenta. La primera etapa es la más larga de ellas y, en sí, se divide en tres fases —inicio del trabajo de parto, trabajo de parto activo y transición.

Etapa 1: inicio del trabajo de parto, trabajo de parto activo y transición

Inicio del trabajo de parto

Durante el trabajo de parto, el cérvix se abre (dilata) de manera que su bebé puede descender hacia la vagina, preparándose para ser impulsado y nacer. Con el tiempo, el cérvix pasará desde estar cerrado por completo hasta abrirse en su totalidad (completo) a los diez centímetros (cm), que son cuatro pulgadas de diámetro. Esta abertura es lo bastante grande para que la cabeza del bebé pase por ahí.

El útero, que alberga al bebé, es un órgano muscular y hueco. Considérelo como una botella invertida elástica y grande. La abertura del útero (cérvix) es el cuello de la botella. Cuando se inicia el trabajo de parto el cérvix está cerrado, pero las contracciones hacen que se abra creando presión hacia abajo a través del útero. Esta fuerza atraviesa al útero en dos sentidos. Durante una contracción, su bebé es sometido a presión la cual lo impulsa contra el cérvix. La contracción también hace que el cérvix se adelgace y suba por la cabeza del bebé. La repetición de las contracciones estira finalmente el cérvix a 10 centímetros completos.

Lo que sucede

El inicio del trabajo de parto es cuando su cérvix se dilata desde cero hasta un poco más de tres centímetros. Este periodo por lo general es el más prolongado y, por fortuna, la fase menos intensa del trabajo de parto. La fase temprana se inicia al comenzar las contracciones, las cuales varían tremendamente de una mujer a otra. Hay mujeres que ni siquiera reconocen que están en trabajo de parto si sus contracciones son leves e irregulares. Otras se dilatan hasta los 10 centímetros en sólo unas horas con contracciones claras.

En general, las contracciones durante el inicio del trabajo de parto duran de 30 a 60 segundos. Pueden ser irregulares o regulares, separadas por lapsos de entre cinco y 20 minutos. Por lo general son desde leves hasta moderadamente fuertes.

Es posible que, junto con las contracciones, presente dolor de espalda, trastornos estomacales y, quizá, diarrea. Algunas mujeres han informado sobre

Factores que afectan al trabajo de parto

Hay muchos factores que pueden afectar la manera en que progresa el trabajo de parto. Éstos incluyen:

Tamaño de la cabeza de su bebé

Dado que los huesos del cráneo todavía no se fusionan, la cabeza de su bebé se moldea a la forma y tamaño de su pelvis al moverse por la vagina (canal de nacimiento). Si la cabeza se mueve en un ángulo extraño, puede afectar la localización e intensidad de su malestar y la duración de su trabajo de parto.

Posición de su bebé

El nacimiento es más fácil si la cabeza de su bebé viene primero por el canal de nacimiento con la barbilla apoyada sobre el pecho, de manera que el diámetro más pequeño abra el camino. Pero los bebés no siempre son tan complacientes —a veces su cabeza no se encuentra en la mejor posición y a veces su presentación es de nalgas, o con los pies primero—. Incluso pueden estar acomodados de lado en el útero o presentar primero un hombro.

Forma y espaciosidad de su pelvis

Su pelvis, que consta de tres huesos que forman una cavidad, debe ser lo bastante espaciosa para que la cabeza de su bebé pase a través de ella. Por fortuna, casi siempre los bebés concuerdan con la talla de sus madres. Las mujeres de complexión más pequeña, por ejemplo, también tienden a tener bebés más pequeños. La naturaleza también ayuda en otras formas. Casi al término, la placenta libera una hormona llamada relaxina, la cual relaja los ligamentos de la pelvis, la amplia y contribuye al sentimiento de que se tambalea durante los últimos meses del embarazo. Esta ampliación, junto con el moldeo de la cabeza del bebé, por lo general le proporciona a esta última suficiente espacio para moverse a través de la pelvis.

Capacidad de su cérvix para adelgazarse y abrirse

En raras ocasiones, el cérvix puede ser incapaz de adelgazarse (borrarse) y abrirse (dilatarse). En la mayoría de los partos, el cérvix se abre como se espera, pero la velocidad de dicha dilatación puede variar de manera considerable.

Su capacidad para pujar

Dado que utilizará sus músculos abdominales para expulsar al bebé, entre mejor sea su condición física, más podrá ayudar. Si su trabajo de parto ha sido largo y está cansada, pujará con menos eficacia.

una sensación de calor en el abdomen al iniciarse el trabajo de parto. Es posible que también se desprenda el tapón mucoso en estos momentos —una descarga mucosa, teñida con sangre, de su vagina— al comenzarse a abrir el cérvix.

El inicio del trabajo de parto (fase latente) puede durar horas o días, así que quizá necesite ser paciente. Su cérvix debe suavizarse antes de que pueda dilatarse. El trabajo de parto no siempre comienza cuando lo hacen las contracciones. Quizá éstas se presentan de manera irregular y dolorosa durante horas, o incluso por varios días, antes de que su cérvix se dilate, en especial si éste es su primer bebé.

Su estado físico

Si al comenzar el trabajo de parto está sana y descansada, tendrá más fuerza para soportar las contracciones, pero si está enferma o cansada, o la fase inicial es particularmente larga, quizá ya esté exhausta cuando sea hora de pujar. Su nivel de energía puede afectar su capacidad de enfrentar el dolor y de concentrarse durante el trabajo de parto.

Su actitud sobre el trabajo de parto

Si tiene una actitud positiva, sabe en general lo que puede esperar, confía en su equipo de cuidado de la salud y ha pensado en sus opciones, está lista para tomar parte activa en su trabajo de parto y parto. Las mujeres que están asustadas o ansiosas acerca del trabajo de parto y el alumbramiento, tienden a pasarla mal. Esto se debe a que el estrés lleva a una serie de reacciones fisiológicas que pueden llegar a interferir con el trabajo de parto.

Apoyo del personal y de su acompañante

Su proveedor de cuidados de salud, las enfermeras, su acompañante u otros seres queridos que se encuentren en la sala de parto con usted, trabajan en conjunto para darle apoyo y ayudarla a mantenerse relajada durante el trabajo de parto. A través de su experiencia y asesoría, pueden mejorar sus aptitudes necesarias para el trabajo de parto y parto. Su relación con el equipo al cuidado de la salud que la atiende es de especial importancia. Los profesionales médicos que explican por qué se hacen las cosas y cuáles son sus opciones, en un ambiente de apoyo, le proporcionan tranquilidad y promueven una experiencia de nacimiento más positiva.

Medicamentos

Ciertos medicamentos para el alivio del dolor pueden tanto ayudar como interferir en el trabajo de parto. Algunos proveedores de cuidados de la salud creen que si los medicamentos alivian el dolor desde el principio, le permiten presentarse descansada y mejor preparada para el trabajo que realizará y que si le ayudan a relajarse podrá concentrarse en dar a luz al bebé. Pero, si los fármacos retardan el trabajo de parto o interfieren con su capacidad para pujar, pueden contrarrestar parte de su utilidad. Recuerde, sólo usted puede decidir cuándo necesita ayuda para las molestias del trabajo de parto.

Cómo puede sentirse
Es muy posible que esas primeras horas a días de trabajo de parto las pase en casa. Muchas mujeres lo hacen. Emplean ese tiempo para descansar o dormir, mientras todavía pueden hacerlo, con el fin de conservar la energía para la labor que las espera. Otras continúan con su programa normal, y apenas se dan cuenta de que el proceso ha comenzado.

Con el inicio de sus primeras contracciones reales, quizá esté aturdida con la emoción y muy aliviada de que, después de todos los largos meses de espera, pronto nacerá su bebé. No obstante, al mismo tiempo, quizá le asuste lo desconocido. Intente permanecer relajada. Recuerde, ha hecho mucho para prepararse para este momento. ¡Está lista!

Lo que puede hacer
Hasta que sus contracciones crezcan en frecuencia e intensidad, quizá se sienta de humor para realizar las tareas domésticas, ver televisión o una película, jugar juegos de mesa o hacer llamadas telefónicas. Elija las actividades que le parezcan más cómodas y le ayuden a distraerse de dichas contracciones. Quizá desee relajarse en una silla o ponerse en pie y moverse. Caminar es una excelente actividad porque puede ayudar al trabajo de parto.

Durante el inicio del trabajo de parto, también puede parecerle útil:
* Darse un baño de regadera o tina
* Escuchar música relajante
* Pedir un masaje a su pareja
* Probar a respirar lenta y profundamente

CONSEJOS PARA MANEJAR EL TRABAJO DE PARTO DE ESPALDA

Algunas mujeres sufren trabajo de parto de espalda —dolor intenso y continuo de espalda, en especial durante el trabajo de parto activo y la transición—. Es frecuente que este tipo de trabajo de parto se dé cuando el bebé se encuentra en posición difícil al entrar al canal de nacimiento. La cabeza del bebé presiona sobre el hueso sacro de la madre, aunque esto no siempre es la causa. Durante el trabajo de parto y parto, algunas mujeres simplemente sienten más tensión en la espalda que otras.
Para aliviar el trabajo de parto de espalda:
* Haga que, para compensar, su acompañante le aplique presión en la parte baja de la espalda. Pídale que le dé masaje en el área o que use las manos o los nudillos para aplicar presión directa.
* Aplique presión contraria colocando una pelota de tenis o rodillo —si trajo alguno con usted— bajo su sacro.
* Haga que su acompañante le aplique calor o frío, lo que se sienta mejor, en la parte baja de su espalda.
* Cambie a una posición más cómoda.
* Si es posible, tome un baño de regadera y dirija el chorro de agua caliente directo a la parte baja de su espalda.
* Pida una epidural o un anestésico espinal, si lo desea, para tratar de aliviar el dolor.

- Cambiar con frecuencia de posición
- Beber agua, jugo u otros líquidos claros
- Comer un tentempié sano y ligero
- Refrescarse con una toalla húmeda
- Utilizar bálsamo labial en los labios resecos
- Usar el baño con frecuencia

Para el dolor en la parte baja de la espalda, pruebe con frío o calor, o alterne ambos. Utilice una pelota de tenis, un rodillo o la perilla de una puerta para aplicar presión en esta zona de su espalda, pero no tome aspirina ni ningún otro analgésico, con excepción de acetaminofeno, para su malestar.

No es posible saber, sin un examen, cuándo ha pasado a la fase más activa del trabajo de parto, pero muchos signos sugieren que está lista para ir al hospital o clínica de maternidad. El espaciado y la intensidad de sus contracciones pueden ayudarle a usted y a su proveedor de cuidados de salud a determinar en qué fase del trabajo de parto se encuentra. Siga las instrucciones de este último sobre cuándo debe dirigirse hacia el hospital o clínica de maternidad.

En el hospital o clínica de maternidad
Una vez que se registre en el hospital, es típico que la lleven a su cuarto, con frecuencia una sala de partos, donde se completan los procedimientos de admisión. Una vez que se cambia la ropa por una bata de hospital o por su propio camisón, quizá la examinen para ver qué tan dilatado está su cérvix. Es muy probable que la conecten a un monitor fetal para tomar el tiempo a sus contracciones y revisar el ritmo cardiaco de su bebé. Sus signos vitales —pulso, presión sanguínea y temperatura— se toman al hacer la admisión y a intervalos durante el trabajo de parto y el parto.

Quizá le coloquen una aguja intravenosa (IV) en una vena, por lo general del dorso de la mano o de su brazo. Esta aguja está conectada a un tubo de plástico que lleva a una bolsa de líquido que gotea hacia su cuerpo. La bolsa cuelga de una base móvil, la cual puede llevar consigo cuando camina un poco o va al baño.

El líquido que recibe a través de la IV ayuda a mantenerla hidratada durante el trabajo de parto. También es posible administrar medicamentos como la oxitocina a través de la IV, si es necesario. Muchos proveedores de cuidados de salud solicitan de rutina una IV al inicio del parto. Algunos esperan hasta que hay necesidad clara de ella antes de solicitarla. En algunas situaciones, no se requiere la IV. En un parto normal, sin anestesia, ésta es más una póliza de seguridad contra problemas que una necesidad.

Si sus contracciones no son lo bastante fuertes para abrir el cérvix, quizá le ofrezcan un medicamento para hacer que se contraiga su útero. Las contracciones a veces pueden comenzar en forma regular, pero luego detenerse a la mitad del trabajo de parto. Si esto sucede y el avance del trabajo de parto se detiene durante algunas horas, es probable que su proveedor de cuidados de salud sugiera que se rompa la fuente (rotura de membranas) —si ésta aún no se rompe— o que se estimule en forma artificial su parto con oxitocina.

Trabajo de parto activo
Ésta es la segunda fase de la primera etapa del trabajo de parto. Es el periodo durante el cual su cérvix se dilata desde poco más de tres o cuatro centímetros hasta llegar a casi siete centímetros.

Lo que sucede
El trabajo de parto activo es cuando empieza el verdadero trabajo para la futura madre. Sus contracciones se harán más fuertes y más largas en forma progresiva. Pueden durar desde 45 segundos hasta un minuto o más. Pueden espaciarse tres o cuatro minutos o quizá dos a tres minutos. Definitivamente, hay menos descanso para usted entre contracciones.

La buena noticia es que sus contracciones logran más en menos tiempo. Su bebé se está desplazando a través de los planos de su pelvis a medida que su cérvix se sigue abriendo. Durante el trabajo de parto activo, la mujer primeriza promedio se dilata cerca de un centímetro por hora después de haber llegado a

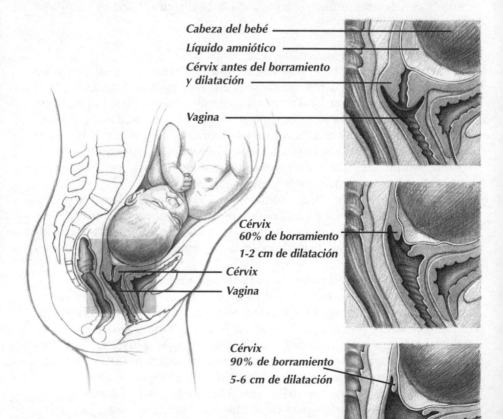

Cabeza del bebé

Líquido amniótico

Cérvix antes del borramiento y dilatación

Vagina

Cérvix
60% de borramiento
1-2 cm de dilatación

Cérvix

Vagina

Cérvix
90% de borramiento
5-6 cm de dilatación

Si piensa en el cérvix como en el cuello de un suéter de cuello de tortuga, puede visualizar cómo se estira y ajusta sobre la cabeza del bebé. Los tres insertos muestran que el cérvix se adelgaza (borra) y abre (dilata) durante el trabajo de parto para permitir el paso del bebé.

¿Para qué sirve eso?

Si nunca ha sido hospitalizada, quizá el ambiente médico le parezca un poco intimidante. Pero, si comprende lo que sucede a su alrededor durante el trabajo de parto y parto, se relajará mejor. La siguiente es una lista del equipo y los artículos que encontrará en una sala de partos típica, y la aplicación de cada uno de ellos durante el proceso de nacimiento.

Cama obstétrica

La cama obstétrica (de parto) por lo general es una cama individual alta. Estas camas están diseñadas para ser prácticas y se pueden elevar o bajar, y la piesera de la cama se puede quitar para facilitar el parto. La cama puede tener una barra de la cual se puede sujetar mientras puja. La mayoría de estas camas cuenta con estribos que pueden sacarse. A veces, los estribos son útiles durante el parto, o quizá los necesite si requiere puntos después de parto.

Monitor fetal

Esta pieza de equipo registra sus contracciones y el ritmo cardiaco de su bebé. En la vigilancia fetal externa, se colocan dos cinturones anchos alrededor de su abdomen. El que se encuentra en la parte alta de su útero mide y registra la fuerza y frecuencia de sus contracciones. El otro cinturón, por lo general ajustado en la parte baja del abdomen, registra el ritmo cardiaco del bebé. Ambos cinturones están conectados a un monitor que muestra e imprime ambos registros al mismo tiempo de manera que pueden observarse sus interacciones.

¿Por qué se usa el monitor fetal? Es posible vigilar la reacción del bebé a sus contracciones mediante la observación del ritmo cardiaco del bebé. El corazón del bebé puede responder a las contracciones tanto con un aumento como con una disminución del ritmo cardiaco, pero la caída en el ritmo cardiaco del bebé justo después de una contracción puede sugerir que no está recibiendo suficiente oxígeno.

Durante el trabajo de parto, si el ritmo cardiaco del bebé es normal y el proceso avanza bien, puede ser que la desconecten de vez en vez del monitor de manera que pueda cambiar de posición o caminar un poco.

Monitor de presión arterial (esfigmomanómetro)

Este dispositivo mide la presión arterial durante todo el trabajo de parto y parto. Para hacer esto, le colocan, alrededor del brazo justo sobre el codo, un manguito conectado a un instrumento de medición.

Cuna

Después de nacer, su bebé se coloca en una cuna mientras lo examina una enfermera o un proveedor de cuidados de salud.

Otros artículos

Algunas habitaciones también tienen comodidades adicionales, como una mecedora o una silla, banco o pelota para dar a luz. Puede solicitar almohadas, cobijas y toallas adicionales. Algunas habitaciones cuentan con una tina o una regadera que puede usar durante el trabajo de parto.

los cuatro centímetros. Si ha tenido un bebé antes, por lo general progresará más rápido. El trabajo de parto activo dura, en promedio, entre tres y ocho horas, y por lo general es más corto en duración que la fase inicial, pero mucho más intenso.

Es probable que ya se encuentre en el hospital o clínica de maternidad para el momento en que esté en trabajo de parto activo. Le harán exámenes pélvicos ocasionales a lo largo de este proceso, para determinar los cambios en su cérvix. Es posible que su proveedor de cuidados de salud revise para ver cómo van respondiendo usted y su bebé a las contracciones. Quizá revise sus signos vitales y utilice un monitor fetal para determinar el ritmo cardiaco de su bebé. A veces, si aún no le han aplicado una línea intravenosa (IV), se iniciará una para administrarle medicamentos y líquidos. Si su saco amniótico no se ha roto todavía, es posible que lo haga cuando se dilate más su cérvix o que su proveedor de cuidados de salud rompa la fuente (ruptura de membranas) por usted.

Cómo puede sentirse
Durante el trabajo de parto activo, sus contracciones se hacen más dolorosas y quizá sienta presión creciente en la espalda. Es posible que ahora no pueda hablar durante sus contracciones.

Entre una y otra contracción, es probable que aún pueda hablar, ver televisión o escuchar música, por lo menos durante la parte inicial del trabajo de parto activo. Quizá se sienta animada, excitada y con la seguridad de que empiezan a suceder las cosas.

Pero la excitación inicial por lo general da lugar a la seriedad a medida que el trabajo de parto progresa y el dolor se intensifica. Su sonrisa puede desaparecer, a medida que se concentra hacia su interior. Quizá se sienta cansada e inquieta. Algunas mujeres han informado sentirse sensibles e irritables. Es posible que llegue a un punto donde ya no desee hablar mucho.

A medida que cambia el tono en la habitación, es posible que comience a darse cuenta de la importancia de las clases que tomó para el parto, y de que de hecho es probable que deba usar las técnicas de respiración y relajamiento para superar las contracciones. Quizá se pregunte: "¿Realmente podré hacer esto?". Puede ser que su confianza empiece a reducirse, y es posible que sienta que el trabajo de parto nunca terminará.

Quizá recurra a su interior para encontrar la fuerza que le permita enfrentar lo que está pasando su cuerpo. Incluso es probable que necesite que haya silencio en la habitación y que se bajen las luces de manera que se sienta completamente libre para concentrarse en el trabajo que enfrenta.

Durante el trabajo de parto activo, puede ser que sienta que desea apoyarse más en su acompañante, buscando su estímulo a medida que las contracciones alcanzan un máximo y disminuyen. O es posible que se resista a ser tocada o animada, en un intento por mantener la concentración y el control.

Lo que puede hacer
Para combatir su creciente malestar, use las técnicas de respiración y relajamiento. Si nunca ha practicado ni aprendido técnicas para dar a luz de

forma natural, su equipo de cuidado de la salud puede demostrarle algunos ejercicios simples de respiración para ayudarle a superar las contracciones, pero no sienta que está obligada a usar las técnicas de respiración si le incomodan o simplemente no la relajan.

Muchas mujeres solicitan medicamentos para aliviar el dolor durante el trabajo de parto activo. Si le van a aplicar una epidural, por lo general lo harán en esta fase. No tenga miedo de discutir el alivio al dolor con su proveedor de cuidados de salud si siente que lo necesita.

Algunas mujeres encuentran que, a medida que se intensifica el dolor, mecerse en una mecedora, rodar sobre una pelota de parto o tomar un baño tibio de regadera les ayuda a relajarse entre las contracciones. Cambiar su posición también ayuda a descender a su bebé. Caminar resulta de especial utilidad para el progreso del trabajo de parto debido al movimiento y a la influencia de la gravedad. Si caminar le es cómodo, siga haciéndolo, deténgase a respirar entre una y otra contracción. Varíe sus actividades porque es posible que un solo método no sea efectivo durante todo el trabajo de parto.

Intente concentrarse en el relajamiento entre contracciones. Hacerlo le ayudará a conservar su energía durante cada etapa del trabajo de parto y parto. Utilice ese tiempo para darse ánimo a sí misma . Es posible que sus contracciones sean duras, pero está haciendo un gran trabajo enfrentando cada una a medida que pasan. El trabajo de parto no durará para siempre; y, en realidad, la única forma de pasar el trabajo de parto y parto es hacerlo con la mayor determinación y concentración posibles.

Durante el trabajo de parto activo, trate de orinar cada hora. Quizá no sienta la necesidad de hacerlo debido a la presión del bebé en descenso, así que pida a su acompañante que le recuerde, si es necesario, que vacíe su vejiga. En ocasiones, el equipo para el cuidado de la salud quizá utilice una sonda para vaciar la vejiga, en especial si se emplea una epidural para aliviar el dolor.

Quizá sienta ligeras náuseas durante el trabajo de parto activo. Es posible que su proveedor de cuidados de salud le permita beber líquidos claros o comer un tentempié ligero, como gelatina o puré de manzana, pero la mayoría de las veces no le recomendarán beber ni comer nada mientras avanza el trabajo de parto. Para evitar que su boca y garganta se sequen, chupe algunos trozos de hielo o caramelos. Aplique bálsamo en sus labios para ayudar a mantenerlos húmedos.

Transición

La última fase de la primera etapa del trabajo de parto se llama transición. Es la más corta, pero la más difícil. Durante la transición, su cérvix se abre los centímetros restantes, dilatándose de siete a 10 centímetros.

En esta fase, sus contracciones incrementan en fuerza y frecuencia con poca separación entre sí. Es posible que sólo tenga tiempo para respirar de manera apresurada antes de que se presente la siguiente. Sus contracciones alcanzan su intensidad máxima casi de inmediato, y ahora duran de 60 a 90 segundos. De hecho, es posible que sienta que las contracciones nunca desaparecen por completo.

Lo que sucede

La transición es un momento difícil. Es posible que sienta mucha presión en la parte baja de la espalda y el recto. Además, puede que sienta náuseas y vomite. Es probable que un minuto sienta calor y transpire, y el siguiente le dé frío. Quizá sus piernas comiencen a agitarse o le den calambres, lo cual es bastante común.

Si aún no le han aplicado ningún medicamento de alivio al dolor, es probable que sus molestias durante la transición sean las más fuertes que ha experimentado hasta el momento. Es raro que se administren estos fármacos tan cerca del nacimiento del bebé, pero todavía hay opciones. En este punto, es posible que los analgésicos IV no sean aconsejables porque podrían afectar la respiración del bebé una vez que nazca. Quizá todavía sea tiempo de una epidural. Confíe en la ayuda de su proveedor de

POSICIONES PARA EL TRABAJO DE PARTO Y EL PARTO

No hay posición ideal para el trabajo de parto. Una vez que éste se inicia, experimente para encontrar lo más cómodo para usted. Escuche a su cuerpo para descubrir lo que se siente bien. Un consejo: proporcione una oportunidad a cada posición. Las primeras contracciones pueden ser más fuertes hasta que se acostumbra a la nueva posición.

Acostarse boca arriba no se recomienda para el trabajo de parto o el parto, ya que puede hacer que el peso de su útero comprima vasos sanguíneos importantes y reducir el flujo de sangre hacia su útero.

Algunas de las posiciones para el trabajo de parto y parto que quizá desee probar incluyen:

Semirreclinada

En esta posición, se puede apoyar hacia atrás como si estuviera en un sillón reclinable. La cabecera de la cama se eleva, y su cabeza y hombros se recargan contra almohadas. Durante cada contracción, sujeta sus piernas por detrás de las rodillas o las manijas de los estribos y jala hacia atrás en dirección a su cuerpo; o lleva su cuerpo hacia delante, como para enderezarlo.

De pie o caminando

Si le es útil —en especial durante el inicio del trabajo de parto— póngase de pie o camine. En particular, esto puede estimular un trabajo de parto que no ha progresado. Durante las contracciones, apóyese en su acompañante o en un objeto estacionario. Desde luego, es posible que no pueda ponerse de pie ni caminar si le aplicaron una epidural y sus piernas están adormecidas, o está conectada a un monitor y no puede dejar con facilidad su cama. La mayoría de las mujeres prefiere caminar en una etapa más temprana del trabajo de parto, con frecuencia antes de que se aplique la epidural.

De rodillas

Si tiene mucho dolor en la espalda, ponerse de rodillas en el piso sobre una almohada y reclinarse hacia delante contra su cama o una silla puede reconfortarla. Esta posición alivia el dolor de espalda alejando el peso del bebé de su columna vertebral. Muchas camas obstétricas tienen dos secciones, una que puede bajarse y otra que puede elevarse. Dichas camas están diseñadas de manera que pueda ponerse de rodillas en la porción inferior mientras apoya sus brazos y parte superior del cuerpo en la porción elevada.

cuidado de la salud para tomar decisiones sobre el medicamento para el dolor.

Cómo puede sentirse

Es posible que la transición pase con rapidez. Quizá de repente haya pasado y esté lista para pujar, o quizá sienta que el dolor nunca va a terminar y que no está segura de resistirlo un minuto más. Muchas mujeres, en especial las que practican el parto natural, se sienten agotadas y algo agobiadas durante la transición.

No se preocupe si pierde el control de sus emociones, pero, para lograr mantener su concentración, trate de recordar la razón real por la que está ahí: dar a luz y conocer a su nuevo bebé. ¡Y ya casi llega! Su cuerpo fue diseñado para dar a luz, y es capaz de superar cualquier momento difícil del trabajo de parto, así que deje que su útero haga su trabajo e intente no combatir ni temer al dolor.

De cuclillas

Al ponerse de cuclillas, se ensancha ligeramente su pelvis, para darle a su bebé más espacio para que rote y se pueda mover a través del conducto vaginal. En cuclillas también puede pujar con mayor efectividad. Si siente que le acomoda, póngase en cuclillas en la cama, o pida ayuda para que soporten su peso mientras se apoya sobre la cama o silla y póngase en cuclillas durante las contracciones.

Sentada

Es posible que durante el trabajo parto desee sentarse y que su acompañante se siente detrás de usted y soporte su peso; o quizá le parezca cómodo ponerse a horcajadas en una silla, recargándose contra una almohada en el respaldo de la silla mientras su pareja le da masaje en la espalda. Algunos centros cuentan con bancos, sillas o pelotas para parto que le permiten sentarse mientras puja y da a luz. Averigüe lo que tiene disponible su hospital o clínica hablando con su instructor de la clase o con su proveedor de cuidados de salud.

Apoyada en manos y rodillas

No se avergüence de apoyarse en sus manos y rodillas durante el trabajo de parto y parto. A muchas mujeres les acomoda esta posición, ya que permite que el bebé caiga hacia delante durante el nacimiento, eliminando la presión sobre su columna, lo cual puede ayudar a girar al bebé a una posición favorable para el nacimiento. Es posible que su proveedor de cuidados de salud le sugiera esta posición para ayudar a maximizar la provisión de oxígeno para su bebé.

Acostada de lado

Para muchas mujeres es más fácil el trabajo de parto cuando se acuestan de lado. Su pareja puede sostener la pierna que está arriba, mientras usted yace sobre su costado y apoya su cabeza sobre la almohada. Al recostarse sobre su costado, maximiza el flujo de sangre hacia su útero y al bebé. Asimismo, esta posición ayuda a sostener el peso de su bebé, lo cual puede aliviar las molestias en la espalda.

Es buena idea discutir con su proveedor de cuidados de salud sus preferencias respecto a las posiciones para el trabajo de parto y el parto, aunque no sabrá cuál es la mejor posición para usted hasta que tenga la oportunidad de probarlas.

Lo que puede hacer

Durante la transición, concéntrese en superar cada contracción. Si le ayuda, concéntrese en pasar sólo la mitad de cada contracción. Después de llegar al máximo de dolor de ésta, la segunda mitad es más fácil. Si sus contracciones están bajo seguimiento, su pareja puede observar su progreso, indicándole cuando llegan al máximo, de manera que sepa cuándo ha pasado la peor parte.

Durante la transición, es posible que no desee que la distraigan cosas como la televisión y la radio, y que quiera probar algunas de las siguientes técnicas para superar la fase más difícil:

• Cambiar de posición
• Colocar una toalla húmeda y fresca sobre su frente
• Que le den masaje entre contracciones
• Aplicar técnicas de respiración, relajamiento y concentración aprendidas en las clases

No piense en la contracción que acaba de tener ni en las siguientes. Enfréntelas una por una.

A pesar de lo difícil que puede ser la transición, recuerde que significa que casi ha terminado. El promedio de duración de la transición es de cerca de 15 minutos hasta tres horas. ¡Pronto será tiempo de pujar y hacer nacer a su bebé!

Si siente la necesidad de pujar, trate de controlarse hasta que le indiquen que su dilatación es completa. Esto ayudará a evitar que su cérvix se rasgue o inflame, lo cual puede retrasar el parto. Es posible que le sea difícil resistir a esta sensación cuando su cuerpo le indica que puje. Para luchar contra la necesidad de pujar, jadee o sople, a menos que le hayan indicado lo contrario.

Etapa 2: el nacimiento de su bebé

Pujar tiene un propósito y usted tiene un papel activo en que se cumpla este propósito —el nacimiento de su bebé—. Muy pronto aparecerá la cabeza de su hijo (coronará) en la abertura de su vagina. Por desgracia, aunque su pareja y el equipo al cuidado de la salud pueden ver al bebé cuando usted puja, es posible que se requieran otros 30 a 40 minutos más de esfuerzo para que nazca el bebé, en especial si se desea evitar una incisión (episiotomía).

En ocasiones, el bebé necesita nacer con rapidez y desde esta posición. En tales casos, es posible realizar una episiotomía que permita un alumbramiento más rápido. Se le aplicará una anestesia si se requiere este procedimiento. En la mayoría de los casos, podrá pujar para que nazca el bebé sin esta intervención.

Una vez que puje y la cabeza del bebé esté fuera, es probable que le indiquen que deje de pujar por un momento, mientras el proveedor de cuidados de salud limpia las vías respiratorias y se asegura de que el cordón umbilical del bebé está libre.

Quizá le sea difícil dejar de pujar cuando se lo indiquen, pero inténtelo. Puede ser útil jadear en lugar de pujar. El tranquilizarse un poco le permite a

Cómo sale el bebé

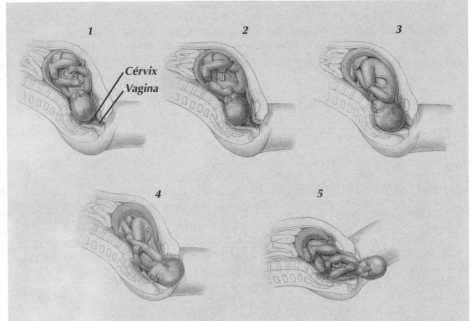

La pelvis humana tiene una forma compleja, lo cual hace que su bebé haga diversas maniobras durante el trabajo de parto y el parto. Su pelvis es más ancha de lado a lado en la parte superior (entrada) y del frente hacia atrás en la base (salida). La cabeza del bebé es más ancha del frente hacia atrás, y los hombros son más anchos de un lado a otro. Como resultado, su bebé debe torcerse y girar en su camino a través del canal de nacimiento.

Dado que la pelvis de todas las madres es más amplia de un lado a otro en la entrada, la mayoría de los bebés entran a la pelvis mirando hacia la derecha o la izquierda (figuras 1 y 2). La salida de la pelvis es más ancha del frente hacia atrás, así que los bebés casi siempre se acomodan boca arriba o boca abajo (figura 3). Estas maniobras ocurren como resultado de las fuerzas del parto y de la resistencia proporcionada por el canal de nacimiento.

Además de hacer estas maniobras de giro, el bebé desciende de manera simultánea por la vagina. Al final, la parte superior de la cabeza de su bebé aparece (corona), estirando su abertura vaginal (figura 4). Cuando la vulva se ha estirado lo suficiente, la cabeza del bebé saldrá —casi siempre extendiendo la cabeza, levantando su barbilla del pecho y emergiendo así por debajo de su hueso púbico. El bebé casi siempre sale cara abajo, pero girará hacia un lado con gran rapidez al girar los hombros para tomar la misma ruta (figura 5).

A continuación, los hombros nacen uno por uno y, con gran rapidez, usted da a luz el resto del cuerpo —y ahora ya puede abrazar a su bebé.

su área vaginal estirarse en lugar de rasgarse. Para mantenerse motivada, puede bajar su mano y sentir la cabeza del bebé o verla en un espejo. ¡Está muy cerca ahora! Luego, cuando le indiquen que lo haga, puje de nuevo. Con sólo unos cuantos pujidos, ¡su bebé nacerá!

Lo que el acompañante puede hacer

Puede ser el futuro padre, la pareja, un progenitor, un hermano o un amigo. Cualesquiera que sean sus otros papeles, el trabajo del acompañante es apoyar a la futura madre, tanto en el aspecto físico como en el emocional durante el trabajo de parto y el parto. Las siguientes son algunas maneras con las cuales puede ayudar a su pareja durante cada fase del nacimiento:

Durante el inicio del trabajo de parto

Tome el tiempo a las contracciones
Mida el tiempo del principio de una contracción hasta la siguiente. Lleve un registro. Cuando las contracciones se presenten cada cinco minutos, por lo general es hora de llamar al proveedor de cuidados de salud.

Manténgala tranquila
Una vez que se inician las contracciones, es posible que ambos sientan mariposas en el estómago. Después de todo, es el gran momento que han estado esperando durante nueve meses. Pero durante el trabajo de parto y el parto, su objetivo es mantener a la futura madre relajada. Esto significa que usted mismo se mantenga lo más tranquilo posible. Hagan algunas respiraciones profundas juntos. Entre contracciones, practique las técnicas de relajamiento que aprendió en la clase de parto. Por ejemplo, sugiera que ella afloje sus músculos por completo o que se concentre en relajar sus mandíbulas y manos. Dé masaje suave a su espalda, pies y hombros. Asegúrele con sus palabras y acciones que ambos están listos para tener a este bebé.

Ayudele a distraerse
Sugiera actividades —como ver televisión o caminar un poco— que alejen las mentes de ambos del parto. El humor puede ser una gran distracción también. Disfruten de la risa cuando sea apropiado.

Pregúntele qué necesita
Si no está seguro de lo que puede hacer por su pareja, pregúntele qué necesita para estar más cómoda. Si ella no está segura de lo que requiere, haga su mejor esfuerzo para sugerir algo que cree podría hacerla sentir mejor. Pero no tome las cosas en forma personal si no acepta sus sugerencias o se concentra en sí misma durante las contracciones.

Anímela
Proporcione estímulos y motivación durante cada contracción. Recuérdele que con cada contracción y con cada hora de trabajo de parto que pasa, se está acercando el momento de conocer al bebé. Lo que no es aconsejable es que la critique o finja que el dolor no existe. Ella necesita su empatía y apoyo, incluso si no se ha quejado.

También cuide de sí mismo
Para conservar su fuerza, tome algún refresco en forma periódica, pero respete el hecho de que es posible que su pareja quizá no desee que coma frente a ella o que la deje durante un periodo prolongado para ir a hacerlo. Si se siente débil en cualquier momento del trabajo de parto y el parto, siéntese y luego informe a alguien del equipo al cuidado de la salud.

Durante el trabajo de parto activo

Haga que la habitación sea tranquila
Si es posible, mantenga la sala de parto lo más calmada que pueda manteniendo las puertas cerradas y las luces tenues. Algunas mujeres se relajan escuchando música suave durante el trabajo de parto.

Ayúdela a pasar las contracciones
Aprenda a reconocer el inicio de las contracciones de su pareja. Si está conectada a un monitor fetal, pregunte al equipo de cuidados de la salud cómo leerlo, o coloque sus manos sobre el abdomen de su pareja y sienta el endurecimiento indicativo del útero. Entonces podrá avisar a su pareja cuando se inicie una contracción. También puede animarla cuando la contracción alcanza su máximo y luego cede. Si esto le ayuda, respire junto con ella durante las contracciones difíciles. Trate de que ella esté más cómoda dando masaje a su abdomen o parte inferior de la espalda, o utilizando presión contraria o cualquier otra técnica que haya aprendido.

Algunas mujeres prefieren que no las toquen durante el trabajo de parto, así que tome en cuenta las señales de su pareja. Si está incómoda, sugiera un cambio de posición o una caminata —si es posible— para ayudar a que avance el trabajo de parto. Ofrézcale agua o trocitos de hielo, si le permiten tomarlos. Pase por su frente una toalla húmeda y fresca, si esto le agrada.

Sea su defensor
Hasta donde le sea posible, funcione como vocero con el equipo al cuidado de la salud. No tema hacer preguntas acerca de cómo avanza su trabajo de parto, ni de pedir explicaciones sobre cualquier procedimiento o la necesidad de medicamentos. Si su pareja solicita un fármaco para el dolor, discuta sus opciones con sus proveedores de cuidados de salud, en forma abierta o privada. Recuerde: el trabajo de parto no es una prueba de tolerancia al dolor. Una mujer no fracasa en el trabajo de parto si opta por un medicamento analgésico.

Siga animándola
Para el momento en que una mujer se encuentra en trabajo de parto activo, es probable que se sienta bastante cansada e incómoda, quizá irritable. Lo mismo que en el inicio del trabajo de parto, apóyela y anímela diciendo cosas como: "Hiciste un buen trabajo enfrentando esa contracción", o "¡Vas muy bien! Estoy muy orgulloso de ti".

No tome las cosas en forma personal
Durante el trabajo de parto se pueden decir cosas que en realidad no se sienten. Si su pareja parece irritada con sus cuidadosos intentos de confortarla o si no responde a sus preguntas, no lo tome en forma personal. Su sola presencia la reconforta y a veces es todo lo que se necesita.

Durante la transición

Siga ayudándola con las contracciones
La transición, cuando el bebé avanza por el canal de nacimiento, es quizá el momento más difícil para la madre. Ahora es el momento de darle mayor apoyo y

estímulo. Recuérdele que enfrente las contracciones una a una. Si le ayuda, háblele durante cada contracción o respire junto con ella. Algunas mujeres encuentran que no quieren que alguien les dé instrucciones cuando se intensifican las contracciones. Proporciónele espacio si lo necesita. De hecho, sostener su mano, hacer contacto con los ojos o simplemente decirle "Te amo" puede decir más que muchas palabras.

Ponga las necesidades de ella primero
Durante el trabajo de parto y el parto, manténgase consciente de sus necesidades. Ofrézcale agua o trozos de hielo, si están permitidos. Dé masaje a su cuerpo. Sugiera cambios de posición en forma periódica. Manténgala informada sobre el progreso del trabajo de parto y de cómo va ella. Es más importante que cuide de ella que registrar todo en película o llamar a familiares y amigos.

Durante el momento de pujar y el alumbramiento

Ayúdele a guiar sus pujidos y la respiración
Usando las indicaciones del equipo de cuidado de la salud o lo que aprendió en los cursos, ayude a guiar su respiración mientras puja. Apoye su espalda o sujete una de sus piernas mientras puja. Cualquier cosa que la ayude —¡eso es lo que debe hacer!

Manténgase cerca
Pueden suceder muchas cosas con gran rapidez cuando llegue el momento de pujar. O quizá ella deba seguir pujando y dejando de pujar durante varias horas. Una vez que ella esté lista para pujar, no sienta que estorba cuando el equipo al cuidado de la salud se haga cargo. Su presencia es importante, en particular a medida que el trabajo de parto se acerca al final.

Señale sus avances
Cuando la cabeza del bebé corone, si le está permitido, sostenga un espejo de manera que ella pueda ver por sí misma cómo progresa, ¡o dígale lo cerca que está de nacer el bebé!

Corte el cordón umbilical, si lo desea
Si le ofrecen la oportunidad de cortar el cordón, que no lo invada el pánico. El equipo al cuidado de salud le dará instrucciones claras de lo que debe hacer. No sienta la obligación de hacerlo si se siente incómodo al respecto.

Después del trabajo de parto y el parto

¡Celebren!
Una vez que llegue el bebé, disfrute formar lazos con él, pero no olvide darle a su pareja algunas bien ganadas palabras de alabanza, ¡y también felicítese por un trabajo bien hecho!

Inmediatamente después del nacimiento

Al nacer, su bebé todavía está conectado con la placenta por el cordón umbilical. Es frecuente que los padres ayuden con la colocación de pinzas y el corte de dicho cordón. Si desea ayudar, infórmelo, y le indicarán qué hacer.

Por lo general no hay urgencia particular de cortar el cordón umbilical. Se colocan dos pinzas sobre éste, y luego se emplean unas tijeras para cortar sin dolor entre ambas pinzas. Si el cordón está enredado en torno al cuello del bebé, el cordón puede sujetarse con las pinzas y cortarse antes de que salgan los hombros.

Es probable que, justo después del nacimiento, su bebé sea colocado en sus brazos o sobre su abdomen o, en ocasiones, que se lo pasen a una enfermera o pediatra para su evaluación y atención.

Poco después del nacimiento, se examina y pesa al bebé. Se le seca y se envuelve en cobijas para mantenerlo caliente. Las calificaciones de Apgar (ver la página 212) se registran con intervalos de uno y cinco minutos. Se coloca una banda de identificación en su bebé, de manera que no haya confusión en el cunero. Ésta es sólo la primera de muchas medidas de seguridad para garantizar que no haya errores en la identificación.

En la mayoría de los casos, podrá abrazar y amamantar a su bebé imediatamente después de que nazca, pero si éste muestra cualquier signo de que necesita ayuda, como problemas para respirar, es posible que deban evaluarlo con mayor cuidado en el cunero.

Etapa 3: salida de la placenta

Después de que nace el bebé, pasan muchas cosas. Usted y su pareja están celebrando la emoción del nacimiento y, quizá, compartiendo algunos momentos en privado. Quizá ambos se están tranquilizando, aliviados de que el trabajo parto y parto por fin han terminado. Mientras tanto, un proveedor de cuidados de salud está examinando a su bebé mientras éste realiza sus primeras respiraciones y usted escucha su maravilloso primer llanto.

La tercera etapa —y la final— del trabajo de parto y el parto es la salida de la placenta. Esta última es un órgano que está dentro del útero unida al bebé por el cordón umbilical. Es el órgano que ha nutrido al bebé durante todo su embarazo.

Para la mayoría de las parejas, la placenta —también llamada secundina— tiene poca importancia. Para el personal médico que atiende el nacimiento, lograr la salida de la placenta y asegurar que la madre no sangre en exceso es importante.

Lo que sucede

Después de que nace su bebé, usted sigue teniendo contracciones. Éstas son leves y son necesarias por diversas razones —una de las cuales es ayudarle a expulsar la placenta.

Por lo general entre cinco y diez minutos después del nacimiento, la placenta se separa de la pared del útero. Sus contracciones finales la empujan hacia fuera, desde el útero y hacia la vagina. Es posible que le pidan que puje una vez más para expulsar la placenta, la cual casi siempre sale con una pequeña cantidad de sangre. A veces, la placenta puede tardar hasta 30 minutos en desprenderse de la pared del útero y salir.

Puede ser que su proveedor de cuidados de salud le dé masaje en la parte inferior del abdomen después de que haya nacido su bebé. Esto es para estimular su útero a que se contraiga, para que ayude a expulsar la placenta.

Una vez que sale esta última, es probable que le den un medicamento como oxitocina por inyección o por goteo intravenoso para fomentar las contracciones uterinas. Estas contracciones después del alumbramiento son importantes, pues ayudan a cerrar los vasos sanguíneos y minimizar el sangrado. Además, ayudan a que su útero se reduzca de nuevo y recupere el tamaño que tenía antes de que se expandiera para albergar a su bebé.

Cómo puede sentirse
No debe sentir mucho dolor mientras su útero se contrae para expulsar su placenta. Es posible que lo más difícil sea simplemente ser paciente mientras espera a que salga. El masaje profundo que aplica su proveedor de cuidados de salud sobre su abdomen puede doler.

Lo que puede hacer
Puede ayudar a expulsar la placenta pujando cuando se lo indiquen. Mientras usted puja, su proveedor de cuidados de salud puede jalar con cuidado el resto de cordón umbilical unido a la placenta.

También puede intentar acelerar el proceso amamantando a su bebé. La estimulación de sus mamas señala a su cuerpo que libere la hormona oxitocina, la cual causa contracciones uterinas.

En la mayoría de los casos, la salida de la placenta es una parte de la rutina del alumbramiento, pero pueden surgir complicaciones si su placenta no se desprende de manera espontánea de la pared uterina (placenta retenida). En estos casos, el proveedor de cuidados de salud debe introducir la mano dentro del útero y desprenderla.

Una vez que ésta sale, su proveedor de cuidados de salud la examina para asegurarse de que sea normal y esté intacta. Si no es así, debe eliminar cualquier fragmento que haya quedado dentro del útero. En raras ocasiones, se requiere cirugía para eliminar los fragmentos placentarios. Los pedazos que no se eliminan pueden causar sangrado e infección.

Después de su salida, el proveedor de cuidados de salud desecha la placenta. La mayoría de las mujeres nunca llegan a verla. Si le interesa, pida que se la enseñen. Por lo general es redonda, plana y roja, mide de 15 a 20 cm de diámetro y pesa cerca de 600 gramos.

En los embarazos múltiples, es posible que deba expulsar más de una placenta o que haya una placenta con más de un cordón umbilical unido a ella.

Conozca a su nuevo bebé

Para la mayoría de las madres, el dolor y esfuerzo que requirió traer a este recién nacido al mundo se olvidan pronto en cuanto tienen en brazos a su hijo. Éste es uno de los momentos más significativos de su vida. Es usted una nueva madre. Un nuevo ser humano ha tomado su lugar entre nosotros, en la familia humana. Es un absoluto milagro. Saboree este momento, atesórelo y acepte de lleno la felicidad que nada más en la vida puede igualar.

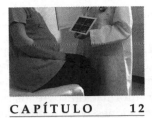

nacimiento por cesárea

En este método, el bebé nace a través de una incisión en el útero. Se realiza cuando su proveedor de cuidados de salud decide que es más seguro —ya sea para usted o para el bebé— que un nacimiento vaginal. La mayoría de las primeras cesáreas se dan de manera inesperada. Es por esta razón que resulta buena idea conocer este tema a medida que se acerca al final de su embarazo. De esta manera, estará más preparada para la posibilidad, si ésta se presenta.

Por qué podría ser necesario un nacimiento por cesárea

Muchos factores diferentes podrían llevar a la decisión de llevar a cabo un nacimiento por cesárea.

Su parto no progresa en forma normal

Que el parto no logre avanzar de manera normal es una de las razones más comunes por las cuales los médicos realizan la cesárea. De hecho, cerca de un tercio de todos estos procedimientos se llevan a cabo porque el parto avanza con demasiada lentitud o se detiene por completo. Las causas de la lentitud o la suspensión del trabajo de parto son diversas. Es posible que su útero no se contraiga con suficiente vigor para dilatar su cérvix por completo, o que la cabeza de su bebé sea demasiado grande para pasar por la pelvis. Esto es lo que se conoce como desproporción cefalopélvica (DCP). Esto también puede evitar que su cérvix se dilate por completo.

Su bebé presenta un patrón anormal de ritmo cardiaco durante el trabajo de parto

Ciertos patrones de ritmo cardiaco fetal son muy tranquilizadores durante el trabajo de parto, pero otros pueden indicar un problema con la provisión de oxígeno del bebé. Cuando estos patrones de ritmo cardiaco causan preocupación, es posible que su proveedor de cuidados de salud recomiende un nacimiento por cesárea. Esta situación constituye entre 10 y 15 por ciento de todos los partos de este tipo. Los patrones anormales de ritmo cardiaco fetal pueden surgir cuando el bebé no obtiene suficiente oxígeno, debido a que el cordón umbilical está comprimido o porque la placenta no funciona de manera óptima. Para mayor información sobre los problemas con su placenta o cordón umbilical, vea las secciones "Hay un problema con su placenta" y "Hay un problema con el cordón umbilical" en la página 190.

Por desgracia, los patrones anormales de ritmo cardiaco fetal pueden ocurrir sin indicar ningún riesgo real para su bebé. En otras ocasiones, estos resultados pueden indicar un problema serio. Una de las decisiones más difíciles en la obstetricia es determinar cuándo es genuino el riesgo. Para ayudar a tomar esta decisión, es probable que su proveedor de cuidados de salud intente estudiar la sangre del bebé tomando una muestra a través del cuero cabelludo, o quizá intente ciertas maniobras, como dar masaje a la cabeza del bebé, para dar lugar a cambios en el ritmo cardiaco más tranquilizadores.

Decidir cuándo es necesaria una cesárea depende de muchas variables, como cuánto más debe continuar el trabajo de parto antes del nacimiento y qué otros problemas, como un bebé cuyo término ha pasado, hacen que los patrones anormales de ritmo cardiaco puedan ser más significativos. Aunque hay ocasiones en las cuales el bebé se encuentra claramente en problemas, muchas otras veces ésta es una evaluación difícil.

Su bebé está en una posición anormal

Los bebés cuyos pies o glúteos entran primero que la cabeza al canal de nacimiento se encuentran en lo que se conoce como la presentación de nalgas. La mayoría de estos bebés nacen por operación cesárea, sobre todo por la gravedad de las posibles complicaciones del nacimiento vaginal. Por ejemplo, en los nacimientos vaginales con esta presentación, es más común que el cordón umbilical se deslice por el cérvix antes que el bebé (cordón umbilical prolapsado). Esto puede cortar la provisión de oxígeno del bebé. Asimismo, su cabeza podría quedar atrapada en el canal de nacimiento, incluso si el resto del cuerpo sale con facilidad.

Si su bebé yace en forma horizontal a través de su útero, la posición se llama transversa. Esta posición también requiere una cesárea.

Si su bebé se encuentra en la posición de nalgas, es probable que su proveedor de cuidados de salud logre moverlo hacia una presentación más favorable empujándolo a través de su abdomen, antes de que se inicie el trabajo de parto. Este procedimiento se llama versión externa. Si no funciona, es probable que se considere la cesárea.

Usted tiene un problema serio de salud

Si padece diabetes, enfermedad cardiaca, enfermedad pulmonar o hipertensión, es posible que necesite cesárea. Es frecuente que estas condiciones lleven a la decisión de hacer que el bebé nazca en una etapa más temprana del embarazo por lo que se iniciará (inducirá) el parto. Las inducciones tempranas del trabajo de parto con frecuencia hacen que el cérvix no logre dilatarse o que se produzcan patrones anormales de ritmo cardiaco fetal, lo cual incrementa la probabilidad de realizar cesárea.

En muchos de estos casos, el nacimiento vaginal sería preferible para el cuidado de la madre. Por ejemplo, hay buena evidencia que sugiere que las mujeres con enfermedad de arterias coronarias deberían dar a luz por vía vaginal, en especial si también padecen enfermedad vascular pulmonar. Según parece, la cesárea empeora el resultado para ellas. Las mujeres con complicaciones graves de hipertensión inducida por el embarazo (preeclampsia) también pueden tener mejores resultados si se logra el parto vaginal. Si presenta problemas serios de salud, discuta sus opciones con su proveedor de cuidados de salud bastante antes del final de su embarazo.

Otra causa poco común para la cesárea es proteger al bebé de adquirir infecciones por herpes simple. Si una madre tiene herpes primario (primer episodio) en el tracto genital, éste puede pasar al bebé al nacer, lo cual da lugar a una enfermedad seria. Con frecuencia se usa la cesárea para evitar esta complicación.

La cabeza del bebé está en mala posición

Cuando el bebé entra en la pelvis, debe estar con la cabeza y la cara hacia abajo. Su mentón debe estar apoyado en su pecho de manera que la parte posterior de la cabeza, que tiene el menor diámetro, abra el camino. Si la barbilla de su bebé está hacia arriba o la cabeza está volteada de manera que la menor dimensión no abre el camino, un diámetro mayor de la cabeza deberá atravesar la pelvis. El espacio puede ser bastante apretado. En estos casos, la parte superior de la cabeza del bebé, la frente o la cara puede ser la parte del cuerpo más encajada en la pelvis, lista para salir primero. Aunque es posible que su cérvix esté dilatado por completo, puede ser que su bebé simplemente no pueda pasar por la pelvis, y que se requiera una cesárea.

Algunos bebés también se ubican en el canal de nacimiento de cabeza pero con la cara arriba, en la llamada posición *occiput posterior*. La mayoría de los bebés gira durante el parto y nace cara abajo. Es posible que su proveedor de cuidados de salud le pida que se coloque apoyada sobre manos y rodillas con los glúteos hacia arriba, una posición que hace que el útero caiga hacia el frente, esto parece ayudar a los bebés a girar. En ocasiones es posible que el proveedor de cuidados de salud intente hacer que el bebé gire su cabeza durante una contracción mediante un examen vaginal. A veces, voltear al bebé con fórceps y ayudarle a nacer de esa manera es la vía más segura para el alumbramiento. Si esto no funciona, el nacimiento por cesárea puede ser la opción más segura.

Muchas mujeres, en especial las de ascendencia africana, presentan partos perfectamente normales con sus bebés que se presentan con la cara arriba. Quizá éste no sea un problema para usted y su bebé.

Tiene gemelos, triates u otros embarazos múltiples

Cerca de la mitad de las mujeres que tienen gemelos se somete a cesárea. Los gemelos con frecuencia pueden nacer por vía vaginal, dependiendo de su posición, peso estimado y edad de gestación. Los triates y otros embarazos múltiples son una historia diferente. Los estudios demuestran que más de 90 por ciento de los nacimientos de triates se realiza por cesárea.

Cuando hay más de un bebé dentro de su útero, no es raro que uno de ellos esté en una posición anormal. En este caso, el nacimiento por cesárea con frecuencia es más seguro que la vía vaginal, en especial para el gemelo que nace en segundo lugar. De hecho, algunos estudios sugieren que los gemelos nacidos en segundo lugar por vía vaginal tienen un mayor riesgo de morir debido a complicaciones durante el trabajo de parto y parto, que el que nace primero.

Cada embarazo múltiple es único. Si lleva gemelos, triates u otros embarazos múltiples, discuta sus opciones de parto con su proveedor de cuidados de salud y decidan juntos lo que es mejor para usted. Recuerde mantenerse flexible. Incluso si ambos bebés están cabeza abajo durante sus exámenes, es posible que éste no sea el caso después de nacido el primero.

Hay un problema con su placenta

Dos problemas con la placenta pueden requerir una cesárea: la abrupción placentaria y la placenta previa.

La abrupción placentaria ocurre cuando la placenta se desprende de la pared interna de su útero antes de que se inicie el trabajo de parto. Puede ocasionar problemas que ponen en peligro su vida y la de su bebé. Si su proveedor de cuidados de salud sospecha que presenta abrupción placentaria, puede recomendarle pasos para manejarla con base en sus condiciones y las de su bebé.

Si la vigilancia fetal electrónica indica que su bebé no está en peligro inmediato, es posible que la hospitalicen y la vigilen en forma estrecha. Si su bebé está en riesgo, es probable que se requiera un parto inmediato. Quizá sea necesaria la cesárea, aunque en algunas situaciones es posible el nacimiento por vía vaginal.

El proceso de toma de decisiones es muy diferente con placenta previa. En este problema, su placenta está acomodada en la parte baja del útero y cubre en forma parcial o total la abertura del cérvix.

Es posible que las mujeres con placenta previa al final del embarazo necesiten cesárea. La placenta no puede salir primero, ya que el bebé no tendría acceso al oxígeno. Además, es muy poco probable que la madre pudiera tolerar la pérdida de sangre que resultaría. Así pues, tanto para la madre como para el bebé, la cesárea es lo más seguro.

Hay un problema con el cordón umbilical

Una vez que se rompe su fuente, es posible que salga un asa del cordón umbilical por su cérvix, antes de que nazca el bebé. Esto se llama prolapso del cordón umbilical, e implica un grave riesgo para su bebé. Cuando su bebé presiona contra su cérvix, la presión sobre el cordón que sobresale puede bloquear la provisión de oxígeno para el feto.

Si el cordón resbala hacia fuera una vez que su cérvix se dilata por completo, y si el nacimiento es inminente, quizá todavía sea posible el parto vaginal. De lo contrario, la única opción es la cesárea. Por fortuna, este problema es muy raro cuando los bebés están de cabeza.

En forma similar, si el cordón está enrollado en torno del cuello del bebé o colocado entre la cabeza del bebé y los huesos de su pelvis, o si el líquido amniótico está reducido, cada contracción uterina apretará el cordón, lo cual retardará el flujo sanguíneo y la provisión de oxígeno al feto. En estos casos, la cesárea puede ser la mejor opción, en especial si la compresión del cordón es prolongada o grave. Ésta es una causa común de patrones cardiacos anormales, pero por lo general no es posible saber con seguridad dónde está el cordón umbilical sino hasta después del nacimiento.

Su bebé es muy grande

Algunos bebés son demasiado grandes para que nazcan sin riesgo por vía vaginal. El tamaño de su bebé puede ser de particular importancia si tiene una pelvis muy pequeña, lo cual puede impedir que su cabeza pueda salir. Esto es raro, a menos que haya sufrido una fractura pélvica u otra deformación de la pelvis.

Si desarrolló diabetes gestacional durante el embarazo, es posible que su bebé haya ganado mucho peso antes de nacer —una condición conocida como macrosomía—. Si su bebé es demasiado grande —en general definido como 4.5 kilogramos o más—, el nacimiento por cesárea es más probable.

En la mayoría de los casos, no es requisito optar por una cesárea debido a que el bebé es grande. El ultrasonido y el examen clínico (simplemente sentir al bebé a través del abdomen) presentan la misma precisión para determinar el peso del bebé una vez que éste excede los 3.9 kilogramos. Esta estimación presenta un margen de error tal que, si se recomendaran cesáreas para todos los bebés cuyo peso se ha calculado por arriba de los 4.1 kilogramos, un buen número de bebés que en realidad pesan 3.6 kilos no tendrían oportunidad alguna de nacer por vía vaginal.

Su bebé tiene un problema de salud

Si se le diagnosticó a su bebé un problema de desarrollo en el útero, es posible que su proveedor de cuidados de salud le recomiende una cesárea. Los ejemplos incluyen espina bífida (un defecto en la columna que resulta de la falta de fusión de las vértebras) o hidrocefalia (un aumento del tamaño de las cavidades llenas de líquido del cerebro). Para los bebés con la forma más común y grave de espina bífida, llamada mielomeningocele, hay evidencia que muestra que la cesárea produce mejores resultados neurológicos que el nacimiento vaginal.

Por desgracia, hay pocos estudios definitivos que ayuden a los proveedores de cuidados de salud y a los padres a decidir entre la cesárea y el nacimiento vaginal de los bebés con defectos de nacimiento y otros problemas de salud.

Colabore con su proveedor de cuidados de salud para reunir los factores que se aplican a su situación. Discuta sus opciones de parto con él, y decidan juntos lo mejor para usted y su bebé. En estas circunstancias, es posible que la cesárea no sea necesaria para prevenir el daño al bebé, pero nacer en una situación controlada con un equipo de cirujanos a mano puede beneficiarlo mucho. Con frecuencia, la única manera de orquestar este manejo del tiempo es mediante una cesárea.

Ha tenido una cesárea previa

Si ha tenido antes una cesárea, quizá necesite otra; pero éste no siempre es el caso. Véase "Considere el nacimiento por vía vaginal después de una cesárea", en la página 345.

¿SE PUEDE EVITAR LA CESÁREA?

¿Puede evitar una cesárea? Probablemente no. Si su bebé se encuentra en presentación de nalgas, puede preguntar a su proveedor de cuidados de salud si puede voltearlo con el fin de que tome la posición adecuada para nacer por vía vaginal, mediante un procedimiento llamado versión externa. Pero la decisión de hacer la cesárea dependerá de la evaluación que haga su médico sobre su salud y la de su bebé. Si cualquiera de los dos está en peligro, puede necesitar la cesárea. Recuerde, su objetivo es ser una madre sana con un bebé sano, sin importar lo que se requiera. Asegúrese de tener una relación de confianza con su proveedor de cuidados de salud y su equipo. Cuando algo sale mal durante el trabajo de parto, lo mejor es tener confianza en los que le aconsejan.

Riesgos de la cesárea

La cesárea es cirugía mayor. Aunque se considera un procedimiento muy seguro, conlleva ciertos riesgos, incluyendo la muerte. Aunque el riesgo de que una mujer muera después de una cesárea es muy bajo —se calcula que alrededor de dos de cada 10,000— es casi el doble del riesgo que tiene si da a luz por vía vaginal. Un punto importante a recordar: las cesáreas con frecuencia se realizan para resolver complicaciones que amenazan la vida. Es de esperar que se presenten más complicaciones en este grupo de mujeres.

Riesgos para usted

Otros riesgos son mayores con el nacimiento por cesárea que por vía vaginal. Éstos incluyen:
- **Mayor sangrado.** En promedio, la pérdida de sangre durante la cesárea es casi el doble de la que se da en el nacimiento vaginal. No obstante, rara vez se requieren transfusiones sanguíneas durante este procedimiento, por lo general sólo tres por ciento de las veces.

- **Reacciones a la anestesia.** Los medicamentos que se emplean durante la cirugía, incluyendo los empleados para anestesia, en ocasiones causan respuestas inesperadas, incluyendo problemas respiratorios. En casos raros, la anestesia general puede llevar a neumonía cuando una mujer aspira su contenido estomacal hacia los pulmones. No obstante, la anestesia general se emplea en menos de 20 por ciento de las operaciones de cesárea, y se toman precauciones específicas para evitar estas complicaciones.
- **Daño inadvertido a su vejiga o intestino.** Estas lesiones quirúrgicas son raras, pero son complicaciones reconocidas de la cesárea.
- **Endometritis.** Este problema causa una inflamación e infección de la membrana que recubre su útero. Es la complicación más frecuente relacionada con la cesárea. Ocurre cuando bacterias que en forma normal habitan la vagina llegan al útero. La endometritis es 20 veces más frecuente después de una cesárea que después del nacimiento vaginal.
- **Infección del tracto urinario.** Las infecciones en este tracto, como en la vejiga y los riñones, ocupan el segundo lugar después de la endometritis como causas de complicaciones después de la cesárea.
- **Disminución de la función intestinal.** La mayoría de las mujeres tienen pocos o ningún problema gastrointestinal después de la cesárea. No obstante, en algunos casos, los fármacos empleados para anestesia y alivio del dolor pueden hacer que el intestino se vuelva más lento durante algunos días después de la cirugía, lo cual produce una distensión temporal del abdomen, inflamación y molestias.
- **Coágulos sanguíneos en piernas, pulmones u órganos pélvicos.** El riesgo de que se desarrolle un coágulo sanguíneo dentro de una vena es entre tres y cinco veces mayor después de una cesárea que de un nacimiento vaginal. Si no se trata, el coágulo sanguíneo de la pierna puede viajar hacia su corazón y sus pulmones. Ahí, puede obstruir el flujo sanguíneo, lo que causa dolor en el pecho, falta de aire e incluso la muerte. Las venas pélvicas también pueden presentar coágulos. Esto también es mucho más común después de una cesárea.
- **Infección de la herida.** Las tasas de infección de la herida después de una cesárea son variables. La cesárea electiva repetida por lo general tiene una tasa de infección cercana a dos por ciento. Las cesáreas después de un trabajo de parto, en particular si ya se rompieron las membranas (rotura de la fuente), tienen una tasa de infección de cinco a 10 por ciento. Sus probabilidades de desarrollar infección de la herida después de la cesárea son mayores si abusa del alcohol, padece diabetes tipo 2 (llamada antes diabetes adulta o no dependiente de insulina) o es obesa, lo cual se define como tener un índice de masa corporal de 30 o más.
- **Ruptura de la herida.** Cuando una herida se infecta o sana mal, tiene mayor probabilidad de abrirse a lo largo de las líneas de sutura quirúrgica. Esto sólo ocurre en cinco por ciento de las infecciones en heridas.

- **Placenta ácreta e histerectomía.** Placenta ácreta es el término que se usa para describir a una placenta que está alojada en forma muy profunda y firme en la pared del útero. Si ha tenido una cesárea previa, se incrementa el riesgo de que se desarrolle una placenta ácreta en su siguiente embarazo. Este tipo de placenta está estrechamente relacionada con la placenta previa —una posición placentaria anormal dentro del útero—. Cerca de 25 por ciento de las mujeres que se sometieron a cesárea por placenta previa y que también han tenido una cesárea previa, requieren de una histerectomía poscesárea por placenta ácreta. De hecho, la placenta ácreta es en la actualidad la razón más común de histerectomía poscesárea.
- **Rehospitalización.** Un estudio reciente determinó que, comparadas con las mujeres que dan a luz por vía vaginal, las que lo hacen por cesárea tienen una probabilidad dos veces mayor de ser hospitalizadas de nuevo en los dos meses siguientes al parto.

Riesgos para su bebé

El nacimiento por cesárea también implica riesgos potenciales para su bebé. Éstos incluyen:

- **Nacimiento prematuro.** En un alumbramiento opcional por cesárea, es importante evaluar las fechas con mucho cuidado o tomar muestras de líquido amniótico para determinar la madurez pulmonar. El nacimiento prematuro de un bebé puede llevar a dificultades respiratorias y bajo peso al nacer.
- **Problemas respiratorios.** Los bebés nacidos por cesárea tienen mayores probabilidades de desarrollar problemas respiratorios menores llamados taquipnea, un trastorno marcado por una respiración anormalmente rápida durante los primeros días después del nacimiento.
- **Daño fetal.** Aunque es raro, puede suceder que se hagan cortadas accidentales al bebé durante la cirugía.

Manejo de la ansiedad por el nacimiento por cesárea

Recibir la noticia inesperada de que necesita una cesárea puede ser estresante tanto para usted como para su pareja. En un instante, sus expectativas de dar a luz y cuidar a su nuevo bebé cambian en forma abrupta. Para empeorar las cosas, estas noticias con frecuencia llegan cuando está cansada y desanimada por un trabajo de parto ineficaz. Además, con frecuencia no hay mucho tiempo para que su proveedor de cuidados de salud le explique el procedimiento y responda sus preguntas. Esto se aplica en especial en los casos de cesáreas de emergencia.

Es normal tener ciertas dudas sobre cómo superarán la cesárea su bebé y usted, pero no deje que esto la preocupe en exceso. Casi todas las mamás y los bebés se recuperan después de una cesárea con pocos problemas. Si se siente desilusionada porque necesita una cesárea, trate de que no le afecte. Aunque es probable que hubiera preferido un nacimiento vaginal, recuerde que su salud y la de su bebé son mucho más importantes que el método de parto.

Si está programada para una cesárea repetida, quizá también esté ansiosa. Es posible que tenga recuerdos desagradables de la cirugía anterior. Es probable que también le preocupe cómo cuidará a su bebé y a su otro hijo o hijos mientras se recupera de una cirugía mayor. Por otra parte, quizá le cause alivio no tener que enfrentar el trabajo de parto. Poder programar la llegada de su bebé puede darle cierta tranquilidad. Cada mujer es diferente.

Si le preocupa una segunda cesárea programada, discuta sus temores con su proveedor de cuidados de salud, su instructor del curso o su pareja. Es probable que compartir sus sentimientos le haga sentirse menos ansiosa. Dígase que ya superó esto antes —y que puede hacerlo de nuevo—. Si algo puede suceder es que su recuperación de una segunda cesárea sea más fácil esta vez. Sabe más ahora que antes y es probable que su capacidad para manejar la situación también sea mayor.

Lo que puede esperar durante el nacimiento por cesárea

Preparación preoperatoria

Ya sea que la cesárea sea planeada o inesperada, deberá realizar una serie de pasos de preparación para la cirugía. Las etapas estándar aparecen a continuación. En una emergencia, algunos de estos pasos pueden reducirse o eliminarse por completo.

Discusión de sus opciones de anestesia

Es posible que un anestesiólogo se presente en su cuarto de hospital para evaluar su condición y sus circunstancias y para recomendar el mejor tipo de anestesia (espinal, epidural o general) para usted. La recomendación depende de muchos factores. ¿Qué tipo de anestesia es la más segura para su bebé? ¿Cuál es la más segura para usted? ¿Qué opciones son factibles en este preciso momento?

Las anestesias espinal, epidural y general se usan para la cesárea. La espinal y la epidural adormecen su cuerpo del pecho para abajo, lo que le permite permanecer despierta durante el procedimiento. Siente poco o ningún dolor, y poco o ningún medicamento llega a su bebé.

Las diferencias entre la anestesia espinal y la epidural son bastante pequeñas. Con el bloqueo espinal, se inyecta un analgésico en el líquido que rodea a sus nervios espinales. Con la epidural, este medicamento se inyecta justo afuera del espacio lleno de líquido que rodea a su médula espinal. La aplicación de una epidural toma cerca de 20 minutos y dura casi indefinidamente. El bloqueo espinal puede llevarse a cabo con mayor rapidez, pero por lo general sólo dura cerca de dos horas. En una situación de emergencia, con frecuencia no hay tiempo para una epidural. El bloqueo espinal y la epidural se emplean, cada uno, en cerca de 40 por ciento de las cesáreas.

La anestesia general, durante la cual usted está inconsciente por completo, se usa en forma típica en las cesáreas de emergencia, cuando su bebé debe nacer lo más rápido posible. Parte del medicamento llega a su bebé, pero no causa ningún problema que un pediatra presente durante el procedimiento no pueda resolver con facilidad. La mayoría de los bebés no presenta efecto de la anestesia general, ya que el cerebro de la madre absorbe el medicamento con rapidez y en gran medida. Si es necesario, es posible administrar al bebé medicamentos que contrarresten cualquier efecto de la anestesia.

Realización de otras preparaciones
Una vez que usted, su médico y el anestesiólogo han decidido el tipo de anestesia que le aplicarán, los preparativos se realizan con rapidez. Es típico que éstos incluyan:

- **Colocación de una IV.** La enfermera puede insertar una aguja intravenosa (IV) en su mano o brazo. Esto le permitirá recibir fluidos y medicamentos durante y después de la cirugía.
- **Proporcionar muestras de sangre.** Es probable que la enfermera tome estas muestras y las mande al laboratorio del hospital para su análisis. Estas pruebas de laboratorio permitirán a su médico tener un cuadro más completo de sus condiciones básicas —esto es, su condición preoperatoria.
- **Tomar un antiácido.** Quizá le administren un antiácido para neutralizar los ácidos estomacales. Este paso simple disminuye en gran medida la posibilidad de daño a sus pulmones si el contenido estomacal entrara en ellos durante la anestesia.
- **Colocación de monitores.** Es probable que el anestesiólogo o una enfermera le coloquen alrededor del brazo un manguito para medir la presión arterial, de manera que sea posible vigilarla durante la cirugía. Asimismo, quizá la conecten a un monitor cardiaco mediante electrodos pegados a su pecho, para vigilar su ritmo y frecuencia cardiaca durante la cirugía. Es probable que le pongan una pinza en un dedo y la conecten a un monitor de saturación para medir el nivel de oxígeno en su sangre.
- **Colocación de un catéter urinario.** Es probable que le inserten un tubo delgado, llamado catéter, para drenar la orina de su vejiga, de manera que esta última permanezca vacía durante la operación.

En la sala de operaciones
Preparación
La mayoría de los nacimientos por cesárea se llevan a cabo en salas de operaciones instaladas de manera especial con este propósito. La atmósfera en la sala de operaciones puede ser muy diferente de la que haya experimentado en la sala de partos. Dado que la cirugía es un esfuerzo de equipo, habrá mucha gente ahí. De hecho, si usted o su bebé tienen un problema médico complejo, puede haber hasta doce personas en la sala.

Si aún no le han colocado una IV, le pondrán una en este momento. Quizá reciba oxígeno adicional mediante una mascarilla.

Si le van a aplicar una epidural o un bloqueo espinal, y el anestesiólogo aún no ha realizado la administración, se sentará con la espalda curvada o se recostará de lado con la espalda encorvada y las piernas dobladas. Es posible que el anestesiólogo frote su espalda con solución antiséptica y le inyecte un medicamento para adormecer el sitio. Luego, él o ella podrán administrar el bloqueador mediante la inserción de una aguja entre dos vértebras y a través del tejido duro junto a su columna vertebral.

Es probable que reciba sólo una dosis del fármaco a través de la aguja, la cual se retirará a continuación; o quizá su anestesiólogo introduzca un catéter delgado por la aguja, deslice esta última para sacarla y sujete el catéter a su espalda mediante cinta adhesiva para mantenerlo en su lugar. Esto le permitirá recibir dosis repetidas del anestésico según se requiera.

Si necesita anestesia general, todas las preparaciones para la cirugía, incluyendo el lavado de su abdomen entero con solución antiséptica, se harán antes de que reciba el anestésico. Su anestesiólogo puede administrar los fármacos de anestesia general por medio de la inyección de éstos en su IV. Los fármacos circularán en su torrente sanguíneo hacia todas las áreas de su cuerpo, incluyendo el cerebro, lo que le hará perder la conciencia.

Una vez que esté anestesiada, despierta o no, se le colocará acostada boca arriba con sus piernas aseguradas. Es posible que coloquen una cuña bajo el lado derecho de su espalda de manera que esté volteada hacia la izquierda. Esto desplaza el peso del útero hacia la izquierda, lo cual puede ayudar a asegurar un buen flujo sanguíneo en este órgano.

Es probable que sus brazos se coloquen estirados y sujetos sobre plataformas acolchadas. Quizá una enfermera rasure el vello de su abdomen y de la porción superior de su pubis, si éste interfiere con la cirugía o la eliminación de vendajes después de ésta. Otra posibilidad es que recorten parte de su vello púbico.

Es probable que una enfermera lave su abdomen con una solución antiséptica y que lo envuelva con trapos estériles. Quizá coloquen una cortinilla (pantalla de anestesia) debajo de su barbilla para ayudar a mantener limpio el campo quirúrgico.

Incisión abdominal

Una vez que se encuentra en posición, su abdomen está limpio y está adormecida o dormida, el cirujano realizará la primera incisión, la abdominal, sobre su pared abdominal. Es probable que ésta mida cerca de 15 centímetros de largo y atraviese su piel, grasa y músculo para llegar al recubrimiento de su cavidad abdominal, llamado peritoneo. Los vasos sanguíneos que sangren pueden ser sellados con calor (cauterizados) o atados.

La localización de su incisión abdominal dependerá de varios factores, como si la cesárea es una emergencia y si ha tenido cualquier cicatriz abdominal previa. También se considerarán el tamaño de su bebé o la posición de la placenta.

La incisión tipo biquini, curva a través de la parte inferior de su abdomen a lo largo de la línea de la prenda inferior de un biquini, es en general la incisión abdominal preferida. Cicatriza bien y es la que menor dolor causa después de la cirugía. También se prefiere por razones cosméticas y le proporciona al cirujano un buen panorama de la parte inferior del útero preñado.

No obstante, en ocasiones, la mejor opción es una incisión vertical baja, hecha desde un punto justo debajo del ombligo hasta otro justo arriba del hueso púbico. Esta incisión permite un acceso más rápido a la porción inferior de su útero, lo cual facilita que el cirujano saque a su bebé en menor tiempo. En ocasiones, el tiempo es lo esencial. Los segundos son importantes. Las incisiones verticales bajas también tienen menor pérdida de sangre y permiten que la incisión se extienda alrededor del ombligo, si esto fuera necesario.

Incisión uterina

Una vez que se ha completado su incisión abdominal, su cirujano podrá mover con seguridad la vejiga alejándola de la parte inferior del útero, y hacer una segunda incisión en la pared uterina. Esta incisión puede o no ser del mismo tipo de la que tiene en el abdomen. La realizada en el útero por lo general es de menor tamaño que la efectuada en el abdomen.

Lo mismo que con la incisión abdominal, la localización del corte en el útero dependerá de varios factores, como si la cesárea es una emergencia, el tamaño del bebé, y la posición del bebé y la placenta en el útero.

La incisión transversa inferior, hecha de un lado a otro a través de la porción inferior del útero, es la más común y se emplea en 90 por ciento de los nacimientos por cesárea. Proporciona una mayor facilidad de entrada, sangra menos que una incisión practicada en una porción más alta del útero e implica un menor riesgo de daño en vejiga. También forma una cicatriz fuerte, con lo que presenta menos riesgo de ruptura durante partos posteriores. Esto convierte al nacimiento vaginal después de la cesárea (NVDC) en una opción real para embarazos futuros.

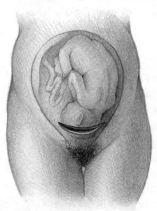 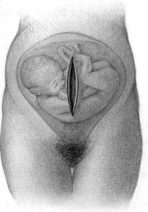 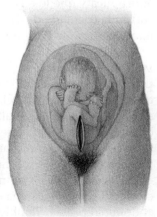

Incisión transversa baja   *Incisión clásica*   *Incisión vertical baja*

En algunos casos, es más apropiada una incisión uterina vertical. Es posible usar una incisión vertical baja, realizada en posición vertical en la parte baja de su útero, donde el tejido es más delgado, si su bebé está colocado en presentación de pies, de nalgas o está de lado en su útero (presentación transversa o de nalgas). También puede utilizarse si su cirujano piensa que es posible que sea necesario extenderse hasta una posición vertical alta —lo que los doctores a veces llaman una incisión clásica.

En el pasado, los nacimientos por cesárea casi siempre se hacían con la incisión clásica, realizada en la porción superior del útero. Hoy día, las incisiones clásicas se usan en menos de diez por ciento de las cesáreas, ante todo por el incremento en el riesgo de sangrado y rotura del útero en embarazos posteriores. De hecho, las mujeres con cesáreas clásicas que vuelven a embarazarse presentan mayor riesgo de rotura del útero aun antes de que se inicie el trabajo de parto. La ventaja principal de la incisión clásica es la velocidad con la cual el cirujano puede llegar al útero y sacar al bebé. Esto puede ser de vital importancia si el bebé presenta enfermedad aguda. En ocasiones es posible que se realice una incisión clásica para evitar daño en vejiga si una mujer ha decidido que éste es su último embarazo.

Nacimiento

Con su útero expuesto, el cirujano puede ahora abrir el saco amniótico de manera que su bebé pueda hacer su gran entrada. Si está despierta, es probable que sienta algunos jalones y presión cuando saquen a su bebé. Esto se debe a que su cirujano está tratando de mantener la incisión de su útero lo más pequeña posible. No debe sentir ningún dolor.

Una vez que nace su bebé, su cirujano puede colocar pinzas en el cordón umbilical y pasarle el bebé a otro miembro del equipo al cuidado de la salud. Esta persona se asegurará de que la nariz y boca de su bebé estén libres de líquidos y de que esté respirando bien. En sólo unos minutos, verá por primera vez al bebé. Si su pareja está en la sala, quizá tenga la opción de cortar el cordón umbilical. En este punto, quizá también reciba una dosis de antibióticos a través de su IV para ayudar a prevenir la infección uterina.

Eliminación de la placenta y cierre de la incisión

Una vez que nace su bebé, el cirujano podrá desprender y sacar la placenta de su útero y comenzar a cerrar las incisiones, capa por capa. Dado que es posible que se sienta adormilada, es probable que el tiempo pase con rapidez.

Los puntos en sus órganos internos se pueden disolver por sí solos y no necesitarán ser retirados. Respecto a la incisión en su piel, es probable que el cirujano emplee puntos para cerrarla o cierto tipo de grapas —pequeñas piezas de metal que se doblan en su parte media para mantener juntos los bordes de la incisión—. Durante esta reparación, quizá sienta algunos movimientos pero ningún dolor. Si su incisión se cierra con grapas, el médico o enfermera podrá retirarlas con un pequeño par de pinzas antes de que usted vuelva a casa.

Ver a su bebé

Aunque es típico que la cesárea tome de 45 minutos a una hora, es probable que su bebé nazca en los primeros cinco a diez minutos del procedimiento. Si se siente con ganas de hacerlo y está despierta, podrá abrazar a su bebé mientras el cirujano cierra la incisión en su útero y abdomen. Por lo menos, podrá ver a su bebé en los brazos de su pareja. Antes de entregarle el bebé a usted o a su pareja, es probable que el equipo al cuidado de su salud succione la nariz y boca de éste y le hagan la primera revisión de Apgar, que consiste en la rápida evaluación de la apariencia, el pulso, los reflejos, la actividad y la respiración del bebé, un minuto después del nacimiento.

En la sala de recuperación

Inmediatamente después de la cirugía, será llevada a la sala de recuperación. Ahí, se medirán sus signos vitales con frecuencia, cerca de cada 15 minutos, hasta que la anestesia haya pasado y su condición sea estable. Esto en general toma una hora o dos, pero puede tomar más si le han aplicado anestesia general. Durante su tiempo en la sala de recuperación, es posible que usted y su pareja puedan pasar unos cuantos minutos solos con su bebé de manera que comiencen a conocerse.

Si ha elegido amamantar a su bebé, quizá sea posible que lo haga por primera vez en la sala de recuperación, si se siente de humor de hacerlo. En lo tocante a la lactancia, entre más pronto comience, mejor. Le colocarán almohadas detrás de manera que pueda lograr una posición cómoda. De hecho, si le aplicaron una epidural, es posible que le sea más cómodo amamantar durante varias horas después de la cirugía, mientras la anestesia todavía funciona. No obstante, si le aplicaron anestesia general, puede sentirse todavía un poco atontada o incómoda unas cuantas horas después de la cirugía. Es posible que desee esperar hasta haber recibido analgésicos antes de comenzar a amamantar.

Recuperación de la cesárea

Después de un par de horas en la sala de recuperación, quizá la pasen a un cuarto en la unidad de maternidad del hospital. Durante las siguientes 24 horas, su médico y sus enfermeras pueden continuar vigilando sus ritmos respiratorio y cardiaco, su temperatura y su presión arterial. También pueden dar seguimiento a la condición de los vendajes en su abdomen, a la cantidad de orina que produce y la proporción de sangrado posembarazo (loquios). Asimismo, las enfermeras revisarán su útero en forma periódica, para asegurarse de que permanece contraído.

Durante el curso de su estancia en el hospital, su equipo al cuidado de la salud continuará vigilando con cuidado su condición. Las enfermeras podrán medir en forma periódica sus signos vitales y evaluar la condición de su incisión, su útero y los loquios. De igual forma, las enfermeras desearán

PARTICIPACIÓN DE SU PAREJA EN LA CESÁREA

Si el nacimiento por cesárea no es una emergencia que requiera anestesia general, es posible que su pareja pueda entrar a la sala de operaciones junto con usted. Muchos hospitales permiten esto. Quizá a su pareja le emocione la idea o quizá tenga miedo o esté muy asustado. Puede ser difícil estar tan cerca de una cirugía cuando ésta implica a alguien a quien conocemos y amamos.

Si usted y su pareja deciden que él esté presente en su cesárea, él tendrá que usar bata quirúrgica, una cubierta para su cabello y sus zapatos, y cubrebocas. Si decide que desea observar el procedimiento, puede tener esa opción; pero, si no lo desea, puede sentarse cerca de su cabeza y sostener su mano, donde la pantalla de anestesia le impedirá ver lo que sucede. Es probable que tener a su pareja cerca le haga sentirse más relajada. Esto tiene sus ventajas. Hay, sin embargo, una desventaja potencial: es frecuente que los padres se desmayen en la sala de partos, lo que da lugar a un segundo paciente que no puede recibir mucha atención inmediata.

La mayoría de los hospitales animan a los padres a tomar fotos de sus bebés, y el equipo quirúrgico puede tomar algunas fotos de usted, su pareja y el bebé incluso antes de que termine la cirugía. Sin embargo, tenga presente que la mayoría de los hospitales no permite la filmación directa de la operación. Antes de que su pareja comience a tomar fotos o a rodar su película, asegúrese de que pida permiso.

asegurarse de que sus intestinos y tracto urinario están volviendo a la normalidad, y de que sus piernas y pies están obteniendo suficiente circulación sanguínea. Si tiene preguntas sobre cualquier cosa que sucede, recurra a un miembro de su equipo al cuidado de la salud.

Alivio del dolor

Quizá no le guste la idea de tomar analgésicos después de la cirugía, en especial si planea dar el pecho, pero es importante tomar un analgésico cuando se pase el efecto de la anestesia de manera que pueda estar cómoda. Además, para tener éxito al amamantar es importante sentirse confortable. La comodidad es la clave, en especial durante los primeros días de su recuperación, cuando su incisión comienza a sanar.

En el periodo justo después de la cesárea, es probable que reciba analgésicos llamados narcóticos. Esta clase de fármacos por lo general incluye morfina y sus derivados. Éstos se le pueden administrar a través de la IV o inyectarse en un músculo si la IV ha sido retirada. Durante las primeras 24 horas después de la cirugía, los narcóticos también pueden aplicarse a través de un catéter epidural que se deja en el lugar.

Muchos hospitales conectan una pequeña bomba a su IV, de manera que usted misma pueda administrarse pequeñas dosis del narcótico cuando siente que lo necesita, simplemente oprimiendo un botón. Esto se llama analgesia controlada por el paciente. Dado que el medicamento entra en forma directa a su IV, el alivio del dolor es rápido. Esta bomba cuenta con un dispositivo de seguridad que limita la cantidad de narcótico que recibe. Esto evita que se autoadministre una sobredosis.

Después de cerca de un día, es probable que su proveedor de cuidados de salud le recomiende cambiar a una combinación de analgésicos narcóticos y no narcóticos y, al final, a un analgésico no narcótico solamente. Este último tipo de analgésicos incluye fármacos antiinflamatorios no esteroideos (AINE) como ibuprofeno. También puede probar con técnicas de relajación, música suave, luz tenue y ejercicios simples de respiración para aliviar el dolor. Puede confiar en que su proveedor de cuidados de salud no recomendará ningún medicamento que no sea aconsejable para usted o su bebé.

Además del dolor de la incisión, quizá también tenga dolores posparto —contracciones uterinas que ayudan a controlar el sangrado—. Éstas pueden iniciarse en cualquier momento del día y durar de cuatro a cinco días. Es posible que sean especialmente notorias mientras amamanta. Esto se debe a que el amamantamiento hace que su cuerpo produzca oxitocina, la cual estimula las contracciones uterinas. Para ayudar a aliviar los dolores posparto, pruebe las técnicas de relajamiento o coordine la hora de dar el pecho con el momento de tomar su analgésico.

Si aún presenta dolor cuando sea el momento de darla de alta, es posible que su proveedor de cuidados de salud le prescriba una pequeña provisión de medicamentos narcóticos para que lleve a casa.

Mantener sus pulmones libres

Para evitar que se acumule fluido en sus pulmones después de la cirugía, es posible que la animen a cambiar de posición en la cama con frecuencia, y a toser y tomar respiraciones profundas y lentas. Toser y darse la vuelta puede causar tensión en su incisión, pero, si la sostiene colocando una almohada a través de su estómago y aplicando presión ligera, no debe dolerle tanto.

Comer y beber

Es probable que sólo le permitan tomar trocitos de hielo o agua las primeras doce a 24 horas después de su cirugía. Recibirá líquidos por vía intravenosa con el fin de prevenir una deshidratación. Una vez que su sistema digestivo comienza a recuperarse, es probable que pueda beber más líquidos e ingerir alguna comida fácil de digerir. Sabrá que está lista para empezar a comer cuando comience a sentir gases. Éste es un signo de que su sistema digestivo comienza a despertar y a funcionar de la manera en que debe hacerlo. Es típico que pueda comenzar a tomar alimento sólido el día posterior a la cirugía.

Caminar

Es probable que la animen a tomar una caminata corta seis a ocho horas después de su cirugía, si no es demasiado tarde en el día. Es posible que caminar sea lo último que desee hacer. Su incisión probablemente duela cada vez que se mueve. No obstante, caminar es bueno para su cuerpo y una es parte importante de su recuperación. Le ayuda a limpiar sus pulmones, mejora su circulación, promueve la cicatrización y permite que sus sistemas urinario y digestivo regresen a la normalidad. Si tiene dolor debido a los gases, caminar puede aliviarlo. Asimismo, caminar previene la formación de coágulos sanguíneos, los cuales eran una complicación común cuando las mujeres se mantenían en cama durante semanas después del parto. Una vez que puede salir de la cama y caminar al baño, es posible que le quiten el catéter urinario.

Para su primer recorrido, asegúrese de contar con un brazo cercano de apoyo. Quizá se sienta ansiosa la primera vez que lo intente, pero una vez que lo hace, verá que caminar despacio no es tan difícil ni tan doloroso como temía.

Después de su primer recorrido pequeño, quizá le animen a tomar caminatas breves un par de veces al día hasta el momento de volver a casa.

Manejo de los loquios

Con el nacimiento de su bebé, han cambiado sus niveles hormonales. Estos cambios causan una descarga vaginal llamada loquios —una descarga color café a incolora que dura varias semanas—. Algunas mujeres sometidas a nacimientos por cesárea se sorprenden ante la cantidad de descarga vaginal que presentan después de la cirugía. Aunque la placenta se extrae durante la cirugía, el útero todavía necesita sanar, y esta descarga es parte del proceso. Durante su estancia en el hospital, necesitará toallas sanitarias para absorber sus loquios.

Cuidado de la incisión

Es probable que retiren el vendaje de su incisión el día después de su cirugía, cuando la incisión haya tenido suficiente tiempo para sellarse. Durante su estancia en el hospital, los médicos y enfermeras revisarán su incisión con frecuencia.

A medida que ésta comience a sanar, es posible que le dé comezón. No se rasque. Aplicarse loción es una alternativa mejor y más segura.

Si su incisión fue cerrada con grapas quirúrgicas, éstas serán retiradas antes de que vaya a casa. Una vez en su hogar, báñese como acostumbra. Después, seque la incisión a conciencia con una toalla o un secador de pelo a baja potencia.

Lactancia

Algunas técnicas pueden ser útiles cuando comienza a amamantar después de una cesárea. Quizá desee probar con el método del balón de fútbol, en el cual sostiene a su bebé en una forma muy parecida a la que un jugador de foot ball americano sujeta el balón bajo su brazo. Esta posición para amamantar es tan eficaz como cualquier otra, pero evita que su bebé haga presión sobre su abdomen todavía dolorido.

Para realizar la técnica del balón de fútbol, sostenga a su bebé a un lado sobre su brazo, con el codo doblado y la mano abierta apoyando con firmeza la cabeza de su bebé, cerca del nivel de su mama. El torso del bebé debe apoyarse sobre su antebrazo. Coloque una almohada a su costado para apoyar su brazo. En las primeras semanas después de regresar a casa del hospital, lo típico es que un sillón con brazos bajos y anchos sea lo que mejor funciona.

Con su mano libre, acomode su mama en la posición adecuada, apretándola con cuidado de manera que la mama se alinee en forma horizontal. Mueva a su bebé hacia su mama hasta que abra la boca. Luego acerque a su bebé para que se prenda al seno firmemente. Repita del otro lado.

Quizá también desee amamantar a su bebé mientras está acostada, en especial los primeros días después de la cirugía. Para hacerlo, acomódese de costado y coloque a su bebé sobre su costado dándole la cara. Asegúrese de que la boca del bebé está cerca del pezón de la mama en posición inferior. Utilice la mano del brazo de ese lado para ayudar a mantener la cabeza de su bebé en una posición adecuada cerca de su pecho.

Con su brazo y mano del lado de arriba, tome su mama, tocando con el pezón los labios de su bebé. Una vez que el bebé se haya sujetado con firmeza, puede usar su brazo de abajo para apoyar su propia cabeza, y su brazo y mano de arriba para ayudar a sostener al bebé.

Salida del hospital

La permanencia hospitalaria típica después de una cesárea es de tres días. Algunas mujeres son dadas de alta incluso hasta dos días después de la cirugía.

Antes de salir del hospital, asegúrese de resolver todas sus dudas. Averigüe lo que su proveedor de cuidados de salud recomienda para aliviar el dolor y las restricciones que debe tener con sus actividades. Pregunte sobre los signos y síntomas de posibles complicaciones poscesárea.

Además, programe una cita con su proveedor de cuidados de salud para un examen posparto. La mayoría de las madres regresarán para la siguiente cita a las seis semanas, justo igual que después de un nacimiento por vía vaginal.

La recuperación después de un nacimiento por cesárea es un proceso más largo que después de un parto por vía vaginal. Es probable que le tome cuatro a seis semanas sentir que ha regresado a la normalidad. Tendrá que tomar las cosas con calma y pedir ayuda cuando la necesite.

Restricciones poscesárea

Durante su primera semana en casa después de una cesárea, restrinja sus actividades al cuidado de usted misma y de su recién nacido. Evite levantar cosas pesadas u otras actividades que pudieran ejercer tensión sobre su herida en curación. Pida a su proveedor de cuidados de salud recomendaciones sobre las actividades cotidianas, como subir y bajar escaleras o levantar cualquier cosa más pesada que su bebé.

A muchas mujeres les cuesta trabajo cumplir con las restricciones una vez que se sienten mejor. Después de una cesárea, es posible que se sienta muy cansada cuando trate de esforzarse por primera vez. Dése la oportunidad de sanar. Después de todo, se sometió a una operación.

No maneje hasta que pueda hacer movimientos rápidos con piernas o torso sin sentir dolor. Aunque algunas mujeres se recuperan más rápido que otras de un parto por cesárea, el periodo típico en que no deben manejar es de dos semanas.

Una vez que su proveedor de cuidados de salud le dé el visto bueno, puede empezar a ejercitarse, pero con calma. Nadar y caminar son buenas opciones. Para la tercera o cuarta semana después de dejar el hospital, es posible que se sienta apta para reanudar sus actividades normales en casa.

Posibles complicaciones poscesárea

En general, informe de estos signos y síntomas a su proveedor de cuidados de salud si ocurren una vez que regrese a casa del hospital:
- Fiebre de 38°C o más
- Dolor al orinar
- Descarga vaginal (loquios) más abundante que una menstruación normal
- Abertura de su incisión
- Enrojecimiento o escurrimiento en el sitio de incisión
- Dolor abdominal grave

Para mayor información sobre estas y otras complicaciones posparto, véase la página 579.

LOS EFECTOS EMOCIONALES DE UN NACIMIENTO POR CESÁREA

Una vez que la den de alta en el hospital, puede suceder que tenga sentimientos negativos por haberse sometido a una cesárea, incluso si aceptó la cirugía en primera instancia. Quizá sienta enojo porque el parto no se dió de la manera que esperaba. Quizá se entristezca por no haber podido dar a luz por vía vaginal. Es posible que sienta que falló como mujer y que dude de su feminidad y valor. Para empeorar las cosas, ¡quizá sienta culpabilidad por tener estos sentimientos! Los comentarios de amigos y familiares, como: "Tomaste la salida fácil" o "¿Vas a tener al siguiente bebé en forma natural?", pueden hacer que se sienta todavía peor.

Suprima cualquier sentimiento de culpa. Hoy en día, casi una de cada cuatro mujeres da a luz por cesárea, y el resultado más importante de su embarazo es un bebé sano. Si siente que está luchando contra sentimientos incómodos, discútalos con su proveedor de cuidados de salud. La depresión posparto es un trastorno común y serio. Además, hable con sus amigos, familiares y equipo de cuidados de salud. Es posible que le ayude saber lo que pasó y comprender en su totalidad las circunstancias del nacimiento del bebé. Hay muchos recursos que ayudan a resolver las preocupaciones posparto, así es que hable de sus problemas.

su recién nacido

Cuando la enfermera puso a mi bebé en mis brazos por primera vez, el caos de la sala de partos desapareció. Estaba sorprendida de lo natural que parecía sostener esta nueva y pequeña vida. Lo examiné todo —sus manos, sus pies, sus ojos... ¡y su increíble masa de cabello negro rizado!—. Era tal alivio ver por mí misma el hermoso niño que había dado a luz.

—Experiencia de una madre

La espera ha terminado. En los últimos nueve meses, pasó incontables horas preparándose y anticipándose al día en que vería la cara de su bebé. Y ahora el día ha llegado.

El trabajo de parto y parto —ya fuera un maratón o algo muy breve— han quedado atrás. Ahora es tiempo de abrazar, acariciar y disfrutar a esa preciosa personita que tanto esperó conocer.

Aunque es probable que ansíe ir a casa e iniciar una nueva vida, aproveche su tiempo en el hospital o la clínica de maternidad. Muchas madres se sorprenden por todo el tiempo en privado que desean tener después de dar a luz. Aunque sus familiares y amigos querrán saber sobre el trabajo de parto y el parto y acerca de cómo va el bebé, quizá sienta que necesita limitar las llamadas y visitas. Está bien desconectar el teléfono, y las enfermeras pueden ayudar a restringir las visitas para asegurar su privacidad. Los buenos amigos —en especial si ellos también son padres— entenderán que necesita tiempo para concentrarse en sí misma y en su bebé.

Su cuerpo ha pasado por una prueba física importante, y los nuevos bebés son exigentes. Así que relájese y deje que el personal del hospital la cuide a usted y a su bebé. No es un lujo que podrá disfrutar por mucho tiempo.

Es probable que tenga muchas preguntas y —por fortuna— quienes pueden darle las respuestas están a unos pasos. Puede sentirse cómoda llamando al personal del hospital en cualquier momento, de día o de noche. Parte de su trabajo es ayudarle a hacer la transición a la maternidad, ya sea que se trate de su primero o de su quinto bebé. Aproveche su experiencia.

Además, muchos hospitales proporcionan literatura y videos acerca del cuidado de los recién nacidos, desde cómo alimentar a su bebé hasta la colocación segura de su asiento en el auto. Su enfermera puede sugerir cuáles son los materiales más útiles para usted. Si tiene la oportunidad, tome el tiempo para revisar esta información. Una vez que llegue a casa, los momentos libres pueden ser pocos y muy espaciados.

Muchos hospitales permiten que el bebé permanezca en el mismo cuarto con usted. Ésta es una oportunidad maravillosa para conocer al recién nacido y pasar tiempo con él. Tome en cuenta, sin embargo, que es perfectamente aceptable solicitar un poco de tiempo lejos de su bebé. Una vez que vaya a casa, no tendrá mucho tiempo para descansar —o, como confirmarían algunas mamás, quizá incluso para lavarse los dientes—. Si está cansada o sólo necesita un respiro, confíe en que las enfermeras cuidarán en forma excelente de su bebé en el cunero.

No obstante, antes de dejar que cualquiera se lleve al bebé de su cuarto, asegúrese de que la persona se identifique y lleve el gafete del hospital con su nombre. Si está incómoda o insegura acerca de alguien que desee manejar a su bebé, avise al puesto de enfermeras de inmediato. Aunque el rapto de infantes es raro en extremo, los hospitales cuentan con procedimientos para identificar y proteger a su bebé. Esto significa que usted o un familiar no deben llevarse al bebé del área de maternidad del hospital sin notificar a una de las enfermeras. Cuando su bebé sea dado de alta, no se vaya hasta que las enfermeras hayan firmado la autorización.

En este capítulo, aprenderá sobre los primeros días de vida del recién nacido —cuál será su apariencia y a que exámenes e inmunizaciones es posible que se le someta—. Asimismo, el capítulo incluye problemas comunes que tienen algunos recién nacidos.

La apariencia de su bebé

Considerando lo que han pasado durante el trabajo de parto y parto, no es raro que los bebés recién nacidos no se vean como los angelitos dulces que aparecen en la televisión. En lugar de ello, su recién nacido tendrá una apariencia algo desastrosa. Si su bebé es como la mayoría, su cabeza tendrá una forma algo extraña y será un poco más grande de lo que esperaba. Los párpados pueden estar hinchados y sus brazos y piernas encogidos como lo estaban en el útero. Es posible que esté cubierto por algo de sangre y resbaloso debido al líquido amniótico.

Además, la mayoría de los bebés nacerán con algo que parece ser loción para la piel. Llamada vérnix, esta sustancia es más notoria bajo los brazos del bebé, detrás de sus orejas y en las ingles. Los bebés prematuros, en especial, están cubiertos con ella. La mayor parte del vérnix será eliminada durante el primer baño del bebé.

Cabeza moldeada

Al principio, la cabeza de su bebé puede tener un aspecto plano, elongado o chueco. Esta elongación peculiar es una de las características comunes del recién nacido.

El cráneo de un bebé consta de varias secciones de hueso unidas de manera flexible, con el fin de que la cabeza pueda cambiar de forma para concordar con la estructura de su pelvis a medida que pasa por el canal de nacimiento. Un parto prolongado por lo general da como resultado que el bebé presente una forma alargada del cráneo al nacer. La cabeza de un bebé en presentación de pies o nalgas puede tener una apariencia más corta y ancha. Si se utilizó un extractor de vacío para ayudar al nacimiento, es posible que la cabeza del bebé sea particularmente alargada.

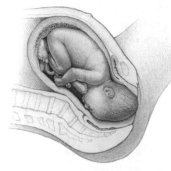

Fontanelas

Cuando palpe la parte superior de la cabeza de su bebé, notará dos áreas suaves. Éstas son las llamadas fontanelas, y son las zonas donde los huesos del cráneo de su bebé aún no se han fusionado.

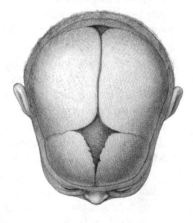

La fontanela hacia el frente del cuero cabelludo es un área en forma de diamante que mide cerca de 2.5 cm de diámetro. Aunque por lo general es plana, puede abultarse cuando su bebé llora o se esfuerza. Alrededor de los nueve a 18 meses, esta fontanela se habrá rellenado con hueso duro.

La fontanela más pequeña y menos notoria en la parte posterior de la cabeza mide lo que una moneda de diez centavos, y se cierra cerca de seis semanas después del nacimiento.

Manchas y heridas en la piel

La mayoría de los bebés nacen con ciertas ronchas, heridas y manchas en la piel.

Por lo general, se observa una inflamación redondeada del cuero cabelludo (*caput succedaneum*) en la parte superior y posterior de la cabeza del bebé cuando éste nace de la manera acostumbrada —primero la cabeza—. El *caput succedaneum* es sólo la hinchazón de la piel que desaparece más o menos en un día.

La presión de su pelvis durante el parto puede causar lesiones (cefalohematoma) en la cabeza de su bebé. El cefalohematoma puede observarse durante varias semanas y quizá sienta un abultamiento que persiste varios meses. Quizá también vea raspaduras o heridas en la cara y cabeza de su bebé si se utilizaron fórceps durante el parto. En la mayoría de los casos, estas heridas desaparecerán en dos semanas.

Otros problemas comunes de la piel en los recién nacidos incluyen:

- **Milios.** La mayoría de los bebés tienen milios, los cuales se ven como pequeñas espinillas blancas en nariz y mentón. Aunque parecen estar levantados, son casi planos y suaves al tacto. Los milios desaparecen con el tiempo y no requieren tratamiento.
- **Manchas salmón.** Estas manchas rojas pueden encontrarse en la nuca, entre las cejas o sobre los párpados. También se les llama mordida de cigüeña o besos de ángel y por lo general desaparecen en los primeros meses. El término médico que se usa en forma común para describir una mancha salmón es nevo en flama.
- **Eritema tóxico.** El nombre asusta, pero *eritema tóxico* es sólo el término médico de un problema de la piel que se presenta en forma típica en el nacimiento o aparece en los primeros días después de éste. Se caracteriza por pequeñas protuberancias blancas o amarillentas rodeadas por piel rosada o rojiza. Esta condición no causa molestias y no es infecciosa. El eritema tóxico desaparece en unos días.
- **Acné del recién nacido.** El acné del recién nacido (infantil), que también se llama miliaria, no tiene nada que ver con el acné en la madre ni significa necesariamente que el bebé tendrá acné más adelante en su vida. Las protuberancias y marcas rojas similares al acné aparecen en cara, cuello, parte superior del pecho y espalda. Esta condición es más notoria al mes o dos y es típico que desaparezca sin tratamiento en un mes o dos más.
- **Manchas mongólicas.** También conocidas como la mancha azul grisácea de la infancia, estas áreas grandes y planas que contienen pigmento adicional tienen un color gris o azul y se presentan en la parte baja de la espalda o los glúteos. Son muy comunes en bebés de raza negra, bebés de ascendencia asiática y nativa estadounidense, y bebés con complexión oscura. En ocasiones se confunden con magulladuras, pero las manchas mongólicas no cambian de color ni se aclaran como lo haría una magulladura. Por lo general desaparecen más adelante en la infancia.
- **Melanosis pustular.** Estas pequeñas manchas parecen pequeñas semillas de ajonjolí que se secan y desprenden con rapidez. A veces tienen una apariencia semejante a la de las infecciones en piel (pústulas), pero la melanosis pustular no es una infección, no es roja y desaparece sin tratamiento. Es común observar estas manchas en los dobleces del cuello, y sobre los hombros y la parte superior del pecho. Son más frecuentes en los bebés de piel oscura.
- **Hemangioma de fresa.** Causado por un crecimiento excesivo de los vasos sanguíneos en las capas superiores de la piel, los hemangiomas de fresa (capilares) son manchas rojas y elevadas que pueden ser semejantes a una fresa. Por lo general ausente en el nacimiento, un hemangioma se inicia como una mancha pequeña y pálida cuyo centro se vuelve rojo. El hematoma de fresa crece durante los primeros meses y al final desaparece sin tratamiento.

Cabello y lanugo

Es posible que su bebé nazca calvo, con abundante cabello grueso —¡o con cualquier característica intermedia!—. No se enamore demasiado pronto de los rizos de su bebé. El color del cabello con el cual nace su bebé no es necesariamente el que tendrá a los seis meses. Los recién nacidos rubios, por ejemplo, pueden tener el cabello más claro o más oscuro al crecer, y a veces el tono rojizo no es evidente al nacer.

Quizá le sorprenda observar que la cabeza del recién nacido no es el único lugar donde tiene cabello. El pelo fino semejante a pelusa llamado lanugo cubre el cuerpo del bebé antes del nacimiento, y es posible que aparezca de manera temporal en la espalda, los hombros, la frente y las sienes de éste. La mayor parte de este cabello se pierde en el útero antes de que nazca el bebé, lo cual hace que el lanugo sea muy común en los bebés prematuros. Éste desaparece unas semanas después del nacimiento.

Características tempranas de los ojos

Es perfectamente normal que los ojos de su bebé estén hinchados. De hecho, algunos infantes los tienen tan hinchados que no son capaces de abrir los ojos de inmediato. Pero no se preocupe, en un día o dos, su bebé podrá mirarla a los ojos.

Quizá también note que su nuevo bebé en ocasiones parece ser bizco. Esto también es normal y lo superará en unos meses.

En ocasiones, los bebés nacen con manchas rojas en las escleróticas de los ojos. Estas manchas son producto de la rotura de pequeños vasos sanguíneos durante el nacimiento, son inofensivas y no interfieren con la vista de su bebé. Es probable que desaparezcan en cerca de 10 días.

Lo mismo que el cabello, los ojos del recién nacido no garantizan su futuro color. Aunque la mayoría de los bebés tiene ojos de color café azulado, negro azulado, gris azulado o pizarra, es probable que el color permanente de los ojos tarde seis meses o más para establecerse.

Primeros movimientos intestinales

El primer pañal sucio de su bebé —que quizá se produzca a las 48 horas— puede sorprenderla. Durante estos primeros días, las heces de su bebé serán densas y pegajosas —una sustancia tipo alquitrán de color negro verdoso llamada meconio.

Después de la salida del meconio, el color, frecuencia y consistencia de las heces del bebé variará dependiendo de su alimentación. En los bebés que toman leche materna, los excrementos se producirán con mayor frecuencia, y serán en general suaves, acuosos y de color amarillo dorado. En los infantes alimentados con biberón, las heces serán menos frecuentes, más formadas y de color oscuro y tendrán un olor más fuerte.

Cuidados de salud iniciales para el recién nacido

Desde el momento en que su bebé emerge del canal de nacimiento, es el centro de mucha actividad.

Una vez que nace su bebé, es probable que su proveedor de cuidados de salud o una enfermera limpien con rapidez su cara. Para asegurarse de que el infante puede respirar de manera adecuada, se eliminan líquidos de boca y nariz tan pronto como emerge la cabeza —y de nuevo justo después de nacer.

Mientras se limpian las vías respiratorias, se puede determinar el ritmo cardiaco y la circulación con un estetoscopio o sintiendo el pulso en el cordón umbilical. El color del bebé se puede observar para asegurarse de que la circulación es normal.

El cordón umbilical de su bebé se sujeta con una pinza de plástico y es posible que le den a su pareja la opción de cortarlo. Luego, llega el momento: puede abrazar a su bebé por primera vez.

En los siguientes días, es muy probable que el equipo médico lleve a cabo exámenes del recién nacido, le administren pruebas de evaluación y le apliquen inmunizaciones. A continuación le decimos qué esperar.

Exámenes

Valores de Apgar
Los valores de Apgar —una rápida evaluación de la salud del bebé recién nacido— se anotan uno y cinco minutos después del nacimiento. Desarrollada en 1952 por la anestesióloga Virginia Apgar, esta prueba evalúa a los recién nacidos de acuerdo a cinco criterios: color, ritmo cardiaco, reflejos, tono muscular y respiración.

Cada uno de estos criterios recibe una calificación individual de cero, uno o dos. Luego todos los puntos se suman para una calificación máxima de diez. Los valores más altos indican a los infantes más sanos, y las puntuaciones por debajo de cinco significan que un infante necesita ayuda al nacer.

Hoy en día, muchos médicos no dan tanta importancia a la puntuación de Apgar porque la mayoría de los bebés con calificaciones bajas al final resultan estar perfectamente sanos.

Otras revisiones y mediciones
Poco después de nacer, es posible medir el peso, la longitud y la circunferencia de la cabeza de su recién nacido. Es probable que determinen su temperatura y sus ritmos respiratorio y cardiaco. Luego, casi siempre dentro de las doce horas siguientes al nacimiento del bebé, se lleva a cabo un examen físico para detectar cualquier problema o anormalidad.

Inmunizaciones y vacunas

Prevención de enfermedades oculares
Para contrarrestar la posibilidad de que se pase la gonorrea de la madre al bebé, todos los estados exigen que los ojos de los infantes sean protegidos de esta infección justo después de nacer. Las infecciones oculares por gonorrea

eran una causa importante de ceguera hasta los inicios del siglo XX, cuando se volvió obligatorio el tratamiento posnatal de los ojos de los bebés.

Poco después del nacimiento de su bebé, se aplica en sus ojos un ungüento o solución antibiótica, casi siempre de eritromicina o tetraciclina (en México se aplica cloramfenicol). Estas preparaciones son suaves para los ojos y no causan dolor.

Inyección de vitamina K
En Estados Unidos, la vitamina K se administra de rutina a los infantes poco después de su nacimiento. La vitamina K es necesaria para la coagulación normal de la sangre, el proceso del cuerpo para detener el sangrado después de una cortada o herida. Los recién nacidos tienen niveles bajos de vitamina K en sus primeras semanas de vida. La inyección puede ayudar a prevenir la rara posibilidad —uno de cada 4,000 nacimientos— de que el recién nacido tuviera una deficiencia tal de vitamina K que desarrollara un sangrado serio. Este problema es característico en los bebés en sus primeras semanas de vida y no está relacionado con la hemofilia.

Vacuna contra hepatitis B
La hepatitis B es una infección viral que afecta al hígado. Puede provocar padecimientos tales como cirrosis y falla hepática, o puede generar el desarrollo de tumores en hígado. Los adultos contraen la hepatitis a través del contacto sexual, al compartir agujas o al exponerse a la sangre de una persona infectada. Los bebés, sin embargo, pueden contraer la hepatitis de sus madres durante el embarazo y al nacer.

La vacuna contra la hepatitis B puede proteger a los infantes contra cualquier contacto posible con este virus. Por tanto, es posible que le apliquen esta vacuna a su bebé en el hospital o la clínica de maternidad poco después de nacer. De manera alternativa, las vacunas contra hepatitis B pueden administrarse junto con otras inmunizaciones a los dos meses de edad.

Pruebas de evaluación

Antes de que su bebé deje el hospital, se le toma una pequeña cantidad de sangre y se envía al departamento de salud estatal. Esta muestra, que puede tomarse de una vena en el brazo o de una pequeña cortada en el talón, se analiza para detectar la presencia de condiciones médicas raras pero importantes. Los resultados deben estar disponibles para la fecha de la primera consulta de revisión de su bebé.

En ocasiones, es necesario repetir la prueba. No se alarme si esto sucede con su recién nacido. Para asegurar que sean identificados todos los recién nacidos con cualquiera de estos padecimientos, incluso los resultados límite se vuelven a evaluar. La repetición de las pruebas es especialmente común entre los bebés prematuros.

Aunque las pruebas de evaluación de los recién nacidos difieren en forma ligera de un estado a otro, los problemas para los cuales es común que se realicen pruebas incluyen:
- **Fenilcetonuria (FCU).** Los bebés con FCU retienen cantidades excesivas de fenilalanina, un aminoácido que se encuentra en las proteínas de casi todos

los alimentos. Sin tratamiento, la FCU puede causar retraso mental y motor, mala tasa de crecimiento, y convulsiones. Con la detección y el tratamiento oportunos, el crecimiento y desarrollo deben ser normales.

- **Hipotiroidismo congénito.** Cerca de uno en cada 3,000 bebés tiene una deficiencia de la hormona tiroidea que retrasa el crecimiento y el desarrollo cerebral. Si no se le da tratamiento, puede provocar retraso mental y deficiencia en el crecimiento. Con la detección y el tratamiento oportunos, es posible el desarrollo normal.
- **Hiperplasia suprarrenal congénita (HSC).** Este grupo de trastornos es producto de una deficiencia en ciertas hormonas. Los signos y síntomas pueden incluir letargo, vómito, debilidad muscular y deshidratación. Los infantes con formas leves se encuentran en riesgo de padecer dificultades reproductivas y del crecimiento. Los casos graves pueden ocasionar disfunción renal e incluso la muerte. El tratamiento hormonal por toda la vida puede suprimir la enfermedad.
- **Galactosemia.** Los bebés nacidos con galactosemia no pueden metabolizar la galactosa, un azúcar que se encuentra en la leche. Aunque es típico que los recién nacidos con este problema parezcan normales, es probable que desarrollen vómito, diarrea, letargo, ictericia y daño en el hígado unos cuantos días después de sus primeras alimentaciones con leche. Si no se trata, el trastorno puede producir retraso mental, ceguera, fallas del crecimiento y, en casos graves, la muerte. El tratamiento incluye la eliminación de la leche y todos los demás productos lácteos (que contengan galactosa) de la dieta.
- **Deficiencia de biotinidasa.** Esta deficiencia es producto de la falta de una enzima llamada biotinidasa. Los signos y síntomas incluyen convulsiones, retraso en el desarrollo, eccema y pérdida del oído. Con el diagnóstico o el tratamiento oportuno, pueden prevenirse todos los signos y síntomas.
- **Enfermedad de la orina de miel de maple (EOMM).** Este padecimiento afecta el metabolismo de los aminoácidos. Es típico que los recién nacidos con esta condición parezcan normales, pero presentarán dificultades para alimentarse, letargo y fallas en el desarrollo desde la primera semana de vida. Sin tratamiento, la EOMM puede producir coma o la muerte.
- **Homocistinuria.** Causada por una deficiencia enzimática, esta enfermedad puede conducir a problemas oculares, retraso mental, anormalidades del esqueleto y coagulación anormal de la sangre. Con la detección y el manejo oportunos —incluyendo alimentación especial y suplementos dietéticos—, el crecimiento y el desarrollo deben ser normales.
- **Enfermedad de células falciformes.** Esta enfermedad hereditaria evita que las células sanguíneas circulen con facilidad por el cuerpo. Los infantes afectados tendrán una mayor susceptibilidad a las infecciones y tasas bajas de crecimiento. La enfermedad puede causar ataques de dolor y daño en órganos vitales como pulmones, riñones y cerebro. Con tratamiento médico temprano, es posible minimizar las complicaciones de la enfermedad de células falciformes.
- **Deficiencia de deshidrogenasa de acil-CoA de cadena media (DACM).** Esta rara enfermedad hereditaria resulta de la falta de una enzima necesaria para

convertir la grasa en energía. Es posible que ocurran signos y síntomas serios y peligrosos e incluso la muerte. Con la detección oportuna y vigilancia, los niños a los que se diagnostica DACM pueden llevar vidas normales.

- **Fibrosis quística (FQ).** Esta enfermedad genética hace que el cuerpo produzca secreciones mucosas anormalmente densas en los pulmones y el sistema digestivo. Los signos y síntomas incluyen sabor salado en la piel, tos persistente, falta de aire y poco aumento de peso. Los recién nacidos afectados pueden desarrollar infecciones pulmonares y obstrucciones intestinales que ponen en riesgo su vida. Con la detección y los planes de tratamiento oportunos, los infantes con diagnóstico de FQ pueden vivir más tiempo y en mejor estado de salud que en el pasado.

- **Evaluación del oído.** Mientras su bebé se encuentra en el hospital, es posible que lo sometan a una prueba del oído. Aunque no se hacen de rutina en todos los hospitales, las evaluaciones del oído en los recién nacidos están cada vez más disponibles. La pérdida del oído afecta a cerca de cinco de cada 1,000 recién nacidos. Esta evaluación puede detectar posible pérdida del oído en los primeros días de vida de un bebé. Si se detecta una posible pérdida del oído, hay pruebas adicionales para confirmar los resultados.

   Las dos pruebas siguientes se emplean para evaluar el oído del recién nacido. Ambas son rápidas (cerca de diez minutos) e indoloras, y pueden realizarse mientras su bebé duerme.

- **Respuesta auditora automatizada del tallo cerebral.** Esta prueba mide la manera en que el cerebro responde al sonido. Se emiten chasquidos o tonos a través de audífonos suaves en los oídos del bebé mientras electrodos sujetos con cinta adhesiva en la cabeza de éste miden la respuesta cerebral.

- **Emisiones otoacústicas.** Esta prueba mide las respuestas a las ondas sonoras que se presentan al oído. Un detector colocado dentro del canal auditivo del bebé mide las respuestas cuando se tocan chasquidos o tonos en el oído del bebé.

Circuncisión

Si su nuevo bebé es un niño, es posible que decida someterlo a otro procedimiento: la circuncisión. Cuando se circuncida a un niño, el médico elimina en forma quirúrgica la piel que cubre la punta del pene. El procedimiento expone la cabeza de este órgano. Puede llevarse a cabo antes de llevar al bebé a casa. La circuncisión tiene ventajas y desventajas. Puede aprender más sobre esta importante opción en la guía de decisión titulada "Consideración de la circuncisión para su bebé", en la página 355.

Problemas comunes del recién nacido

Algunos bebés tienen problemas para ajustarse a su nuevo mundo. Por fortuna, la mayoría de dichos problemas son menores y se resuelven pronto. Las siguientes son algunas dificultades comunes de los recién nacidos.

Ictericia

Más de la mitad de los recién nacidos presentan ictericia, un tono amarillento en piel y ojos. Los bebés más afectados muestran signos algunos días después de nacer. Es común que la ictericia dure varias semanas.

El bebé presenta ictericia cuando la bilirrubina, que se produce por la degradación de glóbulos rojos, se acumula con mayor rapidez que lo que su hígado puede metabolizarla y sacarla del cuerpo. En general, la ictericia desaparece por sí misma. No le causa ninguna molestia a su bebé.

Este último puede desarrollar ictericia por diversas razones:

- La bilirrubina se está produciendo con mayor rapidez de la que puede manejar el hígado.
- El hígado en desarrollo de su bebé no es capaz de eliminar la bilirrubina de la sangre.
- Demasiada bilirrubina se reabsorbe de los intestinos antes de que el bebé se deshaga de ella en un movimiento intestinal.

Aunque los niveles bajos de ictericia no requieren tratamiento, los casos más graves pueden requerir que el bebé permanezca más tiempo en el hospital. En la actualidad, la ictericia puede tratarse de varias maneras:

- Es posible que le pidan que alimente al bebé con mayor frecuencia, lo cual aumenta la cantidad de bilirrubina que sale con los movimientos intestinales.
- Puede ser que el médico coloque a su bebé bajo la luz de la fototerapia. Este tratamiento, llamado fototerapia, emplea una lámpara especial para ayudar a que el cuerpo se libere del exceso de bilirrubina.
- Es posible que el médico le aplique a su bebé inmunoglobulina (anticuerpos) intravenosa para reducir la gravedad de la ictericia si el nivel de bilirrubina se vuelve alto en extremo.
- En raras ocasiones, se realiza una transfusión de intercambio de sangre para reducir el nivel de bilirrubina.

Infección

El sistema inmune de un recién nacido no tiene el desarrollo adecuado para combatir la infección. Por tanto, cualquier tipo de infección puede ser más crítica para un recién nacido que para niños mayores o adultos.

Las infecciones bacterianas serias, que ocurren en dos o tres de cada mil recién nacidos, pueden invadir cualquier órgano o la sangre, orina o líquido espinal. El tratamiento oportuno con antibióticos es necesario, pero, incluso cuando se realizan el diagnóstico y tratamiento en forma oportuna, una infección puede amenazar la vida de un recién nacido.

Por esta razón, los médicos son precavidos cuando tratan una posible infección. Los recién nacidos que tienen dificultades para respirar, presentan excesiva somnolencia, comen mal o tienen temperaturas persistentemente altas o bajas pueden presentar sepsis —la respuesta del organismo ante la infección—. Es frecuente que se administren antibióticos en forma temprana y que su uso se suspenda sólo cuando no parezca probable la infección.

Aunque la mayoría de los resultados de las pruebas no muestren evidencia de infección, es mejor exagerar del lado de la seguridad tratando con rapidez a un bebé que arriesgarse a no darle tratamiento en forma oportuna para una infección.

Los virus pueden causar infecciones en los recién nacidos, aunque con menos frecuencia que las bacterias. Algunos virus causan infecciones serias en la madre, y otros pueden interferir con el crecimiento y desarrollo de un feto no nacido. Ciertas infecciones virales como herpes, varicela, VIH y citomegalovirus pueden tratase con medicamentos antivirales.

Dificultad para aprender a comer

Ya sea que decida amamantar o alimentar con biberón a su bebé, es posible que durante los primeros días después del nacimiento le cueste trabajo interesar a su recién nacido en la alimentación. Esto no es raro. Algunos bebés parecen adoptar una actitud lenta y soñolienta hacia el acto de comer. Si le preocupa que su bebé no obtenga suficiente alimento, hable con su doctor o enfermera. En ocasiones, los comedores flojos deben ser alimentados por sonda para ayudarlos los primeros días. Muy pronto se pondrán al día y mamarán o tomarán su biberón con entusiasmo.

Durante la primera semana, el recién nacido perderá cerca de diez por ciento de su peso al nacer. Vigilar los cambios en el peso del bebé ayuda a determinar la cantidad de leche que está tomando. Colabore con el proveedor de cuidados de salud de su bebé para seguir el crecimiento de su bebé a lo largo de su primer año de vida.

El nuevo mundo del bebé

Al irse recuperando del parto y ajustarse a ser madre, recuerde que su bebé también se está ajustando. El recién nacido pasó del útero seguro, oscuro y razonablemente tranquilo, a las luces brillantes y los fuertes ruidos de todo un mundo nuevo. Su voz dulce y sus caricias suaves son influencias calmantes en este medio extraño y nuevo.

El recién nacido prematuro

Todos los padres y madres sueñan con tener un bebé sano y a término. Por desgracia, este sueño no siempre es la realidad. Aunque la mayoría de los infantes nace a término y libres de problemas médicos, algunos nacen demasiado pronto. La prematurez con frecuencia va acompañada de complicaciones médicas.

Debido al progreso de la Medicina, el pronóstico para estos recién nacidos es mucho más optimista que en el pasado. Aun así, muchos infantes que presentan problemas requieren cuidado especial. Esta sección explica algunos de los problemas y tratamientos que dicha prematurez puede generar.

Cuando un bebé nace en forma prematura

Cerca de once por ciento de los bebés que nacen cada año en Estados Unidos son prematuros —es decir, nacen antes de completar las 37 semanas de desarrollo—. Si su bebé se encuentra entre éstos, es muy probable que sienta una gama de emociones —incluyendo miedo, desilusión y preocupación—. Esto es natural y comprensible.

La buena noticia es que el cuidado intensivo neonatal actual ha mejorado de manera dramática el pronóstico para los bebés prematuros. De hecho, más de dos tercios de los bebés nacidos a las 24 a 25 semanas pueden sobrevivir con el cuidado médico adecuado. Dado que la mayoría de los bebés prematuros pueden sobrevivir, gran parte de los cuidados médicos que se da a las madres en trabajo de parto prematuro y a los recién nacidos prematuros se concentra en minimizar las posibles complicaciones de la prematurez.

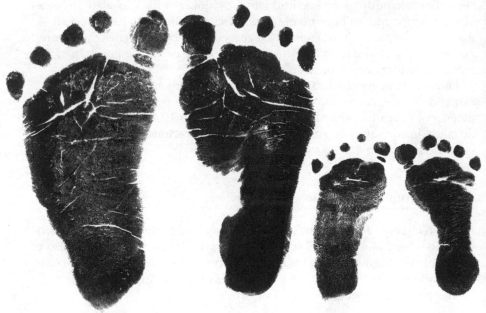

Huellas plantares de una niña nacida a término cuyo peso al nacer fue de 3.75 kg.

Huellas plantares de un niño prematuro cuyo peso al nacer fue de 700 gramos.

El aspecto que puede tener su bebé prematuro

Es probable que la primera vez que vea de cerca a su bebé prematuro, lo haga en la unidad de cuidado intensivo neonatal (UCIN). Al verlo por primera vez, es probable que se sienta sorprendida y agobiada —y quizá un poco en choque.

Es probable que inmediatamente note la serie de tubos, catéteres y cables eléctricos unidos a su diminuto bebé. Este equipo puede ser apabullante e intimidante en un inicio. Es importante recordar que ayuda a mantener sano a su bebé, y al equipo médico informado de manera continua acerca de la condición del prematuro.

También notará de inmediato el tamaño pequeñísimo del bebé. Es probable que sea mucho más pequeño que un infante a término. Algunos bebés prematuros son tan pequeños que el anillo de boda de un hombre puede servir como un brazalete flojo.

Dado que los bebés prematuros tienen menos grasa corporal que los infantes a término, es necesario mantenerlos calientes. Es frecuente que se les coloque en una caja de plástico cerrada y caliente (incubadora) para ayudarlos a conservar su temperatura corporal.

La piel de un bebé prematuro tendrá una serie de características notables que no se encuentran en un bebé a término. Las facciones de su bebé serán más marcadas y menos redondas que las de un infante de término. La piel y el cartílago que forman el oído externo del bebé serán especialmente suaves y maleables. Es posible que la piel esté cubierta con más vello fino (lanugo) de lo que es común en un bebé de término. Es probable que la piel de su bebé se vea delgada, frágil y un poco transparente —lo que permite ver los vasos sanguíneos bajo ésta.

Será muy fácil ver estas características porque los bebés más prematuros no estarán vestidos ni envueltos en cobijas. Esto se debe a que el personal del cunero debe ser capaz de observar con facilidad su respiración y aspecto general.

En la unidad de cuidado intensivo neonatal (UCIN)

Inmediatamente después del nacimiento, es probable que su bebé prematuro sea sometido a muchos de los mismos procedimientos que se le aplican a un bebé de término. Pero, desde luego, son necesarias precauciones especiales después de un nacimiento prematuro. Por ejemplo, es posible que se vigilen la respiración, el ritmo cardiaco y la presión sanguínea de su bebé.

Muy pronto después del nacimiento, un bebé de menos de 35 semanas de gestación puede ser transferido a una UCIN o a un cunero de cuidados especiales, a veces llamado cunero de nivel 3 o nivel 2. Si su bebé prematuro nace en un hospital sin estas instalaciones, es posible que sea transferido a una UCIN cercana.

En la UCIN, su bebé recibirá cuidado especializado —incluyendo un plan de alimentación ajustado a las necesidades específicas del bebé—. Durante los primeros días o semanas después del parto, los bebés por lo general se alimentan por vía intravenosa, porque sus sistemas gastrointestinal y respiratorio pueden ser demasiado inmaduros para iniciar sin peligro la alimentación con fórmula. Cuando su bebé esté listo, se suspenderá la alimentación intravenosa y es probable que el siguiente paso sea proporcionarle una nueva forma de nutrición, llamada alimentación por sonda. En este tipo de alimentación, su bebé recibe leche materna o fórmula a través de un tubo que lleva el alimento en forma directa hasta el estómago o el intestino delgado.

Cómo involucrarse

Debe involucrarse en el aspecto físico con su bebé lo más pronto posible. Los cuidados amorosos son importantes para el crecimiento y desarrollo físico y psicológico de éste.

Cuando estaba embarazada, es probable que soñara en abrazar, bañar y alimentar a su nuevo bebé. Como madre de un bebé prematuro, es probable

El equipo de la unidad de cuidado intensivo neonatal

En la unidad de cuidado intensivo neonatal (UCIN), su bebé recibe el cuidado de muchas personas especializadas y calificadas. El equipo que atiende a su bebé puede incluir:

- Enfermeras neonatales: enfermeras tituladas con capacitación especial en el cuidado de recién nacidos prematuros y de alto riesgo.
- Terapeutas respiratorios neonatales: personal entrenado para evaluar problemas respiratorios en recién nacidos y ajustar ventiladores y otros equipos especializados.
- Neonatólogos: pediatras especializados en el diagnóstico y tratamiento de problemas del recién nacido.
- Cirujanos pediátricos: cirujanos entrenados en el diagnóstico y tratamiento de padecimientos del recién nacido que puedan requerir cirugía.
- Pediatras: médicos que se especializan en el tratamiento de niños.
- Médicos pediatras residentes: médicos que reciben capacitación especializada en el tratamiento de niños.

que no pueda pasar estas primeras semanas con él en la forma que había imaginado. Aun así, puede relacionarse con su bebé de maneras importantes.

Hasta que su bebé esté listo para que lo tenga en sus brazos, puede tocarlo a través de las aberturas de la incubadora y acariciarlo con suavidad. El contacto suave con su bebé prematuro puede ayudarlo a mejorar. Deje que su recién nacido la conozca tarareándole una canción de cuna o hablándole con suavidad.

A medida que mejora la condición de su bebé, podrá sostenerlo en brazos y mecerlo. El contacto de piel a piel, llamado a veces cuidado de canguro, puede ser una manera muy potente para crear lazos con su bebé. En este tipo de cuidado, la enfermera puede ayudar a colocar a su bebé sobre su pecho desnudo y luego cubrirlo sin apretar con una cobija. Algunos estudios han mostrado que los bebés prematuros responden de manera positiva a este contacto de piel a piel con sus padres, y que el cuidado de canguro puede mejorar los tiempos de recuperación de los bebés.

Otra forma importante en que la madre puede participar en la salud de su bebé es proporcionando leche materna, la cual contiene proteínas que ayudan a combatir las infecciones y promueven el crecimiento. En la UCIN, es muy probable que alimenten a su bebé cada una a tres horas a través de una sonda que va desde la nariz o la boca hasta el estómago. Las enfermeras pueden enseñar a la madre como extraer la leche de la mama, y ésta puede refrigerarse y almacenarse para su uso cuando el bebé la necesite.

Complicaciones de la prematurez

Los bebés nacidos en forma prematura presentan riesgo de padecer diversos problemas médicos debido a que no tuvieron la oportunidad de desarrollarse por completo en el útero. En años recientes se ha visto un aumento en el uso de medicamentos maternos que se administran para preparar al bebé prematuro para su nacimiento, lo mismo que mejoras en el cuidado de la UCIN. Hoy en día, las tasas de supervivencia y los resultados son excelentes para todos, con excepción de los bebés más pequeños o más enfermos.

En ocasiones, algunos problemas son evidentes al nacer, pero otros pueden desarrollarse semanas o meses después. Entre mayor sea la prematurez, mayores serán las probabilidades de que el bebé desarrolle problemas. Algunos de ellos pueden incluir lo siguiente:

Síndrome de sufrimiento respiratorio

El síndrome de sufrimiento respiratorio (SSR) es el problema más común de la respiración entre los recién nacidos, y ocurre de manera casi exclusiva en los infantes prematuros. En el SSR, los pulmones inmaduros del bebé carecen de una sustancia líquida importante llamada surfactante, la cual proporciona a los pulmones normales y desarrollados en su totalidad las cualidades de elasticidad requeridas para respirar con facilidad. Las madres con parto prematuro de menos de 35 semanas pueden recibir inyecciones de medicamentos corticoesteroides para incrementar la madurez pulmonar del bebé antes de su nacimiento.

El SSR por lo general se diagnostica los primeros minutos u horas después del nacimiento. El diagnóstico se basa en la proporción de la dificultad respiratoria y en las anormalidades observadas en los rayos X del tórax del bebé.

Tratamiento

Los bebés con SSR requieren varios grados de ayuda con su respiración. Por lo general necesitan oxígeno adicional hasta que los pulmones mejoran. El aire contiene 21 por ciento de oxígeno, pero los bebés prematuros con SSR pueden requerir hasta 100 por ciento de oxígeno.

Muchos bebés con SSR necesitan respiraciones suplementarias. Un ventilador, a veces llamado respirador, puede dar al bebé respiraciones controladas con cuidado. Esto puede ir desde apoyarlo con algunas respiraciones adicionales por minuto, hasta encargarse por completo de la función respiratoria.

Algunos bebés se beneficiarán de la ayuda respiratoria llamada presión positiva continua de vías respiratorias (PPCVR). Un tubo de plástico colocado en las ventanas nasales proporciona presión adicional en las vías respiratorias para mantener los pequeños sacos de aire de los pulmones inflados de la manera adecuada.

Los bebés con SSR grave reciben dosis de preparación surfactante de manera directa en los pulmones. Hay otros medicamentos de uso frecuente en los bebés con SSR. Éstos incluyen fármacos que incrementan la salida de orina y liberan al cuerpo del agua adicional, reducen la inflamación de los pulmones, reducen el jadeo y minimizan las pausas en la respiración (apnea).

Los bebés que requieren ayuda con la respiración u oxígeno adicional se mantienen bajo vigilancia cuidadosa. Un dispositivo llamado oxímetro (monitor de saturación) indica de manera continua el nivel sanguíneo de oxígeno del bebé.

Además, es posible determinar los niveles de oxígeno, dióxido de carbono y pH (equilibrio ácido-base) de la sangre. Estas pruebas indican la eficiencia respiratoria del bebé y si es necesario hacer cambios en la cantidad de ayuda que se le proporciona.

Displasia broncopulmonar

Los problemas pulmonares de un bebé prematuro por lo general mejoran en unos días o unas semanas. Por lo general, se considera que los bebés que aún requieren ayuda con la respiración u oxígeno adicional un mes después del nacimiento padecen displasia broncopulmonar (DBP). Este padecimiento también se llama enfermedad crónica pulmonar.

Tratamiento

Los bebés con DBP siguen necesitando oxígeno suplementario durante un periodo extenso. Si desarrollan un catarro fuerte o neumonía, es posible que necesiten ayuda respiratoria, como la que proporciona el respirador. Es posible que algunos de estos bebés sigan necesitando oxígeno adicional, incluso cuando van a casa después de estar hospitalizados. A medida que crecen estos bebés, disminuye su necesidad de oxígeno suplementario y respiran con mayor facilidad. No obstante, tienen mayores probabilidades que otros niños de presentar episodios de jadeo o asma.

Apnea y bradicardia

Es típico que los bebés prematuros tengan ritmos respiratorios inmaduros que los hacen respirar intermitentemente: diez a 15 segundos de respiración profunda seguidos por pausas de cinco a diez segundos. Este padecimiento se llama respiración periódica.

Si los intervalos de las pausas duran más de diez a 15 segundos, se dice que el bebé presenta un episodio apneico o un periodo A y B. A significa apnea, una pausa en la respiración. B significa bradicardia, el término médico para un ritmo cardiaco lento. En ocasiones, el nivel de oxígeno también cae en forma breve, lo cual se denomina *episodio de desaturación* (*desat*).

Casi todos los bebés nacidos antes de las 30 semanas de edad de gestación presentarán periodos A y B. Esta reducción en la respiración, el ritmo cardiaco y la saturación de oxígeno harán sonar alarmas en el dispositivo de vigilancia de su bebé para alertar al equipo al cuidado de salud del bebé.

Tratamiento

Es típico que la reducción en la respiración, el ritmo cardiaco y la saturación de oxígeno regresen pronto a la normalidad por sí mismos, lo cual se llama periodo A y B autolimitado. Si no lo hacen, es posible que la enfermera estimule con suavidad al bebé frotándolo o moviéndolo para que despierte. En los periodos más graves, el bebé puede necesitar ayuda breve con la respiración. Si su bebé presenta periodos A y B frecuentes, es probable que su médico prescriba un medicamento que le ayude a regular la respiración.

Conducto arterioso permanente

Antes del nacimiento, los pulmones del bebé no se usan y, por tanto, requieren un flujo sanguíneo mínimo. Debido a esto, un vaso sanguíneo corto llamado conducto arterioso desvía la sangre de los pulmones para maximizar el flujo sanguíneo hacia la placenta.

Antes del nacimiento, un compuesto químico llamado prostaglandina E circula en la sangre del bebé, manteniendo abierto el conducto arterioso. En los infantes a término, el nivel de prostaglandina E cae en forma dramática después del nacimiento, haciendo que el conducto arterioso se cierre. Entonces la circulación funciona de manera apropiada.

En ocasiones, sobre todo en los bebés prematuros, la prostaglandina E circula en niveles casi iguales a los originales después del nacimiento. Esto hace que el conducto arterioso permanezca abierto, lo cual puede dar como resultado dificultades respiratorias o circulatorias.

Tratamiento
Este padecimiento con frecuencia se trata con un medicamento que detiene o hace más lenta la producción de prostaglandina E. Si este medicamento no es efectivo, es posible que se necesite una cirugía.

Hemorragia intracraneal
Los bebés prematuros nacidos antes de las 34 semanas de gestación presentan riesgo de sangrado en sus cerebros. Esto se llama hemorragia intracraneal (HIC) o hemorragia intraventricular (HIV). Entre mayor sea la prematurez, mayor será el riesgo de complicaciones. Por tanto, si el parto prematuro parece inevitable, es posible administrar a la madre ciertos medicamentos para ayudar a reducir la probabilidad de una hemorragia intracraneal grave en el recién nacido.

Las hemorragias intracraneales en rangos de menor a significativo ocurren en cerca de un tercio de los bebés nacidos entre las 23 a 26 semanas de edad de gestación. Estos infantes prematuros en exceso poseen vasos sanguíneos delicados e inmaduros que pueden no tolerar los cambios en la circulación que se dan después del nacimiento. El sangrado por lo general ocurre dentro de los primeros tres días. Se detecta con un examen por ultrasonido de la cabeza del bebé.

Tratamiento
Los bebés con grados menores de hemorragia intracraneal sólo requieren observación. Aquellos con grados serios de sangrado pueden ser sometidos a diversos tratamientos. Los bebés con hemorragia intracraneal grave se encuentran en riesgo de presentar problemas del desarrollo como parálisis cerebral, espasticidad y retraso mental.

Enterocolitis necrosante
Por razones que no están del todo claras, algunos bebés prematuros —por lo general los que llevan menos de 28 semanas de gestación— desarrollan un problema serio llamado enterocolitis necrosante. En este padecimiento, una porción del intestino del bebé desarrolla un flujo sanguíneo insuficiente, lo cual puede llevar a una infección de la pared intestinal. Los signos incluyen inflamación del abdomen, intolerancia a ser alimentado, dificultades respiratorias y heces con sangre.

Tratamiento
Los bebés con enterocolitis necrosante pueden tratarse con alimentación intravenosa y antibióticos. En los casos graves, es posible que se requiera una cirugía para eliminar la porción afectada del intestino.

Retinopatía de la prematurez

La retinopatía de la prematurez (RDP) es un crecimiento anormal de los vasos sanguíneos en los ojos de un infante. Es más común en los bebés muy prematuros. La mayoría de los bebés nacidos a las 23 a 26 semanas de edad de gestación, por ejemplo, presentarán por lo menos algo de RDP, y los mayores de 30 semanas de edad de gestación rara vez la presentan.

La RDP resulta de una alteración en el desarrollo de la retina. Dado que durante el periodo fetal la retina se desarrolla desde la parte de atrás del ojo hacia delante, el proceso se completa cerca del momento en que el bebé llega a término. Cuando el infante es prematuro, el desarrollo de la retina aún no ha terminado, lo cual da oportunidad para que una serie de factores lo alteren.

Tratamiento

Si su bebé se encuentra en riesgo de RDP, un especialista ocular (oftalmólogo) puede examinar sus ojos después de las seis semanas de edad. Por fortuna, la mayoría de los casos de RDP son leves y se resuelven sin tratamiento adicional. Los grados más graves de retinopatía con frecuencia se tratan con procedimientos como un tratamiento con láser o crioterapia. Hoy, el desprendimiento de retina y la ceguera son raros, y afectan sólo a los bebés prematuros más pequeños e inestables.

Este mes, también puede interesarle:
- **"Guía de decisión: consideración de la circuncisión para su bebé",** página 355
- **"Guía de decisión: ¿pecho o biberón?",** página 363

Cuando hospitalizan a su bebé

- Pase tiempo tocando y hablando a su bebé.
- Averigüe lo más posible sobre el problema médico del bebé, en especial lo que los padres deben observar y cómo pueden atender ese problema.
- No tema hacer preguntas. La terminología médica puede ser confusa. Pida al médico o la enfermera que le escriban cualquier diagnóstico clave. Pida folletos impresos de información para el paciente o los sitios en internet recomendados para mayor información.
- Tome un papel activo en el cuidado de su bebé, en especial cuando se acerque la fecha en que le darán de alta.
- Pregunte si le pueden dar o enviar una copia del resumen del alta de su bebé del hospital.
- Pregunte si es posible que enfermeras de Salud Pública o visitantes pueden ayudarle con el cuidado de su bebé una vez que vaya a casa.
- Pregunte si su bebé debe inscribirse en algún programa especial de seguimiento o desarrollo para lactantes.
- Busque apoyo. Hable de la situación con su pareja u otros familiares. Invite a familiares y amigos para que se reúnan con usted en el hospital. Pida una cita con el trabajador social del hospital.

CAPÍTULO 14

cuando lleve a su bebé a casa

Por fin, el momento que esperaba ha llegado —¡llevará a casa al miembro más joven de su familia!—. Ya tiene su cuarto y su cuna, compró y pidió prestadas las pequeñas y tiernas ropas, y se proveyó de pañales, toallitas, cobijas y otros artículos. Ha estado pensando en todos los cambios que le traerá a su vida este nuevo bebé, y es probable que sus sentimientos se alteraron entre la emoción y el miedo.

Ahora se pregunta: ¿Estoy lista? ¿Estamos preparados?

Es muy posible que no —y esto es perfectamente normal—. Sin importar cuántos libros sobre embarazo o cuidado del bebé haya leído o qué tan meticulosa fue para tenerlo todo listo, nada puede prepararla por completo para las primeras semanas después del nacimiento de su bebé. Esta temporada puede ser emocionante —y agobiante.

Durante las semanas posteriores al parto, enfrentará al mismo tiempo muchos aspectos físicos, prácticos y emocionales diferentes. Se estará acostumbrando a su nuevo bebé e intentando comprender sus necesidades y hábitos. Al mismo tiempo, su cuerpo se está recuperando del embarazo y del parto.

Dados todos estos cambios, es probable que las primeras semanas después de llevar al bebé a casa sean unas de las épocas más difíciles de su vida. Quizá tarde meses o incluso un año en sentir que recuperó la normalidad. Sea paciente consigo misma y su bebé. Logrará lo que quiere a su manera y a su propio tiempo.

Este capítulo le proporciona un vistazo del mundo de su recién nacido y le indica lo que necesita saber para cuidar de su bebé y mantenerlo seguro. Tener un nuevo bebé en su vida es una experiencia especial y transformadora de la existencia. Al cuidar bien de su bebé y de usted misma, podrá disfrutarlo.

El mundo de su bebé

En las primeras semanas de vida de un recién nacido puede parecer que todo lo que éste hace es comer, dormir, llorar y mantenerla ocupada cambiando pañales. Pero su bebé también está percibiendo las imágenes, los sonidos y los olores de su nuevo mundo, está aprendiendo a usar sus músculos y está expresando un sinúmero de reflejos innatos.

Tan pronto como nace, el bebé comienza a comunicarse con usted. Los infantes no pueden usar palabras para comunicar sus necesidades, estados de ánimo o preferencias, pero tienen otras maneras de expresarse, en especial llorando.

No siempre sabrá cómo se siente su recién nacido y a veces parecerá como si éste se estuviera comunicando con un lenguaje extraño, pero puede aprender de la manera en que el bebé percibe el mundo y forma relaciones con usted y los demás. A su vez, el bebé aprenderá el lenguaje del tacto, las caricias, los sonidos y los gestos faciales.

El llanto

El llanto es la primera y la más básica forma de comunicación que usan los recién nacidos. Los bebés lloran mucho —es típico que los bebés pequeños lloren un promedio de una hasta cuatro horas al día—. Ésta es una parte normal de ajustarse a la vida fuera del útero.

Las razones comunes para el llanto incluyen:

- **Hambre.** La mayoría de los bebés comen de seis a 10 veces en un periodo de 24 horas. En general, durante los primeros tres meses, los bebés se despiertan para alimentarse de noche.
- **Incomodidad.** Su bebé llorará cuando sus pañales estén mojados o sucios, cuando tenga gases o indigestión, y cuando su temperatura o su posición son incómodas. Cuando los bebés están incómodos, pueden buscar algo que chupar; pero la alimentación no eliminará la incomodidad y es probable que el chupón ayude sólo por un rato. Cuando la incomodidad pase, su bebé se tranquilizará.
- **Aburrimiento, miedo o soledad.** A veces, el bebé llorará porque está aburrido, asustado o solitario, y desea que lo tengan en brazos y lo mimen. Un bebé que busca consuelo puede calmarse con la tranquilidad que le da verla, escuchar su voz, sentir sus manos, estar con usted, que lo mimen o le ofrezcan algo que chupar.
- **Cansancio o estímulo excesivos.** Llorar ayuda a un bebé demasiado cansado o excitado a eliminar las imágenes, los sonidos u otros tipos de sensaciones. También le ayuda a aliviar la tensión. Quizá note que los periodos de agitación del bebé ocurren en momentos predecibles del día, con frecuencia desde el atardecer hasta la medianoche. Parece que nada de lo que pueda hacer en estos momentos lo consuela, pero después es posible que su bebé esté más alerta que antes y es posible que después su sueño sea más profundo. Este tipo de llanto nervioso parece ayudar a los bebés a liberarse del exceso de energía.

A medida que madura su bebé, podrá distinguir los diferentes mensajes del llanto de éste.

Cómo tranquilizar a un bebé que llora

En general, responda con rapidez al llanto de su bebé cuando éste llore durante sus primeros meses. No lo echará a perder por hacerlo. Los estudios demuestran que los recién nacidos que obtienen respuestas rápidas y cálidas cuando lloran aprenden a llorar menos en general y duermen más en la noche.

Cuando el llanto parece incesante, revise una lista simple para determinar lo que quizá necesita su bebé:

- ¿Tiene hambre?
- ¿Necesita un pañal limpio?
- ¿Necesita eructar?
- ¿Tiene demasiado calor o frío?
- ¿Debe cambiarlo a una posición más cómoda? ¿Algo estará pellizcándolo, picándolo o apretándolo?
- ¿Necesitará sólo chupar algo como un dedo o un chupón?
- ¿Necesita cuidados tiernos: que alguien lo cargue y camine con él, mecerse, acurrucarse, caricias, un masaje, palabras dulces, que le canten o tararéen una canción?
- ¿Ha habido demasiada emoción o un exceso de estímulo? ¿Necesita sólo llorar un poco?

Trate de cubrir primero las necesidades más urgentes del bebé. Si el hambre parece ser el problema, aliméntelo. Si está llorando, con gritos agudos o como si estuviera asustado, revise que no haya algo que lo esté picando o pellizcando.

Si su bebé está caliente, seco, bien alimentado y descansado, pero sigue llorando, estas sugerencias pueden ayudar:

- Intente envolver al bebé en forma más ajustada con una cobija, como le mostramos aquí.

Paso 1. *Levante una esquina de la cobija y estírela. Doble la cobija a través del cuerpo del bebé con un brazo acomodado adentro. Meta esa esquina ajustándola debajo de las nalgas del bebé.*

Paso 2. *Doble la punta de abajo hacia arriba, dejando espacio para que las piernas del bebé se muevan con libertad.*

Paso 3. *Levante la otra esquina de la cobija, estírela y métala bajo el bebé. Deje una mano y un brazo libres.*

Paso 4. *Aah... un cómodo paquete.*

- Hable con dulzura o cante suavemente para su bebé, cara a cara con éste.
- Utilice un movimiento suave, como mecer al bebé en sus brazos, caminar con él acomodado sobre su hombro o llevarlo en una carriola frente a usted
- Acaricie con suavidad la cabeza del bebé o frote o dé palmaditas sobre su pecho o espalda.
- Sostenga al bebé boca abajo sobre su regazo.
- Sostenga al bebé en posición erecta sobre su hombro o contra su pecho.
- Coloque al bebé en su asiento para el automóvil y llévelo a pasear.
- Dé al bebé un baño tibio o ponga una botella de agua tibia —no caliente— sobre su estómago.
- Ponga música suave.
- Salga —lleve a su bebé a pasear en su carriola.
- Ofrezca al bebé su dedo o un chupón para que succione mientras lo mece o camina en forma rítmica.
- Reduzca el ruido, el movimiento y las luces en el área donde se encuentra su bebé. O trate de introducir ruido blanco, como el sonido continuo y monótono de una aspiradora o una grabación de olas de mar. Esto con frecuencia relaja y arrulla a los bebés al bloquear otros ruidos.

Si su bebé está seco, satisfecho, cómodo y bien envuelto, pero sigue llorando, es posible que necesite un periodo de diez a 15 minutos de soledad. Manténgase a una distancia donde pueda oírlo y verifique desde lejos que está bien en intervalos de unos cuantos minutos. Aunque a muchos padres les cuesta trabajo dejar llorar a su bebé, esto puede dar al infante la oportunidad de calmarse y liberar tensiones.

Recuerde que no siempre será capaz de calmar a su bebé, en especial cuando la inquietud es sólo una manera de liberar tensión. Los bebés lloran. Es una parte normal de éstos. Tenga la seguridad de que el llanto no durará para siempre —los lapsos que su bebé pasa llorando por lo general llegan a su máximo alrededor de las seis semanas después del nacimiento, y luego disminuyen en forma paulatina.

También es parte normal de ser padres sentir que el exceso de llanto es frustrante. Haga arreglos con familiares, amigos y niñeras para que cuiden de su bebé y le den respiros muy necesarios. Incluso un descanso de una hora puede renovar sus fuerzas para cuidar del bebé.

Si el llanto de su bebé le hace sentir fuera de control, ponga a su bebé en un lugar seguro, como una cuna. Luego, llame de inmediato a su proveedor de cuidados de salud, la sala de urgencias del hospital, un servicio local de intervención en crisis o una línea de ayuda de salud mental.

¿Llanto normal o cólico?

Todos los bebés tienen periodos de inquietud, pero algunos de ellos lloran mucho más que otros. Si su bebé está sano pero tiene episodios frecuentes de inquietud, en especial durante la tarde, o presenta episodios de llanto inconsolable durante tres o más horas al día, es probable que tenga cólico. Éste no es un trastorno físico ni una enfermedad —*cólico* es sólo el término para designar los ataques recurrentes de llanto difíciles de aliviar.

El llanto de un bebé con cólico no se debe sólo al hambre, a un pañal mojado o a cualquier otra causa aparente, y no es posible calmar al bebé. Los expertos no están seguros sobre las causas de este problema. Es típico que el cólico alcance su máximo alrededor de las seis semanas después del nacimiento y por lo general desaparece alrededor de los tres meses.

No obstante, recuerde que es posible que la inquietud no se deba a un cólico sino que se trate de un signo de enfermedad. De cualquier forma, los bebés con cólico tienen apetito normal, disfrutan que los mimen y los toquen, y presentan heces normales.

Cómo enfrentar un cólico

Para los padres de un bebé con cólico puede parecer que éste nunca pasará de esta fase. Es común que se sientan frustrados, enojados, tensos, irritables, preocupados y fatigados.

No hay ningún tratamiento que proporcione alivio en forma consistente a los infantes con cólico. Experimente con los diversos métodos para calmar al bebé que aparecen en las páginas 227-228, e intente no sentirse desanimado si muchos de sus esfuerzos parecen fútiles. El bebé superará el cólico con el tiempo.

Entre más relajada se mantenga, más fácil le será consolar a su bebé. Escuchar el llanto de un recién nacido puede producir una agonía, pero su propia ansiedad, frustración o pánico sólo incrementarán el malestar del infante.

Tome un descanso y deje que otros cuiden al bebé para que pueda relajarse. A veces, una nueva cara puede calmar al bebé cuando usted ya agotó todos sus recursos.

Consulte al proveedor de cuidados de salud de su bebé acerca del llanto si:
- Su bebé parece llorar por un tiempo excesivo.
- El llanto tiene un tono extraño para usted.
- El llanto está relacionado con una reducción de la actividad, problemas para alimentarse o respiración o movimientos desacostumbrados para respirar.
- El llanto va acompañado de otros signos de enfermedad, como vómito, fiebre y diarrea.
- Uno de los progenitores u otra persona tiene problemas para enfrentar el llanto del bebé.

También puede llamar a una línea de ayuda de emergencia como la que ofrece Childhelp USA: (800) 4-A-CHILD, o (800) 422-4453. Para mayor información, vaya al sitio en red de Childhelp en *www.childhelpusa.org/report_hotline.htm*.

No importa cuán impaciente o enojada se sienta, nunca sacuda a un bebé ni deje que nadie lo haga. Sacudir a un lactante puede causar ceguera, daño cerebral o incluso la muerte.

Comer y dormir

Dos aspectos importantes de la actividad de un recién nacido son comer y dormir. Dado que la mayor parte de la energía de un bebé se invierte en el crecimiento, gran parte del tiempo en que está despierto lo invierte en comer.

Durante las primeras semanas, la mayoría de los bebés tiene hambre de seis a 10 veces en el transcurso de 24 horas. Sus estómagos no conservan la suficiente leche materna o fórmula para sentirse satisfechos por mucho tiempo. Esto significa que podría alimentar a su bebé cada dos a tres horas, incluyendo la noche. Pero hay una variación tremenda entre los lactantes respecto a la frecuencia con que comen o la cantidad que ingieren.

Es probable que su bebé no tenga una rutina alimentaria al principio. Aunque puede hacer un cálculo general del tiempo que transcurre entre las comidas, el horario del bebé será variable. Durante los lapsos de mayor crecimiento, se alimentará con mayor frecuencia durante un día o dos.

Pronto aprenderá a leer las señales que indican que su bebé está hambriento, como llorar, abrir la boca, succionar, ponerse un puño en la boca, inquietud y voltear hacia sus mamas. Los bebés también le harán notar que están satisfechos sacando el pezón o el chupón del biberón de su boca o volteando su cabeza.

Lo mismo que con la comida, los recién nacidos toman un tiempo para adquirir un horario de sueño. Durante el primer mes, por lo general duermen y se despiertan durante todo el día, con periodos de sueño relativamente iguales entre cada comida.

Además, los recién nacidos no conocen la diferencia entre noche y día. Les toma un tiempo desarrollar ritmos circadianos —los patrones de sueño-vigilia y otros horarios que se distribuyen en un ciclo de 24 horas—. A medida que va madurando el sistema nervioso del bebé, también lo hacen sus fases de sueño y vigilia.

Patrones y ciclos de sueño

Aunque los recién nacidos por lo general no duermen por más de cerca de cuatro horas y media por vez, en conjunto duermen doce o más horas al día. Permanecerán despiertos el suficiente tiempo para alimentarse o hasta dos horas antes de volverse a dormir. Para el momento en que su bebé tenga dos semanas de edad, es probable que note que se alargan los periodos de sueño y vigilia. Alrededor de los tres meses, muchos bebés desplazan la mayor parte de sus horas de sueño a la noche. Pero cada bebé es único, y es posible que algunos no duerman toda la noche hasta que cumplan un año o más de edad.

Podrá ayudar a que el reloj corporal de su bebé se acostumbre a dormir de noche siguiendo estos consejos:

- Evite estimularlo durante la alimentación nocturna y los cambios de pañal. Mantenga las luces bajas, use una voz suave y resista la tentación de jugar o hablar con su bebé, de manera que refuerce el mensaje de que la noche es para dormir.
- Comience a establecer algún tipo de rutina para ir a la cama. Ésta puede incluir leer, cantar o un rato de paz durante una hora antes de acostar a su bebé.

Para alimentar a un bebé con sueño

Muchos pediatras opinan que los padres no deben dejar que los recién nacidos duerman durante periodos largos sin alimentarse, pero sin duda habrá veces en que su bebé despierte para comer sólo para quedarse dormido justo cuando empieza a alimentarlo.

Párpados que se cierran, frotamiento de ojos e inquietud son signos comunes para detectar que un bebé está cansado. Muchos bebés lloran cuando los acuestan para dormir, pero si se les deja solos por unos cuantos minutos, la mayoría acaba por calmarse por sí solos.

Si su bebé no está mojado, hambriento o enfermo, trate de ser paciente con el llanto y fomente que se tranquilice solo. Si sale de la habitación por un momento, es probable que su bebé deje de llorar después de un rato. Si no, trate de consolarlo y permita que se tranquilice de nuevo.

En los primeros meses, es común que se desarrolle un patrón en el cual se alimenta al bebé y éste cae dormido en brazos de sus padres. Muchos progenitores disfrutan la cercanía y el contacto de estos momentos, pero puede suceder que ésta se convierta en la única manera en que el bebé puede dormirse. Cuando el bebé despierta a mitad de la noche, no podrá volver a dormirse si no lo alimentan y lo toman en brazos.

Para evitar estas asociaciones, ponga a su bebé en la cama mientras está adormilado pero aún despierto. Si los bebés se duermen en su cama solos sin ayuda cuando se les acuesta por primera vez, es más fácil que vuelvan a dormirse después de despertar en medio de la noche.

Los bebés que se despiertan a mitad de la noche no necesariamente se sienten mal. Es típico que los infantes lloren y se inquieten cuando entran en los diferentes ciclos del sueño. Los padres a veces confunden estos signos con el hecho de que el bebé se despertó y comienzan a alimentarlo sin necesidad. En lugar de ello, espere algunos minutos para ver si su bebé vuelve a dormirse.

Pruebe estos consejos para alimentar a un bebé con sueño
- Espere y aproveche las etapas en que su bebé está alerta. Aliméntelo en esos momentos.
- Un bebé dormido puede moverse, buscar con su boca o agitarse un poco cuando tiene hambre. Si su bebé duerme por más de tres horas, observe con cuidado si se presentan estos signos sutiles. Si está medio despierto, enderécelo y estimúlelo con suavidad para que coma.
- Desvista en parte a su bebé. Dado que su piel es sensible a los cambios de temperatura, es posible que al refrescarse pueda despertar suficiente tiempo para comer.
- Coloque a su bebé como si estuviera sentado y balancéelo. Es frecuente que los ojos de éste se abran cuando se encuentra en posición erecta.
- Dé masaje a su bebé pasando sus dedos por su columna vertebral.
- Trace varias veces un círculo rodeando los labios de su bebé suavemente con la punta de un dedo.

Consulte con el proveedor de cuidados de salud de su bebé acerca del sueño y la alimentación si:
- Por lo general es difícil despertar a su bebé, éste duerme todo el tiempo mientras se le está alimentando o parece no estar interesado en comer.

Orinar y defecar

Los nuevos padres con frecuencia se preguntan qué es normal respecto a la micción y las deposiciones de su bebé. Para el tiempo que un bebé tiene tres o cuatro días de nacido, debe presentar por lo menos seis pañales mojados al día. A medida que crece, quizá moje sus pañales cada vez que se alimenta. No obstante, si el bebé está enfermo o tiene fiebre o el clima es muy caliente, la producción acostumbrada de orina puede reducirse a la mitad y aún ser normal.

Si la producción de orina se reduce cuando el bebé está enfermo, en especial si éste vomita o se siente mal, podría ser indicación de deshidratación. En niños mayores, la presencia de lágrimas podría sugerir hidratación adecuada, pero, en los lactantes pequeños, las lágrimas no sirven como una guía confiable. Así que si le preocupa la deshidratación en el bebé, haga que su proveedor de cuidados de salud lo examine.

En un lactante sano, la orina es de color amarillo claro hasta oscuro. A veces, la orina muy concentrada se seca en el pañal y adquiere un tono rosado, que puede confundirse con sangre. No obstante, la presencia real de sangre en la orina o manchas sanguinolentas en el pañal son causas de preocupación.

En cuanto al excremento, el rango de normalidad es bastante amplio y varía de un bebé a otro. Es posible que los bebés tengan una evacuación tan frecuente como después de cada alimento, con tan poca frecuencia como una vez por semana, o sin patrón consistente. Para las tres a seis semanas de edad, es posible que algunos bebés amamantados sólo tengan una evacuación por semana porque la leche materna deja pocos desechos sólidos para ser eliminados del sistema digestivo. Si se alimenta al bebé con fórmula, es probable que presente por lo menos una evacuación al día.

Si está amamantando, las heces del bebé serán semejantes a mostaza ligera con pequeñas partículas parecidas a semillas. Serán suaves y ligeramente fluidas. Las heces de un lactante alimentado con fórmula por lo general son de color canela o amarillo y más firmes que las de un bebé alimentado con leche materna, pero no más firmes que la crema de cacahuate. Son normales las variaciones ocasionales en el color y la consistencia. Los diferentes colores pueden indicar la rapidez con la cual pasaron las heces por el tracto digestivo o lo que comió el bebé. Las heces pueden ser color amarillo, verde, naranja o café.

La diarrea leve es común en los recién nacidos. Las heces pueden ser acuosas, frecuentes y estar mezcladas con moco. El estreñimiento por lo general no es un problema para los lactantes. Es posible que los bebés pujen, gruñan y se pongan rojos durante las evacuaciones, pero esto no significa que estén estreñidos. El bebé está estreñido cuando las evacuaciones son poco frecuentes, y las heces son duras y quizá incluso en forma de pelota.

Consulte al proveedor de cuidados de salud de su bebé acerca de la orina y el excremento si:
- Nota cualquier signo de malestar cuando su bebé orina
- Su bebé moja menos de cuatro pañales al día
- La orina del bebé es muy oscura o tiene un olor muy fuerte
- Detecta sangre en la orina o una mancha sanguinolenta en el pañal
- Su bebé parece tener dificultades continuas con las evacuaciones
- Su bebé sólo presenta heces duras o en forma de pelota

- Su bebé se alimenta con fórmula y tiene menos de una evacuación al día
- Nota un cambio drástico en los patrones de evacuaciones del bebé
- Observa sangre, moco o agua en las heces
- La diarrea es grave o persistente, y el área del pañal se observa roja e inflamada

Los reflejos de su bebé

Los recién nacidos apenas están aprendiendo a disfrutar la libertad de movimiento fuera del sitio estrecho del útero. En sus primeros días pueden parecer un poco renuentes a experimentar con su nueva movilidad y prefieren estar envueltos y ser sostenidos de forma apretada. No obstante, con el tiempo comenzarán a explorar una gama de movimientos.

Los bebés nacen con un número de reflejos (movimientos automáticos e involuntarios). Algunos de estos movimientos —como volver la cabeza para evitar sofocarse— parecen ser respuestas de protección. Algunos pueden estar preparando a los bebés para los movimientos voluntarios. La mayoría de los reflejos disminuyen después de unas cuantas semanas o meses, y luego desaparecen por completo al ser reemplazados con habilidades nuevas y aprendidas.

Mientras tanto, esté pendiente de algunos de estos reflejos:

- **Girar.** Este reflejo hace que los bebés giren en dirección de la fuente de alimento, sea el pecho o el biberón. Si acaricia con suavidad la mejilla de un recién nacido, éste volteará en esa dirección, con la boca abierta, listo para succionar.
- **Succión.** Cuando un pecho, el biberón o un chupón se colocan en la boca de un bebé, éste succionará en forma automática. Este reflejo no sólo ayuda al recién nacido a comer, sino que puede calmarlo.
- **Mano a boca.** Los bebés tratarán de encontrar sus bocas con sus manos. Este reflejo puede ser la razón por la cual muchos bebés llevan sus manos al pecho o al biberón.
- **Dar pasos.** Cuando uno sostiene a su bebé bajo sus brazos y deja que las plantas de sus pies toquen el piso, pueden colocar un pie delante del otro como si caminaran. Este reflejo es más evidente alrededor del cuarto día y desaparece cerca de los dos meses. La mayoría de los bebés no aprende realmente a caminar hasta casi un año después.
- **Alarma (reflejo de Moro).** Cuando un ruido o un movimiento repentino asusta al bebé, éste puede lanzar ambos brazos hacia fuera y llorar. Notará esto si pone al bebé demasiado rápido en la cuna o la carreola.
- **De esgrima (reflejo tónico del cuello).** Si voltea la cabeza de su bebé hacia un lado mientras éste yace sobre su espalda, quizá vea esta pose clásica de los lactantes. En ella un brazo se encuentra torcido y elevado por atrás de la cabeza, y el otro está derecho y extendido alejándose del

cuerpo en la dirección en que está volteada la cabeza. En ocasiones, el puño del bebé sujeta un mechón de cabello y no lo suelta.

• **Sonrisa.** En las primeras semanas de vida, la mayoría de las sonrisas de un recién nacido son involuntarias, pero no pasará mucho tiempo antes de que éste comience a sonreír en respuesta a una persona o estímulo.

Si es observadora, notará algunos de estos reflejos, pero no se preocupe si no los nota. Su proveedor de cuidados de salud puede verificarlos durante los exámenes físicos.

Si lo desea, puede fomentar el movimiento del bebé moviendo en círculo sus brazos y piernas con suavidad mientras está acostado boca arriba, o puede dejarlo que patee sus manos o un juguete que haga ruido al presionarlo.

Los sentidos de su bebé

Es un mundo nuevo para su bebé y todos sus sentidos se están avivando para explorarlo y comprenderlo. Notará cuando un objeto, luz, sonido, olor o textura llama su atención. Observe cómo se calma o se queda quieto cuando llega algo nuevo.

Visión

Su recién nacido es miope y ve mejor a los 30.5 a 45.5 centímetros. Ésta es la distancia perfecta para ver lo más importante para un bebé —las caras de sus padres cuando lo sostienen o alimentan—. A su bebé le encantará fijar la vista en su cara, y éste será su entretenimiento favorito por un periodo. Dé a su bebé suficiente tiempo para que la observe cara a cara y se familiarice con usted.

Además de las caras humanas, los recién nacidos también están interesados en el brillo, el movimiento y los objetos simples con mucho contraste. Muchas jugueterías venden juguetes, móviles y objetos de decoración para el cuarto del bebé en blanco y negro y colores brillantes.

Dado que los recién nacidos no pueden controlar por completo sus movimientos oculares, es posible que en ocasiones parezca que son bizcos, o que sus ojos momentáneamente se desvían hacia fuera y parezcan estrábicos divergentes. Esto es normal. Los músculos oculares del bebé se fortalecerán y madurarán en los siguientes meses.

Cuando su bebé esté tranquilo y alerta, proporciónele objetos simples para que los mire. Pruebe moviendo un objeto despacio hacia la izquierda o la derecha frente a él o ella. La mayoría de los bebés seguirán en forma breve con la mirada y a veces con la cabeza los objetos en movimiento frente a sus ojos. Pero no sobrecargue al bebé —un objeto por vez es suficiente—. Si su bebé está cansado o hiperestimulado, no querrá participar en el juego.

Consulte al proveedor de cuidados de salud de su bebé acerca de la visión si:
• Los ojos de su bebé tienden a juntarse o divergir cada vez más
• Los ojos de su bebé tienen una apariencia opaca o nublada
• Los ojos de su bebé parecen vagar al azar y rara vez se enfocan
• Tiene otras preocupaciones sobre la capacidad de ver de su recién nacido

Oído

Una vez que nace el bebé, habrá nuevos sonidos que capturen su atención. En respuesta a éstos, los bebés pueden dejar de succionar, abrir más los ojos o quedarse quietos. Pueden sobresaltarse con un ruido fuerte como el ladrido de un perro, y quizá los tranquilice el sonido de una aspiradora o el ruido del motor de una secadora de ropa; pero los bebés pueden adaptarse con facilidad o bloquear los ruidos, de manera que es posible que reaccionen ante un sonido particular sólo una o dos veces.

Los recién nacidos pueden notar la diferencia entre la voz humana y otros sonidos. Los bebés sienten gran curiosidad respecto a la voz de sus padres. Es posible que su bebé aprenda pronto a relacionar su voz con la comida, la calidez y el contacto. Escuchará con cuidado mientras le habla, e incluso los bebés disfrutan que les lean o la música. Háblele siempre que pueda. Aunque no entenderá lo que le dice, el sonido de su voz le da seguridad y calma.

Las mejorías en las pruebas de audición han hecho posible la evaluación auditiva de un recién nacido. Muchos hospitales realizan ahora de rutina estas pruebas. Si no se las ofrecen donde dé a luz, quizá desee pedir a su proveedor de cuidados de la salud que la refiera con un audiólogo para que evalúe el oído de su recién nacido. Esto tiene especial importancia si alguien en la familia padece problemas de audición.

Tacto

Los bebés son sensibles al tacto y pueden detectar diferencias en la textura, presión y humedad. Responden con rapidez a los cambios de temperatura, pueden sobresaltarse cuando el aire frío toca su piel y tranquilizarse de nuevo cuando se les envuelve y entran en calor. El contacto con usted les da comodidad y seguridad, y puede despertar a un bebé soñoliento para que se alimente.

Olfato y gusto

Los infantes tienen un buen sentido del olfato. Incluso cuando son muy pequeños, pueden reconocer a su madre por el olor. Pueden mostrar interés en un nuevo olor mediante un cambio en el movimiento o actividad, pero se familiarizan con facilidad con los nuevos olores y dejan de reaccionar ante ellos.

El sentido del gusto está relacionado en forma estrecha con el del olfato. Aunque los recién nacidos no se exponen a muchos sabores más allá de la leche materna o la fórmula, los estudios muestran que, desde el nacimiento, los bebés prefieren los sabores dulces a los amargos o ácidos.

Cuidado básico del bebé

Es probable que, durante su embarazo, la mayor parte de su preparación y aprendizaje se concentrara en el parto. Fue un tiempo de expectativas y sueños antes de ver a su bebé por primera vez. Una vez que pasa la excitación por el alumbramiento y se encuentra en camino a casa desde el hospital, puede tomar conciencia de que su pareja y usted se encuentran solos ahora con una personita cuya vida depende de ustedes. Es normal preguntarse cómo cuidará de su bebé, y que se sienta nerviosa o ansiosa respecto a ello.

No hay duda de que se convertirá en una experta en cambiar pañales, maniobrar el asiento del auto y bañar al bebé. Las siguientes secciones le proporcionan las bases que necesita para iniciarse en el cuidado de su bebé y la seguridad de su hogar.

Cómo usar el asiento del auto

Una de las piezas más importantes del equipo de los bebés es el asiento del auto, el cual usará de inmediato, comenzando con el primer viaje de su bebé del hospital a la casa. Todos los estados exigen el uso de asientos para los bebés, y el uso correcto y consistente de éstos es una de las mejores maneras en que los padres pueden proteger a sus hijos. Nunca es seguro sostener a un infante o niño en su regazo en un vehículo en movimiento.

Un bebé nunca debe viajar en un asiento que vea hacia atrás en un asiento delantero de un auto con bolsas de aire para pasajeros. El lugar más seguro para que viajen todos los niños es el asiento trasero.

Los dos tipos de asientos para auto para infantes son los que son sólo para bebés y los convertibles, donde se pueden acomodar tanto bebés como preescolares. Cualquiera que sea el tipo que use, asegúrese de instalarlo viendo hacia atrás, la cual es la única posición segura para los lactantes en los autos. Cuando su bebé alcance el año de edad y pese por lo menos nueve kilogramos o más, dependiendo del modelo de asiento para auto, podrá cambiar por un asiento más grande o voltear el asiento convertible de manera que el niño esté sentado mirando hacia el frente del auto. Hasta ese momento, los músculos del cuello no son muy fuertes. En una colisión, un bebé que mira hacia el frente está en mayor riesgo de sufrir daño en cara y cuello debido a que la cabeza puede ser impulsada hacia delante.

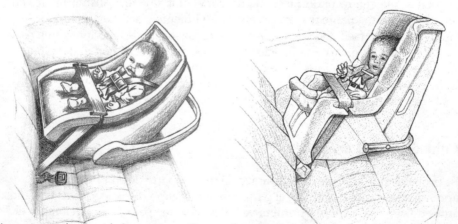

Los asientos de seguridad para autos sólo para lactantes (izquierda) son más adecuados para los recién nacidos, pero los asientos convertibles (derecha) pueden utilizarse por más tiempo

REGISTRO DE SU ASIENTO PARA AUTO Y RETIROS DEL MERCADO

Cuando compre un asiento de seguridad para el auto, regístrelo empleando la tarjeta de registro que viene con éste. De esa manera, el fabricante podrá informarle si el modelo de su asiento para bebé ha sido retirado del mercado.

Podrá averiguar si un modelo más viejo de asiento para auto ha sido retirado del mercado llamando al fabricante o a la Línea de Emergencias de Seguridad Automovilística del Departamento de Transporte (en EUA), (888) DASH-2-DOT o (888) 327-4236. Esta información también está disponible en línea en *www.nhtsa.dot.gov/cars/problems/recalls/index.cfm.*

Asientos sólo para lactantes

Se utilizan para bebés que pesan hasta nueve kilogramos o más, dependiendo del asiento de seguridad. Son los mejores para recién nacidos y pueden ser los más adecuados para infantes prematuros. Muchos modelos vienen con una base desmontable, lo cual le permite meter y sacar al bebé del auto junto con el asiento sin necesidad de reinstalar la base. La base se sujeta en el auto, y el asiento se monta con facilidad en su base.

Los asientos para auto sólo para lactantes vienen con un arnés de tres o de cinco puntas, el cual está hecho de bandas que aseguran a su bebé al asiento. Un arnés de tres puntas se ajusta firmemente entre las piernas del bebé, y el de cinco puntas viene de los dos lados de las caderas para engancharse en la pieza de la entrepierna. Una ventaja del arnés de cinco puntas es que proporcionan más estabilidad que los de tres puntas. Permiten que hasta el bebé más pequeño se acomode bien dentro de un asiento para auto.

Asiento convertible

Son más grandes y pesados que los creados sólo para lactantes, y pueden ser utilizados por más tiempo y por niños más pesados, de hasta 18 kilogramos. Aunque ahorrará algún dinero empleando un asiento convertible, el asiento sólo para lactantes puede ser más fácil de usar y puede ser más adecuado para un recién nacido.

Los asientos convertibles tienen uno de tres tipos de arneses:
- Un arnés de cinco puntas hecho de cinco bandas —dos en los hombros, dos en las caderas y una en la entrepierna.
- Un escudo situado arriba de la cabeza que se baja y rodea al niño.
- Un escudo en T —un escudo en forma de T o triangular adosado a las bandas de los hombros.

Si está utilizando un asiento convertible para un lactante pequeño, lo mejor es usar uno con arnés de cinco puntas. La cara de un niño pequeño puede golpearse con el escudo en un choque.

Elección de un asiento para auto

¿Cómo sabrá qué asiento para auto comprar? Ningún asiento es el mejor ni el más seguro. El más adecuado es el que es apropiado para el tamaño y peso de su bebé y puede instalarse de manera correcta en su auto. Elija un asiento cuya etiqueta diga que cumple con el Estándar Federal de Seguridad de Vehículos de Motor 213 (FMVSS 213) o lo excede.

CONSEJOS DE SEGURIDAD PARA LOS ASIENTOS DE AUTO

Los siguientes son algunos consejos para el uso e instalación de los asientos para niños:
- Nunca sustituya un asiento de seguridad para bebés en el coche por cualquier otro asiento normal del bebé. Los asientos normales sólo sirven para que el lactante se siente —no están diseñados para proteger a un bebé en un choque—. No obstante, algunos asientos para auto también pueden funcionar como asientos normales para bebé.
- Los asientos de seguridad para niños siempre deben colocarse en el asiento trasero del vehículo.
- Los asientos de seguridad deben estar orientados hacia la parte trasera del vehículo, por lo menos hasta que su hijo tenga un año de edad y pese por lo menos nueve kilogramos. Se recomienda dejar el asiento orientado hacia atrás mientras el límite de peso lo permita.
- Los asientos de seguridad nunca deben instalarse en un asiento con bolsa de aire.
- Lea el manual del propietario de su vehículo y el manual de instrucciones del asiento para el auto para asegurarse de que está instalando el asiento en la forma correcta.
- Familiarícese con el sistema de cinturones o de anclas del asiento trasero de su vehículo. Los asientos para el auto y los autos más recientes usan un sistema de anclas llamado LATCH (por sus siglas en inglés: anclas y correas bajas para niños), el cual hace que la instalación sea más fácil porque no tendrá que usar los cinturones del auto para asegurar el asiento. Pero a menos que su auto y su asiento para bebé cuenten con este sistema de anclas, aún tendrá que utilizar los cinturones del auto para asegurar el asiento del bebé.

Examine varios modelos diferentes. Cuando encuentre un asiento que le guste, pruébelo. Trate de ajustar los arneses y hebillas. Asegúrese de que comprende la forma de usarlo. Si es posible, intente instalar el asiento de seguridad en su vehículo antes de comprarlo. Elija un asiento que pueda sostenerse apretadamente contra el respaldo del asiento del auto. Un asiento de seguridad tapizado con tela puede ser más confortable para su bebé.

Si decide pedir prestado un asiento de seguridad o comprar uno usado, asegúrese de que sea seguro. No utilice un asiento de seguridad que:
- Estuvo en un choque
- Tiene más de seis años
- Carece de etiquetas
- No trae instrucciones
- Tiene grietas o está oxidado
- Le faltan piezas
- Ha sido retirado del mercado

Cómo sostener y transportar a su bebé

Al principio puede sentirse un poco extraña o nerviosa cuando sostenga o transporte a su bebé, pero con el tiempo se sentirá más y más cómoda, y pronto aprenderá las posiciones que le gustan a él —cada uno tiene sus preferencias—. Los recién nacidos por lo general disfrutan que sus madres los sostengan cerca de su cuerpo, pues el calor de éste los tranquiliza. También se sienten seguros y calmados cuando se les acuna en el doblez del codo, con su cabeza, piernas y brazos firmemente apoyados.

- Cuando el asiento de seguridad está instalado de la manera adecuada, no es posible moverlo más de 2.5 centímetros de un lado a otro o hacia delante y detrás.
- Incline el asiento de seguridad que mira hacia atrás de manera que esté reclinado en el ángulo especificado por las instrucciones del fabricante, por lo general 45 grados.
- Verifique que el arnés esté bien ajustado. No debe ser capaz de meter más que un dedo entre el arnés del torso y el bebé.
- Asegúrese de que las bandas del arnés estén planas y sin torceduras. Las bandas deben estar sobre o debajo de los hombros del bebé. Si le proporcionan un broche de plástico para el arnés, colóquelo al nivel de las axilas para sostener las bandas de los hombros en su lugar.
- Siempre mantenga abajo el asa para transportar el asiento para auto sólo para lactantes cuando el asiento esté en el vehículo.
- Para evitar que un recién nacido se agache, enrolle un par de pequeñas cobijas o pañales de tela y remátalos a los lados del cuerpo y la cabeza del bebé. Si este último aún se hunde, coloque un pañal enrollado entre sus piernas. Nunca ponga cojines ni rollos de cabeza detrás o debajo del bebé.
- Vista a su bebé con ropas que mantengan libres sus piernas. Si desea cubrirlo, ponga una cobija sobre él después de asegurarlo en el asiento de seguridad con el arnés abrochado y ajustado a su medida.
- Asegúrese de emplear el asiento de la manera correcta cada vez que use el vehículo.

Durante los primeros meses de vida, los bebés difieren en su capacidad de controlar los músculos del cuello y la cabeza. Hasta que esté segura de que su bebé puede sostener bastante bien su cabeza, levántelo con suavidad y despacio para que su cuerpo esté apoyado y su cabeza no caiga hacia atrás. Al acostar a su bebé, apoye con cuidado su cabeza y cuello con una mano, y sus glúteos con la otra.

Con la experiencia descubrirá la mejor posición para calmar y tranquilizar a un bebé inquieto. Quizá trate de sostenerlo colocándolo a lo largo de su brazo, boca abajo, con la cabeza del bebé en el doblez de su codo, y sosteniendo la entrepierna con la mano. O quizá lo sostenga cara abajo sobre su regazo, con su estómago apoyado contra su muslo. Otra posición cómoda es que usted se acueste sobre su espalda y coloque a su bebé boca abajo sobre su pecho mientras le frota con suavidad la espalda.

Es probable que su bebé también desarrolle una preferencia sobre la manera en que desea que lo transporten. Algunos infantes disfrutan ir viendo hacia el frente, mirando el mundo, y otros prefieren la seguridad de acurrucarse cerca del cuerpo materno. Es posible que a su bebé le guste que lo lleven con piernas y brazos envueltos, o quizá prefiera una posición más relajada con sólo el cuerpo y la cabeza apoyados.

Transportadores para bebé (cangureras)
Las cangureras para lactantes le permiten mantener a su bebé acomodado cerca de su cuerpo mientras tiene las manos libres para otras actividades. Hay diversos transportadores disponibles, incluyendo los de tipo canguro, cabestrillo o mochila. Son especialmente útiles para los primeros meses, pero

para el tiempo en que su bebé pesa entre 7 y 9 kilogramos es posible que sea demasiado pesado para que lo cargue de esta manera. Cuando el bebé comienza a sentarse, alrededor de los seis meses de edad, puede usar una mochila (*backpack*) para bebé.

El transportador tipo canguro consta de dos correas para los hombros que sostienen un asiento profundo de tela. El de cabestrillo es una amplia banda sesgada de tela que se coloca atravesada sobre su torso y sostenida por una sola correa de tela. Es más fácil amamantar si usa el transportador de cabestrillo en lugar del de tipo canguro, pero algunas personas piensan que el primero es voluminoso e incómodo.

Recuerde que nunca es seguro andar en bicicleta, conducir un automóvil o viajar en auto mientras lleva a su bebé en uno de estos transportadores.

Al elegir un transportador para bebés, considere estos consejos:

- Elija un transportador que sostenga y apoye a su bebé con seguridad. Busque que tenga soporte acolchado para la cabeza.
- Asegúrese de que el transportador sea cómodo tanto para usted como para su bebé. Busque uno que tenga correas amplias y acolchadas para los hombros, un cinturón acolchado, bandas ajustables para los hombros, y agujeros para las piernas del bebé que no sean muy apretados y que cuenten con elástico o tela acolchada. Asegúrese de que el cabestrillo no sea tan grande que su bebé se pierda en él. Tanto usted como su bebé deben probar el transportador antes de comprarlo.
- Verifique su facilidad de uso. Asegúrese de que puede colocárselo y quitárselo en forma sencilla.
- Seleccione un transportador cuya tela sea durable y fácil de limpiar. El algodón es una buena opción porque es caliente y suave, permite respirar a la piel y es lavable.
- Busque un transportador con bolsas o compartimentos con cremallera, los cuales son útiles para guardar los artículos que usa con frecuencia.
- Elija un transportador que permita poner al bebé mirando hacia adentro y hacia afuera.

Seguridad en la cuna y al dormir

Dado que su recién nacido pasará por lo menos la mitad del tiempo durmiendo, dónde y cómo pone a dormir al bebé es un asunto importante. Durante las primeras semanas, muchos padres colocan las cunas o la bambineta del bebé en su recámara. Algunas familias acogen al pequeño en la "cama familiar", mientras que otras proporcionan un cuarto aparte y una cuna para el bebé. Su elección dependerá de sus preferencias y necesidades personales.

Algunas madres prefieren amamantar mientras están recostadas en su cama. Después de alimentarlo, colocan al bebé en una bambineta o cuna cercanas, o dejan al bebé en la cama de los padres y lo amamantan según lo requiera en el transcurso de la noche. Tenga presente que muchas camas para adulto pueden implicar un riesgo serio de que el bebé caiga al suelo o quede atrapado entre el colchón y la cabecera. Las camas de agua son peligrosas para los bebés.

Precauciones con la cuna y la bambineta

Las caídas son las lesiones más comunes relacionadas con las cunas, pero es fácil prevenirlas si se siguen algunas reglas de seguridad. Todas las recomendaciones de seguridad para las cunas también se aplican a las bambinetas. Si utiliza una de ellas durante las primeras semanas, tenga presente que su bebé muy pronto no cabrá en ella. Un lactante demasiado grande hará que la bambineta sea inestable. Comience a usar una cuna para el final del primer mes o cuando el bebé pese 4.5 kilogramos. El bebé podrá usar una cuna desde su nacimiento hasta casi los tres años de edad.

Quizá desee comprar una cuna o corral portátiles para viajar, pero esto no debe tomar el lugar de una cuna permanente de buen tamaño. Las cunas portátiles no están sujetas a los mismos requerimientos federales de seguridad que las cunas permanentes.

Todas las cunas nuevas deben cumplir con estrictos requisitos de seguridad. Ya sea que opte por una cuna nueva o usada, siga estas recomendaciones de seguridad:

- Los barrotes laterales deben estar separados entre sí por una distancia menor de 6 cm.
- Los paneles de la cabecera y la piecera deben ser sólidos, sin recortes decorativos.
- Los lados de compuerta deben operarse manualmente con un mecanismo que no pueda abrirse de manera accidental.
- Los postes de las esquinas deben estar al mismo nivel de las piezas de la cabecera y piecera.
- El colchón debe adaptarse perfectamente a la cuna —no debe ser capaz de meter más de dos dedos entre la cuna y éste.
- El borde superior de los lados de la cuna cuando están levantados debe ser por lo menos de 50 centímetros por arriba de la superficie del colchón. Cuando están abajo los lados de la cuna, sus bordes deben estar por lo menos 10 centímetros por arriba del colchón.
- Revise la cuna en forma periódica para asegurarse de que no tenga bordes rasposos o puntas agudas en las partes metálicas, ni astillas o grietas en la madera. Si nota marcas de dientes en los barrotes, cubra la madera con una tira de plástico. Estas tiras se pueden conseguir en la mayoría de las tiendas de muebles para niños.
- Coloque protectores acolchados en toda la cuna y manténgalos en su lugar hasta que su bebé sea lo bastante grande para ponerse en pie. Estos protectores evitan que el bebé se lastime la cabeza. Asegúrese de amarrar todos los cordones de los protectores y de que los cordones midan menos de 15 centímetros para evitar la estrangulación.
- Nunca use ningún tipo de plástico delgado como cubierta para colchón. Si cubre a este último con un plástico grueso, verifique que la cubierta se ajuste bien. Lo mejor son las cubiertas con cremallera.
- Algunas cunas viejas —las fabricadas antes de 1974— se pintaban con pintura con base de plomo, lo cual puede causar envenenamiento por plomo en los pequeños. La forma más simple de evitar el problema es usar una cuna hecha después de 1974.

- Asegúrese de que las partes metálicas están bien ajustadas y de que todas las juntas están apretadas.
- Nunca coloque la cuna cerca de cordones colgantes de persianas o cortinas. Evite colocar la cuna junto a una ventana.
- Cuando elija la ropa de cama para la cuna del bebé, no use almohadas, colchas ni edredones grandes. En lugar de ello, emplee sábanas para cuna y cobijas para bebé. De igual manera, no ponga animales de peluche en la cuna de un infante. El exceso de cobijas y los muñecos de peluche implican un riesgo de sofocación o llevan al sobrecalentamiento del bebé.
- Si cuelga un móvil sobre la cuna del bebé, asegúrese de que esté bien sujeto a los rieles laterales. Cuélguelo a una altura suficiente para que el infante no pueda alcanzarlo y retírelo cuando el bebé pueda sostenerse sobre manos y rodillas.
- Si utiliza un corral o una cuna portátil con lados de malla, asegúrese de que el tejido de ésta sea apretado y mantenga los lados levantados todo el tiempo.

Dormir de espaldas

Siempre coloque a su bebé boca arriba para que duerma, incluso para las siestas. Ésta es la posición más segura para dormir pues reduce el riesgo de síndrome de muerte súbita infantil (SMSI). El SMSI, a veces llamado muerte de cuna, es la muerte repentina e inexplicable de un bebé menor de un año de edad. En el SMSI es típico que un bebé que duerme tranquilamente nunca vuelva a despertar. En la mayoría de los casos, no se encuentra causa alguna.

La investigación muestra que los bebés que se colocan boca abajo para dormir tienen mucha mayor probabilidad de morir por este síndrome que los que se colocan boca arriba. Los lactantes que duermen de lado también tienen mayor riesgo, quizá porque los bebés en esta posición pueden rodar y ponerse boca abajo. Desde 1992, cuando la Academia Estadounidense de Pediatría comenzó a recomendar que se colocara a los bebés boca arriba para dormir, la incidencia del SMSI se ha reducido casi en 50 por ciento en Estados Unidos.

Las únicas excepciones para la regla de dormir boca arriba son los bebés que tienen problemas de salud que requieren que duerman boca abajo. Si su bebé tiene un defecto de nacimiento, regurgita con frecuencia después de comer, o tiene algún trastorno respiratorio, pulmonar o cardiaco, hable con el proveedor de salud de su hijo acerca de la mejor posición para que éste duerma.

Asegúrese de que cualquiera que cuide de su bebé sepa que debe colocarlo boca arriba para dormir. Esto puede incluir a abuelos, empleados de guardería, nanas, amigos, etcétera.

A algunos bebés no les gusta dormir boca arriba al principio, pero la mayoría se acostumbra a ello con rapidez. Muchos padres temen que sus bebés se ahoguen si regurgitan o vomitan mientras duermen y están boca arriba, pero los médicos no han encontrado un aumento en la asfixia por estas razones o problemas similares.

Otros consejos que pueden ayudar a reducir el riesgo de SMSI incluyen:

- Amamante a su bebé. Aunque aún no está claro del todo por qué, el amamantamiento puede proteger a los bebés contra el SMSI.

- Si viste a su bebé con un mameluco o saco de dormir, es posible que no necesite usar cobijas. Si usa un cobertor de peso ligero, coloque a su bebé hacia los pies de la cuna, remeta el cobertor alrededor del colchón, y tape al bebé sólo hasta la altura de su pecho.
- No fume ni exponga al bebé a ningún tipo de humo. Los lactantes cuyas madres fuman durante y después del embarazo tienen tres veces más probabilidades de morir por SMSI que los de madres no fumadoras.
- Mantenga la temperatura del cuarto del bebé a un nivel que sea cómodo para usted, no más caliente de lo normal.

Algunos bebés que duermen boca arriba pueden presentar una zona plana en la parte posterior de la cabeza. En la mayor parte de ellos, esta zona plana desaparecerá cuando el bebé aprenda a sentarse. Puede ayudar a que la cabeza de su bebé mantenga una forma normal alternando la posición en que acuesta al bebé en la cuna —con la cabeza hacia un lado unos días y luego con la cabeza hacia el otro lado. De esta manera, el bebé no siempre dormirá sobre el mismo lado de su cabeza. Quizá también pueda cambiar la localización de los objetos interesantes, como los móviles, de manera que su bebé no mire todo el tiempo en una misma dirección.

Cuando su bebé esté despierto y alguien lo esté cuidando, colóquelo sobre su estómago durante un rato. Esto ayuda a fortalecer los músculos del cuello y los hombros y reduce la probabilidad de que tenga una zona plana en la cabeza.

Acerca de la ropa

Cuando vaya a comprar ropa para su recién nacido, elija prendas para tres meses o más grandes de manera que el bebé no las deje de usar de inmediato. En general, busque ropas suaves, cómodas y lavables. Seleccione ropa para dormir que esté marcada como resistente o retardante del fuego, la cual puede estar hecha con una fibra sintética o con algodón tratado con sustancias retardantes del fuego. Evite los botones, que pueden ser tragados con facilidad, y los moños o cordones, que pueden ahorcar al bebé. No compre prendas con cordones para ajustar que puedan atorarse en algo y estrangular al infante.

Dado que tendrá que cambiar al bebé varias veces al día, o por lo menos tendrá que cambiar sus pañales, asegúrese de que las prendas sean sencillas y que se puedan quitar con facilidad. Busque ropas con broches de presión o cremalleras en el frente o en las piernas, que tengan mangas flojas y que estén hechas con tela elástica.

Durante las primeras semanas, es frecuente envolver a los bebés en sabanitas. Esto los mantiene calientes, y la ligera presión que ejercen alrededor de su cuerpo parece darle a la mayoría de los recién nacidos un sentido de seguridad.

Vístalo de acuerdo al clima

Los nuevos padres con frecuencia ponen demasiada ropa a sus infantes. Una buena regla práctica es ponerle a su bebé el mismo número de capas de ropa con las cuales usted se sentiría cómoda. A menos que haga calor afuera, podría cubrir al bebé con una camiseta y su pañal, cubierto con un mameluco o una pijama, y envuelto en su cobija. En clima caliente —más de 24°C—, una sola capa de ropa es lo apropiado, pero se necesita una cobija para cuando el bebé se encuentra en donde hay clima artificial o corrientes de aire.

Recuerde que la piel de su bebé se quema con facilidad bajo el sol. Si va a estar en el exterior durante cualquier lapso de tiempo, proteja la piel de éste con ropa y un gorro. Manténgalo en la sombra para evitar la sobreexposición al sol. Puede usar bloqueador solar después de que su bebé cumpla los seis meses, pero no confíe en el bloqueador como la única protección del lactante contra el sol. Los bebés no sudan con facilidad y pueden sobrecalentarse.

Cambio de pañal

Para los padres de bebés pequeños, la vida parece un ciclo interminable de cambios de pañal. Sin duda, el niño promedio utiliza cerca de 5,000 pañales antes de aprender a usar el inodoro. La estadística es asombrosa, pero puede ayudarle a pensar en esta tarea necesaria como en una oportunidad para la cercanía y la comunicación con su bebé. Sus palabras cálidas, caricias suaves y sonrisas de estímulo le ayudan a hacer que su bebé se sienta amado y seguro, y muy pronto éste le estará contestando con gorgoritos y arrullos.

Dado que los recién nacidos orinan hasta 20 veces por día, es importante cambiar los pañales de su bebé cada dos a tres horas durante los primeros meses, pero puede esperar hasta que el lactante despierte para cambiarle el pañal mojado. La orina sola por lo general no irrita la piel del bebé. No obstante, el contenido de ácido en un movimiento intestinal sí puede hacerlo, así que cambie el pañal sucio lo más pronto posible una vez que el bebé despierte.

Equípese

Haga que el cambio de pañal sea más cómodo para usted y su bebé preparándose con lo básico:

- **Pañales.** Asegúrese de contar con una provisión adecuada de pañales. Puede comprar de tela o desechables; o puede acudir a un servicio de pañales, la mayoría de los cuales ofrecen la opción de estos dos tipos. Necesitará entre 80 y 100 pañales desechables o de tela por semana. Si decide emplear el tipo desechable, asegúrese de adquirir la talla correspondiente al peso de su bebé.

  Si planea comprar pañales de tela, el número que necesitará depende de la frecuencia con la que piense lavarlos. Por ejemplo, si tiene tres docenas de ellos, es probable que necesite lavarlos cada tercer día. Incluso si planea emplear pañales desechables, le será útil contar con una docena de pañales de tela en caso de que se le terminen los desechables. Asimismo, los pañales de tela son prácticos para ponerlos sobre su hombro o en su regazo cuando ayuda a su bebé a eructar.

- **Calzones de hule, si utiliza pañales de tela.**
- **Forros absorbentes para pañal, si utiliza pañales de tela.**
- **Toallitas húmedas para bebé.** Aunque un trapo húmedo también funciona, es difícil superar la comodidad de las toallitas húmedas comerciales.

- **Una cubeta para pañales.** Hay varios tipos de cubetas para pañales. Busque una que sea conveniente, sanitaria y mantenga dentro los olores.
- **Crema para bebé.** No es necesario emplearla cada vez que cambie un pañal, pero puede resultar útil si su bebé desarrolla una erupción debido al pañal.
- **Calentador de toallitas.** El calentador para toallitas hace justo eso: calentarlas a una temperatura más cómoda para el bebé.
- **Mesa para cambiar.** Elija una mesa con una base amplia y resistente que cuente con compartimentos para almacenar las provisiones para el cambio de pañal. Poner la mesa junto a una pared reduce la probabilidad de una caída.

Cómo cambiar un pañal

Cuando cambie un pañal, emplee una superficie plana —una mesa especial, un cojín para cambios sobre el piso, o una cuna—. Si emplea la mesa para cambiar, asegúrese de usar el cinturón de seguridad o de mantener una mano sobre su bebé todo el tiempo.

Puede suceder que su bebé orine mientras lo cambia. Si es niño, puede evitar que la rocíe cubriendo su pene, sin apretarlo, con un pañal o un trapo mientras limpia el resto del área del pañal.

Limpieza

Después de quitar el pañal sucio, tómese el tiempo para limpiar con cuidado la parte inferior del cuerpo de su bebé.

- Sostenga sus piernas por los tobillos con una mano mientras lo limpia.
- Utilice un trapo de algodón humedecido en agua tibia o una toallita húmeda para limpiar el área del pañal de su bebé. Utilice toallitas libres de alcohol o de fragancia para evitar que se irrite la piel.
- Cuando su bebé tenga un movimiento intestinal, utilice la parte frontal limpia del pañal para quitar la mayor parte de heces.
- Limpie hacia abajo alejándose de los genitales, metiendo las heces en el pañal.
- Termine de limpiar con cuidado mediante un trapo o una toallita, utilizando un jabón suave si se requiere. No necesita aplicar crema a menos que su bebé tienda a desarrollar erupciones.
- Levante la parte inferior del cuerpo de su bebé sujetándolo por los tobillos y deslice el pañal limpio debajo de él.

Pañales desechables

Cuando cambie un pañal desechable, levante las piernas del bebé y deslice el pañal debajo de éste con las bandas adherentes debajo de la espalda. Levante el frente del pañal pasándolo entre las piernas y centrándolo en el cuerpo del bebé. Ajuste cómodamente el pañal en torno a la cintura del infante y adhiera las bandas de cada lado. Para los recién nacidos, doble la parte superior del pañal hacia abajo, de manera que no roce contra el cordón umbilical.

Pañales de tela

Si usa pañales de tela, puede doblarlos de varias maneras. Experimente con diferentes técnicas para lograr absorbencia y ajuste óptimos. Doble los bordes laterales hacia dentro haciendo dobleces más pequeños para un bebé más grande y mayores para los bebés pequeños. En el caso de los niños, quizá desee que haya un mayor acojinado en el frente. Algunas personas han observado que, plegando el frente del pañal para que quede más angosto que la parte de atrás, es posible que los alfileres de seguridad para pañal queden más planos sobre el estómago del bebé, y que el pañal ajuste mejor alrededor de sus piernas.

Si está usando seguros, puede evitar pinchar en forma accidental al bebé colocando los dedos de una mano entre el seguro y el cuerpo del bebé hasta que la punta esté encerrada con seguridad en el capuchón del seguro. Los pañales de tela deben colocarse apretadamente, ya que tienden a aflojarse debido al movimiento del bebé. Remeta los bordes de tela en calzones de hule para mantener la humedad adentro.

Erupción por el pañal

Todos los bebés sufren rozaduras de vez en vez, incluso cuando se les cambia el pañal con frecuencia y se les limpia con cuidado. La erupción por el pañal puede ser producto de muchas cosas, incluyendo irritación debida a excremento o a un producto nuevo, como toallitas desechables, pañales o detergente para lavar ropa. La piel sensible, una infección bacteriana o por levaduras, y el frotado o roce de ropa o pañales apretados también pueden causar una erupción.

La erupción por los pañales por lo general se trata con facilidad y habitualmente mejora en unos días. El factor más importante en el tratamiento de dichas erupciones es mantener la piel de su bebé tan seca y limpia como le sea posible. Lave bien el área con agua durante cada cambio de pañal. Mientras el bebé tenga la erupción, evite lavar el área afectada con jabones y toallitas desechables perfumadas. El alcohol y perfume de estos productos pueden irritar la piel de su bebé y agravar o prolongar la erupción.

Deje que la parte inferior del cuerpo del bebé se seque al aire antes de ponerle el pañal limpio, y haga lo que pueda para incrementar la ventilación en la región del pañal:

- Deje que su bebé ande sin pañal durante periodos breves.
- Evite el uso de calzones de hule o cubiertas ajustadas sobre el pañal.
- Utilice pañales de mayor tamaño hasta que desaparezca la erupción.

Utilice un ungüento calmante en cualquier momento en que aparezca color rosado en el área del pañal. Muchas cremas y ungüentos para las erupciones provocadas por el pañal contienen el ingrediente activo óxido de zinc. Es típico que estos productos se apliquen en una capa delgada sobre la región irritada varias veces al día para calmar y proteger la piel del bebé.

No utilice talco ni fécula de maíz sobre la piel del bebé. El infante puede inhalar el polvo del talco, el cual puede ser muy irritante para sus pulmones. La fécula de maíz puede contribuir a la infección bacteriana.

Para ayudar a prevenir la erupción por el pañal, evite usar el tipo desechable superabsorbente, porque existe la tendencia a cambiarlos con menos frecuencia. Si está utilizando pañales de tela, asegúrese de lavarlos y enjuagarlos bien, y seleccione calzones de hule con broches de presión, en lugar de los que tienen elástico, para permitir una mejor circulación de aire. Además, procure usar forros absorbentes con los pañales de tela.

Consulte al proveedor de cuidados de salud de su bebé si:
* La erupción debida al pañal no mejora en unos cuantos días.

Higiene del bebé

Mantener limpio a su pequeño y ocuparse de su cabello, su piel y sus uñas pueden considerarse como algunas de las tareas más placenteras del cuidado de los bebés. Llévelas a cabo con suavidad y aproveche la oportunidad de hablar y cantar mientras arregla a su bebé.

El baño

Su infante no necesita mucho baño. Durante la primera y segunda semanas, hasta que se caen los restos del cordón umbilical, dé a su recién nacido baños de esponja. Después de eso, es necesario un baño completo sólo entre una a tres veces por semana durante el primer año. El baño más frecuente puede secar la piel del bebé.

Una vez que cicatrice el cordón umbilical, intente colocar a su bebé en forma directa en el agua. Los primeros baños deben ser lo más suaves y breves que le sean posibles. Si su infante se resiste a ellos, dele baños de esponja, limpiando las partes que realmente necesitan atención, en especial las manos, cuello, cabeza, cara, detrás de las orejas, bajo los brazos y área del pañal. Los baños de esponja son una buena alternativa para lograr un baño completo durante las primeras seis semanas aproximadamente.

Cómo bañar a su bebé

Encuentre un momento para bañar a su bebé que sea conveniente para ambos. Mucha gente le da a su bebé un baño antes de la hora de dormir, como un ritual relajante y promotor del sueño. Otros prefieren un horario en el que el bebé esté despierto por completo. Disfrutará más este tiempo si no tiene prisa y no hay probabilidades de que la interrumpan.

La mayoría de los padres encuentra más fácil bañar al recién nacido en una bañera especial, un lavabo o una tina de plástico forrados con una toalla limpia. Tenga todos los implementos para baño listos y, si es factible, caliente el cuarto —alrededor de 24°C— antes de desvestir al bebé. Además del recipiente con agua, necesitará un trapo, bolitas de algodón, una toalla, provisiones para cambiar el pañal, y ropa. Los baños con agua sola son adecuados la mayor parte del tiempo. Si es necesario, puede emplear un jabón y champú para bebés suaves y libres de fragancia y desodorantes.

Antes de llenar la tina o recipiente, pruebe la temperatura del agua con su codo o muñeca. El agua debe sentirse tibia, no caliente. Llene la tina con apenas cinco centímetros de agua tibia. Desvista a su bebé, quitando el pañal al final. Si está sucio, limpie la parte de abajo del cuerpo de su bebé antes de meterlo al agua. Utilice una mano para sostener la cabeza de su bebé y la otra para introducirlo en el agua, primero los pies, y poco a poco el resto del cuerpo. Es importante apoyar la cabeza y el torso, para proporcionar tanto seguridad como un sentido de control.

No es necesario dar champú al cabello de su bebé en todos los baños —una o dos veces por semana es suficiente—. Dé masaje suave a todo el cuero cabelludo. Cuando enjuague el jabón o el champú de la cabeza del bebé, coloque su mano sobre su frente de manera que la espuma corra por los lados y no sobre los ojos, o incline la cabeza del bebé un poco hacia atrás.

Utilice un trapo suave para lavar la cara y el cabello de su bebé con agua sin jabón. Emplee una bola de algodón húmeda para limpiar cada párpado desde la nariz hacia la comisura externa del ojo. Dé palmaditas suaves para secar su cara. Lave el resto del cuerpo de arriba hacia abajo, incluyendo los dobleces internos de piel y el área genital. En el caso de las niñas, separe con cuidado los labios para limpiar; en los niños levante el escroto para limpiar debajo de éste. Si no le hicieron la circuncisión, no trate de retirar la piel del pene. Deje que su bebé se apoye sobre su brazo mientras le limpia la espalda y los glúteos, separando cada uno de ellos para limpiar el área anal.

Tenga cuidado al manejar a su infante mientras está mojado y resbaloso. Tan pronto como termine de bañarlo, envuélvalo en una toalla normal o en una especial para bebés con capucha, y dé palmaditas para secarlo.

GORRITO DE CUNA

Su bebé puede presentar descamación y enrojecimiento del cuero cabelludo. Este padecimiento se llama gorrito de cuna (dermatitis seborreica) y se produce cuando las glándulas sebáceas productoras de aceites producen un exceso de ellos. El gorrito de cuna es común en los infantes, y se inicia por lo general en las primeras semanas de vida y desaparece en un periodo de semanas o meses. Puede ser leve, con piel escamosa y seca que parece caspa, o más grave, con escamas gruesas, aceitosas y amarillentas, o áreas costrosas.

La aplicación periódica de champú suave para bebés puede mejorar el gorrito de cuna. No tenga miedo de lavar el cabello del bebé con más frecuencia que antes. Esto, junto con el cepillado suave, ayudará a eliminar las escamas.

El aceite de bebé o el aceite mineral pueden no ser útiles, ya que permiten que se acumulen las escamas sobre el cuero cabelludo. Si decide probar con el aceite, frote una pequeña cantidad de aceite vegetal o de oliva en las escamas, luego aplique champú y cepille para desprenderlas.

Si el gorrito de cuna persiste o pasa a la cara, el cuello u otras partes del cuerpo de su bebé, en especial en los pliegues en el codo o detrás de las orejas, llame al proveedor de cuidados de salud de su bebé, quien podrá sugerir un medicamento en champú o loción.

Cuidado de las uñas

Las uñas de su bebé son suaves pero afiladas. Un recién nacido puede rasguñar con facilidad su propia cara —o la de su mamá—. Para evitar que su bebé arañe su cara por accidente, tendrá que cortarle las uñas poco después de nacer y luego varias veces por semana.

En ocasiones podrá desprender con cuidado los bordes de las uñas con sus propios dedos, ya que las uñas del bebé son muy suaves. No se preocupe

—no arrancará toda la uña—. También puede usar un cortaúñas para bebés o unas tijeras pequeñas. A continuación le damos algunos consejos para que el corte de uñas sea más fácil para usted y su bebé.

- Corte sus uñas después del baño. Estarán más suaves y serán más fáciles de cortar.
- Espere hasta que su bebé esté dormido.
- Pida a otra persona que sujete a su bebé mientras usted le corta las uñas.
- Corte las uñas en forma recta, y manténgalas cortas.

Cuidado de la piel

Muchos padres esperan que la piel del recién nacido sea perfecta. Lo más común es que observe algunas manchas, lastimaduras debidas al parto, y afecciones de la piel que son únicas en los recién nacidos, como el acné del bebé (milios). La mayoría de los infantes jóvenes tiene piel seca que se descama, en especial en manos y pies, durante sus primeras semanas. Es normal un tono azulado en pies y manos, y éste puede durar algunas semanas. Las erupciones también son comunes.

La mayoría de las erupciones y padecimientos de la piel se trata con facilidad o desaparecen por sí solas. Si su bebé tiene espinillas, coloque una cobija suave y limpia debajo de su cabeza y lave delicadamente la cara del lactante una vez al día con un jabón suave para bebés. Si el bebé tiene piel seca o que se está desprendiendo, pruebe una crema de venta sin receta sin fragancia.

Consulte al proveedor de cuidado de salud de su bebé si:
- El bebé tiene una erupción o padecimiento en la piel que es color púrpura, es escamoso, desprende líquido, tiene ámpulas o que no mejora.

CUIDADO DEL CORDÓN UMBILICAL

Una vez que se corta el cordón umbilical del recién nacido, sólo queda un pequeño trozo. En la mayoría de los casos, éste se secará y caerá en doce a 15 días después del nacimiento. Hasta entonces, mantenga el área tan limpia y seca como le sea posible. Es buena idea darle baños de esponja en lugar de baños completos hasta que el cordón se caiga y el área del ombligo cicatrice.

En forma tradicional, se ha indicado a los padres que limpien el trozo de cordón con alcohol para friegas, pero algunos estudios indican que no hacer nada con el resto del cordón le ayuda a cicatrizar con mayor rapidez, así que algunos hospitales ahora desaconsejan esta práctica. Si no está segura de lo que debe hacer, hable con el proveedor de cuidados de salud de su bebé.

Exponer el cordón umbilical al aire y dejar secar su base acelerará su separación. Para evitar que se irrite y mantener el área del ombligo seca, doble el pañal del bebé para que quede libre el resto de cordón umbilical. En clima caliente, vista al recién nacido sólo con un pañal y una camiseta, y deje que el aire circule para ayudar en el proceso de secado.

Es normal que se observe un poco de descarga, formando costra, o sangre seca hasta que el cordón se caiga, pero, si el ombligo de su bebé se ve rojo o presenta una descarga maloliente, llame al proveedor de cuidados de salud de su bebé. Cuando el cordón se caiga, quizá vea un poco de sangre, lo cual es normal. Pero si el ombligo sigue sangrando, comuníquese con el proveedor de cuidados de salud de su bebé.

Cada año, cerca de 120,000 madres llevan a casa más de un recién nacido —gemelos, triates o múltiples de mayor orden—. La vida cambia para cualquier padre, pero para los padres de múltiples los cambios también se multiplican.

Tener más de un bebé a la vez puede ser emocionante, pero también representa exigencias extremas. A veces, el solo hecho de pasar el día puede parecer imposible. Además, es común que los múltiples nazcan antes de tiempo, así que tendrá que consultar a su pediatra con mayor frecuencia de lo que lo haría con un solo bebé.

¿Cuáles son los cambios que puede esperar con bebés múltiples? Estará cansada porque es probable que duerma menos, y es probable que los estándares de cuidado doméstico deban relajarse por algunos años. El impacto financiero es significativo. Si tiene otros niños, la llegada de múltiples puede provocar algo más que la acostumbrada rivalidad entre hermanos. Los bebés requieren una enorme cantidad de su tiempo y energía, y atraen la atención de amigos, parientes y extraños en la calle.

Es probable que presente algunos sentimientos negativos o difíciles de vez en vez. Tener menos tiempo para cada bebé puede hacerla sentir culpable o triste, y esos sentimientos se vuelven todavía más pronunciados si ya tiene otro u otros hijos. La mayoría de los padres de gemelos u otros múltiples tienen momentos en los cuales sienten que no son aptos para el trabajo de cuidar de sus bebés.

Aunque es completamente normal sentirse estresada y agobiada, las madres de los múltiples tienen mayores probabilidades de sufrir melancolía y depresión posparto que otras madres. (Véase "Complicaciones: depresión posparto", página 585.)

Los siguientes son algunos consejos para enfrentar los retos especiales de cuidar a bebés múltiples.

- **Reclute ayuda y acepte todas las ofertas de apoyo.** Aunque esto puede ser difícil de hacer, puede significar una gran diferencia. Algunas familias contratan ayudantes, otras confían en la familias políticas, y otras piden ayuda a sus amigos, vecinos, iglesias o clubes de padres de múltiples.
- **Establezca una lista de prioridades.** Esto incluye las necesidades de los bebés, como la alimentación, el baño, el sueño y los mimos. El descanso y los respiros para usted también deben estar en la lista.
- **Reconozca a sus bebés como individuos desde un inicio.** Seleccione ropas de colores diferentes para sus bebés, lo cual le ayude a diferenciarlos de un vistazo. Evite referirse a los bebés como los gemelos y los triates. Use sus nombres y asegúrese de tomarles fotos por separado.
- **Utilice tablas y listas.** Esto es útil para documentar los horarios de alimentos y mantener un registro de quién ha sido atendido y cuándo.
- **Si tiene niños mayores, anímelos a ser una parte activa y útil de la experiencia.** Pídales que ayuden con las tareas de cuidado de los bebés. Haga un esfuerzo especial para apartar tiempo con regularidad y pasarlo a solas con sus otros hijos.
- **Haga planes para usar un servicio de pañales o pañales desechables a menos que cuente con ayuda adicional en su hogar.** Si usa pañales desechables, mantenga a mano por lo menos una docena de pañales de tela para emergencias.
- **Reúna consejos, información y apoyo que sean prácticos.** Alimentar, bañar y vestir a los múltiples puede requerir algunas estrategias especiales. Piense en asistir a un grupo local de apoyo para padres de gemelos y otros múltiples. Quizá obtenga muchas ideas inestimables de otros padres. Lea libros, sitios en red y revistas sobre cómo ser padre de múltiples.
- **No descuide su relación con su pareja.** Hablen entre sí sobre sus sentimientos y problemas. Intenten darse descansos uno al otro cuando puedan, y hagan lo posible para conservar un tiempo para la pareja.

CAPÍTULO   15

cuidado posparto para las madres

Es frecuente que el periodo después del trabajo de parto y el parto sea
agotador, y es probable que presente una amplia gama de dolores y molestias.
Quizá se pregunte si alguna vez su cuerpo regresará a la normalidad.

Tomará tiempo para que se recupere de los cambios importantes que ocurrieron
en los nueve meses anteriores. No es realista esperar una rápida recuperación
después de dar a luz, pero con el tiempo empezará a sentirse mejor en el aspecto
físico y a ponerse en forma de nuevo. Este capítulo ofrece una guía para algunos
de los cambios físicos que puede esperar en las semanas posteriores al parto.

Cuidado de las mamas

Sus mamas pueden permanecer aumentadas de tamaño por un tiempo
después del nacimiento del bebé. Para ayudar a mantenerlas cómodas, use
un sostén de buena calidad y ajuste adecuado. Lave sus pechos y pezones
todos los días con bolas de algodón y crema para bebé o agua, pero evite el
uso de jabón. El jabón se lleva las grasas naturales que evitan que la piel se
seque y agriete, y puede agravar el dolor o las grietas en los pezones.

Congestionamiento

Durante los primeros días después de dar a luz, sus mamas contienen
calostro. En unos cuantos días, es probable que se llenen de leche. Es posible
que sus mamas se pongan más grandes y pesadas, y estén enrojecidas,
hinchadas y sensibles, ya sea que planee o no amamantar. Si no está
amamantando a su bebé, sus mamas pueden estar congestionadas y duras
hasta que deje de producir leche. Incluso si está amamantando, es posible
que sus mamas se llenen a veces y se congestionen. La congestión por lo
general dura menos de tres días, pero puede ser incómoda.

Para aliviar la congestión:
- Exprima un poco de leche, ya sea en forma manual o alimentando a su bebé.
- Acaricie sus mamas con cuidado pero firmemente hacia al pezón.
- Aplique paños calientes o fríos o compresas heladas, o pruebe con un
  baño o regadera calientes.

- Si no está amamantando, evite bombear o dar masaje a sus mamas, ya que esto fomenta la producción de leche.

Escurrimiento de leche

Si está amamantando, no se sorprenda si escurre leche durante las sesiones de alimentación del bebé y entre las mismas. La leche puede gotear de sus mamas en cualquier momento y lugar, y sin previo aviso. Como muchas madres nuevas pueden atestiguar, quizá le suceda que escurre cuando piensa en su bebé o habla sobre él, escucha a un lactante llorar o pasa mucho tiempo entre una y otra sesión de alimentación. Es posible que escurra leche de una mama mientras amamanta con la otra. Estas fugas son normales y comunes, en particular durante las primeras semanas. Que no haya escurrimiento también es normal.

Para controlar las fugas de leche:
- Tenga una provisión de cojinetes para lactancia. Evite los que están forrados o tienen una parte de plástico porque pueden irritar sus pezones. Cambie los cojinetes después de cada sesión de lactancia y siempre que se mojen.
- Coloque una toalla grande debajo de usted en la noche.
- No bombee para evitar las fugas —esto puede estimular una mayor producción de leche.

Pezones doloridos o agrietados

Cuando comience a amamantar, sus pezones pueden estar doloridos o sensibles. Éste es un problema común en las primeras semanas y puede presentarse incluso si su bebé se encuentra en una posición perfecta y está haciéndolo todo "bien". Algunas mujeres se sorprenden ante el vigor con el cual succionan sus bebés —y cuán incómodo puede ser. Toma un tiempo acostumbrar a sus pezones, pero la sensibilidad por lo general desaparece en unos cuantos días. Un pezón dolorido que se agrieta puede ser muy doloroso y conducir a una infección en los senos.

Siga estas sugerencias para prevenir y tratar los pezones doloridos o agrietados:
- Asegúrese de que su bebé esté sujeto en la forma correcta a su pecho, y tenga cuidado al retirarlo. Para ayudar a que el bebé meta por completo el pezón a su boca, deslice su mano entre su pecho y las costillas y empuje con cuidado hacia arriba.
- Exponga sus pezones al aire y la luz solar. Deje que se sequen con el aire entre una y otra sesión de amamantamiento, y de vez en vez deje su torso desnudo, en especial cuando descanse.
- Evite los cojinetes para lactancia con forros de plástico y las ropas hechas con telas sintéticas. Es aconsejable que le ponga un poco de crema para bebé a cada cojinete.
- Intente usar un protector para sus mamas. Éste se ajusta sobre el pezón, y el bebé succiona a través de él.
- Si un pezón se agrieta, es posible que necesite no alimentar al bebé con esa mama unos días y extraiga la leche para evitar que se congestione.

AUTOEXAMEN DE LAS MAMAS

Los autoexámenes mensuales de las mamas pueden ser más difíciles durante el embarazo y la lactancia, pero no son menos importantes. La clave es encontrar un momento conveniente y establecer una rutina. Si está amamantando, lo mejor es hacer el autoexamen justo después de alimentar al bebé, cuando sus mamas están más vacías y cualquier anormalidad puede ser más obvia.

Conductos obstruidos

En las primeras semanas de amamantamiento se puede obstruir un conducto de la mama como resultado de la congestión, un sostén demasiado apretado o una abertura del pezón bloqueada. Si se forma un bloqueo, la mama puede presentar sensibilidad, abultamientos y enrojecimiento de la piel. Para despejar un conducto obstruido, inicie la alimentación con el pecho afectado y dé masaje suave a éste mientras amamanta.

Llame a su proveedor de cuidados de la salud si:
• Siente dolor y se siente enferma o tiene fiebre, ya que puede tener mastitis.

Recuperación de una episiotomía o un desgarro

Si le aplicaron puntadas después del parto debido a una episiotomía o un desgarro, las puntadas se disolverán y se sentirá más cómoda cerca de dos semanas después del alumbramiento. Lo mismo que con cualquier herida quirúrgica, el tejido alrededor de una episiotomía o un desgarro puede tardar hasta seis semanas en recuperar su fuerza natural. Si el desgarro fue extenso, la sensibilidad puede conservarse por un mes o más. Esas semanas pueden ser difíciles porque es posible que sea difícil caminar o sentarse mientras cicatriza la episiotomía o el desgarro. Considere que el dolor es un recordatorio de que debe descansar y consentir a su cuerpo.

Para aliviar sus molestias:
• Quizá desee acuclillarse en lugar de sentarse cuando use el excusado. Una botella de dispensador a presión con agua es útil para enjuagarse después. También puede tratar de vaciar un poco de agua tibia sobre sí misma mientras orina, para reducir el ardor.
• Enfriar con cuidado la herida con hielo puede reducir la inflamación. Puede probar colocando hielo en un trapo o un guante de hule o usando una compresa helada.
• Las compresas perineales especiales que se colocan entre la toalla sanitaria y la herida son calmantes. Las compresas frías de *hamamelis* también pueden ayudar.
• Mantenga limpia la herida. Los baños y regaderas calientes pueden ser calmantes.
• Quizá le sea más cómodo sentarse sobre superficies duras, porque las que son suaves permiten que sus glúteos se estiren y jalen las puntadas. Junte bien sus glúteos cuando se siente sobre una superficie suave.
• Haga con frecuencia los ejercicios de Kegel. Puede comenzar un día después de dar a luz.

- Cuando mueve sus intestinos, la presión puede estirar sus tejidos y causar dolor alrededor de la herida. Para evitar este estiramiento, sostenga una compresa limpia con firmeza contra las puntadas y presione hacia arriba mientras defeca.
- Pida a su proveedor de cuidados de salud un pulverizador con analgésico o una dona para sentarse.
- Si su herida se pone roja, hinchada y dolorida, o produce una descarga de tipo purulento, puede tener una infección. Llame a su proveedor de cuidados de salud.

Fatiga

Durante las primeras semanas de cuidado de un recién nacido muchas madres sienten una fatiga que nunca parece disminuir y una falta casi total de energía. Después del agotador trabajo de parto, las madres enfrentan las exigencias de cuidar al bebé noche y día. Noche tras noche de sueño interrumpido y las exigencias de energía para amamantar y cargar un bebé pueden sumarse a su agotamiento. La fatiga puede ser todavía más pronunciada si tiene otros hijos, si su bebé fue prematuro o presenta problemas de salud o si tuvo bebés múltiples.

Con el tiempo, es probable que su fatiga se reduzca a medida que su cuerpo se ajusta a las exigencias de la maternidad, al ganar experiencia en el manejo de un bebé y cuando el bebé duerme ya toda la noche.

Es muy probable que no se pueda evitar por completo el cansancio, pero estos consejos pueden ayudar a que la fatiga no la agote por completo:

- Trate de descansar siempre que sea posible. Aproveche las siestas diurnas de su bebé para dormir un poco.
- Evite levantar objetos pesados.
- Haga que su pareja comparta el trabajo doméstico y el cuidado del bebé. También acepte las ofertas de ayuda de otras personas.
- Trate de no hacer mucho. Reduzca la ejecución de las tareas menos importantes, como la limpieza de la casa. Limite el número de invitados que tiene.
- Ejercítese con regularidad para incrementar su nivel de energía y lograr combatir la fatiga. Comer bien también es importante, pero no coma demasiado por la noche, ya que la digestión puede interferir con su descanso.
- Váyase temprano a la cama y relájese escuchando música o leyendo.
- Haga que su pareja le ayude con la alimentación nocturna del bebé. Si está amamantando, extraiga leche con este propósito.
- Si su fatiga no parece mejorar con el tiempo, consulte a su proveedor de cuidados de la salud.

Problemas urinarios e intestinales

Hemorroides

Es posible que haya desarrollado hemorroides durante el embarazo, o quizá las descubra después de dar a luz. Si nota que tiene dolor durante un movimiento intestinal y siente una masa inflamada cerca de su ano, es probable que tenga una hemorroide. Para evitar el estreñimiento y la necesidad de pujar, lo cual contribuye a las hemorroides, coma una dieta rica en fibra, incluyendo frutas, verduras y granos enteros, y beba mucha agua. Quizá también encuentre alivio sumergiéndose en una baño o aplicando compresas frías de *hamamelis* en el área. Si sus heces siguen estando duras, intente emplear suavizantes de excremento o laxantes de fibra.

Para otras sugerencias sobre el alivio de las molestias por hemorroides, vea la página 453. Si sus problemas continúan, hable con su proveedor de cuidados de salud, quien podría sugerir una medicina de prescripción.

Fugas de orina

Cerca de 20 por ciento de las mujeres que dan a luz por vía vaginal sufren incontinencia urinaria, en comparación con cerca de 10 por ciento de las mujeres que no han tenido bebés. Las mujeres que tuvieron un parto por cesárea tienen mayores probabilidades de tener fugas de orina que las que no han tenido bebés, aunque la probabilidad es menor que la de las mujeres con parto vaginal. La incontinencia es más común durante y después del embarazo, porque este último y el alumbramiento estiran la base de la vejiga y pueden causar daño nervioso y muscular en vejiga o uretra. Hay mayores posibilidades de tener fugas de orina al toser, esforzarse o reír.

Por fortuna, este problema por lo general mejora dentro de los siguientes tres meses. Mientras tanto, use toallas sanitarias y haga sus ejercicios de Kegel.

Movimientos intestinales

Quizá no tenga movimientos intestinales durante unos días después del parto. Estos se debe a la falta de alimento durante el trabajo de parto y a que el tono muscular en sus intestinos se reduce de manera temporal. Después de dar a luz, sus músculos abdominales están relajados y estirados, lo cual puede hacer que se retrase el paso de las heces a través de sus intestinos. Este retraso puede llevar al estreñimiento. Además, quizá se encuentre con que usted misma se rehúsa a defecar por temor a lastimarse el perineo o agravar el dolor de las hemorroides o de una herida de episiotomía.

Otro problema potencial para las nuevas mamás es la incontinencia fecal —la incapacidad de controlar los movimientos intestinales—. Esto puede ser producto del estiramiento y debilitamiento de los músculos de la base de la pelvis, desgarro del perineo, o daño en los nervios de los músculos alrededor del ano. Es más probable que sufra incontinencia fecal si tuvo un trabajo de parto demasiado largo y un parto vaginal. Los ejercicios de Kegel pueden ayudar a que regrese el tono a sus músculos anales. Hable con su proveedor de cuidados de la salud si tiene problemas persistentes para controlar sus movimientos intestinales.

Para prevenir el estreñimiento y ayudar a mantener sus heces suaves y regulares:
• Beba muchos líquidos.

- Incremente su consumo de comidas ricas en fibra, incluyendo frutas y verduras frescas y granos enteros. Las ciruelas pasas y los higos son buenas opciones, lo mismo que los jugos de ciruela pasa, pera y albaricoque.
- Haga la mayor cantidad de actividad física que le sea posible.
- Intente usar suavizantes de heces o laxantes de fibra.

Dificultad para orinar

Después de dar a luz, es posible que en ocasiones presente una cierta vacilación o una reducción de la necesidad de orinar. Este puede ser el resultado de la inflamación o de ciertas contusiones en el perineo y en el tejido que rodea a la vejiga y la uretra, dolor en el perineo o temor al ardor causado por la orina en su sensible área perineal.

Para estimular el flujo de su orina:
- Contraiga y libere sus músculos pélvicos.
- Incremente su ingesta de líquidos.
- Aplique compresas calientes o frías en su perineo.
- Trate de colocarse sobre el inodoro como si fuera una silla de montar cuando orine.
- Haga escurrir agua sobre su perineo mientras orina.

El problema por lo general se resuelve con el tiempo. Sin embargo, si presenta un ardor intenso después de orinar o una urgencia aguda, dolorosa y desusadamente frecuente de orinar, es posible que tenga una infección del tracto urinario. Consulte a su proveedor de cuidados de salud si tiene estos signos y síntomas o sospecha que no está vaciando su vejiga.

Dolores posteriores al parto (entuertos)

Después del nacimiento de su bebé, su útero comienza a encogerse de inmediato, reduciéndose a su tamaño normal en cerca de seis semanas. A medida que se encoge (contrae) el útero, es posible que sienta contracciones —los llamados entuertos— durante varios días. Los entuertos con frecuencia son leves después del nacimiento de su primer bebé, y por lo general son más notorios y dolorosos si ha tenido hijos antes.

Los entuertos tienden a ser más intensos durante la lactancia, porque la succión del bebé desencadena la liberación de la hormona oxitocina, la cual también hace que su útero se contraiga. Los medicamentos empleados para controlar las hemorragias también pueden incrementar los dolores.

Quizá encuentre algún alivio durante los entuertos si respira con lentitud y se relaja. Si los dolores le causan muchas molestias, es probable que su proveedor de cuidados de salud le prescriba un analgésico. Muchos medicamentos son seguros incluso si está amamantando. Consulte a su proveedor de cuidados de la salud si presenta fiebre o el dolor persiste durante más de una semana, ya que estos signos y síntomas podrían indicar una infección uterina.

Otros cambios posparto

Descarga vaginal

A medida que el útero pierde su recubrimiento y regresa a su tamaño normal después del parto, se producirá una descarga vaginal conocida como loquios. Ésta varía en gran medida en cantidad, apariencia y duración, pero es típico que se inicie como un flujo sanguíneo rojo brillante y abundante. Después de cerca de cuatro días, éste disminuye de manera paulatina y se vuelve más pálido, cambia a rosado o café y luego a amarillo o blanco después de cerca de 10 días. La descarga vaginal puede durar de dos a ocho semanas.

Para reducir el riesgo de infección, use toallas sanitarias en lugar de tampones. No se alarme si en ocasiones le salen coágulos sanguíneos —incluso si son tan grandes como una pelota de golf—.

Llame a su proveedor de cuidados de salud si:
- Empapa una toalla sanitaria cada hora por varias horas o se siente mareada.
- La descarga tiene mal olor.
- Su abdomen se siente dolorido, o la sangre aumenta o expulsa demasiados coágulos.
- Expulsa coágulos más grandes que una pelota de golf.
- El flujo se vuelve de repente color rojo brillante después de haberse vuelto pálido.
- Tiene temperatura de 38°C o más.

Cabello y piel

Quizá note algunos cambios en su cabello y piel después del nacimiento de su bebé.

Pérdida del cabello. Para algunas mujeres, uno de los cambios más notorios después del parto es la pérdida del cabello. Durante el embarazo, los niveles hormonales elevados evitan que usted pierda el cabello a la velocidad normal de 100 cabellos diarios, lo cual quizá le hizo tener una cabellera mucho más abundante. Después del nacimiento, su cuerpo pierde todo el cabello excesivo. No se preocupe: la pérdida de éste es temporal y, para cuando su bebé tenga seis meses de edad, es probable que su cabello haya vuelto a la normalidad.

Para mantener su cabello sano, coma bien y siga tomando un suplemento vitamínico. Pida a su estilista que le haga un corte de fácil mantenimiento. Lávese con champú sólo cuando sea necesario, use un acondicionador y mantenga el uso de secadores o rizadores calientes en un mínimo. Lo mejor es retrasar la aplicación de un tinte, el planchado o el permanente hasta que su cabello haya recuperado su estado normal.

Manchas rojas. Las pequeñas manchas rojas que aparecen en su cara después del alumbramiento son producto de la ruptura de pequeños vasos sanguíneos al pujar durante el parto. Por lo general, estas manchas desaparecen aproximadamente en una semana.

Estrías. Las estrías no desaparecerán después del nacimiento, pero con el tiempo casi siempre pasan de púrpura rojizo a plateado o blanco.

Oscurecimiento de la piel. La piel que se oscurece durante el embarazo, como la línea bajo su abdomen (*linea nigra*) y la máscara del embarazo (oscurecimiento de la piel en la cara), se aclaran en unos meses. Rara vez desaparecen por completo.

Pérdida de peso

Después de dar a luz, es probable que se sienta bastante flácida y fuera de forma. De hecho, es posible que se vea en el espejo y se sienta como si todavía tuviera seis meses de embarazo. Pero no sea muy dura consigo misma —esto es perfectamente normal, y ninguna mujer va a poder ponerse un par de pantalones vaqueros apretados en una semana después de dar a luz—. En forma realista, es probable que le tome de tres a seis meses o más perder el peso que ganó durante el embarazo.

Quizá pierda cerca de cinco kilogramos durante el parto, incluyendo el peso del bebé, la placenta y el líquido amniótico. Durante la primera semana después del parto perderá más peso, correspondiente a los líquidos sobrantes. Después de eso, la cantidad de peso que perderá dependerá de su dieta y de la cantidad de ejercicio que haga. Espere una reducción gradual en su peso —cerca de 250 gramos por semana— si mantiene un plan de alimentación sano y se ejercita con regularidad.

Una dieta sana

La buena nutrición es importante para su bienestar —y el de su bebé si está amamantando—. En lugar de reducir en forma importante la cantidad que ingiere, saltar comidas o llevar una dieta de moda, concéntrese en consumir alimentos sanos, incluyendo verduras, frutas, granos enteros y fuentes proteicas con bajo contenido de grasa.

Ejercicio

El ejercicio regular cotidiano puede ayudarle a recuperarse del trabajo de parto y el parto, restaurar su fuerza y devolverle a su cuerpo la forma que tenía antes del parto. Además, el ejercicio incrementa su nivel de energía y le ayuda a combatir la fatiga, además de mejorar su circulación y ayudar a prevenir dolores de espalda. La actividad física también trae importantes beneficios psicológicos. Puede estimular su sentido de bienestar y mejorar su capacidad de enfrentar el estrés de ser una nueva madre.

Si hizo ejercicio antes y durante el embarazo y tuvo un parto vaginal sin complicaciones, por lo general es seguro reanudar el ejercicio hasta 24 horas después del parto, o tan pronto como se sienta lista para ello. Cerca de un día después de dar a luz puede comenzar a hacer los ejercicios de Kegel, y aumentar hasta realizar 25 o más repeticiones de éstos varias veces al día. Si tuvo un parto por cesárea o un parto complicado, consulte a su proveedor de cuidados de salud acerca de cuándo y cómo puede iniciar un programa de ejercicio.

Incluso si tuvo un parto fácil, necesitará comenzar en forma lenta y cuidadosa. No intente hacer mucho ejercicio demasiado pronto, ni espere regresar de inmediato a su nivel de ejercicio previo al parto. Caminar y nadar son actividades excelentes que le ayudarán a volver a ponerse en forma. Comience con calma y aumente la velocidad y la distancia cuando se sienta lista para ello. Algunas mamás nuevas disfrutan las clases de ejercicio posparto.

Los siguientes son algunos consejos para ejercitarse después de dar a luz:

- Los ejercicios para tonificar y fortalecer sus músculos abdominales y de la base de la pelvis tienen especial importancia después del alumbramiento. Éstos restauran la fuerza y el tono abdominales y aplanan el abdomen, ayudándole a mantener una buena postura. El ejercicio también puede ayudarle a curar la episiotomía, prevenir la incontinencia y restablecer el control de los músculos anales.
- Si no se ejercitó mucho durante su embarazo, necesitará comenzar despacio y en forma paulatina hasta realizar actividades más vigorosas.
- Comience con una serie de pequeños objetivos de acondicionamiento físico —busque rutinas moderadas más que de alta intensidad—. Ejercítese unas cuantas veces al día en sesiones breves en lugar de un solo periodo largo.
- Elija actividades que pueda realizar con su bebé, como caminar con la carriola o un transportador para bebés, bailar con el bebé y trotar con una carriola especial para ello. Algunos videos de acondicionamiento posnatal incluso le enseñan cómo incluir a su bebé en su acondicionamiento.
- Use un sostén de apoyo y ropa cómoda.
- Si está amamantando, quizá se sienta más cómoda si alimenta al bebé justo antes del ejercicio.
- Evite brincos, rebotes y movimientos bruscos durante las primeras seis semanas después del parto. También evite los cambios rápidos de dirección, las flexiones y extensiones profundas de articulaciones, los ejercicios con las rodillas al pecho, las sentadillas completas o levantamiento simultáneo de las piernas.
- No exagere. Deténgase antes de sentirse cansada y no realice la rutina si se siente particularmente exhausta. Deje el ejercicio de inmediato si presenta dolor, debilidad, mareos, visión borrosa, falta de aire, palpitaciones cardiacas, dolor de espalda o en el pubis, náuseas, dificultad para caminar o un aumento repentino en el sangrado vaginal.
- Beba muchos líquidos antes, durante y después del ejercicio.
- No lo deje. Incluso después de perder el peso del embarazo, la actividad física trae muchos beneficios de salud físicos y mentales.

La revisión posparto

Es probable que su proveedor de cuidados de salud programe una revisión para usted entre cuatro a seis semanas después del parto. Ésta puede incluir un examen pélvico para revisar su vagina y cérvix y determinar el tamaño y forma de su útero. Es posible que su proveedor de cuidados de salud también examine el sitio de su episiotomía u otras incisiones. Quizá le haga un examen de las mamas y determine su peso y presión sanguínea.

Su proveedor de cuidados de salud puede preguntarle acerca de cómo se siente en el aspecto emocional y cómo está manejando la situación. Quizá discuta el método de control de la natalidad que planea usar, y le ofrezca una prescripción u otra ayuda para hacer que su plan funcione.

Su examen posparto es una buena oportunidad para resolver cualquier duda o problema que tenga. Lleve una lista de sus preguntas y preocupaciones.

Es posible que la siguiente visita programada después de esta revisión pueda ser en seis a doce meses para que haya un mantenimiento apropiado de la salud, lo cual puede incluir la renovación de los anticonceptivos y la evaluación de su método contraceptivo.

Cambios emocionales y del estilo de vida

Los cambios físicos y las quejas del periodo de posparto son sólo parte de la vida después de tener un bebé —y, como dirían algunas mujeres, la parte fácil—. A medida que usted y su pareja comienzan a conocer a su nuevo bebé y comienzan a unirse como familia, es probable que sus sentimientos sean más intensos y cambiantes de lo que esperaba, y el estrés puede ser más agobiante de lo que pensó. Cuidar de un nuevo bebé es un trabajo exigente y agotador que puede voltear su vida al revés.

Durante las semanas posteriores al parto, la mayoría de las mujeres se sienten nerviosas respecto a su capacidad para enfrentar las nuevas responsabilidades. Quizá le preocupe perder su libertad e identidad anteriores al bebé, poder encontrar tiempo para sí misma, relacionarse con su bebé, manejar el resto de sus responsabilidades y mantener una buena relación con su pareja. Los cambios de estado de ánimo son comunes, lo mismo que la tristeza posparto y los sentimientos de depresión. El agotamiento, la falta de sueño y los cambios hormonales pueden contribuir a sus luchas emocionales.

Quizá le ayude aceptar la realidad de que su vida será caótica o estará "patas arriba" en el futuro cercano. Es probable que por un tiempo no duerma bien a la noche, y al principio ni se bañe, ni coma sentada ni tenga tiempo a solas sino raras veces. Pero, aunque es probable que su primer año como nueva madre sea un reto, quizá también sea más feliz y energizante de lo que jamás imaginó. Las exigencias sobre su tiempo, energía y recursos

RECUPERACIÓN DE UNA CESÁREA

Si tuvo un parto por cesárea, puede esperar algunas molestias y preocupaciones adicionales durante el periodo posparto. Vea el capítulo 12, "Nacimiento por cesárea", página 187, para mayor información sobre cómo recuperarse de esta operación.

emocionales pueden ser difíciles, pero usted y su pareja pueden tomar medidas para facilitar esta época.

Estrés

Además de los retos de cuidar de un bebé tiempo completo, muchos otros factores pueden dejarla sintiéndose estresada, agobiada y deprimida durante las semanas posteriores al parto. Muchos nuevos padres presentarán algunas de estas situaciones y sentimientos:

- Si está acostumbrada a sentirse en control y organizada, puede que se desilusione cuando su ordenado estilo de vida no pueda mantenerse después del parto. En lugar de la serena vida familiar que imaginaba, esto puede ser el caos.
- Si el nacimiento de su bebé no se realizó como esperaba —por ejemplo, la sometieron a una cesárea inesperada o su trabajo de parto fue muy largo— quizá se sienta desilusionada, resentida o como fracasada.
- Si su bebé fue prematuro o tuvo más de un bebé, estará lidiando con responsabilidades adicionales.
- Para los padres que han estado trabajando tiempo completo, la transición de ser un trabajador competente a la de cuidador novato puede ser difícil.
- Quizá enfrente sentimientos de incapacidad e inseguridad al tratar de determinar, por prueba y error, cómo cuidar de su bebé —y darse cuenta de que esto no se da en forma natural.
- Quizá le cueste trabajo ajustarse al tiempo limitado que pasa con los adultos. Después de todo, los recién nacidos no entablan conversación. Es probable que extrañe a sus amigos.
- Las preocupaciones financieras son comunes para la mayoría de los padres. No importa cuál sea su nivel de ingresos, tener un hijo puede ser una tensión para el presupuesto.
- Puede ser difícil aceptar su papel como progenitora. Muchas mujeres sienten una especie de duelo por su antigua identidad como persona libre, quizá orientada a su profesión. Es posible que se sienta incómoda con su nueva identidad como "madre", o con el cambio de estar en el centro del escenario a estar tras bambalinas, al convertirse el bebé en el centro de atención.
- Quizá se sienta culpable o preocupada si no se relaciona de inmediato con su bebé o no siente un amor avasallador a primera vista por él.
- La dinámica de su relación con su pareja puede cambiar después del nacimiento. También tiene que determinar cómo dividir el trabajo, el cuidado de los niños y los deberes domésticos, y cómo equilibrar el tiempo que pasa con el bebé, el que dedica a su pareja y el que disfruta sola.
- Muchas parejas presentan un cambio importante en la actividad sexual después del nacimiento de un bebé. Debido a la fatiga, las molestias físicas, los cambios hormonales, la falta de deseo o la insatisfacción con su aspecto después de dar a luz, muchas mujeres se sienten menos interesadas en el sexo durante un tiempo después de tener un bebé.

Consejos para cuando se sienta agobiada

Cuando lleve a su bebé a casa, es probable que haya veces en que se sienta exhausta, estresada o agobiada. Una de las maneras más importantes para minimizar el estrés es cuidar bien de sí misma al seguir comiendo tan bien como lo hizo durante el embarazo, beber muchos líquidos, mantenerse físicamente activa y descansar lo más que pueda.

Además, las siguientes sugerencias pueden ayudarle a sobrevivir el periodo posparto:

- **Obtenga ayuda.** Acepte las ofertas de ayuda de amigos y familiares, y no tema pedir apoyo. Lleve una lista de los trabajos que necesitan hacerse, de manera que cuente con tareas específicas para quienes ofrezcan ayuda. La mayoría de la gente se siente feliz de ayudar con la cocina, el trabajo doméstico, los recados o de cuidar al bebé mientras usted sale a hacer sus actividades. Muchas comunidades tienen servicios para las nuevas madres. Verifique con la enfermera del hospital, con su departamento local de salud o en la Sección Amarilla.
- **Salga de la casa.** Estar atrapada en la casa con un recién nacido que llora día tras día puede hacer que cualquiera enloquezca. Salga con su bebé a pasear o encuentre a alguien que cuide del bebé durante unas horas mientras usted sale. Considere intercambiar el cuidado de los hijos con otras nuevas madres o unirse a una cooperativa de cuidados para niños.
- **Simplifique.** Mantener limpia la casa no tiene que ser su prioridad en este momento. Descansar lo suficiente y cuidar de su bebé es más importante que tener una casa impecable. Acepte un poco de desorden en su vida. Durante las comidas, simplifique usando platos de cartón, comidas congeladas o comidas a domicilio. No se sienta culpable de disculparse ante algunos compromisos y desechar otros.
- **Evite la culpa.** Muchas mamás parecen ser expertas en sentirse culpables. Recuerde que sólo puede hacer su mejor esfuerzo. No existe la madre perfecta ni el hijo perfecto. Aprenda de cualquier error y trate de hacerlo mejor la próxima vez.
- **Establezca algunas rutinas.** Aunque los hábitos de alimentación y descanso de su bebé cambian con frecuencia durante el primer año, intente encontrar maneras de adaptar su vida a su rutina diaria. Intente que su bebé coma y duerma a los mismos horarios todos los días.
- **Tome tiempo para cuidarse a sí misma.** Es fácil quedar atrapada en las interminables demandas del cuidado del bebé, pero podrá cumplir mejor con esas demandas si hace arreglos para tener por lo menos algunas horas para sí misma cada semana. Haga un acuerdo con su pareja, un amigo o un familiar para que cuiden al bebé mientras usted desarrolla alguno de sus intereses, come con una amistad o hace un paseo especial. Además, todos los días trate de hacer algo que disfrute. Por ejemplo, vaya a caminar, lea un libro, escriba, dibuje o escuche música. Obséquiese un masaje o un baño. Hable con personas que le parezcan estimulantes.
- **Tome tiempo para enriquecer su relación o matrimonio.** Encuentren maneras de pasar tiempo juntos, con y sin el bebé. Vea "Como enriquecer su relación", en la página 266.

- **Comparta sus sentimientos.** Hable sobre todos sus sentimientos —incluyendo los de enojo, frustración y tristeza— con alguien en quien confíe. Asegúrese de seguir comunicándose con su pareja.
- **Conéctese con otros padres.** Haga amistad con otros padres. Manténgase en contacto con la gente que conoció en la clase prenatal o tome una clase sobre cómo ser padres, en la escuela, guardería, clínica de salud, iglesia, centro comunitario u hospital. Quizá también podría unirse a un grupo de apoyo con otras madres y nuevos bebés o participar en un sistema de avisos o lista de correos en línea para mujeres que dieron a luz en el mismo mes en que usted lo hizo.

Tristeza posparto

La mayoría de las madres se sienten deprimidas en cierto grado después de dar a luz. Se cree que la causa de la tristeza y la depresión posparto es la caída abrupta en los niveles de estrógeno y progesterona después del alumbramiento.

Pero los cambios hormonales no son el único factor. Si ha sufrido privación del sueño y está agobiada, es natural sentirse deprimida. Otros posibles factores contribuyentes incluyen los muchos cambios físicos que usted atraviesa después de dar a luz, las dificultades durante su embarazo y parto, la caída de ánimo después de un suceso emocionante, los cambios en las finanzas de su familia, las expectativas poco realistas sobre el alumbramiento y la maternidad, el apoyo emocional inadecuado y los ajustes en sus relaciones y su identidad.

Algunos hombres sufren síntomas de depresión después de que nacen sus bebés. Los hombres cuyas parejas tienen depresión posparto se encuentran en riesgo particular de sufrir depresión.

Hasta 80 por ciento de las nuevas madres experimentan lo que se llama "*baby blues*" (tristeza posparto), una forma leve de depresión. Los signos y síntomas incluyen episodios de ansiedad, tristeza, llanto, dolores de cabeza y agotamiento. Quizá se sienta insignificante, irritable e indecisa. Después de que desaparece la excitación inicial de tener un bebé, puede parecerle que la realidad de la maternidad parece difícil de enfrentar. Es común que los *baby blues* se presenten entre tres a cinco días después del nacimiento y duren de una semana a 10 días.

Puede ayudar a recuperarse con mayor rapidez si obtiene descanso adicional, come una dieta sana y se ejercita con regularidad. Además, intente expresar sus sentimientos hablando acerca de ellos, en particular con su pareja. Si estas medidas no ayudan, quizá tenga una forma más grave de depresión. Para mayor información sobre la depresión y la psicosis posparto, vea la página 585. Hable con su proveedor de cuidados de salud si sus síntomas son graves o duran más de unas cuantas semanas.

Forme lazos con su bebé

Tan pronto como los bebés nacen, desean y necesitan que los abracen, acaricien, mimen, toquen, besen, hablen y canten para ellos. Estas expresiones cotidianas de amor y afecto promueven la formación de lazos y el reconocimiento.

También ayudan a que se desarrolle el cerebro de su bebé. Así como el cuerpo de un lactante necesita alimentos para crecer, su cerebro necesita experiencias positivas emocionales, físicas e intelectuales. Las relaciones con otras personas en el inicio de su vida tienen una influencia vital sobre el desarrollo de un niño.

Algunos padres sienten una conexión inmediata con su recién nacido, y, para otros, el lazo tarda más en formarse. No se preocupe ni se sienta culpable si no la agobian los sentimientos de amor al principio. No todos los padres sienten esa unión instantánea con el nuevo bebé. Es muy probable que sus sentimientos se fortalezcan con el tiempo.

También se requiere tiempo para aprender a interpretar el llanto y las señales del bebé, y para comprender lo que le gusta y necesita. Incluso como recién nacido, cada bebé tiene una personalidad definida. Si tiene otros niños, también aprenderán cómo relacionarse con su nueva hermana o nuevo hermano.

Es muy probable que al principio la mayor parte del tiempo su bebé se la pase comiendo, durmiendo y llorando. Sus respuestas cálidas y amorosas hacia las necesidades del bebé forman la base de la crianza y la formación de lazos. Cuando los bebés reciben un cuidado cálido y que responda a sus necesidades con rapidez, tienen mayor probabilidad de sentirse seguros y a salvo. Las tareas de rutina representan una oportunidad para relacionarse con su bebé. Por ejemplo, al alimentarlo y cambiar sus pañales, mírelo con amor a los ojos y háblele con dulzura.

Los bebés también tienen momentos en que están callados y alertas, y listos para aprender y jugar. Es posible que estos momentos sólo duren unos minutos, pero aprenderá a reconocerlos. Aproveche los momentos en que su bebé está alerta para conocerlo y jugar con él o ella.

Para formar lazos y criar a su bebé:

- No se preocupe de echarlo a perder. Responda a las señales e indicios que le dé. Entre las señales que mandan los bebés se encuentran los sonidos que hacen —que durante las primeras dos semanas serán en su mayor parte llanto—, la manera en que se mueven, sus expresiones faciales y la manera en que hacen o evitan el contacto con los ojos. Ponga mucha atención a la necesidad de estímulo que tiene su bebé, lo mismo que a la nacesidad de momentos de calma. Vea "Cómo saber cuando su bebé necesita un descanso", en la página 265.

- Hable, lea y cante para su bebé. Incluso los infantes disfrutan la música y que les lean. No comprenden el significado de las palabras, pero estas "conversaciones" tempranas ayudan a que su capacidad para el lenguaje crezca y le proporcionan una oportunidad de cercanía. Cuando hable con su bebé, recuerde que las voces agudas son las más atractivas para ellos. La plática de bebé no es tonta —de hecho, los bebés prefieren los sonidos rítmicos y suaves—. Puede probar con varios sonidos para ver si su bebé muestra preferencias por algunos. Aunque el infante no se voltee hacia un sonido, es posible que note que su voz puede hacer que se tranquilice o se calle.

- Mime y toque a su bebé. Los recién nacidos son muy sensibles a los cambios en presión y temperatura. Les encanta que los abracen, mezan, acaricien, acunen, acurruquen, besen, den palmaditas, masajeen y carguen.

- Deje que su bebé vea su cara. Muy pronto después de nacer, su recién nacido se acostumbrará a verla y comenzará a concentrarse en su cara. Los bebés prefieren la cara humana a otros patrones o colores. Deje que su bebé estudie sus facciones y proporcione muchas sonrisas.
- Dé a su bebé la oportunidad de imitarla. Elija movimientos faciales simples como abrir su boca o sacar la lengua. Repita despacio el gesto varias veces. El bebé puede o no intentar imitar su gesto.
- Proporcione a su bebé juguetes simples y atractivos para la vista, el oído y el tacto. Esto incluye espejos irrompibles para la cuna, sonajas y juguetes texturizados y musicales. Elija juguetes y móviles con colores fuertes contrastantes como negro y blanco o negro y rojo.
- Ponga música y baile. Ponga música suave con ritmo, sostenga la cara del bebé cerca de la suya y muévase con cuidado con la melodía.
- Evite la estimulación excesiva del bebé. Ofrezca a su bebé un juguete o estímulo por vez. Demasiadas actividades a la vez pueden llevar a la confusión o a la hiperestimulación.
- Establezca rutinas y rituales. Repetidas experiencias positivas proveen a los niños de una sensación de seguridad.

CÓMO SABER CUANDO SU BEBÉ NECESITA UN DESCANSO

Es posible que su bebé le dé señales muy directas cuando se termine la hora del juego. Esté pendiente de estos signos para saber que su bebé está cansado y necesita un descanso:
- Cerrar los ojos
- Voltearse o dejar caer los brazos y los hombros alejándose de usted
- Atiesar o apretar los puños
- Volverse irritable
- Comenzar a respirar en forma profunda y rítmica
- Ponerse tenso, arquear la espalda
- Evitar su mirada

Tome su tiempo

Sea paciente consigo misma en estas primeras semanas con su bebé. Recuerde que usted y su familia han sufrido un cambio tremendo. Puede ser que sea intimidante, desalentador, estimulante y confuso; todo al mismo tiempo. En su momento, recuperará la fuerza física, y sus habilidades como madre crecerán también, día a día, a medida que explora el mundo junto con esta nueva persona.

Este mes, también puede interesarle:
- "Complicaciones: condiciones posparto", página 579.

A medida que usted y su pareja empiezan a formar lazos con el bebé y forman una familia, es importante que se den tiempo a sí mismos como pareja. El periodo posparto es un tiempo de ajustes fundamentales para una pareja que va negociando cómo compartir las tareas de ser padres, y cómo relacionarse entre sí en su nuevo papel como progenitores. A continuación le damos algunos consejos para enfrentar los cambios en su relación y enriquecer a la pareja:

- **Mantengan abiertas las líneas de comunicación.** Ser un nuevo padre puede asustar a ambas personas. Es útil hablar sobre estos sentimientos con su pareja. También comparta sus sentimientos acerca de lo que sucede en su relación sexual.
- **Compartan las tareas y las experiencias de ser padres.** Ser padres será más fácil para ambos si comparten el trabajo. Ambos progenitores deben estar listos para responder al llanto del bebé, bañarlo y cambiar sus pañales. El padre puede ayudar con la alimentación. Si la madre está amamantando, ella puede extraer algo de leche de sus mamas para que el papá la utilice para las comidas de la noche. Además, tomen tiempo para hacer cosas divertidas juntos como familia. Los bebés pequeños son muy portátiles, así que puede incluirlos en su vida social y mantener su estilo de vida en gran medida. Permita que el amor que ambos sienten por el bebé los acerque como pareja.
- **Tomen decisiones juntos.** Si no están de acuerdo sobre cómo cuidar del bebé, negócienlo. Acostumbrarse a este proceso los ayudará a tomar decisiones más difíciles en el futuro.
- **Pasen tiempo juntos a solas.** Aunque ambos estarán ocupados con el bebé y otras responsabilidades, encontrar tiempo en su rutina diaria para que usted y su pareja estén juntos y solos es una manera importante de mantener su relación. En casa, mantengan los pequeños rituales que puedan compartir, como hacer un crucigrama o hablar al final del día. Planeen citas en forma regular. Acudan con alguien en quien confíen para que les cuide el bebé, y pasen un tiempo juntos alejados de él.
- **Tomen turnos para darle descanso al otro.** Cada padre necesita un tiempo lejos del bebé.
- **Sean pacientes y regresen poco a poco al sexo.** Muchas parejas sufren una reducción en la actividad sexual el primer año después del nacimiento del bebé —por muchas razones—. Quizá esté demasiado cansada y dolorida para siquiera pensar en el sexo durante las primeras semanas y meses después del nacimiento. Muchas mujeres se sienten menos atractivas en el periodo posparto y presentan una falta de libido o incapacidad para lograr un orgasmo. Las relaciones sexuales pueden ser dolorosas, debido a cambios hormonales y al amamantamiento.

Ya sea que haya dado a luz por parto vaginal o por cesárea, su cuerpo puede requerir varias semanas para sanar. La mayoría de las mujeres esperan entre tres y seis semanas para reanudar las relaciones sexuales. Si tuvo un parto por cesárea, es posible que su proveedor de cuidados de salud le aconseje esperar seis semanas. Puede tener confianza acerca de la reanudación del sexo cuando ya no sienta dolor al presionar sobre su abertura vaginal o la episiotomía.

Durante las semanas en que no tenga relaciones sexuales, procure mantener la intimidad emocional y sexual. Es posible hacer el amor sin penetración poco después del nacimiento si lo desea. Esto puede reafirmar su afecto mutuo.

Cuando reanude las relaciones sexuales, es posible que sean necesarias las cremas y geles lubricantes porque la reducción en los niveles hormonales puede causar sequedad vaginal. Pruebe diferentes posiciones para evitar la presión sobre el área dolorida y controlar la penetración. Sea honesta con su pareja y dígale si el sexo le causa molestias o dolores. Por último, a menos que desee quedar embarazada otra vez de inmediato, utilice control de la natalidad.

PARTE 2
guías de decisión para embarazo, parto y maternidad (paternidad)

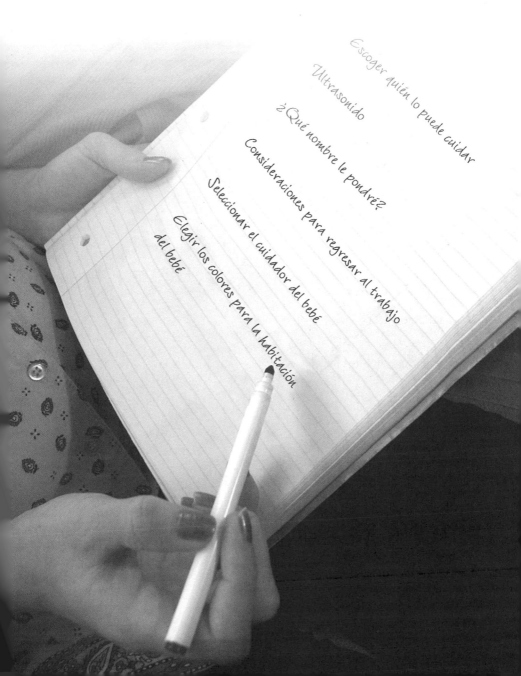

Escoger quién lo puede cuidar

Ultrasonido

¿Qué nombre le pondré?

Consideraciones para regresar al trabajo

Seleccionar el cuidador del bebé

Elegir los colores para la habitación del bebé

"¿Cómo elijo un proveedor de cuidados para el embarazo? ¿Debo someterme a pruebas prenatales? ¿Cuáles son mis opciones de alivio del dolor durante el trabajo de parto y el parto?".

Es probable que durante el embarazo tenga que enfrentar estas y muchas otras preguntas importantes. Esta sección, "Guías de decisión para embarazo, parto y maternidad (paternidad)", ofrece información para orientarla hacia las respuestas adecuadas para usted y su situación.

para comprender las pruebas para detección de portador genético en los futuros padres

Aunque la mayoría de los bebés nacen sanos, tener un bebé significa enfrentar un riesgo. No hay garantías de que un niño nacerá saludable.

Algunas personas tienen una constitución genética que incrementa el riesgo de tener un hijo con problemas de salud. Hoy en día, hay pruebas disponibles que ofrecen a los futuros padres una oportunidad de explorar algunos de los riesgos que la genética puede implicar para su hijo no nacido.

Estas pruebas se llaman pruebas de detección de portador genético y están diseñadas para identificar a la gente que posee una copia de un gen alterado que lleva a una enfermedad específica. Aunque esta gente lleva un gen alterado, no se ven afectados por él, debido a que dos genes alterados deben estar presentes para que se desarrolle la enfermedad. Las pruebas para detección de portador genético deben realizarse en los padres prospectivos antes de concebir al bebé. También puede llevarse a cabo durante el embarazo, para ayudar a determinar si debe considerarse la realización de futuras pruebas durante la gestación. Con esta información, los futuros padres pueden evaluar los riesgos y tomar decisiones.

Esta guía de decisión explica el tipo de pruebas disponibles para examinar los posibles riesgos de salud que puedan estar incluidos en su código genético. Explica lo que dichas pruebas pueden —y no pueden— decirle.

Asuntos por considerar

Usted es quien debe decidir si desea realizarse pruebas para detección de portador genético. Considere estas preguntas al tomar tal decisión:
- ¿Hay un historial familiar de algún padecimiento específico?
- ¿Pertenece a algún grupo racial o étnico que la coloca en mayor riesgo de ser portadora de cierta enfermedad?
- ¿Con que frecuencia se presenta esa afección en la población de alto riesgo?

- ¿Qué tan grave podría ser esa enfermedad?
- ¿Usará la información si averigua que usted y su pareja son portadores de la misma afección genética? Si es así, ¿cómo?
- ¿Cómo podría responder en el aspecto emocional al proceso de prueba?
- ¿Su seguro cubrirá la prueba? Si no es así, ¿podrá pagarla? Tenga en cuenta que es posible que las pruebas cuyo propósito no sea diagnosticar una enfermedad no estén cubiertas por el seguro.
- ¿Podrá, dentro del periodo que tarda en completarse la prueba, tener el tiempo adecuado para decidir si iniciar o continuar con un embarazo?
- ¿Le beneficiará discutir las opciones y los aspectos relacionados con las pruebas para detección de portador genético con un consejero genético u otro proveedor de cuidados de salud?

¿CUÁL ES LA DIFERENCIA ENTRE UN TRASTORNO CONGÉNITO Y UNO GENÉTICO?

Un trastorno congénito es aquel con el cual nace el bebé. Un trastorno genético es hereditario, pasa de una generación a la siguiente a través de la constitución genética de la familia.

El bebé puede nacer con un trastorno que está presente en el nacimiento (congénito) y que es causado por su constitución genética (genético). No obstante, no todos los problemas congénitos son genéticos. Por ejemplo, la parálisis cerebral es un trastorno congénito que afecta la capacidad del sistema nervioso para controlar el movimiento. Dado que se trata de un trastorno congénito pero no genético, la parálisis cerebral no puede identificarse a través de las pruebas para detección de portador genético.

Los trastornos genéticos —como la enfermedad de Tay-Sachs, la fibrosis quística y otras que se discuten en esta guía de decisión— pueden identificarse mediante las pruebas para detección de portador genético. Es importante comprender que las pruebas genéticas pueden descubrir algunos defectos de nacimiento posibles, pero no todos.

¿Quién podría considerar las pruebas para detección de portador genético?

Con unas cuantas excepciones, hacer pruebas de detección en todas las personas, hasta para los trastornos más comunes, no es posible ni práctico. En Estados Unidos, deben cumplirse varios criterios para que se justifique la realización amplia de pruebas de detección.
- Existe una prueba simple y precisa
- La población —por lo general un cierto grupo étnico o racial— tiene una alta incidencia de portadores
- Hay opciones reproductivas o de tratamiento para las personas identificadas como portadoras

Podría considerar someterse a pruebas para detección de portador genético si:
- Es parte de un grupo de población en el cual se sabe que es más común una enfermedad genética
- Usted o su pareja poseen un historial familiar de una enfermedad particular

Pruebas para detección basadas en la población

Ciertos grupos raciales o étnicos poseen mayor riesgo que otros para ciertos trastornos, algunos de los cuales se mencionan en seguida. Si pertenece a uno de estos grupos, hable con su proveedor de cuidados de la salud o con un consejero genético acerca de los riesgos de ser portador y sobre el proceso de detección.

Grupo racial o étnico	Trastorno genético
Judío asquenazi	Enfermedad de Tay-Sachs, fibrosis quística, enfermedad de Canavan, enfermedad de Niemann-Pick (tipo A), anemia de Fanconi (grupo C), síndrome de Bloom, enfermedad de Gaucher, disautonomía familiar
Francocanadiense, Cajun	Enfermedad de Tay-Sachs
Negro	Enfermedad de células falciformes
Mediterráneo	Betatalasemia
Chino y del sureste asiático (Camboya, Filipinas, Laos, Vietnam)	Alfatalasemia
Blanco (europeo)	Fibrosis quística

Hay *pruebas para detección de portador genético basadas en la población* para gente que es parte de un grupo en riesgo de padecer ciertos trastornos. Se pueden hacer pruebas para:

- **Trastornos autosómicos recesivos.** Su ADN está hecho de pares de genes, un gen proveniente de su madre y el otro de su padre. En un trastorno genético autosómico recesivo, si posee un solo gen alterado para la enfermedad, no presentará los signos y síntomas de ésta. Si dos personas poseen genes recesivos para la misma enfermedad, hay 25 por ciento de probabilidad de que su hijo tendrá la enfermedad, 25 por ciento de probabilidad de que no será portador ni se verá afectado, y 50% de probabilidad de que no tendrá la enfermedad pero será portador del gen alterado, igual que los padres (véase la figura de la página 272).

  Los trastornos autosómicos recesivos incluyen enfermedad de Canavan, fibrosis quística, enfermedad de células falciformes y talasemias, entre otras miles enfermedades.

Evaluación del historial familiar

Si hay una cierta enfermedad en su familia, quizá desee que le hagan pruebas para determinar si usted es portador de la alteración genética que la causa. Por ejemplo, si tiene un hermano con una condición autosómica recesiva, hay

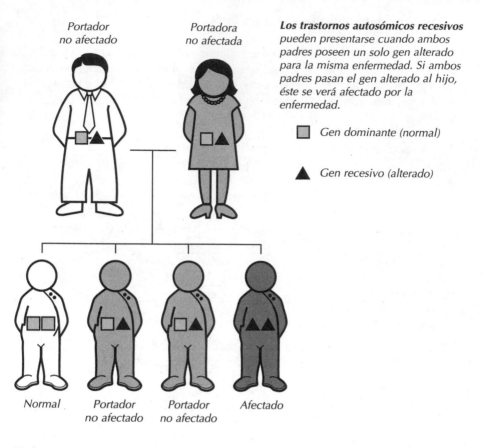

Portador no afectado

Portadora no afectada

Los trastornos autosómicos recesivos *pueden presentarse cuando ambos padres poseen un solo gen alterado para la misma enfermedad. Si ambos padres pasan el gen alterado al hijo, éste se verá afectado por la enfermedad.*

Gen dominante (normal)

Gen recesivo (alterado)

Normal

Portador no afectado

Portador no afectado

Afectado

50 por ciento de probabilidades de que sea portador; también hay una probabilidad de 50 por ciento de que no lo sea. Si no es portador, sus hijos no pueden heredar la enfermedad.

A veces, cuando se hacen pruebas de un trastorno familiar, puede ser que se sometan a evaluación varias personas de su familia, incluyendo las que padecen el trastorno. Las pruebas pueden ser complicadas. Quizá lo mejor sea discutir dichas pruebas con un proveedor de salud capacitado, como un consejero genético.

La *detección dirigida de portadores* puede realizarse en familias donde un miembro haya recibido un diagnóstico de cierto padecimiento. Ésta es una técnica efectiva para detectar trastornos autosómicos recesivos. La detección dirigida de portadores también puede buscar:

- **Trastornos ligados al cromosoma X.** Este tipo de problema es el resultado de un gen alterado localizado en el cromosoma X. La mujer, que posee dos cromosomas X, puede ser portadora de un trastorno relacionado con este cromosoma, pero no verse afectada por él porque su cromosoma X normal proporciona la función necesaria para ese gen. Tiene 50 por ciento de probabilidades de pasar el cromosoma alterado a sus hijos. Si el menor que recibe el gen alterado es un niño, quien sólo

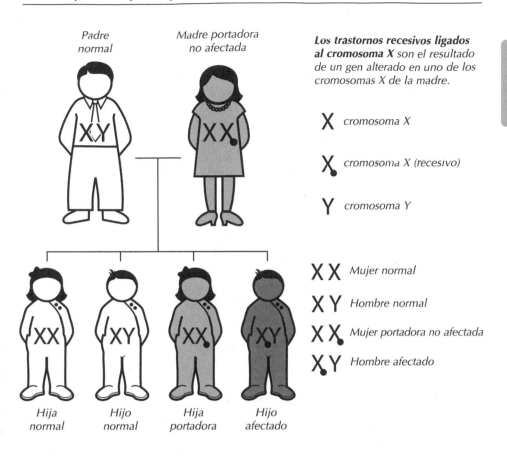

Padre normal

Madre portadora no afectada

Los trastornos recesivos ligados al cromosoma X son el resultado de un gen alterado en uno de los cromosomas X de la madre.

X cromosoma X

X cromosoma X (recesivo)

Y cromosoma Y

X X Mujer normal

X Y Hombre normal

X X Mujer portadora no afectada

X Y Hombre afectado

Hija normal

Hijo normal

Hija portadora

Hijo afectado

¿Qué es un consejero genético?

El papel de un consejero genético es ayudarle a tomar decisiones si le preocupan los riesgos de una enfermedad hereditaria. El consejero genético puede ayudarle a:
- Comprender si su probable futuro hijo está en riesgo de tener defectos de nacimiento o trastornos hereditarios
- Decidir si debe hacerse las pruebas de detección o no
- Interpretar cualquier resultado relacionado con las pruebas
- Comprender cómo puede afectar una enfermedad específica a su hijo
- Tomar decisiones acerca de los resultados que sean consistentes con sus valores y creencias

Los consejeros genéticos certificados (CGC) han cumplido con una capacitación especial en genética humana y consultoría. Los médicos especializados en Genética también están entrenados de manera específica en Genética y Consultoría. Además, otros médicos y enfermeras pueden estar capacitados en el tema.

Para encontrar un consejero genético en su área, hable con su proveedor de cuidados de salud. También puede comunicarse con su oficina local (en EUA) de la *March of Dimes*, la Sociedad Nacional de Consejeros Genéticos (*www.nsgc.org*) o el Colegio Estadounidense de Genética Médica (*www.acmg.net*).

posee un cromosoma X, se verán los efectos del gen alterado, lo cual significa que el niño presentará los signos y síntomas de la enfermedad. Si el menor que recibió el gen alterado es una niña, ella, al igual que su madre, será portadora de la enfermedad.

Los trastornos ligados al cromosoma X incluyen distrofia muscular de Duchenne, síndrome de X frágil y hemofilia, entre otros.

* **Reacomodos cromosómicos.** En algunas familias, los bebés nacen con defectos debidos a la presencia de demasiado o muy escaso material genético. Esto puede suceder si uno de los padres es portador de un reacomodo cromosómico. Dichos reacomodos también pueden llevar a la generación de más abortos de los esperados en esa familia. Si tiene un familiar con un trastorno cromosómico o un defecto de nacimiento o si se han producido una serie de abortos espontáneos, hable con su proveedor de cuidados de salud para saber si están indicados los estudios cromosómicos.
* **Trastornos mitocondriales.** Algunos problemas son causados por errores en un conjunto separado de genes en cada célula. Estos genes separados están en cada mitocondria, los órganos productores de energía de las células. Las alteraciones mitocondriales pueden tener muchos signos y síntomas diferentes, como bajo nivel sanguíneo de azúcar, problemas musculares, convulsiones y otros padecimientos. Si tiene un familiar que haya sido diagnosticado con un problema mitocondrial, discuta esto con su proveedor de cuidados de salud o genetista para decidir si es adecuado que se haga las pruebas.

Cuándo se hacen

Las pruebas para detección de portador genético que se realizan antes de la concepción le proporcionan la mayor cantidad de opciones en términos de planeación familiar. También se pueden hacer durante el embarazo para determinar si éste tiene mayor riesgo.

Cómo se hace

Una simple muestra sanguínea contiene suficientes glóbulos blancos como para hacer un estudio de ADN o analizar las proteínas de los leucocitos (glóbulos blancos), dependiendo de la prueba que se realice. Hacer la prueba en ambos futuros padres hará posible ver si el embarazo está bajo alto riesgo.

Interpretación de los resultados

Decidir cómo usar la información de las pruebas para detección de portador genético puede ser un reto. Es importante hablar con alguien experimentado en genética y enfermedad antes y después de las pruebas.

Si los resultados de las pruebas indican que no es portador, no son necesarias precauciones especiales con el embarazo, a menos que estén relacionadas con una afección aparte. No obstante, los resultados de las pruebas no deben tomarse como garantía de que su hijo estará sano. Aunque las pruebas para detección de portador genético son precisas, la mayor parte del tiempo no identifican a todos los portadores. Algunas enfermedades, como la fibrosis quística, tienen muchas mutaciones. La prueba puede concentrarse en las más comunes. Incluso si la prueba dice que no es portador, es posible que, de hecho, presente en sus genes una mutación poco conocida o desconocida de la enfermedad.

Cuando discuta los resultados de las pruebas para detección de portador genético, es probable que su consejero genético o su proveedor de cuidados de salud revisen sus probabilidades de ser portador. Por ejemplo, los blancos tienen una probabilidad de cuatro o cinco en cada 100 (cuatro a cinco por ciento) de ser portadores de una alteración genética para fibrosis quística. Si la prueba para portador es negativa, la probabilidad se reduce a uno de cada 240 (0.4 por ciento) para las personas con ascendencia del norte de Europa.

EXPLICACIÓN DE LOS PADECIMIENTOS

Alfatalasemias. Producen una deficiencia de glóbulos rojos (anemia) y su forma más grave da como resultado la muerte fetal o del recién nacido. La mayoría de los casos son mucho menos graves.

Betatalasemias. También dan como resultado la anemia. En la forma más grave (talasemia mayor), los niños requieren transfusiones sanguíneas regulares. Con el tratamiento adecuado, la mayoría de las personas con este padecimiento llegan a la edad adulta. Las formas menos graves causan complicaciones de distintos grados relacionadas con la necesidad de tener más glóbulos rojos.

Enfermedad de Canavan. Es un padecimiento grave del sistema nervioso que por lo general se diagnostica poco después del nacimiento del bebé. La muerte por lo general se presenta al principio de la infancia.

Fibrosis quística. Afecta los sistemas respiratorio y digestivo, causa una grave enfermedad respiratoria crónica, diarrea, desnutrición y limitación del ejercicio. Los tratamientos recientes han permitido que las personas más afectadas puedan llegar a la edad adulta.

Distrofia muscular (DM) de Duchenne. Afecta los músculos de pelvis, brazos y muslos. Se presenta en niños pequeños y es la forma más común de DM que afecta a los niños. Puede llevar a debilidad muscular y, en casos graves, a la muerte.

Síndrome de X frágil. Es la causa genéticamente heredada más común de retraso mental, ocasionado por alteraciones en el cromosoma X.

Enfermedad de células falciformes. Evita que las células sanguíneas se muevan en forma correcta por el cuerpo. Los infantes afectados presentan una mayor susceptibilidad a las infecciones y tasas bajas de crecimiento. La enfermedad puede causar ataques de dolor grave y daño en órganos vitales. Con tratamiento médico temprano y consistente, las complicaciones pueden minimizarse.

Enfermedad de Tay-Sachs. Es un padecimiento en el cual está ausente la enzima necesaria para degradar ciertas grasas (lípidos). Estas sustancias se acumulan y destruyen en forma gradual las células cerebrales y nerviosas hasta que el sistema nervioso central deja de funcionar. La muerte por lo general ocurre al principio de la infancia.

Para tener información detallada sobre estas y otras enfermedades genéticas, vea el sitio en red del Centro Nacional de Información Biotecnológica (en EUA) en

La prueba puede indicarle que es portador de un gen específico alterado, pero es posible que no revele qué tan grave puede ser la enfermedad si ocurre en uno de sus hijos. Si la prueba sugiere un mayor riesgo de una enfermedad específica, quizá desee hablar con su proveedor de cuidados de salud, un genetista o un consejero genético acerca de las implicaciones de la enfermedad.

Si la prueba indica que usted es portador, su consejero genético le ayudará a evaluar las opciones a su alcance. Éstas pueden incluir:

* Renunciar a la concepción
* Adoptar un hijo
* Usar un óvulo o esperma de donadores
* Usar diagnóstico genético previo a la implantación (véase página 295)
* Usar pruebas de diagnóstico como la amniocentesis (véase página 299) o muestreo de vellosidades coriónicas (véase página 304) durante el embarazo para determinar si su bebé tiene la enfermedad.

Si está embarazada, un consejero genético puede ayudarle a considerar los siguientes pasos en su embarazo. El objetivo del consejero genético es ayudarle a tomar decisiones consistentes con sus propios valores, así que no tema hacer preguntas o pedir que le repitan la información.

Si usted y su pareja planean un embarazo en el futuro y tienen razones para preocuparse acerca de los problemas genéticos, es posible que deseen hablar con un consejero genético en este momento para ver si hay nuevas pruebas u opciones de tratamiento a su alcance o si lo estarán pronto. Recuerde que la información de evaluación genética pertenece a una pareja única. Si, en el futuro, planea un embarazo con una pareja diferente, es posible que ésta también desee ser evaluada.

Posibles preocupaciones

Quizá desee considerar otros asuntos. Por ejemplo, si su prueba resulta positiva como portador de un padecimiento en particular, es posible que otros en su familia también sean portadores. Estas son noticias difíciles de compartir con los familiares. Además, las pruebas de portador genético pueden revelar información que antes era desconocida acerca de los padres biológicos de un niño, como en el caso que el hombre no sea el padre biológico del niño (sin paternidad).

elección de su proveedor de cuidados de salud para el embarazo

El embarazo es un viaje. Ya sea que se trate de una nueva aventura o de que ya sea veterana en ello, encontrar el proveedor de cuidados de la salud adecuado y planear el tipo de alumbramiento que desea puede marcar una gran diferencia en su experiencia.

Hay muchas opciones disponibles para el control del embarazo, el sitio del parto y los planes para el nacimiento. La naturaleza de su embarazo y sus preferencias personales le servirán como guías para elegir los cuidados. Esta guía de decisión está diseñada para ayudarle a conocer los diferentes tipos de cuidado y de proveedores de cuidados de salud que pueden estar a su alcance.

A lo largo de su embarazo y del parto, recuerde que eligió a su proveedor de cuidados de salud por una razón. Confía en que la capaccidad de este profesional guiará con seguridad a usted y a su bebé a través del proceso del nacimiento. Permita que su proveedor le de el mejor cuidado posible.

Dónde empezar

Encontrar el proveedor de cuidados de salud adecuado para su embarazo y parto puede ser un proceso agobiante. Utilice esta información como ayuda para tomar esta importante decisión.

Busque ayuda para identificar los posibles proveedores de cuidados de salud en obstetricia:
- Pida recomendaciones a familiares y amigos.
- Consulte con su médico de cabecera y con otros profesionales médicos.
- Comuníquese con la sociedad médica de su localidad y pida una lista de proveedores en su área.
- Busque en la Sección Amarilla una lista de proveedores por área de especialidad.
- Comuníquese con el hospital de su preferencia y averigüe quiénes son los proveedores de cuidados maternos.

- Comuníquese con la unidad de trabajo de parto y parto de su hospital de preferencia y pida a las enfermeras una recomendación.
- Use el Internet. Si no tiene acceso a éste, pruebe en su biblioteca local. La mayoría de las bibliotecas ofrecen acceso a Internet al público. Los siguientes sitios en red ofrecen herramientas de búsqueda que le dan una lista de proveedores en su área:
  - Asociación Médica Estadounidense, *"Doctor Finder" www.ama-assn.org*
  - Colegio Estadounidense de Obstetras y Ginecólogos, *"Find a Physician" www.acog.org*
  - Colegio Estadounidense de Enfermeras-Parteras, *"Find a Midwife" www.midwife.org*
  - Sociedad de Medicina Materno-Fetal, *"Physician Locator"*, *http://smfm.org*
  - Asociación Nacional de Centros de Alumbramiento (en EUA), *"Find a Birth Center"*, *www.birthcenters.org*

También puede usar el Internet para verificar la certificación de un médico. Visite el sitio en red del Consejo Estadounidense de Especialidades Médicas en *www.abms.org* y haga clic en *"Who's Certified"*. En la actualidad, necesitará registrarse para usar este servicio —el registro es gratuito—. O puede llamar sin costo al (866) ASK-ABMS, o (866) 275-2267.

Al estudiar sus opciones, considere estas preguntas:
- ¿Se encuentra el consultorio del proveedor de cuidados de salud a una distancia conveniente de su hogar o trabajo?
- ¿Podrá el proveedor de cuidados de salud atender su parto en el lugar en que usted lo desea —un hospital o clínica de maternidad particulares—?
- ¿Trabaja solo o en grupo su proveedor de cuidados de salud? Si es una práctica de grupo, ¿con qué frecuencia verá a su proveedor de cuidados de salud? ¿Con qué frecuencia verá a otras personas de su práctica?
- ¿Quién reemplazará a su proveedor de cuidados de salud si no está disponible en una emergencia o cuando comience su trabajo de parto?
- ¿Está disponible el proveedor de cuidados de salud para responder preguntas entre sus consultas programadas?
- ¿Cuánto cuestan los servicios del proveedor de cuidados de salud? ¿Su compañía de seguros cubre el costo?
- ¿Qué nivel de experiencia cree que requiere su embarazo? ¿Cumple con esa necesidad su proveedor de cuidados de salud?
- ¿Cuánto valora la oportunidad de que su proveedor de cuidados de la salud atienda a la familia entera?

Cuando conozca a un posible proveedor de cuidados de salud, piense en estos asuntos:
- El proveedor de cuidados de salud, ¿escucha sus preocupaciones y proporciona respuestas útiles a sus preguntas?
- ¿El proveedor de cuidados de salud está abierto y cómodo con su filosofía acerca del embarazo y parto?

- El proveedor de cuidados de salud, ¿la mantendrá informada y le permitirá participar como lo desee en las decisiones médicas que la afecten a usted y a su bebé?

Tipos de proveedores de cuidados de la salud

Pueden proporcionarle cuidados obstétricos los médicos familiares, los ginecobstetras, los especialistas en Medicina materno-fetal y las parteras.

Médicos familiares

Los médicos familiares proporcionan cuidados para toda la familia a través de todas las etapas de la vida, incluyendo el embarazo y el nacimiento.

Capacitación de los médicos familiares:
- La escuela de Medicina seguida de por lo menos tres años de capacitación en el hospital u otro medio con pacientes (residencia).
- Estudio y trabajo en varios campos de la Medicina, incluyendo la Obstetricia, Pediatría, Medicina Interna, Ginecología y Cirugía.
- Certificación de parte del Consejo Estadounidense de Práctica Familiar (en EUA), para lo cual deben aprobar un examen extenso. En México existe el Colegio Mexicano de Medicina Familiar.
- Capacitación y experiencia que les permiten manejar la mayoría de los embarazos, incluyendo cirugías menores para el nacimiento vaginal. Algunos llevan a cabo cesáreas, pero la mayoría no lo hace.

Práctica. Los médicos familiares pueden trabajar por su cuenta, o quizá sean parte de un grupo mayor de práctica que incluya a otros médicos familiares, enfermeras y otros profesionales médicos. Por lo general están asociados con un hospital donde pueden llevar a cabo los nacimientos.

Ventajas. Si ha sido paciente de su médico familiar por un tiempo, es probable que éste la conozca bien, y que esté enterado de su historial personal y familiar; por tanto, es muy posible que su médico familiar la trate como una persona completa. Su embarazo se verá como parte del cuadro mayor de su vida. Asimismo, el médico familiar puede seguir tratándola a usted y a su bebé después del parto.

Asuntos por considerar. Los médicos familiares pueden cubrir la mayor parte del cuidado obstétrico, pero, si ha tenido problemas con el embarazo antes, es probable que su médico la refiera con un especialista en obstetricia o utilice un especialista como consultor o respaldo. Lo mismo puede ser verdad si tiene diabetes, hipertensión arterial, enfermedad cardiaca u otro problema médico que pueda complicar su embarazo. Si tiene un historial familiar de problemas genéticos, es posible que su médico la refiera con un genetista o consejero genético.

Es posible que su médico familiar no esté disponible en el momento de su parto. Si es así, puede suceder que dé a luz atendida por otro médico que no la conoce. Una forma de evitar esto es conocer al sustituto de su médico antes de su fecha de término.

Podría escoger a un médico familiar si:
- Usted y su médico no esperan que su embarazo tenga problema alguno.
- Desea que su médico atienda a todos los miembros de su familia.
- Quiere continuidad en el cuidado desde las citas prenatales hasta la infancia y más allá.

¿QUIÉN ATIENDE PARTOS?

De acuerdo con los Centros para el Control y la Prevención de las Enfermedades (de EUA), a continuación se listan las personas que atendieron los nacimientos de los bebés estadounidenses en 2001:
- Los médicos (incluyendo los familiares y ginecobstetras) atendieron 91 por ciento de los partos, una reducción con respecto a 99 por ciento en 1975.
- Las parteras atendieron ocho por ciento de los partos, un aumento respecto a uno por ciento en 1975.
- En casi 95 por ciento de los nacimientos atendidos por parteras se trató de enfermeras-parteras tituladas.

Y éstos son los lugares donde se llevaron a cabo los partos:
- Noventa y nueve por ciento de los nacimientos se dió en hospitales.
- Del uno por ciento de los nacimientos efectuados fuera de un hospital, 65 por ciento se dió en residencias, y 28 por ciento en un centro de maternidad independiente.

(Fuente: Centros para el Control y la Prevención de las Enfermedades, *"Births: Final Data for 2001"*.)

Ginecobstetras

Los médicos en Obstetricia y Ginecología se denominan en forma común ginecólogos. Se especializan en el cuidado de las mujeres durante el embarazo y en general, incluyendo el cuidado de los órganos reproductores de las mujeres, las mamas y la función sexual. Debido al énfasis en la salud de las mujeres, los ginecólogos sirven como los principales proveedores de salud de muchas de ellas.

Capacitación de los ginecobstetras:
- Escuela de Medicina seguida por una residencia de cuatro años.
- Especialización en Obstetricia, Ginecología, Infertilidad y Cirugía.
- Preparación para manejar todas las fases del embarazo, incluyendo antes de la concepción, durante el embarazo, el trabajo de parto y el parto, así como la fase posparto.
- Capacitación en Medicina Preventiva, la cual incluye revisiones regulares y exámenes para detectar problemas antes de que usted enferme.
- Capacitación en el diagnóstico y tratamiento de los trastornos menstruales y hormonales, las infecciones ginecológicas, los problemas de vulva y pelvis, lo mismo que la realización de cirugía pélvica.
- En muchos casos, la certificación del Consejo Estadounidense de Obstetricia y Ginecología. Para obtener la certificación, el médico debe aprobar pruebas escritas y orales.

- En algunos casos, un cargo como maestro e investigador en una escuela médica u hospital de enseñanza.

Práctica. Los ginecólogos con frecuencia trabajan en una práctica de grupo que consta de varios profesionales médicos, incluyendo graduados recientes de la escuela médica (residentes), enfermeras, enfermeras-parteras tituladas, asistentes médicos, dietistas y trabajadores sociales. Los ginecólogos pueden trabajar en una clínica o en un hospital.

Ventajas. Si ya acude con un ginecólogo que le gusta para que atienda su salud general, es posible que este profesional sea la opción natural para que le siga proporcionando sus cuidados durante su embarazo y parto. Muchas mujeres eligen a un ginecólogo para el cuidado obstétrico porque, si surge un problema o complicación durante el embarazo, no tendrán que cambiar de proveedor de cuidados de salud. Un ginecólogo puede, si es necesario, llevar a cabo una episiotomía, usar los fórceps o realizar una cesárea.

Asuntos por considerar. El ginecólogo puede cubrir las necesidades de la mayoría de las mujeres embarazadas, excepto quizá quienes presentan embarazos de extremo alto riesgo. En tal caso, es posible que su ginecólogo la refiera a un especialista en Medicina Materno-fetal, mientras que, en forma ideal, mantiene su participación en su cuidado general.

Lo mismo que con el médico familiar, es posible que su ginecólogo no esté disponible cuando esté lista para dar a luz. Por esta razón, quizá desee conocer a los otros proveedores de cuidados de salud que pueden ayudarle a dar a luz cuando no esté disponible su médico.

Podría escoger un ginecólogo si:
- Tiene un embarazo de alto riesgo. Quizá esté en alto riesgo si tiene más de 35 años o desarrolló diabetes (diabetes gestacional) o hipertensión (preeclamspia) durante el embarazo.
- Su embarazo es gemelar, de triates o más bebés.
- Tiene un padecimiento médico preexistente, como diabetes, hipertensión o un trastorno autoinmune.
- Desea la seguridad de que, si se presentara un problema, como la necesidad de un parto operativo vaginal o por cesárea, no necesitará ser transferida a otro proveedor de cuidados de salud.

Especialistas en Medicina Materno-fetal
Estos especialistas están capacitados en el cuidado de embarazos de muy alto riesgo. Se concentran de manera exclusiva en el embarazo y en el infante nonato, enfrentando las complicaciones más graves que se presentan.

Capacitación de los especialistas en Medicina Materno-fetal:
- Escuela de Medicina seguida por cuatro años de residencia.
- Especialización de tres años en las complicaciones obstétricas, médicas y quirúrgicas del embarazo.
- Preparación para proporcionar cuidados a las mujeres con embarazos de alto riesgo.

- Capacitación para asesorar a médicos familiares, ginecólogos, enfermeras-parteras tituladas y otros especialistas.
- En algunos casos, un cargo como maestro e investigador en una escuela médica o un hospital de enseñanza.

Práctica. Lo mismo que otros doctores, los especialistas en Medicina Materno-fetal con frecuencia trabajan como parte de una práctica de grupo. Pueden ser parte de un grupo de consultores en Obstetricia. Con frecuencia están asociados con un hospital, universidad o clínica.

Ventajas. Este médico altamente especializado estará familiarizado con las complicaciones del embarazo y será apto para reconocer las anormalidades. Cuando las mujeres con problemas médicos mayores se embarazan, es frecuente que sus médicos consulten a los especialistas en Medicina Materno-fetal con el fin de optimizar el cuidado para madre y feto.

Asuntos por considerar. Los especialistas en Medicina Materno-fetal se concentran en forma única sobre los problemas que ocurren en el embarazo. La mayoría de las mujeres no necesita sus servicios porque gran parte de dichos embarazos son de rutina. Además, estos especialistas tienden a tener una participación menos directa con sus pacientes que los médicos familiares, los ginecólogos y las parteras. No obstante, esto no se aplica para todos los especialistas en Medicina Materno-fetal, y no deje que esto la detenga para buscar uno de ellos si necesita el tipo de cuidado que le puede proporcionar.

Un especialista en medicina materno-fetal rara vez funciona como proveedor de cuidados primarios de la salud para una mujer embarazada. Este especialista se llama si otro proveedor de cuidados de salud lo solicita, como en el caso de un ginecólogo o una enfermera-partera titulada.

Podría escoger un especialista en Medicina Materno-fetal si:
- Tiene un problema médico grave que complica su embarazo, como una enfermedad infecciosa, cardiaca o renal, o cáncer.
- Ha tenido complicaciones previas graves en el embarazo o presentó pérdidas recurrentes del embarazo.
- Planea someterse a procedimientos diagnósticos o terapéuticos prenatales, como un ultrasonido general, muestreo de vellosidades coriónicas, amniocentesis, o cirugía o tratamiento fetal.
- Es usted portadora identificada de un problema genético grave que puede pasarle a su bebé.
- Su bebé fue diagnosticado antes del nacimiento con un problema médico, como espina bífida.

Parteras
Proveen cuidado previo a la concepción, de maternidad y posparto para mujeres con bajo riesgo de complicaciones durante el embarazo. En gran parte del mundo, las parteras son las proveedoras tradicionales de cuidados para las mujeres durante el embarazo. En Estados Unidos, el uso de parteras aumenta en forma continua.

En general, las parteras siguen una filosofía basada en el concepto de que las mujeres han estado teniendo hijos durante milenios y que no siempre necesitan de toda la intervención tecnológica disponible.

Capacitación de las parteras

Las parteras no cuentan con un grado médico, pero la mayoría recibe capacitación formal como parteras y en el cuidado de mujeres sanas. Las parteras con frecuencia se clasifican de acuerdo con la capacitación que han recibido (en EUA):

- **Enfermeras-parteras tituladas.** Son enfermeras tituladas que completaron cursos avanzados en Ginecología y Obstetricia y se graduaron de un programa acreditado de enfermería-partería. Están certificadas por el Colegio Estadounidense de Enfermeras-Parteras (ACNM, por sus siglas en inglés), para lo cual deben aprobar varios exámenes. En EUA, las enfermeras-parteras tituladas reciben su licencia en los 50 estados y en el Distrito de Columbia. Algunas pueden prescribir medicamentos. La mayoría puede recomendar cambios en la dieta, el ejercicio y el estilo de vida.
- **Parteras de entrada directa.** No cuentan con un grado de enfermería, pero pueden estar capacitadas en otras áreas del cuidado de la salud. Pueden contar con capacitación obtenida de manera autodidacta, como aprendices en una escuela para parteras o en un programa universitario separado de la enfermería. Pueden contar con licencia o certificación, o con ninguna de éstas. Los diferentes estados cuentan con distintos requisitos de certificación. Algunos de ellos tienen estándares muy estrictos, y otros no regulan en aspecto alguno a las parteras.
- **Parteras certificadas.** Son parteras de entrada directa que han recibido la certificación del Colegio Estadounidense de Enfermeras-Parteras y han cumplido con los mismos estándares requeridos por las universidades para las enfermeras-parteras tituladas. Ésta es una certificación relativamente nueva y en la actualidad existe sólo en el estado de Nueva York. No obstante, otros estados y otras organizaciones de parteras pueden usar la misma designación para las personas que han certificado. Aunque esto puede sonar confuso, la mayoría de las parteras certificadas se muestran dispuestas a explicarle dónde obtuvieron la licencia.
- **Parteras profesionales certificadas.** Son parteras de entrada directa certificadas por el Registro Estadounidense de Parteras, una agencia internacional de certificación creada por la Alianza de Parteras de América del Norte.
- **Parteras populares.** Son parteras sin certificación ni licencia que por lo general han tenido un entrenamiento más informal.

En la actualidad, la mayoría de las parteras en Estados Unidos son enfermeras-parteras tituladas o parteras certificadas.

Práctica. Las parteras pueden trabajar en un hospital, en una clínica de maternidad o en su hogar. Pueden trabajar solas, pero por lo general son parte de una práctica de grupo, como un equipo de proveedores de cuidados de obstetricia. La mayoría de las parteras están relacionadas con un ginecólogo en caso de que se presenten problemas. La mayoría de las enfermeras-parteras tituladas atiende nacimientos en un hospital o clínica de maternidad, aunque algunas pueden acudir a su hogar para atender el parto. Hay más probabilidades de que las parteras de entrada directa atiendan el parto en la casa.

Ventajas. El cuidado de una partera puede ofrecer un concepto más natural y menos reglamentado del embarazo y parto que el cuidado estándar. Si da a luz atendida por una partera en un hospital, de todas maneras tendrá acceso a medicamentos analgésicos.

En muchos casos, la partera puede proveer mayor atención individual durante el embarazo, y es más probable que esté presente durante el trabajo de parto y el parto que un médico. Diversos estudios han determinado que en mujeres con embarazos de bajo riesgo, no hay diferencias significativas en el resultado entre tener la atención de una partera integrada con un sistema de salud existente y contar con la asistencia de un médico.

Asuntos por considerar. Cuando considere una partera para su cuidado obstétrico primario, verifique que ésta cuente con el apoyo de un hospital, de manera que la mujer embarazada pueda tener acceso a profesionales y equipo obstétrico en caso de problemas de embarazo o parto.

Si no va a dar a luz en el hospital, prepare un plan de emergencia con su partera. Incluya detalles como el nombre y número telefónico del médico que apoya a su partera, el hospital al cual la llevarán, cómo llegará ahí, el nombre y la cantidad de personas a las cuales debe avisar, y los planes de contingencia para sus otros hijos, si es que tiene alguno. Esto puede reducir el estrés más adelante si necesita ser transferida durante el parto. Los centros de alumbramiento por lo general hacen esto rutinariamente.

Si está pensando en trabajar con una partera pero no está segura de la validez de sus credenciales, pregúntele sobre su capacitación y certificación, además de la licencia del estado. El Colegio Estadounidense de Enfermeras-Parteras sugiere que se hagan las siguientes preguntas:

- ¿Tiene un grado universitario?
- ¿Se graduó de un programa de partería acreditado a nivel nacional?
- ¿Requería su educación como partera que se preparara en ciencias básicas como Biología, Química, Anatomía y Fisiología, etcétera?
- ¿Aprobó un examen de certificación nacional?
- ¿Tiene licencia para practicar?
- ¿Cómo determinará si soy una candidata apropiada para el cuidado de una partera? ¿Qué sucederá si necesito el cuidado de un médico?
- ¿Está preparada para proporcionar cuidados ginecológicos y generales, incluyendo la evaluación de problemas comunes de salud y hacer prescripciones?
- ¿Está certificada por el Consejo de Certificación del Colegio Estadounidense de Enfermeras-Parteras?

Podría escoger una partera si:
- Está libre de problemas de salud y espera tener un embarazo de bajo riesgo.
- Desea que la atienda alguien que pueda pasar una cantidad de tiempo importante discutiendo su embarazo con usted.
- Prefiere un método más personalizado del proceso de nacimiento.
- Quiere un proceso de nacimiento menos reglamentado.
- Desea que haya menos intervenciones.

Elección del sitio para el nacimiento

Puede elegir dónde tener a su bebé. Con frecuencia esta decisión está relacionada estrechamente con el proveedor de cuidados de salud que ha elegido, y dónde éste está habilitado para atender a sus pacientes. La mayoría de las mujeres en Estados Unidos —cerca de 99 por ciento— da a luz en un hospital. Otras optan por dar a luz en una clínica de maternidad o en su propio hogar.

Hospital
Hoy en día, los hospitales tratan menos al parto como un procedimiento médico y más como un proceso natural. Muchos hospitales ofrecen un medio relajado donde puede dar a luz a su bebé con opciones como:
- **Salas de parto.** Son habitaciones con un decorado tipo casero y, a veces un baño, donde puede tener el trabajo de parto y el parto. El padre u otro acompañante para el parto puede ser una parte activa del equipo de parto. En algunos casos puede recuperarse en el mismo cuarto después de dar a luz.
- *Alojamiento conjunto.* En este arreglo, el bebé permanece con usted casi todo el tiempo en lugar de ser llevado al cunero. Una enfermera con experiencia está disponible para ayudarle a acostumbrarse a alimentar y cuidar de su bebé. Se anima a otros miembros de la familia para que participen en el cuidado del bebé.
- **Cunero.** Si elige que su bebé sea llevado al cunero, de todas maneras podrá verlo cuando lo desee. El hecho de que el personal del hospital cuide de su bebé por unas cuantas horas cada día le podrá dar un descanso muy necesario antes de que vaya a casa.
- **Cuidado de maternidad centrado en la familia.** Esta opción combina las ventajas del alojamiento conjunto y el cunero. Se asigna una sola enfermera para usted y el bebé. Durante el día la enfermera cuida de ambos al mismo tiempo y le puede enseñar cómo atender a un recién nacido. Por la noche, la enfermera puede llevarse al bebé al cunero, si usted lo desea.

Si tiene un parto vaginal en un hospital, es probable que permanezca ahí por 48 horas. Ése es el tiempo que los seguros de salud deben cubrir en la mayoría de los estados. Si fue sometida a cesárea, puede permanecer internada hasta cuatro o cinco días. Los seguros de salud deben cubrir 96 horas para una estancia poscesárea.

Posibles ventajas de dar a luz en un hospital:
- Le proporciona el personal, el equipo y las provisiones de sangre necesarias en caso de una emergencia.
- Están disponibles las opciones de tratamiento del dolor si las desea.
- Ofrecen vigilancia fetal para ayudar a garantizar la seguridad de su bebé.

Posibles desventajas de dar a luz en un hospital:
- Es posible que tenga más intervenciones médicas de las que desea —como vigilancia fetal o episiotomía— y más de la que tendría en una clínica de maternidad o en su casa. No obstante, la mayoría de estas intervenciones son por su bien.
- Es posible que la separen de su bebé por momentos.
- Puede ser más caro.

Antes de su fecha de término, quizá desee averiguar acerca del tipo de servicios de maternidad que ofrece su hospital y la flexibilidad de sus políticas.

clínica de maternidad

Son instalaciones independientes o pueden ser parte de un hospital. El objetivo de una clínica de maternidad es separar el cuidado para embarazos, trabajos de partos y partos de rutina de los cuidados más intensivos que se necesitan para los embarazos y partos de alto riesgo. De esta manera, las clínicas de maternidad pueden reducir sus costos debido a su menor necesidad de personal y equipo. También se esfuerzan por proporcionar una experiencia natural de alumbramiento y evitan el uso excesivo de la intervención médica.

La mayoría de las clínicas de maternidad son dirigidas por enfermeras-parteras tituladas o por equipos de proveedores de cuidados de salud obstétrica. Es frecuente que el personal incluya un ginecólogo disponible para consultas y referencias de los embarazos de riesgo. Las clínicas de maternidad tratan de brindar un ambiente lo más parecido posible al de su hogar.

Posibles ventajas de dar a luz en una clínica de maternidad:
- Tiene el trabajo de parto y el parto en la misma habitación. Se invita a toda su familia a que permanezca con usted, incluyendo a sus hijos.
- Quizá le ofrezcan comodidades como una tina de remolino, mucho espacio para caminar y la oportunidad de comer y beber según se le antoje.
- Le animan a colaborar en su parto.
- Por lo general regresa a casa más pronto de lo que lo haría si estuviera en un hospital, aunque hay cuidados posparto disponibles mediante visitas al consultorio o a domicilio.

Posibles desventajas de dar a luz en una clínica de maternidad:
- Aunque muchos de estos centros cuentan con el equipo necesario para iniciar una respuesta de emergencia, si surgen complicaciones, es probable que la transfieran a un hospital, y esto toma tiempo. Si está considerando dar a luz en una clínica de maternidad, averigüe sus políticas de manejo de emergencias. Pregunte si su partera o médico podrá acompañarla a una instalación diferente.

- Es probable que su seguro no cubra el parto en una clínica de maternidad. Llame y verifique.
- Su oportunidad de usar una clínica de maternidad puede ser limitada. La mayoría de los estados (en EUA) sólo cuentan con unas cuantas clínicas de maternidad acreditadas, y otros no cuentan con ninguna. Aun así, cerca de 10,000 mujeres tuvieron a sus hijos en clínicas de maternidad en Estados Unidos en 2001.

Hogar

Más de 23,000 mujeres dieron a luz en sus hogares en 2001. Esta tendencia ha sido bastante estable entre las mujeres estadounidenses, pero sigue siendo algo controvertida. Las parteras son casi siempre las proveedoras de cuidados de salud para los partos domésticos. Por lo general usted debe basarse en sus propios métodos para enfrentar el dolor.

Posibles ventajas de dar a luz en casa:
- Se encuentra en un medio cómodo y familiar.
- Cualquiera que desee puede participar en el parto.
- Los costos financieros se mantienen en un mínimo.

Posibles desventajas de dar a luz en casa:
- Si necesita intervención médica, tendrá que ser transportada a un hospital. Una revisión de un sinnúmero de estudios, que comparó el medio doméstico con el hospitalario para dar a luz, demostró que números sustanciales de mujeres —desde 19 hasta 67 por ciento— que iniciaron el trabajo de parto en medios domésticos fueron transferidas a medios de cuidados estándar antes o durante el trabajo de parto, debido a que las condiciones ya no eran apropiadas para un parto en casa.
- Si no ha recibido el cuidado prenatal adecuado, la atención de emergencia puede ser más difícil.

Uno de los descubrimientos importantes de estos estudios es que la atmósfera y decoración de los medios donde se realizaba el parto eran menos importantes que la calidad del apoyo que proporcionaba el proveedor de cuidados de salud a través del proceso de nacimiento. Mientras que un énfasis excesivo en el riesgo y la tecnología de parte del proveedor de cuidados de salud podrían llevar a una intervención médica innecesaria, una concentración excesiva en la normalidad podría llevar a un retraso en el reconocimiento de las complicaciones y en la ejecución de medidas. Aunque muchos nacimientos serían muy seguros en casa, nadie sabe cómo será hasta que el nacimiento ha pasado. Seleccionar el parto doméstico y luego tener complicaciones comunes puede dar como resultado la pérdida de la vida.

Creación de un plan de nacimiento

Un plan de nacimiento la motiva a pensar en su trabajo de parto y parto antes de que suceda. Puede registrar sus preferencias acerca del cuidado en el trabajo de parto, el parto y el posparto. Puede usar la lista para hablar acerca de sus preferencias con su médico, partera y otras personas de apoyo. Este tipo de plan no está grabado en piedra porque nadie puede predecir cómo evolucionará el parto, pero sí ayuda a asegurar que las experiencias serán lo más cercanas posibles a sus expectativas dentro de lo razonable.

Es posible que su proveedor de cuidados de la salud le pida que llene una forma en donde señale sus preferencias. O quizá pueda crear su propio plan de nacimiento como parte de su clase sobre el trabajo de parto. Asegúrese de comunicar sus deseos a su proveedor de cuidados de salud de manera que ambos comprendan cómo se siente.

Recuerde que debe ser flexible. Quizá piense que no quiere ningún analgésico, pero puede cambiar de idea durante el trabajo de parto. Si es flexible, no se estará condenando a la preocupación si lo planeado no sale como lo pensó.

Su plan de nacimiento

✔ Su plan de nacimiento puede incluir detalles como:

❑ Cuándo acudir al hospital o clínica de maternidad.

❑ Qué llevar con usted: su camisón favorito, artículos personales, discos compactos de música, crema para las mamas, números telefónicos para llamar.

❑ Preocupaciones que puede tener respecto al parto.

❑ Cosas que espera ver durante el parto.

❑ Las personas de apoyo durante el trabajo de parto y el parto.

❑ Preferencias respecto a alivio natural del dolor —regadera, pelota de parto, música, luces tenues, caminar, mecedora.

❑ Preferencias de medicamentos analgésicos —epidural u otros.

❑ Sus objetivos en términos de uso de medicamentos —sin medicamentos, algunos fármacos, esperar y ver.

❑ Métodos de hidratación —¿desea tomar sorbos de agua durante el trabajo de parto, tener acceso no restringido al líquido o no tener ingesta oral?

❑ Posiciones para pujar y dar a luz —sentada en una cama, yaciendo sobre su espalda y con estribos, acostada de lado, en cuclillas.

❑ Preferencias de episiotomía —aunque su médico puede hacer lo que considere mejor bajo las circunstancias.

❑ Preferencias acerca del alumbramiento —¿desea observar con un espejo?, ¿desea que su familia observe?

❑ Preferencias respecto a lo que sucede justo después del nacimiento —¿desea que el bebé le sea entregado de inmediato, o que lo envuelvan en cobijas y luego se lo entreguen?

❑ Preferencia por la circuncisión.

❑ Cómo planea alimentar a su bebé.

❑ Preferencias de alojamiento conjunto o de cunero.

❑ Cuidado de seguimiento de la madre y al bebé.

❑ Preferencias acerca de estar presente en el primer baño y examen del bebé.

❑ Preferencias de nacimiento por cesárea.

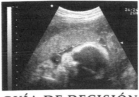

para comprender las pruebas prenatales

Es frecuente que el embarazo sea un tiempo de gran anticipación. Quizá se pregunte un sinúmero de cosas acerca de su bebé. ¿Será niño o niña? ¿Tendrá ojos café o azules? ¿Será graciosa como su papá y lista como su mamá? ¿Cómo se sentirá cuando por fin tenga a su bebé entre sus brazos?

Junto con los sentimientos de excitación y gozo, quizá tenga momentos de duda y ansiedad. ¿Y qué si algo sale mal con el embarazo? ¿Estará sano su bebé? Estos son sentimientos totalmente normales que percibe la mayoría de las mujeres embarazadas. Quizá le tranquilice saber que la mayoría de los embarazos —más de 95 por ciento— son sanos, y terminan con el nacimiento a salvo de un bebé sano.

Aun así, en algunos casos es posible que desee conocer información específica acerca de la salud de su bebé antes de su nacimiento. Quizá su aumento de peso o el tamaño de su útero sugiere que lleva más de un bebé. Puede ser que debido a su edad o historial familiar tenga un mayor riesgo de que su bebé presente un problema cromosómico o algún otro trastorno genético. Cualquiera que sea la razón, ciertas pruebas pueden ayudar a determinar la salud del bebé mientras éste todavía está en su útero. Éstas se llaman pruebas prenatales.

En forma básica, hay dos tipos de pruebas prenatales:

- **Pruebas de detección.** Son exámenes sencillos y relativamente baratos que se ofrecen a grandes grupos de personas. Estas pruebas tratan de identificar a la gente que se encuentra en mayor riesgo de padecer ciertas enfermedades. Su propósito es indicar quiénes se podrían beneficiar con pruebas diagnósticas más finas. Las pruebas de detección no son necesarias, pero es probable que su proveedor de cuidados de salud le pregunte si desea ser evaluada.

- **Pruebas diagnósticas.** Por lo general se realizan cuando una prueba de detección ha indicado un posible problema, o cuando su bebé se encuentra en alto riesgo de presentar cierto padecimiento. Éstas pueden proporcionarle a su proveedor de cuidados de salud suficiente información para diagnosticar un problema médico mientras su bebé todavía se encuentra en el útero. Estas pruebas por lo general son más invasivas y caras, y un poco más arriesgadas que las de detección. De nuevo, la decisión de someterse o no a estas pruebas es en gran parte suya, aunque su proveedor de cuidados de salud le puede ofrecer una o más.

Asuntos por considerar

Antes de someterse a una prueba prenatal, piense en lo que ésta puede hacer por usted. Muchas mujeres optan por someterse a pruebas básicas de ultrasonido y sangre, pero no todas lo hacen. La mayoría de ellas no se somete a las pruebas diagnósticas más detalladas porque la mayoría de los embarazos no implica un riesgo alto de complicaciones.

Antes de programar una prueba prenatal, es posible que usted y su pareja quieran considerar estas preguntas:

- *¿Qué harán con la información una vez que la obtengan? ¿Cómo afectará sus decisiones respecto a su embarazo?*
  La mayoría de los resultados de las pruebas prenatales son normales, lo cual puede ayudar a tranquilizarla. Si su prueba indica que su bebé puede tener un defecto de nacimiento u otro problema de salud, ¿cómo lo manejará? Quizá enfrente decisiones que nunca esperó tener que tomar, como si debe continuar con el embarazo. Por otra parte, saber acerca de un problema con anticipación puede darle la opción de planear el cuidado de su bebé con antelación.

- *¿Ayudará la información a su proveedor de cuidados de salud a proporcionar una mejor atención durante el embarazo y el parto?*
  A veces, las pruebas prenatales pueden proporcionar información que afecte su cuidado. Los exámenes pueden detectar en el bebé un problema que los proveedores de cuidados de salud pueden tratar mientras está embarazada; asimismo, puede alertarlos acerca de un problema que requiere la presencia de un especialista para que trate a su bebé justo cuando nazca.

- *¿Qué tan precisos son los resultados de la prueba?*
  Las pruebas prenatales no son perfectas. Incluso si el resultado de una prueba de detección es negativo —lo cual significa que su bebé se encuentra en bajo riesgo de presentar una cierta condición—, todavía hay una pequeña probabilidad de que el padecimiento esté presente. Si éste es el caso, los resultados iniciales son una falsa negativa. Incluso si la prueba de detección tiene resultados positivos y la coloca en el grupo de mayor riesgo, es posible, o incluso probable, que no exista enfermedad alguna. Este resultado se llama falso positivo. La proporción de falsos negativos y falsos positivos varía de una prueba a otra, como observará en la siguiente información sobre cada prueba individual.

- *Someterse a una prueba, ¿vale la ansiedad que esto puede causar?*
  Las pruebas de detección identifican a las mujeres en riesgo de ciertos padecimientos. Incluso si una prueba indica un riesgo, la mayoría de las

mujeres no dará a luz un bebé afectado. Por tanto, la prueba de detección puede causar ansiedad en forma innecesaria.

- *¿Cuáles son los riesgos del procedimiento?*
  Quizá desee sopesar los riesgos de la prueba —como el dolor, la preocupación o un posible aborto— contra el valor de conocer la información.

- *¿Cuánto cuesta la prueba? ¿La cubre su compañía de seguros?*
  Por lo general los seguros no cubren las pruebas que no son necesarias desde el punto de vista médico. En algunos casos, es posible que un trabajador social o un consejero genético le ayuden a obtener información acerca de la asistencia financiera, si es necesario. Si no cuenta con ayuda financiera, ¿está dispuesta y capacitada para cubrir el costo de la prueba?

Pruebas prenatales

La siguiente guía sobre pruebas prenatales le ayudará a estar mejor informada acerca de las pruebas más comunes. Además, hable con su médico, partera o consejero genético acerca de los beneficios y riesgos que cada prueba puede aportarle en su caso.

Prueba triple

Qué es
Consta de tres pruebas de detección que pueden determinar su riesgo de tener un bebé con ciertos defectos. Examina los niveles de tres sustancias que están presentes en forma normal en el torrente sanguíneo de las mujeres embarazadas. Las pruebas miden:
- Alfa-fetoproteína del suero materno (AFPSM), que evalúa los niveles de alfa-fetoproteína (AFP) en su sangre. La AFP es una proteína que se produce en el hígado de su bebé. Pequeñas cantidades de ella cruzan a través de la placenta y el líquido amniótico y aparecen en su sangre.
- Gonadotropina coriónica humana (GCH), una hormona producida por la placenta.
- Estriol, un estrógeno producido tanto por el bebé como por la placenta.

La prueba triple, también conocida como la de marcadores múltiples, se usa para detectar:
- Trastornos cromosómicos, como síndrome de Down (trisomía 21).
- Anormalidades espinales (defectos del tubo neural), como espina bífida.

Cuándo se realiza
Es posible que le ofrezcan esta prueba entre la 15.ª y 22.ª semanas de su embarazo. Los niveles de estas sustancias cambian en forma importante a medida que continúa el desarrollo de su bebé, así que es crítico que la edad

calculada de su bebé sea correcta. La prueba de AFPSM es más precisa cuando se realiza entre la 16.ª y 18.ª semanas de gestación.

Cómo se hace
Las sustancias a evaluar pueden medirse a partir de una muestra de su sangre. Para obtener dicha muestra, es probable que una enfermera o un técnico tomen sangre de una vena en la parte interior de su codo o en el reverso de su mano.

Lo que pueden indicar los resultados
Los niveles bajos de AFPSM y estriol, junto con los niveles altos de GCH, pueden indicar la posibilidad de que su bebé presente síndrome de Down. El uso de las tres pruebas combinadas puede detectar 60 a 70 por ciento de los bebés con síndrome de Down.

Algunos laboratorios usan otra proteína producida por la madre y el bebé (inhibina A) además de la prueba triple o en lugar de la del estriol. En un estudio, el uso de la prueba de inhibina A incrementó la tasa de detección del síndrome de Down a 85 por ciento. El riesgo total de tener un bebé con síndrome de Down es de uno en 1,000, pero este riesgo aumenta con la edad de la madre.

Los niveles bajos de las tres sustancias pueden indicar trisomía 18, una anormalidad cromosómica que se caracteriza por tres cromosomas número 18. Es típico que la trisomía 18 cause deformidad grave y retraso mental. La mayoría de los bebés con esta trisomía muere en el primer año de vida. El riesgo de tener un bebé con este problema es muy bajo —sólo uno en 6,000 nacimientos vivos.

En sí misma, la prueba de AFPSM determina anormalidades espinales como la espina bífida. Los altos niveles de AFPSM en su sangre pueden indicar la presencia de un defecto en el tubo neural, casi siempre espina bífida o anencefalia. La espina bífida ocurre en una etapa temprana durante el desarrollo fetal cuando el tejido no logra cerrarse sobre la columna vertebral, lo que deja una abertura en el cuerpo del bebé. La anencefalia se presenta cuando el tejido no logra cubrir el cerebro y la cabeza del feto. La frecuencia con que ocurren estos defectos es baja. De cada 1,000 mujeres que se someten a la prueba de AFPSM, entre 25 y 50 tienen resultados más altos de lo normal. Sólo cerca de dos de cada 1,000 tienen bebés con defectos en el tubo neural, cerca de la mitad con espina bífida y la otra mitad con anencefalia.

Alrededor de 93 por ciento de las mujeres que se someten a la prueba de AFPSM tienen resultados normales. De los embarazos con nivel anormal de AFPSM, sólo cerca de dos a tres por ciento resulta en defectos de nacimiento.

Los niveles anormales de AFPSM pueden darse por otras varias razones, incluyendo:

- **Mal cálculo del tiempo del embarazo.** Si la edad de gestación de su bebé se calculó de manera incorrecta, la interpretación de los niveles de AFPSM puede verse afectada. Es normal que los niveles de AFPSM aumenten durante las primeras 20 semanas de embarazo. Si está más avanzada en su embarazo de lo que pensó, su sangre contendrá niveles mayores de AFPSM de lo esperado. Si lleva menos tiempo la gestación, los niveles de AFPSM pueden ser menores de lo esperado.

- **Embarazo múltiple.** Dos o más bebés producirán más AFPSM que uno.
- **Problemas con la placenta.** Un defecto en la pared de la placenta que permite que la sangre del bebé entre a la circulación de la madre dará lugar a que haya más AFPSM en su torrente sanguíneo. Esto puede suceder en forma ocasional en mujeres embarazadas que tienen hipertensión arterial o padecen otra enfermedad que afecta la placenta.
- **No haber considerado otros factores.** Su edad, peso, raza o si padece diabetes de tipo 1 (llamada antes de tipo juvenil o dependiente de insulina) pueden afectar los niveles de AFPSM.
- **Otros defectos.** Cualquier área que no haya cerrado por completo, como un defecto en la pared abdominal, incrementará los niveles de AFPSM en el líquido amniótico y, por tanto, en su sangre. Otras razones para que se presente AFPSM elevada incluyen ciertos trastornos en piel, problemas en riñones y pérdida del feto.

Posibles preocupaciones
Las principales preocupaciones para la mayoría de las madres es la ansiedad causada por la espera de los resultados de la prueba, lo cual toma algunos días. La mayor parte del tiempo, los resultados son negativos, lo cual significa que no se encontró riesgo aumentado de anormalidades. Eso no quiere decir que su riesgo de tener un bebé con problemas sea cero, sino que su riesgo es casi el mismo que se encuentra en la población general (tres por ciento).

En cerca de siete por ciento de los casos, los resultados serán positivos, y entonces se ofrecerán pruebas adicionales más invasivas y arriesgadas. Aun así, la mayoría de las mujeres dentro de este grupo positivo tiene bebés normales.

Razones para hacerla
Si le preocupa la salud de su bebé, los resultados negativos pueden proporcionarle tranquilidad. Si recibe resultados positivos, puede hablar con su proveedor de cuidados de salud o con un consejero genético acerca de sus opciones. Saber acerca de los posibles problemas antes del nacimiento puede darle tiempo para hacer los arreglos necesarios. Puede dar a luz en un hospital que tenga los recursos para cuidar de su recién nacido. Algunas mujeres que enfrentan anormalidad grave en el feto pueden elegir terminar con el embarazo.

Lo que sucede a continuación
Si obtiene resultados negativos, no se requieren pruebas adicionales. Si sus resultados son positivos, es posible que le ofrezcan pruebas adicionales. En ocasiones, tiene sentido repetir la prueba. En la mayoría de los casos, de cualquier forma se realizarán evaluaciones adicionales.

Lo más probable es que su proveedor de cuidados de salud le recomiende un examen por ultrasonido. Esto ayudará a establecer la duración correcta del embarazo y la etapa de desarrollo de su bebé. Es posible que también determine si lleva gemelos u otros embarazos múltiples. Asimismo, su proveedor de cuidados de salud también puede examinar al feto para ver si tiene defectos visibles u otros problemas estructurales, los cuales con frecuencia se pueden ver mediante un ultrasonido.

Si su prueba triple indica un alto riesgo de anormalidad cromosómica, es posible que se emplee la amniocentesis para obtener células fetales para verificar si hay síndrome de Down u otra anormalidad.

Si el bebé tiene espina bífida, 95 a 97 por ciento de las veces el defecto será visible en el ultrasonido a las 18 semanas. Si sus niveles de AFPSM son altos y el ultrasonido es normal, es probable que le ofrezcan la amniocentesis para verificar los niveles de AFPSM del líquido amniótico. Si la amniocentesis indica que los niveles de AFPSM son altos, las probabilidades de que su bebé tenga un defecto del tubo neural son muy altas. La medición de un compuesto llamado acetilcolinesterasa en el líquido puede confirmar la presencia de un defecto del tubo neural. Su proveedor de cuidados de salud puede recomendar otro ultrasonido, el cual puede ayudar a determinar la localización y alcance del defecto, de manera que tenga un asesoramiento más preciso sobre los problemas que puede tener su bebé.

Precisión y limitaciones de la prueba

La prueba triple puede detectar el síndrome de Down en 60 a 70 por ciento de los casos, con una tasa de falsos positivos en los resultados cercana a cinco por

¿QUÉ HAY DE NUEVO EN LAS PRUEBAS PRENATALES?

Los esfuerzos por mejorar las pruebas prenatales han permitido para un diagnóstico más temprano, lo cual buscan muchas mujeres. Los datos sugieren que dos pruebas —las proteínas del primer trimestre y la translucidez nucal— pueden ser útiles para proporcionar evaluaciones al principio del embarazo. Una tercera prueba, el diagnóstico genético previo a la implantación, ofrece pruebas para los padres que utilicen fertilización *in vitro* (FIV). La disponibilidad de estas pruebas puede ser limitada, pero es probable que aumente.

Lo mismo que todas las pruebas de detección, ambas requieren la confirmación con una prueba diagnóstico como el muestreo de vellosidades coriónicas (MVC) o amniocentesis temprana.

Proteínas del primer trimestre

Dos proteínas aparecen en el primer trimestre: la beta gonadotropina coriónica humana libre (beta-GCH) y la proteína A plasmática relacionada con el embarazo (P-APAE). Las proteínas pueden detectarse a través de una prueba sanguínea. Los niveles anormales de éstas se han relacionado con un incremento en el riesgo de síndrome de Down. Estas proteínas no están vinculadas entre sí, así que la medición de cada una de ellas revela información independiente. El resultado de una puede confirmar o crear dudas respecto a la otra.

Estos valores, junto con su edad al momento del parto, proporcionan un riesgo estimado de síndrome de Down similar al de la prueba triple; y hacen esto en una etapa más temprana porque la prueba triple se realiza en el segundo trimestre.

Esta prueba cuenta con algunas limitaciones. El mejor momento para medir la beta-GCH libre es después de las doce semanas de gestación. La P-APAE comienza a perder su precisión después de cerca de trece semanas. Esto deja un pequeño periodo para efectuar las pruebas. Además, la duración del embarazo debe conocerse con la mayor precisión posible para evitar errores.

ciento. La prueba de AFPSM puede detectar espina bífida en alrededor de 80 por ciento de los casos y anencefalia en alrededor de 90 por ciento de los casos.

Es importante recordar que estas pruebas son de detección, no pueden descubrir ningún problema ni defecto real, sólo el riesgo de que se den. No son pruebas de detección confiables para muchas otras enfermedades. Si los resultados son normales, permanece la probabilidad de que su bebé tenga problemas de salud. Incluso si los resultados de las pruebas de detección no son normales, la mayoría de los bebés nacen sanos. Este potencial para resultados falsos negativos o falsos positivos puede ser una consideración en su decisión de someterse a la prueba.

Ultrasonido

Qué es

El examen de ultrasonido puede ser la prueba prenatal de la que más ha escuchado. Es probable que su proveedor de cuidados de salud use la imagenología de ultrasonido para obtener una imagen de su bebé no nacido y determinar cómo progresa su embarazo. Por lo general, usted es capaz de observar la pantalla y ver imágenes de su bebé mientras se realiza la prueba. El ultrasonido también puede usarse para diagnosticar algunos tipos de

Translucidez nucal

Con el uso de ultrasonido, esta prueba del primer trimestre mide el tamaño de una región específica debajo de la piel en la parte posterior del cuello de su bebé. Un aumento en el tamaño puede ser una indicación de síndrome de Down, un defecto de nacimiento del corazón (enfermedad cardiaca congénita) u otras anormalidades. Los proveedores de cuidados de salud no están del todo seguros de las razones de esto. Sospechan que puede deberse a una acumulación de líquido linfático debido al desarrollo deficiente de los conductos linfáticos. Es necesario un método riguroso para estandarizar estas mediciones para que la prueba sea tan precisa como se informó en los primeros estudios.

Diagnóstico genético previo a la implantación

Una tercera opción en las pruebas prenatales es el denominado diagnóstico genético previo a la implantación. Si elige que sus óvulos sean fertilizados fuera de su cuerpo —un procedimiento llamado fertilización *in vitro* (FIV)—, los médicos pueden llevar a cabo pruebas genéticas en el embrión antes de implantarlo en su útero. Este procedimiento es complejo. Primero, la fertilización de los óvulos cosechados se lleva a cabo en el laboratorio, se crean varios embriones. Se toma una sola célula de cada embrión y se realiza el análisis genético. Sólo se seleccionan para la implantación los embriones sin evidencia de enfermedad genética.

Para usar esta prueba, la pareja debe estar en alto riesgo de tener un hijo con una condición que se detecte con pruebas. Ambos padres deben evaluarse para problemas genéticos de manera que el proveedor de cuidados de salud sepa qué problemas buscar (véase "Para comprender las pruebas de portador genético para detección en los futuros padres" en la página 269). La prueba está diseñada para buscar los defectos genéticos con mayores probabilidades de ocurrir, como mutaciones genéticas o reacomodos cromosómicos equilibrados. Puede volverse útil en la detección de padecimientos como enfermedad de células falciformes o fibrosis quística.

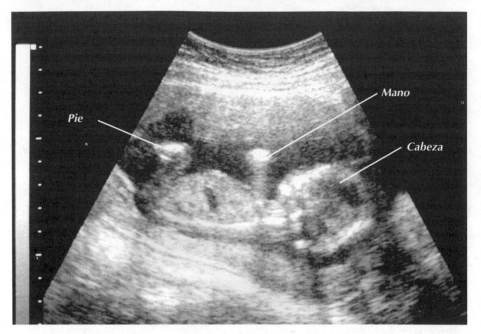

Una imagen de ultrasonido crea un cuadro del bebé que puede proporcionar información acerca de su embarazo.

defectos de nacimiento, como anormalidad espinal (defectos del tubo neural) o, en algunos casos, un defecto cardiaco.

El examen de ultrasonido funciona dirigiendo ondas sonoras de muy alto tono hacia los tejidos en su área abdominal. Estas ondas sonoras, las cuales no puede escuchar, rebotan en las curvas y variaciones en su cuerpo, incluyendo al bebé en su útero. Las ondas sonoras se traducen en forma visual en un patrón de zonas claras y oscuras. Las ondas crean una imagen del bebé en el monitor. Esto es similar a gritar en el Gran Cañón y ser capaz de escuchar los ecos que regresan hasta usted al rebotar en las cimas y valles del cañón.

Hay varios tipos de ultrasonido:

- **Ultrasonido estándar.** Crea imágenes bidimensionales (2-D) que le pueden dar a su proveedor de cuidados de salud información acerca de su embarazo. Puede mostrar la edad de gestación de su bebé, cómo se está desarrollando y la relación entre su cuerpo y la del feto. Por lo general toma cerca de 20 minutos.
- **Ultrasonido avanzado.** También se llama dirigido. Con frecuencia se usa para explorar cuando hay sospecha de una anormalidad que se determinó durante el ultrasonido estándar o una prueba triple. El examen es más detallado y puede emplear equipo más sofisticado. También es más largo, y toma desde 30 minutos hasta varias horas. Es posible que su proveedor de cuidados de salud le recomiende un ultrasonido avanzado si considera que su embarazo es de alto riesgo. El ultrasonido avanzado es un método no invasivo que puede añadir información adicional, en casos donde la única

alternativa es la amniocentesis genética. Este tipo de ultrasonido puede utilizarse para observar la cabeza y espina dorsal de su bebé en detalle, y tiene una eficacia de 95 por ciento para diagnosticar defectos del tubo neural.

- **Ultrasonido transvaginal.** Al principio del embarazo, el útero y las trompas de Falopio se encuentran más cerca de la vagina que de la superficie abdominal. Si se somete a un ultrasonido durante su primer trimestre, es posible que su proveedor de cuidados de salud opte por el tipo transvaginal, ya que éste proporcionará un cuadro más claro de su bebé y de las estructuras a su alrededor. El ultrasonido transvaginal emplea un dispositivo delgado en forma de barra que se coloca dentro de la vagina. Éste emite las ondas sonoras y reúne la información reflejada.

- **Ultrasonido tridimensional (3-D).** Este nuevo tipo de ultrasonido ofrece imágenes 3-D con detalles similares a los de una fotografía. Se emplea en centros médicos selectos para mejorar la comprensión de las imágenes del ultrasonido avanzado.

- **Ultrasonido Doppler.** La imagenología Doppler mide cambios diminutos en la frecuencia de las ondas de ultrasonido al rebotar con los objetos en movimiento, como las células sanguíneas. Puede medir la velocidad y la dirección de la sangre que circula. Con él, los proveedores de cuidados de salud pueden determinar cuánta resistencia hay respecto al flujo de sangre a través de los diversos tejidos.

    Si padece hipertensión, el ultrasonido Doppler puede ayudar a determinar si hay limitación para el flujo sanguíneo hacia el bebé o la placenta. Esto puede ayudar a informar a su proveedor de cuidados de salud acerca del efecto de la presión arterial alta u otros tipos de estrés sobre el bebé.

- **Ecocardiografía fetal.** Este tipo de examen usa ondas de ultrasonido para proporcionar un cuadro más detallado del corazón de su bebé. Se concentra en la anatomía y función del corazón. Puede emplearse para confirmar o descartar un defecto cardiaco congénito.

Cuándo se realiza

El examen con ultrasonido se puede hacer en cualquier momento durante el embarazo. La mayoría de los proveedores de cuidados de la salud obtienen un ultrasonido entre la 18.ª y 20.ª semanas. Para este momento, el feto es lo bastante grande para ser evaluado, pero no tanto como para que la evaluación de la edad de gestación sea inexacta. Además, su bebé se ha desarrollado lo suficiente para que los problemas estructurales puedan detectarse y las cuatro cámaras del corazón puedan observarse.

En algunas situaciones, como los embarazos de alto riesgo, se pueden repetir los ultrasonidos durante toda la gestación. Se utilizan para vigilar la salud de la madre y el bebé, y para dar seguimiento al crecimiento del bebé.

Cómo se hace

Es probable que le pidan que no orine antes del examen, en especial si el ultrasonido se hace al principio del embarazo. La vejiga llena elimina las bolsas de aire entre el útero y la vejiga, las cuales pueden distorsionar las ondas sonoras y producir una imagen poco clara. Si se realiza un ultrasonido transvaginal o si es una etapa final del embarazo, la vejiga llena no es necesaria.

Se aplica un gel sobre su área abdominal. (Quizá desee utilizar un atuendo de dos piezas para que le sea más fácil exponer el abdomen.) El gel actúa como conductor de las ondas sonoras y ayuda a eliminar las burbujas de aire entre el transductor y su piel. El transductor es un pequeño dispositivo de plástico que emite las ondas sonoras y las registra cuando rebotan.

Durante el examen, la persona que lo realiza mueve el transductor de atrás hacia delante sobre su abdomen, dirigiendo las ondas sonoras hacia el útero. Dichas ondas sonoras se reflejan en los huesos y tejidos. A medida que el transductor captura las ondas sonoras reflejadas, éstas se convierten de manera digital en imágenes negras, blancas y grises sobre la pantalla. Las imágenes pueden ser difíciles de interpretar para un observador no capacitado para descifrarlas, así que no se preocupe si no puede ver a su bebé. Pida a su proveedor de cuidados de salud o al técnico que le expliquen lo que hay en la pantalla.

Dependiendo de la posición de su bebé, quizá sea capaz de descifrar una cara, pequeñas manos y dedos, o brazos y piernas. Durante el examen, su proveedor de cuidados de salud se detendrá para medir la cabeza del bebé, su abdomen y su fémur, entre otras estructuras, para registrar su crecimiento. Es posible que también tome algunas fotografías para documentar las estructuras importantes. Es probable que le den copias de estos exámenes. En algunas clínicas quizá también le ofrezcan una cinta en video del ultrasonido.

Lo que pueden indicar los resultados
Con base en las imágenes producidas por el examen de ultrasonido, es posible que su proveedor de cuidados de salud determine un sinúmero de cosas acerca de su embarazo y su bebé, incluyendo:

- El hecho de que sin duda está embarazada.
- Cuántas semanas han pasado desde la concepción (edad de gestación del bebé).
- Cuántos bebés lleva.
- La tasa de desarrollo y crecimiento de su bebé.
- El movimiento, ritmo cardiaco y respiración de su bebé.
- El sexo de su bebé. Poder determinar el sexo de su bebé depende de la posición de éste en el útero y de la posición del cordón umbilical. Decida con anticipación si quiere conocer esta información.
- Las variaciones estructurales o anormalidades de su bebé, como espina bífida.
- La localización y desarrollo de la placenta. Algunas veces un embarazo se desarrolla fuera del útero (embarazo ectópico), por lo general dentro de una trompa de Falopio.
- Si ha tenido un aborto.
- Evaluación del cérvix y tendencia hacia el parto prematuro.
- Mediciones del bienestar fetal, como producción de orina, tono muscular y actividad.

Posibles preocupaciones
El examen por ultrasonido no incluye la radiación. Cuarenta años de experiencia indican que es un examen seguro tanto para usted como para su bebé.

Razones para hacerlo
El ultrasonido se usa con tanta frecuencia en el embarazo que es posible que suponga que se trata de una rutina dentro del cuidado prenatal; pero los investigadores han determinado que, para la mayoría de las mujeres sanas con embarazos normales, un ultrasonido de rutina no parece tener influencia en el resultado de dichos embarazos. Es probable que no sea económicamente redituable si no hay dudas acerca del desarrollo fetal normal.

Si surgen preocupaciones, lo mejor es resolverlas mediante un ultrasonido. Si no está segura del tiempo del embarazo, el ultrasonido puede determinar la edad de gestación del bebé. Si las pruebas sanguíneas indican una anormalidad, es posible que un ultrasonido pueda identificarla. Si hay sangrado o preocupación acerca de la tasa de crecimiento del bebé, el ultrasonido es la mejor prueba inicial. Además, la imagenología por ultrasonido puede usarse para guiar a su proveedor de cuidados de salud mientras efectúa otras pruebas prenatales, como amniocentesis o muestreo de vellosidades coriónicas.

Muchas mujeres y sus parejas están deseosas de realizar un ultrasonido porque les da un primer vistazo de su bebé. Algunos padres consideran importante esta prueba para averiguar el sexo de su bebé. Aunque esto con frecuencia es posible, no se recomienda como el único propósito del ultrasonido. Hable con su proveedor de cuidados de salud acerca de la necesidad de realizarse uno.

Lo que sucede a continuación
Si los resultados del ultrasonido son normales, no se requerirán ultrasonidos adicionales. Si su proveedor de cuidados de salud sospecha alguna anormalidad, es posible que recomiende otras pruebas. Un ultrasonido avanzado, la amniocentesis u otros estudios, pueden emplearse para confirmar o descartar el diagnóstico. En muchos embarazos de alto riesgo es frecuente el empleo de los ultrasonidos para vigilar el embarazo.

Precisión y limitaciones de la prueba
Aunque el ultrasonido es una herramienta de imagenología muy útil, no puede detectar todas las anormalidades fetales. Si un ultrasonido no puede ofrecer una explicación para un problema percibido, es posible que su proveedor de cuidados de salud recomiende otras pruebas diagnósticas, como amniocentesis o muestreo de vellosidades coriónicas.

Amniocentesis

Qué es
En la amniocentesis, el médico inserta una aguja delgada en el abdomen para tomar una pequeña muestra de líquido amniótico del saco que rodea a su bebé. Los dos tipos comunes son la amniocentesis genética y la amniocentesis de madurez:

- **Amniocentesis genética.** Puede proporcionarles, a usted y a su médico, información acerca de la constitución genética de su bebé antes de que éste nazca.
- **Amniocentesis de madurez.** Con esta prueba, se analiza el líquido para averiguar si los pulmones del bebé son lo bastante maduros para funcionar en forma normal al nacimiento.

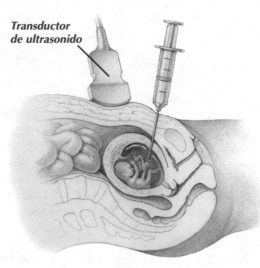

El líquido amniótico es un líquido claro que rodea a su bebé en el útero y le proporciona un amortiguador contra los golpes y sacudidas de todos los días. El líquido consta en su mayor parte de orina del bebé. También contiene células que se han desprendido del feto. En la amniocentesis genética, es posible tomar una muestra de estas células y hacerlas crecer en un laboratorio. A partir de esa muestra, es posible revisar los cromosomas y genes en busca de anormalidades, como síndrome de Down. La muestra de líquido amniótico también puede examinarse en busca de defectos del tubo neural, como espina bífida.

Durante la amniocentesis, un transductor de ultrasonido muestra sobre una pantalla las posiciones de su feto y de la aguja, permitiéndole a su doctor tomar sin peligro una muestra de líquido amniótico para realizar la prueba.

Cuándo se realiza

La amniocentesis genética por lo general se realiza entre la 15.ª y la 19.ª semanas de gestación. En este punto, su útero por lo general contiene suficiente líquido amniótico, y su bebé todavía está pequeño. Esto se puede hacer antes, pero entonces puede incrementar el riesgo de pérdida del embarazo.

La amniocentesis de madurez se realiza cuando puede haber una razón para adelantar el parto antes de la fecha de término. Esta prueba indica si los pulmones del bebé están listos para el nacimiento. Por lo general se hace alrededor de la 32.ª y 39.ª semanas de gestación.

Cómo se hace

La amniocentesis se puede realizar en el consultorio de su médico. No requiere una estancia hospitalaria. Antes de que se inicie el procedimiento, es probable que su médico o su consejero genético discutan la prueba con usted, y le ayuden a considerar lo que podrían significar los resultados positivos o negativos. El ultrasonido se efectúa para indicar la localización exacta de su bebé en el útero. En conjunto, la discusión y el ultrasonido preliminar toman entre 45 minutos y una hora.

Después de determinar la posición del bebé, se inicia la amniocentesis. Se limpia el abdomen con un antiséptico. Luego, guiado por las imágenes de ultrasonido, su médico inserta una aguja delgada y hueca en el útero a través de su abdomen. Se toman entre dos y cuatro cucharaditas de líquido amniótico con una jeringa. El procedimiento termina cuando se retira la aguja.

Muchas mujeres han encontrado que el procedimiento no es tan doloroso como habían pensado. Notará una sensación punzante o un piquete cuando la aguja entre en su piel, y un cólico semejante a dolor menstrual durante el procedimiento. La molestia casi siempre es semejante a la de una extracción de sangre.

La muestra se envía al laboratorio. Algunos resultados pueden estar listos en unas cuantas horas o algunos días. La evaluación cromosómica puede tomar de siete a catorce días, ya que es necesario dejar que las células fetales se multipliquen hasta que haya suficientes para realizar una prueba. Para mayor información sobre cómo obtener un resultado preliminar de la prueba en 24 a 36 horas, vea "HISF: aceleración del análisis genético", en la página 304.

Lo que pueden indicar los resultados
La amniocentesis genética se usa con frecuencia para identificar diversos defectos genéticos. Parte de la información que puede proporcionar esta prueba incluye:

- **Anormalidad cromosómica.** La amniocentesis permite al laboratorio examinar el número y estructura de cada uno de los 23 pares de cromosomas de su bebé. Permite a su médico determinar si hay anormalidades cromosómicas como síndrome de Down y las trisomías 13 y 18.
- **Defectos del tubo neural.** La muestra de líquido amniótico puede evaluarse para niveles anormalmente altos de alfa-fetoproteína (AFP). Los niveles elevados de AFP pueden indicar un defecto de tubo neural, como espina bífida.

  La amniocentesis es una prueba diagnóstica definitiva para los defectos del tubo neural, aunque el desarrollo del ultrasonido avanzado ofrece una alternativa no invasiva.
- **Trastornos genéticos.** El material genético de células tomadas durante la amniocentesis puede examinarse para detectar muchos problemas hereditarios. Estos padecimientos son relativamente raros e incluyen defectos en la química del cuerpo (trastornos metabólicos) como la fibrosis quística y las enfermedades de Tay-Sachs y de células falciformes; alteraciones que pasan de la madre al hijo (trastornos relacionados con el cromosoma X), como lo son algunos tipos de distrofia muscular y la hemofilia; y trastornos que pasan de la madre o el padre al bebé, como la enfermedad de Huntington. Hay tantos trastornos genéticos que no es práctico examinarlos todos. Estas enfermedades se evalúan sólo si usted tiene una razón específica para buscar el problema, como un historial familiar de un trastorno genético particular.

La amniocentesis de madurez se emplea para determinar el desarrollo pulmonar de su bebé:

- **Madurez pulmonar.** Analizar el líquido amniótico puede indicar a su médico si los pulmones de su bebé están lo bastante desarrollados para funcionar fuera del útero. Esto es importante si necesita adelantar el parto.

Otros usos menos comunes de la amniocentesis incluyen:
- **Incompatibilidad del Rh.** Si no presenta un tipo de proteína llamado factor *Rhesus* (Rh) en su sangre (es decir, es Rh negativa) pero su bebé sí lo tiene (es Rh positivo), padece una condición llamada incompatibilidad del Rh. Aunque no es probable que cause problemas durante su primer embarazo, es posible que su sistema inmune produzca anticuerpos contra el factor Rh en la sangre de su bebé en los embarazos subsecuentes. Esto puede llevar a daño leve o grave o incluso a la muerte. La amniocentesis se puede emplear para determinar si su bebé está afectado y a qué grado.
- **Infecciones intrauterinas.** Con el fin de determinar si padece una infección causada por un agente viral o un parásito como el toxoplasma, es posible que su médico requiera una muestra de líquido amniótico para su análisis.

Posibles preocupaciones
Aunque la amniocentesis es una prueba relativamente segura, implica algunos riesgos.
- **Aborto.** La amniocentesis que se realiza antes de 24 semanas de gestación implica un riesgo de aborto de cerca de uno en 200 (0.5 por ciento). La amniocentesis que se lleva a cabo al inicio del embarazo, antes de las 14 semanas, conlleva un riesgo de aborto de cerca de dos a cinco en 100 (dos a cinco por ciento). La mayoría de estas pérdidas se dan debido a la ruptura del saco amniótico. Cuando la amniocentesis se realiza más adelante en el embarazo para evaluar la madurez pulmonar, hay una probabilidad mucho menor de que la ruptura del saco amniótico cause complicaciones fatales al feto porque puede ser seguro que el bebé nazca en ese momento.
- **Complicaciones posprocedimiento.** Puede tener cólicos, sangrado o fugas de líquido amniótico después del procedimiento. El sangrado ocurre en dos a tres por ciento de los casos. La fuga de líquido amniótico se da en cerca de uno por ciento de ellos. Por lo general estos problemas se resuelven sin tratamiento, pero llame a su proveedor de cuidados de la salud si tiene sangrado o fuga. Es raro que se presenten infecciones, pero si desarrolla fiebre después de la amniocentesis, llame a su proveedor de cuidados de salud.
- **Sensibilización al Rh.** En algunos casos, la amniocentesis puede provocar el influjo de sangre fetal hacia el torrente sanguíneo materno. Si esto sucede y su tipo de sangre es Rh negativo y el de su bebé Rh positivo, esto puede conducir a la enfermedad de Rh, la cual puede ser fatal para el bebé. Por lo general, si tiene tipo de sangre Rh negativo, se le administra un fármaco llamado inmunoglobulina Rh (RhIg) después del procedimiento, el cual puede evitar el problema.

- **Daño por la aguja.** Hay una ligera probabilidad de puncionar al bebé con la aguja, aunque el uso del ultrasonido como guía hace que esto sea raro.

Razones para hacerla

La razón más común por la cual las mujeres se someten a una amniocentesis es su edad. Si tendrá 35 años o más cuando nazca su bebé, éste tiene un mayor riesgo de anormalidades cromosómicas. Lo mismo que con el resto de las pruebas prenatales, este examen es voluntario. La decisión de realizar amniocentesis genética es muy seria. Hable con su proveedor de cuidados de salud o su consejero genético acerca de sus opciones, sin importar su edad. Otras razones por las cuales usted y su proveedor de cuidados de la salud pueden considerar la amniocentesis genética incluyen:

- Un embarazo previo complicado por una anormalidad cromosómica o un defecto del tubo neural.
- Resultados anormales de una prueba de detección, como la triple.
- Si cualquier progenitor lleva un rearreglo cromosómico que no lo afecta a él o ella de inmediato pero podría afectar al hijo.
- Si cualquier progenitor tiene un defecto en el sistema nervioso central como espina bífida, o algún pariente cercano con tal problema.
- Si cualquier progenitor presenta una anormalidad cromosómica como síndrome de Down o hay un pariente cercano con tal problema.
- Se sabe que los progenitores son portadores de una mutación genética que causa una enfermedad como fibrosis quística, Tay-Sachs u otro trastorno de un solo gen.
- La madre tiene un pariente masculino con distrofia muscular, hemofilia o algún otro padecimiento relacionado con el cromosoma X.

Lo que sucede a continuación

La mayoría de las pruebas resultan normales. Si hay un problema, usted y su proveedor de cuidados de salud o su consejero genético necesitan discutir con cuidado el siguiente paso.

Los problemas cromosómicos no pueden corregirse, y hay muy pocos tratamientos para los trastornos hereditarios que puedan realizarse antes del nacimiento. Éste puede ser un tiempo difícil. Es importante buscar y recibir apoyo de su equipo médico, su familia, sus consejeros espirituales y cualquier otra persona en la que confíe y que se preocupe por usted.

Terminar el embarazo no es nunca una decisión fácil. El hecho de que su hijo pueda tener un padecimiento serio o incluso fatal no hace que dicha decisión sea menos difícil. Muchas mujeres deciden continuar con el embarazo, y su equipo de cuidado de la salud puede referirlas con especialistas médicos y en cuidado infantil que pueden ayudarles a planear el futuro. La adopción es otra alternativa. Hay numerosas organizaciones que se especializan en la adopción de niños con necesidades especiales.

Precisión y limitaciones de la prueba

Aunque la amniocentesis es precisa en la identificación de ciertos trastornos genéticos, como el síndrome de Down, no puede identificar todos los defectos de nacimiento. Por ejemplo, no puede detectar un defecto cardiaco, pie zambo, labio o paladar hendido (leporino). Un resultado normal de la amniocentesis puede proporcionar tranquilidad con respecto a ciertos problemas congénitos, pero no garantiza que su bebé esté libre de defectos.

Muestreo de vellosidades coriónicas

Qué es

Lo mismo que la amniocentesis, el muestreo de vellosidades coriónicas (MVC) puede detectar anormalidades cromosómicas y otros trastornos genéticos en su bebé nonato. Pero, en lugar de tomar una muestra de líquido amniótico, el MVC examina tejido de la placenta. Dado que no se toma líquido amniótico, el MVC no puede detectar defectos del tubo neural, como espina bífida.

HISF: ACELERACIÓN DEL ANÁLISIS GENÉTICO

Hay ahora un método de análisis genético más rápido que las técnicas tradicionales. Se llama hibridización *in situ* por fluorescencia (HISF), y puede proporcionar resultados en tan sólo 24 horas. En contraste, tomaría desde varios días hasta dos semanas obtener resultados con los métodos estándar.

Con la amniocentesis, no se obtienen suficientes células fetales en la muestra como para realizar un análisis cromosómico completo de inmediato. Los técnicos de laboratorio deben esperar a que las células de la muestra se dividan y multipliquen (cultivo). Luego las capturan en la fase de división celular cuando los cromosomas pueden observarse como estructuras separadas (metafase). Una vez que esto ocurre, es posible estudiar las células. A continuación, se tiñen los cromosomas de la célula, con lo cual revelan un patrón único que permite contar y analizarlos bajo el microscopio de fluorescencia.

La HISF usa una técnica que se basa en secuencias cortas de ADN llamadas sondas. Estas sondas, que tienen una marca fluorescente unida a ellas, están diseñadas para buscar y unirse (hibridizarse) con secuencias genéticas específicas en una muestra celular.

En forma normal, un bebé tiene dos copias de cada cromosoma, lo que da un total de 23 pares de ellos. En ocasiones, se presenta una anormalidad cromosómica. Éste es el caso del síndrome de Down, el cual se caracteriza por tres cromosomas del número 21. Los números anormales de cromosomas se llaman aneuploidia. Junto con el síndrome de Down, otras aneuploidias comunes que es posible identificar por HISF incluyen:

- Trisomía 18
- Trisomía 13
- Un cromosoma sexual X (femenino) o Y (masculino) adicional o faltante

Con la HISF, por ejemplo, una sonda de cromosoma 21 marcado con rojo marcará todos los cromosomas 21 en una muestra celular, y los marcará en rojo. Cuando la muestra se observa bajo el microscopio de fluorescencia, es fácil ver y contar los marcadores rojos. El análisis HISF puede usarse en células que no están en el proceso de división (etapa de interfase), así que no es necesario el cultivo. Esto permite una evaluación mucho más rápida.

Parte de la placenta es una capa de membrana llamada corion. De esta membrana, surgen proyecciones diminutas semejantes a cabellos llamadas vellosidades, las cuales actúan como vías de nutrientes, oxígeno y anticuerpos de usted hacia su bebé. Estas vellosidades coriónicas contienen células fetales que contienen el ADN de su bebé.

Durante el procedimiento de MVC, su médico toma una muestra de células de vellosidades coriónicas de la placenta. Esto se hace insertando un tubo delgado a través de su cérvix o una aguja a través de su abdomen, guiados por imágenes de ultrasonido del útero. La muestra se envía entonces a un laboratorio para su análisis.

Cuándo se realiza
El MVC por lo general se efectúa entre la novena y decimocuarta semanas de gestación. Se realiza más temprano en el embarazo que la etapa en la cual por lo general se realiza la amniocentesis. Si desea tener una prueba diagnóstica al inicio de su embarazo, es probable que su médico le recomiende el MVC en lugar de la amniocentesis temprana debido al mayor riesgo de aborto que esta última implica.

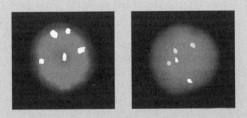

La prueba HISF puede determinar el sexo del feto y cualquier problema cromosómico numérico que incluya los cromosomas X, Y, 13, 18 y 21. A diferencia de las reproducciones que aparecen aquí, las pruebas reales de HISF incluyen colores que indican los resultados.

Usar la HISF para un diagnóstico rápido con frecuencia le permite conocer los resultados de su prueba mucho más pronto que si se usara el análisis cromosómico convencional. Esto puede darle más tiempo para tomar decisiones acerca de su embarazo.

La detección de aneuplodias comunes empleando la HISF por lo general es muy precisa. Presenta tasas de falsos positivos y falsos negativos menores de uno por ciento.

Pero la técnica tiene algunas limitaciones. Aunque es precisa, la HISF sólo identifica los problemas indicados antes; y, aunque el número de cromosomas 13, 18, 21, X e Y puede ser muy obvio durante el análisis HISF, la estructura real del cromosoma no es evidente. Por tanto, las anormalidades estructurales que pueden indicar un problema, no son evidentes con la HISF, pero lo son con el análisis genético convencional que se usa en la amniocentesis. Además, la HISF no puede diferenciar entre las células maternas y las fetales. Si las células maternas contaminan la muestra, es probable que los resultados no reflejen en verdad el estado genético del bebé. Por esta razón, la mayoría de los proveedores de salud emplean la HISF como un suplemento del diagnóstico, no como la única base de las decisiones prenatales.

Cómo se hace

Se puede tomar una muestra de vellosidades coriónicas por vía transcervical o transabdominal. Ambos métodos se consideran igualmente seguros. Cuál se usa depende de la posición de la placenta y de la experiencia de su médico. En general, es más fácil tomar muestra de las placentas que se encuentran en la parte posterior del útero a través del cérvix. Las placentas que se encuentran en la parte frontal permiten cualquier método.

Se realiza un ultrasonido antes del procedimiento para determinar la posición de la placenta. Ambas variaciones del procedimiento se hacen con la guía del ultrasonido.

- **MVC transcervical.** Este tipo de procedimiento de MVC puede sentirse de manera similar a un Papanicolaou, con un dolor un poco más fuerte. Usted se recuesta sobre su espalda con los pies en los estribos. Después de limpiar su vagina y cérvix con un antiséptico, su médico inserta un tubo delgado y hueco (catéter) a través de su vagina y cérvix hasta las vellosidades coriónicas. Luego se emplea una suave succión para obtener una pequeña muestra de células placentarias. Algunas mujeres presentan molestias notorias, y otras no.

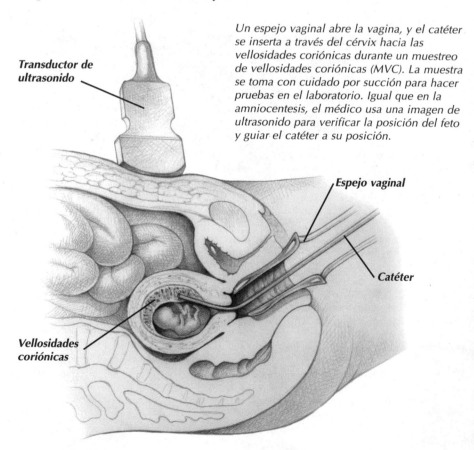

Un espejo vaginal abre la vagina, y el catéter se inserta a través del cérvix hacia las vellosidades coriónicas durante un muestreo de vellosidades coriónicas (MVC). La muestra se toma con cuidado por succión para hacer pruebas en el laboratorio. Igual que en la amniocentesis, el médico usa una imagen de ultrasonido para verificar la posición del feto y guiar el catéter a su posición.

Transductor de ultrasonido

Espejo vaginal

Catéter

Vellosidades coriónicas

- **MVC transabdominal.** Este procedimiento es similar a la amniocentesis en cuanto que emplea una aguja larga y delgada para obtener la muestra de células. Se determina un sitio seguro de entrada para la aguja mediante el ultrasonido, y luego se limpia su abdomen con un antiséptico. A continuación, su médico inserta la aguja a través de su abdomen hacia las vellosidades coriónicas, y toma la muestra.

El procedimiento toma cerca de 45 minutos. La aguja entra al sitio sólo una pequeña parte de ese tiempo. Por lo general, con el MVC se colecta una mayor muestra de células que con la amniocentesis, así que los resultados de éste se obtienen más pronto —entre dos a siete días, dependiendo de la complejidad del análisis de laboratorio.

Lo que pueden indicarle los resultados
Lo mismo que en la amniocentesis, el análisis de células fetales en la muestra puede revelar si su bebé tiene una anormalidad cromosómica, como síndrome de Down, u otro trastorno genético, como enfermedad de Tay-Sachs, si hay razón para buscarlos.

Posibles preocupaciones
Si tiene una infección cervical, como chlamidia o herpes, no se recomienda el MVC transcervical. Esta prueba requiere más pericia que la amniocentesis, así que es importante que un obstetra experimentado la realice. En general, los riesgos del MVC son similares a los de la amniocentesis.

- **Aborto.** El riesgo de aborto con el MVC es un poco mayor que con la amniocentesis —alrededor de uno en 100 (uno por ciento).
- **Complicaciones posprocedimiento.** El sangrado vaginal ocurre en cerca de siete a diez por ciento de los procedimientos transcervicales, pero rara vez en los transabdominales. También puede presentarse dolor abdominal. Llame a su proveedor de cuidados de salud si padece cualquiera de estos problemas. Las infecciones son raras, pero comuníquese con su proveedor de cuidados de salud si desarrolla fiebre.
- **Sensibilización al Rh.** Como en la amniocentesis, es posible que parte de su sangre se mezcle con la del bebé. Si es Rh negativa, es probable que su proveedor de cuidados de salud le aplique una inyección de RhIg después del procedimiento para evitar que produzca anticuerpos contra la sangre de su bebé.

Hace varios años, hubo cierta controversia acerca de si el MVC causa una mayor incidencia de problemas en extremidades. Los informes de la época mostraron un ligero aumento (uno en 3,000) de malformaciones en extremidades con esta prueba. Desde esa época, otros estudios no han detectado aumento alguno. Con base en la evidencia existente, los investigadores han concluido en general que no hay relación entre este tipo de defectos y el MVC realizado después de 10 semanas de gestación.

Razones para hacerlo

Ambas pruebas, el MVC y la amniocentesis pueden proporcionar información genética acerca de su bebé. La ventaja del MVC es que se puede realizar en una etapa más temprana del embarazo. El MVC también puede detectar algunos trastornos genéticos muy raros, en familias con riesgo conocido, que no puede encontrar la amniocentesis.

Lo que sucede a continuación

Si los resultados son normales, es posible que no se requieran más pruebas. Si hay evidencia de una anormalidad cromosómica u otro trastorno genético, usted y su proveedor de cuidados de salud o su consejero genético pueden discutir el siguiente paso. En cerca de uno por ciento de los casos, los resultados del MVC son poco claros y es posible que se necesite una amniocentesis para confirmar el diagnóstico.

Si terminar con el embarazo es una consideración en su caso, la disponibilidad temprana del diagnóstico por MVC puede ser una ventaja. Terminar el embarazo más pronto por lo general es más seguro y tiene menos complicaciones.

El diagnóstico temprano también puede ser útil en el tratamiento de ciertos trastornos. Por ejemplo, si un bebé femenino tiene hiperplasia suprarrenal congénita, una condición en la cual se producen cantidades excesivas de hormonas masculinas, es posible administrar terapia hormonal a la madre para evitar que el bebé desarrolle características masculinas.

Precisión y limitaciones de la prueba

El MVC tiene una probabilidad menor a uno por ciento de dar un resultado falso positivo. Un falso positivo significa que la prueba indica que el bebé tiene una anormalidad cuando en realidad no hay ninguna. Si obtiene resultados negativos, puede estar bastante segura de que no hay anormalidades cromosómicas en su bebé. Pero el MVC no puede emplearse para verificar todas las enfermedades. Por ejemplo, no puede usarse para detectar defectos del tubo neural, como espina bífida.

Muestreo percutáneo de sangre umbilical

Qué es

En el muestreo percutáneo de sangre umbilical (MPSU), se toma una muestra de sangre de su bebé a través de la vena en el cordón umbilical. Este procedimiento de diagnóstico puede detectar anormalidades cromosómicas, algunos problemas genéticos y la presencia de enfermedades infecciosas. El MPSU también se conoce como muestreo de la vena umbilical, muestreo de sangre fetal y cordocentesis.

Es posible que su proveedor de cuidados de salud ofrezca este procedimiento si otras pruebas diagnósticas prenatales, como amniocentesis, ultrasonido y MVC, no han podido generar suficiente información. En el pasado, el MPSU ofrecía la manera más rápida de conseguir una muestra para análisis cromosomal. Las nuevas técnicas de laboratorio, como la HISF

Cuando los resultados de las pruebas indican un problema

Está sucediendo lo impensable: los resultados de sus pruebas prenatales sugieren que su bebé podría tener un problema. En medio del choque, la preocupación y el temor, surge una pregunta: ¿Y ahora qué?

Para responder esto, comience por programar una reunión con su proveedor de cuidados de salud. Hable acerca de los resultados y de lo que podrían —y no podrían— significar para usted y su bebé. Si el bebé tiene una condición genética, es posible que quiera solicitar que la refieran de inmediato con un consejero genético o un genetista médico.

Antes de reunirse con su proveedor de cuidados de salud, haga una lista de sus preguntas. Algunas que podría considerar:

- ¿Qué tan precisos son los resultados de la prueba? ¿Es posible que haya un error?
- ¿Puede mi bebé sobrevivir a este problema? Si es así, ¿cuánto tiempo es posible que viva después de nacer?
- ¿Qué problemas podría causar este padecimiento? ¿Cómo podría afectar al bebé en el aspecto físico? ¿Cómo podría afectarlo en el aspecto mental?
- ¿Es probable que mi hijo requiera cirugías u otros tratamientos médicos para manejar el problema? Si es así, ¿serán dolorosos? Si mi bebé sufre dolor, ¿cómo podré reconocerlo y tratarlo?
- ¿Hay otros profesionales del cuidado de la salud que me puedan proporcionar más información?
- ¿Qué implica cuidar a un niño con este padecimiento?
- ¿Hay programas especiales que ayuden al desarrollo físico y mental de mi hijo?
- ¿Hay un grupo de apoyo en nuestra comunidad para familias con hijos que padezcan este problema? ¿Cómo podemos comunicarnos con los padres de niños con padecimientos similares?
- ¿Cuáles son las probabilidades de que esta condición afecte mi siguiente embarazo?
- ¿Qué recursos hay disponibles si decidimos terminar con el embarazo? ¿Qué servicios terapéuticos o de apoyo hay disponibles?

Una vez que haya reunido la información, necesitará tomar una decisión con base en sus circunstancias personales. Considere los aspectos emocionales y físicos de su decisión, junto con sus recursos personales y financieros.

Aquí están sus opciones:

- **Continuar con el embarazo.** Haga planes sobre la mejor manera de manejar el resto del embarazo, el trabajo de parto y el parto, y el tratamiento de su bebé después del nacimiento. Piense en cómo afectará el bebé a su familia y estilo de vida, y, hasta donde sea posible, haga planes de acuerdo con esto. Piense en buscar un terapeuta o grupo de apoyo que le ayude a aprender acerca de las necesidades de su bebé y cómo atenderlas.
- **Terminar con el embarazo.** La decisión de terminar un embarazo nunca es fácil, incluso si su bebé presenta una condición que es incompatible con su vida. Los grupos de terapia y apoyo, tanto antes como después de tomar la decisión, pueden ser inestimables para ayudarle a aclarar sus sentimientos. Recuerde, sólo usted puede decidir si esto es lo adecuado. Los consejeros, proveedores de cuidados de salud y recursos comunitarios pueden proporcionarle información, pero esta decisión seria en extremo debe ser suya.

  Si desea considerar esta opción, es probable que deba reunir información con rapidez. Su proveedor de cuidados de salud o su consejero genético pueden ayudarle a explorar sus opciones.

(ver la página 304), permiten completar la evaluación cromosómica en un día o dos, y proporcionan un análisis rápido de las muestras obtenidas a través de la amniocentesis o el MVC. De todos modos, el muestreo de la sangre del bebé tiene el potencial de revolucionar el diagnóstico, de la misma manera que las pruebas de sangre se volvieron clave en la Medicina de adultos para ayudar a los proveedores de cuidados de salud al hacer el diagnóstico.

Además, el MPSU puede llevarse a cabo para diagnosticar ciertos trastornos e infecciones sanguíneos y proporcionar transfusiones al bebé.

Cuándo se realiza
El MPSU por lo general se hace más adelante en el embarazo, después de 18 semanas. Antes de este punto, la vena umbilical todavía es frágil.

Cómo se hace
Lo mismo que en la amniocentesis, para este procedimiento debe recostarse sobre su espalda con el abdomen expuesto. Se extiende un gel sobre su abdomen y se usa ultrasonido avanzado para localizar el cordón umbilical. Esta área de su abdomen se limpia con antiséptico. Con la ayuda de las imágenes de ultrasonido, su médico inserta una aguja delgada a través de su abdomen y útero en la vena del cordón umbilical, y toma una muestra de sangre. A continuación, la muestra se manda al laboratorio para su análisis. El procedimiento completo dura cerca de 45 minutos a una hora, con la aguja en el lugar durante sólo una fracción del tiempo. Dependiendo de la prueba, los resultados pueden estar listos en tan sólo dos horas.

Lo que pueden indicar los resultados
El MPSU puede proporcionar la siguiente información:
- **Anormalidades cromosómicas o genéticas.** El MPSU puede detectar algunas de las mismas anormalidades cromosómicas o genéticas que la amniocentesis y el MVC, como síndrome de Down, y puede detectar en forma más directa enfermedad de células falciformes y hemofilia.
- **Trastornos sanguíneos.** La muestra de sangre del bebé puede analizarse en busca de signos de anemia y enfermedad de Rh. El MPSU también puede determinar la gravedad de la condición. Si el padecimiento es grave, puede realizarse al mismo tiempo una transfusión sanguínea. En fechas más recientes, es posible usar el ultrasonido Doppler, que mide la velocidad del flujo sanguíneo, como una alternativa menos arriesgada para diagnosticar la anemia moderada a grave.
- **Infecciones.** Si presenta una infección, como toxoplasmosis o rubéola, el MPSU puede determinar si el bebé también la adquirió. No obstante, hay técnicas genéticas recientes que permiten a los proveedores de cuidados de salud detectar los virus y bacterias en forma directa en el líquido amniótico, lo cual es más seguro.
- **Crecimiento retrasado.** En casos de retraso grave del crecimiento intrauterino, el MPSU puede ayudar a determinar por qué su bebé no está creciendo al ritmo que debería.

Posibles preocupaciones
El MPSU implica un riesgo aproximado de dos por ciento de muerte fetal. El riesgo es más del doble del MVC o la amniocentesis. Otros riesgos relacionados con el MPSU incluyen sangrado en el sitio de entrada de la aguja —que por lo general se resuelve por sí solo—, retraso temporal en la frecuencia cardiaca del bebé, infección, dolor abdominal y fugas de líquido. Llame a su proveedor de cuidados de la salud si nota fiebre, sangrado o fugas de líquido después de este procedimiento.

Razones para hacerlo
Dado que el MPSU es un poco más arriesgado que otras pruebas prenatales, es probable que su proveedor de cuidados de la salud le ofrezca otras opciones diagnósticas antes de esta prueba. Pero si es Rh negativa, su bebé es Rh positivo y una prueba de sangre indica altos niveles de anticuerpos contra las células sanguíneas de su bebé, es posible que le hagan una amniocentesis para determinar si su bebé está desarrollando anemia. Cuando el problema es grave, el MPSU puede proporcionar una vía para aplicar una transfusión a su bebé.

Algunas otras circunstancias podrían hacer que el MPSU fuera el método de elección; por ejemplo, si su bebé necesita una transfusión sanguínea o la infusión de un medicamento.

Lo que sucede a continuación
Si los resultados son normales, por lo general no se requiere ninguna otra prueba. Si hay anormalidades cromosómicas, usted y su proveedor de cuidados de salud o consejero genético pueden discutir sus opciones, y hacer arreglos para cualquier apoyo médico que requiera.

Si su bebé presenta anemia grave, puede ser que su proveedor de cuidados de salud induzca un parto temprano si su bebé es lo bastante maduro para vivir fuera del útero. Su bebé puede recibir una transfusión sanguínea a través del cordón umbilical.

Si su bebé tiene una infección, su proveedor de cuidados de salud le indicará las opciones de tratamiento disponibles.

Precisión y limitaciones de la prueba
Para que la prueba tenga éxito, es crítico que un proveedor de cuidados de salud experimentado realice el procedimiento. Gracias al desarrollo de la HISF y formas más sofisticadas de análisis genético, se ha reducido el uso del MPSU para diagnosticar con rapidez los problemas genéticos. No obstante, el procedimiento aún juega un papel importante en la evaluación de trastornos sanguíneos fetales, y en la administración de transfusiones sanguíneas y medicamentos al bebé en el útero. Es posible que en el futuro este procedimiento tenga otros usos.

Pruebas en el embarazo avanzado que determinan el bienestar del bebé

En ocasiones, es posible que su proveedor de cuidados de salud piense que es una buena idea verificar el progreso de su bebé. Las pruebas que les proporcionarán a usted y a su proveedor de cuidados de salud un vistazo del bienestar del bebé incluyen pruebas fetales electrónicas de estrés y no estrés, y la evaluación del perfil biofísico.

Pruebas electrónicas de no estrés y estrés

Qué son

Las pruebas fetales de no estrés y estrés determinan el bienestar del bebé examinando el ritmo cardiaco de éste. Es típico que se efectúen durante el último trimestre del embarazo. Se considera que un bebé tiene buena salud si su ritmo cardiaco aumenta después de moverse, y dicho ritmo se ajusta en forma constante a la condición del bebé. Esto es lo que determina la prueba de no estrés.

Las pruebas de estrés de contracción evalúan la salud del bebé vigilando su ritmo cardiaco en respuesta a las contracciones inducidas por medicamentos. Los bebés con buena salud por lo general tolerarán las contracciones sin un cambio significativo en el ritmo cardiaco.

Estas pruebas pueden ayudar a su proveedor de cuidados de salud a evaluar la salud general de su bebé, y verificar que la continuación del embarazo no implica una amenaza para el bebé. Se puede hacer una o ambas, en particular si tiene un embarazo de alto riesgo o si ya pasó su fecha de término.

Cuándo se realizan

Estas pruebas se realizan mejor después de 28 semanas de gestación.

Cómo se hacen

Las pruebas de no estrés y de estrés de contracción se llevan a cabo de la siguiente manera:

- **Prueba de no estrés.** Durante esta prueba, un cinturón con transductores conectados a él se coloca sobre su abdomen. Los transductores son parte del equipo de ultrasonido Doppler, el cual mide el ritmo cardiaco de su bebé a través del uso de ondas sonoras. Es posible que su proveedor de cuidados de salud le pida que apriete el botón cada vez que sienta que se mueve su bebé, o él puede registrar el movimiento del feto. La medición del ritmo cardiaco aparece como una gráfica. Cada vez que aprieta el botón, una pequeña flecha aparece en la gráfica para indicar el movimiento del bebé.

  Si parece que su bebé no se mueve, es posible que esté dormido. Es probable que su proveedor de cuidados de salud espere unos minutos hasta que su bebé se despierte o utilice un zumbador para despertarlo. La prueba toma de 20 a 40 minutos.

- **Prueba de estrés por contracción.** Esta prueba se lleva a cabo en forma muy parecida a la de no estrés, utilizando el equipo de ultrasonido Doppler. Durante esta prueba, se mide el ritmo cardiaco del feto al mismo tiempo que se inducen contracciones leves. Estas contracciones no son, ni con mucho, tan molestas como las del trabajo de parto.

  Si las contracciones no ocurren por sí mismas, es posible que su proveedor de cuidados de salud le proporcione una infusión de oxitocina. Para que se considere adecuada, la prueba por lo general requiere que haya tres contracciones en un periodo de diez minutos. La prueba puede tomar una o dos horas.

Lo que pueden indicar los resultados

Alrededor de 85 por ciento de los resultados de la prueba de no estrés son normales (reactivos), lo cual significa que el ritmo cardiaco de su bebé ha aumentado como se esperaba. Los resultados anormales se denominan no reactivos, lo cual implica que el ritmo cardiaco del bebé no se aceleró como se esperaba. Que el resultado de la prueba sea no reactivo no es necesariamente razón para preocuparse. La razón más común para un resultado no reactivo es que el bebé estuviera dormido durante la prueba. En ocasiones, los resultados anormales indican una deficiencia de oxígeno en el feto.

Los resultados de la prueba de estrés por contracción son normales (negativos) si el ritmo cardiaco del bebé no se reduce durante la contracción. Los resultados son anormales (positivos) si el ritmo cardiaco se reduce de manera consistente después de las contracciones. Esto puede significar que su bebé no está obteniendo suficiente oxígeno y que está en peligro de morir en el útero. Sólo tres a cinco por ciento de los resultados de la prueba de estrés por contracción son positivos. Por atemorizante que esto suene, se producen muchas pruebas positivas en bebés que serán normales.

Posibles preocupaciones

La prueba de no estrés casi no implica riesgo alguno y es segura para usted y su bebé, pero si está en riesgo de parto prematuro, como es el caso de tener gemelos, es probable que su proveedor de cuidados de salud no recomiende la prueba de estrés por contracción.

Razones para hacerlas

Es probable que su proveedor de cuidados de salud recomiende una prueba de no estrés si usted nota una marcada reducción del movimiento de su bebé o si la tasa de crecimiento de éste parece ser anormalmente lenta. Asimismo, quizá su proveedor de cuidados de salud sugiera que se vigile la salud de su bebé con una prueba de no estrés una o dos veces por semana a partir de la 28.ª semana de gestación si padece alguno de estos problemas:

- Diabetes
- Una enfermedad que pueda dañar a su bebé, como padecimientos renales o cardiacos
- Hipertensión durante el embarazo (preeclampsia)
- Historial de parto de un feto muerto
- Gestación prolongada (ya pasó su fecha de término)
- Gestación múltiple (lleva dos o más bebés)
- Una cantidad anormal de líquido amniótico, indicada por un examen de ultrasonido

La prueba de estrés por contracción por lo general se lleva a cabo si los resultados de una prueba de no estrés son anormales.

Lo que sucede a continuación

Si los resultados de la prueba de no estrés son no reactivos, la prueba puede prolongarse o repetirse, o efectuarse una prueba de estrés por contracción. En un estudio, cerca de 80 por ciento de las pruebas de no estrés que fueron no reactivas en la mañana se volvieron reactivas cuando la prueba se repitió más tarde durante el día.

Si una prueba de estrés por contracción es positiva, no significa necesariamente que hay un problema. Su proveedor de cuidados de salud puede repetir la prueba en 24 horas o combinarla con otras pruebas como la evaluación del perfil biofísico (ver la página 314), para verificar si su bebé está en peligro. Si es así, usted y su proveedor de cuidados de salud pueden decidir inducir el parto en caso de que su bebé sea lo bastante maduro para sobrevivir. La cesárea puede ser una opción.

Precisión y limitaciones de las pruebas

Ambas pruebas tienen tasas muy altas de falsos positivos. Una falso positivo significa que la prueba indica que hay un problema cuando en realidad no hay ninguno. La mayor parte del tiempo, los resultados anormales serán normales cuando se repite la prueba. Dado que estos exámenes son seguros y pueden repetirse sin efectos dañinos, con frecuencia son la mejor herramienta para vigilar la salud de su bebé durante las últimas semanas del embarazo.

Evaluación del perfil biofísico

Qué es

La evaluación del perfil biofísico es otro medio para medir la salud del bebé durante el último trimestre. Combina un examen de ultrasonido con una prueba de no estrés. Las pruebas por lo general evalúan cinco diferentes aspectos de la salud de su bebé, incluyendo:

- Ritmo cardiaco
- Movimientos respiratorios (Su bebé no respira aire dentro del útero, pero sus movimientos respiratorios desplazan pequeñas cantidades de fluido hacia adentro y afuera de los pulmones.)
- Movimiento corporal
- Tono muscular
- Cantidad de líquido amniótico

Cada uno de estos factores recibe una calificación de cero o dos, y las calificaciones se suman para acumular un total de cero a 10.

Cuándo se realiza

Esta prueba se puede realizar a partir de la 26.ª semana de gestación.

Cómo se hace

El ritmo cardiaco de su bebé se mide usando una prueba de no estrés. Los otros cuatro factores —respiración, movimiento, tono muscular y líquido amniótico— se evalúan con ultrasonido. Si un factor es normal, recibe una calificación individual de dos. Si está ausente o es menor de lo esperado, recibe una calificación de cero.

Lo que pueden indicar los resultados

Una calificación de seis o menos puede indicar que su bebé sufre de falta de oxígeno. Entre menor sea la calificación, mayor será la causa de preocupación. En un gran estudio de más de 26,000 embarazos de alto riesgo, casi 97 por ciento presentaron valores de perfil biofísico de ocho o más.

Posibles preocupaciones

Ambas pruebas, el ultrasonido y la de no estrés se consideran muy seguras. Algunos medicamentos pueden reducir la calificación del perfil biofísico.

Razones para hacerla

Las razones para realizar un perfil biofísico son semejantes a las que se dan para efectuar las pruebas de no estrés y estrés. Le ayudan a usted y a su proveedor de cuidados de salud a dar seguimiento a la salud de su bebé antes del parto, en particular si presenta un embarazo de alto riesgo.

Lo que sucede a continuación

Dependiendo de su calificación, es posible que su proveedor de cuidados de salud le recomiende uno de varios cursos de acción. Si padece diabetes o ya pasó su fecha de término y la calificación es de ocho o más, es posible que las pruebas se repitan una o dos veces por semana. Si la calificación es de seis o menos, es probable que la prueba se repita para confirmar la calificación. Si es necesario, su proveedor de cuidados de salud puede recomendar que el parto se adelante a la fecha de término.

Precisión y limitaciones de la prueba

La tasa de falsas positivas para cualquier factor individual del perfil biofísico es alta, pero, cuando todos los factores se combinan, dicha tasa disminuye. Tener una calificación baja no significa necesariamente que su bebé está en problemas. Es posible que sólo implique que usted necesita de cuidados especiales durante el resto de su embarazo.

GUÍA DE DECISIÓN

nuevos intentos después de perder un embarazo

La pérdida de un embarazo puede ser una experiencia en extremo difícil. Quizá sienta que sus esperanzas para el futuro le fueron arrebatadas. Estos sentimientos pueden ocurrir incluso si su embarazo duró sólo unas semanas.

No hay un conjunto de reglas acerca de lo que sentirá o no después de perder un embarazo. Quizá se sienta aturdida por un tiempo. Permítase tener estos sentimientos y trate de elaborarlos.

El duelo por la pérdida de un embarazo toma tiempo. Algunas parejas piensan que deben tratar de concebir de nuevo de inmediato con el fin de arreglar el problema o reemplazar el dolor. Por desgracia, es poco probable que en un embarazo subsecuente experimente los mismos sentimientos de inocencia y felicidad. Un embarazo después de una pérdida puede implicar un alto estrés debido a la ansiedad y el temor de que algo vaya mal.

Aunque la pérdida de un embarazo puede ser muy difícil, esto no significa que no podrá tener otro bebé. En la mayoría de los casos, sus probabilidades de tener un embarazo normal y sano todavía son excelentes, incluso si ha tenido más de una o dos pérdidas. Su decisión sobre si lo intentará de nuevo y cuándo lo hará se basa en el tipo de embarazo que tuvo, lo mismo que en su recuperación física y emocional.

Asuntos por considerar

No hay momento perfecto para volver a concebir. La mayoría de los expertos le aconsejan que se tome el tiempo necesario para sanar en el aspecto físico y emocional antes de intentar otro embarazo. En general, los proveedores de cuidados de salud recomiendan esperar por lo menos un ciclo menstrual antes de volver a intentarlo. En algunos casos, es posible que desee consultar a un especialista antes de tratar de nuevo.

Recuperación emocional

Perder a un hijo es una de las cosas más difíciles en la vida, y perder uno antes del nacimiento no es menos difícil. Si se encuentra en duelo profundo después

CAUSAS DE LA PÉRDIDA DE UN EMBARAZO

La pérdida del embarazo puede ocurrir debido a un aborto espontáneo, incompetencia cervical o embarazos ectópico o molar.

Un *aborto espontáneo* es la pérdida del embrión o feto, casi siempre debida a anormalidades genéticas en las células en desarrollo. Con la *incompetencia cervical*, el cérvix comienza a abrirse antes de que el embarazo llegue a término, lo cual puede dar como resultado un aborto.

En un *embarazo ectópico*, el óvulo fertilizado se une en un lugar fuera del útero, por lo general en una trompa de Falopio. El *embarazo molar* se caracteriza por el desarrollo de una masa anormal de células en el útero después de la fertilización.

de perder un embarazo, tómese el tiempo para hacerlo. La recuperación emocional puede tomar, y por lo general lo hace, mucho más tiempo que la física.

Habrá quien se pregunte por qué realiza duelo por un hijo que nunca conoció; pero es posible que ya se hubiera vinculado en muchas formas con el bebé que crecía en su interior. Es probable que su pareja y usted hayan pasado muchos momentos imaginando los días en que sostendrían a su bebé en sus brazos. La pérdida de la oportunidad de ver crecer y desarrollarse a su hijo puede ser especialmente dolorosa. Incluso si nunca estuvo presente un embrión, sentirá dolor si sus sueños y expectativas eran tener un bebé. El duelo es el proceso de desprenderse del vínculo emocional que había desarrollado.

Etapas del duelo

Nadie pasa por el proceso de duelo de la misma manera, pero hay ciertas etapas emocionales comunes en las personas que han sufrido una pérdida importante. Éstas incluyen:

- **Choque y negación.** Justo después de un suceso traumático, es frecuente que las personas se sientan aturdidas y carentes de emoción. Esto es normal y no significa que no le importa. A medida que se acepta la realidad, es frecuente que cambien estos sentimientos.
- **Culpa y enojo.** Después de la pérdida de un embarazo, es probable que sienta la tentación de culparse a sí misma por lo que sucedió, pero la pérdida de un embarazo rara vez es evitable. Es muy poco probable que cualquiera de las cosas que haya hecho o hubiera podido hacer contribuyeran a la pérdida del embarazo. Quizá también se sienta enojada consigo misma, con sus familiares y amigos o simplemente con las circunstancias. Esto es de esperarse. Puede ser útil permitirse estar enojada por un tiempo.
- **Depresión y desesperanza.** La depresión no siempre es fácil de reconocer. Quizá se encuentre con que se siente muy cansada o que pierde interés en las cosas que solía disfrutar. Es posible que cambien sus patrones de alimentación y sueño. O que de repente llore por cosas que en otro contexto carecerían de importancia.

- **Aceptación.** Aunque es posible que no lo crea ahora, llegará el momento en que acepte su pérdida. Esto no significa que no sentirá dolor, pero le será más fácil funcionar.

Estas etapas no tienen establecido un tiempo de duración. Algunas pueden durar más que otras. Incluso si ya llegó a aceptar su pérdida, los sentimientos de tristeza y pena pueden regresar en una fecha importante, como el día en que tuvo el aborto o la cirugía, la fecha en que debía nacer el bebé o la fecha cuando se enteró de que estaba embarazada. Durante estos momentos, la pérdida puede sentirse fresca en su mente.

Si encuentra que estos sentimientos son tan agobiantes que no puede funcionar, o que pueden hacer que sea hostil o violenta o interferir con las relaciones con sus seres amados, hable con su proveedor de cuidados de salud o busque la ayuda de un profesional de la salud mental. Éste podrá ayudarle a enfrentar algunos de los problemas que le afectan. Incluso si no se siente agobiada, hablar con un consejero o terapeuta podrá ayudarle a darse cuenta de que sus sentimientos son normales. Los grupos de apoyo también pueden ser útiles.

Su pareja

Es posible que usted y su pareja enfrenten la pérdida del embarazo de maneras diferentes. Es probable que no siempre sea fácil reconocer que la otra persona también sufre. Quizá usted desee hablar de las cosas y su pareja prefiera permanecer en silencio, o uno puede sentir la necesidad de seguir adelante antes de que el otro esté listo.

Ahora más que nunca necesitan apoyarse uno en el otro. Intenten escucharse y responderse, al mismo tiempo que aceptan los sentimientos de la otra persona. Quizá desee considerar acudir con un consejero o terapeuta en busca de ayuda para expresar sus emociones y expectativas en un territorio más neutral.

Sus hijos

Si tiene otros hijos, ellos pueden verse afectados por la pérdida. Es posible que hayan compartido sus expectativas e incluso sentir que lo sucedido de alguna manera es su culpa. Es importante hablar en forma abierta con ellos y explicarles que nadie es culpable. Los niños se dan cuenta con facilidad de los sentimientos de sus padres, así que sea honesta acerca de su tristeza o confusión, pero asegúreles que de cualquier manera los ama.

Recuperación física

Aborto espontáneo

En el aspecto físico, por lo general toma un ciclo menstrual normal para que una mujer se recupere de un aborto espontáneo. Por lo general pasan cuatro a seis semanas antes de que el sangrado regrese. Es posible concebir en esas semanas entre el aborto espontáneo y su primer ciclo menstrual. Durante este tiempo quizá desee usar una forma mecánica de control de la natalidad, como un condón o diafragma.

Si usted y su pareja se sienten listos para un nuevo embarazo, hay varios factores por considerar. Antes de concebir, hable con su proveedor de cuidados de salud acerca de sus planes. Él puede ayudarle a crear una estrategia que optimice sus probabilidades de un embarazo y parto sanos. Si sólo ha tenido un aborto espontáneo, sus probabilidades de tener un embarazo sano son casi las mismas que las de una persona que nunca ha tenido uno.

Es posible que su proveedor de cuidados de salud sugiera que espere un poco más, o que se someta a pruebas adicionales o vigilancia, si ha tenido abortos espontáneos recurrentes un embarazo ectópico o un embarazo molar.

Pérdidas recurrentes del embarazo

Si ha tenido tres o más pérdidas del embarazo, quizá desee consultar a un médico con experiencia en esta área. La mayoría de los ginecólogos pueden ocuparse de este problema o referirla con un especialista materno-fetal o un endocrinólogo reproductivo. Su proveedor de cuidados de la salud puede ayudarle a encontrar la persona apropiada.

Dado que la pérdida recurrente del embarazo tiene varias causas, es posible que la sometan a varias pruebas y evaluaciones. Además, su proveedor de cuidados de la salud puede recomendar que consulte a un genetista o consejero genético para que éste busque posibles problemas cromosómicos. No obstante, incluso con pruebas adicionales, quizá no obtenga una explicación acerca de las razones por las cuales ocurrió la pérdida de su embarazo.

Si se encuentra una causa, puede haber o no tratamiento para ella. Por ejemplo, un cérvix débil (incompetente) puede mantenerse cerrado en forma temporal durante las etapas inicial e intermedia del embarazo para evitar que

Consejos para futuros embarazos

Aunque es muy poco probable que se pueda evitar la pérdida de un embarazo, hay cosas que puede hacer para darse la oportunidad de una gestación sana. Aquí hay algunas recomendaciones a considerar.

- Coma una dieta sana y ejercítese con regularidad.
- Obtenga su dosis diaria de ácido fólico, ya sea como suplemento o multivitamina.
- Obtenga cuidados antes de la concepción y cuidados prenatales.
- No fume, no beba alcohol ni use drogas ilícitas mientras trata de concebir o está embarazada.
- Haga que la revisen y, si es necesario, obtenga tratamiento para las enfermedades de transmisión sexual.
- Limite el consumo de cafeína.
- Colabore con su proveedor de cuidados de salud. Juntos podrán mantener a usted y a su bebé lo más sanos que sea posible.

se abra antes de que el bebé esté listo para nacer. Pero, si la causa es un problema cromosómico, es posible que no haya tratamiento.

Las buenas noticias son que incluso las mujeres que han sufrido tres pérdidas tienen una probabilidad de 75 por ciento de tener un embarazo exitoso.

Un embarazo ectópico previo

Sus probabilidades de tener éxito en la gestación son un poco menores después de un embarazo ectópico, pero siguen siendo buenas —entre 60 y 80 por ciento si tiene ambas trompas de Falopio—. Incluso si le extirparon una trompa, todavía tiene una probabilidad de más de 40 por ciento de tener éxito en el embarazo. Pero sus probabilidades de tener otro embarazo ectópico aumentan —cerca de 15 por ciento—, así que su proveedor de cuidados de salud debe vigilarla en forma estrecha la siguiente vez que conciba.

Un embarazo molar previo

Después de un embarazo molar, hay un ligero riesgo de crecimiento adicional de tejido anormal. Estos crecimientos por lo general no son cancerosos (benignos), pero en casos raros pueden volverse cancerosos (malignos). El crecimiento de tejido por lo general está marcado por altos niveles de la hormona del embarazo gonadotropina coriónica humana (GCH). Es probable que su proveedor de cuidados de salud desee medir sus niveles de GCH en forma regular hasta que hayan regresado a los niveles normales. Es importante que no vuelva a concebir por lo menos durante un año completo, ya que los niveles elevados de GCH que ocurren con la concepción pueden confundirse con el regreso de la enfermedad. El riesgo de que se repita un embarazo molar en un futuro se encuentra entre uno y dos por ciento. Es posible que su proveedor de cuidados de salud le recomiende someterse a un ultrasonido al inicio de su siguiente embarazo para asegurarse de que éste es normal.

viajes durante el embarazo

Casi siempre es seguro viajar mientras está embarazada, siempre y cuando su salud sea buena y observe las precauciones básicas. Hablando en general, el mejor momento para viajar es el segundo trimestre, cuando es probable que tenga menos náuseas matutinas, su cuerpo está más ajustado a cargar al bebé y tiene menos probabilidades de un aborto espontáneo o parto prematuro. Para el tercer trimestre, puede serle más difícil desplazarse.

No obstante, si tiene un padecimiento médico o condición obstétrica, como enfermedad cardiaca o de los vasos sanguíneos o un historial de problemas con el embarazo, es posible que su proveedor de cuidados de salud le aconseje permanecer cerca de su hogar en caso de que surja una emergencia.

Hable siempre con su proveedor de cuidados de salud antes de salir a un viaje prolongado, ya que su forma de viajar y su destino pueden tener implicaciones para su embarazo. Es posible que su doctor desee revisar su historial médico y realizarle un examen físico antes de que salga. Si viaja con frecuencia, digamos por negocios, informe a su proveedor de cuidados de salud acerca de su programa. Es probable que juntos encuentren formas de hacer que sus viajes sean más cómodos.

Asuntos por considerar

Los siguientes son algunos consejos para viajar durante su embarazo que pueden incrementar su nivel de seguridad y comodidad.

Viajes por automóvil

Cuando viaje en auto, recuerde que debe:

- **Detenerse con regularidad para estirarse.** Evite permanecer sentada por más de dos horas a la vez. Limite el tiempo total en el auto a seis horas diarias, si es posible. Caminar durante algunos minutos cada par de horas impedirá que la sangre se acumule en sus piernas. Esta actividad reducirá el riesgo de que se forme un coágulo sanguíneo.

- **Usar el cinturón de seguridad.** Ahora, más que nunca, es importante que use el cinturón de seguridad del auto. El trauma a la futura madre es la causa principal de muerte fetal, y los accidentes vehiculares son los culpables de los traumas más graves en mujeres embarazadas. Use la banda del regazo debajo de su abdomen y sobre la parte superior de sus muslos, y la banda diagonal entre sus mamas.

Viajes por aire

Viajar en avión por lo general no implica más riesgo cuando está embarazada que cuando no lo está. No obstante, puede estar en mayor riesgo de problemas si tiene un historial de coágulos sanguíneos, anemia grave, enfermedad de células falciformes o problemas con la placenta. Lo mismo que con cualquier viaje importante por avión, hable con su proveedor de cuidados de salud antes de volar.

Los dispositivos de seguridad de los aeropuertos no son dañinos para usted ni para su bebé. Recuerde, sin embargo, que la mayoría de las líneas aéreas no le permitirán abordar si su embarazo ha pasado la 36.ª semana, y la mayor parte de las líneas aéreas extranjeras no admiten a las embarazadas a partir de la semana 35. Quizá desee llevar consigo una nota de su proveedor de cuidados de salud que señale su fecha de término.

Para minimizar las molestias y el peligro mientras vuela, considere lo siguiente:

- **Use su cinturón de seguridad.** Mientras esté sentada, use su cinturón en caso de turbulencia inesperada. Coloque el cinturón en posición baja alrededor de caderas para evitar dañar al bebé.
- **Muévase.** Levántese y camine de vez en vez, en especial si el viaje es largo. Esto minimizará su riesgo de inflamación y coágulos sanguíneos. Podría pensar en usar medias de descanso. Además, trate de flexionar y extender sus pantorillas mientras está sentada.
- **Elija su asiento.** Si es posible, solicite un asiento del lado del pasillo o siéntese en la fila de la salida o adelante, donde hay mayor espacio. Un asiento junto a las alas ofrece el viaje menos accidentado.
- **Manténgase hidratada.** Beba muchos líquidos no alcohólicos antes de abordar y durante el vuelo. La baja humedad dentro de la cabina tiene un efecto deshidratante. Consumir una cantidad adecuada de líquidos también reduce el *jet lag*. Estos buenos consejos también pueden causar un problema, así que planee ir al baño antes de que se encienda la señal del cinturón de seguridad.

Viajes por mar

Los barcos y cruceros son tan seguros para las mujeres embarazadas como otras formas de viajar, y muchas naves cuentan con instalaciones médicas a bordo. La mayoría de los cruceros aceptan mujeres que están en el séptimo mes de embarazo. Debe tomar en cuenta que el movimiento del barco puede incrementar los problemas con las náuseas y el vómito. Además, tenga cuidado al caminar sobre cubierta, de manera que no resbale ni pierda el equilibrio y caiga.

Viajes internacionales

Cuando viaje al extranjero, los asuntos por considerar incluyen su destino, las vacunas y la calidad y disponibilidad de cuidados médicos en éste. Si va a un país en desarrollo o a un sitio donde el riesgo de una enfermedad o infección es alto, es posible que su proveedor de cuidados de salud le recomiende obtener una inmunización o posponer el viaje.

En general, las vacunas no se recomiendan durante el primer trimestre, y evite las vacunas vivas durante todo el embarazo. Las vacunas vivas están hechas de microorganismos debilitados pero no muertos. En teoría, pueden significar un riesgo para su bebé, aunque no se ha informado de casos de este tipo.

Para evitar la diarrea del viajero, no use agua de la llave en las áreas de alto riesgo. No la beba, no cepille sus dientes con esta agua ni use cubos de hielo hechos con ella. Su mejor opción es tomar bebidas embotelladas. Además, manténgase alejada de los alimentos callejeros, y de las frutas y verduras que no pueda pelar o que no haya pelado usted misma. Si le da diarrea, asegúrese de beber muchos líquidos para evitar la deshidratación.

Piense en crear un equipo de embarazo para llevar consigo en un viaje al extranjero. Los artículos que pueden resultar útiles incluyen:

- **Copias de sus registros médicos.** Si requiere cuidados médicos en el extranjero, éstos le darán a su proveedor de cuidados de salud un punto de partida.
- **Seguro médico suplementario.** Si su seguro médico no proporciona cobertura en el lugar donde va —muchas pólizas no cubren el cuidado en el extranjero—, quizá desee obtener cobertura adicional.
- **Fármacos para la diarrea y el vómito.** Pida a su proveedor de cuidados de la salud un antidiarreico adecuado para mujeres embarazadas. Si viajará a un lugar con niveles sanitarios bajos, es probable que su proveedor de cuidados de salud le prescriba antibióticos para que los lleve consigo en caso de que los necesite.
- **Acetaminofeno.** Tome esto para aliviar el dolor. Evite los fármacos antiinflamatorios no esteroideos (AINE), como el ibuprofeno.
- **Paquetes de sales de rehidratación.** En caso de que le dé diarrea y se deshidrate, una solución creada de estos paquetes le ayudará a rehidratarse.

Para obtener información acerca de países específicos y cómo encontrar asistencia médica en el extranjero, pruebe en las siguientes fuentes.

Centros para el Control y la Prevención de las Enfermedades: salud del viajero
www.cdc.gov/travel

Obgyn.net: páginas por país
www.obgyn.net/country/country.asp

Asociación Internacional de Asistencia Médica a los Viajeros
Teléfono: (716) 754-4883
www.iamat.org

SOS Internacional
Teléfono: (800) 523-6586
www.internationalsos.com

para comprender sus opciones de alivio del dolor durante el parto

¿Qué tipo de tratamiento del dolor es mejor durante el trabajo de parto? La respuesta depende en gran medida de sus preferencias y de cómo avanza el trabajo de parto. Ninguna mujer tiene la misma tolerancia al dolor. No hay dos partos iguales. Algunas mujeres necesitan poco o ningún medicamento para el dolor. Otras encuentran que un analgésico les da una sensación de mayor control sobre el trabajo de parto y el parto. En última instancia, debe elegir lo que sea adecuado para *usted*.

La decisión de usar medicamentos durante el trabajo de parto y el parto es suya la mayoría de las veces. No obstante, también puede depender de las recomendaciones de su proveedor de cuidados de salud, de lo que esté disponible en su hospital o clínica de maternidad, y del carácter específico de su trabajo de parto.

A veces, no sabrá qué tipo de analgésico quiere hasta que esté en trabajo de parto. Cada trabajo de parto es único. Su percepción del dolor de trabajo de parto diferirá del de otras mujeres. Además, su capacidad de enfrentar dicho dolor puede verse afectada por factores como la duración del trabajo de parto, el tamaño y posición de su bebé, y de qué tan descansada esté cuando inicie el trabajo de parto. Nadie puede predecir cómo manejará el dolor de su primer trabajo de parto; y los partos subsecuentes con frecuencia no siguen el mismo patrón.

Cuando tome sus decisiones, tenga en cuenta que el parto no es una prueba de resistencia. No habrá fallado si pide un fármaco analgésico. También tenga presente que las contracciones del trabajo de parto tienen un propósito. Los dolores de trabajo de parto son signos de que su cuerpo está trabajando fuerte para abrir su cérvix y empujar al bebé por el canal de nacimiento.

Antes de que se presente esa primera contracción, es buena idea pensar en el método —o métodos— de alivio del dolor que podría preferir, y discutir sus preferencias con su proveedor de cuidados de salud. Cualquiera que sea el plan de parto que diseñe al final, mantenga una actitud abierta sobre él. Es frecuente que los partos no vayan de acuerdo con lo planeado.

Opciones para el manejo del dolor

Hoy en día, las mujeres tienen más opciones para manejar las molestias del alumbramiento que nunca antes. Estas opciones se dividen en dos categorías:

Medicamentos para el dolor
Este tipo de fármacos se conoce en forma médica como *analgésicos*. Un medicamento común de uso en el trabajo de parto es la nalbufina, que se administra ya sea por vía intravenosa o por inyección. Los *anestésicos* son medicamentos que causan la pérdida de la sensación. Dos ejemplos de técnicas anestésicas que se emplean en el alumbramiento son los bloqueos epidural y espinal.

Métodos naturales de alivio del dolor
Un *parto natural* significa un trabajo de parto y un parto sin el uso de fármacos para el dolor. Los métodos naturales (no farmacéuticos o no medicinales) de alivio del dolor toman muchas formas, algunas de las cuales tienen siglos de antigüedad. La relajación y el masaje son dos ejemplos de opciones de alivio del dolor en un parto natural.

Hay muchas opciones disponibles dentro de estas amplias categorías. Conocer con anticipación estas categorías de alivio del dolor le ayudará a tomar una decisión informada acerca de esto durante el trabajo de parto y el parto. La educación en sí misma es una forma de alivio del dolor. Tener que enfrentar el miedo además de las molestias empeora en forma importante el dolor. Si sabe qué esperar durante el trabajo de parto y el parto y revisó sus opciones para el alivio del dolor, es probable que pase por la experiencia más fácilmente que alguien que está tensa y asustada.

Asuntos por considerar

Para ayudarle a elegir el método o métodos de alivio del dolor adecuados para usted, tenga estas preguntas en cuenta al revisar sus opciones. Pregúntese:
- ¿Qué implica el método?
- ¿Cómo me afectará?
- ¿Cómo afectará a mi bebé?
- ¿Con qué rapidez actuará si decido usarlo?
- ¿Cuánto durará el alivio del dolor?
- ¿Necesito organizar o practicar un método con anticipación, o lo hará el proveedor de cuidados de salud?
- ¿Puedo combinarlo con otros métodos analgésicos?
- ¿Puedo usarlo antes de ir al hospital?
- ¿En qué momento del parto puedo usar el método?

Medicamentos analgésicos

Los medicamentos analgésicos, además de los métodos naturales para alivio del dolor, pueden ser una ayuda valiosa en el trabajo de parto y el parto. Ayudan a reducir el dolor, por lo general con rapidez. Le permiten descansar mejor entre una y otra contracción. A veces, la relajación parece llevar a una apertura acelerada (dilatación) de su cérvix.

Es libre de solicitar o rechazar los medicamentos para el dolor durante su trabajo de parto y su parto, pero recuerde que los medicamentos pueden tener diferentes beneficios y riesgos en diferentes momentos durante el trabajo de parto. Siempre tiene que tomar en cuenta el curso y progreso de su trabajo de parto cuando elige un método de alivio del dolor.

Analice los medicamentos analgésicos con su proveedor de cuidados de salud con suficiente tiempo antes de que inicien sus primeras contracciones. Una vez que esté en el trabajo de parto, es probable que su proveedor de cuidados de salud haga sugerencias acerca de los analgésicos dependiendo del carácter específico de su trabajo de parto. Pero sólo son sugerencias. Sopese los consejos de su proveedor junto con sus propias preferencias respecto a estos fármacos.

Aún existe controversia acerca de si algunos métodos médicos respecto al alivio del dolor afectan el progreso del trabajo de parto. Se ha implicado que algunos de ellos lo retrasan. No obstante, cuando un trabajo de parto avanza con lentitud, es más probable que se requiera un analgésico. Es evidente que si la madre está tensa y asustada y se siente miserable no es posible que pueda avanzar. Al final, su necesidad de alivio es el factor que mejor determina de cuándo debe usarse una técnica.

Cuándo toma el medicamento narcótico puede ser tan importante como *qué* es lo que toma. Un bebé se ve afectado por el medicamento que toma la madre, pero el alcance de ese efecto depende del tipo de fármaco, de la dosis y de qué tan cerca del parto se administra. Si pasa suficiente tiempo entre el momento en que recibe el medicamento narcótico para el dolor y el nacimiento de su bebé, su cuerpo procesará el fármaco, y su bebé presentará efectos mínimos del medicamento al nacer. Si no es así, el bebé puede estar adormilado y ser incapaz de succionar. Con menor frecuencia, el bebé puede tener dificultades respiratorias. Cualquiera de estos efectos sobre el recién nacido por lo general son de corta duración y pueden tratarse, si es necesario.

Su proveedor de cuidados de salud se encuentra con usted durante el trabajo de parto y el parto para asegurarse de que su bebé llegue en forma segura y en buena salud. Él conoce cada opción de medicamento y puede compartir estos conocimientos con usted. Confíe en su proveedor para que le indique cuándo es —y cuándo no es— seguro tomar medicamentos durante el trabajo de parto y el parto. Comprenda que quizá no siempre pueda tomar los medicamentos cuando siente que los necesita.

Hay diversos tipos de medicamentos para el dolor que puede usar durante el trabajo de parto y el parto.

Tranquilizantes y barbitúricos

Estos medicamentos no son analgésicos. Se usan sólo para aliviar la ansiedad de la madre y fomentar el descanso.

Barbitúricos
Amobarbital, pentobarbital, secobarbital.

Tranquilizantes
Diazepam, prometazina, propiomazina.

Cuándo se administran
Los tranquilizantes o los barbitúricos se administran en ocasiones al inicio del trabajo de parto.

Cómo se administran
Por vía oral, inyección intramuscular en su muslo o glúteos, o inyección en catéter intravenoso (IV).

Cómo la afectan
Estos medicamentos tienen un efecto relajante, pero no eliminan el dolor. Duran de cuatro a ocho horas dependiendo del tipo empleado.

Posibles preocupaciones
Los tranquilizantes o los barbitúricos le harán sentirse adormilada. Pueden interferir con su capacidad para recordar después los detalles del trabajo de parto. Los barbitúricos quizá pueden suprimir la actividad del bebé en el parto. Los tranquilizantes como el diazepam pueden reducir el tono muscular del bebé al nacer. Estos medicamentos se usan con poca frecuencia.

Analgésicos y narcóticos

Estos medicamentos incluyen el butorfanol, fentanil, meperidina, nalbufina.

Cuándo se administran
Los narcóticos se pueden administrar en cualquier momento del trabajo de parto, pero es preferible hacerlo al inicio de éste —cuando su dilatación es menor de siete centímetros si es madre primeriza o menos de cinco centímetros si ha dado a luz antes—.

Cómo se administran
Los medicamentos se inyectan en un músculo en su muslo o glúteos o en un catéter IV. En algunos casos, puede ser capaz de controlar sus dosis presionando un botón que inyecta una dosis fija del medicamento en su catéter.

Cómo la afectan
Dependiendo de la dosis, estos medicamentos reducen la percepción de dolor y facilitan su descanso. Por lo general no reducen su capacidad de pujar. Su efecto dura de dos a seis horas dependiendo del tipo empleado.

Posibles preocupaciones
Estos medicamentos pueden causar somnolencia. En dosis altas, pueden provocar depresión en las respiraciones de la madre y el bebé. Estos efectos son reversibles. Con mucha frecuencia, estos medicamentos pueden reducir sus recuerdos del trabajo de parto.

Anestésicos locales

Estos medicamentos incluyen cloroprocaína, lidocaína y otros fármacos de tipo "caína".

Cuándo se administran
Los anestésicos locales se dan un poco antes o después del parto.

Cómo se administran
Estos medicamentos se inyectan en forma directa en el tejido de la abertura de la vagina antes de realizar un corte para agrandar dicha abertura (episiotomía) o de reparar un desgarro.

Cómo la afectan
Estos medicamentos adormecen en forma específica la abertura de la vagina para permitir que se realice un procedimiento breve. Sólo proporcionan alivio temporal del dolor en una pequeña zona del cuerpo. No reducen el dolor de las contracciones, y no hay indicación para ellos durante el trabajo de parto.

Posibles preocupaciones
Si se utilizan en la forma adecuada, estos medicamentos no tienen efectos negativos sobre su bebé. En muy raras ocasiones, la inyección de estos fármacos en una vena de la madre puede causar caída de la presión sanguínea y desmayos. Algunas personas son alérgicas a las sustancias de esta familia de medicamentos.

Bloqueo pudendo

Estos medicamentos incluyen la cloroprocaína, lidocaína y otros fármacos de tipo "caína".

Cuándo se administran
El bloqueo pudendo puede aplicarse poco antes del parto.

Cómo se administran
Estos medicamentos se inyectan en la pared de su vagina en un lugar específico marcado por una estructura ósea especial de su pelvis.

Cómo la afectan

De la misma manera en que un dentista puede bloquear el dolor de un grupo de dientes aplicándole una inyección en un lugar específico, su proveedor de cuidados de salud puede usar una inyección para bloquear el dolor en el área entre su vagina y ano (perineo). Esto proporciona un adormecimiento que dura desde varios minutos hasta una hora. Es útil si se hace necesario un parto asistido por fórceps o la extracción por vacío. Proporciona alivio del dolor si necesita una episiotomía o si sufre un desgarro durante el parto. No reduce el dolor de las contracciones.

Posibles preocupaciones

El uso de esta técnica puede dar como resultado una ligera disminución en la sensación de necesidad de pujar. En ocasiones se presentan alergias al medicamento, e inyectarlo en un vaso sanguíneo puede causar problemas. En general, no tiene efectos negativos sobre usted o su bebé.

Bloqueo epidural

Un bloqueo epidural es una mezcla anestésica y narcótica. Los anestésicos empleados incluyen cloroprocaína, lidocaína y otros fármacos de tipo "caína". Los narcóticos empleados incluyen fentanil, meperidina, morfina y nalbufina.

Cuándo se administra

El bloqueo epidural se usa durante el trabajo de parto activo. También puede emplearse para el nacimiento por cesárea.

Cómo se administra

El medicamento se inyecta en un espacio alrededor de los nervios espinales. Toma cerca de 20 minutos administrarlo, y puede suceder que el alivio del dolor tarde otros 20 minutos en hacer efecto. Puede administrarse en forma continua o discontinua durante el trabajo de parto.

Cómo la afecta

Dependiendo del equilibrio de anestésico y narcótico, la epidural bloquea de manera temporal el dolor en la parte inferior del cuerpo o altera su percepción de éste. En cualquier caso, es un método muy efectivo de alivio del dolor que puede utilizarse en forma continua durante varias horas. Una forma llamada epidural ambulatoria le proporciona alivio del dolor pero le deja suficiente fuerza muscular para caminar durante el trabajo de parto. Las técnicas de epidural le permiten permanecer despierta y alerta. Después de que se dilata a 10 centímetros, es posible que se altere el equilibrio de los medicamentos para asegurar la percepción al pujar.

Posibles preocupaciones

En ocasiones, debido a las variaciones en la anatomía de la persona, el bloqueo puede funcionar mejor de un lado que del otro. El efecto secundario más común que produce preocupación es la disminución de su presión sanguínea. En muy raras ocasiones, esta disminución es suficiente para hacerla sentir débil o con náuseas. Con mayor frecuencia, la reducción es suficiente para reducir el flujo sanguíneo hacia la placenta, lo cual puede hacer que su bebé presente caídas temporales en el ritmo cardiaco. Los estudios científicos no apoyan que provoque un retraso importante del trabajo de parto.

Si se usa demasiado medicamento, el bloqueo puede afectar los músculos de su pecho, lo que hace difícil percibir la respiración. Es un efecto secundario que asusta, pero es muy manejable. También es raro. Asimismo, es posible que se presenten alergias a los medicamentos.

En casos raros, la aguja perfora la membrana que contiene el líquido espinal alrededor del canal espinal. A veces, tal perforación provoca fugas

APLICACIÓN DE UN BLOQUEO ESPINAL

Para recibir un bloqueo espinal:
1. Debe recostarse de lado en posición encogida o sentarse sobre la cama curvando la espalda.
2. Su médico adormece un área de su espalda con un anestésico local.
3. El médico inserta una aguja en el espacio epidural justo fuera de la membrana que contiene el líquido y los nervios espinales.
4. Un tubo delgado y flexible (catéter) se inserta a través de la aguja, y esta última se retira. El catéter se sujeta en su lugar con cinta adhesiva.
5. El medicamento se inyecta por el catéter, y éste fluye para rodear los nervios y bloquear el dolor.

Dura

Espacio epidural

Catéter epidural

Aguja

Nervios espinales

por un breve tiempo, lo cual puede producirle un fuerte dolor de cabeza (cefalea espinal) cuando esté sentada o de pie.

Bloqueo espinal

Esta técnica ofrece una mezcla de anestésico y narcótico. Los anestésicos utilizados incluyen cloroprocaína, lidocaína y otros fármacos tipo "caína". Los narcóticos incluyen fentanil, meperidina, morfina, nalbufina.

Cuándo se administra
Se aplica un bloqueo espinal durante el trabajo de parto activo o, si es necesario, poco antes de un nacimiento por cesárea.

Cómo se administra
El medicamento se inyecta en el espacio lleno de líquido que se encuentra alrededor de los nervios espinales. Tiene efecto en segundos.

Cómo la afecta
La técnica proporciona alivio completo del dolor, desde el pecho hacia abajo, para el trabajo de parto, el parto vaginal o el parto por cesárea. Da alivio hasta por dos horas y le permite permanecer despierta y alerta.

Posibles preocupaciones
Los efectos secundarios para usted pueden incluir dolor de cabeza espinal o baja presión arterial. Los dolores de cabeza espinales son un poco más frecuentes en esta técnica que con los bloqueos epidurales porque la perforación de la membrana que contiene el líquido espinal es intencional. Sin embargo, se emplea una aguja más pequeña que con la epidural, por lo que la fuga temporal no es común. Quizá necesite un catéter para su vejiga porque carecerá de control sobre ella.

Lo mismo que con la anestesia epidural, este método puede causar presión arterial baja en la madre, lo cual puede causar problemas al bebé.

Métodos naturales de alivio del dolor

El *nacimiento natural* se refiere a una experiencia de parto en la cual la madre evita el uso de fármacos analgésico y prefiere el uso de tipos naturales y complementarios de alivio del dolor.

El estrés durante el trabajo de parto incrementa la tensión y reduce su capacidad de enfrentar el dolor. Los métodos naturales (no farmacéuticos y no medicinales) de alivio del dolor trabajan de diversas maneras. Pueden estimular la liberación en el organismo de los analgésicos propios del cuerpo (endorfinas). La mayoría aleja la mente del dolor. Pueden tranquilizarla y relajarla, permitiéndole permanecer más en control del dolor.

Los métodos naturales de alivio del dolor le ayudarán a manejarlo, pero no lo detendrán por completo. Puede optar por un parto libre por completo de medicamentos o combinarlo con analgésicos farmacéuticos. Antes de considerar otras opciones, muchas mujeres prueban primero con medidas libres de medicamentos para aliviar el dolor durante el trabajo de parto.

Los métodos de alivio natural del dolor pueden tener particular utilidad tanto en la etapa inicial como en el trabajo de parto activo. Es durante la transición, cuando su cérvix se abre (dilata) los últimos centímetros hasta llegar a los 10 centímetros, y al pujar, que las mujeres que optan por un parto natural sienten las mayores molestias.

Los métodos naturales de alivio del dolor incluyen relajamiento, masaje, imaginación guiada, meditación, afirmación positiva, técnicas de respiración, etcétera.

Técnicas de relajamiento

La relajación es la liberación de la tensión de la mente y el cuerpo a través de un esfuerzo consciente. Al reducir la tensión muscular durante el trabajo de parto y el parto, se puede causar un corto circuito en el ciclo de temor-tensión-dolor. La relajación le permite a su cuerpo trabajar de manera más natural, ayudándole a conservar energía para la labor que le espera. El relajamiento y la respiración programada son las bases principales de las medidas de autoayuda que usan las mujeres para el parto. Estos métodos y otros por lo general se imparten en las clases para parto.

La relajación no significa luchar contra el dolor, lo que en realidad crearía más tensión. Significa permitir que el dolor pase mientras usted se concentra en ejercicios que alivian la tensión y la distraen.

La relajación es en realidad una habilidad aprendida y que tendrá su mayor eficacia si la practica antes de que se inicie el trabajo de parto. Entre más eficiente se vuelva para relajarse, tendrá más confianza en sí misma durante el trabajo de parto. Aquí hay algunos consejos para dominar la autorrelajación:

- Elija un medio tranquilo para practicar.
- Ponga música suave, si lo desea.
- Tome una posición cómoda con cojines para apoyarse.
- Utilice respiración lenta, profunda y abdominal. Sienta la frescura del aire al inhalar. Sienta cómo se va la tensión a medida que exhala.
- Tome conciencia de las áreas de tensión en su cuerpo y concéntrese en relajarlas.

Con una técnica natural de alivio del dolor llamada relajación progresiva, usted relaja grupos de músculos sucesivamente entre las contracciones y durante ellas o en momentos periódicos durante el trabajo de parto cuando siente que se está poniendo tensa. Comenzando por su cabeza o sus pies, relaje un grupo muscular por vez, moviéndose hacia el otro extremo de su cuerpo. Si tiene problemas para aislar los músculos, primero tense cada grupo por unos segundos, y luego relájelo y sienta como sale la tensión. Ponga particular atención en relajar sus mandíbulas y manos, ya que muchas mujeres inconscientemente tensan sus caras y aprietan los puños durante las contracciones.

La relajación por contacto es un método similar a la relajación progresiva, pero la indicación para liberar cada grupo muscular es cuando su acompañante presiona esa área de su cuerpo. Él o ella deberán aplicar presión firme o frotar con pequeños movimientos circulares durante cinco a 10 segundos, y luego pasar a la siguiente zona. Por ejemplo, su acompañante podría comenzar frotando sus sienes y luego pasar a tocar la base de su cráneo, y luego algunos puntos en su espalda y sus hombros, brazos y manos, y por último sus piernas y pies.

Las técnicas de relajamiento pueden ayudarle a detectar tensión durante el trabajo de parto y el parto de manera que pueda liberarla mejor. Pero no a todas las mujeres les gusta que las toquen durante el trabajo de parto. Si prefiere que no la toquen, haga que su acompañante le dé indicaciones verbales más que táctiles. Por ejemplo, éste puede decirle con voz calmada y tranquilizante, "Ahora, relaja los músculos de tu mandíbula". Durante su embarazo, haga que su acompañante practique la relajación por contacto con usted hasta que su respuesta a una indicación táctil o verbal se vuelva automática.

Masaje

Varias técnicas de masaje —movimientos ligeros o firmes sobre sus hombros, cuello, espalda, abdomen y piernas; dando masaje, fricción o presión firmes

¿QUÉ ES UNA *DOULA*?

Una *doula* es una mujer con entrenamiento específico para asistirla durante el trabajo de parto. Las mujeres se han ayudado unas a otras por siglos durante el trabajo de parto, pero el papel de la *doula* es una interpretación más formal y moderna del nacimiento asistido. Al tomar decisiones acerca del alivio del dolor, quizá desee considerar contratar una *doula* como parte de su plan de parto.

¿Qué hacen las *doulas*? El papel principal de una *doula* es ayudar a las mujeres embarazadas durante el parto. Ella no tomará el papel de su acompañante ni de los expertos médicos que cuidan de usted durante el trabajo de parto y el parto. Se encuentra allí para ofrecer apoyo y experiencia adicionales. La mayoría de las *doulas* son madres. Además, han recibido muchas horas de entrenamiento profesional para el parto.

Algunas *doulas* se involucran desde etapas tempranas del embarazo, informándole de lo que debe esperar durante el trabajo de parto y el parto, y ayudándole a crear un plan para el nacimiento. Si lo solicita, la *doula* puede acudir a su casa durante el inicio del trabajo parto para asistirla durante las primeras contracciones.

Pero el trabajo real de las *doulas* se hace evidente en el hospital o clínica de maternidad. La *doula* puede ofrecerle a usted —y a su pareja— apoyo continuo una vez que se ha iniciado su trabajo de parto. Puede darles una mano, trayéndole trozos de hielo o dándole masaje en la espalda. Puede ayudarle con sus técnicas de respiración y relajamiento. También puede darle consejos sobre sus posiciones de trabajo de parto. Lo más importante, las *doulas* le proporcionan a usted y a su pareja palabras muy necesarias de estímulo y consuelo.

La *doula* también puede servir como mediadora, ayudándole a tomar decisiones informadas durante el trabajo de parto. Puede explicarle términos y procedimientos sobre sus pies y manos; masaje sobre su cuero cabelludo con las yemas de los dedos— pueden ayudarla a relajarse durante el trabajo de parto. Usted misma puede darse masaje, moviendo su mano en forma circular sobre su abdomen durante las contracciones. Pero lo mejor es que la mayor parte la realice su acompañante, la *doula*, partera o enfermera.

El masaje puede aliviar los músculos doloridos y tensos, además de estimular su piel y otros tejidos más profundos. Puede emplearse en cualquier momento durante el trabajo de parto. Entre más capacitado esté el masajista, más probabilidades tendrá de encontrar alivio. Si se hacen en forma apropiada, los efectos del masaje pueden durar por un tiempo considerable.

Además de fomentar la relajación, el masaje bloquea las sensaciones de dolor. Algunas mujeres sienten la mayor parte del dolor del trabajo de parto en su espalda, y para ellas un masaje en la espalda aplicado por el acompañante resulta de gran ayuda. Es posible que se encuentre solicitando a su acompañante que presione fuerte sobre la parte inferior de su espalda, ya que la presión en sentido contrario puede ser un método muy efectivo de alivio natural del dolor para el trabajo de parto de espalda.

A continuación señalamos algunas de las técnicas de masaje para la espalda que podría intentar su acompañante:

1. Comience en la parte inferior de la espalda, con las manos sobre ambos lados de la columna, y muévalas despacio hasta los hombros. Deslice las manos a través de los hombros, y luego hacia abajo a los lados de la

médicos. Asimismo, puede dar a conocer sus deseos a su proveedor de cuidados de salud. No obstante, las *doulas* no realizan exámenes médicos ni ayudan en el nacimiento en sí.

Las *doulas* les proporcionan a los padres en espera atención y cuidados adicionales en los momentos de traer al mundo a sus bebés. Las *doulas* dan apoyo emocional, lo cual puede ser importante para la madre durante el nacimiento. De hecho, los estudios han demostrado que las mujeres que cuentan con el apoyo de *doulas* tienden a tener menos complicaciones e intervenciones médicas durante el parto.

¿Cómo encontrar una *doula*? Es posible que su médico o el hospital o clínica de maternidad donde planea dar a luz le puedan proporcionar una lista de nombres. Algunos hospitales y clínicas de maternidad ofrecen servicios de *doula*. También puede comunicarse con *Doulas* de Estados Unidos, una organización que capacita y promueve a las *doulas*, en *www.dona.org* o en el número gratuito del grupo (888) 788-DONA, u (888) 788-3662 (en EUA). La mayoría de las *doulas* tiene una tarifa única por sus servicios y pueden basar sus honorarios en una escala flotante.

Antes de contratar a una *doula*, reúnase con ella para asegurarse de que son compatibles. Pregúntele sobre su capacitación y su filosofía sobre el parto. Las *doulas* no deben animarla ni desanimarla respecto al alivio del dolor durante el parto. El papel de la *doula* es ayudarle a tener la experiencia que desea tener en el parto, una que sea segura y satisfactoria. Algunas *doulas* incluso ofrecen cuidado posparto, así que es posible que desee preguntar si esto está incluido.

Las *doulas* pueden ser una idea especialmente buena para los padres primerizos y las madres solteras. Una alternativa en lugar de la *doula* es contar con una amiga querida o una pariente que haya pasado por un parto, para que la acompañe en estos momentos.

espalda. Aumente la presión en forma gradual, de acuerdo con las instrucciones de la receptora.

2. Mueva las manos hacia la parte inferior de la espalda. Con los dedos señalando hacia fuera y las muñecas separadas unos dos o tres centímetros, inhale. Exhale y presione con suavidad. Inhale de nuevo y mueva las manos un poco más abajo sobre la espalda. Repita, presionando al exhalar. Siga moviéndose hacia abajo sobre la espalda.

3. Coloque los pulgares separados cerca de un centímetro a ambos lados de la columna, a la altura del coxis. Presione con firmeza, haciendo pequeños y lentos movimientos circulares. Ascienda despacio hasta llegar al cuello. Luego coloque el dedo índice a cada lado de la columna y trace una línea firme hacia abajo hasta llegar a los glúteos. Repita.

4. Para dar masaje al cuello y los hombros, apoye las manos en los hombros. Haga movimientos circulares —sin pellizcar ni sujetar— con los pulgares en el área entre la parte superior de la espalda y la parte inferior del cuello. Luego haga movimientos suaves de barrido, mano sobre mano, desde el brazo hacia el cuello.

Dé a su acompañante las siguientes sugerencias:

• Usar aceite o crema para reducir la fricción contra la piel.

• Calentar primero el área que recibirá el masaje, por ejemplo, con una compresa de agua caliente.

• Tratar de dejar una mano sobre la piel, incluso cuando cambie de técnica de masaje o cuando tome más aceite o crema. Retirar las manos por completo y luego volver a tocar su cuerpo puede causar tensión.

Antes del trabajo de parto, es posible que usted y su acompañante deseen trabajar juntos para establecer los tipos de masaje que prefiere. Pero tenga en cuenta que las cosas irán mucho mejor si todos mantienen una actitud flexible durante el trabajo de parto. Puede suponer que desea recibir masaje durante el trabajo de parto sólo para encontrar que le parece sorprendentemente incómodo en ese momento.

Imaginación guiada

Éste es un método de alivio de dolor libre de fármacos que ayuda a las madres en trabajo de parto a crear un ambiente de relajamiento y bienestar. Llamado en ocasiones soñar despierto con un propósito, este método puede emplearse en cualquier momento durante su trabajo de parto para que le ayude a relajarse. Consiste en imaginar que se encuentra en un lugar cómodo y pacífico. Por ejemplo, puede imaginar que se encuentra sentada en una playa cálida y arenosa, o que camina por un bosque exuberante y verde. Su lugar de elección puede ser real o imaginario. A medida que se relaja, permita que los detalles de este lugar vayan apareciendo: los sonidos, los olores, la sensación del viento sobre su cara. Sienta que su cuerpo se va volviendo cada vez más pesado y disfrute la sensación. Algunas veces, usted puede mejorar las imágenes tocando cintas de olas, lluvia, cascadas, aves en los bosques o cualquier música suave que disfrute.

Meditación

Un tipo de meditación que implica concentrarse en un objeto, imagen o palabra tranquilizantes puede ayudarle a relajarse durante el trabajo de parto y reducir la cantidad de dolor que padece. Concéntrese en un punto. Éste puede ser algún objeto en la habitación, como un cuadro que haya traído, o puede ser una imagen mental o una palabra que repita una y otra vez. Cuando lleguen pensamientos que la distraigan, déjelos pasar, sin retenerlos, y vuelva a concentrarse en su punto focal.

Afirmación positiva

Conservar una actitud positiva es importante durante las exigencias del trabajo de parto y el parto. Quizá le resulte positivo y consolador decirse cosas positivas o estimulantes, ya sea en voz alta o en silencio, como un medio para enfrentar el dolor. Puede pedir que las diga su acompañante, *doula* o pareja.

Algunos ejemplos incluyen:
- Mi cuerpo sabe qué hacer.
- Estoy relajada y concentrada.
- Estoy en ritmo con mi cuerpo.
- Estoy tranquila y confiada.
- Soy fuerte, puedo impulsar a mi bebé hacia fuera.
- Tengo la energía que necesito para hacer nacer a mi bebé.

Técnicas de respiración

Estas técnicas, lo mismo que otras opciones naturales para el alivio del dolor, no implican el uso de fármacos ni requieren supervisión médica. Usted las controla. Implican el uso de respiraciones ensayadas y rítmicas durante las contracciones, y son otra forma básica de obtener alivio durante el trabajo de parto.

Concentrarse en su respiración durante el trabajo de parto y el parto ayuda a distraerla del dolor y relaja sus músculos, de manera que la tensión, que incrementa el dolor, se reduce. La respiración profunda, lenta y controlada también puede reducir la náusea y el mareo durante el parto; y, quizá lo más importante, la respiración concentrada ayuda a llevar oxígeno a usted y su bebé.

Lo mejor es aprender acerca de las técnicas de respiración y practicarlas antes de entrar en el trabajo de parto. Los métodos de respiración, como el *Lamaze*, se imparten en las clases para parto natural. Lleve a su acompañante con usted a las clases de manera que le pueda ayudar con las técnicas durante el trabajo de parto. Entre más practique, más natural será para usted el uso de estos métodos una vez que se inicien las contracciones.

Los ejercicios de respiración pueden funcionar de inmediato, si llegara a optar por usarlos durante el trabajo de parto. Muchas mujeres lo hacen. No obstante, estos métodos no siempre tienen éxito, dado que dependen de su reacción hacia los dolores del trabajo de parto, la cual no puede predecirse, y de su capacidad para concentrarse en algo más que dichos dolores. Las técnicas de respiración pueden combinarse con otros tipos de alivio para el dolor.

Método Lamaze

El método *Lamaze* es tanto una filosofía del parto como una técnica de respiración que se usa durante el trabajo de parto. La filosofía *Lamaze* sostiene que dar a luz es un proceso natural, normal y sano, y que las mujeres deben fortalecerse a través de la educación y el apoyo para enfrentar este proceso con confianza.

Las clases de *Lamaze* se concentran en las técnicas de relajación, pero también fomentan el acondicionamiento (programación) de la respuesta de su cuerpo al dolor a través del entrenamiento y la práctica. Por ejemplo, le enseñan ejercicios de respiración controlada, los cuales son una respuesta más constructiva al dolor que sostener la respiración y ponerse tensa.

Los instructores de *Lamaze* enseñan a las madres en espera a tomar respiraciones profundas y limpiadoras para comenzar y terminar cada contracción: inhale por su nariz, imaginando que entra aire fresco y puro; exhale despacio, por la boca, imaginando que la tensión sale. La respiración profunda indica a todos los que están en la sala de parto que comienza o termina una contracción, y es una señal para que su cuerpo se relaje.

Se utilizan diferentes niveles *Lamaze* de respiración durante el trabajo de parto y el parto, como se señala a continuación. Cuando utilice este método, comience con la primera técnica de respiración y utilícela mientras funcione para usted, luego pase al siguiente nivel. De nuevo, estos métodos se imparten en las clases para el parto.

Lamaze nivel 1: respiración lenta
Este es el tipo de respiración que utiliza cuando está relajada o durmiendo. Inhale en forma lenta y profunda a través de su nariz y exhale por la boca, a una velocidad alrededor de la mitad de la que utiliza en forma normal. Si lo desea, repita una frase con la respiración: "Estoy (inhale) relajada (exhale)" o "Entra uno-dos-tres (inhale), sale uno-dos-tres (exhale)". O respire en forma rítmica mientras camina o se mece.

Lamaze nivel 2: respiración a paso modificado
Respire con mayor rapidez que la de su ritmo acostumbrado pero con poca profundidad, la suficiente para evitar la hiperventilación: "entra uno-dos (inhale), sale uno-dos [exhale], entra uno-dos [inhale], sale uno-dos (exhale)". Mantenga su cuerpo, en particular su mandíbula, relajado. Concéntrese en el ritmo, el cual puede ser más rápido en la parte álgida de la contracción, luego más lento al ceder ésta.

Lamaze nivel 3: respiración con un patrón
Use este tipo al acercarse el final del trabajo de parto o en la parte álgida de las contracciones fuertes. El ritmo es un poco más rápido de lo normal, lo

mismo que con la respiración a paso modificado, pero ahora se usa un ritmo de jadeo-soplido del tipo "ja-ja-ja-juu" o "ji-ji-ji-juu" que la fuerza a concentrarse en la respiración más que en el dolor. Repita el patrón. Comience despacio. Incremente la rapidez a medida que cada contracción alcanza el máximo, y disminuya al reducirse ésta. Tenga en cuenta que cuando aumenta el ritmo, la respiración debe volverse menos profunda de manera que no hiperventile —si siente hormigueo en manos o pies, reduzca el ritmo—. Hay cierta preocupación de que la hiperventilación pueda disminuir la provisión de oxígeno para el bebé. Si gemir o hacer otros ruidos le ayuda, adelante. Mantenga sus ojos abiertos y enfocados, y sus músculos relajados.

Respirar para evitar pujar
Si siente la necesidad de pujar pero su proveedor de cuidados de salud dice que su cérvix no está dilatado del todo y debe contenerse, de pequeños resoplidos con las mejillas —como si apagara las velas de un pastel— hasta que la urgencia por pujar pase.

Respiración para pujar
Cuando su cérvix se dilate por completo y su proveedor de cuidados de salud le indique que puje, tome un par de respiraciones profundas y puje cuando sienta la necesidad. Empuje durante cerca de 10 segundos. Exhale. Luego tome otra respiración y vuelva a pujar. Las contracciones en esta etapa durarán por un minuto o más, así que es importante que inhale en intervalos regulares y no sostenga la respiración.

Sus preferencias personales y la naturaleza de sus contracciones la guiarán para decidir cuándo usar ejercicios de respiración en el trabajo de parto. Puede elegir las técnicas de respiración o incluso inventar una propia. Incluso si planea recibir medicamentos para el dolor durante el trabajo de parto, es importante aprender técnicas de respiración y relajamiento.

Cambio de posiciones

Moverse con libertad durante el trabajo de parto le ayudará a encontrar las posiciones más cómodas. Así pues, si es posible, cambie de posición con frecuencia, experimentando para encontrar las más cómodas para usted.

Cambiar de posición durante el trabajo de parto es de hecho un método natural de alivio del dolor. Moverse ayuda a mejorar su circulación. También puede ayudarle a distraerla del dolor, e incluso es posible que también ayude a que un trabajo de parto lento progrese.

Pruebe una nueva posición siempre que quiera hacerlo y, si es posible, durante todo el parto. Por ejemplo, quizá desee ponerse de pie y apoyarse sobre su acompañante o ponerse en cuatro puntos mientras su acompañante le da masaje en la espalda. Quizá le resulte útil recargarse en una silla, cama o almohadas para encontrar apoyo. Si necesita ayuda para encontrar una posición cómoda, pida a su equipo de cuidado de la salud que sugiera posiciones para que las pruebe.

Algunas mujeres encuentran que los movimientos rítmicos, como mecerse en una mecedora o hacerlo apoyada en manos y rodillas, pueden tranquilizarlas y distraerlas del dolor.

Calor y frío

Aplicar calor o frío, o ambos, puede ser un método de alivio del dolor y calmante natural en el trabajo de parto. El objetivo de aplicar frío o calor es que esté más cómoda para que pueda relajarse mejor.

El calor relaja la tensión muscular. Se puede aplicar a través de un cojín eléctrico, una toalla o compresa caliente, una botella de agua caliente o un paquete o calcetín llenos de arroz caliente. Puede aplicar calor sobre sus hombros, parte baja del abdomen, o espalda para aliviar el dolor. Al acercarse el momento de pujar, puede darle alivio colocar una cobija caliente sobre su cuerpo si está temblando, o una compresa caliente entre su vagina y ano (perineo).

Puede aplicar frío mediante una compresa fría, una lata de refresco fría o una bolsa llena de hielo. Algunas mujeres piden que se coloque una compresa fría en la parte inferior de su espalda para ayudar a aliviar el dolor en ella. Es posible que encuentre que una toalla fresca y húmeda sobre su cara le ayude a aliviar la tensión y la refresque durante el trabajo de parto. Chupar trozos de hielo también puede ayudar a refrescarla y crear una sensación distractiva en su boca.

Quizá desee usar una combinación de calor y frío para aliviar el dolor en forma natural durante el trabajo de parto. Por ejemplo, una botella de agua caliente alternada con una toalla empapada en agua fría puede reducir el dolor de espalda o los cólicos.

Si aplica calor o frío sobre su espalda, no exagere. No desea quemar o congelar su piel.

Regadera o baño

Muchos hospitales y clínicas de maternidad cuentan con regaderas en sus salas de parto. Algunos incluso tienen tinas o baños de remolino para ayudar a reducir las molestias del trabajo de parto, en particular las del trabajo de parto activo cuando las contracciones se intensifican. El agua tibia y calmante ayuda a aliviar el dolor en forma natural al bloquear los impulsos de dolor que van al cerebro. El agua tibia también es relajante. Éste es un método de alivio de dolor que puede probar en casa, también, antes de salir al hospital o a la clínica de maternidad.

Si usa una regadera, puede sentarse en una silla y dirigir el agua sobre su espalda o abdomen con una regadera de mano. Pida a su acompañante que traiga un traje de baño y esté con usted.

Aromaterapia

Para provocar la relajación y aliviar el dolor en forma natural durante el trabajo de parto, intente usar aromas confortantes. Cuando esté en casa, encienda una vela aromatizada o queme incienso. Cuando se encuentre en el hospital o clínica de maternidad, lleve consigo una almohada aromatizada con su fragancia favorita, o haga que su acompañante utilice un aceite o loción con aroma ligero cuando le dé masaje. La aromaterapia puede relajarla y reducir el estrés y la tensión. No obstante, estar en trabajo de parto puede sensibilizarla a ciertos olores, así que no exagere con las fragancias. Es probable que lo mejor sea los aromas simples, como la lavanda.

Música

La música puede ser un analgésico natural. Puede concentrar su atención en algo diferente al dolor y ayudarle a relajarse durante el trabajo de parto. Si ha estado practicando las técnicas de relajación o métodos de respiración al ritmo de la música en su hogar, lleve los mismos casetes o discos compactos al hospital o clínica de maternidad, o utilícelos al dar a luz en casa. Muchas mujeres traen un reproductor portátil para escuchar su música favorita durante el trabajo de parto y dejar fuera otras distracciones.

Pelota de parto

Una pelota de alumbramiento es una gran pelota de hule y una herramienta para un parto natural. Recargarse o sentarse sobre la pelota puede reducir las molestias de las contracciones, aliviar el dolor del trabajo de parto de espalda y ayudar en el descenso de su bebé en el canal de nacimiento. Su hospital o clínica de maternidad puede proporcionarle una. O quizá necesite comprársela y traerla consigo. Haga que alguien de su equipo de cuidados de la salud le muestre cómo aprovechar al máximo la pelota de alumbramiento. Su uso puede combinarse con masaje y relajamiento de contacto.

Otros métodos naturales de alivio del dolor

La investigación sigue encontrando otros métodos de alivio del dolor que no utilizan medicamentos y son seguros tanto para usted como para su bebé. Algunos ejemplos incluyen hipnosis, acupuntura, reflexología y un procedimiento llamado estimulación eléctrica transcutánea del nervio (EETN), que emplea impulsos eléctricos para intentar controlar el dolor.

Si está pensando en usar cualquiera de los siguientes métodos menos tradicionales de alivio natural del dolor, quizá necesite hacer arreglos para que un practicante calificado la acompañe durante el trabajo de parto, para asegurar que todo se haga de la manera correcta. Todos ellos pueden ayudarle a relajarse y a reducir el dolor, o quizá la distraigan de él durante el trabajo de parto. No obstante, los efectos pueden variar. Una característica común de las técnicas no tradicionales es la falta de evidencia científica sobre su eficacia. Con la ayuda de un experto, puede elegir y probar:

Hipnosis

Trabaja por sugestión: si cree que puede controlar el dolor, es posible que éste la moleste menos. A través de la autohipnosis, algunas mujeres logran una relajación profunda durante el trabajo de parto y el parto. La autohipnosis se enseña en clases privadas o en cursos especializados para el trabajo de parto. A menudo se usan cintas para practicar y durante el trabajo de parto. En este método, comienza la autohipnosis en el inicio del trabajo de parto, y la continúa mientras sea de utilidad.

Acupuntura

En este método de alivio natural del dolor, un acupunturista inserta pequeñas agujas en puntos específicos del cuerpo para aliviar el dolor. Si está considerando la acupuntura para controlar el dolor, busque un acupunturista con experiencia en el uso del método en mujeres en trabajo de parto y parto.

Reflexología

Este método implica aplicar presión en puntos específicos de sus pies para aliviar el dolor y los problemas musculares en otras partes de su cuerpo. De nueva cuenta, busque un terapeuta —en este caso, un reflexólogo— con experiencia en el uso de este método en mujeres durante el trabajo de parto y el parto. Si le interesa la reflexología, quizá desee investigarla por su parte. Su acompañante puede aprender y aplicar las técnicas, para algo más que dar un simple masaje durante el trabajo de parto y el parto.

EETN

La EETN se lleva a cabo con la ayuda de un dispositivo manual operado por baterías con cables que se conectan a su cuerpo mediante cojinetes adhesivos. Los pequeños cojines por lo general se colocan en la parte inferior de su espalda. Cuando siente que se inicia una contracción, presiona un botón en el control del dispositivo. Entonces, la máquina administra impulsos eléctricos leves a través de los cables y cojinetes a su piel. Al estimular en forma eléctrica los nervios en la parte inferior de su espalda, el dispositivo ayuda a bloquear la transmisión de los impulsos de dolor hacia su cerebro. Los impulsos eléctricos no son dolorosos. Sentirá una sensación de hormigueo ligera, la cual puede resultar confortable.

La mayoría de los hospitales y clínicas de maternidad no cuentan con una máquina de EETN. Si decide probar esto, es probable que tenga que alquilar su propio aparato en una compañía de equipo para hospitales, y llevarla consigo cuando inicie el trabajo de parto. Dado que la EETN se usa para tratar el dolor crónico, es posible que pueda pedir prestado o alquilar un dispositivo en el departamento de fisioterapia de un hospital.

La elección es suya

La decisión de recibir medicamentos para el alivio del dolor durante el trabajo de parto depende en gran medida de usted. Discuta el tema con su proveedor de cuidados de salud mucho antes de que inicie su trabajo de parto. Familiarícese con los métodos de alivio natural del dolor y considere usarlos primero, si es posible, o utilícelos junto con los medicamentos.

Si durante el trabajo de parto siente la necesidad de un fármaco, no insista en ello de inmediato. Intente resistir durante 15 minutos o más, y utilice ese tiempo de manera adecuada, concentrándose en sus técnicas de relajamiento y respiración y aprovechando todo el confort que pueda darle su acompañante. Quizá encuentre que, con un poco de apoyo, puede manejar el dolor. Si no es así, sabe que cuenta con opciones para el alivio de este último.

Recuerde también que una vez que nazca su bebé y lo tenga en sus brazos, ¡toda la experiencia habrá valido la pena!

consideración de un parto vaginal después de una cesárea

En su último embarazo su bebé nació por cesárea, ¿puede tener un parto vaginal esta vez?

Quizá. Hubo un tiempo en que, una vez que tenía un parto por cesárea, todos los partos subsecuentes tenían que ser también cesáreas. Ahora, el nacimiento vaginal después de la cesárea (NVDC) es posible en muchos casos.

Pero no está libre de riesgos. Varios factores deben considerarse antes de que usted y su proveedor de cuidados de salud decidan probar el NVDC o hacer arreglos para repetir la cesárea.

Las mujeres que optan por el NVDC enfrentan un trabajo de parto. Es el mismo proceso que debe atravesar una mujer que tiene su hijo por vía vaginal. Usted espera los primeros signos de parto y luego se dirige al hospital. No debe intentarse un parto doméstico con el NVDC.

En el hospital, es importante que un doctor y el personal del hospital vigilen de cerca su trabajo de parto activo. Pueden estar listos para llevar a cabo una cesárea si es necesario. Entre 60 y 80 por ciento de las mujeres que inician el parto presentan con éxito un parto vaginal. Si el trabajo de parto no tiene éxito, se lleva a cabo una cesárea.

Posibles beneficios de tener un parto vaginal después de una cesárea
Una ventaja de tener un nacimiento vaginal es que por lo general es menos peligroso que la cesárea ya que no implica cirugía mayor. Otras ventajas del nacimiento vaginal incluyen:
- Menos transfusiones sanguíneas
- Menor riesgo de infección
- Estancia hospitalaria más breve —uno a dos días en lugar de tres o más
- Más energía después del parto
- Un regreso más rápido a las actividades normales

Además, puede sentir que participa más en el proceso de nacimiento durante el parto vaginal debido a sus esfuerzos para empujar al bebé. Su acompañante y otras personas podrán jugar un mayor papel en el nacimiento vaginal.

Posibles riesgos de tener un parto vaginal después de una cesárea
Los posibles riesgos de realizar un NVDC incluyen:

- No lograr dar a luz por vía vaginal. Esto puede incrementar el riesgo de infección para usted y el bebé. Es posible que también se sienta agotada en el aspecto emocional y físico después de realizar el trabajo de parto y no lograr dar a luz por la vía vaginal. Algunas mujeres sienten que han fallado, aunque los sucesos estuvieran fuera de su control.
- Ruptura de la cicatriz de su cesárea anterior, llamada ruptura uterina. Es típico que el riesgo de esto sea bajo en las mujeres que eligen el NVDC. En gran medida depende del tipo de incisión uterina que se le realizó durante su primera cesárea, pero la ruptura uterina puede causar sangrado excesivo y amenazar su vida y la de su bebé. El sistema nervioso de su bebé puede dañarse. Además, puede ser que necesite someterse a una histerectomía si sufre ruptura uterina. Si está en alto riesgo de ruptura uterina, es probable que su proveedor de cuidados de salud le recomiende someterse a otra cesárea.

Asuntos por considerar

¿Es usted buena candidata para un nacimiento vaginal después de una cesárea (NVDC)? Depende sobre todo del tipo de incisión uterina empleado durante su primera cesárea y las razones por las que se sometió al procedimiento.

Tipo de incisión

Durante el parto por cesárea, su proveedor de cuidados de salud hace dos incisiones. Una en su abdomen y otra en su útero. La incisión en su abdomen atraviesa la piel, grasa y los músculos. A partir de esta abertura, su cirujano realiza el corte en su útero. Éste es diferente de la incisión en el abdomen. No puede saber qué tipo de incisión uterina le hicieron examinando sólo su abdomen. En lugar de ello, averigüe qué tipo de corte le hicieron, verifique con su proveedor de cuidados de salud o examine sus registros médicos.

Los tres tipos de incisiones uterinas son las siguientes:

- **Una incisión transversa baja.** Es el tipo más común. Se realiza en dirección horizontal a través de la porción inferior del útero. Por lo general sangra menos que una incisión realizada en una posición más alta en el útero. También tiende a formar una cicatriz más fuerte y presenta menos peligro de ruptura durante los trabajos de parto subsecuentes —una probabilidad de 0.2 a 1.5 por ciento. Si le han realizado una o incluso dos de estas incisiones, puede ser candidata para un NVDC.
- **Una incisión vertical baja.** Ésta se realiza en una parte baja del útero, donde la pared de este órgano es más delgada. Puede emplearse para sacar a un bebé que se encuentra en posición difícil o cuando el doctor piensa que es posible que la incisión deba extenderse. Una incisión de

este tipo presenta un riesgo un poco mayor de ruptura uterina —uno a siete por ciento. Pero si se ha sometido a este tipo de incisión, aún puede ser candidata para el NVDC.

- **Incisión clásica.** También llamada incisión vertical, se hace en un punto más alto del útero, en la porción redondeada. Hubo un tiempo en que este tipo de incisión se empleaba para todos los nacimientos por cesárea pero ahora es raro. Debido a que la incisión clásica está relacionada con el mayor riesgo de sangrado y de ruptura subsecuente del útero —cuatro a nueve por ciento— se usa sólo en situaciones de emergencia. El NVDC no se recomienda para mujeres sometidas a la incisión uterina clásica.

Razones para un nacimiento previo por cesárea

Las causas detrás de su primer parto por cesárea tienden a tener una influencia sobre el intento de partos posteriores.

- Si su primera cesárea se efectuó por una razón que quizá no sea necesariamente recurrente, su probabilidad de tener éxito en el parto vaginal es casi la misma de la de una mujer que nunca se ha sometido a una cesárea. Los ejemplos incluyen una infección, hipertensión inducida por el embarazo (preeclamspia), problemas en placenta y sufrimiento fetal.
- Si ha tenido por lo menos un parto vaginal antes o después de su cesárea, es más probable que tenga éxito en el NVDC que alguien que nunca ha tenido un parto vaginal.
- Si ha tenido antes un parto difícil debido al tamaño de su bebé o a la pequeñez de su pelvis (distocia), es probable que aún logre éxito en un NVDC, pero las probabilidades son un poco menores que si hubiera tenido cesárea para una condición no recurrente.
- Si presenta una condición médica crónica en la cual pueden suscitarse problemas durante el trabajo de parto y el parto, es posible que usted y su proveedor de cuidados de salud opten por repetir la cesárea.

¿Quién podría no ser candidata para un NVDC?

En algunos casos, repetir la cesárea es una mejor opción que el NVDC. De acuerdo con el Colegio Estadounidense de Obstetras y Ginecólogos, no debe intentarse el trabajo de parto en las siguientes condiciones:

- Si tiene una incisión previa clásica o en forma de T u otro tipo similar de cirugía uterina.
- Su abertura pélvica es demasiado estrecha para permitir el paso de la cabeza de un bebé.
- Tiene un problema médico u obstétrico que excluye el nacimiento vaginal.
- Está en una instalación que no puede realizar una cesárea de emergencia.

Los expertos médicos no han llegado a un consenso respecto a si debe intentarse el parto vaginal en estas circunstancias:

- Ha tenido más de dos cesáreas previas.
- Desconoce la forma de su cicatriz uterina.
- Lleva más de un bebé en el útero.
- Han pasado más de dos semanas de su fecha de término.
- Su proveedor de cuidados de salud sospecha que su bebé es de mayor tamaño de lo normal.

En estas situaciones, su mejor opción es discutir con su proveedor de cuidados de salud los riesgos y beneficios potenciales relacionados con su caso particular.

Consejos para planear un nacimiento vaginal después de una cesárea

La mayoría de las mujeres que se han sometido antes a una cesárea son candidatas para un nacimiento vaginal después de cesárea (NVDC). Aún así, en el año 2000 sólo 20 por ciento de las mujeres que eran candidatas tuvieron el parto vaginal. Dado que la tasa de éxito es de 60 a 80 por ciento, ¿por qué no hay mujeres que elijan el NVDC?

Parte de la razón puede ser el temor de las mujeres de la posibilidad de un trabajo de parto largo y lento que termine en cirugía. Otra razón posible es que no todas las mujeres tienen acceso a las instalaciones que están preparadas para manejar NVDC.

Si usted y su proveedor de cuidados de salud piensan que el NVDC es adecuado para usted, no tema intentarlo. Aunque es imposible predecir si tendrá éxito el NVDC, puede incrementar sus probabilidades de una experiencia positiva. Pruebe estas ideas:

- Discuta sus temores y expectativas de un intento de NVDC con su proveedor de cuidados de salud. Él puede ayudarle a comprender mejor el proceso y cómo le afectará. Si tiene dudas sobre su proveedor de cuidados de salud, es posible que desee encontrar otro profesional en quien confíe más. Asegúrese de que su proveedor de cuidados de salud actual tenga su historial médico completo, incluyendo los registros de su cesárea anterior.
- Tome una clase de NVDC, con su acompañante, si es posible. Estas clases con frecuencia ayudan a resolver las preocupaciones que pueda tener sobre el NVDC.
- Haga planes para tener su NVDC en un hospital bien equipado. Busque uno que cuente con vigilancia continua del feto, un equipo de cirujanos que pueda integrarse con rapidez y con la capacidad de administrar anestésicos y transfusiones sanguíneas las 24 horas.
- Intente evitar el uso de fármacos para inducir el parto, en especial si la cérvix está muy cerrada y no está lista para el trabajo de parto. Estos medicamentos pueden hacer que las contracciones sean más fuertes y frecuentes y contribuir al riesgo de ruptura uterina.

- Asegúrese de que su proveedor de cuidados de salud estará disponible durante todo el trabajo de parto. La vigilancia constante de parte de él puede reducir el riesgo de complicaciones.
- Piense en sí misma como una atleta que se prepara para un evento. El pensamiento positivo, una dieta sana, ejercicio regular y mucho descanso le ayudarán a obtener la mejor oportunidad para el trabajo de parto y el parto.
- Mantenga su objetivo final en mente. Desea un bebé y una mamá sanos, sin importar cómo llegue a ello.

exploración de la cesárea electiva

Por razones que van desde la seguridad hasta la conveniencia, algunas mujeres optan por someterse a una cesárea planeada en lugar de dar a luz por vía vaginal. Esto se llama cesárea electiva.

En una cesárea electiva, el bebé se retira en forma quirúrgica del abdomen, casi siempre antes de que se inicie el trabajo de parto. El procedimiento se hace de acuerdo con la elección de la mujer y no es necesariamente debido a razones médicas.

Asuntos por considerar

El nacimiento por cesárea electiva es un tema controvertido. Aquellos a favor dicen que una mujer tiene derecho a elegir la forma en que desea dar a luz. Los que están en contra señalan que los riesgos de la cesárea superan cualquier beneficio potencial. No se ha alcanzado un veredicto basado en la evidencia médica debido a que el procedimiento no se ha estudiado lo suficiente.

Dado que el procedimiento es controvertido, es probable que encuentre que las opiniones de los proveedores de cuidados de salud sobre este tema son bastante diversas. Quizá algunos estén dispuestos a considerarlo y otros no, pues piensan que la cesárea electiva puede ser dañina y por tanto ir en contra de su juramento de no hacer daño.

Es probable que desee hablar con su proveedor de cuidados de salud sobre una cirugía electiva si ha tenido dificultades con el trabajo de parto y el parto en el pasado. Asegúrese de discutir todos los riesgos y beneficios con su proveedor de cuidados de salud. Él puede evaluar su historial médico, el estado de su embarazo y la información médica más reciente.

La mejor manera de tomar una decisión —en especial sobre un asunto controvertido— es estar lo más informada posible acerca de ambos lados del asunto. Entérese de las ventajas y desventajas de la cesárea electiva. Si es posible, hable con otras mujeres que se hayan sometido al procedimiento. Encuentre a alguien que haya tenido una cesárea electiva, porque la experiencia de una mujer respecto a una cesárea de emergencia puede no ser igual a la de una mujer que se haya sometido al procedimiento por elección. También hable con mujeres que hayan dado a luz por vía vaginal. Luego colabore con su proveedor de cuidados de salud para tomar la mejor decisión respecto a usted y su hijo.

Riesgos potenciales de la cesárea electiva

Algunos dicen que con los avances en las técnicas quirúrgicas, las cesáreas electivas son casi tan seguras como los partos vaginales. Otros afirman que de cualquier forma implican el riesgo de más complicaciones que los nacimientos por vía vaginal.

Algunos de los posibles riesgos de la cesárea electiva para usted incluyen:

- **Muerte materna.** La muerte como resultado del embarazo o trabajo de parto es rara, ya sea que se someta a un parto vaginal o parto por cesárea. Pero este último puede implicar más del doble del riesgo del parto vaginal, aunque la tasa de mortalidad materna relacionada con la cesárea ha disminuido en la última década. Algunos estudios incluso ponen en duda este porcentaje, lo cual sugiere que puede ser igual o incluso menor que el vinculado con el parto vaginal. Además, una cesárea planeada tiene menor tasa de mortalidad que la cesárea de emergencia.
- **Riesgos a largo plazo.** Las mujeres que se han sometido antes a una cesárea tienen mayor riesgo de presentar problemas de placenta en embarazos subsecuentes. Esto puede complicar los embarazos posteriores; conducir a la extirpación del útero (histerectomía) e incluso a la muerte. Una cesárea previa también puede incrementar su riesgo de ruptura uterina, en especial si decide intentar un parto vaginal después de la cesárea (NVDC). Los embarazos múltiples tienden a incrementar los riesgos de complicaciones con cada embarazo sucesivo. Las cesáreas múltiples aumentan su riesgo todavía más.
- **Riesgos quirúrgicos.** Dado que el nacimiento por cesárea es una cirugía mayor, implica mayores riesgos de infección, pérdida de sangre y lesiones. La pérdida de sangre durante la cesárea puede ser del doble de la relacionada con el parto vaginal. Cerca de tres por ciento de las veces, la madre requiere una transfusión sanguínea después de la cirugía.

  Los medicamentos que se emplean durante la cirugía, incluyendo los usados como anestesia, en ocasiones pueden causar respuestas inesperadas, como problemas respiratorios. La mayoría de las cesáreas planeadas se realizan con anestesia espinal o epidural, que adormecen al cuerpo del pecho para abajo. Otra opción es la anestesia general, la cual hace que esté inconsciente. El uso de la anestesia general en ocasiones conduce a la neumonía, e implica un pequeño riesgo de vómito y aspiración del vómito hacia los pulmones. No obstante, la anestesia general casi siempre se usa sólo en situaciones de emergencia, cuando el bebé debe nacer lo más pronto posible.

  Después del nacimiento, las mujeres que se sometieron a cesárea tienen más probabilidades de padecer una infección en la mucosa que recubre el útero (endometritis) o de presentar coágulos sanguíneos. Algunos estudios sugieren que las mujeres que se someten a cesárea pueden tener más probabilidades de terminar de nuevo en el hospital después de dar a luz.
- **Reducción de la capacidad de amamantar después del parto.** Dentro de las primeras horas después de dar a luz, es posible que no sea capaz de

amamantar o hacer mucho con su hijo. Pero esto es temporal. Tendrá mucho tiempo para alimentar a su bebé y formar un vínculo con él una vez que se recupere.

Además de los riesgos que mencionamos aquí, la cesárea tiene la desventaja adicional de que por lo general es más cara que el parto vaginal. Es posible que desee verificar con su compañía de seguros para ver si cubre la cesárea electiva.

Algunos de los posibles riesgos de la cesárea para su bebé incluyen:

- **Nacimiento prematuro.** Si la edad de gestación de su bebé no se calculó en forma correcta, es posible que su bebé nazca una o dos semanas antes de tiempo. Esto puede conducir a dificultades respiratorias, peso bajo al nacer y otros problemas.
- **Taquipnea transitoria.** Uno de los riesgos más comunes para un bebé después de la cesárea es una dificultad respiratoria leve llamada taquipnea transitoria. Esta condición se presenta cuando los pulmones del bebé están demasiado húmedos. Mientras el bebé está en su útero, sus pulmones están llenos en forma normal con líquido. Durante el nacimiento vaginal, el movimiento a través del canal de alumbramiento exprime de manera natural el pecho del bebé y empuja el líquido sacándolo de los pulmones. Durante el nacimiento por cesárea, el efecto de presión no está presente, así que es posible que los pulmones del bebé todavía contengan líquido después del nacimiento. Esto da como resultado una respiración rápida, y por lo general requiere que se proporcione oxígeno adicional bajo presión para sacar el líquido. Esta condición por lo general desaparece en unas horas o días.
- **Efectos de la anestesia.** En ocasiones, la presión arterial baja (hipotensión) inducida en la madre por la anestesia puede causar que haya una disminución de la provisión de oxígeno para el bebé, lo que da como resultado un incremento en la acidez de la sangre del infante. Esta condición por lo general es temporal. Con la anestesia general, parte del medicamento llega al bebé, lo cual puede ocasionar depresión en la respiración del bebé. Si es necesario, se le administran medicamentos al infante para contrarrestar los efectos de la anestesia.
- **Cortadas.** En raras ocasiones, es posible ocasionar un corte al bebé durante la cesárea.
- **Riesgo de parto de un feto muerto en el futuro.**

Posibles beneficios de la cesárea electiva
Algunos de los posibles beneficios para usted que puede implicar la cesárea electiva incluyen:

- **Protección potencial de sus músculos pélvicos.** Durante un parto vaginal, el esfuerzo de expulsar al bebé puede debilitar o dañar los músculos pélvicos o causar lesiones en los nervios de la pelvis. El daño resultante puede llevar a incontinencia urinaria o fecal. En forma menos común, puede llevar a prolapso de los órganos pélvicos, un problema en el cual órganos como su vejiga sobresalen por el canal vaginal.

Por lo general, la incontinencia urinaria provocada por el embarazo y parto se resuelve en tres meses, pero algunas mujeres sufren daño permanente. A veces, los signos y síntomas del debilitamiento de los músculos pélvicos pueden no manifestarse hasta años después del parto. Los factores que pueden incrementar su riesgo de daño en músculos pélvicos incluyen una incisión quirúrgica para ampliar la abertura vaginal para el parto (episiotomía), grandes desgarros durante el parto y los nacimientos asistidos por fórceps o vacío.

Someterse a una cesárea no garantiza que no tendrá problemas de incontinencia. El peso del bebé durante el embarazo también puede debilitar sus músculos pélvicos. Incluso las mujeres que nunca han tenido bebés a veces desarrollan problemas de incontinencia.

Un estudio realizado en el año 2003 con más de 15,000 mujeres determinó que 10 por ciento de aquéllas que nunca habían tenido hijos informaban signos y síntomas de incontinencia durante sus vidas. Esta tasa aumentaba a 16 por ciento de las mujeres que habían sido sometidas a cesáreas y 21 por ciento de las que habían tenido partos vaginales. Los resultados para las mujeres con cesáreas electivas y no electivas eran semejantes. Cuando se analizó el grupo de mujeres entre 50 y 64 años, no hubo diferencia en la tasa de incontinencia entre las que habían tenido partos vaginales y las que se habían sometido a cesárea.

Las mujeres pueden realizar ejercicios de Kegel durante y después del embarazo, tratar de fortalecer sus músculos pélvicos y evitar los problemas de incontinencia.

- **Evitar la cesárea de emergencia.** Las cesáreas de emergencia, que casi siempre se efectúan después de un trabajo de parto difícil que no progresa, tiene mayores riesgos que la cesárea electiva y el parto vaginal.
- **Evitar un trabajo de parto difícil.** Un parto difícil puede llevar al uso de fórceps o vacío. Estos métodos por lo general no implican un problema, pero los nacimientos asistidos por instrumentos que fallan están relacionados con un mayor riesgo de lesión en el infante.
- **Mayor facilidad de programación.** Programar un nacimiento por cesárea puede permitir que esté mejor preparada para el nacimiento. La programación también puede facilitar las exigencias para su equipo de profesionales médicos, ayudándole a evitar la fatiga y la cantidad inadecuada de personal.

Algunos de los riesgos reducidos para su bebé pueden incluir:

- **Menos problemas al nacer.** Una cesárea planeada puede reducir ciertos problemas raros del nacimiento. Puede disminuir el riesgo de muerte infantil relacionada con el parto, distocia de hombros, lesión al nacer, que es una preocupación particular para las mujeres de alto riesgo con bebés grandes, y la aspiración de meconio, que ocurre cuando el bebé aspira desechos fecales durante el nacimiento. Los sucesos del nacimiento también implican un riesgo muy pequeño de parálisis cerebral.
- **Reducción del riesgo de transmisión de enfermedad infecciosa.** Con la cesárea electiva, puede haber una reducción en la transmisión de madre a hijo de enfermedades infecciosas como el virus del SIDA, hepatitis B, hepatitis C, herpes y virus del papiloma humano.

consideración de la circuncisión para su bebé

Si su bebé es un niño, una de las decisiones que quizá enfrente poco después de su nacimiento es si quiere que lo circunciden. La circuncisión es un procedimiento quirúrgico que se efectúa para eliminar le piel que cubre la punta del pene. Conocer los beneficios y riesgos potenciales del procedimiento puede ayudarle a tomar una decisión informada.

Antes de la circuncisión (izquierda), la piel que cubre el pene se extiende sobre la punta de este (glande). Después de la breve cirugía, el glande queda expuesto (derecha).

Asuntos por considerar

Aunque la circuncisión es bastante común en Estados Unidos, todavía causa controversia. Hay cierta evidencia de que la circuncisión puede tener beneficios médicos, pero el procedimiento también implica riesgos. La Academia Estadounidense de Pediatría no recomienda en la actualidad la circuncisión de rutina de todos los niños recién nacidos, dice que no hay suficiente evidencia de sus beneficios.

Considere sus propios valores culturales, religiosos y sociales al tomar esta decisión. Para algunas personas, como los de la fe judía o islámica, la circuncisión es un ritual religioso. Para otros, es un asunto de higiene personal o de cuidado de salud preventivo. Es probable que algunos padres no quieran que su hijo se vea diferente del resto de sus familiares o pares.

Hay personas que están convencidas de que la circuncisión desfigura la apariencia normal del bebé. Algunos sienten que está mal circuncidar a un niño cuando es demasiado pequeño para dar su consentimiento y otros más piensan que la circuncisión es innecesaria.

Al decidir lo que es mejor para usted y su hijo, considere estos posibles beneficios y riesgos.

Beneficios potenciales de la circuncisión
Algunas investigaciones sugieren que la circuncisión posee beneficios de salud, que incluyen:

- **Disminución del riesgo de infecciones de vías urinarias (IVU).** Aunque el riesgo de IVU en el primer año es bajo, diversos estudios sugieren que las IVU pueden ser hasta 10 veces más comunes en los bebés sin circuncidar que en los circuncidados. Los no circuncidados también tienen mayores probabilidades de ser hospitalizados por una IVU grave durante los primeros tres meses de vida. Las IVU graves al inicio de la existencia pueden llevar a problemas renales más adelante.
- **Reducción del riesgo de cáncer del pene.** Aunque este tipo de cáncer es muy raro, los hombres circuncidados presentan una menor incidencia de cáncer del pene que los no circuncidados.
- **Riesgo ligeramente menor de enfermedades de transmisión sexual (ETS).** Algunos estudios han demostrado un menor riesgo de infecciones con virus de la inmunodeficiencia humana (VIH) y del papiloma humano (VPH) en los hombres circuncidados. Aun así, las prácticas de sexo seguro son mucho más importantes en la prevención de las ETS que la circuncisión.
- **Prevención de problemas del pene.** En ocasiones, la piel de un pene sin circuncidar puede estrecharse hasta un punto donde sea difícil o imposible retraerla, un padecimiento llamado fimosis. Entonces, la circuncisión puede ser necesaria para tratar el problema. La reducción de

¿Cómo se hace la circuncisión?

Si decide que circunciden a su hijo, pregunte al proveedor de cuidados de salud si es permisible o aconsejable la circuncisión. El doctor de su hijo también puede responder preguntas acerca del procedimiento y ayudar a hacer arreglos en su hospital o clínica.

Por lo general, la circuncisión se hace antes de que usted y su hijo dejen el hospital. En ocasiones, la circuncisión se hace en forma ambulatoria. El procedimiento en sí toma cerca de 15 minutos. Por lo general se hace antes de los alimentos de la mañana.

En forma típica, el bebé se coloca sobre una charola con sus brazos y piernas sujetos. Después de limpiar el pene y el área circundante, se inyecta un anestésico en la base del pene. Una pinza especial o un anillo de plástico se coloca en el pene y el prepucio se corta. Se aplica un ungüento, como vaselina, y luego se envuelve el pene sin apretar con gasa.

Después de la circuncisión, está bien lavar el pene mientras sana. En la primera semana es posible que se observe una mucosidad amarillenta sobre la piel, pero esto es normal. Aplique vaselina en la punta del pene para evitar que se pegue al pañal. El pene tarda entre siete y 10 días en sanar.

Los problemas después de la circuncisión son muy raros, pero llame de inmediato al doctor de su bebé si este último no orina en forma normal, si hay sangrado persistente o si sospecha que hay infección.

la piel del pene también puede llevar a inflamación de la cabeza de este órgano (balanitis).
* **Facilidad de la higiene.** La circuncisión facilita el lavado del pene. Pero incluso si el prepucio está intacto, es fácil mantenerlo limpio. En forma normal, en un recién nacido el prepucio se adhiere al extremo del pene y luego se vuelve a extender poco a poco durante el inicio de la infancia. Simplemente, lave el área genital de su bebé con cuidado usando agua y jabón. Más tarde, cuando el prepucio se retraiga por completo, su hijo podrá aprender a lavarlo en forma adecuada jalando con cuidado el prepucio hacia atrás y limpiando la punta del pene con agua y jabón.

Riesgos potenciales de la circuncisión
En general, se considera que la circuncisión es un procedimiento seguro y los riesgos relacionados con él son menores. Varios estudios han determinado que el porcentaje de complicaciones generales es de alrededor de 0.2 por ciento. La circuncisión implica algunos riesgos y posibles desventajas, incluyendo:
* **Riesgos de cirugía menor.** Todos los procedimientos quirúrgicos, incluyendo la circuncisión, implican ciertos riesgos, como sangrado excesivo o infección. También existe la posibilidad de que el prepucio se corte en exceso o poco, o de que no cicatrice de la manera adecuada. Si el prepucio restante se vuelve a unir con el extremo del pene, es posible que se requiera cirugía menor para corregirlo. Estos problemas son raros.
* **Dolor durante el procedimiento.** La circuncisión causa dolor. Es típico que se utilice anestesia local para bloquear las sensaciones nerviosas. Hable con su doctor acerca del tipo de anestesia que podría usarse.
* **Difícil de corregir.** Después de la mayoría de las circuncisiones, sería difícil recrear la apariencia para que se vea como un pene sin circuncidar.
* **Costo.** Algunas compañías de seguros no cubren el costo de la circuncisión. Si está considerando realizarla, quizá desee verificar que su compañía de seguros la cubra.
* **Factores de complicación.** A veces, puede ser necesario posponer la circuncisión, como en el caso de que su bebé sea prematuro. En algunas situaciones, no debe hacerse la circuncisión. Éste puede ser el caso cuando la abertura de la uretra del bebé se encuentra en una posición anormal de un lado o en la base del pene (hipospadias). Esta condición se trata mediante cirugía y puede requerir al prepucio para la reparación. Otros padecimientos que pueden impedir la circuncisión incluyen una enfermedad con fiebre alta, genitales ambiguos o un historial familiar de hemofilia.

La circuncisión no afecta la fertilidad ni impide la masturbación. No se ha probado que mejore o reduzca el placer sexual de los hombres o sus parejas. La investigación sobre este procedimiento continúa. Se requieren más estudios para verificar algunas de las afirmaciones que se han hecho sobre él. La buena noticia es que, cualquiera que sea su elección, los resultados negativos son raros y en su mayor parte menores.

Cuidado de la circuncisión

Si su bebé recién nacido fue circuncidado, la punta de su pene puede parecer que está en carne viva durante la primera semana después del procedimiento o es posible que se forme una mucosidad o costra amarillenta alrededor del área. Ésta es una parte normal de la curación. También es común una cantidad pequeña de sangrado los primeros dos días.

Limpie el área del pañal con cuidado y aplique un poco de vaselina en el extremo del pene cada vez que cambie el pañal. Esto evitará que este último se pegue mientras sana el pene. Si hay un vendaje, cámbielo con cada pañal. A veces se usa un anillo de plástico en lugar del vendaje. El anillo permanecerá sobre el extremo del pene hasta que haya sanado el borde de la circuncisión, casi siempre en una semana. El anillo se caerá solo. Está bien lavar el pene mientras sana.

Es raro que haya problemas después de la circuncisión, pero llame al proveedor de cuidados de salud de su bebé en las siguientes situaciones:

- Su bebé no orina en forma normal dentro de las seis a ocho horas siguientes a la circuncisión.
- El sangrado o enrojecimiento alrededor de la punta del pene son persistentes.
- La punta del pene está inflamada.
- Una descarga maloliente sale de la punta del pene o hay lesiones con costra que contienen líquido.

elija el proveedor de cuidados de salud para su bebé

Mientras va de compras en busca de cunas, cobijas y botitas para su bebé, no olvide buscar algo esencial —el proveedor de cuidados de salud para su bebé.

Es buena idea elegir al doctor de su bebé antes de que éste nazca. Con frecuencia, el proveedor que elija vendrá al hospital a revisar al bebé.

Una vez que consiga al proveedor, sabrá con anticipación dónde y cuándo llevar a su bebé para su primera revisión. Tendrá alguien a quien llamar cuando tenga cualquier pregunta acerca del cuidado de su recién nacido —y la mayoría de los padres primerizos tiene muchas dudas. Además, tiene algo menos de qué preocuparse después de que nazca el bebé.

Dónde empezar

Si todavía no tiene en mente un proveedor de cuidados de salud, pida recomendaciones a amigos y familiares que tengan hijos. Averigüe por qué les gusta su proveedor de cuidados de salud y cómo se podría aplicar para su situación. Su proveedor de cuidados de salud para el embarazo también puede ser una excelente fuente de referencia.

Si acaba de mudarse a la zona o desea hacer sus propias investigaciones, los siguientes recursos pueden ser útiles:
- Hospitales generales o pediátricos cercanos
- Sociedades médicas locales
- Directorios médicos en su biblioteca local
- La sección amarilla local
- Internet. Los siguientes sitios en red pueden ayudarle a encontrar un proveedor de cuidados de salud cerca de usted:
  - Academia Estadounidense de Pediatría, "Servicio de referencia pediátrica" *www.aap.org/referral*
  - Academia Estadounidense de Médicos Familiares, "Encuentre su médico familiar" *www.familydoctor.org*
  - Directorio Nacional de Enfermeras Practicantes, "Busque una enfermera practicante" *www.nurse.net/cgi-fin/start.cgi/referral/search.html*

Tipos de proveedores

En forma básica, hay tres tipos de proveedores de cuidados de salud calificados para cuidar niños: médicos familiares, pediatras y enfermeras pediátricas profesionales.

Médicos familiares

Estos médicos proporcionan cuidados de salud a personas de todas las edades, incluyendo niños. Están capacitados en diversas áreas de la Medicina, incluyendo la Pediatría. Después de pasar por la escuela de Medicina, completan programas de residencia de cuatro años. Ahí, ganan experiencia en cuidado médico hospitalario y ambulatorio. Los médicos familiares cuidan de la mayoría de los problemas médicos. También pueden referir a su hijo a un cuidado especializado si surgiera la necesidad.

El médico familiar puede atender a su hijo desde bebé hasta la edad adulta. Asimismo, si el resto de su familia acude con el mismo médico, su doctor ganará una perspectiva general de esta última. Este cuadro puede perderse en otros arreglos de provisión de cuidados de salud.

Si ya cuenta con un doctor familiar de su confianza, pregunte si atiende infantes. Algunos de ellos no atienden muchos bebés. Otros lo hacen hasta después de que han llegado a cierta edad. Si su médico familiar no puede atender a su bebé, es posible que él le pueda sugerir un proveedor de cuidados de salud adecuado.

Pediatras

Se especializan en el cuidado de los niños desde la infancia hasta la adolescencia. Después de la escuela de Medicina, pasan por un programa de residencia de cuatro años. Ahí, se concentran en el cuidado de salud preventivo para niños y en otros aspectos de la Pediatría. Algunos pediatras reciben capacitación adicional en subespecialidades como alergias, enfermedades infecciosas, Cardiología y Psiquiatría.

Muchos padres eligen pediatras para que cuiden de la salud de sus hijos porque cuidar niños es para lo que están capacitados. El pediatra puede ser de particular utilidad si su niño presenta un problema de salud o necesita atención médica especial.

Enfermeras pediátricas profesionales

Son enfermeras registradas con capacitación avanzada en un área especializada de la Medicina, como Pediatría y Salud Familiar. Después de la escuela de Enfermería, la enfermera profesional debe pasar por un programa de educación formal en su campo de especialidad. La mayoría cuenta por lo menos con una maestría. Un programa típico combina instrucción en teoría de la enfermería con experiencia clínica intensa bajo la supervisión de un médico o una enfermera profesional experimentada. La enfermera pediátrica profesional se concentra en el cuidado de infantes, niños y adolescentes.

El objetivo principal de una enfermera pediátrica profesional es proporcionar cuidados primarios a su hijo, como mantener su salud, prevenir enfermedades y ayudarle a usted y a su hijo a aprender cómo cuidar de sí mismos. La mayoría de las enfermeras pediátricas profesionales pueden prescribir medicamentos y ordenar pruebas médicas. Trabajan en estrecha colaboración con doctores y especialistas médicos en hospitales, clínicas o prácticas familiares, y puede llamarlos si surge un problema de salud más complejo.

Algunos padres pueden sentirse incómodos al escoger una enfermera pediátrica profesional como proveedora de cuidados de salud para su hijo debido a lo que consideran como falta de capacitación o experiencia, pero una enfermera pediátrica profesional puede ser una buena elección de cuidado primario. De hecho, un gran estudio publicado en el año 2000 en el *Journal of the American Medical Association* no encontró diferencias importantes en las tasas de resultados de salud o de satisfacción general entre las personas atendidas por enfermeras profesionales y las atendidas por médicos. Además, los padres pueden encontrar que las enfermeras profesionales hacen mayor énfasis en responder las preguntas y atender cualquier posible preocupación. Sus honorarios también tienden a ser menores a los de los médicos.

Asuntos por considerar

En forma independiente del tipo de proveedor que elija, es importante que se sienta cómoda con esa persona, ya que ésta jugará un papel importante en su familia. Con esto en mente, es posible que desee elegir un proveedor que comparta algunas de las filosofías acerca de la paternidad, incluyendo temas como el amamantamiento, las inmunizaciones y el cuidado general de la salud.

Es posible que desee conocer a los diversos proveedores de cuidados de salud antes de dar a luz. La mayoría no cobra por la entrevista preliminar, pero es posible que algunos lo hagan. Algunos factores que quizá desee explorar incluyen:

- ¿Cuáles son las habilidades profesionales del proveedor de cuidados de salud?
- ¿Cómo califica su forma de atenderla como paciente?
- ¿Qué tan accesible es su proveedor de cuidados de salud, ya sea por teléfono o por cita? Por ejemplo, ¿con cuánta anticipación necesitará programar las citas?
- ¿Quién responderá a sus llamadas en ambos casos, durante y después de las horas de consulta?
- ¿Qué probabilidades hay de que pueda ver a su proveedor de cuidados de salud en caso de emergencia? ¿Hay algún plan de contingencia en caso de que su proveedor no esté disponible?
- Si su bebé requiriera ser hospitalizado, ¿qué hospital emplearía su proveedor de cuidados de salud? ¿Atendería esa persona a su hijo en el

hospital o la referiría con alguien más para el cuidado pediátrico de pacientes hospitalizados?

- ¿Es atento y cortés el personal del consultorio?
- ¿El consultorio está limpio y es atractivo para los niños?
- ¿Cuáles son los costos para usted y su compañía de seguros? ¿Reclamará el pago al seguro el consultorio del proveedor? Si posee un plan de seguros de cuidados de la salud, verifique con su compañía de seguros para ver si su proveedor de preferencia es parte de una red dentro del plan.

¿pecho o biberón?

¿Planea alimentar a su bebé con leche materna o con fórmula?

Hay una gran cantidad de evidencia científica que apoya la idea de que la leche materna es la mejor para los bebés. Y muchas nuevas mamás escuchan el mensaje. De acuerdo con el Departamento de Salud y Servicios Humanos (de EUA), 65 por ciento de las nuevas madres en Estados Unidos inician la lactancia. A los seis meses, casi un tercio de ellas aún amamantan a sus bebés.

Por diversas razones, otras mujeres eligen alimentar a sus bebés con fórmula. Las fórmulas comerciales de la actualidad aseguran que los bebés estén bien nutridos con el biberón.

Independientemente de que opte por el pecho o el biberón, es probable que las primeras semanas con su recién nacido sean de grandes exigencias y agotadoras. Usted y el bebé se están adaptando a una realidad nueva por completo, y esto toma tiempo.

A lo largo de este ajuste, recuerde que alimentar a su recién nacido se trata de algo más que la nutrición. Es un momento de contacto y cercanía que ayuda a construir lazos entre usted y su bebé. Ya sea que lo alimente con el pecho o el biberón, haga que cada sesión de alimentación sea un tiempo para vincularse con su hijo. Acaricie su piel mientras lo mira a los ojos. Encuentre un lugar tranquilo para alimentar al infante, donde las probabilidades de que cualquiera de los dos se distraiga sean mínimas. Atesore el tiempo anterior a que su bebé sea lo bastante grande para comenzar a alimentarse solo. Ese momento llegará muy pronto.

Asuntos por considerar

Si aún no decide si alimentar al bebé con el pecho o el biberón, considere estas preguntas:

- ¿El proveedor de cuidados de la salud sugiere uno u otro? Si usted o su bebé presentan problemas de salud, discuta cómo puede esto afectar su decisión sobre cómo alimentar a su bebé.
- ¿Tiene una comprensión sólida de ambos métodos? Aprenda lo más posible acerca de cómo alimentar a su bebé. Busque un educador perinatal, un consejero para la lactancia u otro proveedor de cuidados de salud.

- ¿Planea regresar al trabajo? Si es así, ¿cómo afecta eso su decisión? ¿Qué acomodos hay disponibles o pueden realizarse para que exprima leche en el trabajo, si éste es su plan?
- ¿Qué opina su pareja sobre la decisión?
- ¿Cómo han tomado sus decisiones otras madres de su confianza y respeto? Si tuvieran que volverlo a hacer, ¿tomarían la misma decisión?

Hechos sobre la lactancia

La leche materna tiene muchos beneficios conocidos. Entre más tiempo amamante, mayores serán los beneficios para usted y su bebé y, en muchos casos, durarán más.

La leche materna proporciona a los bebés:
- **Nutrición ideal.** La leche materna tiene justo los nutrientes adecuados, en las cantidades apropiadas, para nutrir por completo al bebé. Contiene las grasas, proteínas, vitaminas, los carbohidratos y minerales que el bebé necesita para el crecimiento, la digestión y el desarrollo cerebral. La leche materna también está individualizada; la composición de la leche materna cambia al crecer el bebé.
- **Protección contra la enfermedad.** Los estudios muestran que la leche materna puede ayudar a evitar que su bebé se enferme. Proporciona anticuerpos que ayudan al sistema inmune de su bebé a combatir las enfermedades comunes de la infancia. Los bebés que se amamantan tienden a tener menos catarros, infecciones en oído e infecciones del tracto urinario que los bebés que no maman. Los bebés que reciben leche materna también presentan menos asma, alergia a los alimentos y problemas en piel, como eccema. Es posible que tengan menos probabilidades de sufrir reducción en el número de glóbulos rojos (anemia). La lactancia puede ofrecer una pequeña reducción en el riesgo de leucemia infantil.

  Es posible que la leche materna incluso proteja a largo plazo contra la enfermedad. Como adultos, las personas que se alimentaron con leche materna pueden tener un menor riesgo de sufrir ataques cardiacos e infartos cerebrales —debido a niveles menores de colesterol— y es posible que tengan menos probabilidades de ser obesos y desarrollar diabetes. Según indican las investigaciones, la lactancia también puede ayudar a proteger contra el síndrome de muerte súbita infantil (SMSI), también conocido como muerte de cuna.
- **Digestión fácil.** Además de sus beneficios de salud, los bebés digieren con mayor facilidad la leche materna que la de fórmula o de vaca. Dado que la leche materna no permanece en el estómago tanto tiempo como la fórmula, los bebés alimentados con leche materna regurgitan menos, tienen menos gas y menor estreñimiento. Asimismo, presentan menos diarreas, ya que la leche materna parece eliminar algunos gérmenes causantes de éstas y ayuda a que el sistema digestivo del bebé crezca y funcione.

- **Otros beneficios.** Succionar el pecho también ayuda a promover el desarrollo normal de la mandíbula y los músculos faciales del bebé. Incluso puede ayudarlo a tener menos caries más adelante durante la infancia.

Para las mamás, amamantar:

- **Contrae con mayor rapidez el útero.** Al succionar, el bebé dispara en la madre la liberación de oxitocina, una hormona que hace que el útero se contraiga. Esto significa que el útero regresa a su tamaño anterior al embarazo con mayor rapidez de lo que lo haría si alimentara al bebé con biberón.
- **Suprime la ovulación.** La lactancia retrasa el regreso de la ovulación y, por tanto, de su menstruación, lo cual puede ayudar a extender el tiempo entre embarazos.
- **Puede proteger la salud a largo plazo.** La lactancia puede reducir su riesgo de cáncer de mama antes de la menopausia. Asimismo, amamantar parece proporcionar cierta protección contra el cáncer de útero y de ovario.

Lo que las madres dicen sobre la lactancia

Las madres que han amamantado a sus hijos señalan estas ventajas:

- **Conveniencia.** Muchas madres encuentran que amamantar a su bebé es más conveniente que usar el biberón. Se puede hacer en cualquier parte, a cualquier hora, siempre que su bebé muestre signos de estar hambriento. No es necesario ningún equipo. La leche materna siempre está disponible —y a la temperatura correcta. Dado que no necesita preparar una botella y puede amamantar recostada, alimentar al bebé por la noche puede ser más fácil.
- **Ahorro.** Amamantar también puede ahorrarle dinero, porque no necesita comprar biberones ni fórmula.
- **Formación de lazos.** Amamantar puede promover la intimidad y cercanía entre la madre y el bebé. Puede ser muy satisfactorio y compensador para ambos.
- **Tiempo de descanso para la mamá.** La lactancia también le permite descansar con lapsos de horas mientras alimenta al bebé.

La lactancia puede representar retos, como:

- **Alimentación exclusiva inicial con mamá.** Si amamanta en forma exclusiva, debe estar con su bebé para alimentarlo cada vez. En las primeras semanas, esto puede ser agotador en el aspecto físico y cansado para la madre porque los recién nacidos se alimentan cada dos o tres horas —día y noche— al principio. Más adelante, puede exprimir leche con una bomba para la mama, lo cual le permitirá a su pareja o a otras personas hacerse cargo de algunas comidas. Pero es muy probable que su producción de leche tarde un mes o más en establecerse lo bastante bien para permitirle acumular y almacenar una provisión de leche para que alguien más alimente a su bebé.

- **Restricciones para mamá.** No se recomienda que las madres que se encuentran en la lactancia beban alcohol, porque éste puede pasar a través de la leche al bebé. Además, es probable que no pueda tomar ciertos medicamentos mientras amamante.
- **Pezones doloridos.** Algunas mujeres presentan dolor en los pezones y, a veces, infecciones en las mamas. Esto puede remediarse con la ayuda de un consejero de la lactancia o de su proveedor de cuidados de salud.
- **Otros efectos secundarios físicos para mamá.** Cuando se encuentra en la lactancia, es posible que las hormonas de su cuerpo mantengan relativamente seca su vagina. Quizá esto complique su vida sexual, aunque el uso de una jalea lubricante con base de agua puede reducir el problema.

Cuando amamantar puede no ser una opción

Casi cualquier mujer tiene la capacidad física de amamantar a su bebé. La capacidad de hacerlo no tiene nada que ver con el tamaño de sus pechos; lo senos pequeños no producen menos leche que los grandes. Puede ser que las mujeres que se han sometido a cirugía de reducción de los senos o se han colocado implantes todavía pueden amamantar.

No obstante, es posible que se recomiende a algunas mujeres utilizar el biberón en lugar de amamantar. Discuta esta opción con su proveedor de cuidados de salud si:
- Está infectada con tuberculosis, VIH, virus linfotrópico de células T humanas o hepatitis B. Estas infecciones pueden transmitirse a su bebé a través de la leche materna.
- Desarrolla una infección con herpes simple, en especial herpes (zóster) en el pecho.
- Desarrolla virus del oeste del Nilo o varicela. Tomar leche materna de una mujer con estas infecciones supondría un riesgo para el bebé. Las recomendaciones para las mujeres con estas infecciones dependen de sus circunstancias individuales.
- Bebe mucho o usa drogas. La leche materna puede pasar alcohol y otras sustancias a su bebé.
- Está tomando ciertos tratamientos contra el cáncer.
- Está tomando un medicamento que puede pasar a su leche materna y causarle daño al bebé, como medicamentos antitiroideos, algunos fármacos para la presión sanguínea y la mayoría de los sedantes. Antes de que comience a amamantar, pregunte a su proveedor de cuidados de salud, el proveedor de cuidados de su bebé o el consejero de la lactancia acerca de si necesita suspender o cambiar cualquier medicamento de prescripción o de venta sin receta que esté tomando.
- Tiene una enfermedad seria y no está lista para las exigencias de la lactancia.
- Su bebé tiene una deformidad en la boca, como labio o paladar hendido (leporino). Si es así, puede ser que tenga dificultades para succionar el pecho, por lo que necesitará usar un biberón para alimentarlo. No obstante, tiene la opción de exprimir la leche de la mama y ponerla en un biberón para su bebé.
- Su recién nacido tiene ciertos problemas de salud. Algunas condiciones metabólicas raras, como la fenilcetonuria (FCU) o la galactosemia, puede requerir el uso de fórmulas adaptadas en forma especial. La rara enfermedad de los recién nacidos conocida como linfangiectasias puede requerir una fórmula especial.
- Su recién nacido no crece bien. Algunos infantes con mal crecimiento pueden necesitar cantidades medidas de leche y suplementos nutricionales. La leche materna puede emplearse, pero es posible que deba administrarla con biberón,

Factores sobre la alimentación al usar fórmula

Si no puede amamantar o decide no hacerlo, puede estar segura de que cubrirá las necesidades nutricionales de su bebé.

Hay una gran variedad de fórmulas para bebé (infantiles) en el mercado. La mayoría de ellas se basan en la leche de vaca. Nunca utilice este último tipo de leche como sustituto de la fórmula ya que, aunque la leche de vaca se usa como la base, la leche se modifica en forma dramática para que sea segura para los bebés. Se trata con calor para que la proteína sea más digerible. Se añade más azúcar de leche (lactosa) para hacer que la concentración sea similar a la leche materna, y la grasa (de mantequilla) se elimina y se reemplaza con aceites vegetales y grasas animales que los infantes pueden digerir con mayor facilidad.

Las fórmulas infantiles contienen la cantidad correcta de carbohidratos y los porcentajes adecuados de grasas y proteínas. La Administración de Alimentos y Fármacos (FDA) vigila la seguridad de las fórmulas infantiles comerciales. Cada fabricante debe someter a prueba cada lote de fórmula para verificar que cuenta con los nutrientes requeridos y está libre de contaminantes.

La fórmula infantil está diseñada para ser un alimento rico en energía. Más de la mitad de sus calorías proceden de la grasa, la cual está constituida por ácidos grasos de muchos tipos diferentes. Aquellos que integran la fórmula infantil se seleccionan en forma específica porque son similares a los que se encuentran en la leche materna. Estos ácidos grasos ayudan en el desarrollo del cerebro y el sistema nervioso de su bebé, además de cubrir sus necesidades energéticas.

Lo que dicen los padres acerca de la alimentación con fórmula

Los padres que alimentan a sus bebés con fórmula señalan estas ventajas:
- **Flexibilidad.** Utilizar un biberón con fórmula permite que más de una persona pueda alimentar al bebé. Por esta razón, algunas madres sienten que tienen más libertad cuando utilizan un biberón. A los papás puede gustarles usar el biberón porque les permite compartir con mayor facilidad las responsabilidades de la alimentación.

El uso del biberón puede presentar retos como:
- **Una preparación que lleva tiempo.** Tiene que preparar el biberón para cada comida. Tiene que mantener a mano una provisión de la fórmula. Las botellas y chupones siempre deben lavarse. Si sale, debe llevar una provisión de fórmula con usted.
- **Costo de la fórmula.** La fórmula es cara, lo cual preocupa a algunos padres.
- **Tolerancia del bebé a la fórmula.** Puede tomar tiempo encontrar una fórmula que funcione bien para algunos infantes.
- **Molestias en las mamas.** Si opta por no amamantar a su bebé una vez que éste nazca, es probable que sus mamas se inflamen y presenten sensibilidad por un tiempo, pero llegará el momento en que dejen de producir leche.

Una tercera opción: combinar pecho y biberón

No tiene que decidir en forma exclusiva entre el pecho o el biberón. Una vez que se establece bien la lactancia, muchos padres encuentran que la combinación de ambos, pecho y biberón, funciona bien y les permite disfrutar las ventajas de los dos métodos.

Bases del amamantamiento

El amamantamiento es algo sorprendente. Bajo circunstancias normales, el cuerpo de la madre es capaz de producir todo el alimento que requiere el recién nacido. ¿Cómo funciona?

Al inicio de su embarazo, sus glándulas productoras de leche (mamarias) se preparan para amamantar. Alrededor de su sexto mes de embarazo, sus mamas están listos para producir leche. En algunas mujeres, aparecen pequeñas gotas de líquido amarillento sobre los pezones en esta etapa. Este líquido se llama calostro. Es un fluido rico en proteínas que obtiene el bebé los primeros días después de nacer. El calostro es muy bueno para el bebé porque contiene anticuerpos que combaten las infecciones provenientes de la madre. Todavía no contiene azúcar de la leche (lactosa). En realidad es la salida de la placenta lo que señala a su cuerpo que comience a producir leche. Abre el camino para que una hormona llamada prolactina active las glándulas mamarias.

Su provisión de leche se incrementa poco a poco, o se dice que entre el tercer y quinto día después del parto. Lo que usted siente es que sus mamas crecen y presentan sensibilidad. Puede sentir bultos o endurecimientos a medida que las glándulas se llenan de leche. Cuando el bebé succiona, la leche materna se libera de los pequeños sacos de las glándulas productoras de leche. Esta última viaja por los conductos lácteos, los cuales se localizan justo detrás del círculo de tejido oscuro que rodea al pezón (areola). Al succionar, el bebé oprime la areola haciendo que la leche salga a través de los diminutos agujeros del pezón.

La succión de su bebé estimula las terminaciones nerviosas de su areola y pezón, enviando un mensaje a su cerebro que indica a su cuerpo que libere la hormona oxitocina. Ésta actúa en las glándulas productoras de leche de sus mamas, haciendo que se libere leche para su bebé. Esta liberación se llama reflejo de bajada (eyección de leche), el cual puede ir acompañado por una sensación de hormigueo. Muy pronto aprenderá a usar el reflejo de eyección como una indicación para sentarse, relajarse y disfrutar de los preciados momentos de amamantamiento del bebé.

La estimulación del amamantamiento frecuente incrementa su provisión de leche. El reflejo de eyección pone la leche a disposición del bebé. Aunque la succión de parte del bebé es el estímulo principal para la eyección de leche, otros estímulos pueden tener el mismo efecto. Por ejemplo, el llanto de su bebé —o incluso pensar en su bebé o escuchar el sonido del agua— puede poner las cosas en movimiento.

Su cuerpo produce leche después de que nace el bebé, sin importar si planea amamantarlo. Si no lo hace, la provisión de leche se seca. Si amamanta, la producción de leche en su organismo se basa en provisión y demanda. Entre mayor sea la frecuencia con que amamanta a su bebé, más leche producirá.

Para comenzar

Comenzar a amamantar requiere paciencia y práctica. Es un proceso natural, pero eso no significa que todas las madres lo hagan con facilidad. Es una nueva habilidad tanto para usted como para su bebé. Es posible que deba hacer algunos intentos —y que incluso tarde algunas semanas— antes de que su bebé y usted se acostumbren a ello. Es posible que logre amamantar sin problemas a un bebé y que no sea así con el siguiente.

Por muchas razones, es buena idea tomar una clase sobre lactancia. Con frecuencia, la información sobre ésta se ofrece como parte de las clases para el parto. O quizá deba inscribirse en un curso adicional. La mayoría de los hospitales y clínicas de maternidad ofrecen clases sobre cómo alimentar al recién nacido, las cuales están abiertas para ambos, madres y padres.

El momento para comenzar a amamantar es justo después de que nace el bebé. Si es factible, ponga al bebé en su pecho en la sala de parto. Después de esto, puede hacer arreglos para que su bebé duerma en su mismo cuarto en el hospital o clínica de maternidad para facilitar la lactancia. Para ayudar a su bebé a aprender a mamar, solicite que, si es posible, no se le administre ningún biberón suplementario con agua o fórmula, y de preferencia que no le den un chupón, hasta que la lactancia esté bien establecida.

Al comenzar a amamantar, es buena idea buscar la ayuda y los conejos de los expertos. Pida a su partera, enfermera o consejera de lactancia que la ayuden durante los primeros días del amamantamiento. Estas expertas pueden ofrecerle instrucciones prácticas y recomendaciones útiles. Una vez que salga del hospital o clínica de maternidad, puede hacer arreglos para que una enfermera de salud pública con experiencia sobre alimentación infantil visite su hogar para recibir instrucción adicional personal. Siempre podrá llamar a un consejero de lactancia, a su proveedor de cuidados de salud o al proveedor de cuidados de su bebé, para pedir consejo.

También puede encontrar apoyo e información llamando a La liga de la leche (en EUA), una organización nacional que promueve la lactancia. Además, hay muchos libros, otra bibliografía y sitios en la red disponibles sobre el tema. Por ejemplo, el sitio La liga internacional de la leche puede encontrarse en *www.lalecheleague.org*, y el Centro Nacional de Información de Salud de la Mujer posee información sobre la lactancia en *www.4women.gov/breastfeeding*.

Desde luego, las mujeres como su madre, hermana o una amiga bien intencionada pueden ofrecerle muchos consejos. También es buena idea que un experto observe su técnica y le dé indicaciones si es que usted y su bebé todavía no se sincronizan.

El mejor consejo es persistir. Si se le facilita desde la primera vez, será maravilloso. Si no es así, téngase paciencia. Con el tiempo y contando con el apoyo de un consejero de la lactancia o una enfermera o de su proveedor de cuidados de salud, es posible que pronto sea usted la que dé consejos sobre cómo amamantar.

Preparación para amamantar

Antes de llevar al bebé a su pecho, encuentre un lugar tranquilo. Tenga a mano algo para que usted beba —agua, leche o jugo— porque es común sentir sed cuando su leche fluye. Ponga el teléfono en otra parte o apáguelo. Ponga un libro, una revista o el control remoto de la TV a su alcance, si lo desea.

Luego, acomódese en una posición para amamantar que les resulte cómoda a usted y a su bebé. Ya sea que esté en la cama del hospital o en una silla, siéntese derecha. Coloque una almohada en la parte inferior de su espalda para apoyarse. Si opta por una silla, elija una con antebrazos bajos o coloque una almohada bajo sus brazos para apoyarse. También ponga sus pies en alto si es posible.

Cuando esté cómoda, mueva a su bebé a través de su cuerpo de manera que su cara quede frente a su pecho, con su boca cerca del pezón. Asegúrese de que toda la cara del bebé esté frente a usted —abdomen con abdomen— con la oreja, el hombro y la cadera en línea recta. No es necesario que la cabeza de su bebé esté volteada hacia un lado; más bien, debe estar en línea recta con su cuerpo. Los brazos del bebé deben estar a cada lado del pecho con el que amamantará.

Lleve su mano libre hacia arriba y bajo su mama para apoyarlo al amamantar. Coloque la palma de esa mano bajo su mama con el pulgar sobre éste, detrás de la areola. Todos los dedos deben estar detrás de la areola. Apoye el peso de su mama en su mano mientras oprime con suavidad para apuntar el pezón directo hacia delante.

Si la boca de su bebé no se abre de inmediato para aceptar su pecho, toque con el pezón la boca o la mejilla de éste. Si el infante tiene hambre y está interesado en comer, abrirá la boca. Tan pronto como el bebé abra por completo la boca —como si bostezara— introduzca su pecho. El bebé debe recibir tanto pezón y areola como sea posible.

Deje que el bebé tome la iniciativa; no empuje el pezón en una boca poco dispuesta. Es posible que deba hacer uno o dos intentos antes de que el bebé abra la boca lo bastante como para prenderse bien del pecho. También puede exprimir un poco de leche, lo cual puede animar al bebé a prenderse.

Cuando el bebé comienza a succionar y su pezón se estira dentro de su boca, es posible que tenga una oleada de sensaciones. Después de unas cuantas chupadas, esas sensaciones se relajarán un poco. Si no lo hacen, oprima la mama un poco más y atraiga un poco más hacia usted la cabeza del bebé. Si esto no produce alivio, retire con cuidado al bebé de su pecho, teniendo cuidado de liberarse primero de la succión. Para interrumpirla, inserte con precaución la punta de su dedo en la comisura de la boca de su bebé. Empuje su dedo despacio entre las encías del infante hasta que sienta que la suelta. Repita este procedimiento hasta que el bebé se acomode en forma adecuada al pecho.

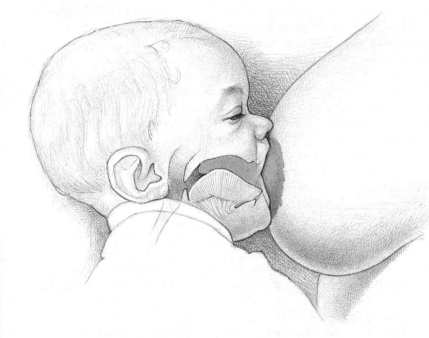

Su objetivo es que el bebé se prenda bien y forme una unión firme de succión. Sabrá que la leche fluye y que su bebé la está tragando si hay un movimiento fuerte, estable y rítmico visible en las mejillas del infante. Si su pecho está bloqueando la nariz de su bebé, oprima ligeramente la mama con su pulgar. Elevar un poco al bebé o hacer que su cabeza se incline un poco hacia atrás y adentro también puede ayudar a proporcionar un poco de espacio para respirar.

Una vez que comience a amamantar, puede relajar el brazo de apoyo y jale la parte inferior del cuerpo del bebé hacia usted. Si el bebé puede permanecer unido con comodidad, es probable que pueda dejar de sostener su mama con la otra mano.

Ofrezca ambos pechos al bebé en cada sesión. Permita que termine de alimentarse del primer lado, luego, después de hacerlo eructar, ofrézcale el otro pecho. Alterne el lado con el cual comienza para igualar el estímulo que recibe cada mama.

Algunos bebés no tienen problemas para saber lo que se supone deben hacer con el pecho. Basta con llevarlo hacia la mama y permitir que su cara roce con él, en especial si ya tuvo cierta práctica.

Si su bebé se prende y succiona de manera correcta —incluso si el acomodo parece extraño al principio— la posición es correcta. La boca del bebé debe rodear en forma confortable su pezón. No se agache para que el bebé se prenda del pecho. En lugar de ello, llévelo hasta la mama.

En general, deje que su bebé se alimente todo el tiempo que quiera. La duración de las sesiones puede variar en forma considerable. No obstante, en promedio, la mayoría de los bebés se alimenta cerca de media hora, casi siempre dividida entre ambos pechos. En forma ideal, es deseable que el bebé termine en un pecho antes de pasar al otro lado. ¿Por qué? La leche que sale primero del pecho, llamada primera leche, es rica en proteínas para el crecimiento, pero entre más tiempo succiona su bebé, mayor es la probabilidad de que le toque una leche rica en calorías y grasa y que, por tanto, le ayuda a ganar peso y crecer. Así que, espere a que su bebé parezca listo para dejar de comer antes de ofrecerle su otro pecho.

Dado que la leche materna se digiere con facilidad, los bebés que se amamantan por lo general tienen hambre con frecuencia al principio. Durante esos primeros días, ¡puede parecerle que lo único que hace es amamantar! Pero la necesidad de un bebé por alimentación frecuente no es señal de que no esté comiendo suficiente, sino que refleja lo fácil que es digerir la leche materna. Si su bebé está satisfecho después de alimentarse y crece bien, puede confiar en que va bien.

Cómo colocar al bebé en el pecho

Cada mujer está cómoda con una posición diferente. La siguiente es una muestra de las posiciones para amamantar que puede probar:

Posición de arrullo cruzado
Coloque a su bebé cruzado frente a su cuerpo, abdomen con abdomen. Sosténgalo con el brazo opuesto al pecho con el que lo está alimentando.

Posición de arrullo cruzado

Apoye la parte trasera de la cabeza del bebé con su mano abierta. Esta posición le da en especial buen control al colocar al bebé para que se prenda.

Posición de arrullo
Acune a su bebé en un brazo, con su cabeza apoyada con comodidad en donde se dobla su codo del mismo lado en que está la mama con que lo está alimentando. Su antebrazo sostienen la espalda del bebé y su mano abierta da apoyo a los glúteos del bebé.

Posición de balón de futbol (nidada)
En esta posición sostiene al bebé en forma muy semejante a aquella en que un futbolista de americano mete el balón bajo su brazo. Sostenga al bebé de un lado con un brazo, con su codo doblado y la mano abierta sosteniendo con firmeza la cabeza de su bebé cara arriba al nivel de su pecho. El torso del bebé se apoyará sobre su antebrazo. Ponga una almohada a su lado para apoyar el brazo. Un sillón con un antebrazo ancho y bajo es lo mejor.

Con su mano libre, apriete con cuidado su mama para alinear su pezón en forma horizontal. Mueva a su bebé hacia su pecho hasta que el pezón toque sus labios. Cuando se abra la boca de su bebé, jálelo hacia usted para que se prenda con comodidad.

Dado que su bebé no está colocado cerca del abdomen, la posición de balón de futbol es popular entre las madres en recuperación de una cesárea. También es una elección frecuente de las mujeres que tienen pechos grandes y están alimentando bebés prematuros o pequeños.

Posición de futbol

Posición de lado

Posición de lado

Aunque la mayoría de las nuevas madres aprenden a amamantar sentadas, es probable que haya ocasiones en que prefiera hacerlo recostada. Por ejemplo, ésta puede ser la mejor posición si su bebé prefiere comer y dormir pegado al pecho. Estar recostada puede ayudarle a que su bebé se conecte en la forma correcta los primeros días de la lactancia, o cuando ambos simplemente estén cansados. Utilice la mano del brazo de abajo para ayudar a mantener la cabeza de su bebé en posición correcta en el pecho.

Con el brazo y la mano de arriba, cruce sobre su cuerpo y sujete su pecho, tocando los labios del bebé con el pezón. Una vez que su bebé se prenda con firmeza, puede utilizar el brazo de abajo para apoyar la cabeza y el brazo y la mano de abajo para sostener a su bebé.

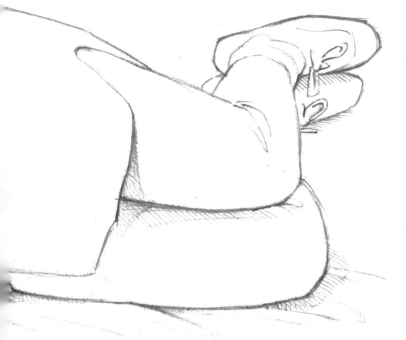

Sus necesidades durante la lactancia

Si es como la mayoría de las madres, su atención se concentrará con intensidad en las necesidades de su bebé. Aunque este compromiso es del todo razonable, no olvide sus propias necesidades. Para progresar, su bebé necesita una madre sana. Considere:

La nutrición
No hay un acuerdo universal respecto a las cantidades específicas de alimentos, líquidos y calorías que necesita para sostener la lactancia, pero es posible que necesite menos calorías de las que antes se pensaba. El mejor método para alimentarse bien mientras amamanta no es muy distinto al mejor método de otras épocas de su vida: ingiera sus comidas a horarios regulares combinando

los diversos grupos de alimentos —una dieta balanceada. Además, beba seis a ocho vasos de líquido al día. Agua, leche y jugo son buenas opciones. Está bien si consume *pequeñas* cantidades de café, té y refrescos.

No hay alimentos que deba evitar en especial cuando está amamantando, sin embargo, si sabe que ciertos alimentos la molestan o causan una reacción como inquietud o gas en su bebé, entonces, simplemente no los coma. En raras ocasiones, un bebé en lactancia es alérgico a un componente de la dieta materna, como la leche de vaca. Para determinar si su bebé tiene algún problema con la leche materna, elimine todos los productos lácteos de su dieta durante dos semanas. Luego, reintrodúzcalos de nuevo poco a poco, un producto por vez, al mismo tiempo que observa a su bebé en busca de cualquier reacción negativa.

Dado que habrá muchas exigencias sobre su tiempo como nueva madre, puede ser difícil preparar tres comidas al día. Quizá le sea más fácil comer bocadillos sanos a lo largo de la jornada. Las parejas pueden ayudar a apoyar a una madre en lactancia trayéndole un tentempié mientras amamanta.

Descanso
Intente obtener algún descanso como nueva madre, aunque esto parezca a veces muy difícil. Se sentirá con más energía, comerá mejor y disfrutará a su bebé mejor cuando esté descansada. El descanso promueve la producción de leche materna al mejorar la producción de hormonas generadoras de leche.

El efecto tranquilizante de amamantar puede hacerle sentir sueño. Muchas madres amamantan a sus bebés mientras están recostadas o incluso llevan a los bebés con ellas a la cama. Los efectos tranquilizantes de amamantar les harán sentir sueño a ambos, y es posible que recostarse es justo lo que necesita. Recuerde que algunas camas de adulto, como las de agua o los sofás que se jalan para armarse pueden ser peligrosos para los bebés.

Pida a otras personas que se encarguen de las tareas cotidianas para que pueda descansar. Los niños pueden apreciar el poder ser de ayuda para la mamá y el bebé ayudando con las tareas de la casa.

Sostén y cojinetes para amamantar
Si va a amamantar, invierta en un par de sostenes para lactancia. Éstos proporcionan un apoyo importante para los pechos cargados de leche. Ayudan a prevenir los dolores de espalda y reducen las fugas de leche. Lo que distingue a los sostenes de lactancia de los normales es que ambas copas se pueden abrir, por lo general con una maniobra simple que puede manejar sin trabajos mientras sostiene a su bebé.

Los cojinetes de lactancia son útiles para absorber el exceso de leche que escapa de sus mamas. Delgados y desechables, pueden deslizarse entre la mama y el sostén. Pueden absorber el exceso de leche al mismo tiempo que permiten que el aire circule hasta la piel. Los cojinetes pueden usarse en forma continua u ocasional. Algunas mujeres no se molestan en usarlos. Puede adquirir los cojinetes en la mayoría de las tiendas de productos para bebé y en tiendas de mayoreo. Por lo general se encuentran acomodados cerca de los pañales desechables.

Cuidado de sus mamas

Al comenzar a amamantar, puede experimentar algunos problemas con sus mamas como:

Congestión
Algunos días después de que nace su bebé, sus mamas pueden volverse muy redondas, firmes y sensibles, lo cual puede constituir un reto para que su bebé sujete el pezón. Esta inflamación, llamada congestión, también se refleja en sus mamas, haciendo que el flujo de la leche sea más lento. Así pues, aunque su bebé se pueda prender, es posible que esté menos que satisfecho con los resultados.

Para tratar la congestión, exprima un poco de leche con la mano antes de intentar amamantar. Sostenga con una mano la mama que piensa exprimir. Con su otra mano, dé masaje con cuidado sobre la mama hacia adentro en dirección de la areola. Luego coloque su pulgar e índice en la parte superior del pecho, justo detrás de la areola. Al comprimir con suavidad el pecho entre sus dedos, debe fluir o salir un chisguete de leche del pezón. También puede usar la bomba para mamas para extraer algo de leche.

Al liberar la leche, comienza a sentir que su areola y pezón se suavizan. Una vez que se libera suficiente leche, su bebé se puede prender con comodidad y alimentarse. Al amamantar a su bebé, dé masaje con cuidado a su pecho para aliviar más la inflamación y promover el flujo de leche.

Con frecuencia, las sesiones largas de lactancia son la mejor manera de evitar la congestión. Alimente a su bebé con regularidad y trate de no perder ninguna sesión. El uso del sostén de lactancia tanto de día como de noche ayudará a dar apoyo a los pechos congestionados y quizá le permita sentirse más cómoda.

Si sus pechos están doloridos después de amamantar, aplique un paquete frío para reducir la inflamación. Algunas mujeres han visto que un baño tibio en regadera alivia la sensibilidad en los pechos. Por fortuna, el periodo de congestión casi siempre es breve y dura sólo unos días después del nacimiento.

Pezones doloridos
Los pezones doloridos, sensibles o agrietados pueden hacer que la lactancia sea dolorosa y, con franqueza, frustrante. Por fortuna, la mayoría de las mujeres no presentan este problema y, si lo hacen, la molestia no dura mucho. El dolor en los pezones por lo general es producto de una posición incorrecta. En cada sesión de lactancia, asegúrese de que el bebé tiene la areola y no sólo el pezón dentro de la boca. También debe asegurarse de que la cabeza del bebé no está volteada de lado, fuera de línea con su cuerpo. Esta posición causa que se jale el pezón.

Para cuidar de sus pezones, deje que se sequen al aire después de cada sesión. Algunas mujeres emplean una pistola de aire, ajustada en frío, para soplar sobre sus pezones por algunos minutos hasta secarlos.

No es necesario lavar sus pezones después de amamantar. Hay lubricantes integrados alrededor de la areola que proporcionan una pomada natural. El jabón elimina estas sustancias protectoras y promueve la sequedad, lo cual puede causar lesiones o agravar el dolor en los pezones. Cuando se bañe, sólo rocíe agua sobre sus pechos. Después, deje que sus pezones se sequen de nuevo con el aire. No los seque con una toalla.

Algunas madres se colocan constantemente bolsitas de té empapadas en agua fría sobre sus pezones doloridos para calmarlos. Otras mujeres han visto que exprimir un poco de leche después de cada alimentación mantiene flexibles a sus pezones. Puede adquirir y aplicar lanolina pura al 100 por ciento en sus pezones después de la sesión, siempre y cuando no sea alérgica a la lana.

Haga su mejor esfuerzo por relajarse mientras amamanta, lo cual mejorará la salida de leche y a su vez evitará que su bebé succione con demasiado vigor mientras espera que fluya la leche.

Conductos lácteos bloqueados
A veces, los conductos lácteos del pecho se tapan, lo que hace que la leche se regrese. Los conductos bloqueados se pueden percibir a través de la piel como pequeños bultos sensibles o áreas mayores endurecidas. Dado que los conductos tapados pueden llevar a una infección, debe tratar el problema de inmediato. La mejor manera de abrir los conductos tapados es dejar que su bebé vacíe el pecho afectado, ofreciéndole primero dicha mama en cada sesión. Si el bebé no vacía el pecho afectado, exprima la leche de éste a mano o con una bomba. También puede ayudarle aplicar una compresa caliente antes de amamantar y dar masaje a la mama afectada. Si el problema no se resuelve con autotratamiento, consulte a su consejero de lactancia o a su proveedor de cuidados de salud.

Infección en mamas (mastitis)
Ésta, es una complicación más seria de la lactancia. La infección puede deberse a que no logró vaciar los pechos durante las sesiones. Los gérmenes pueden lograr entrar a sus conductos lácteos por grietas en los pezones y desde la boca del bebé. Estos gérmenes no dañan a su bebé; todos los tenemos. Sólo es que no pertenecen a los tejidos de sus pechos.

La mastitis causa inflamación, ardor, enrojecimiento y dolor en uno o ambos pechos, junto con signos tipo influenza como fiebre y escalofríos. Si desarrolla tales signos y síntomas, llame a su proveedor de cuidados de salud. Quizá necesite antibióticos, además de descanso y más líquidos. Si desarrolla mastitis, siga amamantando. Es típico que la mastitis no afecte al bebé. Vaciar sus pechos durante las sesiones ayudará a prevenir que se tapen los conductos lácteos, otra posible fuente de la condición. Si sus pechos están en verdad doloridos, exprima con la mano un poco de leche al mismo tiempo que los sumerge en un baño de agua caliente. (Véase "Mastitis", página 581.)

Pezones invertidos

Aunque los pezones invertidos no son muy comunes, algunas mujeres los tienen Es un problema en el cual los pezones se voltean hacia dentro. Los bebés tienen más problemas para prenderse de un pezón que no señala hacia fuera.

El problema puede resolverse por sí mismo, ya que los pechos crecen cuando llega la leche. Si esto no sucede, puede emplear cubiertas para el pecho entre las sesiones para ayudar a que sus pezones se proyecten hacia fuera. También puede probar una bomba para hacer salir sus pezones y que la leche comience a fluir. Si sus pezones están gravemente invertidos o son planos, hable con su consejero de lactancia o su proveedor de cuidados de salud.

Cómo exprimir la leche materna

Quizá desee extraer (exprimir) la leche de su pecho para alimentar a su bebé con biberón cuando no pueda amamantarlo. Puede extraer su leche ya sea a mano o con una bomba. Para ayudar a que ésta salga, encuentre un lugar tranquilo para exprimirla. Relájese durante algunos minutos antes de comenzar a hacerlo.

Extracción de la leche con una bomba

La mayoría de las madres en lactancia encuentran que el uso de una bomba (tiraleche) es más fácil que exprimir la leche a mano. Hay muchas bombas entre las cuales escoger: manuales, operadas por batería o eléctricas. El tipo de bomba que seleccione dependerá de sus necesidades particulares. Las bombas más efectivas son las que tienen pulsaciones automáticas. Las bombas eléctricas estimulan al pecho con más eficacia que las manuales, pero son más caras.

Quizá desee considerar un tiraleche que exprima ambos pechos al mismo tiempo. Las bombas dobles reducen el tiempo de bombeo a la mitad y son la mejor selección para crear una provisión de leche o mantener dicha provisión cuando se bombean con regularidad. Asegúrese de leer las instrucciones que acompañan a la bomba.

Puede adquirir los tiraleche en las tiendas de artículos médicos y en la mayoría de las farmacias y tiendas para bebé. Quizá pueda rentar una bomba. Pregunte a su proveedor de cuidados de salud o a su consejero de lactancia dónde puede rentar una. Algunos patrones proporcionan a sus empleadas los tiraleche.

Cualquiera que sea el tipo de bomba que elija, asegúrese de que puede desarmar y lavar con agua y jabón todas las partes que entran en contacto con su piel o la leche. Algunas piezas del tiraleche se pueden introducir en la máquina lavaplatos. Sin la limpieza adecuada, podrían crecer las bacterias, y su leche no sería segura para su bebé.

Extracción manual de leche

Use estos pasos para exprimir la leche a mano:
- Sostenga su mama con una mano.

- Con su otra mano, coloque su pulgar e índice alrededor de cuatro centímetros detrás del pezón (detrás de la areola).
- Presione hacia atrás con su pulgar e índice en dirección de la pared del pecho y luego comprímalos para extraer leche de las mamas. Tenga cuidado de no deslizarlos hacia delante y pellizcar el pezón.
- Gire la posición en dirección de las manecillas de un reloj para extraer mejor la leche.

Almacenamiento de la leche materna

Guarde la leche extraída en botellas o bolsas de almacenamiento de plástico. Marque cada envase con la fecha y hora de cada extracción. La leche materna puede usarse después de ser almacenada:

- Después de no más de 10 horas a temperatura ambiente
- En el refrigerador hasta por ocho días
- En el compartimento del congelador, hasta por dos semanas
- En un congelador que tiene una puerta separada, hasta por tres o cuatro meses
- En un ultracongelador (-70°C), por seis meses o más

Descongele la leche en el refrigerador o en un recipiente con agua caliente. No la descongele a temperatura ambiente.

Puede servir la leche directa del refrigerador si a su bebé no le molesta. Si éste prefiere la leche tibia, caliente el biberón colocándolo algunos minutos en un recipiente con agua caliente. Luego, sacuda la botella y pruébela poniendo unas gotas en el dorso de su mano. No caliente la leche materna en el microondas porque el calor extremo puede destruir algunos de los anticuerpos naturales que la leche materna lleva y puede hacer que las zonas de leche caliente quemen la boca de su bebé.

Una nota más: puede ver la leche materna y preguntarse, "¿Cómo podría esto ser lo bastante nutritivo para que mi bebé crezca si parece tan acuoso?" La leche materna por lo general tiene ese aspecto acuoso. También tiene una tonalidad azul, lo cual la hace verse en cierta forma como leche descremada, pero no deje que las apariencias la engañen. La leche materna es rica justo en lo que su bebé necesita para crecer.

Presentación de la botella a un bebé que se amamanta

Durante las primeras semanas de la vida de su hijo, lo mejor es amamantarlo en forma exclusiva para que usted y su bebé aprendan cómo hacerlo y asegurarse de que se establezca la provisión de leche. Una vez que se establece esto último y que se siente confiada en que usted y su bebé se desempeñan bien en la lactancia, puede darle a su bebé un biberón de leche materna alternando con el pecho. Esto permite que otros, como su pareja o uno de los abuelos, tengan una oportunidad para alimentar al bebé. Si su bebé recibe un biberón, quizá desee bombear sus pechos por comodidad, y para mantener su provisión de leche.

AMAMANTAR A GEMELOS Y TRIATES

Desde luego, una madre puede amamantar a más de un bebé.

Si tiene gemelos, puede alimentar un bebé por vez, o al mismo tiempo, una vez que se establece la lactancia. Para lograr esto, puede colocar a ambos bebés en la posición de fútbol (nidada), o puede acunarlos a ambos frente a usted, con sus cuerpos cruzados uno contra otro. Utilice almohadas para apoyar las cabezas de los bebés en sus brazos.

Con los triates también es posible amamantar. Una opción es suplementar la leche materna con leche extraída o fórmula en un biberón. Amamante a dos bebés al mismo tiempo y dé biberón al tercero. En la siguiente sesión, dé biberón a otro bebé. El objetivo es que los tres infantes tengan oportunidad de mamar.

Si es madre de múltiples, quizá desee discutir el plan de amamantamiento con su proveedor de cuidados de salud o un consejero de lactancia antes de salir hacia el hospital. Pídales que la recomienden con una madre que haya amamantado con éxito a sus gemelos o triates —es bueno contar con una fuente de consejos prácticos y de apoyo.

La sensación del chupón del biberón en la boca del bebé es diferente de la del pecho, lo mismo que la manera en que el bebé succiona del chupón. Es posible que en un inicio el bebé se muestre renuente a aceptar el biberón de mamá porque relaciona la voz y el olor de su madre con el amamantamiento.

Cuando le dé a su bebé una botella suplementaria, siga las pistas que éste le dé respecto a la cantidad que desea. No hay cantidad adecuada. Es posible que el bebé se sienta satisfecho con unas cuantas onzas.

Trabajo y lactancia

Con algunos planes y cierta preparación, puede combinar la alimentación a pecho con el empleo.

Algunas madres trabajan en casa o pueden llevarse a sus bebés a la oficina. Algunas hacen arreglos para que les lleven al bebé para la sesión de lactancia, o acuden con los bebés. Las madres pueden seguir realizando la mayoría de las sesiones con sólo algunos biberones ocasionales.

Si éstas no son opciones para usted, puede elegir que el cuidador de su bebé le dé leche materna en biberón o fórmula infantil. Durante algunas semanas antes de volver al trabajo, dé a su bebé un biberón una o dos veces por semana a las horas en que lo recibirá mientras usted está en el trabajo.

Puede proporcionarle leche materna al bebé si extrae su leche durante su incapacidad por maternidad y la congela, o si la bombea mientras está en el trabajo y la guarda para el día siguiente. Usar una bomba doble es lo más eficiente —toma cerca de 15 minutos cada tres a cuatro horas. Si necesita incrementar su provisión de leche, amamante y bombee con más frecuencia. En sus días libres, amamante a su bebé como siempre.

Si opta por no extraer su leche mientras está en el trabajo, puede bombearla en otros momentos para proporcionar leche materna para el día siguiente. Por ejemplo, extráigala después de la sesión de la mañana y después de amamantar cuando regresa a casa. Mientras extraiga toda la leche que produce en 24 horas, ya sea amamantando o bombeando, mantendrá una buena provisión.

Quizá decida pedir a su proveedor de cuidados de salud que le dé fórmula a su bebé. Esto reducirá su provisión de leche materna, pero permitirá que quede la suficiente para amamantar en su casa. Para evitar que sus pechos estén muy llenos en su trabajo, algunas madres han visto que necesitan dar leche materna descongelada o fórmula en los días libres a las mismas horas en que el cuidador del bebé lo alimenta.

De vez en vez, es probable que su bebé tome un biberón y luego rechace el pecho. Si esto sucede, proporcione a su bebé caricias y atención adicionales antes de alimentarlo.

Alimentación con biberón: las bases

Fórmulas instantáneas

La primera vez que compra fórmula infantil, es posible que se sorprenda con la gran cantidad de tipos disponibles. Consulte con el proveedor de cuidados de salud de su bebé acerca de la manera de elegir la fórmula adecuada. Para la mayoría de los infantes, la mejor opción es una fórmula con base de leche de vaca y fortificada con hierro.

También hay a su disposición varias fórmulas especiales, como las que contienen proteína de soya e hidrolizados de proteína. Estas fórmulas están hechas para problemas digestivos específicos y sólo deben usarse bajo la dirección del proveedor de cuidados de salud.

La fórmula fortificada con hierro es importante para prevenir la anemia y la deficiencia de hierro, la cual puede causar un desarrollo lento. En general, la deficiencia de hierro no es un riesgo en los primeros meses de la vida del bebé. No obstante, puede presentarse más adelante en el primer año. La deficiencia de hierro en los infantes de seis meses era común antes de que se volviera rutina la suplementación con hierro.

Las fórmulas infantiles vienen en tres formas: polvo, líquido concentrado y listo para usarse. Es necesario añadir una cantidad específica de agua al polvo y al concentrado. En general, las fórmulas en polvo seco son las más baratas. Las marcas listas para usarse son muy convenientes.

Si decide alimentar a su bebé con biberones de fórmula infantil, en lugar de amamantarlo, necesita comprar las provisiones adecuadas para comenzar. Necesitará tener a mano fórmula, biberones y chupones cuando lleve al bebé a casa del hospital o de la clínica de maternidad donde dio a luz.

Comente al personal médico que le ayudó en el parto acerca de sus planes para usar el biberón, ya que éste podrá proporcionarle equipo y fórmula para alimentar con biberón durante su recuperación posparto y mostrarle cómo alimentar con biberón a su recién nacido. Pero deberá aprovisionarse usted misma.

Pecho o biberón: consejos para alimentar a su bebé

Al principio, puede parecerle que lo único que hace es alimentar a su bebé. La frecuencia con que lo alimenta depende de la frecuencia con que este último tiene hambre. Puede parecer que una sesión se fusiona con la otra. Es probable que los bebés que se amamantan quieran comer entre ocho y doce veces en 24 horas —cerca de cada dos o tres horas. Y es probable que los bebés alimentados con fórmula deseen comer entre seis y nueve veces en 24 horas —cada dos a cuatro horas— durante los primeros meses de vida.

Su bebé no siempre se alimentará con esta frecuencia. A medida que madura, querrá poco a poco menos sesiones de alimentación al día y comerá más en cada sesión. Comenzará a surgir un patrón y una rutina de alimentación después de uno o dos meses. Espere que el recién nacido se despierte en forma rutinaria por la noche para alimentarse una o más veces y que exija más leche durante las etapas de crecimiento.

Los consejos para alimentar al bebé incluyen darle de comer según lo pida y dejar que él establezca el paso:

Alimentar cuando lo pida

Alimentar al bebé según éste lo pida es adaptarse al desarrollo del infante. Su bebé está despierto durante periodos breves. Su sistema nervioso no está totalmente desarrollado, así que no puede distinguir una sensación de otra. El estómago de su bebé es muy pequeño, cerca del tamaño de su puño, y el tiempo que tarda en vaciarse varía entre una y tres horas.

Alimentarlo cuando lo pida requiere que usted sea flexible y pueda leer las indicaciones que le da el bebé. Esté pendiente de estos signos que indican que el infante está listo para comer: su bebé hace movimientos de succión con su boca o lengua (reflejo de búsqueda), chupa su puño o hace ruiditos y, desde luego, llora. La sensación que produce el hambre con frecuencia hace llorar a los bebés. Pronto podrá distinguir entre el llanto de hambre y el debido a otras razones —dolor, fatiga, enfermedad. Es importante alimentar a su bebé con prontitud cuando dé señales de hambre. Esto le ayudará al infante a aprender qué tipos de molestia significan hambre y que dicha hambre puede satisfacerse succionando, lo cual le trae comida. Si no responde con prontitud, es posible que el bebé se altere tanto que intentar alimentarlo en este punto puede resultar más frustrante que satisfactorio.

Dejar que el bebé indique el paso

Trate de no apurar al bebé durante su alimentación. Él determinará cuánto y a qué velocidad comer. Muchos bebés, igual que los adultos, prefieren comer de manera relajada. De hecho, es normal que un infante succione, haga una pausa, descanse, socialice un poco y luego vuelva a comer. Algunos recién nacidos se alimentan con rapidez en forma consistente en minutos en cada pecho. Otros bebés prefieren picar un poco, y toman un bocado con intervalos frecuentes. Otros más, en especial los recién nacidos, toman siestas. Estos bebés toman unos cuantos tragos vigorosos y luego se adormecen con tranquilidad, luego despiertan, comen y vuelven a dormir en forma intermitente a lo largo de una sesión típica de amamantamiento.

De igual manera, su bebé le hará saber cuando está satisfecho. Cuando lo esté, dejará de succionar, cerrará la boca o alejará su cara del pezón. Es posible que el bebé empuje el pezón hacia fuera con la lengua y luego arquee la espalda si usted trata de seguir alimentándolo. No obstante, si el bebé necesita eructar o está a la mitad de un movimiento intestinal, es probable que su mente no se concentre en la comida. Trate de ofrecerle el pecho o el biberón de nuevo después de esperar.

A veces el bebé succionará contento en un biberón o pecho vacíos. Si desea que el bebé suelte el pezón, introduzca con cuidado su dedo meñique entre sus encías.

No espere que el bebé coma la misma cantidad todos los días. Los bebés varían en cuanto a la cantidad que ingieren, en especial si tienen un lapso de crecimiento. En estas etapas, es probable que exijan y necesiten más leche y sesiones de alimentación más frecuentes. Puede parecerle que nunca se llena. Durante estos lapsos, es posible que necesite amamantar u ofrecer el biberón con más frecuencia.

La mayoría de los bebés no comen en intervalos precisos durante el día, como podría esperar en un principio. La mayoría de los infantes reúnen (amalgaman) sus sesiones a diversas horas del día y la noche. Es común que un bebé coma varias veces en un lapso de algunas horas y que luego duerma varias horas.

Si su bebé tiene mucho sueño o fue prematuro, es posible que no siempre dé señales claras de tener hambre. Es posible que necesite despertar o estimular al bebé para alimentarlo. Para lograr esto, intente hacer algunas cosquillas en la parte superior de la cabeza del bebé o frote su pie con suavidad. Eliminar algunas capas de cobijas o ropa puede despertarlo para que se alimente. Hablar con suavidad a un bebé adormilado puede ser suficiente para llamar su atención. Conozca las señales de que su bebé comió lo suficiente.

La mayoría de los bebés comen con la frecuencia y en cantidad suficientes para promover su rápido crecimiento. Hay muchas formas de determinar si su bebé come lo suficiente. Si está amamantando, no puede medir con precisión la cantidad de leche que obtiene el bebé, pero hay signos que revelan la manera en que se alimenta el lactante y si está comiendo lo suficiente. Por ejemplo, sabrá si sus pechos están firmes y llenos antes de amamantar y más suaves y vacíos después de esto. Escuchará y verá cómo pasa la leche el bebé, y verá cómo se aleja de su pecho cuando esté satisfecho.

Ya sea que se trate de leche o fórmula, el aumento de peso de su bebé es el signo más confiable de que come lo suficiente. La mayoría de los bebés pierden algunos gramos poco después de nacer, luego recuperan el peso —y algo más— a las dos semanas. Si no está segura de que su bebé esté ganando o perdiendo peso, haga que lo pesen en el consultorio de su proveedor de cuidados de salud. Éste podrá animarla a visitarlo de nuevo unos días después del nacimiento, o usted puede iniciar la consulta. Confíe en su instinto si cree que su bebé no está comiendo bien.

Otros signo válido de crecimiento normal es el patrón de uso de pañales de su bebé. Los bebés deben mojar de seis a ocho pañales y tener uno a tres o más movimientos intestinales diarios en la primera semana. En forma normal, un infante que se alimenta al pecho tendrá más movimientos intestinales que uno que se alimenta con fórmula. La consistencia del excremento también varía —el infante que se alimenta al pecho tiende a presentar heces de color dorado amarillento y más flojas, y el que come fórmula tiende a presentar excremento color café, suave o formado. Comuníquese con el proveedor de cuidados de salud de su bebé si este último orina o tiene movimientos intestinales con menor frecuencia de la esperada.

El equipo para alimentar con biberón incluye:
- Cuatro botellas de cuatro onzas (opcionales, pero útiles al principio).
- Ocho botellas de ocho onzas.
- Ocho a 10 chupones, roscas y tapas para éstos.
- Una taza de medir.
- Un cepillo para botellas
- Fórmula infantil. Después de que nazca el bebé, hable con su proveedor de cuidados de salud acerca del tipo específico de fórmula que debe usar.

Además de comprar el equipo adecuado para alimentar con biberón, considere tomar un curso sobre el cuidado de los recién nacidos antes de que nazca su bebé. Con frecuencia, la información sobre cómo alimentar al recién nacido se ofrece como parte de las clases para el parto. Si nunca ha alimentado a un bebé con biberón, es buena idea familiarizarse con el método tomando una clase sobre ello o leyendo sobre el tema antes de que nazca el bebé.

Para comenzar

Las botellas para alimentar al bebé pueden ser de vidrio, plástico o plástico con un forro suave de este mismo material. Cuando su bebé tiene la edad suficiente para sostener su biberón, quizá desee usar botellas de plástico por razones de seguridad. Algunas botellas tienen una forma que es más adecuada para las manos del bebé.

Los biberones por lo general vienen en dos tamaños: de cuatro y de ocho onzas. La cantidad que puede contener el biberón no es una indicación de la cantidad que debe beber su bebé en una sesión. Es posible que necesite más o menos para una sesión dada.

Hay muchos tipos de chupones en el mercado. Para muchos bebés, no implica mucha diferencia la clase de chupón que use, pero no elija chupones demasiado suaves, especiales para infantes prematuros, para usarlos con un bebé de término. Este último debe usar un chupón regular. Use sólo uno o dos tipos diferentes de chupones para los biberones del bebé. Usar demasiados tipos diferentes puede confundirlo.

Es importante que la leche fluya por el chupón a la velocidad correcta. El flujo de leche que es demasiado rápido o lento puede hacer que el bebé trague demasiado aire, lo que provocará a molestias estomacales y la necesidad de eructar con frecuencia. Pruebe el flujo del chupón volteando el biberón de cabeza y tomando tiempo a las gotas. Una gota por segundo se acerca a lo adecuado. Los chupones vienen ahora en tamaños diversos para el recién nacido, el bebé de tres y seis meses, etcétera, adecuando el flujo del chupón a la edad del infante.

Preparación de la fórmula

Cualquiera que sea el tipo de fórmula que elija, la preparación adecuada y la refrigeración son esenciales para asegurar la cantidad apropiada de nutrición y salvaguardar la salud de su bebé.

Los recién nacidos tienen pocas defensas contra los gérmenes. Su bebé tarda un poco en generar su inmunidad —en especial si no toma leche materna, la cual contiene anticuerpos. La fórmula no los contiene. Es por esto que es importante minimizar el peligro de que las bacterias contaminen la fórmula del bebé preparándola y almacenándola de la manera adecuada.

Lave sus manos antes de manejar la fórmula o el equipo que usa para prepararla. Todo lo que use para medir, mezclar y guardar la fórmula debe lavarse con agua caliente y jabonosa, y luego enjuagarse y secarse antes de que lo utilice. No es necesario esterilizar las botellas ni los chupones siempre y cuando los lave y enjuague bien. Después de usarlos, limpie botellas, chupones y equipo de preparación con agua caliente y jabonosa. Use un cepillo para lavar los biberones. Cepille o frote los chupones a conciencia para eliminar cualquier resto de fórmula. Enjuague bien. También puede limpiar las botellas y chupones en el lavatrastes.

Lave o talle las tapas de las latas de fórmula con una toalla limpia antes de abrirlas. Puede guardar la fórmula líquida concentrada sin usar en la lata después de abrirla. Cúbrala bien y refrigérela. En general, puede almacenar toda la fórmula preparada o el concentrado líquido en el refrigerador hasta por 48 horas. Después de eso, deseche toda la fórmula sin usar.

Ya sea que use fórmula en polvo o concentrado líquido, añada siempre la cantidad exacta de agua especificada en la etiqueta. Las medidas en las botellas pueden ser inexactas, así que mida con anticipación el agua antes de añadirla a la fórmula. Usar demasiada o poca agua puede ser dañino para su bebé. Si la fórmula está muy diluida, el bebé no se nutrirá lo suficiente para sus necesidades de crecimiento ni para satisfacer el hambre. Una fórmula demasiado concentrada exige un esfuerzo del sistema digestivo y de los riñones del bebé y podría deshidratarlo.

No es necesario calentar la fórmula con propósitos nutricionales, pero es probable que su bebé prefiera la comida caliente. Para calentar la fórmula, coloque el biberón en un recipiente de agua caliente por unos minutos. Sacuda la botella y pruebe la temperatura de la leche dejando caer unas gotas en el reverso de su mano. No caliente la fórmula en el microondas porque esto puede generar zonas calientes en la leche que podrían quemar la boca del bebé. Una vez que caliente la fórmula, no refrigere el resto. Descarte la porción que no se usó.

En general, lo mejor es preparar la fórmula cuando lo necesite, no con anticipación. No obstante, es posible que prefiera tener listos dos biberones y guardarlos en el refrigerador para usarlos esa noche. Esto puede facilitar la alimentación nocturna.

Preocupaciones sobre el agua

Si el agua viene de un depósito municipal seguro, es aceptable usarla para preparar la fórmula de su bebé. Si su hogar recibe el agua de un pozo, puede hacer que la revise la dependencia de Salud Pública para asegurarse de que no contenga contaminantes, como nitratos o metales pesados, como plomo.

Utilice agua embotellada para preparar la fórmula si tiene cualquier duda sobre su provisión de agua.

Cuando prepare la fórmula, use agua fría o a temperatura ambiente. No hierva el agua porque esto concentra los minerales que ésta contiene en forma natural, lo mismo que las impurezas.

Acomodo del bebé y el biberón

El primer paso para alimentar con biberón es que usted y su bebé estén cómodos. Encuentre un lugar tranquilo donde no haya distracciones para ninguno de ustedes. Acune al bebé con un brazo, sostenga el biberón con la otra mano y acomódese en un sillón cómodo, de preferencia uno con antebrazos amplios y bajos. Quizá desee ponerse una almohada en el regazo, debajo del bebé para apoyarlo. Jale al bebé hacia usted para acercarlo pero no lo apriete demasiado, acomodado en su brazo con su cabeza un poco elevada y apoyada en el doblez de su codo. Esta posición semierecta facilita la deglución.

Ahora que está lista para comenzar a alimentar, ayude a su recién nacido a prepararse. Utilizando el chupón de la botella o un dedo de la mano para sostenerlo, acaricie la mejilla del bebé cerca de la boca, en el lado más cercano a usted. El contacto hará que el bebé voltee hacia usted, frecuentemente con la boca abierta. Luego toque los labios del bebé con el chupón o en la comisura de su boca. El bebé abrirá la boca y comenzará a succionar en forma gradual.

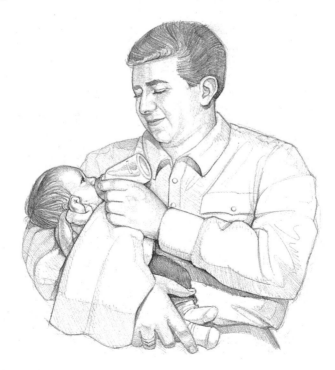

Cuando alimente a su bebé, coloque la botella en un ángulo cercano a los 45 grados. Este ángulo mantiene el chupón lleno de leche. Sostenga con firmeza el biberón mientras el bebé come. Si éste se duerme mientras come, puede ser que esté satisfecho o porque el gas lo hizo sentirse lleno. Retire la botella, haga que el bebé eructe y comience a alimentarlo de nuevo.

Sostenga siempre al bebé mientras lo alimenta. Nunca apuntale una botella contra su infante, ya que esto puede hacerlo vomitar y conducir a que coma en exceso. Además, nunca le dé un biberón a su bebé cuando esté acostado, ya que esto puede provocarle infecciones en el oído.

Aunque su bebé todavía no tiene dientes, éstos se están formando debajo de las encías. No desarrolle el hábito de acostar a su bebé con un biberón. La fórmula permanece en la boca de un bebé que se queda dormido mientras está tomando su biberón. El contacto prolongado del azúcar en la leche puede causar caries dental.

¿POR QUÉ NO SÓLO LECHE DE VACA?

Durante su primer año, la mejor leche para los bebés es la materna o la fórmula. La leche de vaca —la que viene en un garrafón o un envase de cartón del supermercado— es un buen alimento para los niños pero no antes de un año. Ésta es la razón:

- La leche de vaca no es óptima para los intestinos y riñones de los infantes. Tiene cerca del triple de sodio y de la proteína que requiere su bebé. De hecho, los bebés no deben tomar leche de vaca porque los podría enfermar.
- La leche de vaca puede causar una respuesta alérgica. Su bebé no puede digerirla con facilidad.
- La leche de vaca no contiene las grasas adecuadas para cubrir las necesidades de un infante.

De hecho, la leche materna o la fórmula son los únicos alimentos que su bebé necesitará durante por lo menos sus primeros seis meses de vida. No le dé cereal a su bebé en su botella. No ofrezca biberones con agua o jugo hasta que su bebé tenga seis meses o más, a menos que su proveedor de cuidados de salud le recomiende hacerlo.

Si tiene cualquier pregunta sobre la alimentación con biberón de su bebé, no dude en preguntar a su proveedor de cuidados de salud.

opciones contraceptivas después del parto

En ese torbellino de noches sin dormir y cambios de pañal, es fácil olvidarse de los anticonceptivos. Pero el hecho es que, incluso antes de su primer periodo menstrual después del parto, hay probabilidad de que se embarace de nuevo si tiene relaciones sexuales sin protección. Concebir de nuevo a los seis meses del parto conlleva ciertos riesgos para usted y su bebé, sin mencionar el estrés de estar embarazada mientras cuida a un recién nacido. Por estas razones, es importante considerar sus opciones de control natal después de que nazca su bebé.

Para las mujeres que optan por dicho control hay muchas opciones diferentes. Algunas pueden ser más adecuadas para usted que otras. Algunos factores por evaluar incluyen:

- Su capacidad para seguir un régimen
- Su nivel de comodidad con su cuerpo
- Si desea tener más hijos
- Si tiene una pareja estable
- Su salud general
- Si fuma

A continuación ofrecemos una breve descripción de los anticonceptivos disponibles en la actualidad que pueden ser adecuados después del parto. Tenga en mente que su uso correcto incrementa la efectividad del método. Evitar por completo tener relaciones sexuales (abstinencia) es la única manera efectiva cien por ciento para evitar el embarazo y las enfermedades de transmisión sexual (ETS), incluyendo VIH/SIDA. Hable con su proveedor de cuidados de salud para mayor información sobre la mejor opción para usted.

Métodos temporales de control natal

Píldoras anticonceptivas

Las píldoras anticonceptivas orales contienen hormonas sintéticas que evitan la ovulación e impiden la fertilización. Los dos tipos de pastillas anticonceptivas son las que combinan estrógeno y progestina, y las que sólo contienen progestina (la minipíldora).

Disponibilidad
Por prescripción.

Cómo se usan
Se toman las píldoras en forma cotidiana. Por lo general se requiere cerca de una semana para que éstas comiencen a funcionar, así que es posible que requiera otra forma de control natal si tiene relaciones mientras tanto.

Eficacia
Las píldoras combinadas tienen una efectividad cercana a 97 por ciento, lo cual significa que tres de cada 100 mujeres que emplean este método como anticonceptivo durante un año resultarán embarazadas.

Las píldoras que sólo contienen progestina son 95 por ciento eficaces, lo cual significa que cinco de cada 100 mujeres que usaron este método anticonceptivo por un año resultarán embarazadas.

Aspectos por considerar
Algunos proveedores de cuidados de salud pueden esperar tres o más semanas después de su parto antes de prescribirle las píldoras anticonceptivas. Si está amamantando, es posible que su proveedor de cuidados de salud recomiende píldoras de progestina exclusivamente, porque éstas no afectan la leche materna en forma notoria. Las píldoras combinadas pueden reducir su provisión de leche en forma ligera. Algunas mujeres suelen presentar efectos secundarios como náusea, mareos o cambios en la menstruación, el estado de ánimo y el peso.

Si fuma y tiene más de 35 años de edad, no use la píldora combinada porque ésta puede incrementar su riesgo de formar coágulos sanguíneos. Además, las píldoras anticonceptivas no se recomiendan para mujeres con un historial de infarto cerebral, coágulos sanguíneos o enfermedad hepática. Las píldoras anticonceptivas no aumentan su riesgo de presentar cáncer de mama. Este método de control natal no la protege de las ETS, incluyendo VIH/SIDA.

Parche anticonceptivo

Es un parche cuadrado para la piel que se usa sobre la parte baja del abdomen, los glúteos o la parte superior del cuerpo, pero no sobre las mamas. El parche libera una dosis continua de hormonas de estrógeno y progestina a su torrente sanguíneo para evitar el embarazo.

Disponibilidad
Prescripción.

Cómo se usa
Se utilizan los parches en forma continua durante tres semanas, se aplica un parche nuevo cada semana y se desecha el usado. En la cuarta semana no usa el parche para que pueda tener su periodo menstrual.

Eficacia
El parche de control natal tiene una eficacia de 99 por ciento, lo cual significa que una de cada 100 mujeres que usan este método anticonceptivo por un año queda embarazada. Es menos efectivo si pesa más de 90 kg.

Aspectos por considerar
El parche es conveniente, y para muchas mujeres es más fácil seguir este régimen que el de las píldoras. Los efectos secundarios y los riesgos del parche son similares a los de las píldoras anticonceptivas. Implica un mayor riesgo de coágulos sanguíneos, ataque cardiaco e infarto cerebral. Lo mismo que otras formas de control hormonal de la natalidad, el parche no se recomienda para fumadoras mayores de 35 años o para mujeres con enfermedad hepática, diabetes descontrolada o historial de coágulos sanguíneos, ataque cardiaco o infarto cerebral. Consulte a su proveedor de cuidados de salud sobre cuándo comenzar a usarlo.

Inyecciones anticonceptivas

Estas inyecciones son similares a las píldoras de control natal en cuanto a que ambos métodos emplean hormonas para impedir la ovulación y evitar la fertilización. Estas inyecciones se aplican en el brazo o en las nalgas. Se pueden obtener en forma de una inyección que sólo contiene progestina.

Disponibilidad
Por prescripción.

Cómo se usan
Se aplica una inyección cada tres meses.

Eficacia
Las inyecciones anticonceptivas tienen una eficacia mayor a 99 por ciento, lo cual implica que menos de una de cada 100 mujeres que usan este método como anticonceptivo por un año resultará embarazada.

Aspectos por considerar
Las inyecciones anticonceptivas son seguras inmediatamente después del embarazo y mientras está amamantando. Sus periodos menstruales pueden volverse irregulares, o quizá deje de tenerlos por completo. El regreso de la fertilidad una vez que deje de usarlas puede retrasarse hasta por un año. Si pesa más de 73 kg, es posible que tenga una probabilidad algo mayor de quedar embarazada, pero su proveedor de cuidados de salud puede ajustar su dosis según se requiera.

Los estudios han demostrado que la inyección anticonceptiva reduce la densidad ósea, aunque la pérdida es reversible en gran medida una vez que deja de recibir las inyecciones. Hable con su proveedor de cuidados de salud acerca de su riesgo de osteoporosis, un padecimiento marcado por una pérdida anormal de la densidad ósea a su edad. Si su riesgo es alto, es probable que su proveedor de cuidados de salud le recomiende otro método anticonceptivo o un curso más breve de inyecciones anticonceptivas. Ésta no la protege de las ETS, incluyendo VIH/SIDA.

Diafragma con espermicida

Un diafragma es una tapa de hule en forma de domo con un borde flexible que se ajusta sobre su cérvix. Se usa junto con espuma, crema o jalea espermicidas para evitar que los espermatozoides lleguen al óvulo. Los diafragmas vienen en diferentes tamaños, así que necesita ser ajustado por su proveedor de cuidados de salud para usar uno.

La tapa cervical es un método similar de control natal, pero es más difícil de insertar y no se recomienda para mujeres que han tenido hijos.

Disponibilidad
El diafragma se puede conseguir por prescripción, lo mismo que la tapa cervical. El espermicida es un producto de venta sin receta.

Cómo se usa
Inserte su diafragma en su vagina una o dos horas antes de la relación sexual. Antes de la inserción, debe aplicar espermicida en el borde y el centro de éste. Después de la relación, debe dejar el diafragma en el lugar por lo menos durante seis horas pero no más de 24. Si vuelve a tener relaciones dentro de esas 24 horas, inserte primero más espermicida en su vagina sin quitar el diafragma.

Eficacia
Los diafragmas con espermicida tienen una eficacia de 80 por ciento, lo cual significa que 16 de cada 100 mujeres que lo usan como método anticonceptivo por un año quedarán embarazadas. Para las mujeres que no han tenido hijos, las tapas cervicales tienen una eficacia de 82 a 94 por ciento, pero presentan menor efectividad (60 a 80 por ciento) cuando las emplean mujeres que han tenido hijos.

Asuntos por considerar
Si usó un diafragma antes de su embarazo, es posible que deban hacer un reajuste después de que su bebé nazca, ya que el tamaño de su vagina puede haber cambiado. Los diafragmas con espermicida no la protegen contra las ETS. En años pasados, se creía que el espermicida con el ingrediente nonoxinol-9 ofrecía cierta protección contra gonorrea y clamidia, pero estudios recientes muestran que éste no es el caso y que de hecho puede incrementar el riesgo de transmisión de VIH. El espermicida también puede causar irritación vaginal en algunas mujeres.

Condón femenino

El condón femenino (bolsa vaginal) es una vaina de poliuretano en forma de tubo que usted inserta en su vagina. Está lubricada y puede insertarse hasta 24 horas antes de la relación sexual. En la actualidad sólo hay en el mercado una marca de estos condones.

Disponibilidad
Sin prescripción.

Cómo se usa
El condón femenino viene con un anillo flexible en cada extremo. El lado cerrado se inserta en la vagina cerca del cérvix, de manera que el condón cubra la pared vaginal. El pene entra por el extremo abierto, el cual permanece fuera de la vagina. Se usa una vez y se descarta.

Eficacia
Los condones femeninos tienen una eficacia de 79 a 95 por ciento, lo cual implica que hasta 21 de cada 100 mujeres que los usan como método de control natal por un año quedarán embarazadas.

Asuntos por considerar
El condón femenino le da a la mujer más control sobre el uso de anticonceptivos. Lo mismo que el condón masculino, es barato. No obstante, puede ser un poco difícil de usar. Asegúrese de usar bastante lubricante para que el condón no sea empujado hacia dentro o jalado hacia fuera. Quizá necesite añadir lubricante —utilice uno con base de agua. No emplee el condón femenino y el masculino al mismo tiempo, ya que la fricción entre ellos puede hacer que uno u otro se salga de su lugar. Los condones femeninos ofrecen cierta protección contra las ETS, incluyendo VIH/SIDA, pero no tanta como el condón masculino de látex.

Anillo vaginal hormonal

El método consiste en usar un anillo flexible en torno al cérvix. El anillo libera una dosis baja continua de las hormonas estrógeno y progestina. Las hormonas impiden que quede embarazada.

Disponibilidad
Por prescripción.

Cómo se usa
Cada mes inserta un nuevo anillo en su vagina y lo mantiene en su lugar durante tres semanas. Durante este tiempo, si el anillo está fuera de su vagina por más de tres horas, use un método adicional de control natal, como el condón masculino, hasta que el anillo haya estado en su lugar por siete

días. El anillo se retira cada tres semanas y se coloca uno nuevo. No retire el anillo durante las relaciones sexuales.

Eficacia
Los anillos vaginales hormonales tienen una eficacia de 98 a 99 por ciento, lo cual significa que hasta dos de cada 100 mujeres que usaron este método para el control natal durante un año quedarán embarazadas.

Asuntos por considerar
Lo mismo que las píldoras anticonceptivas, el anillo vaginal es una forma muy efectiva de control de la concepción. La ventaja es que no tiene que tomar una píldora todos los días. Asimismo, su efecto se puede revertir con facilidad. Pregunte a su proveedor de cuidados de salud cuándo puede comenzar a usarlo después del parto. Es posible que cause algunos de los mismos efectos secundarios que las píldoras anticonceptivas, como náusea, mareo y cambios de peso o del estado de ánimo.

No se recomienda para fumadoras mayores de 35 años o para mujeres que presentan enfermedad hepática, diabetes sin controlar o historial de coágulos sanguíneos, ataque cardiaco o infarto cerebral. Es posible que el anillo vaginal también cause un aumento en la descarga vaginal e irritación o infección. No protege contra las ETS, incluyendo VIH/SIDA.

Dispositivos intrauterinos

Un dispositivo intrauterino (DIU) es un objeto pequeño, en forma de T, que se coloca dentro de su útero. Evita que los espermatozoides lleguen al óvulo y puede retrasar la implantación. Hay dos tipos disponibles en la actualidad. El DIU en T de cobre que puede mantenerse en su lugar hasta por 10 años y el sistema intrauterino, que puede mantenerse en el útero hasta por cinco años.

Disponibilidad
Procedimiento efectuado por su proveedor de cuidados de salud.

Cómo se usan
Su proveedor de cuidados de salud inserta el DIU a través de su cérvix y en su útero. Muchos proveedores de cuidados de salud recomiendan que esto se haga durante la menstruación. Unos pequeños cordones le permiten verificar que el dispositivo esté en su lugar. Usted revisa los cordones cerca de una vez al mes.

Eficacia
Los DIU tienen una eficacia de 98 a 99.9 por ciento, lo cual significa que dos de cada 100 mujeres que usan este método como control de la concepción durante un año quedarán embarazadas.

Asuntos por considerar

Ésta es una forma muy efectiva de control a largo plazo de la concepción que también es reversible. Se puede insertar poco después del parto, y su uso es seguro durante la lactancia. También puede usarse como anticonceptivo de emergencia si se coloca dentro de los siete días siguientes a una relación sexual sin protección. Pero no es para todas. La mayoría de los proveedores de salud los recomiendan para las mujeres que ya tienen hijos, se encuentran en una relación monógama mutua y carecen de historial de enfermedad pélvica inflamatoria. No se recomienda para mujeres con ETS o con historial de ellas. Algunos DIU pueden ocasionar un incremento en los cólicos durante la menstruación y en ocasiones pueden ser expulsados de manera espontánea. No protegen contra las ETS, incluyendo VIH/SIDA.

Condón masculino

Un condón masculino es una vaina delgada de látex que se usa para cubrir el pene cuando está erecto. Impide que el líquido de la eyaculación entre a la vagina. Los más comunes son los condones de látex, pero también se pueden conseguir en materiales de corderina o poliuretano, para los que son alérgicos al látex.

Disponibilidad

Sin prescripción.

Cómo se usa

Antes de las relaciones sexuales, desenrolle el condón a todo lo largo del cuerpo del pene, deje un espacio de media pulgada en la cabeza de este órgano para permitir que se junte el semen. Use una vez y deséchelo.

Eficacia

Los condones masculinos tienen una eficacia de 86 a 98 por ciento, lo cual significa que hasta 14 de cada 100 mujeres que usaron este método como anticonceptivo durante un año quedarán embarazadas.

Asuntos por considerar

De todos los métodos de control natal, los condones masculinos de látex y poliuretano son los más eficaces como protección contra las ETS, incluyendo VIH/SIDA. Los de corderina tienen pequeños poros que pueden permitir el paso de los virus. Los condones son baratos y fáciles de usar. No use condones de látex con lubricantes de aceite, como la vaselina o la crema para manos, ya que pueden debilitarlos o dañarlos.

Métodos naturales de planificación familiar

Estos métodos, que también se conocen como métodos del ritmo, requieren la determinación de los días en su ciclo mensual en los cuales es fértil (ovulación) y que evite las relaciones sexuales en esos días. No se necesitan dispositivos ni medicamentos.

Disponibilidad
Sin prescripción.

Cómo se usan
Los siguientes métodos se pueden emplear para determinar cuándo es más fértil:

- **Método de calendario.** Usando ciertos cálculos, usted determina el primer y el último día en que puede quedar embarazada en su ciclo.
- **Posición y dilatación cervicales.** Su cérvix se abre y cambia de posición en el momento de la ovulación. Cuando utiliza este método, verifica la posición cervical con su dedo. Durante la ovulación, su cérvix se encuentra un poco más alto, más suave y abierto de lo normal. Puede ser posible determinar su tiempo de fertilidad registrando y siguiendo estas posiciones.
- **Método de la inspección del moco.** Esto implica vigilar los cambios en el moco cervical para determinar cuándo ocurre la ovulación.
- **Método de la temperatura.** La mayoría de las mujeres presenta un ligero cambio en la temperatura corporal relacionado con la ovulación. Su temperatura se reduce durante la ovulación y luego se eleva un poco después de ésta.
- **Método mucotérmico.** Ésta es una combinación de los métodos de la temperatura y de la inspección del moco.
- **Método simptotérmico.** Ésta es una combinación de cuatro métodos: calendario, posición y dilatación cervicales, inspección del moco y temperatura. El uso de todos los métodos proporciona un cuadro más preciso de su fase de fertilidad dado que los signos observados con un método pueden confirmar los de otro.

Si planea usar cualquier método del ritmo, lo mejor es tomar una clase o recibir capacitación de un instructor calificado.

Eficacia
La eficacia de los métodos naturales de planeación familiar depende de su diligencia. Si se usan a la perfección, las tasas de eficacia podrían alcanzar 90 por ciento, lo cual significa que 10 de cada 100 mujeres que emplean la planificación natural como anticonceptivo durante un año quedarán embarazadas. Pocas parejas usan el método de planificación natural a la perfección, así que se obtienen tasas menores de eficiencia.

Asuntos por considerar
Estos métodos están aprobados por la mayoría de las prácticas religiosas, pero requieren motivación y periodos prolongados de abstinencia. Por lo general, sus periodos menstruales deben ser muy regulares para que este método sea efectivo. Además, debe graficar con cuidado sus ciclos y observar

los signos físicos de la evaluación. Algunos estudios han demostrado que el momento de la ventana de fertilidad de una mujer puede ser en extremo impredecible, incluso si sus ciclos son regulares. Esto significa que es posible que quede embarazada aunque sus cálculos sugieran que no está ovulando.

El coito interrumpido, que implica retirar el pene de la vagina antes del orgasmo, no se considera un método confiable de control natal porque es posible que escurra un poco de esperma del pene incluso antes de la eyaculación. Los métodos del ritmo para el control natal no protegen contra las ETS, incluyendo VIH/SIDA.

Espermicida

El espermicida contiene una sustancia química que destruye a los espermatozoides antes de que puedan fertilizar al óvulo. Viene en diferentes formas, incluyendo gel, espuma, crema, capa, supositorios y tabletas. Los espermicidas se usan con frecuencia en combinación con diafragmas o condones masculinos.

Disponibilidad
Sin prescripción.

Cómo se usa
Se aplica el espermicida dentro de la vagina cerca del cérvix.

Eficacia
Los espermicidas son 69 a 85 por ciento eficaces, lo cual significa que hasta 31 de cada 100 mujeres que usan este método durante un año para control natal quedarán embarazadas.

Asuntos por considerar
Los espermicidas pueden causar irritación vaginal e infecciones del tracto urinario. Algunos espermicidas contienen un ingrediente llamado nonoxinol-9, que antes se pensaba era capaz de proteger contra ciertas ETS, como gonorrea y clamidia, pero estudios recientes han mostrado que no protege contra las ETS e incluso puede incrementar el riesgo de transmisión de VIH. Los científicos están trabajando para encontrar una forma más efectiva de microbicida vaginal, una sustancia que mate microorganismos como virus y bacterias.

Métodos permanentes de control natal

Esterilización no quirúrgica

En noviembre de 2002, la Administración de Alimentos y Fármacos aprobó el primer método no quirúrgico de esterilización para las mujeres (sistema Essure), que consiste en colocar un pequeño dispositivo metálico dentro de cada trompa de Falopio. Estos dispositivos hacen que se forme tejido cicatrizal, lo cual bloquea con eficacia la trompa de Falopio y evita la fertilización del óvulo.

Disponiblidad
Procedimiento efectuado por su doctor.

Cómo se hace
Su doctor inserta un dispositivo dentro de cada una de sus trompas de Falopio empleando un tubo delgado y flexible (catéter) que se introduce a través de la vagina, hacia el útero y dentro de la trompa. Durante los siguientes tres meses, puede emplear una forma alternativa de control natal. Después de este periodo, se realiza una radiografía para asegurar que se haya formado el tejido cicatrizal. Si dicha radiografía muestra que sus trompas están bloqueadas por completo, puede suspender las otras formas de contracepción.

Eficacia
Dentro de los estudios que se han efectuado hasta ahora, los dispositivos han sido 100 por ciento eficaces cuando hay éxito en la implantación.

Asuntos por considerar
La ventaja del sistema Essure es que no requiere una incisión ni anestesia general, pero es irreversible, así que debe estar segura de que no desea tener más hijos. Incluso en mujeres que han sido esterilizadas, hay una pequeña probabilidad de que se dé un embarazo, y la esterilización puede incrementar su riesgo de un embarazo ectópico.

Esterilización quirúrgica

Es posible que usted o su pareja deseen someterse a cirugía para evitar de manera permanente el embarazo. La mujer puede ligarse las trompas, un procedimiento en el cual se "amarran" estos conductos. El hombre puede someterse a una vasectomía, la cual impide que los espermatozoides salgan en la eyaculación.

Disponibilidad
Procedimiento quirúrgico.

Cómo se hace
Cuando se liga a una mujer, sus trompas de Falopio se cortan y amarran. Por lo general se emplea anestesia general para esta operación, y puede o no requerir estancia hospitalaria. Las trompas se pueden ligar justo después del parto, cerca de seis semanas después del nacimiento o en cualquier momento después de esto.
    La vasectomía se puede realizar en el consultorio médico bajo anestesia

local. En este procedimiento se cortan y sellan los conductos deferentes del hombre —los conductos por los cuales viajan los espermatozoides.

Eficacia de la ligadura de trompas
En el primer año después de ligar las trompas, la probabilidad de quedar embarazada es menor de uno por ciento, lo cual significa que menos de una mujer de cada 100 quedará embarazada en el primer año después de ser ligada. Con el tiempo, es posible que las trompas vuelvan a fusionarse y que se dé un embarazo. Después de 10 años, se han informado tasas de falla de hasta cinco por ciento en mujeres sometidas al procedimiento al inicio de su etapa reproductora. Los porcentajes de falla son menores en mujeres que eran mayores cuando se sometieron al procedimiento.

Eficacia de la vasectomía
El porcentaje de fallas en este procedimiento es menor de uno por ciento, lo cual significa que menos de una mujer de cada 100 quedará embarazada en el primer año después de que su pareja se sometió a la vasectomía. No obstante, este procedimiento no proporciona protección inmediata contra el embarazo. La mayoría de los hombres quedan libres de esperma después de ocho a 10 eyaculaciones. Hasta que su doctor determine que el eyaculado no contiene espermatozoides, es necesario usar otra forma de control natal.

Asuntos por considerar
La esterilización quirúrgica no se revierte con facilidad. Cuando se revierte la ligadura de trompas, ésta puede implicar un mayor riesgo de embarazo ectópico. Antes de someterse a la esterilización, debe estar segura de que no desea tener más hijos. Si es mujer y padece un problema médico que hace que la cirugía constituya un riesgo, hable con su doctor acerca de sus opciones. Todas las cirugías implican ciertos riesgos, como sangrado e infección.

Métodos anticonceptivos de emergencia

Si tuvo relaciones sexuales sin protección o un método contraceptivo falló durante la relación vaginal, puede emplear una forma de emergencia de control natal para evitar el embarazo. Hay dos tipos de píldoras dedicadas al control de emergencia: Preven, la cual contiene una combinación de estrógeno y progestina, y el plan B, que sólo contiene progestina. También puede emplearse el DIU como anticonceptivo de emergencia.

Estos métodos de emergencia evitan el embarazo impidiendo la ovulación, bloqueando la fertilización del óvulo o evitando que el huevo se implante en su útero.

Disponibilidad
Prescripción.

Cómo se usan
El tiempo es importante en el uso de los anticonceptivos de emergencia. Las píldoras anticonceptivas tienen su mayor eficacia cuando se toman dentro de las 72 horas siguientes a la relación sexual. Se toman en dos dosis, separadas por 12 horas. En algunos casos, es posible usar regímenes específicos de anticonceptivos orales estándar bajo la supervisión de un proveedor de cuidados de la salud. Los DIU de emergencia se pueden colocar dentro de los siete días siguientes a la relación sexual.

Eficacia
Las píldoras combinadas de estrógeno-progestina tienen una eficacia cercana a 75 por ciento, lo cual significa que se evita el embarazo en 75 de cada 100 mujeres que usan este método. Las píldoras que sólo contienen progestina tienen una eficacia de 85 por ciento, lo cual implica que se impide el embarazo en 85 de cada 100 mujeres que emplean el método.

El DIU tiene 99 por ciento de eficacia, lo cual implica que se evita el embarazo para más de 99 de cada 100 mujeres que emplean el método.

Asuntos por considerar
Los anticonceptivos de emergencia por lo general son muy seguros y tienen pocos efectos secundarios, pero no se crearon para ser utilizados con frecuencia ni se recomienda su uso como método contraceptivo de rutina. Náusea y vómito son efectos secundarios comunes, aunque pueden ser más frecuentes en los regímenes combinados. Si está amamantando, es probable que su proveedor de cuidados de salud recomiende un régimen que sólo emplee progestina. Es probable que su primera menstruación sea irregular después del uso de las píldoras anticonceptivas de emergencia.

Las restricciones y los efectos secundarios para la colocación de emergencia de un DIU son los mismos que para el uso estándar de dichos dispositivos.

regreso al trabajo

"¿Debo volver al trabajo?"

Esta pregunta pesa en la mente de muchas mujeres —y, cada vez más, en la de muchos hombres— después del nacimiento de sus bebés.

Muchas mujeres estadounidenses combinan la maternidad con una carrera. En 2001, alrededor de 64 por ciento de las madres con hijos menores de seis años de edad eran parte de la fuerza laboral de Estados Unidos y, aunque las madres son las principales encargadas del cuidado de los hijos, cada vez más padres comienzan a tomar ese papel. En las familias donde las madres trabajaban fuera de casa, uno de cada cinco padres se encargaba de la mayor parte del cuidado de los hijos en edad preescolar. Además, cerca de 200,000 padres en los hogares que contaban con dos progenitores en Estados Unidos no se encontraban dentro de la fuerza laboral así que podían cuidar a su familia mientras las esposas trabajaban, de acuerdo con una encuesta realizada por la Oficina de Censos de Estados Unidos, en 2002. Esto se compara con los 11 millones de niños cuyas madres permanecen en el hogar en los Estados Unidos.

Los consejos sobre cómo ser padre abundan. Antes de las décadas de 1960 y 1970, se esperaba en general que las mujeres fueran las principales encargadas de cuidar a los hijos. Pero, a medida que más mujeres comenzaron a trabajar fuera de casa, para mucha gente se puso en duda lo deseable y, sin duda, lo práctico que resultaba el arreglo de "mamá como ama de casa".

En estos días, hay quien apoya ambos lados del espectro —y hay mucha gente en el punto medio—. Algunos insisten en que, para ser un buen padre, es necesario quedarse en casa para cuidar de los niños. Otros no desean renunciar a una ardua carrera para quedarse en casa tiempo completo y otros más intentan trabajar tiempo parcial, trabajar en casa, compartir empleo, buscar horarios flexibles y hacer otros arreglos.

Asuntos por considerar

Considere los siguientes puntos para decidir cómo equilibrar el trabajo y los asuntos familiares.

Su preocupación acerca de los posibles efectos sobre su hijo

Los científicos han intentado evaluar el efecto de una madre trabajadora sobre su hijo, pero es difícil, si no es que imposible, medir un factor tan complejo. Los resultados de los estudios varían. Algunos estudios han encontrado un efecto ligeramente negativo sobre la conducta infantil y sobre los vínculos madre-hijo para los menores cuyas madres trabajan durante los años de su infancia temprana. Otros expertos en niños aseguran que la participación en grupos bajo cuidado de alta calidad ofrece a los niños un medio social donde pueden aprender a interactuar con sus coetáneos y con otros adultos.

Una cosa que apoya la investigación —y el sentido común— es el efecto positivo de una relación amorosa y enriquecedora entre padres e hijos. Es probable que el factor que más influye en la paternidad no sea únicamente la cantidad de tiempo que pasa con su hijo. Los padres que permanecen en el hogar no están todo el tiempo interactuando con los niños. Tienen encargos que realizar, platos que lavar, ropa que doblar y varias tareas más que implican llevar una casa.

Un estudio del *Journal of Marriage and Family* señalaba que las mamás que se quedaban en casa pasaban un promedio de 38 horas semanales cuidando de sus hijos e interactuando con ellos. Las mamás trabajadoras presentaban un promedio de 26 horas a la semana. Además, el estudio decía que no había diferencia en la calidad de la interacción madre-hijo entre las madres trabajadoras y las que permanecían en casa. Lo importante es que, cuando esté con su hijo, le dedique 100 por ciento —en los aspectos físico, mental y emocional.

Cualquiera que sea su elección, si se siente feliz y satisfecha, esto afectará a su hijo. Si resiente su arreglo actual o piensa que la engañaron, es muy probable que transmita estos sentimientos a su hijo. El viejo refrán: "Cuida de ti misma para cuidar a los demás", sigue siendo real.

Sus necesidades financieras

A veces es necesario trabajar para cubrir los gastos. Puede ser que simplemente no tenga la opción de quedarse en casa. Aunque el dinero no lo es todo, es necesario proporcionar cuidados básicos a su familia. Si necesita el ingreso, pasar tiempo lejos de su hijo es preferible a soportar el estrés crónico de los asuntos de dinero.

Si usted o su pareja ganan lo suficiente para sostenerlos a ambos, es posible que no sienta la necesidad de que ambos deban dividir su tiempo entre la casa y el trabajo. No obstante, si la pérdida del ingreso es más estresante de lo que imaginó, es posible que considere tomar un empleo de medio tiempo u otro trabajo que pueda hacer desde su hogar.

Si está en un punto medio, revise con cuidado sus finanzas antes de tomar una decisión. Considere no sólo los salarios sino el costo de tener a dos personas trabajando. Revise el gasto de cosas como transporte, estacionamiento, ropa y guardería.

Su deseo de mantener una carrera

Los hombres y mujeres que han trabajado duro para lograr una cierta posición o cuya ocupación es importante para ellos con frecuencia se sienten renuentes a renunciar a ella. Quizá desee y disfrute los retos intelectuales y la interacción adulta que vienen de trabajar fuera de casa. Dado que estas necesidades se cubren en el trabajo, es posible que se sienta más preparada para funcionar totalmente en casa.

Su deseo de ser un padre de tiempo completo

Quizá su puesto sólo sea eso para usted, o quizá valore su empleo, pero ser la principal responsable de su hijo es más importante para usted que conservar el trabajo.

Su capacidad para manejar el estrés

Se requiere energía para combinar el acto de ser padres y trabajar fuera de casa. Algunas personas manejan bastante bien el estrés que se deriva de estos papeles dobles. Otros luchan con él.

Considere qué tan bien puede manejar papeles y responsabilidades múltiples. Si trabaja, ¿puede proporcionarle a su hijo el tipo de atención que le gustaría que tuviera? ¿Se reducirá su rendimiento en el trabajo y en el hogar? ¿Tendrá el apoyo de amigos y familiares para ayudarle en algunos de los días más difíciles?

No hay decisiones correctas o equivocadas en el aspecto social, pero es probable que sí haya alguna que sea mejor para usted. Piense con cuidado respecto a sus opciones. Hable con su pareja y con sus familiares y amigos que hayan tomado diferentes decisiones. Luego, elija la mejor opción para usted y su familia. En este caso, no hay decisiones equivocadas.

Fuentes de cuidado infantil

Si decide volver al trabajo después de su incapacidad, es importante que encuentre el cuidado apropiado para su hijo. Es posible que cuente con varias opciones, incluyendo un cuidador en casa, guardería familiar y jardín de niños.

Cuidador en casa

Bajo este arreglo, una persona acude a su hogar para proporcionar cuidados a los niños. La persona puede vivir con usted, dependiendo de su acuerdo. Algunos ejemplos de cuidadores en casa son parientes, nanas y estudiantes de intercambio. Es típico que los estudiantes de intercambio vengan a Estados Unidos con una visa de intercambio estudiantil y proporcionen cuidado a los niños a cambio de albergue, alimentos y, casi siempre, un pequeño salario. La ventaja de contratar un cuidador en casa es que su hijo puede permanecer en ella, usted establece sus propios estándares, y tiene más flexibilidad con sus horas de trabajo. Pero también tiene ciertas obligaciones legales y financieras como patrón.

Guardería familiar

Algunas personas cuidan en sus casas a un pequeño grupo de niños. Por lo general, dicha casa tiene que cumplir con los estándares locales de seguridad e higiene. La guardería familiar permite que su hijo se encuentre en un medio familiar con otros hijos, con frecuencia a un costo menor del que tendría un cuidador en casa o jardín de niños. No obstante, la calidad varía mucho, así que, antes de dejar a su hijo ahí, asegúrese de visitar el lugar y de obtener referencias de clientes actuales y previos.

Jardines de niños

Éstas son instalaciones organizadas con personal entrenado para cuidar de grupos de niños. Es típico que tales centros deban cumplir con los estándares locales o estatales. Algunas de las ventajas de los jardines de niños incluyen la socialización con otros menores, existe gran selección de juguetes y actividades y personal completo, existe la cual puede aliviar sus preocupaciones de encontrar cuidado de apoyo. Es posible que en los jardines de niños no le permitan dejar a su niño o niña si está ligeramente enfermo, y por lo general requieren que sea bastante puntual. Cuando considere uno de estos centros, revise la proporción de educadores con respecto a la cantidad de niños. Si un adulto tiene que cuidar demasiados menores, es posible que su hijo no reciba tanta atención individual. La Academia Estadounidense de Pediatría recomienda una proporción de tres niños por educador, para los infantes de hasta doce meses de edad.

Si todavía no tiene en mente un arreglo de cuidado para su bebé, un buen lugar para iniciar su búsqueda de cuidados de alta calidad en su área es el programa *Child Care Aware* del Recurso de Red y Referencia sobre Cuidado Infantil de la Nación (en EUA). Puede llamar al programa al (800) 424-2246 o utilice su herramienta de búsqueda en línea en *www.childcareaware.org*. También cuenta con recomendaciones sobre qué buscar y qué preguntar cuando evalúe a un proveedor.

Una vez que haya encontrado el cuidador infantil que le haga sentir cómoda, puede volver al trabajo con confianza sabiendo que su bebé se encuentra en buenas manos. Con frecuencia, cuando las madres regresan a su empleo después de que nace su bebé, se sienten culpables por dejarlo o ansiosas de que el infante cree un vínculo más fuerte con su cuidador que con ellas. Pero, no se preocupe, todavía tendrá tiempo para compartir con su bebé. El vínculo entre madre e hijo, y padre e hijo, es único y no puede reemplazarse.

Transición para volver al trabajo

Puede realizar un paso importante para volver al trabajo mientras aún está embarazada. Averigüe los beneficios por compromisos familiares que proporciona su compañía. Vea si otros tipos de tiempo libre, como días de vacaciones o incapacidad por enfermedad, pueden prolongar su permiso.

Hable con su patrón acerca de la situación mucho antes de su permiso por maternidad. Si está interesada, averigüe si puede tener horarios flexibles, trabajar por horas o desde su hogar durante algunos meses para ayudar a facilitar la transición. No espere que le tengan consideraciones especiales, pero esté lista para ser proactiva cuando discuta las oportunidades con su jefe. Ofrezca soluciones potenciales en lugar de ultimátum.

¿Cuál es el mejor momento para volver al trabajo? Aunque no hay marco perfecto de tiempo, los expertos sugieren que pase tres o cuatro meses en casa con su bebé si es posible. Esto puede darle tiempo para adaptarse al horario, formar lazos emocionales y aprender a cuidar a su hijo. La fatiga es un factor importante para ambos padres durante esos primeros meses. Se beneficiará al tener suficiente tiempo para descansar y recuperarse.

Si es posible, establezca su fecha de inicio para un miércoles, jueves o viernes. Esto le dará una semana de trabajo más corta y el fin de semana para recuperar energías.

EL PADRE COMO CUIDADOR PRINCIPAL

Algunos estudios sugieren que los padres que se quedan en casa desarrollan un lazo más fuerte con sus hijos que los papás tradicionales que trabajan fuera del hogar. Dos investigaciones realizadas a mitad de la década de 1990 determinaron que los niños cuyo padre se quedaba en casa se sentían igualmente cómodos acudiendo con cualquiera de sus progenitores cuando estaban lastimados o despertaban a media noche.

Y aunque el padre puede ocupar una posición que en forma tradicional se adjudicaba a la madre, esto no implica necesariamente que se invirtieron los papeles. Los papás que se quedan en casa siguen limpiando el caño y componiendo el lavatrastes, pero también visten a sus hijos, les dan de comer y juegan con ellos. Cuando las madres llegan a casa del trabajo, tienden a asumir su papel tradicional materno ayudando con la cena, bañando y acostando a los pequeños. Como resultado, los papás participan más en la crianza y los niños reciben una fuerte influencia de ambos, madre y padre.

Los padres citaron dos razones principales para quedarse en casa. No querían colocar a sus hijos en una guardería y el progenitor que trabajaba fuera ganaba más dinero. La decisión de que el padre se quede en casa es decisión de cada pareja, de la misma manera que lo es la decisión de la madre de quedarse en casa. La buena noticia es que este tipo de arreglo es cada vez más aceptado. Más y más padres están descubriendo la felicidad y satisfacción que se obtiene al cuidar de sus hijos.

cómo planear cuándo tener el siguiente hijo

Piensa que quiere otro hijo, pero, ¿cuándo será el mejor momento?

Sólo usted y su pareja pueden responder esta pregunta. Si espera a que las circunstancias sean perfectas, quizá nunca tenga otro bebé. La verdad es que es probable que cualquier niño que sea recibido con amor y atención pueda progresar, sin importar cuándo llegue.

La siguiente información puede ayudarle a dar prioridad a sus objetivos al mismo tiempo que planea tener otros hijos.

Asuntos por considerar

Es necesario considerar algunos factores básicos cuando piensa en el nacimiento de su siguiente pequeño. Aquí hay algunas preguntas generales para comenzar:

- ¿Está lista para la responsabilidad de criar a otro hijo? Cuidar una familia en crecimiento puede ser un reto físico, mental y emocional, a pesar de sus muchas satisfacciones.
- ¿Cómo afectará su carrera otro bebé? ¿Es importante que alcance otro nivel en su campo antes de aceptar de nuevo el embarazo, parto y cuidado de un bebé?
- ¿Cuáles son sus prioridades financieras? ¿Tendrán que quedarse en casa usted o su pareja para cuidar de sus hijos? ¿Está dispuesta a sacrificar ciertas cosas con el fin de cubrir los costos del bebé? ¿Desea ahorrar para la colegiatura universitaria de sus hijos?

Espaciado

¿Hay una cantidad ideal de tiempo que deba esperar entre cada hijo? En algunas formas así es; en otras, no. A continuación mencionamos algunas de las ventajas y desventajas de las diversas formas en que puede espaciar a sus hijos.

Uno a dos años

Tener hijos con una separación de uno o dos años puede ser la prueba extrema para su resistencia. Además, puede implicar ciertos riesgos de salud, pero eso no significa que no pueda funcionar.

Ventajas

- Sus hijos estarán cercanos en edad al crecer. Es posible que compartan muchos de los mismos intereses y actividades, lo cual facilitará la coordinación de horarios familiares. Los padres con frecuencia tienen la esperanza de que los hermanos cercanos en edad también lo sean en afinidad.
- Pasa por la fase de transportar, alimentar, cambiar pañales, dormir poco y enseñar a ir al baño en un solo periodo. Asimismo, es posible que no necesite crear una casa a prueba de bebés tantas veces como tendría que hacerlo si sus hijos estuvieran más separados en edad.
- Es posible que su primer hijo tenga mayor facilidad para ajustarse a un hermano y que casi no recuerde cómo era la vida sin él o ella.

Desventajas

- Es muy probable que cuidar a dos bebés en pañales haga que se sienta muy agotada la mayor parte del tiempo y con poco espacio para usted durante algunos años.
- El estrés y la fatiga pueden afectar su matrimonio. Usted y su pareja deberán funcionar como equipo para enfrentar los retos que vendrán, y es posible que necesite apartar un tiempo de calidad para cada uno.
- Las provisiones para dos infantes pueden ser caras.
- La rivalidad entre hermanos puede ser un problema a medida que sus hijos crezcan.
- Varios estudios han indicado que concebir menos de 18 meses después de nacido su último hijo puede incrementar el riesgo de bajo peso al nacer y de parto prematuro. Esto puede deberse a que su cuerpo no ha tenido oportunidad para recuperarse del nacimiento. Es posible que todavía tenga deficiencias en nutrientes necesarios.
- Los lapsos cortos entre embarazos pueden afectar la salud de la madre. Algunos estudios sugieren que embarazarse de nuevo en menos de seis meses puede incrementar el riesgo de ciertas complicaciones maternas, como anemia y sangrado en el tercer trimestre. De nuevo, esto puede deberse a que su cuerpo no se haya recuperado por completo del primer embarazo.
- Si tuvo un parto por cesárea y deja pasar un lapso menor de 18 meses antes del nacimiento de su siguiente hijo, es probable que incremente su riesgo de ruptura uterina si decide tener un parto vaginal.
- Si opta por amamantar, tiene menos probabilidades de concebir mientras lo hace, pero puede suceder. Si queda embarazada durante la lactancia y decide no destetar a su bebé, necesitará tener cuidado adicional con su dieta. Quizá desee acudir con un dietista para asegurarse de que está cubriendo sus necesidades alimenticias.

Dos a cinco años

Un espaciado de dos a cinco años es lo que recomienda la mayoría de los expertos. Su primer hijo es ya un poco más independiente, y usted y su pareja han tenido algún tiempo para recuperar fuerzas y energías muy necesarias.

Ventajas
- Durante el intervalo entre sus embarazos tendrá tiempo para formar lazos con su primer hijo y para darle su atención total.
- Su primer hijo tendrá la oportunidad de ser el bebé de la familia sin competencia alguna.
- Cuando el nuevo bebé llegue, el hermano mayor tendrá más probabilidades de jugar solo a veces, lo que le dará oportunidad de pasar tiempo a solas con el bebé.
- Sus hijos estarán lo bastante cercanos en edad como para relacionarse con facilidad.
- Sólo pagará los pañales de uno. Algunos artículos para bebé, como la cuna o la carriola, pueden reciclarse.
- No hay apuro en el amamantamiento, y su cuerpo tiene tiempo para restaurar su provisión nutricional para el siguiente embarazo.
- Algunos estudios indican que un intervalo óptimo de embarazo —el tiempo entre el nacimiento y la concepción subsecuente— se encuentra entre los 18 y los 23 meses, periodo que implica menos riesgo de complicaciones para madre e hijo.
- Si se sometió a una cesárea, esperar de dos a cinco años antes de dar a luz de nuevo le proporciona un menor riesgo de ruptura uterina si intenta un parto vaginal.

Desventajas
- Es probable que su primer hijo se sienta celoso del nuevo bebé. No es raro que los pequeños de dos a cuatro años regresen a la conducta de infante cuando tienen que competir por la atención de los padres. No obstante, esto por lo general pasa con el tiempo.
- Pueden surgir problemas de rivalidad respecto a juguetes y actividades a medida que el bebé crece y comienza a andar solo por la casa.
- Entre más separados por la edad estén sus hijos, mayor diferencia habrá en sus actividades. Coordinar los diferentes horarios en su hogar puede requerir organización y planeación considerables, lo cual puede ser bastante estresante para los padres.

Cinco años o más

Tener a sus hijos con diferencia de cinco años o más implica beneficios y retos. También presenta la posibilidad de ciertos riesgos de salud para usted y su bebé.

Ventajas

- Obtiene gran descanso entre uno y otro bebé. Esto puede darle tiempo para volver a hacer cosas que disfrutaba antes de tener un infante, como salir a cenar o al cine o tomar vacaciones de aventura. También puede darle la oportunidad de volver a concentrarse en su carrera o en su matrimonio.
- Cada bebé obtiene mucha atención individual durante la infancia.
- Dadas las diferencias en edad, la rivalidad entre hermanos tiende a ser menos intensa. En lugar de esto, su hijo más pequeño puede considerar a su hermano mayor más como un héroe, mientras que el otro pequeño puede tomar un papel más protector o de tipo tutor.

Prepare a su hijo para el siguiente bebé

Es posible que sus hijos mayores le rueguen que lleve a casa "un nuevo bebé" para la familia. Sin embargo, los pequeños por lo general reaccionan en formas muy diferentes cuando el hermanito o la hermanita llegan en la realidad.

Es posible que la reacción no fuera la que esperaba. No es anormal que los niños se sientan celosos o resentidos cuando nace un nuevo bebé. Estos sentimientos pueden derivarse de posibles temores de que ya no los aman o de que ya no son buenos para sus padres. Con frecuencia, los niños no son capaces de articular estos temores y pueden expresarlos regresando a conductas anteriores, como usar chupón o hablar como bebés, lloriqueando o pegándose a usted.

La llegada de un nuevo bebé puede ser una temporada estresante para toda la familia, pero con un poco de reflexión y planeación previas, es posible que pueda calmar parte de la tensión que la rodea e incrementar el sentido de seguridad de sus otros hijos. A continuación presentamos algunas sugerencias para preparar a sus hijos para el nuevo bebé.

Antes del nacimiento

No tiene que apurarse a decirles a sus hijos que está embarazada. Incluso puede esperar hasta etapas más avanzadas de la concepción cuando los cambios sean obvios y puedan ver lo que sucede. Otras cosas que podría hacer con sus hijos mientras está embarazada:

- Ayude a sus hijos a crear sus propios libros del bebé de manera que puedan comprender cómo eran las cosas cuando eran bebés y vean cuánto han avanzado. Explíqueles que el nuevo bebé tendrá muchas de las nuevas experiencias.
- Examine libros de imágenes que presentan las etapas de desarrollo en el útero. Trate de emplear los términos anatómicos correctos siempre que sea posible.
- Pase tiempo con las familias que tienen infantes. Explique a sus hijos que pueden tener tareas especiales cuando el bebé llegue, como cantar canciones tranquilas o sonreír o reír con el bebé.
- Haga que sus hijos creen anuncios de hermano o hermana mayor para dárselos a amigos y compañeros de clase.
- Introduzca cualquier cambio que sea necesario para sus hijos mucho tiempo antes de que nazca el bebé, como el cambio de habitación. Celebre los cambios como algo especial debido a que están creciendo.
- Comience a ajustar sus rutinas. Quizá desee reducir las ocasiones en que levanta y carga a sus hijos.
- Haga arreglos para el cuidado de sus hijos antes de ir al hospital. De preferencia con alguien con quien sus hijos disfruten estar.

- Esperar cinco años o más también puede darle un respiro financiero y permitirle ahorrar dinero para el siguiente bebé.
- Dependiendo de la edad de su primer hijo, es posible que incluso llegue a tener una nana integrada.

Desventajas
- Después de varios años de estar fuera de la modalidad de bebé, es posible que le cueste trabajo volver a ella. Uno tiende a olvidar cuánto trabajo implica cuidar un infante y lo cansado que es.
- Es posible que su cuerpo no sea tan flexible como solía ser. Puede ser un reto mantener el paso de sus escolares o de los adolescentes mientras cuida del bebé.

- Lleve a sus hijos a un curso para hermanos en su hospital local o léales historias sobre la llegada de un nuevo bebé.

En el hospital

Haga que el tiempo en el hospital sea especial para sus hijos lo mismo que para el bebé:
- Muchos hospitales permiten ahora que los hermanitos se unan con sus padres en la sala del parto. Esto puede promover el sentido de que están participando en el proceso del nacimiento.
- Vuelva a conectarse con sus hijos mayores y proporcione a cada uno de ellos atención especial antes de presentarles al nuevo bebé.
- Haga que sus hijos y el bebé intercambien regalos mutuos.
- Haga una pequeña fiesta familiar de nacimiento para el bebé con una mantecada y una vela con el cero.

En casa

Cuando llegue a casa, deje que la contestadora tome sus llamadas telefónicas y pase tiempo sólo con su familia inmediata. Además, puede:
- Usar los avisos de nacimiento que hicieron sus hijos. Enfatice el aspecto de ser hermano o hermana mayor de un nuevo miembro de la familia.
- Dé a sus hijos responsabilidades apropiadas de su edad si así lo desean. No obstante, no los fuerce a ayudar. Los ejemplos incluyen traer pañales limpios a la hora de cambiarlos o hablar o cantar para el bebé, en especial cuando éste se encuentre inquieto.
- Reserve ciertos espacios para sus hijos, que sean exclusivos para ellos, como un área de juguetes de la recámara, y respete ese espacio.
- Trate de pasar tiempo a solas con cada uno de sus otros hijos en forma regular. No tiene que ser todos los días, pero haga que sea una prioridad cuando lo programe. Pruebe leer, tomar un paseo o colorear una imagen con sus hijos mayores.
- Si su hijo expresa conducta regresiva, no lo critique. En lugar de esto, alabe cualquier conducta positiva y no mencione lo negativo. Trate de seguir su rutina normal, incluyendo la escuela o los cuidados de sus hijos, si es posible. Incluya a su hijo en las actividades familiares y pase tiempo a solas con él. Esto le asegurará que, aunque algunas cosas han cambiado, su amor es el mismo, y que sus necesidades todavía son importantes.

- Es posible que los horarios en su hogar varíen mucho. Puede ser estresante coordinarlos todos.
- Algunos padres comparan tener dos hijos demasiado espaciados con tener dos hijos únicos. Debido a la diferencia de edades, es posible que sus hijos no compartan los mismos intereses. Es posible que no tengan tanto afecto entre ellos como los niños que son más cercanos en edad.
- Los grandes espacios entre embarazos pueden incrementar el riesgo de ciertas complicaciones para usted y para su bebé. Algunos estudios sugieren que las mujeres que conciben cinco años o más después del nacimiento de un bebé previo tienen mayor riesgo de desarrollar hipertensión durante el embarazo (preeclampsia), lo cual puede conducir a una condición peligrosa para su vida caracterizada por convulsiones (eclampsia). Los recién nacidos que llegan después de un periodo prolongado entre embarazos pueden presentar mayor riesgo de nacimiento prematuro o bajo peso al nacer. Los investigadores especulan que las mujeres que esperan cinco años o más para tener otro bebé pueden perder parte de los efectos protectores generados por el primer embarazo.

PARTE 3
guía de referencia del embarazo

El embarazo puede traer consigo una serie de preocupaciones, todo desde el acné hasta las náuseas matutinas, la fatiga o las agruras. La Guía de referencia del embarazo ofrece consejos de autocuidado y las situaciones en que debe buscar atención médica para muchos aspectos de la gestación.

REFERENCIA

guía de referencia del embarazo

Abdomen, presión en la parte inferior del

■ *Primer, segundo y tercer trimestres*

Cuando no va acompañada de otros síntomas, lo más probable es que la sensación de presión en la parte baja del abdomen no sea nada de qué preocuparse. En el primer trimestre, esta sensación es común. Lo más posible es que esté sintiendo cómo comienza a crecer su útero. Quizá también sienta un incremento en el flujo sanguíneo. En el segundo o tercer trimestres, es probable que la presión tenga que ver con el peso del útero en crecimiento. En todos estos casos, la vejiga y el recto se comprimen bajo el útero en crecimiento, lo cual provoca sensación de presión.

■ *Cuándo buscar ayuda médica para la presión en la parte inferior del abdomen*

Si la presión va acompañada de dolor, cólicos o sangrado al inicio de su embarazo, es posible que se trate de signos de aborto o de embarazo ectópico. El embarazo ectópico se da cuando el embrión se implanta fuera del útero, casi siempre en una trompa de Falopio. Más adelante en su embarazo, la presión en la parte baja del abdomen podría indicar parto prematuro (antes de la 37ª semana).

Llame a su proveedor de cuidados de salud si la presión abdominal dura de cuatro a seis horas o más, o va acompañada por cualquiera de los siguientes signos:

- Dolor
- Sangrado vaginal
- Un dolor de espalda bajo y sordo que dura cuatro horas o más
- Cólicos
- Contracciones regulares o tensión uterina
- Descarga vaginal acuosa
- Ruptura de membranas (su "fuente se rompe")

Acné

■ *Primer, segundo y tercer trimestres*

Dado que las hormonas del embarazo incrementan la secreción de aceites de las glándulas de la piel, es posible que desarrolle acné al inicio del embarazo.

Estos cambios en la piel son temporales y es muy probable que desaparezcan después del parto.

Prevención y autocuidado para el acné

Casi todo tipo de acné puede prevenirse y controlarse con un buen cuidado básico de la piel. Pruebe con las siguientes técnicas:

* Lave su piel en la forma normal en que lo haría. Evite los exfoliantes faciales, astringentes y mascarillas porque tienden a irritar la piel y pueden empeorar el acné. El lavado y frotado excesivos también pueden irritar la piel.
* Evite los irritantes como los cosméticos grasosos, los productos para peinar el cabello o los que ocultan el acné. Use productos cuya etiqueta indique que tiene base de agua o que son no comedogénicos, los cuales tienen menores probabilidades de tapar los poros. Si el sol empeora su acné, protéjase de la luz solar directa.
* Cuide lo que toca su cara. Mantenga su cabello limpio y lejos de su cara. Evite apoyar sus manos o cualquier objeto sobre su cutis. La ropa apretada o los sombreros también implican un problema, en especial si suda. El sudor, el polvo y las grasas pueden contribuir al acné.

Cuidado médico del acné

No tome ningún medicamento para el acné sin consultar a su proveedor de cuidados de la salud. Algunos fármacos para tratar el acné pueden dañar al feto. Éstos incluyen:

* *Isotretinoína.* Se sabe que este medicamento para el acné, cuando se toma en forma oral, causa defectos de nacimiento como hidrocefalia, anormalidades cardiacas y defectos del oído. Las mujeres que toman isotretinoína deben esperar por lo menos tres meses después de tomar el medicamento para quedar embarazadas.
* *Terapia hormonal.* Las hormonas, incluyendo el estrógeno y los antiandrógenos espironolactona y flutamida, se usan a veces para tratar el acné. No deben tomarse durante el embarazo.
* *Tetraciclinas.* Estos antibióticos se usan con frecuencia para tratar el acné. Pueden causar retraso en el crecimiento óseo y manchas en los dientes del feto lo mismo que grave enfermedad hepática en las madres embarazadas. No deben usarse durante el embarazo.

    Si le preocupan los brotes repentinos de acné, hable con su proveedor de cuidados de salud.

Adormecimiento en manos

Véase **Síndrome del túnel del carpo.**

Agruras

Tercer trimestre

Más de la mitad de las mujeres embarazadas sufre agruras —y para muchas, es la primera experiencia con ellas. Las agruras, también llamadas enfermedad por reflujo gastroesofágico (ERGE) o cardialgia, en realidad no tienen nada que ver con el corazón. Se producen por el flujo invertido del contenido estomacal que pasa al esófago, el tubo que lleva la comida desde su boca a su estómago. Cuando esto sucede, los ácidos del estómago irritan el recubrimiento del esófago. La sensación de ardor resultante se da cerca del nivel del corazón y es lo que da al padecimiento su nombre equívoco.

Las agruras son más comunes durante el embarazo debido a una serie de razones. Las hormonas del embarazo hacen que su sistema digestivo se haga más lento. Los movimiento de tipo onda del esófago que empujan los alimentos hacia el estómago se vuelven más lentos. Su estómago también tarda más en vaciarse. Estos cambios dan a los nutrientes más tiempo para ser absorbidos en su torrente sanguíneo y que entonces alcancen al feto, pero también pueden causar indigestión y agruras. El músculo que se encuentra entre el estómago y el esófago también se relaja, lo cual puede permitir a los ácidos del estómago que se muevan hacia arriba.

Además, durante los últimos meses del embarazo, su útero en crecimiento empuja de manera continua su estómago, moviéndolo cada vez más hacia arriba y comprimiéndolo. La presión puede forzar a los ácidos estomacales hacia arriba, lo que causa agruras.

El síntoma típico de las agruras es una molestia tipo ardorosa que se percibe detrás del esternón o en el pecho. Se puede sentir como indigestión, un estómago agrio, dolor en la parte superior del abdomen o sensación de saciedad en el pecho cuando se recuesta, agacha o ejercita. Algunas personas describen un regusto de ácido en su garganta o boca, en especial cuando están acostadas o durmiendo. Puede eructar, sentirse hinchada o tener más saliva de lo normal. En ocasiones, la ERGE también le dará la sensación de un nudo en la garganta.

Prevención y autocuidado para las agruras

Las agruras son desagradables, pero puede tomar medidas para prevenirlas o tratarlas:

- Haga comidas más frecuentes pero más pequeñas. Por ejemplo, tome cinco o seis comidas pequeñas al día en lugar de tres más grandes.
- Algunos alimentos tienen más probabilidades de causar irritación que otras. Determine cuáles alimentos le dan agruras, y evítelos. Aléjese de las comidas grasosas, aceitosas o fritas, café y té, chocolate, menta, alcohol, bebidas carbonatadas, alimentos muy dulces, o comidas muy ácidas como frutas y jugos de cítricos, jitomates y pimientos rojos y los alimentos muy condimentados.
- Beba muchos líquidos, en especial agua.
- No fume. El cigarrillo incrementa la acidez estomacal —y, desde luego, es malo para su bebé.
- Siéntese en buena postura cuando coma. Agacharse puede poner presión extra en su estómago.
- Espere una hora o más después de comer antes de acostarse.
- Evite comer por dos o tres horas antes de ir a la cama. Un estómago vacío produce menos ácido.

- Evite los movimientos y posiciones que parezcan agravar el problema. Cuando recoja las cosas, doble las rodillas, no la cintura.
- Evite acostarse boca arriba. Cuando descanse o duerma, apóyese en almohadas para elevar su cabeza u hombros, o levante la cabecera de su cama de 10 a 15 centímetros.

Cuidado médico para las agruras

Si las agruras son un problema significativo, es posible que su proveedor de cuidados de salud le prescriba un antiácido para reducir el ácido estomacal. Sin embargo, no tome ningún medicamento antiácido ni un bloqueador de ácido sin consultar a su proveedor de cuidados de salud. Es frecuente que los antiácidos tengan un alto contenido de sal e incrementen la acumulación de líquido en los tejidos corporales durante el embarazo.

Evite los medicamentos para acidez que contienen aspirina, como el Alka-Seltzer. Informe a su proveedor de cuidados de salud sobre cualquier historia de úlcera, trastornos gastrointestinales o hernia hiatal. En raras ocasiones, el problema es lo bastante grave como para requerir un procedimiento llamado endoscopia para revisar el interior de su esófago. Cuando la ERGE es grave, puede ser tratada de manera adecuada durante la gestación.

Aire, falta de

Segundo y tercer trimestres

¿Tiene problemas para conservar el aliento? Muchas mujeres embarazadas presentan una ligera falta de aire desde el inicio del segundo trimestre. Esto se debe a que su útero en expansión empuja su diafragma —el músculo amplio y plano que se encuentra debajo de sus pulmones. Durante el embarazo el diafragma se desplaza cerca de 3.75 centímetros de su posición acostumbrada. Esto puede parecer una cantidad pequeña, pero es suficiente para presionar los pulmones y alterar su capacidad pulmonar —la cantidad de aire que pueden contener.

Al mismo tiempo, su sistema respiratorio hace algunas adaptaciones para permitir que su sangre transporte grandes cantidades de oxígeno a la placenta y elimine más dióxido de carbono de lo normal. Estimulado por la hormona progesterona, el centro respiratorio en el cerebro hace que respire con más profundidad y frecuencia. Sus pulmones inhalarán y exhalarán de 30 a 40 por ciento más aire con cada respiración que antes. Es posible que estos cambios le den la sensación de que respira con trabajo o que le falta aire.

Entre más crezca su útero, más difícil le será respirar con profundidad porque su diafragma está empujado por el bebé. Unas semanas antes del parto, la cabeza del bebé puede bajar en el útero (encajarse), lo que retira la presión del diafragma. Cuando el bebé se encaje, le será mucho más fácil respirar, pero esto puede no suceder hasta el inicio del trabajo de parto, en especial si ya tuvo un bebé antes.

A pesar del malestar de sentir que le falta aire, no tiene que preocuparse de que su bebé no obtenga suficiente oxígeno. Gracias a la expansión en sus sistemas respiratorio y circulatorio, el nivel de oxígeno en su sangre se incrementa durante el embarazo, lo que asegura que su bebé en crecimiento obtenga lo suficiente.

Prevención y autocuidado para la falta de aire
Si le falta aire, pruebe estos consejos:
- Practique una buena postura. Esto le ayudará a respirar mejor, tanto durante el embarazo como después de él. Siéntese y póngase de pie con la espalda derecha y los hombros hacia atrás, relajados y abajo.
- Haga ejercicio aeróbico. Esto mejorará su respiración y reducirá la velocidad de su pulso, pero cuide de no agotarse. Hable con su proveedor de cuidados de salud acerca de un programa seguro de ejercicio para el final del embarazo.
- Duerma sobre su costado para ayudar a reducir la presión sobre su diafragma. Rodéese de cojines que le den apoyo a su abdomen y espalda o use una almohada de cuerpo completo.

Cuándo buscar ayuda médica por la falta de aire
Aunque una falta de aire leve es común en el embarazo, la falta grave de aire o los problemas respiratorios pueden indicar una afección más seria, como un coágulo sanguíneo en un pulmón.

Llame a su proveedor de cuidados de salud de inmediato o acuda a urgencias si tiene:
- Falta grave de aire junto con dolor en el pecho
- Molestias cuando respira profundo
- Pulso o respiración rápidos
- Sus labios o las puntas de sus dedos parecen estar poniéndose azules

Alcohol, uso del
Primer, segundo y tercer trimestres
No beba alcohol durante su embarazo. No se ha probado que exista un nivel seguro de alcohol durante la gestación. Beber alcohol durante este proceso puede causar síndrome alcohólico fetal, que causa, como resultado, defectos físicos y mentales.

Si toma una copa o dos antes de darse cuenta de que está embarazada, no sienta pánico. Es poco probable que tomar una pequeña cantidad de alcohol al inicio del embarazo le haga daño. No obstante, deje de tomar alcohol tan pronto como sospeche que está embarazada —mejor aún, deje de beber antes de intentar embarazarse.

Cuándo buscar ayuda médica por el uso del alcohol
Si le cuesta trabajo dejar de beber, busque ayuda. Hable con su proveedor de cuidados de salud acerca de sus opciones.

Alergias

■ *Primer, segundo y tercer trimestres*

Muchas mujeres tienen alergias, ya sea estacionales o anuales, antes de embarazarse. Otras desarrollan congestión nasal durante la gestación, incluso si no habían tenido el problema antes.

Durante el embarazo, los niveles elevados de estrógeno parecen incrementar la producción de moco y la inflamación de la nariz, lo que causa congestión. Además de la descarga y la congestión nasales, es posible que presente estornudos, comezón nasal y lagrimeo ocular.

Muchos de los remedios acostumbrados para estos signos y síntomas deben evitarse durante el embarazo.

- *Antihistamínicos.* Tenga cuidado cuando considere el uso de antihistamínicos, los cuales se usan en forma común para aliviar los signos y síntomas de catarro y alergias como comezón, estornudos y descarga nasal. Hable con su proveedor de cuidados de salud para ver si los antihistamínicos le ayudarían y para que le dé indicaciones sobre qué producto usar.
- *Descongestivos.* Hay una razón para preocuparse con el uso, en mujeres embarazadas, de descongestivos que viene en forma nasal u oral y que funcionan constriñendo los vasos sanguíneos para aliviar la congestión nasal. Los descongestivos se venden bajo muchas marcas. El uso de descongestivos sólo los puede autorizar su proveedor de cuidados de salud.
- *Combinación de antihistamínicos y descongestivos.* Existen en el comercio muchas presentaciones de estos productos, ya sea de prescripción o de venta libre. Evite todos los medicamentos de este tipo mientras esté embarazada porque los fármacos combinados pueden tener efectos combinados en el feto.

Los medicamentos de preferencia para los problemas en el embarazo incluyen:

- *Sprays nasales.* Los sprays nasales de esteroides reducen la inflamación y la producción de moco y pueden mejorar el sueño por la noche y el estado de alerta diurno. Los sprays nasales incluyen beclometasona, budesonida, flunisolida, fluticasona, furoato de mometasona y triamcinolona. Se cree que los sprays nasales esteroideos son seguros durante el embarazo, pero discuta con cuidado sus opciones con su proveedor de cuidados de salud antes de usarlos.
- *Cromolín.* El cromolín también es un spray nasal que reduce la inflamación, pero no es esteroideo. No es tan eficaz como los sprays esteroideos, pero es efectivo para tratar alergias leves. Con frecuencia es una buena opción de tratamiento para mujeres embarazadas con alergias leves.
- *Inyecciones para la alergia.* Estas inyecciones (inmunoterapia) son seguras para las mujeres embarazadas que ya las están recibiendo. Si no le han estado aplicando inyecciones, no las inicie durante el embarazo, a menos que haya discutido esta opción con su proveedor de cuidados de salud.

Prevención y autocuidado para las alergias

Como primer paso, trate de determinar a qué es alérgica. Intente evitar exponerse a lo que es alérgica. Los irritantes comunes o alergenos incluyen polen, ácaros, caspa de animales y cabello, mohos, hongos y cucarachas. Tenga en mente que fumar o estar en una habitación llena de humo puede empeorar sus alergias. Los filtros y los acondicionadores de aire pueden ayudar a controlar las alergias al polen.

A continuación les damos otros consejos que le ayudarán a controlar los signos y síntomas de la alergia:

- Use un lavado nasal para destapar una nariz congestionada. Disuelva 1/4 de cucharadita de sal en una taza de agua caliente. Reclínese sobre el lavabo con la cabeza de lado y hacia abajo. Ponga un poco de la solución salina en la palma de su mano e inhale a través de la ventana de la nariz mientras cierra la otra con su dedo. La solución se moverá a través de sus vías nasales y hacia su boca. Escupa el resto de la solución y suene su nariz con suavidad. Incline su cabeza para el otro lado y repita con la otra ventana. También puede administrar el lavado con una jeringa grande de goma, que puede adquirir en las farmacias. Puede realizar los lavados nasales varias veces al día. Prepare solución fresca cada vez que los realice.
- Puede descongestionar una nariz tapada inhalando el vapor de una regadera caliente, una olla de agua hirviendo ya retirada de la estufa, un humidificador de brisa fresca, o un vaporizador. Pero asegúrese de mantener limpios los humidificadores y vaporizadores porque bacterias y mohos pueden crecer en ellos.
- Coloque toallas calientes y húmedas sobre su cara para despejar su nariz y pecho.
- Utilice sus dedos para dar masaje a sus senos paranasales —frote sobre el borde óseo arriba y debajo de sus cejas, debajo de sus ojos y hacia abajo a los lados de su nariz.

Cuándo buscar atención médica por las alergias

Si sus signos y síntomas son graves o no mejoran con las técnicas de autocuidado, hable con su proveedor de cuidados de salud. Éste le podrá sugerir un medicamento adecuado. No tome ningún fármaco para la alergia sin consultar con su proveedor de cuidados para la salud. Los estudios no han encontrado ningún beneficio derivado de la mayoría de las terapias alternativas, incluyendo las vitaminas en altas dosis, los remedios homeopáticos y la mayoría de los remedios herbales. Y no son mucho más seguros que los fármacos.

Aligeramiento

Tercer trimestre

A medida que se acerca su fecha de término, es posible que sienta que el bebé se ha colocado más en el fondo de su pelvis (encajado). El término común para el descenso de la cabeza del bebé en la pelvis es *aligeramiento*. Quizá sin duda se sienta más ligera, ya que la posición alivia parte de la presión que se ejercía sobre su diafragma y estómago. Puede respirar de nuevo y la digestión se facilita. Al mismo tiempo, es probable que sienta la necesidad de orinar con más frecuencia debido al incremento de la presión que ahora existe sobre su vejiga.

Si éste es su primer bebé, el aligeramiento puede ocurrir semanas antes de que se inicie el trabajo de parto. En las mujeres que han tenido hijos, por lo general no ocurre hasta que se inicia el trabajo de parto.

Cuando ocurre el aligeramiento, es posible que su abdomen se desplace hacia abajo y adelante, o cuelgue más abajo. El cambio puede ser lo bastante notorio para que sus amigos comenten sobre él, o puede suceder que ni siquiera se dé cuenta. Algunas mujeres sienten molestias y dolores en su área pélvica e ingles. Quizá sienta punzadas agudas en la vagina o el área perineal, ya que la cabeza del bebé presiona sobre la base de la pelvis.

Cuándo buscar ayuda médica por el aligeramiento

El aligeramiento por lo general es un signo de que la cabeza del bebé está encajada —que se ha movido por debajo de la parte superior de la pelvis en preparación para el nacimiento. Es posible que su proveedor de cuidados de salud la examine durante las últimas semanas del embarazo para verificar que el bebé se haya encajado. No es necesario hacer nada en respuesta a este suceso excepto prepararse para el nacimiento de su bebé.

Si su bebé está encajado y presenta otros signos de trabajo de parto, como contracciones regulares, llame a su proveedor de cuidados de salud. (Véase también **Contracciones**.)

Anticonceptivos, seguridad de los, después de concebir

Primer trimestre

Rara vez sucede, pero las píldoras anticonceptivas pueden fallar. Si queda embarazada mientras está tomando anticonceptivos, suspéndalos de inmediato. Las hormonas que tienen las píldoras deben evitarse durante el embarazo. El riesgo es bajo, pero tienen potencial para dañar.

Si planea concebir, la mayoría de los proveedores de cuidados de salud recomiendan que suspenda la píldora de dos a tres meses antes de hacerlo. Para el control natal en este tiempo, es posible que desee usar condones o diafragma. No obstante, concebir durante el primer mes después de dejar de tomar la píldora no implica un riesgo serio para el desarrollo fetal.

Antojos

Primer trimestre

Quizá no haya tenido el antojo clásico de pepinillos con helado, pero es muy probable que haya tenido un fuerte deseo por ciertos tipos de alimentos durante el embarazo. La mayoría de las madres en espera tiene antojos, los cuales muy posiblemente son producto de las hormonas del embarazo.

Quizá se pregunte si un antojo es una señal de su cuerpo de que necesita los nutrientes que se encuentran en esos alimentos. Pero tales señales del organismo son poco confiables. Un antojo por helado no significa que su cuerpo necesita la grasa saturada. Incluso si no tiene antojo de frutas cítricas, no significa que no necesita la vitamina C.

La mayoría de los antojos desaparece o se debilita para el cuarto mes de la gestación. Los antojos que duran más pueden ser signo de una deficiencia de hierro y de la anemia resultante.

Prevención y autocuidado para los antojos

Mientras lleve una dieta sana y obtenga los nutrientes que necesita, no tiene que preocuparse de los cambios en sus gustos por la comida. Está bien darse permiso de vez en vez. No obstante, trate de no emplear sus antojos como una excusa para comer en exceso. Puede responder a dichos antojos sin comprometer sus necesidades nutricionales ni las de su bebé.

Intente satisfacer sus ganas de un alimento sin llenarse de calorías vacías. Por ejemplo, si se le antoja el chocolate, elija yogur helado de chocolate en lugar de helado o una barra helada de chocolate, o si tiene antojo de dulces, intente una barra de granola en lugar de dulces. Si se le antoja una alimento que sabe no es la mejor opción, intente desviar su atención tomando un paseo, leyendo un buen libro o con un juego de computadora. Por lo general, una actividad relacionada con el ejercicio es lo que tiene más éxito.

Cuándo buscar ayuda médica por los antojos

En raras ocasiones, algunas mujeres embarazadas tienen antojos por sustancias raras, no comestibles y quizá dañinas. Éstas pueden incluir cosas como arcilla, almidón de lavandería, tierra, bicarbonato de sodio, trozos de hielo, escarcha del congelador, cenizas o sal de grano. Tales antojos poco comunes son resultado de un trastorno que se conoce como "pica", el cual puede ser peligroso y producto de una deficiencia de hierro. Si presenta un antojo de comer algo que no sea alimento, informe a su proveedor de cuidados de salud.

Aturdimiento

Véase **Debilidad y mareo.**

Aversión a los alimentos

Primer trimestre

Al inicio del embarazo, puede suceder que le repugnen ciertos alimentos, como las frituras o el café. Incluso el olor de estas comidas pueden enviar una onda de náusea a través de su estómago. Quizá tenga un ligero gusto metálico en la boca que contribuya al problema. La mayoría de las aversiones a la comida desaparece o se debilita alrededor del cuarto mes de embarazo.

Las aversiones a la comida, lo mismo que muchas otras quejas del embarazo, pueden atribuirse a los cambios hormonales. La mayoría de las mujeres embarazadas encuentra que sus gustos en comida cambian en cierta forma, en especial en el primer trimestre, cuando las hormonas tienen el impacto más fuerte. Las aversiones a la comida pueden ir acompañadas de un aumento en el sentido del olfato y, a veces, incremento en la salivación, lo que hará su repugnancia todavía más aguda.

Prevención y autocuidado para las aversiones a los alimentos
Mientras siga ingiriendo una dieta sana y obtenga todos los nutrientes que necesita, los cambios de apetito no serán una causa de preocupación. Si su aversión es al café, té o alcohol, esto trabaja a su favor porque le será más fácil renunciar a estos alimentos. Pero si su aversión es a los alimentos sanos como frutas y verduras, tendrá que encontrar otras fuentes de los nutrientes que proporcionan.

Bronceado
Primer, segundo y tercer trimestres
Si es adoradora del sol, se preguntará si está bien seguirse bronceando mientras está embarazada. El bronceado no es aceptable en cualquier momento.

Muchos dermatólogos y oficiales de salud pública advierten que no existe el bronceado seguro ni sano. La radiación ultravioleta (UV) del sol, las camas de bronceado o las lámparas solares pueden causar cáncer en piel. También pueden tener un efecto dañino sobre los tejidos conjuntivos y llevar al envejecimiento prematuro de la piel, lo que le dará una apariencia arrugada como de cuero. La mayoría de los cánceres en piel están relacionados en forma clara con la exposición a UV, incluyendo algunos que ocasionan la muerte prematura de miles de personas cada año.

La máscara del embarazo —el oscurecimiento de la piel de la cara— empeora con la exposición al sol y las camas de bronceado (véase también **Máscara del embarazo**).

Ningún estudio controlado ha examinado los efectos directos del bronceado, las camas de bronceado o las lociones de autobronceado sobre las mujeres embarazadas. Aunque no se sobrecalentará en una cama de bronceado, todavía tendrá otros riesgos relacionados con la radiación ultravioleta. En cuanto a las cremas y lociones de autobronceado, la sustancia que produce el bronceado, dihidroxiacetona (DHA), no se ha estudiado en mujeres embarazadas. No hay evidencia que indique que los autobronceadores sean dañinos, pero tampoco hay prueba de que sean seguros.

La exposición a la luz solar proporciona algunos beneficios importantes, como el incremento en la producción de la vitamina D y una sensación de bienestar. La luz solar también puede afectar la salud mental. Hay buena evidencia de que la luz solar mejora el estado de ánimo de muchas personas sanas y de aquellos que sufren alguna enfermedad. Recuerde, sin embargo, que sólo se requiere una pequeña cantidad de luz solar para que el cuerpo fabrique vitamina D —una exposición mucho menor que la requerida para un bronceado.

Consejos para evitar el daño solar

- Cuando se encuentre a la intemperie, use siempre un filtro solar con factor de protección (FPS) de 15 o más, y vuelva a aplicarlo con frecuencia cuando permanezca en el exterior por periodos prolongados o cuando nade. Recuerde que algunos de los rayos UV del sol también llegan a su piel los días nublados o cerrados.
- Planee sus actividades a la intemperie para evitar los rayos más fuertes del sol al mediodía. Como regla general, tenga particular cuidado entre las 10 a.m. y las 4 p.m.
- Reduzca su exposición al sol empleando un sombrero de ala ancha que sombree su cara, y camisas de manga larga y pantalones.
- Use anteojos para el sol que le proporcionen 100 por ciento de protección contra los rayos UV.
- Busque la sombra, como los cafés exteriores con sombrillas o los porches cubiertos.
- Beba suficiente agua, y asegúrese de no sobrecalentarse.
- Si está decidida a usar loción de autobronceado, consulte primero a su proveedor de cuidados de salud, y recuerde que los autobronceadores no proporcionan protección contra los rayos UV.

Cabello, coloración del
Véase **Tinción del cabello**

Cafeína

Primer, segundo y tercer trimestres

Lo mejor es evitar la cafeína siempre que sea posible durante el embarazo. Por lo menos, no exagere en su uso. Los resultados de los estudios sobre el tema han sido diversos, pero en general, éstos indican que el consumo moderado de cafeína —200 miligramos (mg) o menos por día, lo cual es la cantidad que se encuentra en una o dos tazas de café— puede causar una reducción en el peso al nacer y en la circunferencia de la cabeza de su bebé. El café, el té y las bebidas carbonatadas contienen cafeína. Para reducir su consumo de esta sustancia, considere cambiar a las versiones descafeínadas de las bebidas que le gustan.

Caídas

Primer, segundo y tercer trimestres

Rodó por ahí y está aterrada de haber lastimado a su bebé. Es fácil sentir pánico si se cae durante el embarazo, pero su cuerpo está diseñado para proteger a su bebé en desarrollo. Una lesión tendría que ser lo bastante grave como para dañarla a usted seriamente antes de que pudiera lesionar en forma directa a su bebé.

Las paredes de su útero son músculos gruesos y fuertes que mantienen a salvo a su bebé. El líquido amniótico también sirve como cojín, y durante las primeras semanas del embarazo, el útero está acomodado detrás del hueso pélvico, así que hay aún más protección. Si cae, puede consolarse al saber que lo más probable es que su bebé no se lastime.

Al final del embarazo, un golpe directo al abdomen puede dar lugar a la abrupción de la placenta, en la cual esta última se separa de la pared del útero. Esta complicación es muy poco probable a menos que usted se haya lesionado. Pero si se rompe un hueso, la posibilidad de esta complicación significa que debe ser evaluada.

Prevención y autocuidado para las caídas

Cuando está embarazada, su sentido de equilibrio se altera a medida que su útero crece. Con esto en mente, tome algunas precauciones adicionales para evitar tropezar o caer:

- Utilice zapatos estables y bajos con suelas que le proporcionen buena tracción. Guarde sus tacones altos y zapatillas durante todo el embarazo.
- Evite situaciones que requieran equilibrio cuidadoso, como subir una escalera de mano o pararse en un banco.
- Tome un poco de tiempo adicional cuando suba escaleras, durante tareas que requieren varios cambios de posición en situaciones que implican un riesgo de caída, como caminar sobre una banqueta con hielo o una superficie mojada.

Cuándo buscar ayuda médica por las caídas

Si le preocupa el bienestar de su bebé después de una caída, consulte a su proveedor de cuidados de salud para que la tranquilice. La mayoría de los médicos desea enterarse de cualquier problema que tenga después de la 24ª semana de embarazo debido a que debe considerarse la posibilidad de que se presente abrupción placentaria.

Busque atención médica inmediata si:

- Su caída le produce dolor, sangrado o un golpe directo al abdomen
- Presenta sangrado vaginal o fuga de líquido amniótico
- Siente dolor grave o sensibilidad en abdomen, útero o pelvis
- Tiene contracciones uterinas —tensión abdominal que puede ser o no dolorosa
- Nota reducción en los movimientos fetales

En la mayoría de los casos, su bebé estará bien. Pero es posible que su proveedor de cuidados de salud quiera vigilar el ritmo cardiaco fetal o hacer pruebas de sangre para asegurarse de que la placenta no se dañó.

Calambres en piernas

Segundo y tercer trimestres

Los calambres en las pantorrillas son muy comunes el segundo y tercer trimestres. Lo más frecuente es que ocurran por la noche y pueden trastornar su sueño. Aunque se desconoce la causa exacta de los calambres en piernas, es posible que el regreso lento de la sangre, la fatiga o la presión del útero sobre los nervios de sus piernas causen el problema.

■ *Prevención y autocuidado para los calambres en piernas*
Los siguientes son algunos consejos para aliviar la molestia de los calambres en piernas o la sensibilidad en pantorrillas:

- Estire el músculo afectado. Intente estirar su rodilla y flexionar con suavidad su pie hacia arriba.
- Camine. Al principio puede parecerle incómodo, pero ayuda a aliviar el calambre.
- Haga ejercicios para estirar los músculos de las pantorrillas, en particular antes de acostarse.
- Use medias de soporte, en especial si está mucho tiempo de pie durante el día.
- Tome descansos frecuentes si está sentada o de pie por periodos prolongados.
- Aplique calor local.
- Dé masaje a sus pantorrillas
- Intente descansar con sus piernas en alto sobre almohadas o sobre los brazos del sofá.
- Use zapatos de tacón bajo.

■ *Cuándo buscar ayuda médica para los calambres en piernas*
Si los calambres en piernas persisten, hable con su proveedor de cuidados de salud. Podrían ser producto de un problema circulatorio. Llámelo si nota enrojecimiento, inflamación o un incremento en el dolor o si tiene un historial de enfermedad por coágulos sanguíneos o tromboflebitis, que consiste en un coágulo sanguíneo e inflamación en una vena.

Calor, sensación de
■ *Segundo y tercer trimestres*
¿Sobrecalentamiento? No sólo es porque esté engordando o porque el clima es caliente. Durante el embarazo, su metabolismo —la velocidad a la cual su cuerpo gasta energía en reposo— se acelera. Y es probable que sude más como resultado de la necesidad de disipar todo ese calor que su bebé genera. Esto puede hacer que se sienta muy caliente, incluso en invierno.

Prevención y autocuidado para la sensación de calor

Es importante evitar el sobrecalentamiento mientras esté embarazada. Siga estos consejos para mantenerse fresca:

- Beba mucha agua y otros líquidos. Lleve consigo una botella de agua.
- Use ropa de telas ligeras y que respiren, como algodón.
- Evite ejercitarse en el exterior durante el periodo más caliente del día. Dé un paseo antes del desayuno o después de la cena, o acuda a un gimnasio.
- Manténgase alejada del sol lo más posible.
- Vaya a nadar, o tome un baño tibio de tina o regadera.
- Cuando la temperatura sea mayor de 32°C (90°F), permanezca en medios con aire acondicionado lo más posible.

Cambios de humor

Primero, segundo y tercer trimestres

Un minuto está aturdida de felicidad. Unos minutos después, siente ganas de llorar. En especial en el primer trimestre y hacia el final del tercero, los cambios de humor son comunes. Sus emociones pueden pasar del regocijo y el gozo al agotamiento, la irritación el llanto o la depresión. Si es típico que presente el síndrome premenstrual, es posible que tenga cambios de humor más extremos cuando esté embarazada.

¿Qué causa estos cambios? Algunos pueden estar relacionados con las molestias del embarazo como náusea, micción frecuente, inflamación y dolor de espalda, las cuales interfieren con el sueño. La fatiga, el cambio en los patrones del sueño y las nuevas sensaciones corporales pueden influir en cómo se siente. También es posible que se esté ajustando a una nueva imagen corporal, en especial durante su primer embarazo. Su fatiga y molestias son suficiente razón para sentir estrés emocional y, a su vez, sentirse desanimada puede afectar cómo se siente en el aspecto físico.

Los cambios de humor también pueden ser producto de la liberación de hormonas y de la modificación de su metabolismo. Así como las fluctuaciones en la progesterona, el estrógeno y otras hormonas están relacionadas con el desánimo que muchas mujeres sienten antes de la menstruación o después de dar a luz, estos cambios hormonales pueden jugar un papel en los cambios de humor del embarazo.

Además, el embarazo trae una serie de nuevas tensiones a su vida. Ajustarse a los cambios en el estilo de vida y prepararse para nuevas responsabilidades puede dejarla animada un día y desanimada al otro. Las responsabilidades financieras adicionales son otra fuente común de estrés, lo mismo que las preocupaciones acerca de la salud del bebé y de su capacidad de ser una buena madre.

El embarazo tiene un impacto importante en su cuerpo, sus relaciones y muchos otros aspectos de su vida. Es un momento en que necesita apoyo adicional de su pareja, familia, patrón y comunidad. Por desgracia, ese apoyo no siempre está ahí.

Los cambios de humor son normales durante el embarazo y por lo general no hay de que preocuparse, pero pueden hacer que sea más difícil enfrentar el estrés. Cuando el estrés se acumula hasta niveles incómodos, puede causar fatiga, insomnio, ansiedad, poco o demasiado apetito, dolores de cabeza y de espalda. El estrés prolongado puede contribuir a problemas de salud potencialmente serios.

Si está enfrentando bien el estrés —siente fluir la energía en lugar de que se agote, y funciona bien— el estrés adicional no será un riesgo para su salud ni para la de su bebé.

Prevención y autocuidado para los cambios de humor

El simple hecho de conocer más sobre por qué siente esos cambios de humor —y saber que son temporales— puede ayudarle a enfrentar las tormentas, lo mismo que los siguientes hábitos sanos, y practicar estos hábitos incluso puede ayudarle a evitar del todo los cambios de humor.

- Manténgase sana y en buenas condiciones comiendo una dieta nutritiva, durmiendo bastante, evitando el alcohol, el tabaco y las drogas, y ejercitándose con regularidad. El ejercicio es una forma natural de reducir el estrés y puede ayudarle a prevenir el dolor de espalda, la fatiga y el estreñimiento.
- Amplíe su red de apoyo. Ésta puede incluir a su pareja, familia, sus amigos y un grupo de apoyo. Una buena red de apoyo puede proporcionar apoyo emocional y ayudar con las tareas en la casa.
- Asegúrese de tomar tiempo para relajarse todos los días. Pruebe técnicas de relajación como meditación, imaginación guiada y relajación muscular progresiva. Este tipo de ejercicios de relajación con frecuencia se imparten en las clases para el parto.
- Acepte que es posible que no sea capaz de lograr todo lo que hacía antes de quedar embarazada. Elimine las actividades innecesarias que contribuyan a su estrés o a sus molestias.

Cuándo buscar ayuda médica para los cambios de humor

Los estados de ánimo que interfieren con su capacidad para funcionar pueden ser algo más que un caso pasajero de fatiga, estrés o desánimo. Los cambios de humor exagerados que duran más de dos semanas pueden ser signo de depresión. La depresión leve es bastante común en las mujeres embarazadas. Si se siente constantemente triste, con ganas de llorar o insignificante y nota que su apetito y su sueño se ven afectados, su trabajo alterado o disfruta menos las cosas que antes le gustaban, es posible que tenga una depresión.

Si sus cambios de humor parecen ser más de lo que puede manejar por sí sola o si presenta signos y síntomas de depresión, hable con su proveedor de cuidados de salud acerca de ellos. La depresión es una enfermedad seria sobre la cual no tiene más control que sobre los estreptococos en la garganta. Durante el embarazo, la depresión puede tratarse con terapia, psicoterapia, medicamentos o una combinación de esto, pero asegúrese de buscar ayuda si tiene los signos y síntomas de depresión.

Cambios oculares

■ *Primer, segundo y tercer trimestres*

Algunos de los cambios que sufre su cuerpo durante el embarazo pueden afectar sus ojos y su visión. Durante la gestación, la capa externa (córnea) de los ojos se vuelve un poco más gruesa, y la presión del líquido que se encuentra dentro de sus globos oculares (presión intraocular) disminuye en cerca de 10 por ciento. En ocasiones estos cambios dan como resultado una visión ligeramente borrosa (véase también **Visión borrosa**).

Además de la visión borrosa, es posible que presente otros cambios relacionados con sus ojos.

- *Cambios en la visión (refracción).* Los cambios en los niveles hormonales parecen alterar en forma temporal la fuerza que necesita en las lentes de sus anteojos o lentes de contacto.
- *Ojos secos.* Algunas mujeres embarazadas presentan sequedad en ojos, lo cual puede implicar una sensación de punzadas, ardor o comezón, incremento en la irritación o fatiga de los ojos y dificultad para usar lentes de contacto.
- *Párpados hinchados.* Debido a la retención de agua en el embarazo, es posible que presente inflamación alrededor de los ojos. Los párpados hinchados pueden interferir con la visión periférica.

Vigile su visión de cerca durante el embarazo. Las complicaciones por la diabetes como la retinopatía diabética —que daña la retina de sus ojos— puede empeorar durante el embarazo. Es esencial hacer que examinen sus ojos durante el embarazo si padece diabetes. Las mujeres con presión arterial alta (hipertensión) también son susceptibles a tener problemas de visión. La hipertensión durante el embarazo requiere observación estrecha. En ocasiones, la visión borrosa recién aparecida puede ser un signo serio de un problema de hipertensión al final del embarazo.

■ *Prevención y autocuidado para los cambios en ojos*

Si tiene problemas con la visión borrosa o cambios en su visión al inicio del embarazo, por lo general no hay mucha necesidad de preocuparse ni de cambiar su prescripción de anteojos o lentes de contacto. Su visión regresará a su estado normal después de dar a luz.

Para reducir la molestia de los ojos secos, utilice gotas lubricantes para ojos, también llamadas lágrimas artificiales. Los ojos secos por lo general son una condición temporal que desaparece después del parto.

Si le incomodan sus lentes de contacto debido a sequedad e irritación en los ojos, intente limpiar los lentes con mayor frecuencia mediante un limpiador enzimático. Si estos siguen siendo incómodos, no se preocupe. Es muy probable que sus ojos regresen a la normalidad una semanas después del parto.

■ *Cuándo buscar ayuda médica para los cambios oculares*

Llame de inmediato a su proveedor de cuidados de salud si tiene un nuevo caso de visión borrosa o puntos ciegos en cualquier momento. Si padece diabetes o hipertensión, colabore con su proveedor de cuidados de salud para que vigile de cerca su visión. La retinopatía diabética requiere tratamiento antes, durante y después del embarazo. Para minimizar las complicaciones de visión debidas a la retinopatía, vea con regularidad a un oftalmólogo. Si le preocupa cualquier cambio en su visión, quizá quiera consultar un oftalmólogo.

Cambios en piel
■ *Primer, segundo y tercer trimestres*
Las hormonas del embarazo pueden generar varios cambios en su piel. Para algunas mujeres afortunadas, el cambio principal es el famoso resplandor de salud, el cual se da como resultado del incremento de la circulación en los pequeños vasos sanguíneos que se encuentran justo debajo de la superficie de su piel. Pero muchas mujeres notan una variedad de, otros, cambios en la piel menos deseables.

Oscurecimiento de la piel. Éste es uno de los cambios más comunes en la piel, que se presenta en 90 por ciento de las mujeres embarazadas. El oscurecimiento puede afectar mejillas, barbilla, nariz, frente, ombligo, axilas, interior de los muslos y el área que se encuentra entre su vulva y ano (perineo). Además, las áreas de la piel que ya están pigmentadas se vuelven todavía más oscuras, en forma más notoria sobre o alrededor de los pezones y los labios mayores —los dobleces de tejido más gruesos a ambos lados de su vagina.

Cuando se oscurece la línea pálida que corre desde su ombligo hasta su hueso púbico, se denomina línea negra (véase también **Línea negra**). El oscurecimiento de la piel en la cara se llama máscara del embarazo o melasma (véase también **Máscara del embarazo**).

Es muy probable que el oscurecimiento de la piel sea resultado del incremento en la melatonina, la cual tiene papeles importantes en el desarrollo del feto. Es típico que desaparezca después del parto, aunque algunas áreas de mayor pigmentación, como pezones y labios, tienden a permanecer más oscuros de lo que eran antes del embarazo.

Arañas vasculares. Estas formaciones (nevo aráneo) aparecen de manera típica sólo durante el embarazo. El nombre viene de su apariencia —pequeñas manchas rojizas con líneas elevadas de diminutos vasos sanguíneos que se ramifican desde el centro, como patas de arañas. Ocasionadas por el incremento en la circulación sanguínea, las arañas vasculares tienen más probabilidades de aparecer en cara, cuello, parte superior del pecho o brazos. No causan dolor ni molestias y por lo general desaparecen en unas cuantas semanas después del parto.

Estrías. Rayas rosadas o violáceas en abdomen, mamas, antebrazos, nalgas y caderas, comunes en cerca de la mitad de las mujeres embarazadas. (Véase también **Estrías**.)

Acné. Es posible que desarrolle acné cuando está embarazada, o éste mejorará. Es posible usar algunos tratamientos tópicos. (Véase también **Acné**.)

Lunares y pecas. Es posible que le salgan nuevos lunares mientras está embarazada, aunque por lo general no son del tipo relacionado con el cáncer en piel. Los lunares existentes, las pecas y las manchas en piel también pueden oscurecerse durante el embarazo.

Comezón. El estiramiento y la tensión de la piel a través del abdomen pueden hacer que se sienta seca y que le dé comezón. Algunas mujeres también presentan picazón en todo el cuerpo. Las erupciones por calor y otros tipos de estas afecciones también pueden causar comezón. (Véanse también **Comezón; Erupciones.**)

Palmas y plantas rojas. Dos tercios de las mujeres embarazadas presentan enrojecimiento en palmas de las manos y plantas de los pies. El enrojecimiento desaparece después del parto. (Véase también **Palmas y plantas rojas.**)

Transpiración. Es frecuente que las mujeres embarazadas transpiren más. (Véase también **Transpiración.**)

Erupciones. Las erupciones por calor son comunes durante el embarazo, debido al incremento en la transpiración. También pueden desarrollarse otras erupciones (véase también **Erupciones**).

Crecimientos en piel. Pequeños crecimientos sueltos de la piel que pueden aparecer bajo sus brazos y mamas (véase también **Crecimientos en piel.**)

Uñas suaves. Algunas mujeres tienen problemas con las uñas durante el embarazo. Esto es temporal y no es signo de enfermedad seria.

Autocuidado para los cambios en piel

Si el oscurecimiento en algunas áreas de su piel le preocupa, evite exponerse demasiado al sol. La exposición a este último y a otras fuentes de luz ultravioleta (UV) empeora el oscurecimiento de la piel durante el embarazo. Cuando salga a la intemperie, use un bloqueador solar con factor de protección (FPS) de por lo menos 15. Recuerde que los rayos UV del sol alcanzan su piel incluso en días nublados. Es posible que también desee usar un sombrero de ala ancha que dé sombra a su cara.

Para la comezón, mantenga su piel lubricada con una buena crema humectante. Humecte sus uñas lo mismo que sus manos y use guantes de hule cuando use detergentes o limpiadores.

Cuándo buscar ayuda médica para los cambios en piel

Si el oscurecimiento en piel o la comezón son extremos, consulte a su proveedor de cuidados de salud. Un medicamento en ungüento puede ayudar con la comezón. A veces, un cambio en la piel puede ser signo de algo más serio. Llame a su proveedor de cuidados de salud si:

- Un lunar en particular cambia en forma notoria de tamaño o apariencia. Es posible que desee enseñar cualquier lunar nuevo a su proveedor de cuidados de salud. Aunque los lunares causados por el embarazo no están relacionados con el cáncer en piel, podría desarrollar un melanoma durante el embarazo, y es crítico detectar estos tumores en forma oportuna.

- La inflamación de párpados se presenta junto con un aumento repentino de peso —2.5 kilogramos o más en una semana. El incremento repentino de peso y la inflamación podrían indicar el desarrollo de preeclampsia.
- Desarrolla comezón grave al final del embarazo sin una erupción.

Catarros

■ *Primer, segundo y tercer trimestres*

La mayoría de las mujeres pescan un catarro por lo menos una vez durante el embarazo. Aunque los signos y síntomas pueden hacerle sentir miserable, incluso un catarro fuerte no constituye una amenaza para su bebé. Los catarros tienden a durar más durante el embarazo debido a los cambios en su sistema inmune.

■ *Prevención y autocuidado para los catarros*

Para evitar pescar un catarro, la mejor estrategia es comer bien, descansar mucho, ejercitarse con regularidad y evitar el contacto cercano con cualquiera que tenga suelta la nariz o le duela la garganta. Si está cerca de familiares o compañeros de trabajo que tengan catarro, lave sus manos con frecuencia. Los gérmenes del catarro pasan con facilidad de una persona a otra.

Si le da catarro, cuídese tomando el mínimo de medicamentos. Muchos de los remedios para catarro que está acostumbrada a usar —incluyendo aspirina, ibuprofeno, descongestivos, jarabes para la tos, sprays nasales, remedios herbales como equinácea y megadosis de vitamina C y zinc— no se recomiendan durante el embarazo. El acetaminofeno es una buena opción para la fiebre, los dolores de cabeza y los dolores corporales relacionados con el catarro. Si se siente muy mal con este último, llame a su proveedor de cuidados de salud para que le aconseje acerca de los productos que generen menos riesgo.

Para tratar su catarro, considere estos consejos:

- Descanse lo más posible. Estar agotada causa estrés a su cuerpo.
- Beba líquidos adicionales. La fiebre, los estornudos y la descarga nasal hacen que su cuerpo pierda líquidos que usted y su bebé necesitan. Además de ayudar a su cuerpo combatir el catarro, beber muchos líquidos también puede mantener su nariz tapada un poco más ventilada. Opte por jugos de cítricos, agua o caldo de pollo.
- Ayude a remediar la congestión nasal usando un humidificador, por la noche, en su recámara o colocando una toalla sobre su cabeza y respirando el vapor de una olla de agua caliente ya retirada de la estufa. Cuando esté acostada o durmiendo, facilite su respiración manteniendo su cabeza elevada sobre un par de almohadas. Las tiras nasales, que jalan con suavidad para mantener abiertas sus ventanas, también pueden ayudar.
- Para aliviar una garganta irritada, la mayoría de los proveedores de cuidados de salud piensan que las típicas tabletas anestésicas tópicas están bien. También puede probar a chupar trozos de hielo, beber

líquidos tibios o hacer gárgaras con agua salada muy caliente ($1/4$ cucharadita de sal en medio litro de agua).

- Siga comiendo bien. Si no tiene apetito y no tolera las comidas abundantes, consuma pequeñas cantidades con más frecuencia a lo largo del día. Elija alimentos que le atraigan. Las frutas y verduras ricas en vitaminas y la sopa son buenas opciones cuando tiene catarro.

Cuándo buscar ayuda médica por los catarros

Llame a su proveedor de cuidados de salud si:

- Su fiebre alcanza los 49°C
- Tose flemas de moco verdoso o amarillento
- Tiene tos con dolor en el pecho y jadeo
- Sus signos y síntomas son lo bastante graves para impedirle comer o dormir
- Sus senos paranasales laten o tiene dolor facial o dental
- Sus signos y síntomas persisten por más de algunos días sin datos de mejoría

Puede ser posible tratar sus signos y síntomas con un medicamento para el catarro. Su proveedor de cuidados de salud puede recomendar uno que se considere seguro durante el embarazo. Aunque los medicamentos para el catarro pueden aliviar los signos y síntomas, éstos no afectan la gravedad y duración del catarro. Si presenta una infección secundaria, como bronquitis o una infección en los senos paranasales, es posible que su proveedor de cuidados de salud le prescriba un antibiótico.

No posponga la llamada a su proveedor de cuidados de salud ni se rehúse a tomar un medicamento prescrito porque no desea tomar fármacos durante el embarazo. Muchos tratamientos para el catarro no causan daño a su bebé —pero su proveedor de cuidados de salud debe tomar la decisión.

Ciática

Tercer trimestre

El dolor, hormigueo o adormecimiento que corre hacia abajo de la nalga, la espalda o el muslo se llama ciática porque sigue el curso del nervio ciático. Se produce por la presión del útero en crecimiento, el bebé o el relajamiento de las articulaciones pélvicas sobre el nervio ciático, el cual es un nervio importante que va desde la parte inferior de su espalda, por detrás de sus piernas hasta sus pies. Levantar pesos, agacharse e incluso caminar puede empeorar la ciática.

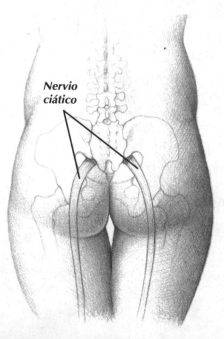

Nervio ciático

Aunque la ciática no es divertida, por lo general no es causa de preocupación. Cuando su bebé cambia de posición al acercarse la fecha de término, es probable que mejore el dolor. En ocasiones, el problema es producto de un padecimiento más serio llamado enfermedad de los discos vertebrales.

Prevención y autocuidado de la ciática

Baños calientes, un cojín eléctrico y cambiar el lado de su cuerpo sobre el cual duerme pueden ayudar con el dolor del nervio ciático. Quizá también encuentre alivio cambiando de posición en forma regular durante el día, levantándose y moviéndose un poco una vez cada hora más o menos.

La natación es otra manera de aliviar la molestia. Estar en el agua elimina en forma temporal parte del peso del útero que presiona al nervio ciático.

Cuándo buscar ayuda médica para la ciática

Informe a su proveedor de cuidados de salud si sufre ciática. Pida ayuda si el adormecimiento no es transitorio, si tropieza cuando camina o siente que no puede mover su pie con la misma fuerza en todas las direcciones. Él querrá descartar otras causas más raras de ciática que podrían ser más serias. Es bastante común necesitar fisioterapia para ayudar a aliviar el dolor del nervio ciático.

Cólicos o dolor continuo

Primer, segundo y tercer trimestres

Los cólicos o el dolor abdominal y de espalda con frecuencia vienen con los procesos normales del embarazo (véanse también **Molestias o dolores abdominales**; **Molestias y dolor de espalda**; **Presión pélvica**). No obstante, al inicio del embarazo, los cólicos y el dolor de espalda acompañados por sangrado pueden ser signos y síntomas de aborto o de embarazo ectópico.

A la mitad de la gestación y después, los cólicos y el dolor de espalda continuos podrían ser signos de advertencia de trabajo de parto prematuro. El dolor abdominal grave, repentino y constante puede indicar separación de la placenta. En combinación con fiebre y descarga vaginal, el dolor abdominal puede ser signo de infección.

Comuníquese con su proveedor de cuidados de salud si los cólicos o el dolor de espalda son graves, persistentes o van acompañados por fiebre, sangrado, contracciones o descarga vaginal.

Comezón

Segundo y tercer trimestres

Esperaba engordar más, cansarse más ... pero, ¿tener más comezón? Le sucede a cerca de un quinto de las mujeres embarazadas. La comezón puede presentarse en su abdomen o en todo el cuerpo, y causar manchas de erupción roja y escamosa. Es probable que el estiramiento de la piel sobre el abdomen sea responsable de parte de la comezón y la descamación. La comezón generalizada por lo general desaparece poco después del parto.

Un tipo común de problema de la piel llamado urticaria pruriginosa del embarazo en pápulas y placas (UPEPP) también puede presentarse durante la gestación. En este padecimiento, brotan ronchas pruriginosas llamadas pápulas o placas sobre su abdomen, o quizá sobre sus muslos, nalgas o brazos.

Raras veces, las mujeres tienen una causa específica para la comezón general llamada colestasis del embarazo. En esta condición, la bilis no es eliminada del hígado con la rapidez necesaria, lo cual hace que sus componentes se acumulen en la piel, lo cual dispara comezón grave.

Prevención y autocuidado para la comezón

Rascarse no es la mejor manera de aliviar la comezón. Pruebe estas medidas:
- Humecte su piel con loción, cremas o aceites.
- Use ropa suelta hecha de fibras naturales, como algodón.
- Use una fórmula de baño de avena.
- Evite el sobrecalentamiento porque es probable que le dé más comezón si tiene mucho calor.

Cuándo buscar ayuda médica para la comezón

Si las medidas de autocuidado no proporcionan alivio para su comezón, es posible que su proveedor de cuidados de salud le prescriba medicamentos u otras técnicas de tratamiento que sean útiles. La UPEPP puede tratarse con medicamentos de prescripción.

Si al final de su embarazo se desarrolla una comezón grave, es probable que su proveedor de cuidados de salud ordene pruebas de sangre para revisar su función hepática. La colestasis del embarazo puede provocar comezón grave. En muy raras ocasiones, también puede provocar vómito, pérdida del apetito y fatiga. Este problema desaparece después del nacimiento del bebé.

Congestión nasal

Véanse **Alergias; Catarros; Nariz congestionada.**

Contracciones

Tercer trimestre

Cuando está a punto de iniciar el trabajo de parto, notará un incremento en las contracciones, la tensión y el relajamiento de los músculos uterinos. Durante el parto, el útero se contrae de manera repetida, lo que hace que el cérvix se adelgace (borramiento) y abra (dilate) de manera que pueda expulsar a su bebé. Las contracciones dilatan el cérvix de manera gradual hasta que es lo bastante amplio para que pase el bebé.

Durante la fase inicial del trabajo de parto, las contracciones pueden variar en gran medida de una a otra mujer. Pueden durar de 15 a 30 segundos al inicio y espaciarse de manera irregular, separadas por 15 a 30 minutos. O podrían comenzar siendo rápidas y hacerse más lentas, pero se seguirán incrementando en frecuencia y duración a medida que se dilata el cérvix.

Las contracciones pueden ser relativamente indoloras al inicio pero ir aumentando de intensidad. Puede sentir que su útero está formando un nudo, o el dolor puede percibirse como una sensación de dolor, presión, saciedad, cólicos o dolor de espalda.

Para mayor información sobre las contracciones y el trabajo de parto, véase el capítulo 11, "Trabajo de parto y parto".

Trabajo de parto falso contra trabajo de parto verdadero

Si nunca ha dado a luz, podría suponer que tener contracciones es un signo seguro de que se inicia el trabajo de parto. No necesariamente. La mayoría de las madres que esperan sienten contracciones ocasionales indoloras antes de estar en verdad en el trabajo de parto. A veces éstas pueden ser molestas.

En las últimas semanas del embarazo, es posible que el útero comience a presentar cólicos. Cuando pone las manos en su abdomen, a veces puede sentir que su útero se tensa y se relaja. Estas contracciones leves se llaman trabajo de parto falso (contracciones de Braxton-Hicks). Su útero se está calentando, preparándose para la gran tarea que le espera.

A medida que se acerca su fecha de término, estas contracciones se vuelven más fuertes y puede ser que se sienta incómoda o incluso dolorida. Puede ser fácil confundirlas con las reales.

¿ES TRABAJO DE PARTO FALSO O VERDADERO?

Característica de la contracción	Parto falso (contracciones de Braxton-Hicks)	Parto verdadero
Frecuencia de las contracciones	• Irregulares • No se acercan entre sí en forma consistente	• Patrón regular • Se van acercando entre sí
Duración e intensidad de las contracciones	• Variables • Casi siempre débiles • No se fortalecen	• Por lo menos duran 30 segundos al inicio • Se hacen más largas (hasta 75 segundos) • Se hacen más fuertes
Cómo cambia la contracción con la actividad	• Por lo general se detienen si camina, descansa o cambia de posición	• No se van haga lo que haga • Pueden ser más fuertes con la actividad, como caminar
Localización de las contracciones	• Centradas en la parte baja del abdomen y las ingles	• Se dan vuelta de la espalda al abdomen • Irradian a través de la parte baja de la espalda y hacia lo alto del abdomen

La diferencia entre parto falso y verdadero es que en el parto verdadero las contracciones hacen que su cérvix se dilate, pero es posible que no sea capaz de diferenciarlos, y el trabajo de parto falso con frecuencia se presenta justo cuando espera iniciar el trabajo de parto verdadero.

Una buena forma de diferenciar entre trabajo de parto falso y verdadero es tomar el tiempo entre las contracciones. Mediante un reloj, mida cuánto dura cada contracción y el lapso que transcurre entre el inicio de una y el de la siguiente. Como se indica en el cuadro de abajo, esto puede revelar un patrón en las contracciones si en verdad está en trabajo de parto.

Incluso después de dar seguimiento a estos signos, es posible que no sepa si en verdad se encuentra en trabajo de parto. Algunas veces, la única manera es ver si el cérvix se está dilatando, lo cual requiere un examen pélvico. El inicio del trabajo de parto es diferente para todas. Algunas mujeres presentan contracciones dolorosas durante días sin cambio cervical alguno, mientras que otras pueden sentir apenas un poco de presión y dolor de espalda ligero. Quizá salga al hospital con contracciones regulares separadas por unos minutos, y tan pronto como llega éstas se detienen. O puede ser que acuda a su revisión regular, sólo para encontrar que está lo bastante dilatada para que su proveedor de cuidados de salud la envíe al hospital.

Es posible tener contracciones durante horas antes de que en verdad se encuentre en trabajo de parto. Éste se inicia cuando el cérvix comienza a dilatarse, pero si sus contracciones siguen volviéndose más prolongadas, fuertes y cercanas, ¡está a punto!

Autocuidado para las contracciones

Si las contracciones del trabajo de parto falso le están dando molestias, tome un baño caliente y beba muchos líquidos.

Si está en trabajo de parto verdadero, y se siente cómoda al caminar, camine, deténgase a respirar durante las contracciones, si es necesario. Caminar puede ayudar al trabajo de parto. También ayuda a determinar si el trabajo de parto es falso o verdadero. Es posible que desee que alguien le dé apoyo durante las contracciones mientras camina. Algunas mujeres encuentran que a media que el dolor se intensifica, mecerse en una mecedora o tomar un baño caliente de regadera les ayuda a relajarse entre contracciones.

Si siente la necesidad de pujar, aguante hasta que le digan que su dilatación es total. Esto ayuda a evitar que el cérvix se desgarre o inflame.

Cuándo buscar ayuda médica para las contracciones

Vigile de cerca sus contracciones para ver si:
- Duran más de 30 segundos
- Ocurren con regularidad
- Se presentan más de seis veces por hora
- No desaparecen cuando se mueve

Si tiene dudas de que esté en trabajo de parto, llame a su proveedor de cuidados de salud. Éste le preguntará qué otros síntomas tiene, qué tan separadas están sus contracciones y si puede hablar mientras una se presenta.

Si no es claro que está en trabajo de parto, es posible que su proveedor de cuidados de salud desee realizar un examen vaginal para verificar que su cérvix se está dilatando.

Vaya al hospital si:

- Hay ruptura de membranas (se rompe su fuente), incluso si no tiene contracciones. Quizá no presenta contracciones incluso si su fuente se rompió.
- Sus contracciones se presentan espaciadas por cinco minutos o menos. Las contracciones frecuentes pueden ser signo de un parto rápido.
- Tiene un dolor constante e importante.

Si tiene contracciones regulares o una liberación repentina de líquido por la vagina tres o más semanas antes de su fecha de término, busque atención médica pues puede tratarse de un trabajo de parto prematuro.

Contracciones de Braxton-Hicks

Véase **Contracciones.**

Crecimiento de las mamas

Primer, segundo y tercer trimestres

Uno de los primeros signos de embarazo es un incremento en el tamaño de los pechos. Desde las dos semanas después de la concepción, sus pechos comienzan a crecer y a cambiar preparándose para producir leche. Estimuladas por el estrógeno y la progesterona, las glándulas productoras de leche dentro de sus mamas crecen, y el tejido graso aumenta ligeramente.

Para el final de su primer trimestre, sus pechos y pezones serán mucho más grandes, y es posible que sigan creciendo durante el embarazo. El crecimiento de los pechos es responsable de por lo menos 1/2 kilogramo de su aumento de peso durante la gestación. Es posible que sus pechos conserven el aumento en su tamaño durante un tiempo después del parto.

Autocuidado para el crecimiento de las mamas

A medida que sus pechos crecen y se hacen más pesados, utilice un sostén adecuado y que le proporcione buen soporte para aliviar la tensión sobre sus mamas y músculos de la espalda. Si sus pechos le hacen sentirse incómoda en la noche, intente dormir con sostén. Durante el curso de su embarazo, es posible que necesite reemplazar sus sostenes varias veces a medida que crecen sus mamas.

Para ayudar a prevenir la flaccidez prematura de sus pechos, utilice todo el tiempo un sostén hasta que sus pechos regresen a su tamaño previo al embarazo.

Crecimientos en piel

Segundo y tercer trimestres

Cuando está embarazada, puede descubrir algunos crecimientos de piel bajo sus brazos, en cuello y hombros o en otras partes de su cuerpo. Estos diminutos colgajos de piel llamados con frecuencia acrocordones, con frecuencia son indoloros e inofensivos. Es típico que no crezcan ni cambien. Nadie sabe qué los causa. Con frecuencia desaparecen después de dar a luz, pero son comunes después de la edad mediana.

En general, los acrocordones no son molestos ni requieren tratamiento. Si los crecimientos la irritan o le parecen desagradables en el aspecto cosmético, puede eliminarlos con facilidad. Informe a su proveedor de cuidados de salud si un crecimiento de piel cambia de apariencia.

Debilidad y mareo

Primer, segundo y tercer trimestres

¿Se siente un poco débil? Es común que las mujeres embarazadas presenten aturdimiento, debilidad o mareo. Estas sensaciones pueden resultar de los cambios circulatorios durante el embarazo, como reducción del flujo sanguíneo hacia la parte superior de su cuerpo debido a la presión de su útero sobre los vasos sanguíneos en su espalda y pelvis. En particular, será susceptible a esto al inicio del segundo trimestre, cuando sus vasos sanguíneos se hayan dilatado como respuesta a las hormonas de embarazo pero su volumen de sangre aún no se haya expandido para llenarlos.

El mareo o la debilidad también pueden presentarse durante el clima caliente o cuando tome un baño caliente de tina o regadera. Cuando se sobrecalienta, los vasos sanguíneos de su piel se dilatan, lo que reduce en forma temporal la cantidad de sangre que regresa a su cuerpo.

La reducción en el azúcar sanguíneo (hipoglucemia), común al inicio del embarazo, también puede causar mareos, al igual que el tener muy pocos glóbulos rojos (anemia). Por último, el estrés, la fatiga y el hambre pueden hacerle sentir mareada o débil. En forma menos común, la influenza, diabetes, hipertensión o un trastorno tiroideo pueden contribuir a la debilidad o el mareo.

Prevención y autocuidado para la debilidad y el mareo

Para prevenir la debilidad y el mareo, siga estas sugerencias:

- Muévase con lentitud al ponerse de pie si estaba acostada o sentada, y cambie despacio de posición.
- Muévase o camine a un paso más lento. Tome descansos frecuentes.
- Evite estar de pie por periodos largos.
- Evite recostarse sobre su espalda. En lugar de ello, recuéstese de lado, con una almohada colocada bajo su cadera.
- Evite sobrecalentarse. Aléjese de las áreas calientes o atestadas. Vístase en capas. Asegúrese de que su baño o regadera no esté demasiado caliente. Deje la puerta o la ventana abiertas para evitar que la habitación se caliente demasiado.
- Haga varias comidas o bocadillos al día en lugar de tres comidas grandes. Consuma tentempiés como frutas frescas o secas, pan de trigo entero, galletas o yogur bajo en grasa.

- Manténgase físicamente activa para ayudar con la circulación de la parte inferior de su cuerpo. Las buenas actividades incluyen caminata, aeróbicos acuáticos y yoga prenatal.
- Beba muchos líquidos, en particular al inicio del día. Las bebidas deportivas pueden ser las más efectivas.
- Ingiera comidas ricas en hierro, como frijoles, carne roja, verduras con hojas verdes y frutas secas.

Cuándo buscar ayuda médica por la debilidad y el mareo
Siempre es buena idea informar a su proveedor de cuidados de salud si se ha sentido débil o mareada.

Si la debilidad o el mareo son graves y se presentan con dolor abdominal o sangrado vaginal, puede ser un signo de embarazo ectópico, en el cual el huevo fertilizado se implanta fuera del útero, u otra complicación seria. Siempre informe del sangrado vaginal significativo a su proveedor de cuidados de salud.

Descarga de los pezones
Véase **Descarga del seno.**

Descarga de las mamas
Tercer trimestre
En las semanas finales del embarazo, es posible que note una sustancia delgada, amarillenta o clara que escurre de uno o de ambos pezones. Esta descarga es el calostro, el líquido amarillento que producen sus mamas hasta que baja la leche.

El calostro puede variar en color y consistencia, pero tales variaciones son normales. Puede ser pegajoso y amarillo al principio y volverse más acuoso a medida que se acerca la fecha de término.

Entre mayor sea usted y más embarazos haya tenido, más será la probabilidad de que presente descarga de las mamas, pero no debe preocuparse si no presenta calostro —no significa que no podrá producir leche materna. Si está amamantando, notará que produce calostro los primeros días después del nacimiento de su bebé.

Prevención y autocuidado para la descarga de la mamas
Si descarga calostro, quizá desee usar cojinetes desechables o lavables para el pecho. También puede ser útil dejar que sus pechos se sequen al aire unas cuantas veces al día y después del baño en regadera.

Cuándo buscar ayuda médica para la descarga de las mamas
Llame a su proveedor de cuidados de salud si la descarga de sus pezones es sanguinolenta o contiene pus, lo cual podría indicar un absceso en la mama u otros problemas.

Descarga mucosa
■ *Tercer trimestre*
A medida que se acerca su fecha de término, es probable que note un incremento en la descarga mucosa de su vagina. Durante el embarazo, la abertura de la cérvix se bloquea con un tapón denso de moco que impide que las bacterias y otros gérmenes entren al útero. A medida que se acerca el trabajo de parto, su cérvix comienza a adelgazarse y relajarse, y es posible que el tapón de moco se afloje, haciendo que la descarga aumente y se espese. El tapón a veces sale como moco espeso, filamentoso o sanguinolento. (Véase también **Salida del tapón de moco**.)

■ *Prevención y autocuidado para la descarga de moco*
La descarga mucosa es normal al final del embarazo. Si desea que algo absorba el flujo, use toallas sanitarias en lugar de tampones. Mantenga limpia su área genital y use ropa interior de algodón. Evite los pantalones apretados o de nylon, y no use perfume ni jabón desodorante en el área genital.

■ *Cuándo buscar ayuda médica por la descarga mucosa*
Llame a su proveedor de cuidados de salud si su descarga es maloliente, amarilla, verde o causa comezón o ardor. Estos podrían ser signos de infección. La descarga mucosa antes de las 35 semanas podría ser un signo de parto prematuro. Informe a su proveedor de cuidados de salud.

Descarga vaginal
■ *Primer, segundo y tercer trimestres*
Muchas mujeres presentan mayor descarga vaginal durante el embarazo. Esta descarga, llamada leucorrea, es delgada, blanca y de olor tenue. Es producto de los efectos hormonales que ocurren en el recubrimiento vaginal, el cual debe crecer en forma dramática durante el embarazo, volviéndose bastante densa. Se cree que la alta acidez de la descarga juega un papel en la supresión del crecimiento de bacterias dañinas.

En las últimas semanas del embarazo, es posible que la descarga contenga restos de sangre o una masa filamentosa. Es probable que se trate del tapón de moco que protege el cérvix durante el embarazo (véase también **Salida del tapón de moco**).

También presentará una descarga vaginal temporal después de dar a luz. Esta descarga, llamada loquios, es producto de los cambios hormonales y ocurrirá en forma independiente de que dé a luz por vía vaginal o por cesárea. La descarga varía en cantidad, apariencia y duración. En un inicio es sanguinolenta, luego se vuelve más pálida o café después de cerca de cuatro días y blanca o amarillenta después de cerca de 10 días. Es posible que a veces expulse un coágulo sanguíneo. Esta descarga posembarazo puede durar de dos a ocho días. La cantidad debe disminuir en forma gradual.

Una descarga también puede ser signo de infección vaginal, la cual puede ser disparada por las hormonas del embarazo o medicamentos como antibióticos. Si su descarga vaginal es verdosa, amarillenta, espesa o semejante a queso, maloliente o va acompañada por comezón o irritación de la vulva, es posible que tenga una infección vaginal. Esto genera una descarga maloliente gris a verdosa, y va relacionada con trabajo de parto prematuro. Se trata en forma oral o vaginal con metronidazol. Otros tipos comunes de infección vaginal durante el embarazo son candidiasis (véase también **Infecciones por levaduras**) y tricomoniasis. Ninguna presenta un riesgo directo para su bebé, y ambas se pueden tratar durante el embarazo.

Una descarga acuosa continua o abundante puede ser señal de que sus membranas se rompieron (se rompió su fuente). La descarga vaginal sanguinolenta o espesa y de tipo mucoso puede indicar un problema con el cérvix.

▪ *Prevención y autocuidado para la descarga vaginal*
Para manejar el aumento normal de descarga vaginal, podría desear usar pantiprotectores o una toalla sanitaria para flujo ligero. Para reducir su riesgo de adquirir una infección:

- No realice duchas vaginales, ya que esto puede alterar el equilibrio normal de los microorganismos en la vagina y llevar a una infección llamada vaginosis bacteriana.
- Use ropa interior de algodón.
- Use ropa cómoda y suelta. Evite las telas que no le permiten respirar a su piel, los pantalones ajustados, los pantalones y leotardos para ejercicio.
- Hay cierta evidencia de que puede reducir su riesgo de infección vaginal comiendo a diario una taza de yogur que contenga cultivos de *Lactobacillus acidophilus*.

▪ *Cuándo buscar ayuda médica por la descarga vaginal*
Comuníquese con su proveedor de cuidados de salud si:

- Tiene dolor abdominal o fiebre con la descarga.
- La descarga se vuelve verdosa, amarillenta o maloliente.
- La descarga es espesa y parecida a queso o requesón.
- La descarga va acompañada de molestia, enrojecimiento, ardor o comezón en la vulva.
- Tiene una descarga continua o abundante de líquido acuoso.
- La descarga es sanguinolenta o demasiado espesa.
- Acaba de someterse a amniocentesis, y presenta un aumento de descarga vaginal. Esto podría indicar una fuga de líquido amniótico.

Si ya dio a luz, llame a su proveedor de cuidados de salud en las siguientes situaciones:

- Empapa una toalla sanitaria cada hora durante cuatro horas —no espere las cuatro horas si se marea o nota un incremento en la pérdida de sangre; llame de inmediato o acuda al servicio de urgencias.
- La descarga tiene un olor desagradable, semejante a pescado.
- Su abdomen está sensible o incrementa su sangrado y expulsa numerosos coágulos.

Deshidratación después de gastroenteritis

■ *Primer, segundo y tercer trimestres*

Si tuvo diarrea (gastroenteritis), es probable que haya perdido mucho líquido al pasar por la calamidad de la diarrea y el vómito. La deshidratación es la complicación más común de la gastroenteritis. Los signos y síntomas de la deshidratación incluyen:

- Sed excesiva
- Boca seca
- Orina amarilla oscura o micción poco frecuente o ausente
- Debilidad grave, mareos o aturdimiento

Después de enfrentar la enfermedad gastrointestinal, es esencial que tome suficientes líquidos para reemplazar los que perdió con la diarrea y el vómito.

Aunque la gastroenteritis con frecuencia se llama catarro intestinal, no es lo mismo que la influenza. La influenza real afecta su sistema respiratorio —nariz, garganta y pulmones— en lugar de sus intestinos. Pero es posible que se deshidrate después de la influenza porque pierde el apetito y deja de comer y beber mientras está enferma.

■ *Prevención y autocuidado para la deshidratación después de la gastroenteritis*

La mejor línea de defensa contra la influenza es una vacuna, aunque esto no evitará la gastroenteritis. Los expertos en salud de los Centros para el Control y la Prevención de las Enfermedades recomiendan que cualquier mujer que se encuentre más allá del primer trimestre del embarazo durante la temporada de influenza se ponga la vacuna contra esta enfermedad. Hable con su proveedor de cuidados de salud para saber si esto se aplica para usted.

Para prevenir la gastroenteritis, siga las medidas de sentido común como lavar sus manos a conciencia, evitar el contacto cercano con personas enfermas y evitar compartir cubiertos, vasos y platos. Los problemas de preparación de alimentos son la causa más común de gastroenteritis.

Si pesca un germen estomacal, tome medidas para recuperar los líquidos perdidos y prevenir la deshidratación:

- Tome sorbos frecuentes de agua y otros líquidos claros como té descafeinado ligero, caldo de pollo, bebidas deportivas sin cafeína o jugo de naranja diluido con agua. Trate de beber por lo menos de ocho a 16 vasos de líquidos al día.
- Chupe trozos de hielo o cubos de hielo.
- Evite las bebidas con cafeína como refrescos, café y té. La cafeína incrementa la pérdida de líquidos del cuerpo. Los productos lácteos pueden producir más diarrea.

■ *Cuándo buscar ayuda médica por la deshidratación después de la gastroenteritis*

Llame a su proveedor de cuidados de salud si tiene signos de deshidratación, si no puede mantener los líquidos en el organismo por 24 horas o si vomita por más de dos días. Si está deshidratada, es posible que su proveedor de cuidados de salud le recomiende un líquido de rehidratación. Para la deshidratación grave, el tratamiento puede incluir toma de pruebas de sangre y administración de líquidos intravenosos.

Dientes, abscesos en

■ *Primer, segundo y tercer trimestres*
Un absceso en un diente no es buena noticia para nadie, y estar embarazada no proporciona ninguna excepción.

Un absceso se inicia cuando un diente agrietado o una caries profunda permiten la entrada a bacterias al centro blando del diente (pulpa dental), causando una infección. La pus se acumula en la punta de la raíz del diente, localizada en el hueso de la mandíbula, y forma una bolsa de pus —el absceso. Este último puede dañar el hueso que se encuentra alrededor del diente lo mismo que llevar a una infección general.

■ *Prevención y autocuidado para un absceso dental*
Un absceso siempre requiere cuidado dental experto. El único autocuidado es la prevención mediante la higiene dental de rutina y el cuidado preventivo. Éste tiene especial importancia durante el embarazo, ya que los cambios orales parecen acelerar el progreso de la enfermedad dental. Para obtener consejos sobre la buena higiene dental, véase también **Enfermedad en encías**.

■ *Cuidado médico para un absceso dental*
Si le duele un diente o la encía o tiene signos de infección, como fiebre, llame a su dentista. Es probable que requiera endodoncia para tratar un absceso, y quizá le den un antibiótico. Si es necesario practicarle un procedimiento dental mayor durante el embarazo, hable con su dentista y su proveedor de cuidados de salud acerca de cualquier precaución especial que deba tomar. Nunca retrase el tratamiento debido al embarazo.

Distracción
Véase **Mala memoria.**

Dolor del ligamento redondo

■ *Segundo y tercer trimestres*
El estiramiento del ligamento redondo puede causar dolor en abdomen, pelvis o entrepierna durante el segundo y tercer trimestres. Uno de varios ligamentos que sostienen su útero en su lugar dentro del abdomen, el ligamento redondo, es una estructura tipo cordón que mide menos de cinco milímetros de grosor antes del embarazo. En ese momento, el tamaño aproximado de su útero es el de una pera.

A medida que este órgano crece en tamaño y peso, los ligamentos que lo sostienen se hacen más largos, gruesos y más tirantes, se estiran y se tensan como ligas. Si se mueve o estira de repente, el ligamento redondo puede estirarse, lo que causará una punzada dolorosa en la zona baja de la pelvis o la entrepierna, o un dolor agudo en su costado. El dolor del ligamento redondo puede ser grave, pero la molestia por lo general desaparece después de algunos minutos. Quizá permanezca despierta por la noche con este tipo de dolor después de darse la vuelta mientras duerme. El ejercicio también puede disparar el problema. El dolor en el ligamento redondo puede aliviarse a medida que progresa su embarazo y debe desaparecer una vez que nazca su bebé.

Prevención y autocuidado para el dolor del ligamento redondo
Aunque el dolor en el ligamento redondo es incómodo, éste es uno de los cambios normales del embarazo. Las siguientes sugerencias pueden proporcionar alivio:
- Cambie su manera de moverse. Siéntese y póngase de pie más despacio y evite los movimientos repentinos.
- Siéntese o recuéstese cuando el dolor abdominal sea molesto.
- Aplique calor mediante un baño caliente o use un cojín caliente.

Cuándo buscar ayuda médica por el dolor del ligamento redondo
Si el dolor del ligamento redondo es grave, llame a su proveedor de cuidados de salud. Éste puede sugerir que tome acetaminofeno como analgésico.

Algunas veces, el dolor abdominal es producto de un padecimiento más serio, como embarazo ectópico, ruptura de un quiste ovárico o apendicitis. Llame a su proveedor de cuidados de salud de inmediato o vaya a urgencias si presenta cualquiera de los siguientes signos o síntomas:
- Fiebre
- Escalofríos
- Pérdida del apetito
- Dolor al orinar
- Sangrado vaginal

Dolor en cadera
Tercer trimestre
No es raro sentir cierta molestia o dolor en sus caderas durante el embarazo, en especial cuando duerme de lado por la noche. En preparación para el nacimiento de su bebé, el tejido conjuntivo de su cuerpo se suaviza y afloja. Los ligamentos en su cadera se estiran y las articulaciones que se localizan entre los huesos pélvicos se relajan. La mayor flexibilidad facilita que el bebé pase a través de la pelvis al nacer.

Al final del embarazo, el mayor peso de su útero podría contribuir a producir cambios en su postura, lo cual incrementaría el dolor de sus caderas. Éste con frecuencia es más fuerte en un lado porque el bebé tiende a recargarse más de un lado.

◼ *Prevención y autocuidado para el dolor de cadera*

Los ejercicios para fortalecer la parte inferior de la espalda y los músculos abdominales pueden aliviar el dolor en caderas. Asimismo, los baños y las compresas calientes, y el masaje, también suelen ayudar. Intente elevar sus caderas sobre el nivel de su pecho unos cuantos minutos cada vez.

Dolor en el bajo abdomen

Véase **Molestias o dolores abdominales.**

Dolor en el hueso púbico

◼ *Tercer trimestre*

Algunas mujeres embarazadas sufren dolor en el hueso púbico. La sensación puede ser leve o aguda y sentirse como un dolor o lesión. El dolor es producto del ablandamiento y aflojamiento de sus tejidos y articulaciones. A medida que se suaviza el cartílago que conecta los dos huesos púbicos que se localizan en el centro de la pelvis, su hueso púbico puede sentirse muy dolorido cuando se mueve o camina. Algunas mujeres embarazadas sienten esto más que otras, y algunas lo presentan sólo al final del embarazo. El dolor en el hueso púbico debe desaparecer unas cuantas semanas después de dar a luz.

◼ *Prevención y autocuidado para el dolor en el hueso púbico*

Para aliviar la molestia del dolor en el hueso púbico, considere usar una faja o pantimedias de soporte. También puede ayudar si se aplica calor en el área o tomar un baño tibio.

◼ *Cuándo buscar ayuda médica por el dolor en el hueso púbico*

En muy raras ocasiones, el dolor en el hueso púbico puede ser producto de una inflamación de la articulación que lleva a cierta destrucción del tejido, llamada osteítis púbica. En esta situación, el dolor es constante, empeora y puede ir acompañado por fiebre. Si estos signos y síntomas se desarrollan, llame a su proveedor de cuidados de salud.

Dolor en el ombligo

◼ *Segundo trimestre*

Junto con el resto de molestias y dolores relacionados con su útero en expansión, su área umbilical puede estar sensible o dolorida. Esta sensibilidad puede ser más notoria al pasar la 20ª semana de embarazo y luego ceder al crecer su abdomen. Quizá se sienta muy incómoda al sentarse derecha.

El estiramiento y separación de las dos grandes bandas musculares que corren a lo largo de su abdomen también pueden causar cierto dolor alrededor de su ombligo. (Véase también **Sensibilidad abdominal debida a la separación muscular.**)

Autocuidado por la sensibilidad en el ombligo

Para aliviar la sensibilidad alrededor de su ombligo, use las yemas de sus dedos para dar masaje circular a su abdomen, o pida a su pareja que lo haga por usted. Aplique una compresa fría o caliente en su ombligo para aliviarlo. Si el dolor que siente alrededor de su ombligo va acompañado por una pérdida grave de apetito, éste podría ser un problema más serio. Debe llamar a su proveedor de cuidados de salud.

Dolor o sensibilidad en pantorrillas

Véase **Calambres en piernas.**

Dolor perineal

Tercer trimestre

Durante el último mes del embarazo, después de que el bebé se encaja en la cavidad pélvica, es posible que presente una sensación de aumento de la presión o dolor en el área perineal —la zona que se encuentra entre la vulva y el ano. Este encajamiento, denominado aligeramiento, indica que la parte de presentación del bebé, por lo general la cabeza, está encajada en la porción superior de la pelvis. Si éste es su primer embarazo, el aligeramiento puede darse varias semanas antes del trabajo de parto. Si ha tenido hijos antes, el aligeramiento por lo general ocurre justo antes de este último. (Véase también **Aligeramiento.**)

Además del dolor o la presión en el área perineal, puede sentir agudas punzadas cuando la cabeza del feto presiona la base de la pelvis.

Prevención y autocuidado para el dolor perineal

Esos confiables ejercicios de Kegel pueden fortalecer sus músculos perineales y ayudar con el dolor. Para hacer ejercicios de Kegel, apriete con fuerza los músculos que se encuentran alrededor de su vagina, como si detuviera el flujo de orina, por unos segundos, luego relájese. Repita 10 veces.

Cuándo buscar ayuda médica por el dolor perineal

Es posible que su proveedor de cuidados de salud la examine en las últimas semanas del embarazo para ver si está encajada la cabeza del bebé. Si el dolor o la presión perineal se hacen más fuertes y van acompañados por una sensación de tensión o por contracciones, es posible que esté en trabajo de parto.

Dolores de cabeza

Primer, segundo y tercer trimestres

Muchas mujeres embarazadas padecen dolores de cabeza. Al inicio del embarazo, el incremento en la circulación sanguínea y los cambios hormonales pueden causar dolor de cabeza. Otras causas posibles incluyen estrés o ansiedad, fatiga, congestión nasal, tensión ocular y tensión nerviosa. Si eliminó o redujo de repente la cafeína cuando se enteró de que estaba embarazada, esta "abstinencia" también puede causar dolores de cabeza durante algunos días.

Si sufre migrañas, es posible que permanezcan igual, mejoren o empeoren mientras está embarazada. Pueden empeorar en el primer trimestre y mejorar en el segundo.

Prevención y autocuidado para los dolores de cabeza

Una forma de evitar el dolor de cabeza es determinar qué lo dispara y evadir esas situaciones. Los detonadores pueden incluir humo de cigarrillo, habitaciones calientes, tensión ocular y ciertos alimentos. Éstas son algunas sugerencias para minimizar el dolor de cabeza:

- Duerma lo suficiente cada noche y descanse durante el día cuando sea posible.
- Beba muchos líquidos.
- Alivie un dolor de cabeza debido a sinusitis aplicando una compresa caliente al frente y los lados de su cara, alrededor de su nariz, ojos y sienes. Si siente que viene un dolor de cabeza por tensión, aplique un paquete de hielo o una compresa fría en su frente y en la parte trasera de su cuello.
- Tome un baño caliente de tina o regadera.
- Dé masaje a su cuello, cara, cuero cabelludo y sus hombros, o pida a su pareja o a una amiga que se lo dé.
- Practique técnicas de relajamiento y ejercicios, como la meditación.
- Obtenga algo de aire fresco. Dé un paseo en el exterior si es posible.
- Minimice el estrés de su vida. Aunque algunas presiones no pueden evitarse, puede mejorar sus habilidades para enfrentarlas. Si siente que está bajo mayor estrés del que puede manejar, quizá sería útil hablar con un terapeuta o consejero. Hable con su proveedor de cuidados de salud acerca de esto.

Cuándo buscar ayuda médica para el dolor de cabeza

Comuníquese de inmediato con su proveedor de cuidados de salud si tiene dolores de cabeza graves, persistentes o frecuentes, o que van acompañados por visión borrosa u otros cambios en la visión. Si tiene hipertensión, es importante informar cualquier dolor de cabeza.

Hable con su proveedor de cuidados de salud antes de tomar cualquier analgésico o medicamento para el dolor de cabeza, incluyendo aspirina o ibuprofeno, los cuales podrían causarle problemas si los tomara durante la gestación. El acetaminofeno es una mejor opción durante el embarazo. Parece ser muy seguro. Por lo general es la primera opción para el alivio del dolor y la fiebre durante el embarazo.

Si tiene migrañas, hable con su proveedor de cuidados de salud acerca de cómo tratarlas durante el embarazo. No tome ningún medicamento para la migraña sin verificar antes con su proveedor de cuidados de salud. Éste puede decirle que evite algunos medicamentos que se emplean para tratar las migrañas, incluyendo aspirina, propranolol y en especial los que contienen ergotamina.

Dolores de parto
Véase **Contracciones**.

El bebé se "encaja"
Véase **Aligeramiento**.

Enfermedad en encías
■ *Primer, segundo y tercer trimestres*

Según un viejo dicho, "la mujer pierde un diente con cada embarazo". Aunque desde luego ese es un cuento de los días que precedían al cuidado profesional de los dientes, una mujer es más susceptible a los problemas dentales cuando está embarazada. Los cambios orales del embarazo están relacionados con un incremento en la cantidad de placa, la capa incolora y pegajosa de bacterias que cubre sus dientes. Los cambios hormonales también hacen que sus encías sean más susceptibles a los efectos dañinos de la placa. Si esta última se endurece, se convierte en sarro.

Cuando la placa y el sarro se acumulan a lo largo de la parte de sus encías en la base de sus dientes (gingiva), pueden irritar sus encías y crear depósitos de bacterias entre sus encías y dientes. Esta condición se llama gingivitis, una forma de enfermedad de las encías que se caracteriza por enrojecimiento, inflamación y sensibilidad en las encías, que puede hacerlas sangrar con facilidad, en especial cuando se cepilla los dientes (véase también **Sangrado en encías**).

Muchas mujeres embarazadas se ven afectadas por la gingivitis hasta cierto punto. Por lo general este problema se inicia en el segundo trimestre. Si ya presenta cierto grado de enfermedad de las encías, es probable que empeore durante la gestación.

Si no se trata, la gingivitis puede desarrollarse en una forma más seria de enfermedad de las encías llamada periodontitis. Esta infección de las encías puede hacer que los dientes se aflojen y caigan. Y la enfermedad seria en las encías implica un riesgo todavía mayor para las mujeres embarazadas, pues puede incrementar su riesgo de tener un bebé prematuro o de bajo peso al nacer y aumentar el peligro de que desarrolle preeclampsia.

■ *Prevención y autocuidado para la enfermedad de las encías*

Dado que sus dientes son más suceptibles a los efectos dañinos de las bacterias mientras está embarazada, es importante que mantenga buena higiene dental. Siga estos pasos preventivos de cuidado dental para mantener la salud de sus encías:

- Cepille sus dientes con pasta de fluoruro por lo menos dos veces al día y después de cada comida cuando sea posible. Cepíllese antes de la hora de la comida y de nuevo por la mañana. Para reducir aun más las bacterias en su boca, cepíllese la lengua cuando lave sus dientes.
- Si cepillar sus dientes desencadena la náusea, enjuague su boca con agua o con enjuague bucal antiplaca o con fluoruro.

- Pase el hilo dental a conciencia todos los días, ya que esto elimina la placa que se forma entre sus dientes y ayuda a dar masaje a sus encías. El hilo dental encerado o sin cera es igual de bueno.
- Quizá necesite exámenes dentales más frecuentes cuando está embarazada. Incluso si no tiene problemas con sus dientes o encías, programe una cita para que revisen y limpien sus dientes por lo menos una vez durante los nueve meses. Los exámenes dentales con rayos X pueden efectuarse sin riesgo para el bebé.
- La buena nutrición puede ayudar a mantener sus dientes y encías sanas y fuertes. Las vitaminas C y B-12 tienen particular importancia para la salud oral.

Cuidado médico para la enfermedad de las encías

Si tiene enfermedad grave de las encías, haga que le den tratamiento con prontitud para evitar problemas con su embarazo. Comuníquese con su dentista y su proveedor de cuidados de salud si tiene signos y síntomas de periodontitis:

- Encías inflamadas o retraídas
- Un sabor desagradable en la boca
- Mal aliento
- Dolor en uno de sus dientes en especial cuando consume alimentos calientes, fríos o dulces
- Dientes flojos
- Cambio en su mordida
- Drenaje de pus alrededor de uno o más dientes

El tratamiento para la enfermedad grave de los dientes puede incluir técnicas especiales de limpieza y antibióticos. En algunos casos, es posible que se requiera cirugía. Si necesita un trabajo dental mayor durante el embarazo, deberá discutir sus opciones a conciencia con su dentista y su proveedor de cuidados de salud para garantizar su seguridad.

Erupciones

Segundo y tercer trimestres

Es probable que el enrojecimiento y la comezón en la piel no sea el resplandor del embarazo que tenía en mente. Pero algunas mujeres desarrollan erupciones durante la gestación. Las erupciones por calor, a veces llamadas calor picante, son las más comunes. Son producto del incremento en la transpiración y la humedad disparadas por las hormonas del embarazo (véase también **Transpiración**). Otros tipos de erupciones también pueden aparecer durante la gestación.

Intertrigo. El aumento en la transpiración puede causar una erupción llamada intertrigo, que es más común en las mujeres obesas. Es típico encontrarlo en los dobleces de piel sudorosa bajo los pechos y en la entrepierna —áreas calientes y húmedas donde pueden crecer los hongos, que causan infección con la inflamación resultante. El intertrigo debe tratarse lo más pronto posible porque entre más dure, más difícil será eliminarlo.

UPEPP. Cerca de una de cada 150 mujeres embarazadas desarrolla una erupción grave con el nombre de trabalenguas de urticaria pruriginosa del embarazo en pápulas y placas (UPEPP). Este padecimiento se caracteriza por manchas pruriginosas, rojizas e inflamadas en la piel. Estas ronchas pruriginosas se llaman pápulas, y las zonas inflamadas de mayor extensión se denominan placas. Por lo general, aparecen primero en el abdomen y con frecuencia se extienden a brazos, piernas y nalgas. En algunas mujeres, la comezón puede ser extrema. Aunque el UPEPP puede producir grandes molestias a la madre, no implica riesgos para el bebé. Los signos y síntomas deben desaparecer después del parto.

Aunque no se conoce con certeza la causa de la UPEPP, parece estar implicado un factor genético porque el padecimiento se da por familias. La UPEPP es más común en el primer embarazo, y rara vez reaparece en los posteriores.

Prevención y autocuidado por las erupciones

Las erupciones más comunes mejorarán con el buen cuidado de la piel. Evite frotarse y utilice limpiadores suaves. Minimice el uso de jabón. Los baños de avena o de bicarbonato de sodio ayudan a aliviar la comezón. Las erupciones por calor pueden calmarse aplicando almidón después de bañarse, evitando los baños de tina o regadera demasiado calientes y manteniendo la piel fresca y seca.

Para ayudar a prevenir el intertrigo, use ropa de algodón floja, lave y seque con frecuencia las áreas afectadas —use un limpiador suave o un jabón sin perfume— y aplique loción de calamina, bicarbonato de sodio o polvo de óxido de zinc en las áreas afectadas. También puede intentar soplar con un ventilador o una secadora de cabello a la menor potencia en las áreas húmedas.

Cuidado médico para las erupciones

Si las medidas de autocuidado no son eficaces o si su erupción persiste, empeora o va acompañada por otros síntomas, llame a su proveedor de cuidados de salud.

Si el autocuidado no logra resolver el intertrigo, es probable que su proveedor de cuidados de salud le prescriba una crema esteroidea, antibiótica o antifúngica.

El tratamiento de la UPEPP consta de medicamentos orales o cremas contra la comezón. En los casos más graves, es posible que se prescriba una crema esteroidea.

Estreñimiento

Primer, segundo y tercer trimestres

Este es uno de los efectos secundarios más comunes del embarazo, y afecta a cerca de la mitad de las mujeres embarazadas en algún punto. Por lo general es más molesto en las mujeres que tendían al estreñimiento antes del embarazo.

Durante la gestación, el aumento en la hormona progesterona causa que la digestión se vuelva más lenta, así que la comida pasa más despacio a través del tracto gastrointestinal. En los últimos meses, el útero en expansión hace presión en la parte inferior del intestino. Además, su colon absorbe más agua durante el embarazo, lo cual tiende a endurecer las heces y dificulta los movimientos intestinales.

Otros factores que pueden contribuir al problema incluyen hábitos irregulares de alimentación, estrés, cambios en el medio y adición de calcio y hierro a su dieta. El estreñimiento puede dar lugar a que aparezcan hemorroides (véase **Hemorroides**).

Prevención y autocuidado para el estreñimiento

El primer paso para enfrentar el problema es evaluar su dieta. Comer alimentos ricos en fibra y beber muchos líquidos todos los días le ayudarán a prevenir o aliviar el estreñimiento. Siga estas sugerencias:

- Coma alimentos ricos en fibra, incluyendo frutas frescas y secas, verduras crudas y cocidas, germen, frijoles y alimentos de grano entero, como pan de trigo integral, arroz entero y avena. El remedio antiguo de las ciruelas —ahora comercializadas como ciruelas pasa— puede ayudar, lo mismo que los jugos de frutas, en especial el de ciruela.
- Ingiera comidas pequeñas y frecuentes y mastique bien sus alimentos.
- Beba muchos líquidos, en especial agua. Trate de consumir ocho vasos de 250 mililitros al día. Beba un vaso de agua antes de dormir.
- Haga más ejercicio. Añadir un poco de tiempo a sus caminatas diarias o a otras actividades físicas puede ser eficaz.
- Los suplementos de hierro pueden causar estreñimiento. Si su proveedor de cuidados de salud le recomendó suplementos de hierro y está estreñida, tome las pastillas de hierro con jugo de ciruela.

Cuidado médico para el estreñimiento

Si las medidas de autocuidado no funcionan su proveedor de cuidados de salud le puede recomendar un laxante leve como leche de magnesia, un agente productor de masa, o un suavizante de heces que contenga docusato. A veces, se necesitan medidas más fuertes, pero sólo deben usarse bajo el consejo de su médico.

No tome aceite de ricino porque éste interfiere con la absorción de ciertas vitaminas y nutrientes.

Estrías

Segundo y tercer trimestres

Si reúne un grupo de madres en espera, es probable que escuche algo sobre las estrías. Éstas son líneas rosadas o violáceas que aparecen en forma típica en abdomen, pechos, antebrazos, nalgas y caderas. Cerca de la mitad de las mujeres embarazadas las presentan, en especial durante la segunda mitad del embarazo.

Las estrías no son señal de un aumento de peso excesivo, son producto de un estiramiento de la piel junto con un incremento normal en la cortisona, una hormona producida por las glándulas suprarrenales. Se cree que la herencia juega el papel más importante en su desarrollo. Algunas mujeres presentan estrías muy notorias aunque hayan ganado poco peso durante el embarazo.

Las estrías por lo general no desaparecen del todo, pero es frecuente que se aclaren poco a poco después del parto hasta ser color rosa pálido o blancas.

Prevención de las estrías
En contra de la creencia popular, no hay cremas ni ungüentos que puedan prevenir o eliminar las estrías. Dado que estas marcas se desarrollan desde lo profundo del tejido conjuntivo que se encuentra bajo la piel, no pueden evitarse con nada que se aplique en forma externa.

Falta de aire
Véase **Aire, falta de.**

Fatiga
Primer y tercer trimestres
"¡Estoy tan cansada!" Ésta es una de las frases más comunes del embarazo. La mayoría de las mujeres se encuentra más cansada que de costumbre durante la gestación. En los primeros meses, su cuerpo trabaja duro —bombeando hormonas, produciendo más sangre para llevar nutrientes al feto, acelerando su ritmo cardiaco para suplir el incremento en el flujo sanguíneo y cambiando la forma en que usa el agua, las proteínas, las grasas y los carbohidratos. Durante el último par de meses de embarazo, cargar el peso adicional del bebé es cansado.

Además de los cambios físicos, debe enfrentar una serie de sentimientos y preocupaciones que pueden agotar su energía y alterar su sueño. Es natural tener sentimientos conflictivos acerca de un embarazo, ya sea planeado o no, el primero o el cuarto. Incluso si está muy feliz, es probable que enfrente estrés emocional adicional. Quizá tenga temores acerca de si el bebé estará sano, ansiedad acerca de si se ajustará a la maternidad y preocupaciones acerca del incremento de los gastos. Si su trabajo es exigente, es probable que se preocupe de su capacidad de mantenerse productiva durante el embarazo.

Estas preocupaciones son normales y naturales. Es importante reconocer que los asuntos emocionales también juegan un papel en la forma en que se siente físicamente.

Prevención y autocuidados para la fatiga
Recuerde que es normal sentirse cansada durante el embarazo. La fatiga es una señal de su cuerpo de que necesita descanso adicional. No se fuerce. Aquí hay algunas maneras de evitar que la fatiga la venza:
- *Descanse.* Acepte el hecho de que necesita reposo adicional durante estos nueve meses y planee su vida diaria de acuerdo con esto. Tome siestas

cuando pueda durante el día. En el trabajo, encontrar tiempo para sentarse con comodidad con los pies en alto puede renovar su energía. Si no puede dormir la siesta durante el día, quizá pueda tomar una después del trabajo o antes de la cena o de sus actividades de la noche. Si necesita ir a la cama a las 7:00 p.m. para sentirse descansada, hágalo. Puede ayudarle si evita beber líquidos unas horas antes de ir a la cama de manera que no tenga que levantarse con tanta frecuencia durante la noche para ir al baño.

- *Evite aceptar responsabilidades adicionales.* Reduzca los compromisos voluntarios y los eventos sociales si la están agotando.
- *Pida el apoyo que necesita.* Haga que su pareja o sus otros hijos le ayuden lo más posible.
- *Ejercítese con regularidad.* La actividad física regular aumentará su nivel de energía. El ejercicio moderado, como caminar 30 minutos diarios, puede ayudarle a sentirse con mayor energía.
- *Coma bien.* Consumir una dieta nutritiva y balanceada es más importante ahora que nunca. Asegúrese de que consume suficientes calorías, hierro y proteína. La fatiga puede agravarse si su dieta es deficiente en hierro o en proteína.

Cuidado médico para la fatiga
Ningún medicamento para la fatiga es seguro o eficaz durante el embarazo. Evite los estimulantes como la cafeína, la cual puede ser dañina en grandes dosis.

Flu
Véase **Influenza**

Gas e inflamación
Primer, segundo y tercer trimestres
Gas, inflamación, flatulencia —¡más aspectos divertidos del embarazo! Bajo la influencia de las hormonas del embarazo, su sistema digestivo se vuelve lento. La comida se mueve más despacio a través de su tracto gastrointestinal. Este retraso sirve a un propósito importante: da a los nutrientes más tiempo para que sean absorbidos en su torrente sanguíneo y lleguen al feto. Por desgracia, también puede causar inflamación y gas. El problema puede agravarse durante el primer trimestre, cuando muchas mujeres tienen la tendencia a tragar aire en respuesta a la náusea.

Prevención y autocuidado para el gas y la inflamación
Para minimizar la cantidad de gas e inflamación que presenta durante el embarazo, siga estas sugerencias:
- Mantenga su intestino en movimiento. El estreñimiento es una causa común de gas e inflamación. Para evitarlo, beba muchos líquidos, coma

una gran variedad de alimentos ricos en fibra y mantenga una actividad física regular. (Véase también **Estreñimiento**.)

- Haga comidas pequeñas y frecuentes, y no llene demasiado su estómago.
- Coma despacio. Cuando uno come de prisa, tiene más probabilidad de tragar aire, lo cual puede contribuir a la formación de gas. Haga unas cuantas respiraciones profundas antes de las comidas para relajarse.
- Evite los alimentos que producen gas. Estos varían de una persona a otra, pero algunas causas comunes incluyen col, brócoli, coliflor, colecitas de Bruselas, cebollas, bebidas carbonatadas, alimentos fritos o grasosos, salsas ricas y, desde luego, los frijoles.
- No se acueste inmediatamente después de comer.

Cuidado médico para el gas y la inflamación

No tome antiácido para el gas, la inflamación o la indigestión sin consultar primero con su proveedor de cuidados de salud. Muchos antiácidos contienen sodio, lo cual puede incrementar la inflamación y la retención de agua. También pueden contener aluminio, el cual suele producir estreñimiento y agravar el problema. Los antiácidos que contienen magnesio pueden llevar a la diarrea.

Hambre

Primer, segundo y tercer trimestres

¿Siente ganas de saquear el refrigerador en forma constante desde que quedó embarazada? Sentir más hambre de la acostumbrada es normal —la mayoría de las mujeres presenta un incremento en su apetito a lo largo del embarazo. Esto tiene sentido porque se necesitan cerca de 300 calorías extras al día para nutrir el crecimiento y desarrollo de su bebé.

Algunas mujeres tienen el problema opuesto: una falta de apetito debido a la náusea. O quizá sienta necesidad de un cierto tipo de alimento, como fruta, chocolate, papas martajadas o cereal. En especial durante el primer trimestre, los cambios hormonales pueden causar cambios en el apetito.

Mientras consuma una variedad de alimentos nutritivos, no debe preocuparse demasiado de sus cambios de apetito, incluyendo el aumento en el hambre y los antojos. Si tiene hambre con frecuencia, haga pequeñas comidas a lo largo del día. Concéntrese en consumir pequeñas cantidades de alimentos blandos a lo largo del día. Si la náusea o la falta de apetito le hacen comer menos cada vez, no se preocupe de que esto dañe a su bebé. El feto obtiene la prioridad de los nutrientes que consume. (Véase también **Náusea durante el día**.)

Hemorroides

Segundo y tercer trimestres

Algunas mujeres embarazadas desarrollan hemorroides —venas varicosas en el recto. Las hemorroides son producto del incremento de volumen sanguíneo y presión del útero en las venas de su recto. Las venas pueden crecer hasta formar bolsas firmes e hinchadas debajo de las mucosas dentro y fuera del recto. Éstas pueden darse por primera vez durante el embarazo o volverse más frecuentes o graves.

El estreñimiento también puede contribuir a la formación de hemorroides porque el esfuerzo al pujar puede agrandar las venas del recto. El estreñimiento es común en el embarazo, en especial durante los últimos meses, cuando su útero puede presionar su intestino grueso. (Véase también **Estreñimiento**.)

Las hemorroides pueden ser dolorosas y pueden sangrar, provocar comezón o punzadas, en especial durante o después de un movimiento intestinal. Por lo general, las hemorroides ceden o desaparecen después del parto.

Prevención y autocuidado para las hemorroides

La mejor manera de enfrentar las hemorroides es evitar el estreñimiento. Esto tiene especial importancia si las ha padecido antes del embarazo. Para evitar las hemorroides y aliviar sus molestias, pruebe lo siguiente:

- Evite el estreñimiento ingiriendo alimentos ricos en fibra, frutas y verduras y bebiendo muchos líquidos.
- Ejercítese con regularidad, lo cual puede ayudar a regularizar los movimientos intestinales.
- Evite pujar durante los movimientos intestinales, ya que esto presiona las venas de su recto y puede agravar o causar las hemorroides. Ponga sus pies sobre un banco para reducir el esfuerzo, y evite estar sentada en el inodoro durante mucho tiempo.
- Mantenga limpia el área alrededor de su ano. Lave con cuidado el área después de cada movimiento intestinal. Las compresas con *hamamelis* pueden ayudar a aliviar el dolor y la comezón. Puede refrigerar las compresas, las cuales pueden ser más calmantes cuando se aplican frías. Quizá también desee intentar un baño asiento caliente —en una palangana poco profunda que se adecua sobre el inodoro y le permite sumergir sus nalgas y caderas.
- Utilice un paquete helado para obtener algo de alivio.
- Pruebe los baños tibios en tina o de asiento para ayudar a reducir las hemorroides y obtener alivio. Añada una fórmula de avena para baño o agregue bicarbonato de sodio al agua para combatir la comezón.
- Evite estar sentada por largo tiempo, en especial en sillas duras.

Cuidado médico para las hemorroides

Los suavizantes de heces o los laxantes que producen volumen pueden ayudar, pero consulte a su proveedor de cuidados de salud antes de usar cualquier remedio automedicado para las hemorroides. Si las medidas de autocuidado no funcionan, es posible que su proveedor de cuidados de salud le prescriba una crema o ungüento que las puedan encoger.

A veces, una hemorroide puede llenarse con coágulos sanguíneos (trombótica). Si esto sucede, la vena inflamada no regresará a su tamaño normal. Es posible que se necesite cirugía menor para extirpar la hemorroide.

Heparina
Véase **"Anticoagulantes"** en Medicamentos.

Hinchazón
■ *Tercer trimestre*

Habrá un momento en que se sentirá hinchada durante el embarazo. La hinchazón (edema) es común durante la gestación cuando los tejidos de su cuerpo acumulan más líquido debido a la dilatación de los vasos sanguíneos y al aumento en volumen de sangre. El clima caliente puede agravar la condición.

Durante los últimos tres meses del embarazo, cerca de la mitad de las mujeres en espera nota que sus párpados y su cara se hinchan, sobre todo por la mañana. Esto se debe a la retención de líquido y a la dilatación de los vasos sanguíneos, lo cual es de esperarse en el embarazo. En las últimas semanas de éste, casi todas las mujeres presentan cierta inflamación en pantorrillas, piernas, dedos o cara. Por sí misma la hinchazón es molesta pero no una complicación seria.

■ *Prevención y autocuidado por la hinchazón*

Si tiene problemas con la hinchazón:
- Use compresas de agua fría en las áreas hinchadas.
- No reduzca su ingesta de sal en forma drástica, aunque medir su consumo de pretzels con sal de mar podría ser una buena idea. Quizá le recomienden que limite el sodio para ayudar con la retención de líquido, pero la reducción de sal en forma drástica causará que su cuerpo conserve sodio y agua, lo cual puede empeorar la hinchazón.
- Para aliviar la inflamación en piernas y pies, recuéstese y eleve sus piernas por una hora a media tarde. El uso de un escabel también puede ayudarle.
- La natación o incluso estar de pie en una alberca puede darle cierto alivio. La presión del agua comprimirá sus tobillos y su útero flotará un poco, lo cual reducirá la presión sobre sus venas.

■ *Cuándo buscar ayuda médica para la hinchazón*

Si su cara y sus manos se hinchan de repente —en especial si se da cuenta de que no orina con la frecuencia acostumbrada— comuníquese de inmediato con su proveedor de cuidados de salud. La hinchazón en cara, en especial alrededor de los ojos, en ocasiones puede ser un signo de preeclampsia.

Hipo
Véase **Hipo del bebé.**

Hipo del bebé
■ *Segundo y tercer trimestres*

Comenzando a la mitad del embarazo y hasta el final de éste, es posible que note en forma ocasional un ligero torcimiento o pequeños espasmos en su abdomen. Es probable que su bebé tenga hipo. El hipo fetal se desarrolla desde la 15ª semana de gestación, incluso antes de que se vuelvan comunes los movimientos respiratorios. Algunos fetos presentan hipo varias veces al día, y otros nunca. Después de nacer, la mayoría de los bebés tiene ataques frecuentes de hipo. Son comunes después de la alimentación, sobre todo después de eructar. Nadie sabe por qué ocurren —en bebé o adultos— o por qué los bebés los presentan con tanta frecuencia.

Por fortuna, el hipo no implica peligro alguno para los infantes antes o después del nacimiento. No hay forma confiable de detener el hipo en un bebé. Este factor no causa la misma molestia en los bebés que en los adultos, aunque un recién nacido con hipo puede estar inquieto o llorar.

Incontinencia urinaria
Segundo y tercer trimestres
A veces, las mujeres embarazadas y las nuevas madres pueden dejar salir orina de manera involuntaria, en especial al toser, pujar o reír. Durante el embarazo, el bebé con frecuencia se apoya en forma directa sobre su vejiga, y nadie puede permanecer seco cuando un bebé está rebotando sobre su vejiga. En ocasiones, el daño sobre los músculos de la base de la pelvis y los nervios de la vejiga causará fugas de orina durante algunas semanas después del parto. Por fortuna, este problema casi siempre mejora dentro de los tres meses siguientes al parto. Por desgracia, el trastorno tiende a regresar más adelante en la vida.

Prevención y autocuidado para la incontinencia urinaria
Los estudios muestran que los ejercicios de Kegel pueden ayudar a prevenir la incontinencia urinaria durante el embarazo y después del parto. Estos ejercicios de fortalecimiento ayudan a formar un sostén más fuerte y grueso para su vejiga, uretra y otros órganos pélvicos. Para hacer los ejercicios de Kegel, apriete con fuerza los músculos que se encuentran alrededor de su vagina, como si detuviera el flujo de orina, por unos segundos, luego relájese. Repita 10 veces.

Si presenta incontinencia, use ropa interior protectora o toallas sanitarias.

Incremento de la transpiración
Véase **Transpiración.**

Indigestión
Véanse **Agruras; Gas e inflamación.**

Infecciones del tracto urinario
Primer, segundo y tercer trimestres
Muchos de los cambios normales del embarazo pueden incrementar su riesgo de presentar infecciones del tracto urinario (ITU) —en vejiga, riñones y uretra. Es muy importante reconocer y tratar las ITU durante el embarazo. Estas

infecciones son una causa común de trabajo de parto prematuro. Es más, las ITU durante el embarazo tienen mayor probabilidad de ser graves. Por ejemplo, si presenta una infección en vejiga que no recibe tratamiento, puede dar como resultado una infección en riñones.

También es más susceptible a las ITU después de dar a luz. Por un tiempo después del parto, es posible que sea incapaz de vaciar por completo su vejiga. La orina que queda proporciona un medio de cultivo para las bacterias.

Por fortuna, las infecciones en vejiga —incluso las que no causan signos ni síntomas— por lo general pueden detectarse y tratarse antes de que los riñones se infecten. Hay varios métodos de evaluación para detectar la evidencia temprana de infección. Cuando se tratan en forma oportuna y adecuada, las ITU no dañan a su bebé.

Si padece una ITU, es posible que sienta dolor o ardor al orinar. Quizá sienta una urgencia frecuente, casi de pánico, de orinar, o quizá sienta que necesita orinar de nuevo justo cuando acaba de hacerlo. Otros signos y síntomas incluyen sangre en orina, olor fuerte en esta última, fiebre leve y sensibilidad sobre el área de la vejiga. El dolor abdominal y en la espalda también pueden indicar la presencia de una infección.

Prevención y autocuidado para las infecciones del tracto urinario
Puede ayudar a prevenir y resolver las ITU en varias formas:
- Beba muchos líquidos, en especial agua.
- Orine con frecuencia —no aguante ni espere por largos periodos antes de ir al baño. Aguantar la orina puede dar como resultado que no vacíe por completo la vejiga, lo cual suele conducir a una ITU. La micción frecuente también ayuda a eliminar las ITU.
- Inclínese hacia delante mientras orina para ayudar a vaciar mejor su vejiga.
- Orine siempre después de las relaciones sexuales.
- Después de orinar, séquese de adelante hacia atrás.

Cuidado médico para las infecciones del tracto urinario
Las infecciones del tracto urinario se diagnostican por medio de una prueba con una muestra de orina para descubrir la bacteria. El tratamiento incluye antibióticos para desaparecer la infección y actetaminofén para disminuir la fiebre. Estos medicamentos son seguros durante el embarazo, la elección de los antibióticos está a cargo de su proveedor de cuidados de la salud. Si presenta una infección en el riñón, se le debe trasladar al hospital para la aplicación de antibióticos intravenosos. Después de que se resuelve la infección su proveedor de cuidados de salud le puede recomendar que continúe con antibióticos para evitar una recurrencia.

Infecciones por levaduras
Primer, segundo y tercer trimestres
Las infecciones por levaduras (candidiasis) son producidas por el organismo *Candida albicans*, que se encuentra en pequeñas cantidades en la vagina en

cerca de 25 por ciento de las mujeres. En forma normal, varios organismos de la vagina tienden a controlarse unos a otros, pero los niveles elevados de estrógeno durante el embarazo causan cambios en el medio vaginal, lo cual puede romper el equilibrio natural y permitir que algunos organismos crezcan con mayor rapidez que otros.

Candida puede estar presente sin causar signos ni síntomas, o puede causar una infección. Los signos y síntomas de esta última incluyen una descarga vaginal espesa, blanca, tipo cuajo, comezón, ardor y enrojecimiento alrededor de la vagina y la vulva, y dolor al orinar.

Aunque la infección por levaduras puede ser desagradable para usted, no dañará a su bebé y puede tratarse en forma segura durante el embarazo.

Prevención y autocuidado para las infecciones por levaduras
Para ayudar a prevenir las infecciones por levaduras:
- Coma yogur que contenga cultivos vivos de *Lactobacillus acidophilus* —la mayoría de los yogur los tienen. Éste puede ayudar a que la mezcla adecuada de bacterias crezca en su organismo.
- Use ropa interior o pantimedias con tiro de algodón, además de pantalones flojos.
- Evite el uso de trajes de baño o ropa para ejercicio durante periodos prolongados, y lávelos después de usarlos.

Cuidado médico para las infecciones por levaduras
La candidiasis durante el embarazo se trata con una crema vaginal u óvulos vaginales que contengan fungicidas. Estos medicamentos se pueden obtener sin prescripción, pero no los use sin consultar primero a su proveedor de cuidados de salud, ya que éste debe confirmar el diagnóstico antes de iniciar el tratamiento. Aunque hay preparaciones orales para tratar las infecciones por levaduras, la mayoría de los proveedores de cuidados de salud recomiendan el tratamiento tópico durante el embarazo.

Una vez que haya presentado una infección por levaduras durante el embarazo, puede ser un problema recurrente hasta el parto, cuando por lo general cede. Es probable que deba tratar la infección por levaduras en forma repetida durante toda la gestación.

Influenza

Primer, segundo y tercer trimestres
La influenza afecta su sistema respiratorio —nariz, garganta y pulmones— más que a sus intestinos.

Prevención y autocuidado para la influenza
Los Centros para el Control de las Enfermedades recomiendan la vacuna para influenza para mujeres que habrán pasado el primer trimestre del embarazo durante la temporada de influenza (octubre a abril). Hable con su proveedor de cuidados de salud acerca de si esto se aplica para usted.

Además, es importante lavar sus manos con frecuencia, en especial antes de tocar sus ojos o boca. Use jabón y agua tibia para lavar todas las superficies de la piel, frotando con vigor por 15 a 30 segundos. Anime a las personas que se encuentran a su alrededor a cubrir su boca cuando tosen o estornudan.

Si piensa que tiene influenza, hable con su proveedor de cuidados de salud. Beba muchos líquidos de manera que permanezca hidratada.

Cuidado médico para la influenza

Busque cuidado médico si tiene signos de deshidratación (véase también **Deshidratación después de infección intestinal**).

Insomnio

Segundo y tercer trimestres

Va a la cama exhausta, con la seguridad de que se dormirá en el momento en que su cabeza toque la almohada. En lugar de esto, se encuentra despierta por completo, oyendo el reloj marcar los minutos, o se despierta a las cuatro de la mañana y no logra volver a dormir. El insomnio —un padecimiento en el cual uno tiene problemas para dormir o para mantenerse dormido— es muy común durante el embarazo. Considerando todos los cambios que está pasando, tanto en el aspecto físico como en el emocional, no es raro que su sueño se vea afectado.

Aunque muchas mujeres duermen más durante el primer trimestre que antes de estar embarazadas, los cambios hormonales pueden hacer que para algunas mujeres sea difícil dormir durante la noche. A medida que su útero en crecimiento pone presión en su vejiga, la necesidad frecuente de orinar puede hacer que se levante para ir al baño varias veces por noche.

A medida que crece el bebé, es posible que le sea más difícil encontrar una posición cómoda para dormir. Un bebé activo también puede mantenerla despierta. La acidez, los calambres en las piernas y la congestión nasal son otras razones comunes que alteran el sueño en los últimos meses de la gestación.

Además, está la anticipación natural, la emoción y ansiedad que le hace sentir la llegada del bebé. Quizá esté inquieta por la salud del bebé y los cambios que este último va a crear en su vida. Estos sentimientos pueden hacer difícil que relaje su mente y su cuerpo. Quizá tenga sueños frecuentes y vívidos acerca del nacimiento y el bebé, lo cual también contribuye al insomnio.

Aunque este trastorno puede ser frustrante para usted, no lastimará a su bebé.

Prevención y autocuidado para el insomnio

Preocuparse por la falta de sueño sólo complicará el problema. Si tiene dificultad para conciliar el sueño o mantenerse dormida, pruebe estas sugerencias:

- Comience por tranquilizarse antes de ir a la cama. Tome un baño caliente o haga ejercicios de relajamiento. Pida un masaje a su pareja.

- Asegúrese de que su recámara está a una temperatura cómoda para dormir y de que esté oscura y silenciosa.
- Reduzca los líquidos que consume en la noche.
- Ejercítese con regularidad, pero evite el agotamiento.
- La mejor posición para dormir al final del embarazo es sobre su lado izquierdo o derecho, con las piernas y rodillas dobladas. Recostarse de lado elimina presión de la gran vena que lleva la sangre de sus venas y pies de regreso al corazón. Esta postura también elimina presión de la parte inferior de su espalda. Use una almohada para apoyar su abdomen y otra para sostener su muslo. También puede intentar colocar un cojín hecho bola o una cobija enrollada en la curva de su cintura. Esto le ayudará a aliviar la presión de la cadera sobre la cual está acostada.
- No se quede despierta preocupada porque no está durmiendo. Levántese y lea, escriba una carta, escuche música relajante, haga una costura o alguna otra actividad calmante.
- Si es posible, tome siestas cortas durante el día para compensar el sueño perdido durante la noche.

Cuidado médico para el insomnio

Ningún medicamento para el insomnio, incluyendo los remedios de hierbas, es seguro por completo durante el embarazo. Si la ansiedad la mantiene despierta durante la noche, pregunte a su proveedor de cuidados de salud acerca de ejercicios de relajación que puedan ayudarle, o emplee las técnicas de relajamiento que aprendió en el curso para el parto.

Si le preocupa la posibilidad de tener un trastorno serio del sueño, consulte con su proveedor de cuidados de salud. Si los sueños y pesadillas inquietantes son la causa de su problema, podría ser útil hablar con un terapeuta o con un consejero.

Instinto de anidado

Tercer trimestre

A medida que se acerca su fecha de término, puede encontrarse limpiando anaqueles, lavando paredes, organizando sus closets, limpiando el garage, ordenando las ropas del bebé o decorando su cuarto. La necesidad urgente de limpiar, organizar y decorar antes de la llegada del bebé se llama instinto de anidado, y por lo general alcanza su punto máximo justo antes del parto.

El anidado le da un sentido de logro antes del nacimiento y le permite llegar después a una casa limpia. El deseo de preparar su hogar puede ser útil porque le dará más tiempo después para recuperarse y pasar tiempo con su bebé, pero no exagere y se agote. Necesitará su energía para el duro trabajo de parto.

Precauciones de limpieza. No hay evidencia alguna que relacione el uso normal de los limpiadores domésticos con los defectos de nacimiento. Siga siempre las instrucciones de seguridad del fabricante, y eso se aplica por partida doble cuando está embarazada. Nunca mezcle el amoniaco con los productos con base de cloro, como el blanqueador, porque la combinación produce vapores venenosos. Use guantes cuando limpie, y no inhale en forma directa ningún vapor fuerte. (Véase también **Pintura**.)

Intolerancia a la lactosa

■ *Primer, segundo y tercer trimestres*

Es común que se indique a las mujeres embarazadas que beban leche, pero estos consejos no van bien con las personas que evitan esta última y los productos lácteos debido a la intolerancia a la lactosa. La gente con esta intolerancia tiene problemas para digerir la lactosa, el azúcar de la leche, debido a que tiene niveles bajos de la enzima lactasa.

La intolerancia a la lactosa es un trastorno común que afecta a cerca de 15 por ciento de la población de adultos de raza blanca en Estados Unidos y a 75 por ciento o más de los adultos negros, indoamericanos y asiaticoamericanos.

Los signos y síntomas de la intolerancia a la lactosa incluyen heces disminuidas de consistencia, diarrea, inflamación y dolor abdominales, gas, náusea y gruñidos o gorgoteos en el estómago e intestinos. Los signos y síntomas se presentan después de que consume leche u otros productos lácteos.

Para muchas mujeres, la capacidad de digerir la lactosa mejora durante el embarazo, en especial al avanzar éste. Así pues, si es intolerante a la lactosa en forma normal, es posible que se encuentre que, durante el embarazo, puede consumir leche y otros productos lácteos sin ninguna molestia ni síntoma.

Dado que la gente con intolerancia a la lactosa con frecuencia evita los lácteos, es posible que no obtenga suficiente calcio en su dieta. El Instituto de Medicina recomienda una ingesta diaria de calcio de 1,000 miligramos (mg) para las mujeres de 19 años o más, incluyendo las embarazadas, y 1,300 mg para adolescentes embarazadas menores de 19 años. Puede ser difícil cubrir esta necesidad si no consume leche y otros productos lácteos, los cuales son la mejor fuente de calcio.

■ *Prevención y autocuidado para la intolerancia a la lactosa*

Si tiene intolerancia a la lactosa o le disgusta la leche u otros lácteos, es importante asegurarse de que obtiene suficiente calcio en su dieta.

Considere las siguientes sugerencias:

- La mayoría de la gente intolerante a la lactosa puede beber hasta una tasa de leche con las comidas sin presentar síntomas. Si esa cantidad la molesta, intente reducir la porción a media taza dos veces al día.
- Intente usar productos deslactosados o con lactosa reducida, incluyendo leche, queso y yogur.
- El yogur y los productos fermentados como los quesos con frecuencia son mejor tolerados que la leche regular. La lactosa en el yogur ya está digerida en forma parcial por los cultivos bacterianos activos en este alimento.
- Intente usar tabletas de enzima lactasa, las cuales ayudan a digerir la lactosa. No son efectivos para todos.
- Elija una variedad de otros alimentos ricos en calcio, como sardinas o salmón con huesos, tofu, brócoli, espinaca, así como jugos y alimentos fortificados con calcio.

▓ *Cuidado médico para la intolerancia a la lactosa*

Ningún tratamiento médico es necesario para la intolerancia a la lactosa. Pero si le preocupa no obtener suficiente calcio en su dieta, hable con su proveedor de cuidados de salud. Hay muchos suplementos de calcio para escoger.

Irritabilidad

Véase **Cambios de humor.**

Línea negra

▓ *Primer, segundo y tercer trimestres*

La línea pálida y apenas notoria que va desde su ombligo hasta su hueso púbico, llamada línea alba (línea blanca), con frecuencia se oscurece durante el embarazo. Entonces se denomina línea negra (linea nigra). Lo mismo que muchos otros cambios que ocurren durante el embarazo, el oscurecimiento de la piel es el resultado de hormonas que hacen que el cuerpo produzca más pigmento. No puede evitar la línea negra, pero ésta desaparecerá después del parto (Véase también **Cambios en piel.**)

Líneas azules o venas bajo la piel

▓ *Segundo y tercer trimestres*

Las venas de todo su cuerpo crecen durante el embarazo para permitir un incremento del flujo sanguíneo hacia el bebé. Estos vasos crecidos se manifiestan como líneas finas de color azul, rojizo o violáceo debajo de la piel, casi siempre en piernas y tobillos. Los vasos sanguíneos en la piel de sus pechos también se hacen más visibles y aparecen como líneas azules o rosadas. Estas líneas por lo general desaparecen después del embarazo.

Cerca de una de cada cinco mujeres embarazadas desarrolla venas varicosas —venas inflamadas y protuberantes, en especial en las piernas. Las venas varicosas pueden surgir por primera vez o empeorar al final del embarazo, cuando el útero ejerce una mayor presión sobre las venas de las piernas. (Véase también **Venas varicosas.**)

Llanto

Véase **Cambios de humor.**

Mala memoria

▓ *Primer, segundo y tercer trimestres*

Pierde las llaves, olvida una cita, no puede concentrarse en su trabajo. Si siente que se ha convertido en una despistada desde que se embarazó, no es la única. Algunas mujeres se vuelven olvidadizas o distraídas durante el embarazo. Quizá tenga problemas para concentrarse y sienta como que vive entre niebla. Estos síntomas, similares a lo que las mujeres experimentan antes de la menstruación, son el efecto temporal de los cambios hormonales.

Prevención y autocuidado para la mala memoria
Considere estos consejos para sentirse más en control:
- Acepte que estar un poco distraída durante el embarazo es normal. Preocuparse por ello sólo hará que la situación empeore. Éste es el momento de tener sentido del humor.
- Reduzca el estrés en su vida lo más posible.
- Tenga listas en casa y en el trabajo para evitar olvidar cosas que necesita hacer. Algunas mujeres se benefician al usar agendas electrónicas.

Cuidado médico para la mala memoria
No se ha demostrado que algun tratamiento médico mejore la claridad mental. Se ha dicho que el remedio de hierbas ginkgo mejora la memoria, pero su uso no se considera seguro durante el embarazo.

Manchado
Véase **Sangrado vaginal.**

Mareos
Véase **Debilidad y mareo.**

Máscara del embarazo
Primer, segundo y tercer trimestres
Más de la mitad de las mujeres embarazadas desarrolla un oscurecimiento leve de la piel de la cara. Llamada en forma común la máscara del embarazo, esta coloración café también se llama cloasma o melasma. Puede afectar a cualquier mujer embarazada, aunque aquellas con cabello oscuro y piel clara son las más susceptibles. El melasma por lo general aparece en áreas de la cara expuestas al sol, como frente, sienes, mejillas, mentón, nariz y labio superior. Tiende a aparecer en ambos lados de la cara (simétrico).

El melasma con frecuencia se agrava o intensifica por exposición a la luz solar u otras fuentes de luz ultravioleta. La condición por lo general se aclara después del nacimiento, aunque puede no desaparecer por completo, y puede regresar con los embarazos subsecuentes.

Prevención y autocuidado de la máscara del embarazo
Debido a que la exposición a la luz solar con frecuencia empeora el oscurecimiento de la piel, protéjase del exceso de luz solar:
- Use siempre un filtro solar con un factor de protección (FPS) de 15 o más cuando esté a la intemperie, ya sea que esté soleado o nublado. Los rayos UV del sol pueden alcanzar su piel incluso cuando el cielo esté cerrado.

- Evite las horas de mayor intensidad de luz solar, durante el mediodía.
- Use un sombrero de ala ancha que dé sombra a su cara.
- Si su máscara es extrema, el maquillaje correctivo puede ayudar.

Cuidado médico para la máscara del embarazo

Evite cremas y otros agentes para aclarar la piel. Si el oscurecimiento de su piel es extremo, su proveedor de cuidados de salud o dermatólogo puede prescribir un ungüento medicinal. Si el melasma persiste por largo tiempo después del parto, consulte a un dermatólogo. Es posible que éste le recomiende una crema o un ungüento medicinales o un *peeling* químico.

Medicamentos

Primer, segundo y tercer trimestres

Cuando está embarazada, todavía es susceptible a todas las enfermedades acostumbradas que enfrenta la población general. Y el embarazo mismo puede dar lugar a trastornos en la salud que requieren tratamiento.

Pero muchas mujeres tienen preocupaciones acerca del uso de medicamentos durante el embarazo. ¿Debería evitar todos los fármacos? ¿Qué medicamentos son seguros? ¿Qué pasa si ya está tomando un medicamento para un problema crónico de salud? ¿Debe seguir tomándolo?

Como regla general, lo mejor es ser precavida y evitar el uso de fármacos durante el embarazo. Algunos medicamentos pueden causar aborto temprano o daño al feto en desarrollo. Se cree que la exposición a los fármacos es responsable de dos a tres por ciento de los defectos del nacimiento. Muy pocos medicamentos han comprobado ser completamente seguros en el embarazo, pero se ha determinado que muchos son lo bastante seguros como para que sus beneficios superen cualquier riesgo mínimo y desconocido. Antes de tomar cualquier medicamento —de prescripción o de venta sin receta— verifique con su proveedor de cuidados de salud cualquier recomendación basada en su historial médico y en el medicamento en cuestión. El farmacéutico también puede proporcionarle lineamientos generales.

Si padece un problema de salud que requiere de administración regular de fármacos, o si tomaba un medicamento con regularidad antes de quedar embarazada, su proveedor de cuidados de salud evaluará si es más seguro para usted seguir tomando el medicamento, suspenderlo o cambiar a uno diferente que implique menor riesgo para usted y su bebé. *Lo más probable es que un fármaco que era importante para su salud antes del embarazo lo siga siendo también durante éste.* Lo mejor siempre es diseñar un plan respecto a los medicamentos cuando planea quedar embarazada.

A continuación presentamos una guía de los riesgos para mujeres embarazadas respecto a algunos medicamentos de uso común.

Medicamentos para el acné. No tome ningún medicamento para el acné sin consultar con su proveedor de cuidados de salud. Algunos fármacos empleados para tratar el acné pueden dañar al feto. Éstos incluyen:

- *Isotretinoína.* Se sabe que este medicamento para el acné, si se toma en forma oral, causa defectos de nacimiento como hidrocefalia, anormalidades cardiacas y defectos del oído. Las mujeres que toman isotretinoína deben esperar por lo menos tres meses después de suspender su uso antes de embarazarse.
- *Terapia hormonal.* Las hormonas, incluyendo estrógeno y los antiandrógenos espironolactona y flutamida, se usan a veces para tratar el acné, pero no deben tomarse durante el embarazo.
- *Tetraciclinas.* Estos antibióticos se usan con frecuencia para tratar el acné. Pueden causar retraso en el crecimiento óseo y manchas en los dientes de los bebés, lo mismo que enfermedad hepática grave en mujeres embarazadas. No deben usarse durante la gestación.

(Véase también **Acné**.)

Medicamentos para alergia. Estos incluyen antihistamínicos, descongestivos, sprays nasales y vacunas para alergia. Durante el embarazo, evite la mayoría de los antihistamínicos y descongestivos a menos que su proveedor de cuidados de salud los recomiende. Su proveedor de cuidados de salud puede ayudarle a seleccionar medicamentos que minimicen el riesgo a su bebé.

Por lo general no hay riesgo en el uso de sprays nasales esteroideos y no esteroideos, aunque si los usa, hágalo bajo la supervisión de su proveedor de cuidados de salud. Las vacunas contra alergia son seguras para las mujeres embarazadas que ya las recibían antes de estarlo, aunque la mayoría de los médicos no las inician durante la gestación. (Véase también **Alergias**.)

Antiácidos y bloqueadores de ácido. Los antiácidos casi siempre son seguros cuando se toman de acuerdo con las indicaciones, pero sus efectos secundarios pueden ser molestos. El sodio, un ingrediente común en los antiácidos, puede empeorar la inflamación y la retención de agua. Otros efectos secundarios posibles son la diarrea y el estreñimiento. Dado que los antiácidos pueden reducir la absorción de otros medicamentos y vitaminas, tómelos por lo menos una hora antes o después de otros medicamentos y vitaminas.

El uso de los bloqueadores de ácido, tanto bloqueadores de histamina (H_2) como inhibidores de la bomba de protones, se considera seguro bajo la supervisión de un proveedor de cuidados de salud. Los bloqueadores de H_2 incluyen cimetidina, famotidina y ranitidina. Los inhibidores de la bomba de protones incluyen esomeprazol magnesio y omeprazol. (Véase también **Agruras**.)

Antibióticos. Si adquiere una infección vaginal, como una infección en los senos paranasales o estreptococos en garganta, es posible que su proveedor de cuidados de salud prescriba un antibiótico. El uso de la mayoría de estos fármacos, incluyendo la penicilina, es seguro durante el embarazo, pero las excepciones son serias. Enfatice siempre su embarazo cuando su proveedor de cuidados de salud le prescriba un antibiótico.

Anticoagulantes. Estos fármacos reducen la capacidad de coagulación de la sangre y ayudan a prevenir la formación de coágulos dañinos en los vasos sanguíneos.

- *Heparina.* Es el medicamento de elección para las mujeres embarazadas que requieren un medicamento anticoagulante. La heparina puede prescribirse a mujeres que presentan un trastorno hereditario en la coagulación o que están en riesgo de desarrollar coágulos sanguíneos mientras están embarazadas. Dado que la heparina no cruza la placenta, su uso es seguro durante el embarazo y no daña al feto.

  La heparina se administra por inyección. El tratamiento debe suspenderse en forma breve en el momento del nacimiento para evitar una pérdida excesiva de sangre. El manejo del tratamiento de heparina es trabajo para un obstetra experimentado.

- *Heparinas de bajo peso molecular.* Las heparinas nuevas, de bajo peso molecular (dalteparina, enoxaparina) también son seguras durante el embarazo y tienen algunas ventajas, sin embargo, son caras en extremo.

- *Warfarina.* La warfarina es otro fármaco anticoagulante, pero se ha demostrado que causa defectos de nacimiento y no se usa durante el embarazo.

Si tiene coágulos sanguíneos o está en riesgo de desarrollarlos, su proveedor de cuidados de salud determinará cuál es el mejor curso de tratamiento para usted.

Antidepresivos y estabilizantes del ánimo. Es posible que las mujeres que usan medicamentos para depresión, ansiedad y otros trastornos del ánimo, deban cambiar su uso de estos fármacos durante el embarazo. Si estaba tomando cualquier antidepresivo u otro medicamento psiquiátrico antes de embarazarse, hable con su proveedor de cuidados de salud acerca de si debe seguir tomándolo. Los medicamentos empleados para estos problemas incluyen los siguientes:

- *Antidepresivos tricíclicos.* El uso de esta familia de medicamentos durante el embarazo causa preocupación. Ahora están disponibles medicamentos más efectivos, así que rara vez hay necesidad de considerar el uso de este grupo de fármacos durante la gestación.

- *Inhibidores selectivos de la recaptura de la serotonina (ISRR).* Estudios múltiples han evaluado el uso de la fluoxetina, sertralina y paroxetina durante el embarazo y no han encontrado un incremento en el riesgo de defectos de nacimiento. El efecto que estos medicamentos puedan tener en la conducta futura del bebé nonato se desconoce. Estos fármacos por lo general deben continuarse si se prescribieron para la depresión seria.

- *Otros antidepresivos.* No se ha demostrado que el bupropion cause defectos de nacimiento. No obstante, se desconoce su efecto futuro sobre niños y adultos expuestos durante el embarazo de la madre. El bupropion también se vende como auxiliar para dejar de fumar.

- *Estabilizantes del ánimo.* El litio, el ácido valproico y la carbamazepina se usan para tratar el trastorno bipolar. Si se emplean durante la gestación, pueden dañar al feto en desarrollo. Si está usando cualquiera de estos medicamentos y desea quedar embarazada, hable primero con su proveedor de cuidados de salud o especialista perinatal acerca de sus riesgos y beneficios. El litio y el ácido valproico están muy relacionados con defectos de nacimiento.

Medicamentos para el catarro. Hay una gran variedad de medicamentos en el mercado, incluyendo docenas de descongestivos, jarabes para la tos y sprays nasales, para tratar los síntomas del catarro común. La mayoría de estos fármacos tiene por lo menos alguna precaución relacionada con su uso en el embarazo. Los medicamentos pueden aliviar los signos y síntomas, pero no curan ni acortan la enfermedad. Si está embarazada, el mejor plan de tratamiento para un catarro incluye descanso, líquidos, aumento en la humedad y tiempo. Con frecuencia, usted y su proveedor de cuidados de salud podrán encontrar un método para tratar su catarro que minimice el riesgo para su embarazo. (Véase también **Catarros**.)

Laxantes. El estreñimiento es una molestia común del embarazo. Los laxantes de venta sin receta por lo general son seguros, pero consulte con su proveedor de cuidados de salud para que le recomiende alguno. El abuso de los laxantes puede causar diarrea y un grado de dependencia. Lo mejor es tratar de evitar el estreñimiento. (Véase también **Estreñimiento**.)

Analgésicos
- *Acetaminofeno.* Este medicamento diferente de la aspirina se vende bajo diversas marcas. En las dosis recomendadas, se considera seguro su uso durante el embarazo. Además de aliviar el dolor, el acetaminofeno puede reducir la fiebre.
- *Aspirina.* Evite tomar aspirina cuando esté embarazada, a menos que su proveedor de cuidados de salud le recomiende en forma específica. El uso materno de la aspirina se ha relacionado con algunos defectos de nacimiento y problemas de sangrado en la madre o el infante.
- *Ibuprofeno y otros fármacos antiinflamatorios no esteroideos (AINE).* El ibuprofeno, indometacina, ketoprofeno y otros AINE deben usarse durante el embarazo sólo bajo la dirección de un médico, ya que podrían implicar riesgos para el feto.
- *Narcóticos.* Algunos analgésicos combinan el acetaminofeno con un narcótico como codeína u oxicodona. Los medicamentos de oxicodona no se han relacionado con defectos de nacimiento, pero tienen un alto potencial de adicción y pueden causar problemas de abstinencia o de otros tipos en el infante si se usan por muchos días en las últimas semanas antes del nacimiento. Estos medicamentos nunca son

apropiados para dolor crónico no canceroso, debido a su potencial adictivo.

Para aliviar el dolor, también puede considerar las alternativas no farmacéuticas, por ejemplo, si tiene dolor de cabeza, intente descansar, evite la luz y use una compresa fría en la cabeza. Para el dolor muscular u ocasionado por la artritis, pruebe un baño caliente o un masaje.

Para mayor información específica sobre los medicamentos que se usan para tratar otros padecimientos, véanse **Dolores de cabeza**; **Medicamentos herbales**; **Náuseas matutinas**.

Medicamentos herbales
Primer, segundo y tercer trimestres
Lo mejor es no tomar ningún producto de hierbas mientras esté embarazada. Dado que los productos herbales no están regulados por la Administración de Alimentos y Fármacos, las compañías que fabrican productos de este tipo no tienen que comprobar la seguridad ni la calidad de éstos. Los productos herbales pueden ser peligrosos para su salud y su embarazo. Las hierbas populares que podrían causar problemas incluyen equinácea, hierba de San Juan y ginkgo, entre muchas otras. Asegúrese de hablar con su proveedor de cuidados de salud sobre cualquier producto herbal que esté tomando o planeando tomar.

Melasma
Véase **Máscara del embarazo**.

Micción con dolor y ardor
Primer, segundo y tercer trimestres
La micción dolorosa o la sensación de ardor al orinar son con frecuencia los primeros síntomas de la infección en tracto urinario (véase también **Infecciones del tracto urinario**). Llame pronto a su proveedor de cuidados de salud si presenta dolor al orinar.

Micción frecuente
Primer y tercer trimestres
Durante el primer trimestre del embarazo, su útero en crecimiento empuja su vejiga. Como resultado, es posible que vaya corriendo al baño con más frecuencia que la acostumbrada. Quizá también tenga pequeñas fugas de orina cuando tose, estornuda o ríe. Para el cuarto mes, el útero se expande hacia arriba de la cavidad pélvica, lo que reduce la presión sobre la vejiga. Luego, en las últimas semanas del embarazo, es posible que vuelva a necesitar orinar con mayor frecuencia, cuando la cabeza del bebé se encaje en la pelvis, lo cual ejerce presión de nuevo sobre la vejiga. La micción frecuente casi siempre desaparece después de que da a luz.

■ *Prevención y autocuidado para la micción frecuente*

Es posible que las siguientes sugerencias sean útiles:
- Orine con la frecuencia que sea necesaria. Aguantar la orina puede resultar en un vaciado incompleto de la vejiga, lo cual suele llevar a una infección del tracto urinario.
- Inclínese hacia delante al orinar para ayudar a vaciar mejor la vejiga.
- Evite beber cualquier líquido unas horas antes de acostarse de manera que tenga que levantarse con menor frecuencia durante la noche. No obstante, asegúrese de seguir tomando bastantes líquidos durante el resto del día.
- Pruebe los ejercicios de Kegel, que pueden mejorar la continencia si se realizan varias veces al día. Apriete con fuerza los músculos que se encuentran alrededor de su vagina, como si detuviera el flujo de orina, por unos segundos, luego relájese. Repita 10 veces.
- Si tiene fugas de orina durante el día, use pantiprotectores sin perfume.

■ *Cuándo buscar ayuda médica para la micción frecuente*

Si orina con frecuencia y también presenta ardor, dolor, fiebre o un cambio en el olor o color de su orina, es posible que tenga una infección (véase también **Infecciones del tracto urinario**). Llame a su proveedor de cuidados de salud.

Migraña

Véase **Dolores de cabeza.**

Molestias o dolores abdominales

■ *Primer y segundo trimestres*

El dolor en la parte baja del abdomen durante el primer y segundo trimestres con frecuencia se debe a cambios normales en el embarazo. A medida que se expande el útero, se estiran los ligamentos y músculos que lo sostienen. Este estiramiento puede causar punzadas, cólicos o sensación de jalado en uno o ambos lados de la parte inferior de su abdomen. Es posible que note más el dolor cuando tosa, estornude o cambie de posición.

Otra causa bastante común de molestia abdominal o inguinal a la mitad del embarazo es el estiramiento del ligamento redondo, un músculo en forma de cordón que sostiene al útero. La molestia por lo general dura varios minutos y luego desaparece. (Véase también **Dolor del ligamento redondo.**)

Si se ha sometido a cirugía abdominal, es posible que sienta dolor debido al estiramiento y la tensión en las adhesiones, las bandas de tejidos cicatrizal que se adhieren a la pared del abdomen y otras estructuras. El tamaño creciente de su abdomen puede causar que estas bandas de tejido se estiren o incluso se separen, lo cual puede ser doloroso.

Es probable que una molestia relativamente menor en la parte baja del abdomen que viene y va de manera irregular no sea nada de qué preocuparse. Si es regular y predecible, considere si podría ser posible que se estuviera iniciando el trabajo de parto, incluso si aún se encuentra lejos de su fecha de término.

Prevención y autocuidado para la molestia y el dolor abdominales

Es posible que le ayude sentarse o recostarse si el dolor abdominal la está molestando. Quizá también encuentre alivio si se sumerge en un baño tibio o hace ejercicios de relajación.

Cuándo buscar ayuda médica para la molestia y el dolor abdominales

El dolor grave y que no cede puede ser señal de un problema, como embarazo ectópico o parto prematuro. Por lo general, el primer signo de embarazo ectópico es dolor en el abdomen o la pelvis. El dolor casi siempre se describe como agudo y punzante. Su abdomen puede esar sensible. Quizá tenga sangrado, náusea y dolor en la parte baja de la espalda.

A la mitad del embarazo y más allá, el dolor en la parte baja del abdomen acompañado por dolor continuo en la parte baja de la espalda o contracciones puede ser señal de parto prematuro. Llame a su proveedor de cuidados de salud de inmediato si:

- El dolor es grave, persistente o va acompañado por fiebre.
- Presenta sangrado o descarga vaginales, síntomas gastrointestinales, mareo o aturdimiento.
- Tiene dolor en hombros y cuello.
- Presenta contracciones, las cuales se pueden sentir como un estiramiento en el abdomen y una sensación similar a los cólicos menstruales.

Molestias y dolor de espalda

Primer, segundo y tercer trimestres

Las mujeres embarazadas tienen tendencia a las molestias y al dolor de espalda debido a varias razones. Durante el embarazo, articulaciones y ligamentos de la región pélvica comienzan a suavizarse y aflojarse en preparación para que el bebé pase a través de su pelvis. A medida que crece su útero, sus órganos abdominales se desplazan, y se redistribuye el peso de su cuerpo, lo que cambia su centro de gravedad. En forma paulatina, usted comienza a ajustar su postura y las formas en que se mueve. Estas compensaciones pueden conducir a presentar molestias y dolores en la espalda. (Véanse también **Ciática**; **Sensibilidad abdominal debida a la separación muscular**.)

Prevención y autocuidado para las molestias y el dolor de espalda

Pruebe estas sugerencias para que le ayuden a que su espalda se sienta más cómoda:

- Practique una buena postura. Meta los glúteos, jale sus hombros hacia atrás y hacia abajo y párese derecha. Tenga conciencia de cómo se para, se sienta y se mueve.
- Cambie de posición con frecuencia y evite estar de pie por periodos prolongados.
- Evite levantar objetos pesados o niños.

- Levante las cosas en la forma correcta. No doble la cintura, en lugar de ello, póngase en cuclillas, doble las rodillas y levante con sus piernas en lugar de su espalda.
- Coloque un pie en un banco bajo cuando tenga que estar de pie por periodos prolongados.
- Utilice zapatos de tacón bajo que le den buen apoyo.
- Ejercítese (nade, camine o estírese) por lo menos tres veces por semana. Considere ingresar a una clase de ejercicio prenatal o yoga.
- Intente evitar los movimientos repentinos de estiramiento o levantar sus brazos muy por arriba de su cabeza.
- Siéntese con los pies ligeramente elevados.
- Duerma de lado, con una o ambas rodillas dobladas. Coloque una almohada entre sus rodillas y otra debajo de su abdomen. Quizá también sienta alivio al colocar una almohada de cuerpo completo con forma especial bajo su abdomen.
- Aplique calor a su espalda. Pruebe con compresas, toallas húmedas o una botella de agua calientes o un cojín eléctrico. Algunas personas sienten alivio al alternar los paquetes de hielo con calor.
- Solicite un masaje de espalda o haga técnicas de relajación.
- Utilice pantalones de maternidad con cintura baja y de apoyo, o piense en usar un cinturón de sostén para maternidad.
- Haga ejercicios de inclinación pélvica. Apóyese en forma confortable en manos y rodillas con la cabeza alineada con la espalda. Jale su abdomen hacia adentro, curvando su espalda hacia arriba. Sostenga la posición por varios segundos, luego relaje su abdomen y espalda. Repita de tres a cinco veces, trabajando en forma gradual hasta 10.

■ *Cuándo buscar ayuda médica para las molestias y el dolor de espalda*
Todo medicamento que no sea acetaminofeno —incluyendo aspirina, ibuprofeno y "superaspirinas" (inhibidores COX-2)— causan cierta preocupación por el bebé no nacido. Si su dolor de espalda es grave, consulte con su proveedor de cuidados de salud acerca del tratamiento adecuado. Es posible que éste le sugiera una variedad de métodos, como ejercicios especiales de estiramiento, para aliviar el dolor sin que esto le cause preocupación por su bebé.

El dolor de espalda puede ser un signo de un problema más serio si es grave y no cede o va acompañado de otros signos y síntomas. Un dolor sordo en la parte baja de la espalda puede significar trabajo de parto normal o trabajo de parto prematuro.

Comuníquese con su proveedor de cuidados de salud si su dolor de espalda tiene una duración de cuatro a seis horas o más, o si también presenta cualquiera de los siguientes signos:

- Sangrado vaginal, que puede ir y venir
- Cólicos o dolor abdominal
- Salida de tejido por la vagina
- Fiebre

- Contracciones uterinas regulares (cada 10 minutos o más frecuentes), que pueden sentirse como tensión en el abdomen
- Sensación de pesadez o presión en la pelvis o la parte baja del abdomen
- Descarga acuosa (clara, rosada o café) por la vagina
- Cólicos de tipo menstrual, que pueden ir y venir y pueden estar acompañados de diarrea
- Ruptura de membranas, es decir, el rompimiento del saco amniótico, una parte normal del inicio del trabajo de parto (se rompe la fuente)

Movimiento del bebé, disminución

Tercer trimestre

La mayoría de las mujeres embarazadas llegan a conocer los patrones típicos de movimiento de su bebé y están en sintonía con los cambios en la frecuencia o intensidad de dichos movimientos. Quizá note una ligera disminución en la actividad de su bebé en los últimos días antes del nacimiento. En la parte final del embarazo, el número de movimientos fetales que usted percibe con frecuencia se reduce de manera gradual. El bebé tiene menos espacio para moverse en el útero, en especial después de que su cabeza se encaja en la pelvis.

Aunque un bebé que no es muy activo en la matriz puede estar perfectamente sano, la disminución en el movimiento fetal puede ser un signo de que algo está mal. Una reducción importante en la actividad fetal en el último trimestre del embarazo puede indicar que el bebé está en riesgo, quizá debido a una disminución en el oxígeno. Esto puede ser producto de diversos problemas, como un nudo o compresión en el cordón umbilical. También un problema con la placenta puede conducir a dificultades para el bebé.

Autocuidado para la reducción del movimiento del bebé

Si le preocupa la actividad del bebé, tome un respiro de otras actividades. Siéntese y beba un vaso de jugo o refresco regular —no de dieta. Concéntrese en los movimientos de su bebé. En la mayoría de los casos encontrará que éste tiene mayor actividad de la que se había dado cuenta. Casi todos los bebés se mueven por lo menos cuatro veces por hora.

Cuándo buscar ayuda médica por la reducción del movimiento del bebé

No dude en consultar con su proveedor de cuidados de salud si le preocupa la disminución del movimiento del bebé. Llámelo de inmediato si:

- No siente movimiento fetal alguno por más de una hora.
- Nota una disminución importante en los movimientos del bebé —menos de 10 en un periodo de dos horas.

Su proveedor de cuidados de salud puede revisar la condición de su feto. La disminución en el movimiento de éste con frecuencia se nota a tiempo para ayudar al bebé si éste tiene problemas. Cuando se determina una posible dificultad, puede suceder que el bebé deba nacer de inmediato, con frecuencia por cesárea de emergencia, durante la cual el bebé se retira a través de una incisión que se realiza en el abdomen de la madre. La acción oportuna puede evitar problemas serios.

Nariz congestionada
Primer, segundo y tercer trimestres
Éste es un problema común en el embarazo, incluso si no presenta un catarro ni alergias. La congestión y el sangrado nasales son más frecuentes debido al incremento del flujo sanguíneo a las mucosas de su cuerpo. Al inflamarse el recubrimiento de su nariz y sus vías respiratorias, se estrechan estas últimas. Su tejido nasal también se vuelve más suave y más susceptible al sangrado. Esta congestión nasal es común en el embarazo y no es inflamación de las mucosas de la nariz (rinitis). No obstante, puede ser molesta.

La rinitis —en otras palabras, la descarga o la congestión nasales causadas por inflamación— es la estrategia del cuerpo para librarse de invasores extraños. La rinitis alérgica es producto de las alergias estacionales o perennes. La rinitis no alérgica se dispara con factores como la contaminación ambiental, el humo y las infecciones.

Cuando los cambios en los vasos sanguíneos son la causa de la congestión u obstrucción nasales y ésta se acompaña de abundante descarga de la nariz, el padecimiento se llama rinitis vasomotora. Con frecuencia va relacionada con el abuso de los descongestivos nasales en spray.

Prevención y autocuidado para la congestión nasal
La mayoría de las mujeres embarazadas pueden tolerar la congestión y otros síntomas nasales sin tomar medicamentos. Si no hay ningún problema concomitante, como catarro o alergias, por lo general no se requiere tratamiento. Estos consejos pueden ayudarle a mantener su congestión nasal controlada:
- Use un humidificador en su casa para aflojar las secreciones nasales.
- Coloque una toalla sobre su cabeza e inhale el vapor de una olla de agua.
- Duerma con varias almohadas que eleven su cabeza.

Cuidado médico por la congestión nasal
Evite los medicamentos de venta sin receta para su congestión. El uso prolongado de estos medicamentos puede ocasionar problemas, y su congestión nasal puede durar los nueve meses. Intente controlarla empleando medios conservadores.

Para mayor información sobre como tratar la congestión nasal relacionada con la inflamación véanse **Alergias; Catarros,**.

Náusea durante el día
Primer trimestre
¿Y qué hay si no sólo tiene náusea matutina —sino de mediodía, vespertina y nocturna? Dado que la náusea y el vómito del embarazo se denominan en forma común como náusea matutina, es posible que se pregunte si algo está

mal cuando sufre estos síntomas durante el día entero. De hecho, náusea matutina es un nombre erróneo porque la náusea puede presentarse en cualquier momento del día.

En un estudio de 160 mujeres embarazadas, menos de dos por ciento tenía náusea sólo en las mañanas. Para la mayoría, la náusea se prolongaba durante el día entero. Otras investigaciones han mostrado resultados semejantes. (Véanse también **Náuseas matutinas; Vómito.**)

■ *Cuándo buscar ayuda médica para la náusea durante el día*
La náusea y el vómito pueden convertirse en un problema si no logra mantener los alimentos o líquidos en su estómago y comienza a perder peso. Llame a su proveedor de cuidados de salud si su náusea y vómito son graves o persistentes.

Náuseas matutinas
■ *Primer trimestre*
Éste es uno de los signos clásicos del inicio del embarazo. La mayoría de las madres en espera —hasta 70 por ciento— presenta náuseas y vómito.

Aunque estos signos y síntomas se conocen en forma común como náuseas matutinas, el nombre es engañoso porque la náusea y el vómito pueden presentarse en cualquier momento del día. Es típico que dichos signos y síntomas comiencen de la cuarta a la octava semanas de gestación y cedan a las trece a catorce semanas, pero algunas mujeres presentan náusea y vómito más allá del primer trimestre. La náusea matutina puede ser más grave en el primer embarazo, en las mujeres jóvenes y en las gestaciones múltiples.

La causa de la náusea matutina no se ha comprendido por completo, aunque es probable que la relajación del músculo estomacal juegue un papel. El estómago se vacía con mayor lentitud bajo la influencia de las hormonas del embarazo. Otra causa posible es la rápida elevación de los niveles de estrógeno producido por la placenta y el feto. El estrés emocional, la fatiga, los viajes y ciertos tipos de alimentos pueden agravar el problema.

Aunque las náuseas matutinas pueden ser muy molestas, rara vez llevan a problemas más serios, como la deshidratación o una pérdida importante de peso. La náusea matutina no afecta a su bebé ni significa que éste esté enfermo. De hecho, la náusea es signo de que el embarazo progresa bien.

■ *Prevención y autocuidado para la náusea matutina*
Medidas dietéticas. Es posible que pueda aliviar la náusea manteniendo un poco de alimento en su estómago —evitando que este último esté lleno o vacío por completo. A continuación le damos algunas sugerencias para la dieta encaminadas a prevenir o aliviar la náusea:

- Haga comidas más pequeñas o coma tentempiés frecuentes durante el día.
- Antes de levantarse por la mañana, coma un par de galletas de sal o un pedazo de tostada seca. Levántese despacio, dando tiempo a que se genere la digestión antes de salir de la cama.

- Tome un bocadillo a la hora de acostarse y cuando se levante para ir al baño por la noche.
- Evite los alimentos y olores que disparen la náusea.
- Beba menos líquidos con sus comidas.
- Coma más carbohidratos, como arroz blanco, tostada seca o una papa horneada simple.
- Trate de comer alimentos blandos, desgrasados o ricos en proteína como la mantequilla de maní sobre rebanadas de manzana, nueces, queso y galletas saladas, leche y yogur. Otras opciones adecuadas son postres de gelatina, paletas heladas y caldo de pollo. Algunas mujeres encuentran útil comer alimentos salados y ácidos en combinación, como pretzels y limonada.
- Evite los alimentos ricos en grasa y sal y poco nutritivos. Evite las comidas grasosas, ricas y condimentadas.
- Chupe caramelos duros.
- Si tiene el hábito de beber *ginger-ale* cuando siente náuseas, es posible que tenga a la ciencia de su lado. Varios estudios han determinado que el jengibre es útil para reducir la náusea y el vómito, sin riesgos aparentes. Algunas mujeres incluyen la gaseosa, los snaps y las cápsulas de jengibre. También puede comprar la raiz entera de jengibre, cortar una rebanada o rayarlo y hervirlo. Deje reposar por algunos minutos, luego endúlcelo con miel si lo desea.

Medidas del estilo de vida y alternativas. Los siguientes son otros pasos simples que puede encontrar útiles:
- Mantenga las habitaciones bien ventiladas y libres de los aromas de la cocina y del humo de cigarrillo, los cuales pueden agravar la naúsea.
- Obtenga mucho aire fresco. Dé un paseo o intente dormir con la ventana abierta.
- Descanse. La fatiga que es común al inicio del embarazo puede contribuir a la náusea. Recostarse puede ayudar.
- Algunos estudios han demostrado un beneficio derivado de la acupresura y acupuntura. La acupresura implica la estimulación de los puntos del cuerpo sin necesidad de usar agujas o electricidad. Usar bandas elásticas en las muñecas puede ayudar a contrarrestar las náuseas matutinas. Estos brazaletes ejercen una presión constante sobre un punto de acupresura en el interior de la muñeca. Dado que estos brazaletes también se usan para el mareo por movimiento, por lo general los puede encontrar en las tiendas de navegación o en agencias de viajes.
- El hierro en las vitaminas prenatales puede causar náusea. Cambiar a una vitamina infantil masticable con ácido fólico puede ayudar. Hable con su proveedor de cuidados de salud antes de cambiar sus vitaminas.
- Consulte a su proveedor de cuidados de salud acerca de tomar un suplemento de vitamina B-6. Los estudios han determinado que esta vitamina reduce la náusea y el vómito durante el embarazo. La dosis recomendada es de 25 miligramos tres veces al día.

Cuándo buscar ayuda médica por la náusea matutina

En casos raros, la náusea y el vómito pueden ser tan graves que no puede mantener la nutrición y los líquidos y ganar suficiente peso. La náusea y el vómito graves y persistentes también pueden ser producto de otras enfermedades raras pero serias, como afecciones hepáticas o tiroideas.

Llame a su proveedor de cuidados de salud si:

- La náusea matutina no mejora, a pesar de probar remedios de autocuidado
- Vomita sangre o material que parecen residuos de café
- Pierde más de un kilogramo
- Presenta vómito grave o prolongado

Las causas graves de náusea y vómito pueden requerir tratamiento con medicamentos, incluyendo antieméticos, los cuales controlan las náuseas. Algunas mujeres sienten alivio con antiácidos de venta sin receta o con fármacos para el mareo o antihistamínicos. Es probable que su proveedor de cuidados de salud discuta sus opciones con usted. (Véase también **Náusea durante el día**.)

Ojo rojo

Primer, segundo y tercer trimestres

El ojo rojo (conjuntivitis) es una inflamación o infección de la conjuntiva, la membrana húmeda y delicada que recubre el interior de los párpados y cubre la esclerótica. Los síntomas incluyen enrojecimiento del ojo, comezón e irritación, una sensación arenosa y lagrimeo. En los adultos, el ojo rojo casi siempre se debe a una infección viral o bacteriana. También puede ser producto de alergias, irritantes químicos en el ojo o el uso de lentes de contacto, en particular los de uso prolongado. Si tiene ojo rojo mientras está embarazada, no afectará a su feto.

Los recién nacidos pueden desarrollar conjuntivitis si se exponen a bacterias al nacer. Los gérmenes de la vagina de la madre pueden pasar a los ojos del infante durante el parto. Este padecimiento con frecuencia es producto de bacterias de transmisión sexual que causan la clamidia o la gonorrea. La conjuntivitis en los infantes debe tratarse de inmediato para prevenir daño serio en ojos y preservar la vista.

Para prevenir las infecciones oculares, se aplica a los recién nacidos gotas de nitrato de plata. La irritación debida a las gotas puede provocar un breve ataque de ojo rojo. Por lo general se inicia de seis a doce horas después del nacimiento y desaparece en dos días.

Prevención y autocuidado para el ojo rojo

Las mujeres embarazadas deben asegurarse de no tener enfermedades activas de transmisión sexual que puedan afectar a su infante antes de nacer o después del parto.

Para ayudarla a protegerse de la conjuntivitis bacteriana y viral, siga estas precauciones, en especial si alguien más en su familia tiene ojo rojo.

- Mantenga sus manos lejos de sus ojos.

- Lave sus manos con frecuencia.
- No comparta los paños de baño, toallas o fundas de almohada con nadie. Cámbielos con frecuencia y lávelos con agua caliente y detergente después de usarlos.
- Reemplace con regularidad los envases y aplicadores de maquillaje.
- Use y cuide en forma adecuada sus lentes de contacto.

Para aliviar las molestias del ojo rojo, aplique una compresa —un paño limpio empapado en agua fría o tibia— sobre los ojos cerrados. El agua tibia funciona bien para el ojo rojo viral o bacteriano, y las compresas frías son mejores para el causado por alergias. Estos métodos pueden proporcionarle cierto alivio, pero la conjuntivitis necesita atención médica para descartar las causas serias.

Cuidado médico para el ojo rojo

El tratamiento para el ojo rojo depende de la causa. La forma bacteriana se trata con antibióticos, que por lo general se dan como gotas de ojos o ungüento. Los antibióticos orales pueden usarse para ciertos tipos de bacterias. La conjuntivitis causada por un virus desaparecerá por sí sola después de unos días.

La conjuntivitis alérgica puede en ocasiones curarse evitando el irritante que causa la alergia. Por ejemplo, si tiene una reacción alérgica hacia una sustancia en una marca particular de solución para lentes de contacto, es posible que resuelva el problema sólo cambiándola.

Enjuagar los ojos con agua puede tratar la conjuntivitis ocasionada por algunos tipos de sustancias. No obstante, algunos casos de conjuntivitis química requieren tratamiento médico inmediato. Si entró una sustancia en su ojo, enjuáguelo con cuidado con agua fría y corriente por lo menos 15 minutos. Después de cubrir el ojo con un parche limpio, acuda al servicio de urgencias en un hospital.

Si su bebé tiene ojo rojo causado por gotas de nitrato de plata, es típico que los signos sean muy leves y deben desaparecer en un par de días. Hable con su proveedor de cuidados de salud si persisten.

Olfato, sensibilidad del

Primer trimestre

Por lo general, le encanta el olor del tocino frito y del café recién hecho, pero ahora que está embarazada estos olores le provocan náuseas. El perfume de su compañera de trabajo la enferma y tiene que combatir sus náuseas cuando llena el tanque de gasolina. La ciencia ha confirmado que las mujeres tienen un mejor sentido del olfato —notan olores que en forma normal no percibirían, y los que antes eran aceptables se vuelven repugnantes. Este incremento en el sentido del olfato también está conectado con la náusea y el vómito que muchas mujeres embarazadas tienen. Una variedad de olores como los de alimentos en preparación, café, perfume, humo de cigarrillo o comidas en particular pueden disparar la náusea.

La sensibilidad del sentido del olfato puede deberse en parte al incremento de los estrógenos durante el embarazo. Como la náusea, este síntoma puede indicar una placenta y un embrión en rápido crecimiento, y esto es un buen signo. En ratones, las fluctuaciones en las células que controlan el olfato están relacionadas con la prolactina, la cual también se encuentra en el embarazo humano. La mayoría de las mujeres encuentran que este síntoma es casi paralelo a la náusea en el embarazo, así que por lo general mejora entre las trece y catorce semanas de gestación.

Autocuidado para la sensibilidad del olfato
Para evitar que sus células olfativas hiperactivas le causen problemas, tenga en mente los olores que disparan o agravan sus náuseas, y evítelos siempre que sea posible. Es posible que tenga que comer el almuerzo en su escritorio en lugar de en la cafetería, o quizá tenga que pedirle a algún compañero de trabajo que no use un perfume o una colonia en particular hasta que su náusea ceda, casi siempre en el segundo trimestre.

Oscurecimiento de pezones
Segundo trimestre
Lo mismo que otras áreas de la piel, la que se encuentra alrededor de los pezones con frecuencia se oscurece durante la gestación. El oscurecimiento de la piel es el resultado de las hormonas del embarazo, las cuales hacen que el cuerpo produzca más pigmento. El incremento en el pigmento no se distribuye en forma homogénea como un bronceado liso, sino que con frecuencia aparece como manchas de color.

Es típico que el oscurecimiento de los pezones u otras áreas de la piel desaparezca después del parto. Mientras tanto, evite usar agentes aclaradores de la piel.

Palmas y plantas rojas
Primer, segundo y tercer trimestres
Dos tercios de las mujeres embarazadas presentan enrojecimiento en palmas de las manos y plantas de los pies. El cambio en la piel es más común en las mujeres blancas que en las negras. El enrojecimiento puede aparecer desde el primer trimestre y es el resultado de un aumento de flujo sanguíneo hacia manos y pies. Además de estar rojas, estas áreas pueden presentar comezón. Como la mayoría de los cambios en piel que se presenta durante el embarazo, el enrojecimiento desaparece después del parto.

Autocuidado para palmas y plantas rojas
Si tiene comezón en manos y pies, las cremas humectantes pueden ayudar.

Cuándo buscar ayuda médica para palmas y plantas rojas
Si el enrojecimiento en palmas y plantas no desaparece después del parto, hable con su proveedor de cuidados de salud. Éste puede ser también un signo de cirrosis hepática, lupus o tiroides hiperactiva, aunque en esos casos es probable que se presenten otros signos y síntomas adicionales.

Pica
Véase **Antojos**.

Pies, crecimiento de
Segundo y tercer trimestres

Si le gusta comprar zapatos, apreciará este aspecto del embarazo. Es posible que sus pies se hagan más anchos, con lo cual cambia su talla de zapatos. Los cambios hormonales que relajan los ligamentos y las articulaciones en su pelvis en preparación para el embarazo también relajan todo el resto de ligamentos y articulaciones en su cuerpo, incluyendo los de sus pies. Aunque estos cambios son normales y necesarios, pueden hacer que el ligamento del arco del pie (la fascia plantar) se estire bajo el peso adicional de su cuerpo. Como resultado, el arco puede perder parte de su fuerza de apoyo y sus pies se volverán más planos y anchos. Pueden llegar a crecer hasta una talla de zapatos.

Además de todos estos cambios, sus pies pueden hincharse debido a la retención normal de líquido del embarazo, y si su aumento de peso es significativo, es posible que sus pies ganen un poco de grasa.

La inflamación en sus pies debe reducirse poco después del parto. Pero pueden pasar hasta seis meses para que el resto de los cambios en sus pies se reviertan y sus pies regresen a su tamaño y forma normales. Si la fascia plantar se estiró en exceso, es posible que sus pies conserven su nuevo tamaño.

Prevención y autocuidado para el crecimiento en pies

A medida que se ensanchan sus pies, es importante que use zapatos que le proporcionen comodidad y apoyo para los pies y tobillos. Compre dos pares de zapatos que le queden bien ahora y que sigan siendo cómodos si sus pies crecen más. Evite el calzado puntiagudo o con tacones altos. Busque tacones bajos, suelas antiderrapantes y mucho espacio para que sus pies se expandan.

Los zapatos de tela o cuero son buenas opciones porque dejan respirar a sus pies. Los buenos zapatos para correr son una buena elección. También puede encontrar calzado para el trabajo y de vestir que cumplan con estos criterios. Si sus pies están doloridos y cansados al final del día, pruebe a usar pantuflas elásticas.

Cuidado médico para el crecimiento de los pies

Algunos zapatos e insertos ortopédicos están diseñados de manera especial para el embarazo. Su objetivo es hacer que sus pies estén más cómodos y reducir el dolor en espalda y piernas. Pida a su proveedor de cuidados de salud que le recomiende algo.

Pintura
Primer, segundo y tercer trimestres

El embarazo es una época común para lanzar un proyecto mayor de redecoración en su hogar. Sea precavida si piensa pintar, arrancar o colocar papel tapiz o remodelar los muebles —o si su trabajo implica usar pintura. Trate de evitar la exposición, en especial durante el primer trimestre, a las pinturas con base de aceite, plomo, mercurio (que se encuentra en algunas pinturas de látex) y otras sustancias que tienen solventes (sustancias empleadas para disolver otros materiales). Estas sustancias pueden incrementar su riesgo de aborto o provocar defectos de nacimiento.

La mayoría de los estudios para investigar los riesgos de estas sustancias incluyeron mujeres que estuvieron expuestas a los vapores de las pinturas durante periodos largos debido a su ocupación. La exposición breve a las pinturas y otros compuestos similares no debe implicar un riesgo importante para el feto. Aun así, lo mejor es ser precavida. Minimice su exposición a las sustancias que impliquen un posible riesgo siguiendo estas reglas:

- Asegúrese de trabajar en un área grande y bien ventilada.
- Use equipo de protección, como guantes y máscara.
- No coma ni beba en el área de trabajo.
- Piense en dejar que alguien más pinte esa habitación.
- Use todas las pinturas únicamente como lo indique el fabricante. Por ejemplo, no utilice las pinturas para exteriores en interiores.

Pintura para el pelo
Véase **Tinción del cabello.**

Presión pélvica
Tercer trimestre
En las últimas semanas del embarazo, es posible que perciba una sensación de presión, pesadez, molestia o sensibilidad en su área pélvica. Esto se debe a que el bebé empuja dentro de la pelvis y comprime la vejiga y el recto. Además, es probable que el feto comprima algunas venas y haga que la sangre se acumule. Por último, los huesos de la pelvis son empujados un poco hacia el exterior, lo cual causa más molestias.

La sensación de presión pélvica antes de la 37ª semana, sin embargo, puede ser un signo de parto prematuro, en particular si la presión en su pelvis o vagina parece irradiar hacia sus muslos, o si siente que el bebé empuja hacia abajo.

Prevención y autocuidado para la presión pélvica
Si sufre presión pélvica en las últimas semanas de la gestación, es posible que sienta cierto alivio si descansa con los pies en alto. Los ejercicios de Kegel también pueden ayudar con la sensibilidad pélvica: apriete fuerte los músculos que se encuentran alrededor de su vagina, como si estuviera deteniendo el flujo de orina, por unos segundos, después relájese. Repita 10 veces.

Cuándo buscar ayuda médica para la presión pélvica
Llame a su proveedor de cuidados de salud o acuda al hospital si piensa que puede presentar trabajo de parto prematuro. Además de la presión

pélvica, otros signos y síntomas de trabajo de parto prematuro incluyen:

- Cólico en la parte baja del abdomen. Estos cólicos pueden ser similares a los menstruales y ser continuos o ir y venir
- Un dolor bajo y sordo de espalda que irradia hacia un lado o al frente de su cuerpo y no alivia por un cambio de posición
- Contracciones cada 10 minutos o con más frecuencia
- Líquido claro, rosado o café que sale de su vagina

No tiene que presentar todos estos síntomas para estar en trabajo de parto prematuro. Tome medidas incluso si sólo tiene uno. Es posible que su proveedor de cuidados de salud le pida que vaya a su consultorio o al hospital, o quizá le aconseje recostarse de lado por una hora. Si los síntomas empeoran o no desaparecen en una hora, llame a su proveedor de cuidados de salud de nuevo o acuda al hospital.

Primera señal de vida

Segundo trimestre

Primera señal de vida es el término para los primeros movimientos o patadas que siente del feto. En el primer embarazo, es típico que este emocionante desarrollo ocurra alrededor de las 20 semanas de gestación, aunque podría sentir los primeros movimientos unas cuantas semanas antes o después. Los movimientos pueden sentirse como un ligero golpeteo o el aleteo de una mariposa. Al inicio puede atribuir la sensación al gas o a un ataque de hambre.

Durante el segundo trimestre es normal que los movimientos fetales sean algo erráticos —pocos y espaciados al inicio, o varios movimientos un día y ninguno al siguiente. Más tarde, las patadas y movimientos por lo general se hacen más fuertes y regulares, y podrá sentirlos al colocar una mano en la parte baja de su abdomen. Percibir el movimiento de su bebé es una manera agradable de sentirse conectada durante la gestación. Cuando usted y su pareja sienten los movimientos a través de su estómago, ambos sentirán que se forma una mayor relación emocional con su bebé.

A medida que avanza su embarazo, es probable que se dé cuenta de los patrones típicos de movimiento de su bebé. Cada feto tiene su propio patrón de actividad y desarrollo. El tiempo de mayor actividad es entre la 27ª y 32ª semanas, y ésta tiende a reducirse en las últimas semanas del embarazo. (Véase también **Movimiento del bebé, disminución.**) Si nota cualquier cambio importante en el nivel de actividad de su feto después de 22 semanas —como ausencia o reducción de ésta por más de 24 horas— llame a su proveedor de cuidados de salud.

Prueba de embarazo

Véase **Pruebas de GCH.**

Pruebas de GCH

Primer trimestre

La gonadotropina coriónica humana (GCH) es una hormona proteica que se produce en la placenta de las mujeres embarazadas. La prueba para determinar si está embarazada detecta la presencia de la GCH en su orina o sangre. Durante las primeras semanas del embarazo, la GCH es importante en el cuerpo lúteo, que es la masa de células que queda en el ovario después de que el huevo se libera del folículo maduro (el saco donde el óvulo se desarrolla en su ovario). En un embarazo normal, la producción de GCH aumenta en forma continua, duplicándose cerca de cada dos o tres días durante las primeras 10 semanas. Luego los niveles caen despacio durante el resto del embarazo.

La prueba de la GCH se usa de rutina para confirmar el embarazo, ya sea en una prueba doméstica de orina o en una prueba de sangre u orina en una clínica o laboratorio. Después de la fertilización, se requieren de seis a doce días para que la GCH pueda detectarse en la orina.

Los niveles anormales de GCH pueden indicar problemas como embarazo ectópico, aborto inminente o desarrollo de una masa anormal de células en el útero después de la fertilización (embarazo molar). En un embarazo ectópico o en uno destinado a terminar en aborto, la tasa de incremento de GCH es mucho más lenta de lo normal. Si su proveedor de cuidados de salud sospecha uno de estos problemas, es posible que la sometan a varias pruebas sanguíneas de GCH durante varios días para determinar si la hormona está aumentando con velocidad normal.

Un nivel de GCH mayor de lo normal puede indicar un embarazo múltiple o molar. Las pruebas de GCH también se usan para vigilar a las mujeres después del embarazo molar o ectópico, o después del aborto, para asegurar que el tejido del embarazo haya desaparecido.

Ptialismo

Primer trimestre

Además de sentir náuseas, es posible que presente salivación excesiva. Esto se denomina ptialismo. Es un efecto secundario algo raro del embarazo, pero muy real y puede ser molesto. No obstante, no indica nada malo. Puede ser que en realidad no esté produciendo más saliva, sino que no está tragando tanta como antes debido a su náusea.

Prevención y autocuidado para el ptialismo

Si está experimentando el ptialismo, tenga cuidado de reducir los alimentos feculentos. Por otra parte, cuando su náusea comience a disminuir, es probable que este problema también se reduzca.

Cuándo buscar cuidado médico para el ptialismo

La salivación excesiva en sí misma no requiere cuidado médico. Sin embargo, si tiene dolor o dificultad al tragar, informe a su proveedor de cuidados de salud.

Ritmo cardiaco —latidos o pulsos acelerados

■ *Segundo y tercer trimestres*

Durante todo el embarazo su corazón bombea más sangre, con mayor rapidez, de lo que lo hace en forma normal. Esto ayuda a cubrir las necesidades que tiene el feto de oxígeno y nutrientes, los cuales le llegan en la sangre a través de la placenta.

Dado que el corazón bombea de 30 a 50 por ciento más sangre, su ritmo cardiaco también se acelera. Su corazón late cada vez más rápido a lo largo de la gestación. Para el tercer trimestre, su ritmo cardiaco puede ser 20 por ciento más rápido de lo que era antes de que se embarazara.

■ *Cuidado médico para un ritmo cardiaco acelerado*

Debido a los aumentos de volumen sanguíneo, muchas mujeres embarazadas desarrollan soplos cardiacos. Su presencia es normal porque más sangre fluye a través de las válvulas cardiacas. No obstante, en ocasiones el soplo puede sonar lo bastante diferente para que su proveedor de cuidados de salud investigue la causa. Los soplos cardiacos pueden ser el resultado de cambios en las válvulas cardiacas, como en el prolapso de la válvula mitral, o debido al daño causado por la fiebre reumática.

Rizado permanente

■ *Primer, segundo y tercer trimestres*

Muchas mujeres se preguntan si es seguro aplicarse rizado permanente, tinte u otros tratamientos químicos en el cabello cuando están embarazadas. Hasta ahora, no hay respuestas definitivas. Los estudios con animales no han identificado ningún riesgo específico de defectos de nacimiento u otros problemas, pero sólo algunos estudios en humanos han examinado los efectos de los químicos para el cuidado del pelo u otras sustancias en el feto en desarrollo.

Dada la falta de estudios en humanos, algunos proveedores de cuidados de salud aconsejan a las mujeres posponer la aplicación del permanente hasta después del primer trimestre. El feto es más vulnerable a los efectos adversos de la exposición a sustancias químicas y otras durante el primer trimestre. No obstante, una desventaja de aplicar permanente al final del embarazo es que con frecuencia se pierde mucho pelo justo después del parto, lo cual significa que también perderá una buena porción del permanente.

Ronquido

■ *Primer, segundo y tercer trimestres*

Casi una cuarta parte de las mujeres embarazadas ronca, en comparación con cuatro por ciento de las mujeres de la misma edad que no están esperando. Debido al aumento en la inflamación de las ventanas nasales y a la congestión de la nariz durante el embarazo, sus vías respiratorias se hacen más estrechas. Esto puede llevarla a roncar.

Aunque los ronquidos con frecuencia son tema de broma pueden tener algunas consecuencias serias, ya que pueden relacionarse con la presión arterial alta (hipertensión), y las mujeres que roncan durante el embarazo tienen mayor probabilidad de cursar con hipertensión inducida por el embarazo (preeclampsia) y de tener un hijo que se considere pequeño para su edad de gestación. En un estudio, las mujeres embarazadas que roncaban de manera habitual presentaban un riesgo dos veces mayor de hipertensión y casi 3.5 mayor de retraso en el crecimiento del feto, en comparación con las que no roncaban.

Los ronquidos también pueden ser signo de apnea del sueño, un trastorno en el cual la persona deja de respirar por periodos cortos mientras duerme. La falta de oxígeno altera el sueño de la madre y puede causar estrés al feto.

Las mujeres con sobrepeso pueden presentar un riesgo particularmente alto de problemas relacionados con los ronquidos. En un estudio con 502 mujeres que acababan de dar a luz, las que informaron que habían roncado con regularidad durante el embarazo tenían mayor peso antes del embarazo y ganaron más kilogramos durante la gestación.

Prevención y autocuidado para los ronquidos
Para minimizar la probabilidad de roncar, siga estos consejos:
- Duerma de lado en lugar de boca arriba. Estar sobre su espalda puede hacer que su lengua y paladar blando se recarguen contra la parte posterior de su garganta y bloqueen sus vías respiratorias.
- Las tiras nasales pueden ayudar a incrementar el área de sus conductos nasales y vías respiratorias.
- Controle su aumento de peso. Evite ganancias mayores a las recomendadas con base en su peso previo al embarazo.

Cuándo buscar ayuda médica para los ronquidos
Llame a su proveedor de cuidados de salud si presenta ronquidos fuertes, si su pareja le comenta que ronca muy fuerte, si el roncar con frecuencia la despierta o si su pareja piensa que dichos ronquidos se interrumpen con periodos en que se detiene su respiración. La mayoría de la gente que cursa con este problema está muy adormilada durante el día. Estos signos pueden indicar apnea obstructiva del sueño.

Si le diagnostican apnea del sueño, es probable que su proveedor de cuidados de salud le recomiende tratamiento con presión positiva continua de las vías respiratorias (CPAP, por sus siglas en inglés). Esto implica el uso de una mascarilla conectada a una máquina que envía un flujo suave de aire hacia su boca y nariz para mantener abiertas sus vías aéreas. La CPAP puede mejorar el sueño, evitar los ronquidos y la apnea, e incluso puede mejorar su presión arterial.

Ruptura de la fuente (ruptura de membranas)
Tercer trimestre
Cuando el saco amniótico tiene fugas o se rompe antes de que se inicie el trabajo de parto, el líquido que ha estado protegiendo al bebé sale como un

goteo o en borbotones. Este evento dramático se conoce como ruptura de la fuente o de membranas. No obstante, sólo cerca de 10 por ciento de las mujeres presenta esto, y por lo general se da en casa, con frecuencia en la cama. Sus membranas tienen más probabilidades de romperse en algún momento durante el trabajo de parto, casi siempre durante la segunda etapa. Cuando esto sucede, es común que el trabajo de parto se inicie o se vuelva más intenso.

Llame a su proveedor de cuidados de salud si su fuente se rompe. La mayoría de los proveedores desearán evaluarla tan pronto como esto suceda porque hay riesgo de infección después de la ruptura de membranas. No hay fechas límite, pero en general, a menos que el bebé sea muy inmaduro, lo mejor es que el bebé nazca en las 24 horas siguientes. Informe a su proveedor de cuidados de salud si el líquido no es claro e inodoro. Un líquido verdoso o maloliente podría ser signo de infección uterina.

Si no sabe si el fluido es líquido amniótico u orina, haga que la revise su proveedor de cuidados de salud. Muchas mujeres embarazadas tienen fugas de orina en las etapas finales de la gestación. Mientras tanto, no haga nada que pudiera introducir bacterias en su vagina, como tener relaciones sexuales o usar tampones.

Ruptura de membranas
Véase **Ruptura de la fuente.**

Salida del tapón de moco
▓ *Tercer trimestre*

Este término drástico y alarmante se refiere al desprendimiento del moco denso que tapa el cérvix durante el embarazo. Este tapón mucoso bloquea la abertura cervical para evitar que entren bacterias y otros gérmenes al útero. A medida que su cuerpo se prepara para el parto, el cérvix comienza a adelgazarse y relajarse, y la barrera de moco se desprende.

Puede presentar una descarga vaginal clara, rosada o sanguinolenta. Puede salir como una masa espesa o filamentosa o como una descarga constante o intermitente. Algunas mujeres no notan nada en absoluto.

La descarga de moco es un signo de que el gran día se acerca, pero es probable que no necesite correr a empacar sus maletas. El proceso puede iniciarse justo antes del trabajo de parto o hasta una semana o dos antes de éste.

▓ *Cuando buscar ayuda médica para la descarga mucosa*

No hay necesidad de informar la salida del tapón mucoso a su proveedor de cuidados de salud a menos que la descarga sea acuosa, maloliente o de repente se vuelva de color rojo brillante, en especial si es una cantidad mayor de dos cucharadas. Un sangrado real podría indicar la separación prematura de la placenta o placenta previa. Estas condiciones requieren una rápida atención médica.

Sangrado en encías

■ *Primer, segundo y tercer trimestres*

Igual que el resto de su cuerpo, sus encías reciben más flujo sanguíneo durante el embarazo. Esto puede hacer que sus encías se inflamen y ablanden. Como resultado, es posible que sangren un poco cuando se cepilla los dientes.

■ *Prevención y autocuidado por el sangrado en encías*

No descuide su cuidado dental durante el embarazo. Es importante que se cepille, use el hilo dental y se someta a exámenes y limpieza con regularidad. Asegúrese de que obtiene suficiente vitamina C de los alimentos o de su suplemento alimentario, porque esta vitamina ayuda a mantener sus tejidos fuertes.

■ *Cuándo buscar ayuda médica para el sangrado en encías*

Si el sangrado es abundante y va acompañado de dolor, enrojecimiento o inflamación, haga una cita pronto con su dentista para verificar que no se trate de una infección, e informe a su proveedor de cuidados de salud sobre el problema.

Sangrado nasal

■ *Primer, segundo y tercer trimestres*

Algunas mujeres presentan sangrado nasal durante el embarazo, aunque rara vez lo hayan presentado antes. Dado que hay una mayor cantidad de sangre circulando por su cuerpo, los pequeños vasos sanguíneos que cubren las fosas nasales son más frágiles y tienen mayor probabilidad de romperse.

■ *Prevención y autocuidado para el sangrado nasal*

Para detener un sangrado nasal:

- Siéntese y mantenga la cabeza elevada. Pellizque las partes suaves de su nariz entre sus dedos pulgar e índice.
- Presione con firmeza pero suavemente, comprimiendo las partes de la nariz que está pellizcando hacia la cara.
- Sostenga esa posición durante cinco minutos.
- Inclínese hacia delante para evitar tragar la sangre y respire por la boca. Aplique hielo —quebrado dentro de una bolsa de plástico o un trapo de cocina— sobre el puente de su nariz.

Para evitar un sangrado nasal:

- Tenga cuidado al sonar su nariz, y no trate de atiborrarla con gasa.
- El aire seco puede hacerla más susceptible a los sangrados nasales. Use un humidificador durante los meses invernales.

■ *Cuándo buscar ayuda médica para el sangrado nasal*

Llame a su proveedor de cuidados de salud si el sangrado nasal persiste, si usted tiene hipertensión o si el sangrado se presenta después de una lesión en la cabeza.

Sangrado rectal

■ *Tercer trimestre*

El sangrado rectal es un signo muy importante que siempre requiere evaluación. Por fortuna, el sangrado en el ano rara vez indica un problema con el embarazo, y dada la edad del grupo de mujeres embarazadas, rara vez se relaciona con enfermedad colorrectal seria. Con gran frecuencia el sangrado rectal es producto de las hemorroides, las cuales son bastante comunes durante el último trimestre y en las semanas posteriores al parto (Véase también **Hemorroides**).

Otra causa posible del sangrado rectal es la presencia de una o varias grietas diminutas en el ano (fisura anal). Las fisuras por lo general se producen debido al estreñimiento, otro problema común durante el embarazo. Las fisuras anales casi siempre son bastante dolorosas.

■ *Prevención y autocuidado para el sangrado rectal*

Las hemorroides y fisuras anales con frecuencia son resultado del estreñimiento, así que su mejor estrategia es mantener la regularidad. Véase **Estreñimiento**, para mayor información sobre cómo aliviar este problema.

■ *Cuándo buscar ayuda médica para el sangrado rectal*

Informe siempre el sangrado rectal a su proveedor de cuidados de salud. Éste deseará determinar la causa de dicho sangrado y es posible que recomiende otro tratamiento para las hemorroides. Es probable que el sangrado acompañado por diarrea con moco y dolor abdominal indique la posibilidad de enfermedad intestinal inflamatoria.

Sangrado vaginal

■ *Primer, segundo y tercer trimestres*

Casi la mitad de las mujeres embarazadas puede presentar manchado o sangrado vaginal en algún punto durante el embarazo, en especial en el primer trimestre. El sangrado vaginal en el embarazo tiene muchas causas —algunas serias y otras no. La importancia y las posibles causas del sangrado son diferentes en cada trimestre.

Primer trimestre. Muchas mujeres presentan manchado y sangrado en las primeras doce semanas de la gestación. Dependiendo de que sea abundante o ligero, de su duración y de que sea continuo o esporádico, el sangrado puede indicar muchas situaciones. Puede ser una señal de advertencia, pero también puede deberse a los sucesos normales del embarazo.

Quizá note un manchado o sangrado leve muy temprano en el embarazo, alrededor de una semana a 14 días después de la fertilización. Conocido como sangrado de implantación, se da cuando el óvulo fertilizado se adhiere al recubrimiento del útero. Este tipo de sangrado ligero por lo general no dura mucho.

El sangrado en el primer trimestre también puede ser signo de aborto. La mayoría de los abortos espontáneos tiene lugar durante el primer trimestre, aunque pueden ocurrir en cualquier momento durante la primera mitad de la gestación. Pero el sangrado no necesariamente significa que está teniendo un aborto —por lo menos la mitad de las mujeres que sangra en el primer trimestre no tienen abortos.

Otro problema que puede ocasionar sangrado y dolor al inicio de la gestación es el embarazo ectópico, en el cual el embrión se implanta fuera del útero, por lo general en una trompa de Falopio. Una causa rara de sangrado en el primer trimestre es el embarazo molar, una condición poco frecuente en el cual una masa anormal —en lugar de un bebé— se forma dentro del útero después de la fertilización.

Segundo trimestre. Aunque el aborto es menos común en el segundo trimestre que en el primero, todavía hay un riesgo. El sangrado vaginal es el síntoma primario de aborto.

El sangrado moderado a abundante en el segundo trimestre también puede indicar un problema con la placenta —placenta previa, en la cual ésta se encuentra muy abajo en el útero y cubre en parte o por completo el útero, o la abrupción placentaria, en la cual este órgano comienza a separarse de la pared interior del útero antes del nacimiento. Ambas condiciones son más frecuentes en el tercer trimestre.

Si el sangrado ocurre entre las 20ª y 37ª semanas, puede ser un signo de trabajo de parto prematuro.

Una infección cervical, el cérvix inflamado o crecimientos en este último también pueden causar sangrado vaginal. Este último, por lo general, no es un riesgo para el bebé, pero sí es producto del cáncer cervical, es importante que el diagnóstico se haga con prontitud. En ocasiones, el sangrado ligero del cérvix puede ser un signo de incompetencia cervical, un problema en donde el cérvix se abre en forma espontánea, lo cual lleva a parto prematuro.

Tercer trimestre. El sangrado vaginal en el tercer trimestre puede ser signo de un problema con la placenta. En la abrupción placentaria, este órgano comienza a desprenderse de la pared interna del útero. El sangrado de esta condición puede ser escaso, abundante o intermedio.

En la placenta previa, el cérvix está bloqueado en parte o por completo por este órgano, el cual se localiza en forma normal cerca de la parte superior del útero. El signo principal de placenta previa es sangrado vaginal indoloro, en forma típica alrededor del final del segundo trimestre o el inicio del tercero. El sangrado de la placenta previa por lo general es color rojo brillante y puede ser escaso pero casi siempre es bastante abundante. El sangrado puede detenerse por sí mismo en algún punto, pero casi siempre regresa algunos días o semanas después.

El sangrado ligero entre la 20ª y 37ª semanas puede indicar trabajo de parto prematuro. El sangrado en las últimas semanas de embarazo puede ser un signo de trabajo de parto inminente. El tapón que sella las aberturas del útero durante el embarazo es expulsado algunas semanas antes de que se inicie el trabajo de parto. La descarga puede contener una pequeña cantidad de sangre (véase **Salida del tapón de moco**).

Cuándo buscar ayuda médica para el sangrado vaginal

A veces, el sangrado vaginal es producto de un padecimiento menor o un proceso normal que no requiere tratamiento. Otras veces, el sangrado es signo de un problema serio. Asegúrese de que su proveedor de cuidados de salud evalúe cualquier sangrado durante el embarazo. Esto se aplica en especial después del primer trimestre.

Llame a su proveedor de cuidados de salud si tiene manchado o sangrado ligeros, incluso si éste se detiene en un día. Llámelo de inmediato o acuda al servicio de urgencias del hospital si tiene:

- Cualquier sangrado en el segundo o tercer trimestres.
- Sangrado moderado a abundante.
- Cualquier cantidad de sangrado acompañado por dolor, cólicos, fiebre, escalofríos o contracciones.

Quizá necesite ser admitida al hospital para determinar la causa del sangrado. El tratamiento dependerá de esta última.

Sed

Primer, segundo y tercer trimestres

Quizá note que tiene más sed de la normal mientras está embarazada. Esto es perfectamente saludable —el incremento de la sed en su cuerpo es una manera de hacerla beber más agua y otros líquidos. Su cuerpo necesita líquidos adicionales para resurtir el líquido amniótico y mantener el incremento en su volumen sanguíneo. Beber más líquidos también ayuda a evitar el estreñimiento y la piel seca, y permite a sus riñones eliminar los desechos producidos por el feto.

Prevención y autocuidado para la sed

Beba por lo menos ocho vasos diarios de agua u otros líquidos. Las bebidas con cafeína estimulan la producción de orina, así que no son las mejores opciones. Además del agua simple o mineral, las buenas opciones incluyen un refresco con jugo de frutas preparado con la mitad de jugo y la mitad de agua mineral, jugo de verduras, sopa y licuado de frutas hecho con leche descremada. Hay muchas buenas opciones para el resurtido de líquidos en el embarazo. Si ha sufrido vómito y tenido problemas por sentirse débil, las bebidas deportivas pueden ofrecer ciertas ventajas.

Cuándo buscar ayuda médica para la sed

Aunque el incremento de la sed es normal cuando está embarazada, también puede ser síntoma de diabetes. La diabetes gestacional por lo general no tiene síntomas, pero es posible desarrollar diabetes total durante el embarazo. Puede ser difícil distinguir los signos y síntomas sutiles de la diabetes, como la fatiga, la sed o la micción excesiva, de los cambios típicos del embarazo.

Sensación de ardor en las manos
Véase **Síndrome del túnel del carpo.**

Sensibilidad abdominal debida a la separación muscular

■ *Segundo y tercer trimestres*
Durante el embarazo, su útero en crecimiento estira los músculos de su abdomen. Esto puede causar que las dos grandes bandas paralelas de músculos que se juntan en la parte media del abdomen se separen. Esta separación, llamada diastasis, también puede provocar que se forme una protuberancia donde los dos músculos se separan.

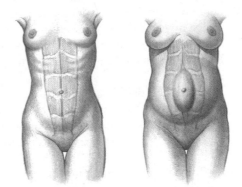

Para la mayoría de las mujeres, la condición no causa dolor, pero otras presentan cierta sensibilidad alrededor del ombligo. La separación muscular también puede contribuir al dolor de espalda.

Este problema puede aparecer durante el segundo trimestre y volverse más notorio en el tercero. En los embarazos subsecuentes, es probable que empeore, pero el problema casi siempre desaparece después del parto.

■ *Prevención y autocuidado de la separación de los músculos abdominales*
Si la separación de los músculos abdominales está causando dolores o molestias en la espalda, hay una serie de estrategias simples que pueden ayudarle a estar más cómoda (véase también **Molestias y dolor de espalda**).

■ *Cuidado médico para la separación de músculos abdominales*
Por lo general no se requiere ningún cuidado médico para la separación de músculos abdominales. Su proveedor de cuidados de salud puede evaluar si la proporción de separación muscular es mayor de la acostumbrada y puede sugerirle métodos para remediarla una vez que nazca su bebé.

Sensibilidad en costillas

■ *Tercer trimestre*

En los últimos meses del embarazo, el feto se queda sin espacio para estirarse y es posible que le parezca cómodo apoyar sus pies sobre sus costillas. Es sorprendente lo mucho que pueden doler esos pequeños dedos y pies golpeando contra su caja torácica.

Además de la presión que el bebé ejerce, la forma de su pecho se está alterando para mantener el espacio para sus pulmones mientras el útero empuja el diafragma para arriba. Este cambio de forma impulsa a sus costillas hacia fuera y puede provocar dolor entre las costillas y el cartílago que las une a su esternón.

Si la posición de su bebé está lastimando sus costillas, intente cambiar su propia posición. Puede hacer el estiramiento que explicamos aquí, o probar lo siguiente: inhale con profundidad al mismo tiempo que levanta un brazo por arriba de su cabeza, luego exhale al mismo tiempo que deja caer su brazo. Repita este movimiento algunas veces con cada brazo. Empujar con cuidado los pies o las nalgas del bebé alejándolos del lado dolorido también es bastante seguro.

La sensibilidad de las costillas puede desaparecer cuando el bebé se encaja en la pelvis, lo cual casi siempre sucede de dos a tres semanas antes del nacimiento en el primer embarazo —pero por lo general esto se da hasta que el trabajo de parto empieza en los embarazos subsecuentes.

Pruebe este estiramiento: apoyada en sus manos y sus rodillas, con la espalda relajada pero no arqueada, mantenga la cabeza derecha y el cuello alineado con su columna y curve la espalda hacia el techo. Deje que su cabeza baje por completo. Estire poco a poco su espalda y eleve su cabeza a la posición original. Repita varias veces.

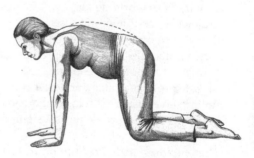

Sensibilidad en los pechos

■ *Primer trimestre*

Con frecuencia, el primer indicio de embarazo es un cambio en la sensación en sus pechos. Después de algunas semanas de gestación, es posible que note una sensación de hormigueo en sus pechos, y es posible que éstos se sientan pesados, sensibles y doloridos. Es probable que sus pezones presenten mayor sensibilidad.

Lo mismo que con el crecimiento de los pechos, la razón primaria para estos cambios es el incremento en la producción de estrógeno y progesterona. La sensibilidad en los pechos casi siempre desaparece después del primer trimestre.

Autocuidado para la sensibilidad en pechos

Un buen sostén de apoyo en la talla correcta puede ayudarle a aliviar la sensibilidad en las mamas. Pruebe con un sostén de maternidad o un sostén atlético de talla grande —éstos tienden a ser cómodos y de tela que permite que su piel respire. Por las noches es posible que se sienta más cómoda durmiendo con sostén.

Síndrome del túnel del carpo

Segundo y tercer trimestres

El síndrome del túnel del carpo casi siempre es producto de los movimientos repetitivos de la mano y la muñeca, como mecanografiar. Es posible que le sorprenda saber que también es común en las mujeres embarazadas. Esto se debe a que los cambios hormonales, la inflamación y el aumento de peso pueden comprimir el nervio que se encuentra debajo del ligamento del túnel del carpo de su muñeca.

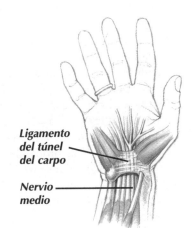

Ligamento del túnel del carpo

Nervio medio

Los síntomas del síndrome del túnel del carpo incluyen adormecimiento, hormigueo, debilidad, dolor o una sensación de ardor en las manos. En las mujeres embarazadas el síndrome del túnel del carpo con frecuencia se presenta en ambas manos.

El ligamento del túnel del carpo es una membrana resistente que sostiene juntos a los huesos de la muñeca. Un nervio llamado el nervio medio entra a la mano a través del túnel del carpo, un espacio que tiene entre los huesos de la muñeca y el ligamento del túnel del carpo. Este pasaje es rígido, así que cualquier inflamación en el área puede pellizcar o comprimir el nervio medio, el cual le proporciona sensación a la base del pulgar, los primeros dos dedos y a la mitad del anular.

Autocuidado para el síndrome del túnel del carpo

Es posible que pueda aliviar la molestia frotando o sacudiendo sus manos. La primera línea de tratamiento es usar una muñequera por las noches y durante las actividades que empeoran sus síntomas, como mecanografiar, conducir un auto o sostener un libro. Aplicar compresas frías o calor a sus muñecas puede ayudar.

Cuidado médico para el síndrome del túnel del carpo

El síndrome del túnel del carpo casi siempre desaparece después del parto. En los raros casos en los que no lo hace, o cuando los efectos son graves, es posible que le administren inyecciones de esteroides. Algunas veces, es necesaria una cirugía menor para corregir el problema.

Sobrecalentamiento
Véase **Calor, sensación de.**

Sueño, falta de
Véase **Insomnio.**

Sueños vívidos
■ *Primer, segundo y tercer trimestres*
Un gorila la sujeta por la cintura... vuela sobre altos edificios... habla con su recién nacido, ¡quien le contesta! Los sueños vívidos y las pesadillas son comunes durante el embarazo. Los sueños pueden ser la forma en que la mente procesa la información inconsciente. Durante este tiempo de cambios emocionales y físicos, sus sueños pueden parecer más intensos y extraños. Quizá se encuentre con que sueña con mayor frecuencia o que recuerda sus sueños con mayor claridad cuando despierta. Sin duda, si se despierta con regularidad durante la noche para orinar o cambiar a una posición más cómoda, tiene más probabilidad de interrumpir un ciclo de descanso de movimientos oculares rápidos (REM, por sus siglas en inglés) lleno de sueños.

Puede tener sueños angustiosos o pesadillas. Trate de que no la alteren. Éstos reflejan sus preocupaciones y su emoción acerca de este cambio tan importante en su vida.

Una manera de disfrutar la expansión en el mundo de sus sueños es un diario de sueños. Escribir sobre estos últimos puede ser una manera de reflexionar sobre ellos y enfrentar sus experiencias.

Si los sueños inquietantes o las pesadillas le causan malestar, podría ser útil hablar con un terapeuta o consejero que le ayude a descubrir lo que la está incomodando.

Sustancias tóxicas, exposición a
■ *Primer, segundo y tercer trimestres*
Es raro exponerse a sustancias dañinas para un feto en desarrollo, pero sucede. Los agentes que se sabe causan daño cuando una mujer se expone a ellos durante el embarazo se llaman teratógenos. Pueden causar un aborto o defectos de nacimiento. Algunas sustancias pueden dañar al infante a través del amamantamiento.

Las sustancias dañinas conocidas incluyen:
- Pesticidas
- Metales pesados, como plomo y mercurio
- Fármacos para tratar el cáncer, como metotrexato y aminopterina
- Radiación ionizante (rayos X)
- Algunos virus, bacterias y protozoarios

Se sospecha que los disolventes orgánicos, como el benceno, son dañinos, aunque los resultados de los estudios no son concluyentes. Las mujeres que trabajan en el cuidado de la salud, agricultura, industria, tintorería, artesanía —como pintura o vidriado de cerámica— en la electrónica y en imprentas, deben tener conciencia de las sustancias a las que se exponen en el trabajo.

Las industrias en Estados Unidos están obligadas a proporcionar información a los empleados acerca de las sustancias peligrosas que se manejan en el sitio de trabajo. Mientras usted y la compañía para la cual trabaja sigan las prácticas de la Administración de Seguridad y Salud Ocupacionales (OSHA, por sus siglas en inglés), es poco probable que su feto sufra daño. La ropa y las medidas de seguridad adecuadas pueden reducir o evitar la exposición.

Por fortuna, los agentes ambientales causan pocos defectos de nacimiento. Aún así, lo mejor es evitar la exposición a las sustancias bajo sospecha de ser dañinas.

Hable con su proveedor de cuidados de salud sobre cualquier exposición que haya tenido a sustancias químicas, fármacos, metales o radiación. También deseará informar al proveedor de cuidados de salud acerca de cualquier equipo en el lugar de trabajo diseñado para minimizar la exposición, como batas, guantes, máscaras y sistemas de ventilación. El proveedor de cuidados de salud puede ayudar a determinar si existe un riesgo y, si es así, lo que se puede hacer para eliminarlo o reducirlo. Aunque su proveedor de cuidados de salud puede tratar de ayudar, es posible que desconozca el uso específico de un agente en una industria determinada.

Es buena idea discutir cualquier preocupación que pueda tener acerca de la exposición a sustancias tóxicas con su patrón o su representante sindical. Hay varias leyes federales diseñadas para proteger su salud, seguridad y los derechos de empleo de las mujeres embarazadas. Para averiguar sobre las leyes sobre seguridad en el sitio de trabajo comuníquese con su departamento de salud estatal o municipal.

Tapón mucoso
Véase **Salida del tapón de moco.**

Temores acerca del bebé, el embarazo
Véase **Temores irracionales.**

Temores irracionales
■ *Primer, segundo y tercer trimestres*
¿Qué pasa si hay algo mal en mi bebé? Éste es un temor universal de los padres en espera. A medida que se acerca la experiencia del nacimiento, todos, hombres y mujeres, tienen algunos temores, en especial sobre la salud y condición del bebé. Quizá también tenga temores sobre el trabajo de parto —

como no llegar a tiempo al hospital, que la sometan a una cesárea o estar expuesta frente a extraños.

Es normal sentir una cantidad moderada de preocupación que no responda a las respuestas tranquilizantes, pero los temores que lo consumen todo e interfieren con su funcionamiento diario pueden requerir atención.

Cierto, algunos bebés nacen con problemas, y en ocasiones mueren, pero los problemas serios y la muerte se presentan apenas en un pequeño porcentaje de los casos. Los números están a su favor.

■ *Prevención y autocuidado para los temores irracionales*
Siéntese y haga una lista de sus temores. Compártalos con su pareja o acompañante de trabajo de parto. Hablar de sus temores puede aligerar una carga emocional innecesariamente pesada. Quizá también desee hablar con su médico o con otras madres en espera, quizá en una clase de parto o en una sala de chateo en línea. Cuando uno habla de sus temores, éstos tienen menos poder sobre usted.

Las clases de preparación del parto ofrecen una oportunidad única para hablar con otras parejas que tienen los mismos temores. El instructor también puede ayudarle a atender los miedos sobre dar a luz.

■ *Cuándo buscar ayuda médica para los temores irracionales*
Si sus temores interfieren con su funcionamiento, en especial si le impiden comer o dormir, hable con su proveedor de cuidados de la salud. Si está ansiosa en extremo, en particular si tiene una razón específica para temer por la salud de su bebé, su proveedor de cuidados de salud puede hacer una evaluación por ultrasonido del feto u otras pruebas prenatales. Aunque dichas pruebas no pueden detectar todos los problemas potenciales, pueden decirle mucho acerca de la salud del feto. Las pruebas, junto con la actitud tranquilizadora de su proveedor de cuidados de la salud, pueden ayudarle a dejar ir algunos de sus temores y a seguir cuidando de sí misma y de su bebé en desarrollo.

Si nada parece reducir su ansiedad, es probable que su proveedor de cuidados de salud le recomiende ayuda profesional.

Tinción del cabello
■ *Primer trimestre*
Los estudios no han relacionado los tintes del cabello con defectos de nacimiento, y los compuestos químicos que contienen dichos tintes no se absorben con facilidad a través de la piel. Aún así, algunos expertos aconsejan a las mujeres embarazadas que exageren con las precauciones y eviten cualquier posible riesgo cambiando a un tinte libre de toxinas o que no se tiñan el pelo durante el primer trimestre. Asimismo, la apariencia del cabello teñido puede ser una preocupación —los cambios hormonales pueden hacer que su pelo reaccione de manera diferente cuando está embarazada, lo que quizás la deje con un color inesperado.

Torpeza

▨ *Segundo y tercer trimestres*

Es posible que durante el embarazo se sienta como que sólo tiene dedos pulgares —o pies o codos. Quizá se encuentre con que tropieza, choca con las cosas, se le cae todo lo que recoge. Puede ser que le preocupe caerse y lastimar a su bebé.

Es perfectamente normal ser más torpe de lo acostumbrado en este tiempo. A medida que crece su útero, su sentido de equilibrio se desplaza. Su forma acostumbrada de moverse, ponerse de pie y caminar cambia.

Además, la hormona relaxina, producida por la placenta, relaja los ligamentos de unión que mantienen juntos a los tres huesos pélvicos. Esto permite que la pelvis se abra más, de manera que la cabeza del bebé pueda moverse a través de la pelvis. Esto también puede contribuir a la sensación de torpeza.

Otros factores que pueden incrementar su torpeza son la retención de agua, la falta de concentración (véase también **Mala memoria**) o la falta de destreza debida al síndrome del túnel del carpo (véase también **Síndrome del túnel del carpo**). Más adelante en el embarazo, el tamaño de su útero puede obstruir su vista de escaleras u obstáculos en el piso. Todos estos efectos son temporales, y volverá a ser la misma una vez que nazca el bebé.

Si cae, es probable que su bebé no se dañe. En general, la lesión tendría que ser lo bastante grave como para lastimarla a usted antes de dañar al bebé. (Véase también **Caídas**.)

▨ *Prevención y autocuidado para la torpeza*

No hay mucho que pueda hacer respecto a los cambios físicos que le hacen sentir como toro en cristalería, pero puede reducir sus probabilidades de caer si toma algunas precauciones:

- Evite usar tacones altos o zapatillas. En lugar de eso emplee calzado estable y de tacón bajo con suelas que le proporcionen buena tracción.
- Evite situaciones que requieran un cuidadoso equilibrio, como subir escaleras de mano o bancos.
- Tome un poco de más tiempo para las tareas que requieren muchos cambios de posición.
- Utilice precaución extra cuando suba o baje escaleras y en otras situaciones que la pongan en riesgo de caer, como caminar sobre una banqueta con hielo.

▨ *Cuándo buscar atención médica por la torpeza*

Si cae y golpea su abdomen o si sólo está preocupada por el bienestar de su bebé, vea a su proveedor de cuidados de salud para que la tranquilice o le dé tratamiento, si es necesario. Si cae sobre su abdomen al final del embarazo, es probable que su proveedor de cuidados de salud vigile al bebé para asegurar que la unión de la placenta con el útero no se dañó.

Trabajo de parto falso

Véase "Trabajo de parto falso contra verdadero" en **Contracciones.**

Transpiración

■ *Primer, segundo y tercer trimestres*

Los efectos de las hormonas del embarazo sobre sus glándulas sudoríparas, junto con su necesidad de librarse de todo el calor que produce el bebé, pueden dejarla sintiéndose un poco húmeda. El incremento de la transpiración durante el embarazo hace que las erupciones por calor sean más comunes. El clima caliente del embarazo puede ser bastante exasperante al final del embarazo. Si está embarazada durante el verano, es posible que necesite descansar, beber líquidos fríos y tomar baños frescos de regadera para evitar el sobrecalentamiento. (Véase también, **Calor, sensación de.**)

Vaginal, sangrado

Véase **Sangrado vaginal.**

Varicela y herpes zóster

■ *Primer, segundo y tercer trimestres*

La mayoría de las mujeres embarazadas son inmunes a la enfermedad viral de la varicela porque la han padecido o fueron vacunadas en su infancia. Una vez que uno ha padecido la enfermedad, se adquiere inmunidad de por vida. Así que, si ha padecido la varicela o la vacunaron contra ella, no hay necesidad de preocuparse si se ve expuesta a ella durante el embarazo.

Si no ha tenido varicela, ésta implica riesgos para usted y su feto si se enferma mientras está embarazada. A esto se debe que durante la visita previa a la concepción o visita prenatal su proveedor de cuidados de salud le pregunte si ya padeció varicela. Si no la ha tenido o no sabe si la tuvo, es posible que le recomiende una prueba sanguínea para determinar si es inmune. Aunque hay una vacuna para prevenir la varicela, las mujeres embarazadas no deben vacunarse.

Si no es inmune a la varicela y no ha sido vacunada, querrá tomar precaución con el fin de evitar la exposición y prevenir las complicaciones para usted y su bebé. En casos raros, la varicela al inicio del embarazo puede producir defectos de nacimiento. Si desarrolla varicela la semana antes de dar a luz, su recién nacido se encuentra en riesgo de desarrollar una infección grave y potencialmente mortal de varicela. Este tipo de infección es rara en un bebé. La varicela en una mujer embarazada también es causa de preocupación. Las mujeres embarazadas tienen mucha mayor probabilidad de presentar infecciones graves, incluyendo neumonía por varicela.

El herpes zóster se produce por una reactivación limitada del virus de varicela, por lo general años después de que sufrió la infección. El herpes zóster causa múltiples vesículas dolorosas. Si desarrolla herpes zóster durante el embarazo hay pocas razones para preocuparse. No hay riesgo de que se presenten defectos de nacimiento ocasionados por herpes zóster en la madre.

Prevención y autocuidado de la varicela

Si no es inmune a la varicela, evite el contacto con cualquiera que la padezca, pues es muy infecciosa. Los niños son muy infecciosos desde dos días antes de que aparezca la erupción hasta tres días de que ésta aparece. Manténgase alejada de otras personas susceptibles que han estado en contacto reciente con una persona infectada.

En casos raros, un niño que se vacunó en forma reciente contra la varicela puede pasar el virus a otros si desarrolla lesiones alrededor del sitio de la inyección. Si no es inmune, hable con su proveedor de cuidados de salud acerca de si debe posponer la vacunación de cualquier niño en casa hasta que usted dé a luz.

Cuándo buscar ayuda médica para la varicela

Notifique a su proveedor de cuidados de la salud si no es inmune a la varicela y sospecha que se expuso a ella. En el embarazo, es probable que reciba una inyección de anticuerpos antivaricela (inmunoglobulina varicela zóster o IGVZ). La IGVZ es segura para usted y su bebé. Cuando se administra dentro de las 96 horas posteriores a la exposición, la IGVZ ayuda a prevenir la varicela o por lo menos reduce su gravedad. Esto puede ayudar a evitar complicaciones como la neumonía, la cual parece ser más común en mujeres embarazadas que en otros adultos con la enfermedad. Los investigadores no han determinado si tomar IGVZ ayuda a proteger a su feto de la infección.

Si desarrolla varicela la semana anterior al parto, su recién nacido está en riesgo de desarrollar una infección grave con este virus. Por lo general la gravedad de dicha infección puede reducirse si el bebé se trata con prontitud después de nacer con IGVZ. Si se desarrollan síntomas serios a pesar del uso de la IGVZ, los fármacos antivirales pueden ayudarle.

Venas varicosas

Segundo y tercer trimestres

Los cambios circulatorios que apoyan el crecimiento del feto durante el embarazo también pueden producir el desafortunado efecto secundario de las venas varicosas. Cerca de 20 por ciento de las mujeres embarazadas las desarrollan. Para cubrir el incremento del flujo sanguíneo durante el embarazo, los vasos con frecuencia se agrandan. Al mismo tiempo, el flujo de sangre desde sus piernas hacia su pelvis puede disminuir. Esto puede hacer que las válvulas que se encuentran en las venas de sus piernas fallen, lo que llevará a la dilatación y abultamiento de dichos vasos. Los problemas en las venas también pueden manifestarse como finas líneas azuladas, rojizas o violáceas debajo de la piel, con gran frecuencia en las piernas y tobillos. Las venas varicosas son hereditarias. Una debilidad heredada en las válvulas de las venas puede hacer que sea más susceptible.

Es posible que las venas varicosas no causen ningún síntoma, o que sean dolorosas o incómodas, y le provoquen molestias y dolor en las piernas. El tamaño de las venas por lo general disminuye un poco después del parto.

Prevención y autocuidado para las venas varicosas
Estas medidas pueden ayudar a prevenir las venas varicosas, a evitar que empeoren o a aliviar la molestia que provocan:
- Evite estar de pie por periodos prolongados.
- No se siente con las piernas cruzadas. Esta posición puede agravar los problemas circulatorios.
- Eleve sus piernas con la mayor frecuencia posible. Cuando esté sentada, apóyelas en otra silla o en un banco. Cuando esté acostada, levante sus piernas y pies sobre un cojín.
- Ejercítese con regularidad para mejorar su circulación general.
- Utilice medias de soporte desde la hora en que se levante hasta la hora de acostarse. Estas medias ayudan a mejorar la circulación en sus piernas. Pida a su proveedor de cuidados de salud que le recomiende una buena marca.
- Use ropa floja alrededor de muslos y cintura. Usar ropa y calcetines ajustados en la parte inferior de las piernas está bien, pero no use prendas que constriñan la parte superior de las piernas, como ropa interior con aberturas apretadas para las piernas. Esto puede impedir el regreso de la sangre desde sus piernas y empeorar las várices.

Cuidado médico para las venas varicosas
Por lo general, las venas varicosas no requieren tratamiento. En casos graves, pueden eliminarse en forma quirúrgica, pero el procedimiento normalmente no se hace durante el embarazo.

Visión borrosa
Primer, segundo y tercer trimestres
Los cambios en sus ojos, durante el embarazo, pueden ocasionar una ligera visión borrosa. Dado que su cuerpo retiene líquido adicional, la capa externa de su ojo (córnea) se hace cerca de tres por ciento más gruesa.

Este cambio puede hacerse evidente cerca de la décima semana del embarazo y persiste hasta cerca de seis semanas después de que el bebé nace. Además, la presión del líquido dentro de su globo ocular (presión intraocular) disminuye durante el embarazo. En combinación, estos cambios pueden, en casos raros, causar visión borrosa.

Si usa lentes de contacto, en particular de tipo duro, es posible que le resulten incómodos debido a estos cambios.

Prevención y autocuidado para la visión borrosa
Si sus lentes de contacto son incómodos, es posible que desee usar anteojos con mayor frecuencia, pero no es necesario cambiar su prescripción de lentes

de contacto durante el embarazo. Su visión regresará a la normalidad después de que dé a luz.

Cuándo buscar ayuda médica para la visión borrosa

Si sufre el inicio repentino de la visión borrosa, haga que la evalúen. Esto es de importancia crítica si padece diabetes. Hable con su proveedor de cuidados de salud acerca de establecer un buen control de su diabetes, vigilando su azúcar sanguíneo y cualquier problema de visión que presente.

La visión borrosa también puede ser producto de la preeclampsia, una enfermedad que produce un incremento en la presión sanguínea. Hable con su proveedor de cuidados de salud si nota un cambio repentino en su visión, si ésta es muy borrosa o si ve manchas frente a sus ojos. La hipertensión puede llevar a problemas serios con el embarazo.

Vómito

Primer trimestre

La náusea y el vómito son comunes durante el inicio del embarazo y pueden presentarse en cualquier momento del día (véanse **Náusea durante el día**; **Náuseas matutinas**). Pero a veces el vómito es tan grave que una mujer embarazada no puede comer ni beber lo suficiente para mantener la nutrición adecuada y mantenerse hidratada. Este problema se denomina hiperemesis gravídica, el término médico para vómito excesivo durante el embarazo.

La hiperemesis gravídica afecta a cerca de una de cada 300 mujeres embarazadas. Se caracteriza por vómito frecuente, persistente y grave. Quizá también se sienta débil, mareada o aturdida. Si no se trata, la hiperemesis puede impedirle obtener los nutrientes y líquidos que necesita y causarle deshidratación, lo cual es la complicación más seria de este padecimiento. En raras ocasiones, la pérdida de líquidos y sales debida al vómito puede ser lo bastante grave como para amenazar al feto.

Las causas exactas de la hiperemesis se desconocen, pero parece ocurrir con mayor frecuencia cuando la hormona del embarazo, la gonadotropina coriónica humana (GCH), es muy alta, como en los embarazos múltiples o molares (un raro padecimiento en donde una masa anormal —en lugar de un bebé— se forma dentro del útero después de la fertilización). Es más común en los primeros embarazos, en las mujeres muy jóvenes y en las que presentan embarazo múltiple.

Prevención y autocuidado para el vómito

Si vomita sólo en forma ocasional o alrededor de una vez al día, siga las medidas de autocuidado mencionadas en **Náuseas matutinas**.

Cuándo buscar ayuda médica para el vómito

Llame a su proveedor de cuidados de salud si:

- Tiene náusea y vómito tan graves que no puede mantener alimento alguno en el estómago
- Vomita más de dos o tres veces al día

- El vómito persiste hasta el segundo trimestre
- Presenta algunos de los signos y síntomas del inicio o de una ligera deshidratación, que incluyen:
  - Cara sonrojada
  - Sed extrema
  - Cantidades pequeñas de orina amarilla oscura
  - Mareo que empeora al ponerse de pie
  - Calambres en brazos y piernas
  - Dolor de cabeza
  - Sequedad bucal y saliva espesa

Antes de tratar su hiperemesis, su proveedor de cuidados de salud descartará otras causas posibles de vómito, como embarazo molar, trastornos gastrointestinales y problemas tiroideos.

PARTE 4
complicaciones del embarazo y del parto

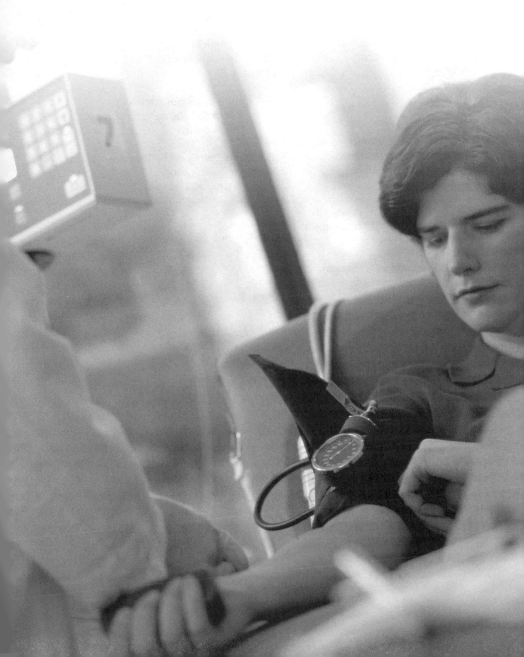

Toda mujer desea un embarazo sin problemas, pero a veces, se presentan dificultades. Si tiene o desarrolla un padecimiento médico, éste puede cambiar la manera en que avanza su embarazo. "Complicaciones del embarazo y parto" explica algunos de los problemas que suelen presentarse, cómo pueden afectar su embarazo y la manera en que es posible que usted y su proveedor de cuidados de salud manejen la situación.

problemas de salud materna y embarazo

Cuando presenta un problema de salud y queda embarazada, éste puede cambiar la manera en que se desarrolla la gestación. La buena noticia es que, con la ayuda de su proveedor de cuidados de salud, la mayoría de los problemas pueden manejarse en una manera que sea segura para usted y su bebé.

Asma

El asma se presenta cuando las vías respiratorias principales de los pulmones (bronquios) se inflaman y constriñen. Cuando los músculos de las paredes bronquiales se tensan, se produce moco adicional, lo que hace que dichas vías se angosten todavía más. Esto puede llevar a cualquier cosa, desde un jadeo menor hasta graves dificultades para respirar.

El asma puede desarrollarse a cualquier edad. Sus probabilidades de desarrollarla aumentan si uno de sus padres la padecía y si es sensible a alergenos e irritantes en el medio. La obesidad, enfermedad por reflujo gastroesofágico (ERGE) y el tabaquismo pasivo también incrementan el riesgo. Aunque los ataques de asma pueden ser letales, esta enfermedad es muy tratable. Con el autocuidado y los medicamentos apropiados, se pueden evitar problemas durante el embarazo.

Tratamiento del asma durante el embarazo

Si trata bien su asma durante el embarazo, hay pocas probabilidades de que usted y su bebé tengan alto riesgo de complicaciones de salud. Hable con su proveedor de cuidados de salud acerca de los pasos que debe tomar. Si requiere medicamentos, no es muy posible que afecten al feto —y recuerde, si no logra respirar bien, eso puede lastimar a su hijo no nato.

Si no utiliza un medidor de picos de flujo, es posible que desee preguntar a su proveedor de cuidados de salud acerca del uso de uno durante el embarazo. El medidor de picos de flujo le permite medir las variaciones cotidianas en su respiración. Puede ayudarle a identificar los detonadores del asma y a determinar si se requiere cuidado adicional.

Si no se controla, el asma puede causar problemas tanto para usted como para el bebé. Si causa niveles bajos de oxígeno en usted, también reducirá el oxígeno disponible para el bebé. Esto podría conducir a un retraso en el crecimiento fetal e incluso a daño cerebral del feto. Si padece episodios graves de asma durante el embarazo, es probable que la traten con oxígeno. Es posible que, durante un ataque, le hagan pruebas de funcionamiento pulmonar o de gas en sangre arterial. Asimismo, es probable que su proveedor de cuidados de salud la examine con más cuidado para detectar una anemia, la cual supondría un estrés adicional para las mujeres con asma.

Si padece asma, es de especial importancia que la vacunen contra influenza, por lo menos después de su primer trimestre de embarazo. Las enfermedades de este tipo pueden hacer que la respiración sea más difícil. Es posible que su proveedor de cuidados de salud desee revisar cualquier medicamento de prescripción o de venta sin receta que esté tomando. Para controlar sus signos y síntomas, es importante seguir tomando los medicamentos de acuerdo con las indicaciones. No suspenda ningún fármaco para el asma a menos que su proveedor de cuidados de salud lo recomiende.

Es difícil predecir la forma en que el embarazo afectará su asma. Ésta puede seguir igual, empeorar o mejorar. Para algunas mujeres embarazadas, el asma empeora en el segundo y tercer trimestres. En casos raros, puede empeorar durante el trabajo de parto. Los medicamentos para el asma son seguros en el embarazo, así es que es muy probable que su asma pueda ser controlada, incluso si empeora un poco durante la gestación.

Cáncer

Uno de cada 1,000 embarazos se ve complicado por el cáncer. No hay evidencia que indique que el riesgo de padecer cáncer de una mujer empeore con el embarazo. No obstante, hay ciertos cánceres que pueden ocurrir en mujeres en edad fértil. Éstos incluyen cáncer en mama, cervical, ovárico y una forma de cáncer en piel llamado melanoma.

Cáncer es el nombre de una amplia gama de enfermedades cuya característica común es el crecimiento excesivo de un tipo de célula en el cuerpo. Bajo circunstancias normales, las células crecen y se dividen para producir más células necesarias para el cuerpo. A veces, las células pueden seguir dividiéndose y forman células adicionales que se convierten en una masa de tejido. Estas masas se denominan crecimientos (tumores).

Los tumores benignos no son cancerosos. Rara vez implican una amenaza para la vida. De hecho, con frecuencia pueden extirparse y no causan más problemas. Los tumores malignos (cancerosos) contienen células que se dividen de manera incontrolable. Éstas se pueden diseminar hacia otras partes del cuerpo (metastatizar), causan daño en tejidos y órganos que puede llegar a amenazar la vida.

Si está recibiendo tratamiento para el cáncer o tiene historial de esta enfermedad, es probable que le recomienden retrasar el quedar embarazada. Por ejemplo, a las mujeres que se les diagnostica cáncer de mama por lo general se les recomienda usar control de la natalidad hasta después del tratamiento. Es probable que también se aconseje a las que han tenido cáncer de mama en el pasado que esperen y vean si hay una recurrencia antes de intentar concebir. El mayor riesgo de recurrencia es durante los primeros dos o tres años después del tratamiento.

En algunos casos, el tratamiento previo para el cáncer puede afectar la fertilidad. En el cáncer ovárico, es posible que se extirpe por cirugía uno o ambos ovarios, los cuales proporcionan los óvulos de la mujer. Si el cáncer ha avanzado, es posible que deban eliminarse también trompas de Falopio, útero y cérvix. En estos casos, no es posible que la mujer conciba.

Tratamiento del cáncer durante el embarazo

Si recibe el diagnóstico de cáncer después de quedar embarazada, es posible que el tratamiento se base en diversos factores. Estos incluyen el tipo de cáncer que tiene, su grado de avance, cuál sería el mejor tratamiento y el punto de la gestación en que se encuentra. Es probable que se consideren varios tratamientos.

La quimioterapia, un tratamiento común para el cáncer, presenta el mayor peligro durante el primer trimestre del embarazo, durante ese tiempo, implica el riesgo de causar defectos de nacimiento. Durante el segundo y tercer trimestres, la quimioterapia puede reducir el peso al nacer de su bebé. El grado de riesgo para otros problemas varía de acuerdo con el medicamento empleado.

La radiación puede o no afectar a su bebé. Esto depende de la fuerza de la exposición, el sitio donde se aplicó la radiación y la edad de gestación del feto. Si dicha radiación se aplica en su pecho o en el área abdominal, es casi seguro que afectará al feto. Las grandes dosis de radiación pueden causar problemas con anormalidades en órganos, retraso mental o retraso en el crecimiento fetal, dependiendo del momento de exposición del bebé. El periodo de mayor vulnerabilidad para el feto es entre las ocho y 15 semanas de gestación.

La cirugía por lo general es posible mientras usted está embarazada. Si se requiere cirugía para el cáncer y ésta no implica al útero, es probable que lo mejor sea realizarla durante el embarazo en lugar de esperar. No obstante, si dicha cirugía causa inflamación o infección abdominales, aumenta el riesgo de trabajo de parto prematuro.

Si se realizan ciertos tratamientos durante el embarazo, pueden conducir a complicaciones. Por ejemplo, si es necesario eliminar el tejido cancerosos del cérvix mientras la mujer todavía está embarazada, el riesgo de sangrado, trabajo de parto prematuro o aborto, se puede incrementar.

Además, el cáncer que se extiende a otras partes del cuerpo puede poner en peligro al feto. En casos raros, el melanoma maligno puede metastatizar hacia la placenta o el feto. Los casos avanzados de cáncer también pueden amenazar la vida de la madre si se suspende o retrasa el tratamiento con el fin de continuar un embarazo.

No está claro si el embarazo afecta en forma directa el avance del cáncer. No obstante, en muchos casos puede complicar el tratamiento o reducir ciertas opciones de tratamiento, lo cual puede afectar los resultados finales. Esto se aplica en forma particular en casos de cáncer avanzado de mama, cervical y linfoma.

Si recibe un diagnóstico de cáncer de mama mientras está embarazada, el pronóstico es casi el mismo que el de las mujeres con cáncer similar que no están embarazadas. No obstante, es importante que el tratamiento se inicie, y son comunes los retrasos en el diagnóstico y tratamiento en el embarazo. Es posible que las mujeres que reciben el diagnóstico de enfermedad avanzada durante el embarazo no tengan las mismas opciones de tratamiento que otras mujeres si optan por seguir con su embarazo. La radiación, por ejemplo, por lo general no se usa porque podría afectar al bebé cuando se dirigiera cerca del útero. Dependiendo del alcance de la enfermedad, es posible que se recomienden cirugía y quimioterapia.

Aunque los tratamientos podrían poner en riesgo al feto, es típico que el cáncer de mama avanzado deba tratarse con prontitud para mejorar el resultado para la madre. Retrasar o modificar el tratamiento podría reducir el índice de supervivencia. Lo mismo se aplica para el cáncer cervical avanzado o invasivo.

El cáncer ovárico rara vez causa signos y síntomas en las etapas tempranas de la enfermedad. Como resultado, es común que se diagnostique en etapa avanzada, lo cual llevará a un pronóstico más pobre. La incidencia durante el embarazo es baja, dado que el cáncer ovárico es más común entre las mujeres mayores.

Cuando se descubre un tumor ovárico durante el embarazo, es posible que se dé en una etapa más temprana y se detecte durante un ultrasonido de rutina. Además, es posible realizar cirugía para extirpar el ovario afectado durante el embarazo. En algunos casos, el procedimiento puede retrasarse hasta que el bebé puede nacer, pero en la mayoría de ellos no es necesario ni aconsejable el retraso. Los tumores benignos del ovario son mucho más comunes en el embarazo que el cáncer ovárico.

El melanoma maligno es un cáncer agresivo que se inicia en las células de un lunar en la piel (nevo). La supervivencia en el melanoma maligno depende de la localización y tamaño de la lesión cancerosa. El embarazo no parece tener influencia alguna en la manera en que progresa la enfermedad, pero puede retrasar el diagnóstico. La cirugía es el tratamiento primario del melanoma maligno, y la cirugía en piel presenta un riesgo mínimo para el bebé en desarrollo. Las lesiones sospechosas en piel pueden eliminarse en el momento en que se descubran, incluso si está embarazada.

Antes, durante y después del embarazo, asegúrese de someterse a exámenes médicos regulares para detectar cáncer. Es de especial importancia si presenta un historial familiar de estas enfermedades u otros factores de riesgo para una enfermedad en particular. Por ejemplo, durante el embarazo se recomienda a las madres que sigan realizando el autoexamen de las mamas lo mismo que la revisión de lunares irregulares que pudieran ser signo de un melanoma maligno.

El cáncer en el embarazo es raro, pero los crecimientos que no se detectan hasta que alcanzan una etapa avanzada son más difíciles de tratar. Es importante que usted y su doctor no retrasen las pruebas diagnósticas y los tratamientos apropiados durante el embarazo.

Hipertensión

La presión arterial es la fuerza con la cual la sangre empuja contra las paredes de las arterias. Esta presión se ajusta para cubrir los requerimientos del cuerpo a medida que éste cambia con la posición y la actividad. Cuando la presión se vuelve demasiado alta, la condición se llama presión arterial alta (hipertensión).

La hipertensión crónica, que puede presentarse antes del embarazo, puede desarrollarse por diversas razones. Se cree que la herencia, dieta y el estilo de vida juegan un papel en este padecimiento, pero otras afecciones crónicas pueden ser causa de su desarrollo. Estas afecciones incluyen enfermedad renal, disfunción tiroidea, síndrome de Cushing y apnea del sueño. La razón primaria subyacente para la hipertensión puede tener un gran impacto sobre la manera en que la condición se trata. Sin importar la causa, la hipertensión puede llevar a un ataque cardiaco, infarto cerebral, falla renal y muerte prematura. Es importante que la hipertensión reciba tratamiento.

Tratamiento de la hipertensión durante el embarazo

La mayoría de las mujeres con hipertensión arterial pueden tener embarazos sanos. No obstante, la afección requiere de observación estrecha y manejo cuidadoso durante toda la gestación. La hipertensión crónica puede empeorar en forma importante, llevando a problemas para ambos, madre y bebé. Esto es particularmente cierto cuando la enfermedad única de hipertensión del embarazo —preeclampsia— se añade a la presión sanguínea alta crónica. Las posibles complicaciones para la madre pueden incluir falla cardiaca congestiva, convulsiones, disfunción renal o hepática, cambios en la visión e infarto cerebral. La hipertensión grave en el embarazo puede amenazar su vida. Muchas mujeres con hipertensión también desarrollan problemas con los embarazos subsecuentes.

Los posibles problemas fetales relacionados con la hipertensión incluyen el deterioro del crecimiento (restricción del crecimiento intrauterino), mayor riesgo de problemas respiratorios antes o durante el parto, incremento en el riesgo de que la placenta se separe del útero antes del alumbramiento (abrupción placentaria) y efectos posibles de los medicamentos empleados para tratar la hipertensión materna.

Si tiene hipertensión crónica, lo mejor es ver a su doctor antes de intentar quedar embarazada de manera que éste pueda ver si su condición está bajo control y revisar sus medicamentos. El uso de algunos fármacos que se emplean para reducir la presión sanguínea es seguro durante el embarazo, pero otros, como los inhibidores de la enzima convertidora de la angiotensina (ECA), pueden dañar a su bebé. Por esa razón, es posible que su médico desee cambiar el tipo o la dosis de los medicamentos que tome durante la gestación.

La presión sanguínea por lo general cambia como parte de la adaptación del cuerpo al embarazo. La presión arterial alta que existía antes de éste puede empeorar durante la gestación, en especial en el último trimestre. El curso a largo plazo de la hipertensión no se ve afectado por el embarazo, pero pueden surgir complicaciones serias durante este último y el alumbramiento. En algunos casos, el embarazo puede revelar una hipertensión que no se había reconocido antes.

El tratamiento es importante para la madre durante el embarazo. Parece que el bebé en desarrollo también debe vigilarse de manera estrecha, sin importar lo bien controlada que éste la presión sanguínea de la madre. Para dar seguimiento a la salud y el desarrollo del bebé, por lo general se harán visitas frecuentes y ultrasonidos repetidos para evaluar el crecimiento fetal y la distribución del flujo sanguíneo dentro del bebé. En el último trimestre, se pueden hacer pruebas para mantener una vigilancia estrecha sobre el bienestar del bebé. En la mayoría de los casos, las mujeres con hipertensión necesitarán dar a luz unas semanas antes de su fecha de término para evitar complicaciones.

Depresión

La depresión es un padecimiento mental serio. Puede interferir con la capacidad para comer, dormir, trabajar, interaccionar con los demás y disfrutar de la vida. Puede ser un problema aislado, disparado por un suceso estresante como la muerte de un ser querido, o tratarse de una condición crónica. La enfermedad con frecuencia es hereditaria, lo cual indica que la genética juega un papel. Los expertos piensan que esta vulnerabilidad genética, junto con factores ambientales como el estrés, puede disparar un desequilibrio en la química del cerebro y generar la depresión.

Este problema es mucho más que melancolía. Si no se trata, la depresión puede llevar a la incapacidad, la dependencia y el suicidio. La psicoterapia, los medicamentos y otras terapias se emplean para tratar la depresión.

Tratamiento de la depresión durante el embarazo

La depresión puede afectar a cualquiera, pero las mujeres en edad fértil tienen un alto riesgo de depresión. La buena noticia es que, con el cuidado médico apropiado, la mayoría de las mujeres con depresión presenta embarazos normales.

El embarazo puede, sin embargo, afectar la depresión. Durante la gestación, las mujeres pasan por muchos cambios. Para una mujer con depresión, el embarazo puede disparar una amplia gama de emociones que hacen que enfrentarla sea más difícil. Los cambios físicos durante el embarazo y el trabajo de parto también pueden reducir o cambiar la eficacia de los fármacos antidepresivos. Además, las mujeres con historiales de depresión mayor suelen presentar episodios repetidos de esta afección durante y después del embarazo. Esto se aplica en especial si deciden dejar de usar sus medicamentos antidepresivos durante la gestación.

Si tiene depresión y está tratando de concebir o está embarazada, discuta su situación con su proveedor de cuidados de salud. Si está empleando medicamentos, es posible revisar junto con éste el tipo y dosis utilizados para tratar su depresión. Si su problema es ligero, quizá pueda dejar de usar el antidepresivo. Si su depresión es mayor o tiene un historial reciente del problema, es probable que le recomienden seguir con el tratamiento.

Se han hecho estudios sobre la seguridad de los antidepresivos durante el embarazo. Las investigaciones sobre fluoxetina, sertralina y paroxetina, no mostraron evidencia de un incremento en el riesgo de defectos de nacimiento. Además, no se ha demostrado que el medicamento bupropión ocasione defectos de nacimiento. No obstante, los efectos que estos fármacos pueden tener sobre la futura conducta de un bebé que aún no ha nacido se desconocen.

El uso, durante el embarazo, de un tipo más antiguo de medicamentos conocido como antidepresivos tricíclicos no causa preocupación. Dado que ahora se cuenta con otros medicamentos, más efectivos, rara vez hay necesidad de considerar el uso de estos fármacos durante el embarazo.

Es importante dar un cuidado adecuado a la depresión durante el embarazo, ya que, de lo contrario, puede poner su salud bajo riesgo, lo cual puede dañar a usted y a su bebé. La depresión puede hacer que no coma bien o no aumente suficiente de peso. Asimismo, puede conducir al abuso de alcohol o drogas o a otras conductas arriesgadas. La depresión grave puede hacer que trate de dañarse a sí misma o se suicide.

Además, si la depresión durante el embarazo no se trata, esto puede afectar el bienestar de su bebé. Algunos estudios han relacionado los signos y síntomas de la depresión materna con el parto prematuro, bajo peso al nacer y una menor puntuación en la prueba de Apgar, la cual se realiza para evaluar el bienestar del bebé justo después de su nacimiento.

Si recibe tratamiento para la depresión o tiene un historial de ésta, siga los consejos de su proveedor de cuidados de salud sobre la mejor manera de tratarla durante la gestación. Consulte con su médico antes de iniciar, suspender o cambiar la dosis de cualquier medicamento. Además, avise a su proveedor de cuidados de salud si un caso previo de depresión parece estar de regreso.

Diabetes

Ésta es una enfermedad que afecta la regulación del azúcar sanguíneo (glucosa), la principal fuente de energía del cuerpo. Los alimentos que ingiere se degradan a glucosa y se absorben en el torrente sanguíneo unos minutos u horas más tarde. La insulina, una hormona que secreta el páncreas, ayuda entonces a la glucosa a entrar a sus células para uso o almacenamiento de energía.

En las personas con diabetes, este sistema se altera. En lugar de que la glucosa se transporte al interior de las células, ésta se acumula en el torrente sanguíneo y se excreta finalmente por la orina. Con el tiempo, la exposición a altos niveles de glucosa en la sangre puede dañar nervios, riñones, ojos, corazón, vasos sanguíneos y sistema inmune.

Los dos tipos principales de diabetes, 1 y 2, son muy diferentes:

El tipo 1 (llamada antes diabetes juvenil o dependiente de insulina) se presenta cuando su páncreas produce poca o ninguna insulina o sus músculos y células de los tejidos se vuelven resistentes a esta hormona. La insulina debe administrarse por inyección todos los días.

El tipo 2 (llamada antes diabetes adulta o no dependiente de insulina), se da cuando su páncreas no produce suficiente insulina o desarrolla resistencia a ella. Cuando sus células desarrollan una resistencia a la hormona, se rehúsan a aceptar la insulina como la llave que abre la puerta para el azúcar. Como resultado, el azúcar permanece en su sangre y se acumula.

La diabetes afecta a 16 millones de adultos y niños en Estados Unidos. Durante el embarazo, algunas mujeres desarrollan un padecimiento temporal llamado diabetes gestacional. Se parece a la diabetes de tipo 2, pero desaparece cuando termina el embarazo.

El riesgo de desarrollar diabetes de tipo 2 se incrementa con la edad y está relacionado con un historial familiar de la enfermedad. También es más común en negros, hispanos e indoamericanos. Para la diabetes de tipo 2, hay ciertos factores de conducta que pueden incrementar su riesgo, incluyendo el sobrepeso y un estilo de vida inactivo. En la actualidad, no hay curación para la diabetes, pero el azúcar sanguíneo puede controlarse con los medicamentos adecuados y el manejo del estilo de vida, lo cual incluye la alimentación correcta, mantener un peso sano y hacer suficiente ejercicio.

Tratamiento de la diabetes durante el embarazo

Si tiene diabetes y sus niveles de azúcar sanguíneo se mantienen bajo control antes de la concepción y durante el embarazo, es probable que tenga una gestación sana y dé a luz un bebé saludable. Cuando su diabetes no está bajo control, se encuentra en mayor riesgo de tener un bebé con algún defecto de nacimiento en cerebro o columna vertebral, corazón o riñones. El riesgo de aborto y parto de un feto muerto también incrementa de manera significativa.

El mal control de su diabetes también la coloca en mayor riesgo de tener un bebé que pese cinco kilos o más. Esto se debe a que cuando el azúcar sanguíneo aumenta demasiado, el bebé recibe una carga de glucosa mayor de la normal y produce insulina adicional para romper el azúcar y almacenar la grasa. Dicha grasa tiende a acumularse y produce un infante más grande de lo normal —un problema médico conocido como macrosomía. La vigilancia del crecimiento de su bebé durante el embarazo puede indicarle con anticipación que la diabetes lo está afectando en forma adversa. Dado el riesgo de parto de un feto muerto en mujeres cuya diabetes está mal controlada, es frecuente que el trabajo de parto sea inducido antes de que sus embarazos lleguen a término.

Aún así, un nacimiento prematuro implica un riesgo porque los bebés de las mujeres con diabetes presentan especial susceptibilidad al síndrome de sufrimiento respiratorio y a la ictericia. Los bebés de madres con diabetes sin controlar, en especial aquellos que son muy grandes, también pueden nacer con bajo nivel de azúcar sanguíneo y requerir glucosa intravenosa (IV) o alimentación por sonda poco después de nacer.

Los requerimientos de insulina tienden a aumentar para las embarazadas con diabetes, debido a que las hormonas de la placenta afectan la respuesta normal a la insulina. De hecho, algunas mujeres pueden necesitar el doble o triple de su dosis acostumbrada de insulina para controlar su azúcar sanguíneo. La mayoría de las mujeres que toma insulina antes del embarazo requerirá dosis diarias múltiples de insulina o una bomba de insulina. Se requerirán ajustes frecuentes de la dosis de la hormona.

Si no está tomando insulina para su diabetes, es probable que su médico desee revisar el tipo de medicamento que está tomando para controlar la glucosa sanguínea. Si toma fármacos orales, es posible que le recomienden cambiar a la insulina antes de la concepción y durante el embarazo, porque algunos de los medicamentos orales pueden implicar un riesgo de que se presenten defectos de nacimiento.

Durante el embarazo, mantener una dieta adecuada para controlar el azúcar sanguíneo puede significar un reto, en especial cuando la náusea complica el inicio de la gestación. Comer bien durante el embarazo es una parte importante del cuidado de la diabetes.

Es necesario cuidarse contra muchas complicaciones de la diabetes durante el embarazo. La cetoacidosis se da cuando no hay suficiente insulina, y las células tienen tal carencia de energía que su cuerpo comienza a degradar la grasa, lo que produce ácidos tóxicos llamados cetonas. Algunas complicaciones, como las anormalidades oculares debidas a la diabetes (retinopatía), también empeoran durante el embarazo, lo cual requiere tratamiento intensivo y exámenes continuos. No obstante, este problema parece estar más relacionado con el control de la diabetes y la presión arterial, en lugar de con el propio embarazo.

Si está embarazada y tiene problemas de riñón relacionados con la diabetes (nefropatía diabética), necesitará vigilancia cuidadosa, ya que puede desarrollar hipertensión arterial y deterioro en la función renal. Además de poner en peligro su salud, estas complicaciones pueden poner al feto en mayor riesgo de defectos de nacimiento y de crecimiento fetal pobre (retraso en el crecimiento intrauterino). Quizá también deba dar a luz antes de tiempo si los riesgos del bebé en el embarazo superan los peligros del parto prematuro.

Incluso si tiene experiencia y conocimientos sobre la diabetes, el embarazo puede crear nuevos retos médicos. Es importante trabajar de cerca con su médico para proteger su salud y la de su bebé. Es de extrema importancia planear su embarazo si tiene diabetes. Si la enfermedad está bien controlada cuando conciba y toma un suplemento de ácido fólico, las probabilidades de que su bebé y su embarazo sean normales son muy buenas.

Epilepsia

Éste es un trastorno convulsivo que se produce debido a actividades eléctricas anormales que se producen en el cerebro. Estas señales anormales pueden causar cambios temporales en la sensación, el comportamiento, el movimiento y la conciencia. En algunos casos, las convulsiones pueden tener una causa conocida, como una enfermedad o un accidente que afecte al cerebro. En otros, pueden darse sin razón aparente.

Los fármacos antiepilépticos pueden eliminar o reducir la cantidad o intensidad de los ataques en al mayoría de las personas con epilepsia. En los casos en que las convulsiones no pueden controlarse con medicamentos, la cirugía puede ser una opción.

Tratamiento de la epilepsia durante el embarazo

La mayoría —más de 90 por ciento— de las mujeres con epilepsia que se embaraza tiene una buena gestación. Aún así, parece ser que la epilepsia sí aumenta el riesgo de sangrado vaginal y de abrupción placentaria, en la cual la placenta se separa del útero. Las mujeres con un trastorno convulsivo también pueden tener un mayor riesgo de ruptura prematura de membranas y de presión arterial alta inducida por la gestación (hipertensión inducida por el embarazo), y un riesgo un poco mayor de tener un bebé con defectos de nacimiento. El riesgo de dichos defectos parece estar relacionado con los medicamentos que se emplean para controlar las convulsiones, pero para muchas pacientes estos fármacos son absolutamente necesarios.

Aunque algunos medicamentos tomados durante el embarazo pueden afectar al feto, es importante continuar el tratamiento para controlar las convulsiones. Los ataques pueden dañar al bebé. En casos raros, también pueden ocasionar un aborto. Antes de concebir, hable con su médico acerca de su tratamiento. Algunos medicamentos anticonvulsivos nuevos parecen ser menos riesgosos para el bebé. Aunque muchos de estos fármacos son prometedores, no han estado en el mercado lo suficiente para que los médicos tengan plena confianza en su seguridad para mujeres embarazadas.

Para protegerse a sí misma y a su bebé, no deje de tomar los medicamentos ni cambie la dosis sin el consejo y la supervisión de su doctor. La mayoría de las mujeres debe seguir tomando los mismos medicamentos que utilizaban antes de embarazarse porque el cambio de medicamentos incrementa el riesgo de presentar convulsiones. Lo mejor es colaborar con su médico para seleccionar el tratamiento óptimo antes de concebir.

Algunos fármacos antiepilépticos afectan la manera en que el cuerpo usa el ácido fólico, una fuente importante de protección contra los defectos de nacimiento. Por tanto, es posible que su doctor le pida que tome un suplemento de altas dosis de ácido fólico junto con sus otros medicamentos.

Dado que su volumen sanguíneo se incrementa durante el embarazo y sus riñones pueden eliminar los fármacos con mayor rapidez, es posible que deba incrementar la dosis del fármaco. Pero asegúrese de seguir las órdenes del doctor.

Es difícil predecir cómo afectará el embarazo a las convulsiones. Cerca de la mitad del tiempo, la frecuencia de estos últimos no se ve afectada. Alrededor de un cuarto de las mujeres embarazadas con epilepsia tiene una reducción en los ataques, y cerca de un cuarto tienen un incremento en ellos. El aumento se da sobre todo en el primer trimestre, y se cree que se debe a los cambios en la química del cuerpo. Además, la náusea y el vómito graves durante el inicio de la gestación pueden interferir con la capacidad de algunas mujeres para tomar medicamentos anticonvulsivos, lo que incrementa el riesgo de convulsiones.

Durante el embarazo, los niveles sanguíneos de muchos medicamentos empleados para tratar la epilepsia tienden a reducirse. Como resultado, es posible que sus medicamentos necesiten ajustes más frecuentes y que requiera más pruebas de sangre para verificar sus niveles farmacológicos.

Cálculos en vesícula

La vesícula biliar es una pequeña bolsa en forma de pera. Se encuentra bajo su hígado y en el lado derecho de su abdomen superior. Su papel es almacenar la bilis, un líquido que se produce en su hígado, hasta que se necesita para digerir las grasas en su intestino delgado. Si esta bilis contiene mucho colesterol u otras sustancias que no se disuelven con facilidad, se forman en la vesícula o en los conductos biliares cercanos depósitos duros y sólidos. Estos depósitos, llamados cálculos, pueden ser tan pequeños como un grano de arena o tan grandes como una pelota de golf.

Aunque 10 por ciento de las personas tiene cálculos biliares, muchas ni siquiera lo saben hasta que tales depósitos se descubren durante una prueba médica. A veces, sin embargo, los cálculos pueden bloquear el flujo de bilis del hígado al intestino. Esto puede causar síntomas como indigestión o dolor en su abdomen superior. Un dolor abdominal intenso y constante que se inicia de repente y dura varias horas, puede señalar un ataque de cálculos biliares. También pueden presentarse náusea y vómito. Si los ataques de este tipo son graves o recurrentes, es posible que sea necesario extirpar su vesícula con cirugía.

Tratamiento de los cálculos biliares durante el embarazo

Las mujeres tienen el doble de probabilidades de tener cálculos biliares respecto a los hombres. Gran parte de ese riesgo mayor está relacionado con el embarazo, ya que la vesícula se vacía con mayor lentitud y en forma más parcial como respuesta a las hormonas del embarazo. La acumulación resultante de la bilis promueve la formación de piedras. El embarazo puede incrementar aún más el riesgo porque algunas mujeres aumentan demasiado de peso durante éste, lo cual a su vez incrementa el contenido de colesterol en la bilis. Aunque no puede evitar por completo la formación de los cálculos, puede reducir su riesgo si mantiene un peso sano durante el embarazo, se ejercita con regularidad y lleva una dieta baja en grasas y rica en fibra que enfatice la fruta y las verduras frescas y los granos enteros.

La mayoría de los embarazos no se verán afectados por los ataques biliares, incluso si una mujer recibió el diagnóstico de cálculos antes de embarazarse. Si se presenta un ataque, su tratamiento es el mismo, sin importar si una mujer está embarazada o no. No obstante, los exámenes de ultrasonido son los preferidos para la evaluación de cálculos en mujeres embarazadas, de manera que los procedimientos de rayos X típicos para analizar cálculos biliares con frecuencia se posponen hasta después del parto.

Se requiere una cirugía para extirpar la vesícula biliar en cerca de uno de cada 1,000 embarazos. Si es necesario, puede hacerse con seguridad para ambos, la madre y el feto, en especial durante el segundo trimestre. Si presenta signos y síntomas de ataques biliares, consulte a su médico.

Enfermedad del corazón

Los padecimientos cardiacos pueden incluir una gama de condiciones diversas, incluyendo todo, desde enfermedad de arterias coronarias hasta problemas cardiacos congénitos y afecciones en válvulas. Aunque algunos padecimientos son más serios que otros, todos pueden afectar la manera en que funcionan el corazón y la circulación.

Hasta hace poco, se aconsejaba a muchas mujeres con historial de problemas del corazón que evitaran quedar embarazadas. Ahora, se cree que muchas mujeres con problemas cardiovasculares pueden vigilarse de cerca durante la gestación para minimizar el riesgo de problemas para ellas y sus bebés. Sin embargo, algunos trastornos cardiacos —como la enfermedad cianótica del corazón, la hipertensión pulmonar y la estenosis aórtica grave— pueden necesitar ser corregidas antes para reducir los riesgos de salud que pueden implicar para ambos, madre e hijo, durante el embarazo. Siempre es mejor consultar con su médico acerca de los datos específicos sobre su afección antes de quedar embarazada y colaborar con el especialista adecuado durante la gestación para tratar su padecimiento.

Tratamiento de la enfermedad cardiaca durante el embarazo

El embarazo puede significar un esfuerzo especial para su corazón y su sistema circulatorio. De hecho, la carga de trabajo sobre su corazón aumenta incluso desde el primer trimestre de la gestación. Durante el trabajo de parto, y en particular al pujar, pueden darse cambios abruptos en la dinámica del flujo y la presión sanguíneos. Luego, justo después del nacimiento, la reducción del flujo sanguíneo a través del útero coloca una carga adicional en el corazón.

Las mujeres con enfermedad congénita del corazón tienen mayor riesgo de dar a luz bebés con problemas cardiacos. Si está tomando medicamentos para la enfermedad del corazón, como anticoagulantes, hable con su doctor antes de embarazarse, de manera que éste pueda considerar si debe ajustar la dosis o sustituir el fármaco antes o durante el embarazo, para minimizar los riesgos para el feto o el recién nacido. Es posible que su médico ajuste el fármaco para permitir los cambios en la circulación debidos al embarazo.

Es posible que durante su embarazo necesite una prueba de ultrasonido fetal de manera que su médico pueda buscar anormalidades cardiacas en el feto.

Usted estará bajo estrecha vigilancia durante la gestación, por si acaso llegara a empeorar su condición subyacente. Esto puede implicar pruebas y exámenes más frecuentes. Además, algunos de los cambios normales que acompañan al embarazo pueden ser preocupaciones especiales para usted. La anemia, por ejemplo, implica grandes riesgos con algunos tipos de enfermedad cardiaca. La retención de líquidos también puede ser más difícil de tratar o podría indicar el empeoramiento de la condición cardiaca subyacente.

Durante el trabajo de parto, es posible que requiera una vigilancia estrecha o tecnología especializada, como catéteres de presión pulmonar o arterial y ecocardiografía. Asimismo, se utilizan analgésicos durante el parto, en parte para reducir el estrés sobre la circulación de la madre. Es común el uso de la anestesia epidural o espinal. Además, es más probable que se empleen fórceps durante un nacimiento vaginal para reducir el esfuerzo al mínimo evitando el pujo, que también pone estrés en la circulación.

Incluso podría evitarse el parto planeando una cesárea, pero lo más frecuente es que el nacimiento por vía vaginal sea preferible. Durante las primeras semanas después del nacimiento, es posible que la sigan vigilando de manera estrecha debido a que hay cambios mayores en la circulación después del parto.

El embarazo también implica un riesgo de endocarditis, una infección bacteriana de la membrana que recubre el interior de las cuatro cámaras y las válvulas del corazón, que puede ser mortal. Si tiene malformaciones en corazón o en sus válvulas, o si éstas tienen cicatrices, la superficie interna de su corazón se vuelve rugosa. Esto proporciona a los organismos infecciosos un área donde pueden congregarse, multiplicarse, e incluso diseminarse a otras partes del cuerpo. Dado que las bacterias pueden entrar con facilidad a su torrente sanguíneo durante el parto, las mujeres en riesgo de endocarditis por lo general reciben tratamiento con antibióticos justo antes y después del parto para minimizar el riesgo de infección.

Las anormalidades menores en el ritmo cardiaco, como los latidos adicionales ocasionales en aurículas o ventrículos, son comunes en el embarazo y por lo general no son causa de preocupación. Otras complicaciones relacionadas con el embarazo pueden incrementar en la mujer el riesgo de enfermedad cardiovascular y muerte en el futuro. Estudios recientes han indicado que las madres que sufren preeclampsia (presión arterial alta inducida por el embarazo) o abortos múltiples deben poner atención especial a su salud cardiaca en el curso de sus vidas.

Hepatitis B

Ésta es una infección seria del hígado ocasionada por el virus de la hepatitis B (VHB). Se transmite en la sangre y los líquidos corporales de las personas infectadas —de la misma manera en que se contagia el virus de la inmunodeficiencia humana (VIH), el germen que causa el SIDA. El VHB es mucho más infeccioso que el VIH. Más de un billón de adultos y niños están infectados con el VHB en el mundo.

Las mujeres con VHB pueden pasar la infección a sus bebés durante el parto. Los bebés recién nacidos también pueden infectarse con el virus a partir del contacto con una madre VHB-positiva.

En algunas personas, el VHB puede causar falla hepática. También aumenta el riesgo de cáncer en hígado. La mayoría de la gente infectada con el VHB durante la edad adulta se recupera por completo. Los infantes y niños tienen una probabilidad mucho mayor de desarrollar una infección crónica. Los signos y síntomas iniciales de una infección por VHB pueden ir de leves a graves. Pueden confundirse con influenza.

Muchos adultos y niños que se infectan con VHB nunca desarrollan signos ni síntomas, o los desarrollan semanas después de la infección. Como resultado, mucha gente puede ser portadora del virus y no saberlo. En Estados Unidos, a las mujeres embarazadas que reciben cuidado prenatal se les realiza una prueba de detección del VHB.

Tratamiento de la hepatitis B durante el embarazo

Las mujeres embarazadas con infección por hepatitis B presentan un mayor riesgo de dar a luz en forma prematura, pero el mayor riesgo es el de infectar al bebé con el VHB. Si presenta evidencia de VHB, su bebé puede recibir una inyección de anticuerpos contra el virus después de nacer.

La vacuna contra el VHB es una parte común, y en algunos estados obligatoria, de la serie de inmunizaciones que se aplican a los niños durante la infancia temprana. Las vacunas de hepatitis B pueden aplicarse a los recién nacidos lo mismo que a los bebés prematuros.

Herpes

Ésta es una enfermedad contagiosa ocasionada por el virus de herpes simple. El virus viene en dos formas: el tipo 1 (VHS-1) y el tipo 2 (VHS-2). El tipo 1 provoca los llamados "fuegos" alrededor de la boca o la nariz, pero también puede implicar el área genital. El tipo 2 causa ampollas genitales dolorosas que se rompen y se vuelven llagas. Ambos tipos se contagian por contacto directo con una persona infectada.

La infección inicial (primaria) puede ser obvia con signos y síntomas que duran una semana o más. En otros casos, es posible que ni siquiera se reconozca la infección primaria. Después del brote inicial, el virus permanece latente en las áreas infectadas y se reactiva de manera periódica. Estos episodios duran cerca de 10 días. Pueden iniciarse con cosquilleo, comezón o dolor antes de que las lesiones se hagan visibles. El herpes es contagioso siempre que están presentes dichas lesiones.

Tratamiento del herpes durante el embarazo

Los fármacos antivirales pueden ayudar a reducir el número de reactivaciones o acortar su duración. A veces, se emplean para evitar las recurrencias al final del embarazo.

Si tiene herpes genital, es posible que su bebé se infecte con el virus al pasar por el canal del parto. El riesgo más serio para el recién nacido se da cuando la madre tiene su primera (primaria) infección de herpes justo antes del trabajo de parto. Un episodio recurrente de herpes al dar a luz implica mucho menor riesgo para el bebé.

Prevenir una infección de herpes en un recién nacido puede ser difícil. En la mayoría de las infecciones en recién nacidos, la madre no tiene signos ni síntomas que sugieran herpes durante el trabajo de parto o el parto. Aún así, la prevención es importante porque la infección por herpes puede amenazar la vida del recién nacido. Además, los recién nacidos que contraen herpes pueden desarrollar infecciones serias que dañan ojos, órganos internos y cerebro, a pesar del tratamiento con fármacos antivirales.

Si ha tenido herpes genital, es poco probable que su bebé tenga una infección seria adquirida al nacer. Las mujeres que han tenido la enfermedad desarrollan anticuerpos que pasan a sus bebés y les proporcionan cierta protección temporal. No obstante, el riesgo no está ausente del todo. Si hay lesiones presentes, el parto por cesárea puede reducir este pequeño riesgo de infección al nacer y es el estándar actual de cuidado en Estados Unidos. Si la madre tiene una nueva infección primaria, la cesárea puede salvarle la vida al bebé.

Después del nacimiento, el bebé puede infectarse de herpes por contacto directo con alguien con un fuego labial. Cualquiera con una lesión de este tipo debe evitar besar a un bebé. También es importante lavarse las manos antes de manejar a un infante. Si tiene un fuego labial al dar a luz, mantenga a su bebé alejado de su cara y lave sus manos con frecuencia.

VIH/SIDA

El síndrome de la inmunodeficiencia adquirida (SIDA), es un padecimiento crónico y fatal. Se produce por el virus de la inmunodeficiencia humana (VIH). Cuando este virus infecta a una persona, puede permanecer latente por años. Durante ese tiempo, la persona muestra pocos o ningún signo o síntoma de la enfermedad. No es sino hasta que el virus se torna activo y debilita el sistema inmune del organismo que la condición se conoce como SIDA.

El VIH se contagia comúnmente por contacto sexual con una pareja infectada. También puede contagiarse a través de sangre infectada y al compartir agujas o jeringas contaminadas con el virus. Las mujeres con VIH sin tratar pueden contagiar el virus a sus bebés durante el embarazo y parto o a través de la leche materna.

Tratamiento del VIH/SIDA durante el embarazo

Hágase una prueba de VIH antes o durante el embarazo. Muchas mujeres no reciben un diagnóstico porque no encajan en la categoría de personas de alto riesgo para la enfermedad. Aunque un diagnóstico positivo puede ser devastador, en la actualidad hay tratamientos que pueden reducir en gran medida el riesgo que tiene una madre de contagiar con el VIH a su bebé. Los tratamientos farmacológicos iniciados antes o durante el embarazo también pueden mejorar la salud y prolongar la vida de la mayoría de las mujeres.

La infección de VIH o el SIDA no influyen de manera directa sobre el embarazo. No obstante, la mala salud o las infecciones en el SIDA avanzado implicarían riesgos adicionales para una madre al final del embarazo, durante el trabajo de parto y el parto. Además, ciertos antibióticos que se emplean para tratar las infecciones en la gente con SIDA pueden implicar riesgos para el feto.

Para las mujeres embarazadas con VIH o SIDA, el mayor riesgo es el de pasar la infección a sus bebés. Cerca de 15 por ciento de los bebés infectados con SIDA desarrolla signos y síntomas graves de la enfermedad o mueren en el primer año de vida. Cerca de la mitad no vive más allá de los 10 años de edad.

Si tiene VIH o SIDA, informe a su médico. Un doctor que conozca su condición puede ayudarle a vigilar su salud y a evitar los procedimientos que podrían incrementar la exposición de su bebé a su sangre. Su tratamiento médico puede influenciar en gran medida el riesgo de transmisión al feto. Su doctor también puede asegurarse de que su bebé sea evaluado con rapidez después del nacimiento respecto a la presencia de VIH. Las pruebas oportunas pueden hacer posible que los infantes que reciben un diagnóstico de VIH reciban tratamiento con fármacos contra este virus, los cuales han demostrado retrasar el avance de la enfermedad y mejorar las tasas de supervivencia.

Hipertiroidismo

La tiroides es una glándula en forma de mariposa que se localiza en la base de su cuello, justo debajo de su "manzana de Adán". Las hormonas que produce regulan su metabolismo, el cual está relacionado con todo, desde su ritmo cardiaco hasta la velocidad con la cual quema calorías. El uso de yoduro radiactivo puede ser de gran beneficio en el diagnóstico y tratamiento de la enfermedad tiroidea, pero estos agentes no pueden usarse en el embarazo. Por fortuna, hay otras opciones.

Cuando su glándula tiroidea produce demasiada hormona tiroxina, puede causar hipertiroidismo (enfermedad por hiperactividad tiroidea). Esto puede hacer que su metabolismo corporal se acelere y la puede conducir a una pérdida repentina de peso, ritmo cardiaco rápido o irregular y nerviosismo o irritabilidad.

Las mujeres tienen mayores probabilidades de sufrir hipotiroidismo que los hombres. Aunque esta enfermedad puede llevar a complicaciones serias si no se trata, hay medicamentos eficaces y otros tratamientos que pueden reducir o eliminar sus signos o síntomas.

Tratamiento del hipotiroidismo durante el embarazo

La mayoría de los embarazos procede de manera normal en las mujeres con hipertiroidismo, pero si la enfermedad es difícil de controlar, hay un mayor riesgo de nacimiento prematuro, retraso en el crecimiento para el bebé y presión arterial alta para la madre. Además, es posible que algunos medicamentos que se usan de manera común para tratar el hipertiroidismo deban evitarse o reajustarse durante la gestación o la lactancia. Por ejemplo, los medicamentos de yoduro radiactivo no se pueden emplear durante el embarazo.

Si tiene hipertiroidismo o un historial del padecimiento, revise sus medicamentos con su médico. Éste puede vigilarlo durante su embarazo. El abuso de los fármacos puede causar hipotiroidismo (enfermedad por función tiroidea deficiente) en el bebé, con efectos secundarios serios. Por tanto, el cuidadoso manejo de su padecimiento es importante para la salud de usted y su bebé. Puede ayudar siguiendo con cuidado las instrucciones e informando si los signos o síntomas reaparecen o empeoran.

Durante el embarazo, el hipertiroidismo suele empeorar durante el primer trimestre. Puede mejorar durante la segunda mitad de la gestación. En algunas mujeres, el hipertiroidismo se desarrolla después del nacimiento (tiroiditis posparto). Esto puede ocasionar fatiga excesiva, nerviosismo e incremento a la sensibilidad al calor. En ocasiones, se confunde con otros problemas, como la depresión posparto. Informe de estos problemas a su proveedor de cuidados de salud, incluso si ya completó su examen posparto.

Hipotiroidismo

La tiroides es una glándula en forma de mariposa que se localiza en la base de su cuello, justo debajo de su "manzana de Adán". Las hormonas que produce regulan su metabolismo, el cual se relaciona con todo, desde su ritmo cardiaco hasta la velocidad con la cual quema calorías.

El hipotiroidismo se da cuando la tiroides no produce suficientes hormonas. Cuando la actividad de la tiroides es menor a la normal, es posible que se sienta cansada y torpe. Si no trata este padecimiento, los signos y síntomas pueden incluir una mayor sensibilidad al frío, estreñimiento, piel pálida y seca, hinchazón en la cara, incremento de peso, voz ronca, incremento de los niveles de colesterol en sangre y depresión.

Tratamiento del hipotiroidismo durante el embarazo

Los signos y síntomas del hipotiroidismo pueden ocultarse tras la fatiga del inicio del embarazo. El diagnóstico puede perderse si su proveedor de cuidados no está alerta a sus signos y síntomas. No obstante, una vez que el padecimiento se identifica, puede —y debe— tratarse con medicamentos.

Es posible que las mujeres con hipotiroidismo tengan dificultades para quedar embarazadas. Si logran hacerlo y su hipotiroidismo permanece sin tratamiento, tendrán un mayor riesgo de aborto, preeclampsia (hipertensión arterial inducida por el embarazo), problemas con la placenta y retraso en el crecimiento fetal. Los bebés que nacen de mujeres con enfermedad tiroidea pueden tener un mayor riesgo de presentar defectos de nacimiento que los bebés nacidos de madres sanas. Se requiere un reemplazo adecuado de hormonas para el desarrollo normal del cerebro del bebé.

Revisar el funcionamiento tiroideo es parte del cuidado preventivo. Si su proveedor tiene cualquier sospecha acerca de que padezca esta enfermedad, es probable que le haga pruebas de hipotiroidismo al inicio del embarazo. Las hormonas del inicio del embarazo influyen en las pruebas tiroideas, así que los resultados deben interpretarse con cuidado. Si tiene hipotiroidismo, es probable que su dosis de hormona de reemplazo cambie durante el curso de la gestación. Lo más probable es que dicha dosis deba aumentarse. Su médico puede revisar sus niveles tiroideos a lo largo del embarazo, quizá cada trimestre o mes, nunca hace daño ayudar a su proveedor a recordar que necesita que le haga las pruebas.

Púrpura trombocitopénica inmune

La púrpura trombocitopénica inmune (PTI) es una enfermedad que produce un número anormalmente bajo de plaquetas en la sangre. Las plaquetas son un tipo de célula sanguínea esencial para la coagulación, la cual detiene el sangrado de cortes y heridas. Si el nivel de plaquetas se vuelve muy bajo, puede darse el sangrado incluso después de una lesión menor o a través del desgaste normal.

Otras causas comunes de bajas cuentas de plaquetas incluyen infecciones virales y bacterianas graves, ciertos medicamentos, además del lupus y la artritis reumatoide. Además, la cuenta plaquetaria puede reducirse en cierta medida durante el embarazo. La púrpura trombocitopénica inmune (PTI), es una forma especial de enfermedad por cuenta plaquetaria baja. Ésta es una enfermedad en la cual el cuerpo destruye las plaquetas debido a un mal funcionamiento del sistema inmune. El resultado es una cuenta muy baja y una condición concomitante en piel llamada púrpura.

El tratamiento de las cuentas plaquetarias bajas depende de la causa subyacente del problema, pero hay medicamentos para tratar el problema. Es posible usar inmunoglobulina intravenosa (IGIV) y corticoesteroides. En algunos casos, el bazo puede eliminarse con cirugía para incrementar el número de plaquetas. Este padecimiento es más común en mujeres que en hombres y ocurre a edades tempranas.

Tratamiento de la PTI durante el embarazo

El embarazo mismo no afecta el curso o la gravedad de la PTI, pero los anticuerpos que pueden destruir las plaquetas en ocasiones cruzan la placenta y pueden reducir el número de plaquetas en su bebé. Por desgracia, la cuenta plaquetaria del bebé no puede predecirse con base en la cuenta de plaquetas de la madre ni siquiera por el tiempo en que usted ha tenido un nivel bajo de plaquetas. La cuenta plaquetaria del bebé puede ser baja incluso si la de la madre es buena. Por esta razón, los doctores han estado interesados en pruebas para determinar la cuenta de plaquetas del bebé cerca del tiempo del nacimiento o durante el trabajo de parto. No obstante, tomar una prueba de la cuenta del bebé puede ser arriesgado porque se emplean métodos invasivos. Durante largo tiempo se ha considerado la posibilidad de que un nacimiento por cesárea protegería al bebé del daño. Ni las pruebas ni las cesáreas han tenido mucho éxito.

Dado que el riesgo de sangrado en el bebé es de hecho muy bajo, el nacimiento por cesárea no es rutina para este padecimiento. Deben hacerse esfuerzos para proporcionar al bebé el tratamiento adecuado a la hora del nacimiento con un método en equipo que incluya un obstetra y un pediatra.

Si su cuenta plaquetaria es muy baja, hay menos probabilidades de que le ofrezcan anestesia espinal o epidural durante el trabajo de parto y el parto. Si es necesaria una cesárea, es posible que le administren transfusiones de plaquetas.

Otras causas de bajas cuentas de plaquetas en el embarazo pueden complicar el parto. La presión arterial alta inducida por el embarazo (preeclampsia), que la placenta se separe del útero (abrupción placentaria), las infecciones uterinas y una forma grave de preeclampsia pueden dar como resultado menores cuentas de plaquetas. Estas condiciones pueden causar problemas para la madre pero no reducirán la cuenta plaquetaria del bebé.

Enfermedad inflamatoria intestinal

La enfermedad inflamatoria intestinal (EII) causa inflamación crónica del tracto digestivo. La colitis ulcerativa y la enfermedad de Crohn son las dos formas más comunes de EII. Ambas pueden provocar episodios repetidos de fiebre, diarrea, sangrado en recto y dolor abdominal. Nadie sabe con exactitud las causas de la EII. Es posible que la herencia, el medio ambiente y el sistema inmune jueguen un papel.

La enfermedad de Crohn puede darse en cualquier parte del tracto digestivo y extenderse a todas las capas del tejido afectado, lo cual suele provocar úlceras, obstrucciones intestinales y dificultad para comer y absorber los nutrientes. La colitis ulcerativa por lo general afecta sólo la capa más interna del recubrimiento del intestino grueso (colon) y el recto.

Aunque no hay cura para la colitis ulcerativa ni para la enfermedad de Crohn, hay medicamentos y otros tratamientos disponibles. Los problemas de la EII pueden iniciarse durante el embarazo, pero el diagnóstico tiene mayor probabilidad de realizarse antes de éste.

Las mujeres cuya EII ha afectado su peso o condición nutricional pueden tener dificultades para embarazarse. Las mujeres con enfermedad de Crohn activa también pueden tener problemas ginecológicos que afecten su capacidad para concebir. Es posible que se encuentren en mayor riesgo de tener un parto prematuro. Aún así, si las mujeres tienen las condiciones de la

EII bajo control antes de su embarazo, es posible tener gestaciones sanas y partos a término.

Tratamiento de la EII durante el embarazo

En general, si tiene EII, puede colaborar con su doctor para tratar cualquier problema que pueda ocasionar en su embarazo. La gestación no afectará en forma significativa su tratamiento. La mayoría de los medicamentos que se usan comúnmente para tratar la EII no dañan al feto. Es probable que mejorar la condición beneficie a ambos: madre y bebé, con lo cual se supera la preocupación potencial por el efecto de un fármaco sobre el feto.

No obstante, algunos medicamentos inmunosupresores empleados para tratar ciertos casos de EII pueden dañar al feto. Si utiliza uno de estos fármacos, discútalo con su médico. Además, consulte sobre el uso de medicamentos antidiarreicos, en especial su uso durante el primer trimestre del embarazo.

Si tiene enfermedad de Crohn y ésta estaba inactiva antes del embarazo, es probable que permanezca inactiva durante la gestación. Cuando está activa, es posible que permanezca así o incluso empeore durante el embarazo. Con la colitis ulcerativa, cerca de un tercio de las mujeres que se embarazan mientras la enfermedad está en remisión sufrirán una recaída. Si la colitis está activa cuando se embarace, es probable que permanezca activa o incluso empeore. Hay gran probabilidad de que se produzca una recaída de colitis ulcerativa durante los primeros tres meses del embarazo.

Si se hace necesaria una cirugía para enfrentar la EII durante el embarazo, es muy probable que pueda hacerse sin riesgos. Quizá sean necesarias precauciones adicionales para minimizar el riesgo para el feto. Las pruebas diagnósticas como la sigmoidoscopia, la biopsia del recto o la colonoscopia, se pueden realizar sin riesgos durante el embarazo. Las radiografías diagnósticas por lo general se posponen hasta después del nacimiento, pero en casos de enfermedad seria, los beneficios pueden superar con mucho el riesgo.

Lupus eritematoso

Éste es un padecimiento que puede provocar la inflamación crónica de muchos sistemas de órganos. Puede afectar piel, articulaciones, riñones, células sanguíneas, corazón y pulmones. Es común que la enfermedad, que afecta a cerca de 14 millones de estadounidenses, se manifieste como una erupción y artritis de gravedad variable. Otros problemas más serios pueden producirse, incluyendo falla renal o convulsiones.

Hay varios tipos de lupus. El más común es el lupus eritematoso sistémico (LES), que puede provocar la mayor cantidad de dificultades. La causa del lupus se desconoce, pero las mujeres tienen muchas más probabilidades de desarrollar la enfermedad que los hombres. Tener un historial familiar de la enfermedad también incrementa el riesgo. En la actualidad, no hay cura para el lupus, pero hay tratamientos que pueden aliviar los signos y síntomas y reducir las complicaciones.

En ocasiones, el lupus aparece por primera vez durante el embarazo o poco después del parto. En las mujeres que ya tienen lupus, es frecuente que los signos y síntomas empeoren durante el embarazo —incluso si la afección no ha estado activa. Si el lupus está activo al inicio de la gestación, hay mucho mayor riesgo de que empeore durante el embarazo. Por fortuna, los problemas experimentados durante el embarazo mejoran después del parto en la mayoría de las mujeres afectadas.

Tratamiento del lupus durante el embarazo

Si tiene lupus activo durante su embarazo, se encuentra en riesgo de presentar varios problemas. Tiene mayor probabilidad de sufrir aborto, parto de un feto muerto o complicaciones del embarazo. Además, se encuentra en mayor riesgo de que se desarrolle presión arterial alta o preeclampsia, en especial si su lupus ha afectado sus riñones. En ocasiones, es difícil para los profesionales médicos determinar si los problemas como la presión arterial alta y la proteína en la orina son producto de la preeclampsia o del lupus. Es posible que desee colaborar con un especialista para resolver los problemas que se desarrollen.

Puede suceder que su bebé presente crecimiento fetal deficiente (retraso del crecimiento intrauterino) o que desarrolle un ritmo cardiaco inusualmente bajo, un problema denominado bloqueo cardiaco fetal. Ambos trastornos pueden ser identificados a través de la vigilancia durante el embarazo.

Un pequeño porcentaje de los bebés nacidos de mujeres con lupus tiene lupus neonatal. Éste se caracteriza por una erupción y cuentas sanguíneas anormales. Es típico que este problema desaparezca en los primeros seis meses. Aún así, cerca de la mitad de los bebés con lupus neonatal nacerán con un problema cardiaco permanente que requerirá tratamiento.

Aunque es posible que tenga signos y síntomas activos de lupus durante el embarazo, quizá necesite ajustar el uso de ciertos medicamentos que pueden causar daño a su bebé. Trabaje de cerca con su doctor antes y durante el embarazo para cuidar en forma adecuada de su salud y proteger la de su hijo.

Fenilcetonuria

La fenilcetonuria (FCU) es una enfermedad hereditaria. Afecta la manera en que el cuerpo procesa la proteína. En forma más específica, afecta la manera en que el cuerpo procesa la fenilalanina, uno de los aminoácidos que son las unidades estructurales de las proteínas. La fenilalanina se encuentra en leche, quesos, huevos, carne, pescado y otros alimentos ricos en proteínas. Si el nivel de fenilalanina en el torrente sanguíneo es demasiado alto, puede ocasionar daño cerebral. Una dieta especial baja en fenilalanina puede evitar o minimizar el daño cerebral en la gente con FCU.

Las mujeres sanas con FCU han sido tratadas con éxito lo mismo que los niños. Es posible que ya no estén siguiendo la dieta que regula sus niveles de fenilalanina sanguínea. En Estados Unidos, cerca de 3,000 mujeres en edad fértil tienen la enfermedad.

Tratamiento de la FCU durante el embarazo

Si tiene FCU y la ha mantenido bajo control antes y durante el embarazo, puede tener un bebé sano. Si sus niveles sanguíneos de fenilalanina no están bien regulados, es muy probable que dé a luz un infante con retraso mental leve a grave. Los infantes afectados también pueden nacer con una cabeza anormalmente pequeña y con enfermedad cardiaca congénita.

Si tiene un historial familiar de la enfermedad o recibió tratamiento para FCU de niña, informe a su médico. Lo ideal es que él mida sus niveles de fenilalanina antes de intentar concebir. Si es necesario, puede iniciar una dieta especial para mantener los niveles bajos y prevenir defectos de nacimiento.

Durante el embarazo, las restricciones en la dieta necesarias para mantener abajo los niveles de fenilalanina pueden ser difíciles de tratar. Si tiene FCU, necesitará pruebas sanguíneas regulares. Es posible que su médico revise y ajuste su dieta si los niveles de fenilalanina son muy altos. Quizá la refieran con una médico que se especialice en el tratamiento de la FCU. La mayoría de los expertos en esta enfermedad son pediatras.

Artritis reumatoide

Ésta es una enfermedad que causa inflamación crónica de las articulaciones. Las que se ven afectadas más comúnmente son muñecas, manos, pies y tobillos. La enfermedad también puede implicar a codos, hombros, caderas, rodillas, cuello y mandíbula. Los problemas pueden variar de ataques ocasionales de dolor a daño serio en articulaciones.

El padecimiento, que afecta a más de dos millones de estadounidenses, puede atacar a cualquier edad. Es más común en mujeres que se encuentran entre las edades de 20 y 50 años. En la actualidad, no hay cura. El padecimiento puede tratarse con el tratamiento médico apropiado y el autocuidado.

Tratamiento de la artritis reumatoide durante el embarazo

Si tiene artritis reumatoide, es poco probable que ésta afecte su embarazo. Pero es posible que los medicamentos que puede usar para tratar la enfermedad necesiten un ajuste. La aspirina es un fármaco que puede ayudar a aliviar ambas cosas, el dolor y la inflamación de la artritis reumatoide. Sin embargo, puede ocasionar sangrado u otros problemas para su bebé. Es probable que su doctor recomiende el uso de otros medicamentos antiinflamatorios en su lugar.

Mientras está embarazada, es posible que presente cierta mejoría en su artritis reumatoide. Esto puede deberse a un cambio en su sistema inmune durante la gestación. Aun así, los signos y síntomas de casi todas las mujeres que presentan mejoría regresarán después del parto.

Enfermedades de transmisión sexual

Si las enfermedades de transmisión sexual (ETS) no se diagnostican ni se tratan, pueden afectar la salud de la mujer embarazada y la del feto. Por desgracia, muchas de las ETS tienen signos y síntomas leves que pueden pasar desapercibidos. Es posible que muchas mujeres no estén conscientes de que están infectadas hasta que surgen problemas.

La clamidia es la ETS bacteriana más común en Estados Unidos. Cerca de 75 por ciento de las mujeres y 50 por ciento de los hombres que la contraen no tienen signos ni síntomas. La infección es más frecuente en gente menor de 25 años. Si se deja sin tratar en una mujer, puede dar como resultado enfermedad pélvica inflamatoria (EPI). La EPI es una infección del útero y las trompas de Falopio que puede provocar esterilidad y dolor pélvico crónico. Asimismo, las clamidias pueden provocar infecciones en ojos y ceguera si las secreciones infecciosas se transfieren al ojo. Este tipo de infección puede transferirse al bebé al nacer.

Lo mismo que la clamidia, la gonorrea es una ETS común y muy contagiosa. Asimismo, con frecuencia carece de signos y síntomas fáciles de reconocer. Con frecuencia, la única pista de que una persona puede tener gonorrea es que una pareja sexual anterior o actual desarrolle signos y síntomas de la enfermedad. A veces, hay un ligero aumento en la descarga vaginal. En mujeres, la gonorrea se da con mayor frecuencia entre las edades de 15 y 19 años. Si no se detecta, puede dar como resultado EPI y esterilidad en mujeres adultas.

Hubo un tiempo en que la sífilis fue una ETS prominente. El número de nuevos casos está aumentando de nuevo, pero sigue siendo mucho menos común que otras ETS. La sífilis es una infección bacteriana seria que, si no se trata, puede dar como resultado problemas que van desde trastornos neurológicos o cardiovasculares hasta la muerte en los adultos. La sífilis puede pasar con facilidad de una mujer a su bebé no nato durante el embarazo. Los signos y síntomas de la sífilis se dan en etapas, lo cual puede hacer que la detección temprana sea posible. El signo más común es una lesión indolora en los genitales que puede presentarse de 10 días hasta seis semanas después de la exposición.

Hay muchos tipos de verrugas genitales, algunas invisibles y otras difíciles de ignorar. Estas verrugas pueden aparecer desde un mes hasta varios años después del contacto sexual con la persona infectada. Aparecen en las zonas húmedas de los genitales y pueden tener la apariencia de pequeñas protuberancias color carne. Varias verrugas se unen y toman forma de coliflor.

Las verrugas genitales pueden causar comezón o ardor en el área de los genitales. En algunos casos, pueden desarrollarse verrugas en el área de la boca o la garganta después del contacto sexual con la persona infectada. Aunque las verrugas genitales pueden tratarse, son un problema serio de salud. El virus que las causa —llamado virus del papiloma humano (VPH)— se ha relacionado en gran medida con el cáncer cervical. También se ha vinculado con otros tipos de cánceres genitales.

Tratamiento de las ETS durante el embarazo

Las ETS en el embarazo pueden causar nacimientos prematuros y complicaciones durante y después del nacimiento. Cuando una madre le pasa su infección a su feto o al infante recién nacido, ésta puede provocar problemas serios y a veces fatales para el bebé.

Si tiene clamidias sin tratar, es posible que enfrente un mayor riesgo de aborto y ruptura prematura de la fuente (ruptura de membranas) que rodea a su bebé en el útero. También es posible que contagie la clamidia a su hijo desde el canal vaginal durante el parto. Esto puede provocarle neumonía o una infección ocular, la cual puede llevar a la ceguera.

La gonorrea, lo mismo que la clamidia, puede incrementar su riesgo de aborto y ruptura prematura de las membranas si la enfermedad no se trata. Además, puede infectar a su hijo durante el parto vaginal. Un bebé que se infecte puede desarrollar una grave infección en ojos. Dado que la gonorrea puede pasar desapercibida en las madres e implica un serio riesgo para los ojos del recién nacido, todos los bebés reciben medicamentos al nacer para evitar el desarrollo de la infección ocular.

Si tiene sífilis, ésta puede pasar con facilidad de usted a su infante, lo cual ocasionará una infección seria y con frecuencia fatal. El nacimiento prematuro y el parto de un feto muerto son más comunes en madres con sífilis. En los infantes infectados con esta enfermedad, pueden desarrollarse problemas en ojos, oídos, hígado, médula ósea, huesos, piel y corazón —si el bebé no recibe tratamiento rápido con antibióticos. Aunque usted haya recibido tratamiento para la sífilis durante su embarazo, es posible que su recién nacido necesite antibioticoterapia.

Si tiene verrugas genitales, éstas pueden crecer durante el embarazo, lo cual puede hacer que sea más difícil orinar. Además, una gran cantidad de verrugas vaginales pueden sangrar en abundancia o incluso obstruir el canal de nacimiento. Es probable que su médico elimine tales verrugas utilizando uno de varios procedimientos, incluyendo cirugía. No obstante, es frecuente que las verrugas desaparezcan después del parto y que no sea necesario eliminarlas a menos que el brote sea extenso. En casos raros y extremos, un bebé nacido de una madre infectada puede desarrollar verrugas en la garganta y las cuerdas vocales, las cuales pueden requerir cirugía para evitar la obstrucción de las vías respiratorias.

Muchas ETS se pueden tratar con éxito si se detectan en una etapa lo bastante temprana. Para protegerse a sí misma y a su bebé, hágase pruebas de

ETS, incluso si ha sido evaluada en el pasado. Las pruebas son una parte de rutina de la evaluación prenatal para algunas infecciones, pero es posible que su doctor no le haga pruebas para las ETS más comunes por lo que pida que se las haga. Quizá desee que también le hagan pruebas a su pareja.

Si no se encuentra en una relación monógama durante su embarazo, emplee un condón de látex o poliuretano durante las relaciones sexuales. Éste puede ayudarle a protegerse de contraer ETS y de contagiarlas a su bebé.

Enfermedad de células falciformes

Ésta es una enfermedad hereditaria de las sangre. Puede causar anemia, dolor, infecciones frecuentes y daño en órganos vitales. Se produce por una forma defectuosa de hemoglobina, una sustancia que permite a los glóbulos rojos transportar oxígeno desde los pulmones al resto de las partes del cuerpo. En la gente con esta enfermedad, los glóbulos rojos se ahusan, cambiando de células sanas y redondas a otras de forma ahusada. Estas células extrañas pueden bloquear el flujo sanguíneo a través de los vasos.

Es típico que la enfermedad de células falciformes se diagnostique en la infancia con una prueba de evaluación. Cualquiera puede heredar la enfermedad, la cual afecta a millones. En Estados Unidos, es más común que afecte a negros, hispanos e indoamericanos. Aunque no hay cura para la enfermedad de células falciformes, hay tratamientos disponibles para reducir el dolor y evitar los problemas.

Las mujeres con esta enfermedad pueden pasarla o pasar el gen para ella a sus hijos no natos. Para tener la afección, los niños deben recibir el gen de las células falciformes de ambos progenitores. Si reciben sólo un gen, se transforman en portadores. Esto significa que pueden pasar el gen a sus hijos.

Tratamiento de la enfermedad de células falciformes durante el embarazo

Las mujeres con enfermedad de células falciformes tienen mayor riesgo de desarrollar complicaciones serias relacionadas con la gestación, como hipertensión arterial inducida por el embarazo. Además, tienen un mayor riesgo de trabajo de parto prematuro y dar a luz un bebé de bajo peso. Durante la gestación, pueden ocurrir infecciones con más frecuencia y llevar a dolorosas crisis de células falciformes. Estas infecciones pueden incluir el tracto urinario, los pulmones y el útero.

Las mujeres con enfermedad de células falciformes pueden necesitar un equipo de especialistas médicos implicados en su cuidado prenatal. Es probable que este equipo incluya un obstetra, un perinatólogo experimentado en el cuidado de las mujeres con esta enfermedad, un hematólogo y un neonatólogo. Las mujeres embarazadas con la enfermedad también pueden necesitar estar bajo vigilancia en caso de complicaciones de dicho padecimiento, como convulsiones, falla cardiaca congestiva y anemia grave. Es probable que dicha anemia alcance su máxima gravedad durante los últimos dos meses de la gestación. Puede requerir transfusiones sanguíneas.

Si la madre presenta una crisis de células falciformes u otra complicación, la salud del bebé puede vigilarse de cerca. Si se requiere una cesárea, es probable que se haga mediante el uso de la administración de anestesia epidural en lugar de anestesia general de la madre.

Fibromas uterinos

Los fibromas uterinos son tumores no cancerosos del útero comunes en las mujeres durante sus años fértiles. De hecho, estos fibromas se encuentran en una de cada cuatro o cinco mujeres mayores de 35 años.

Los fibromas uterinos pueden aparecer en el interior o exterior del útero, o dentro de su pared muscular. No está claro por qué se presentan. Por lo general se desarrollan a partir de una célula de músculo liso que sigue creciendo. Algunos pueden ser tan pequeños como un chícharo y otros crecer hasta el tamaño de una toronja. La mayoría no causa síntomas y se descubren sólo durante un examen pélvico o durante el cuidado prenatal.

Cuando se presentan síntomas, éstos pueden incluir sangrado menstrual anormalmente abundante o prolongado, dolor abdominal o en la parte baja de la espalda, dolor durante la relación sexual, micción difícil o más frecuente y sensación de presión pélvica. Es posible que le recomienden farmacoterapia o cirugía para encoger o extirpar los fibromas que causan molestias o podrían causar complicaciones como pérdida grave de sangre o esterilidad.

Tratamiento de los fibromas durante el embarazo

Los fibromas en ocasiones pueden incrementar el riesgo de aborto durante el primer y tercer trimestres o aumentar la probabilidad de trabajo de parto prematuro. En algunos casos, también pueden obstruir el canal de nacimiento, lo cual complica el trabajo de parto y el parto. En raras ocasiones, los fibromas uterinos interfieren con la capacidad del óvulo fertilizado para implantarse en el recubrimiento uterino, lo que reduce la posibilidad de quedar embarazada.

Los fibromas tienden a crecer durante el embarazo, quizá debido al aumento en los niveles de estrógeno en el cuerpo. En ocasiones, algunos fibromas más grandes sangran o pierden su provisión de sangre, lo cual genera dolor pélvico. Si presenta dolor en pelvis o sangrado anormal, comuníquese con su doctor de inmediato. Si los fibromas son dolorosos, pueden tratarse con medicamentos.

Si los fibromas llevan a trabajo de parto prematuro, el tratamiento por lo general es reposo en cama. Si los fibromas producen sangrado, el tratamiento puede incluir hospitalización, vigilancia de la condición del bebé y, si es necesario, una transfusión sanguínea. Durante el embarazo, la cirugía de los fibromas por lo general se evita, porque puede llevar a parto prematuro y a una pérdida importante de sangre.

COMPLICACIONES

problemas durante el embarazo

Si enfrenta problemas durante su embarazo, es posible que esté preocupada, confundida y asustada. Esta sección describe algunos de los problemas que enfrentan las mujeres embarazadas y explica la manera en que los proveedores de cuidados de salud podrían manejar estos padecimientos.

Trabajo de parto prematuro

Un embarazo de término se define como aquél en el cual el nacimiento ocurre entre la 37ª y 42ª semanas de embarazo. El trabajo de parto prematuro se refiere a las contracciones que comienzan a abrir el cérvix antes del final de la 37ª semana.

Cerca de once por ciento de los nacimientos en Estados Unidos son prematuros. Los bebés que nacen con tanta anticipación con frecuencia tienen bajo peso al nacer, lo cual se define como menos de 2.5 kilogramos. Su bajo peso, junto con otros problemas diversos relacionados con el bajo peso, los pone en riesgo de presentar varios trastornos de salud.

El trabajo de parto prematuro a veces se da entre la 20ª y 28ª semanas. Es más frecuente que ocurra entre la 29ª y 37ª semanas. Nadie sabe con exactitud qué causa el parto prematuro. En muchos casos, se da entre mujeres que carecen de factores de riesgo conocidos.

Los proveedores de cuidados de salud y los científicos han identificado factores que parecen incrementar sus riesgos. Éstos incluyen:
- Un trabajo de parto o parto prematuros previos
- Un embarazo con gemelos, triates u otros múltiples
- Abortos previos
- Una infección del líquido amniótico o de las membranas fetales
- Fluido amniótico excesivo (hidramnios)
- Anormalidades en su útero
- Problemas con su placenta
- Condiciones médicas preexistentes, en especial enfermedades o padecimientos serios
- Sangrado durante su embarazo actual
- Cérvix dilatado

- Otras infecciones, incluyendo las del tracto urinario
- Preeclampsia, un padecimiento caracterizado por hipertensión sanguínea después de la 20ª semana de embarazo

Signos y síntomas

Para algunas mujeres, los signos de que se está iniciando el parto son inconfundibles. Para otras, son más sutiles. Puede tener contracciones que se sientan como un estiramiento en su abdomen. Si las contracciones no son dolorosas, puede decir que las está teniendo sólo sintiendo su abdomen con su mano. Algunas mujeres entran en parto prematuro sin tener sensación alguna de contracciones uterinas.

Las mujeres a veces atribuyen las contracciones al dolor por gases, al estreñimiento o al movimiento del feto. En muchos casos, las contracciones no son dolorosas. Otros signos de parto prematuro pueden incluir lo siguiente:

- Dolor en abdomen, pelvis o espalda
- Sensación de que su bebé presiona hacia abajo, creando presión pélvica
- Tiene que orinar con mayor frecuencia
- Tiene diarrea
- Presenta cólicos de tipo menstrual o cólicos abdominales
- Tiene ligero manchado o sangrado vaginal
- Hay descarga acuosa de su vagina

Si tiene descarga acuosa, puede ser líquido amniótico, un signo de que las membranas que rodean a su feto se rompieron (su fuente se rompió). Si expulsa el tapón mucoso —el moco que se acumula en el cérvix durante el embarazo— puede que lo note como una descarga espesa sanguinolenta.

Si tiene alguna preocupación acerca de lo que siente —en especial si presenta sangrado vaginal junto con cólicos abdominales o dolor— llame a su proveedor de cuidados de salud o a su hospital. No se apene acerca de la posibilidad de confundir el parto falso con la situación real.

Tratamiento

Si su proveedor de cuidados de salud sospecha que puede presentar un parto prematuro, necesitará ser examinada. Es posible que su proveedor de cuidados de salud la revise para ver si su cérvix se ha comenzado a dilatar y si se le rompió la fuente. Es posible que se requiera un examen cervical para hacer estas determinaciones.

En algunos casos, es posible que se emplee un monitor uterino para medir la duración y espaciamiento de sus contracciones, o imagenología de ultrasonido para vigilar su cérvix. Además, una muestra del canal cervical para determinar si hay presencia de tejido de tipo pegamento que se haya perdido con el trabajo de parto (fibronectina fetal), lo cual puede ayudar a guiar su tratamiento. Es posible que se emplee una prueba de estrógeno salival para detectar parto prematuro, aunque esta prueba se está usando con menos frecuencia que antes.

A menos que el nacimiento parezca inminente, es probable que su proveedor de cuidados de salud haga cualquier intento por ayudarle a continuar su embarazo, dándole a su bebé la oportunidad de madurar por completo. Es posible que se consideren con gran cuidado los factores que podrían haber provocado el parto prematuro, lo mismo que su condición física general.

Es posible que su proveedor de cuidados de salud comience por revisar su historial médico y hacerle un examen físico. Durante su examen pélvico, su proveedor puede examinar su cérvix, verificando si se está abriendo (dilatando) o adelgazando (borramento).

Quizá hagan pruebas para evaluar la salud de su bebé. Es probable que la sometan a un ultrasonido. Asimismo, es probable que le hagan una prueba prenatal llamada amniocentesis para obtener una muesta de líquido amniótico. Esta prueba puede ser útil de varias maneras. Uno de los principales problemas que enfrentan los niños prematuros es el subdesarrollo pulmonar. Al analizar una muestra de líquido amniótico, los expertos pueden predecir la madurez de los pulmones del bebé. Además, la prueba puede mostrar si el líquido está infectado, lo cual indicaría que el bebé estaría mejor si naciera.

La mayoría de las mujeres en parto prematuro reciben líquidos a través de un catéter intravenoso (IV) y se les pide que permanezcan en cama. En ocasiones, estas medidas por sí solas detendrán el parto prematuro. De hecho, si las contracciones se reducen y si su cérvix no se está dilatando, es posible que simplemente la manden a casa y le aconsejen permanecer en cama para reducir las probabilidades de otro episodio de parto prematuro.

Si las contracciones continúan y su cérvix se dilata, es probable que su proveedor de cuidados de salud le recomiende un medicamento llamado tocolítico para ayudarle a detener el parto prematuro y una inyección con potentes medicamentos esteroides. Esto se aplica en especial si usted y su bebé parecen estar sanos y si tiene menos de 34 semanas de embarazo. Se ha demostrado que los tocolíticos son efectivos para detener el parto sólo por un tiempo corto. Lo más común es que se empleen para dar tiempo al bebé de aprovechar los beneficios de la inyección de esteroides, la cual puede ayudar a los pulmones del feto a madurar en un tiempo tan breve como 48 horas.

En algunos casos, es posible que su proveedor de cuidados de salud recomiende que su bebé nazca con anticipación. Esto puede suceder si las contracciones no se pueden detener, la salud de su bebé se ve amenazada antes de que su embarazo siga el curso normal o si desarrolla un problema de salud, como presión arterial alta extrema (hipertensión). A veces, el bebé nace por cesárea, pero lo más frecuente es que se provoque el parto (inducción).

Para inducir el parto, es probable que su proveedor de cuidados de salud le dé un medicamento llamado oxitocina. Con él, puede comenzar a tener contracciones en un lapso de media hora, pero lo más probable es que tarde más. A veces, se aplica un medicamento para suavizar (madurar) el cérvix. Esto también ayuda a imitar el inicio natural del parto.

La mayoría de los nacimientos prematuros siguen un curso similar al de un parto normal. Es muy benéfico para su bebé prematuro cuando un equipo de expertos pediátricos está disponible de inmediato en el momento del nacimiento. Estos proveedores de cuidados de salud pueden evaluar la condición de su bebé al nacer y dar la ayuda que se requiera.

APROVECHE AL MÁXIMO SU REPOSO EN CAMA

Su proveedor de cuidados de salud le prescribió permanecer en cama debido a complicaciones en su embarazo. Durante las primeras pocas horas, le parece maravilloso. Tiene permiso de descansar, y su familia la atiende en todo.

Luego se da cuenta de la realidad. No puede ir al trabajo, desyerbar el jardín o jugar a los encantados con sus hijos. No puede ir a comprar los víveres, caminar alrededor de su manzana ni reunirse con sus amigas en el cine. ¿Cómo puede aprovechar al máximo la situación? Comience por concentrarse en el hecho de que está haciendo lo mejor para usted y su bebé. Su proveedor de cuidados de salud no le sugeriría quedarse en cama si no fuera así. El reposo total en cama puede:

- Reducir la presión del bebé en el cérvix y el estiramiento cervical, los cuales pueden ocasionar contracciones prematuras y aborto.
- Incremento de sangre en la placenta, lo que ayuda a que su bebé reciba una nutrición máxima y oxígeno. Esto es de particular importancia si el bebé no está creciendo tan rápido como debería.
- Ayudar a sus órganos, en especial su corazón y sus riñones, a funcionar con mayor eficiencia, lo cual mejorará los problemas con la presión arterial alta.

Colabore en forma estrecha con su proveedor de cuidados de la salud para comprender con exactitud cuáles son sus restricciones. Haga preguntas como:

- ¿En que posición debo recostarme?
- ¿Me puedo sentar a veces? Si es así, ¿cuánto tiempo por vez?
- ¿Me puedo levantar para ir al baño? ¿Se permite algún otro tipo de actividad física?
- ¿Puedo darme un baño de tina o regadera?
- ¿Está fuera del límite la actividad sexual?
- ¿Hay ejercicios que deba hacer mientras estoy en cama?

Consejos para reposar en cama

Para que su permanencia en la cama sea más tolerable, pruebe estas recomendaciones:

- Acomode su recámara de manera que todo lo que necesite esté a su alcance desde la cama.
- Organice su día. Programe los momentos específicos para llamar a la oficina, comunicarse con su cónyuge, ver televisión, leer, etcétera.
- Inicie un nuevo pasatiempo, como hacer un libro de recortes, pintar o tejer.
- Aprenda técnicas de relajamiento y visualización. Éstas no sólo ayudan durante la estancia en cama, sino durante el trabajo de parto y el parto.
- Haga crucigramas.
- Escriba correos electrónicos o cartas a sus amigos, o llámelos por teléfono.
- Ayude a su familia a seguir organizada. Registre los horarios en un calendario, haga menús semanales o pague las cuentas y haga el balance de la chequera.
- Lea. Pruebe con libros, revistas o periódicos que no acostumbra comprar.
- Planee la llegada de su bebé comprando cualquier cosa que necesite, ya sea en línea o por catálogo.
- Aprenda sobre el cuidado del recién nacido —cómo bañarlo, vestirlo, amamantarlo, manejarlo y calmarlo.
- Prepare una lista de tareas, de manera que cuando sus amigos y familiares le llamen para ofrecerle ayuda, les pueda ofrecer algo específico que hagan por usted o por su familia.

Si ha tenido un bebé prematuro, tiene una probabilidad de entre 25 y 50 por ciento de volver a tener un parto prematuro. Se siguen haciendo investigaciones para evitar lo partos prematuros. Estudios recientes que emplean inyecciones semanales de progesterona para la prevención del parto prematuro han resultado prometedores. Sin embargo, todavía hay mucho que aprender sobre el uso de este método.

Pérdida del embarazo

Su embarazo terminó sin el resultado soñado. No tiene nuevo bebé que sostener en sus brazos.

Si ésta es su situación, es un momento de duelo, confusión y temor. Aunque entender por qué se dio una pérdida de embarazo no detendrá el dolor emocional, puede ayudarle a comprender por qué su proveedor de cuidados de salud recomienda ciertos tipos de atención y proporcionar un pequeño paso hacia la curación.

La pérdida del embarazo puede tomar muchas formas, incluyendo aborto, embarazo ectópico o molar, incompetencia cervical y parto de feto muerto. Cada uno tiene diferentes causas y tratamientos.

Aborto

Cuando una mujer presenta la pérdida del embarazo antes de la 20ª semana de gestación, se conoce como aborto. En términos médicos, un embarazo que se pierde debido a causas naturales se llama aborto espontáneo.

Se calcula que de 15 a 20 por ciento de los embarazos conocidos terminan en aborto. No obstante, es probable que el número real de dichos abortos sea mayor, ya que muchos de ellos se dan muy al principio del embarazo, antes de que una mujer sepa siquiera que está embarazada.

Entre los embarazos conocidos, es típico que los abortos ocurran entre la séptima y la decimosegunda semanas. Alrededor de la decimosegunda semana de gestación, se han presentado más de 80 por ciento de los abortos. El aborto en el inicio de la gestación puede presentarse hasta varias semanas después de que el embrión o feto haya muerto.

Si ha tenido un aborto o teme sufrir uno, es importante saber lo que *no* lo causa. Excepto por el uso de algunas drogas ilícitas, sus acciones *no pueden* causar un aborto. Es decir, éste no puede ser causa del ejercicio, de las relaciones sexuales, el trabajo o de levantar objetos pesados. La náusea y el vómito en el inicio del embarazo, incluso si son graves, no causan un aborto. Por último, no hay evidencia de que una caída, un golpe o un susto repentino puedan ocasionar este problema. Es poco probable que el feto sufra daño por una lesión a menos que dicha lesión sea lo bastante seria como para amenazar su propia vida.

Se cree que por lo menos cerca de la mitad de las pérdidas del embarazo son producto de anormalidades cromosómicas en el feto. Es típico que dichos problemas en cromosomas no sean heredados de los padres del bebé. Más bien, son el resultado de los errores que se dan al azar a medida que el embrión se divide y crece. Un aborto ocasionado por un defecto en un cromosoma es una situación en la cual nunca hubo probabilidades de que sobreviviera el feto.

Otras causas de aborto pueden ser factores relacionados con la salud de la madre o de su condición física. Los abortos debidos a estas causas por lo general se dan más adelante en el embarazo. Estas causas también están vinculadas con el parto de un feto muerto, cuando un bebé muere durante la gestación, e incluyen:

- Hipertensión grave
- Diabetes sin control
- Problemas con el sistema inmune (enfermedades autoinmunes)
- Tendencia a formar coágulos sanguíneos (trombofilia)
- Problemas con el útero o cérvix (incompetencia cervical)

El riesgo de aborto es mayor en mujeres de más de 35 años y en quienes tienen un historial de tres o más abortos previos. Los factores del estilo de vida como fumar, beber en exceso y usar drogas ilícitas también puede incrementar el riesgo. Además, un estudio reciente sugiere que las mujeres embarazadas con niveles sanguíneos bajos de folato tienen mayores probabilidades de tener abortos tempranos que las mujeres embarazadas con suficiente folato.

Signos y síntomas

El sangrado vaginal es el signo de advertencia que precede a casi todas las pérdidas de embarazo. No obstante, el sangrado vaginal no siempre indica un aborto. Hasta 40 por ciento de las mujeres embarazadas presenta sangrado en algún punto durante la gestación. De ellas, cerca de la mitad tiene un aborto.

El sangrado que precede a un aborto puede ser ligero o abundante, constante o ir y venir. El sangrado puede estar seguido de cólicos, dolor abdominal o dolor en la parte baja de la espalda. Si presenta sangrado abundante o dolor en el embarazo, comuníquese de inmediato con su proveedor de cuidados de salud.

Si acude al consultorio de su proveedor de cuidados de salud con sangrado, es muy probable que éste realice un examen pélvico para verificar si su cérvix ha comenzado a dilatarse. Hoy en día, también es común que se realice un ultrasonido para verificar el estado del embarazo. El sangrado sin dilatación del cérvix se llama *conato de aborto*. Con frecuencia, estos embarazos continúan sin problemas posteriores hasta que el bebé nace.

Si su cérvix se dilata y sale tejido por su vagina, entonces no puede detenerse un aborto. Esto se denomina *aborto inevitable*. Si ha expulsado tejido, es probable que su proveedor de cuidados de salud sospeche que el aborto ya ha ocurrido. Si hay tejido disponible, quizá su proveedor de cuidados de salud lo examine para ver si contiene cualquier tejido fetal o si es un coágulo o un pedazo de placenta.

Con frecuencia se emplea un examen por ultrasonido para determinar si se encuentra un feto vivo dentro del útero. Con esta prueba, su proveedor de cuidados de salud puede examinarla para buscar la presencia de un embrión vivo, que está creciendo de acuerdo con lo programado y que tiene el tamaño apropiado en relación con los sacos vitelino y amniótico. Si el feto no está vivo pero no ha salido de su cuerpo, se llama *aborto fallido*. Dado que se emplea el ultrasonido en las complicaciones de sangrado al inicio del embarazo, este diagnóstico se está realizando con mucha mayor frecuencia.

Tratamiento

En casos de conato de aborto, es posible que le prescriban reposo hasta que se hayan detenido el sangrado y el dolor. En casos raros, cuando el sangrado o el dolor son graves, se recomienda la hospitalización. Algunos proveedores de cuidados de la salud también pueden recomendar evitar el ejercicio y abstenerse de las relaciones sexuales. No obstante, los estudios han demostrado que el reposo en cama o evitar las actividades vigorosas acostumbradas no mejora las probabilidades de una mujer de conservar el embarazo. No obstante, resulta aconsejable mantenerse cerca de los buenos recursos para el cuidado de la salud hasta que el sangrado haya pasado.

Cuando el cérvix se dilata o se expulsa algo de tejido, se da un aborto poco después. En raras ocasiones, el sangrado es tan abundante o el dolor tan

PÉRDIDA RECURRENTE DEL EMBARAZO

La *pérdida recurrente del embarazo* es la pérdida consecutiva de tres o más embarazos en el primer trimestre o muy al principio del segundo. Hasta una pareja de cada 20 sufre dos pérdidas de embarazo seguidas. Hasta una de cada 100 tiene tres o más pérdidas consecutivas. Las pérdidas después de las primeras semanas del segundo trimestre son mucho menos comunes.

En la rara circunstancia en que han ocurrido más de dos abortos, en ocasiones puede identificarse y tratarse una causa específica. Dichas causas posibles incluyen:

- **Alteraciones cromosómicas.** Uno de los padres puede tener una constitución cromosómica alterada, lo cual resulta en cambios en el feto que llevan al aborto. Este problema podría atenderse con procedimientos en los cuales se emplea esperma u óvulos de donadores.
- **Problemas con el útero o el cérvix.** Si la mujer tiene un útero de forma inusual o el cérvix debilitado, se podría producir un aborto. La cirugía puede ser capaz de corregir algunos problemas con el útero y el cérvix.
- **Problemas de coagulación sanguínea.** Algunas mujeres tienen mayores probabilidades de producir coágulos sanguíneos que pueden conducir a un mal funcionamiento placentario y al aborto. Hay pruebas para determinar si una mujer posee anticuerpos de anticardiolipina o antifosfolípido o factor V Leiden, los cuales son capaces de causar aborto a través de una mayor coagulación sanguínea. Se ha empleado una amplia gama de métodos de anticoagulación en estos casos para reducir el riesgo de aborto.

Una gran cantidad de otros factores se han sugerido como causas de abortos recurrentes. Las posibles causas incluyen deficiencia de progesterona al inicio del embarazo, problemas con la implantación de la placenta e incluso diversas infecciones. No obstante, no hay evidencia firme de que el tratamiento de estos problemas también afecte el resultado de embarazos subsecuentes.

Por lo menos en la mitad de los casos, no se puede determinar una causa para la pérdida del embarazo. Pero incluso en esos casos hay esperanza. De acuerdo con el Colegio Estadounidense de Obstetras y Ginecólogos, cerca de 60 por ciento de las parejas que tienen pérdidas de embarazo recurrentes inesperadas y que no reciben tratamiento médico presentan después éxito en el embarazo.

intenso que el proceso deba completarse con rapidez. En este caso, el tejido placentario debe extirparse del útero. Se lleva a cabo una operación menor llamada dilatación y curetaje (D y C).

En la D y C, el cérvix se dilata en forma paulatina, si es necesario, y el tejido se succiona con cuidado (aspiración) para sacarlo del útero. También es típico que se requiera la D y C después de un aborto fallido o espontáneo incompleto para asegurarse de que no quede tejido del feto en el útero. Después de un aborto, se pueden usar medicamentos para detener el sangrado con rapidez.

Después de una pérdida de embarazo o de un procedimiento para eliminar el tejido fetal, siga vigilando cualquier sangrado vaginal. Llame de inmediato a su proveedor de cuidados de salud si tiene sangrado abundante, fiebre, escalofríos o dolor grave. Esto podría indicar una infección.

En un aborto fallido, cuando se ha determinado que el feto está muerto o que nunca se formó siquiera en el útero, se enfrenta con varios posibles cursos de acción. Con el tiempo, la naturaleza provocará un aborto espontáneo, aunque es imposible saber cuánto tiempo tardará eso. Esperar a que esto suceda es seguro, pero en el aspecto psicológico puede ser muy difícil para una mujer. La D y C se pueden hacer en cualquier momento, pero tiene algunos pequeños riesgos relacionados. Se requiere algún tipo de anestesia, y siempre existe el peligro de una reacción adversa hacia los medicamentos. Asimismo, abrir el cérvix es parte de la D y C, e implica un pequeño riesgo de debilitamiento del cuello de la matriz, lo cual podría predisponer a una mujer a futuros abortos. En raras instancias, un instrumento puede cortar la pared del útero, lo que produciría sangrado. Otra opción es usar medicamentos para provocar el aborto, pero este método no siempre es efectivo con la primera dosis y, de cualquier modo, la D y C pueden ser necesarias para completar el procedimiento. Cada mujer ve las opciones de manera diferente, y no hay consenso respecto a cuál es el mejor método.

Futuros embarazos

La mayoría de las mujeres que han tenido un aborto logra tener éxito en sus embarazos después. Los proveedores de cuidados de salud por lo general aconsejan a las mujeres esperar un tiempo antes de volver a embarazarse, de manera que puedan sanar en el aspecto físico y emocional. Hable con su proveedor de cuidados de salud acerca del mejor momento de intentar un nuevo embarazo después de un aborto. Es probable que su proveedor pueda ayudarle a encontrar el apoyo emocional que necesita para lograr enfrentar su pérdida.

Embarazo ectópico

Un embarazo ectópico o tubario es aquel en el cual el óvulo fertilizado se adhiere en un lugar diferente al interior del útero. Más de 95 por ciento de los embarazos ectópicos se da en las trompas de Falopio. También pueden presentarse en el abdomen, los ovarios o el cérvix.

Dado que las trompas de Falopio son demasiado estrechas para contener un bebé en crecimiento, los embarazos ectópicos no pueden progresar en forma normal. Llega un momento en que la trompa se estira y estalla, lo que pone a la mujer en peligro de sufrir una pérdida de sangre mortal.

Los embarazos ectópicos se dan en cerca de uno de cada 60 embarazos. Hay fuertes relaciones entre las anormalidades en trompas de Falopio y los embarazos ectópicos. Los factores conocidos que pueden incrementar el riesgo de embarazo en trompas incluyen:

- Una infección o inflamación de la trompa que hizo que se bloqueara toda o en parte
- Cirugía previa en el área de la pelvis o en las trompas de Falopio
- Un padecimiento llamado endometriosis, en el cual el tejido que en forma normal recubre el útero se encuentra fuera de éste, lo que ocasiona el bloqueo de una trompa de Falopio
- Una anormalidad en la forma de la trompa de Falopio

El principal factor de riesgo para el embarazo ectópico es la enfermedad inflamatoria pélvica (EIP), una infección del útero, las trompas de Falopio o los ovarios. El riesgo de embarazo ectópico también es mayor en mujeres que hayan presentado cualquiera de los siguientes problemas:

- Un embarazo ectópico previo
- Cirugía en una trompa de Falopio
- Problemas de infertilidad
- Un medicamento para estimular la ovulación

Signos y síntomas

En un inicio, un embarazo ectópico puede parecer un embarazo normal. Los signos y síntomas iniciales son los mismos que los de cualquier embarazo —retraso de la menstruación, sensibilidad en mamas, fatiga y náuseas.

El dolor es por lo general el primer signo de un embarazo ectópico, pero también está presente el sangrado anormal. Puede sentir un dolor agudo y punzante en la pelvis, el abdomen o incluso en hombro y cuello. Puede ir y venir, o mejorar y empeorar. Otros signos de advertencia del embarazo ectópico incluyen síntomas gastrointestinales, mareo y aturdimiento. Si presenta cualquiera de estos síntomas, llame de inmediato a su proveedor de cuidados de la salud. Aunque puede haber otras razones para ellos, es probable que su proveedor desee descartar el embarazo ectópico como la causa.

Tratamiento

Si su proveedor de cuidados de salud sospecha un embarazo ectópico, es probable que realice primero un examen pélvico para localizar dolor, sensibilidad o una masa en la región de la trompa y el ovario junto a su útero. A menos que su condición sea obvia o que se encuentre claramente en una situación de emergencia, casi siempre se usan pruebas de laboratorio para confirmar el diagnóstico.

Las estrechas trompas de Falopio no están diseñadas para contener un embrión en crecimiento. Como resultado, el óvulo fertilizado no puede desarrollarse con normalidad. Por lo general debe eliminarse para evitar la ruptura de la trompa y otras complicaciones. Si recibe un diagnóstico de embarazo ectópico, necesita el cuidado de un doctor.

La cirugía es el método de tratamiento más común. Con frecuencia es posible eliminar un embarazo ectópico empleando una técnica quirúrgica llamada laparoscopia. En este procedimiento, se hace una pequeña incisión en la parte baja del abdomen, cerca de o en el ombligo. A continuación, el cirujano inserta en el área pélvica un instrumento largo y delgado llamado laparoscopio. Éste le permite ver el embarazo ectópico y reparar o eliminar la trompa de Falopio afectada.

En ciertas circunstancias, se puede emplear un medicamento oral llamado metotrexato para tratar un embarazo ectópico temprano. Deben seguirse lineamientos estrictos cuando se trata un embarazo de este tipo con dicho fármaco. Por ejemplo, el doctor debe considerar los niveles de hormona del embarazo y el tamaño de la gestación ectópica según lo revele el ultrasonido.

Después del tratamiento, es probable que su médico desee verificar de nuevo su nivel de una hormona del embarazo llamada gonadotropina coriónica humana (GCH) hasta que ésta alcance el cero. Si el nivel permanece alto, podría indicar que el tejido ectópico no se eliminó del todo. En ese caso, puede ser que necesite cirugía adicional o un tratamiento médico con metotrexato.

En raras ocasiones, es posible que un proveedor de cuidados de la salud no le recomiende ningún tratamiento excepto la observación para ver si el embarazo ectópico termina por sí solo, a través de un aborto espontáneo, antes de que se haga cualquier daño a la trompa de Falopio.

Cómo enfrentar la pérdida de un bebé

En situaciones raras, un bebé muere en el curso del final del embarazo. Esto se llama muerte fetal intrauterina, y el resultado es un parto de un feto muerto.

Cuando un bebé muere, la pérdida es inmensa y la pena es difícil de superar. El bebé que llevó dentro de sí por muchos meses, con el que soñó y para el cual hizo planes, de repente se va. Quizá no haya un dolor mayor que el que inflinge tal pérdida.

Quizá sienta como que su mundo se derrumbó. Quizá ni siquiera puede pensar en que la vida siga su camino normal. Aún así, puede hacer algunas cosas para que el futuro sea más soportable y para atenuar su pena. Puede ayudarle que:

Diga adiós al bebé

El duelo es un paso vital para aceptar y recuperarse de su pérdida, pero quizá no sea capaz de llevar un duelo por un bebé que nunca vio ni recibió un nombre. Quizá le sea más fácil enfrentar una muerte si ésta es más real para usted. Es posible que se sienta mejor si arregla un funeral o entierro para el infante.

Guarde un recuerdo del bebé

Los expertos dicen que es útil tener una foto o un recuerdo de alguien que murió de manera que tenga un recordatorio tangible de la persona para atesorarlo ahora y en el futuro. Pida a los familiares y amigos bien intencionados que no desalojen el cuarto del bebé si desea y necesita tiempo para procesar la pérdida.

Embarazos futuros

Una vez que haya tenido un embarazo ectópico, tiene más probabilidades de presentar otro. En las mujeres que han tenido este tipo de embarazos, cerca del 10 por ciento de los siguientes serán ectópicos. Si ha tenido dos embarazos ectópicos, su probabilidad de tener un embarazo normal es menor de 50 por ciento.

Aunque las probabilidades de tener un embarazo exitoso son menores si ha tenido un embarazo ectópico, todavía son buenas si una de las trompas de Falopio está sana. Incluso si una de sus trompas fue extirpada, un óvulo puede ser fertilizado en la otra. Si uno o más embarazos ectópicos dañaron de manera significativa ambas trompas, la *fertilización in vitro* puede ser una opción.

Este tipo de fertilización es una forma de uso común de tecnología de reproducción asistida. Implica tomar óvulos maduros de una mujer, fertilizarlos con esperma en una caja de Petri en un laboratorio, e implantar el huevo fertilizado en su útero dos días después.

Si tuvo un embarazo ectópico, hable con su proveedor de cuidados de salud antes de embarazarse de nuevo de manera que pueda planear su atención médica.

Embarazo molar

El embarazo molar se da cuando las diminutas proyecciones semejantes a dedos que unen la placenta al recubrimiento uterino (vellosidades coriónicas),

Elabore el duelo

Llore con la frecuencia y por el tiempo que necesite hacerlo. Hable de sus sentimientos y permítase sentirlos a tope. Es mejor no evitar el proceso de duelo.

Busque apoyo

Apóyese en su cónyuge, sus familiares y amigos. Aunque nada puede borrar el dolor que siente, es posible que obtenga fuerza de otros que la aman y sostienen. Es muy probable que pudiera beneficiarse con terapia profesional, después de la pérdida de un bebé, o de ingresar a un grupo de apoyo de padres que hayan sufrido una pérdida.

Es muy probable que usted y su pareja se pregunten por qué tenían que sufrir una pérdida. Nunca tendrá una respuesta satisfactoria para esa pregunta filosófica, pero puede ayudarle aprender acerca de las causas físicas de la muerte del feto o el recién nacido de manera que tenga cierta comprensión de lo que sucedió. Quizá desee discutir los resultados de la autopsia con su proveedor de cuidados de la salud, después de que haya superado el choque inicial. Conocer la causa de una muerte o los detalles de lo que se dedujo puede ayudarle a aceptar mejor la pérdida.

Para mayor ayuda sobre cómo enfrentar la pérdida de un bebé, visite el sitio en red de la *March of Dimes* en *www.marchofdimes.com* y vaya a la sección de pérdida de embarazo y de un recién nacido del centro de embarazo y recién nacidos.

no se desarrollan de manera apropiada. El resultado es la formación de una masa anormal —en lugar de un bebé— dentro del útero después de la fertilización. Esta masa es un tumor de tejido placentario que se deriva de cromosomas anormales en el óvulo fertilizado.

Relativamente raros, los embarazos molares se dan en sólo uno de cada 1,000 a 1,200 embarazos reportados en Estados Unidos.

Signos y síntomas

El signo principal de embarazo molar es sangrado alrededor de la decimosegunda semana del embarazo. Con frecuencia, el útero es mucho más grande de lo esperado, dada la duración del embarazo. Son comunes las náuseas graves y otros problemas del embarazo. Si cree que tiene signos y síntomas de embarazo molar, comuníquese con su proveedor de cuidados de salud de inmediato. Los embarazos molares se diagnostican con ultrasonido, el cual tiene un alto nivel de confiabilidad.

Tratamiento

Un embarazo molar se retira del útero empleando curetaje de succión. En este procedimiento, se aplica un anestésico, luego se dilata el cérvix y el contenido del útero se elimina con cuidado, por succión.

Una vez que se elimina el tejido en el embarazo molar, es probable que su proveedor de cuidados de salud desee vigilar sus niveles de la hormona del embarazo GCH durante un tiempo prolongado. En ocasiones, este tumor tomará características malignas. La enfermedad invasiva por lo general está marcada por un nivel de hormona GCH que permanece elevado o aumenta después de que el tumor se ha eliminado. Por esta razón, es probable que su proveedor de cuidados de salud desee determinar su nivel de GCH con regularidad. Si las células anormales se vuelven malignas después de un embarazo molar, necesitarán ser tratadas con quimioterapia. Ésta es una de las mayores historias de éxito en la medicina del cáncer —con la quimioterapia apropiada, estas células malignas por lo general se curan.

Embarazos futuros

Cuando una mujer tiene un embarazo molar, se le aconseja no embarazarse de nuevo por lo menos durante un año. Una vez que ha tenido un embarazo molar se encuentra en mayor riesgo de presentar un segundo embarazo de ese tipo, pero la probabilidad es que los futuros embarazos serán normales.

Incompetencia cervical

Éste es el término médico para un cérvix que comienza a adelgazarse y abrirse antes de que el embarazo haya llegado a término. En lugar de suceder como respuesta a las contracciones uterinas, como en el embarazo normal, estos sucesos se dan debido a que el tejido conjuntivo del cérvix no puede soportar la presión del útero en crecimiento.

La incompetencia cervical es relativamente rara. Se da sólo en uno a dos por ciento del total de embarazos. Sin embargo, se cree que provoca hasta una de cada cuatro pérdidas de embarazo en el segundo trimestre. Tiene mayores probabilidades de desarrollar incompetencia cervical si ha tenido una operación previa en el cérvix o si se ha dañado el cuello de la matriz debido a un parto previo difícil o a una malformación del cérvix debido a un defecto de nacimiento. También se encuentra en mayor riesgo si su embarazo es múltiple o si tiene un exceso de líquido amniótico en su embarazo actual.

Signos y síntomas

La incompetencia cervical se da sin dolor, pero causa muchos de los otros signos y síntomas del aborto y el parto prematuro. Éstos incluyen manchado o sangrado, descarga vaginal de tipo mucoso, espesa y sanguinolenta, y una sensación de presión o pesadez en la parte baja de su abdomen.

Tratamiento

Si tiene en el segundo trimestre cualquiera de los signos o síntomas que se señalan antes, llame de inmediato a su proveedor de cuidados de salud. Si desarrolla incompetencia cervical y ésta se detecta a tiempo, su proveedor de cuidados de salud puede suturar su cérvix para cerrarlo, lo cual puede salvar su embarazo. Este procedimiento, llamado cerclaje, tiene su mayor éxito cuando se realiza antes de la 20ª semana del embarazo.

Embarazos futuros

Si tuvo una pérdida previa de embarazo debido a incompetencia cervical, es muy probable que le hagan el procedimiento de cerclaje al inicio de los embarazos subsecuentes —alrededor de la decimosegunda y decimocuarta semanas— es decir, una vez que el embarazo está bien establecido, pero antes de que su peso comience a afectar el cérvix.

Quizá también esté interesada en leer la "Guía de decisión: nuevos intentos después de perder un embarazo", página 315.

Depresión

Casi todo el mundo sufre un episodio depresivo de vez en vez, pero la depresión prolongada e inadecuada es un trastorno mental. Ésta puede interferir con su capacidad para comer, dormir, trabajar, interactuar con otros y disfrutar de la vida.

La depresión no tiene sólo una causa. Es frecuente que la enfermedad sea hereditaria. Los expertos piensan que esta vulnerabilidad genética combinada con factores como estrés o enfermedad puede disparar un desequilibrio en las sustancias cerebrales que da como resultado dicha depresión.

Esta última es un problema común para las mujeres durante el embarazo, y también puede presentarse después de éste (posparto). Un estudio reveló que casi 25 por ciento de los casos de depresión posparto se inicia durante el embarazo.

Durante la gestación, muchos factores pueden contribuir a la depresión, incluyendo:

- Los cambios corporales que sufre
- Dificultades de salud durante el embarazo
- Un embarazo inesperado
- Una pérdida de embarazo previa
- Presión en las finanzas familiares
- Expectativas poco realistas del parto y la maternidad
- Apoyo social o emocional insuficientes
- Asuntos no resueltos de la infancia

La depresión puede afectar a las mujeres embarazadas de cualquier edad, raza y nivel socioeconómico. Ciertas características de la personalidad y elecciones del estilo de vida la pueden hacer más vulnerable. Por ejemplo, tener baja autoestima y someterse a una autocrítica exagerada, ser pesimista y sentirse fácilmente agobiada por el estrés la puede colocar en un mayor riesgo de presentar depresión. El abuso del alcohol y las drogas, lo mismo que el uso de la nicotina también pueden contribuir a la depresión. Por último, una dieta deficiente en folato y vitamina B-12 puede causar síntomas de depresión.

Signos y síntomas

Dos síntomas son clave para establecer un diagnóstico de depresión. Éstos son:

- **Pérdida de interés en las actividades cotidianas normales.** Se pierde el interés o el placer que obtenía de las actividades que antes disfrutaba.
- **Ánimo deprimido.** Se siente triste, desamparada y desesperanzada y puede tener episodios de llanto.

Otros signos y síntomas comunes de depresión con frecuencia pueden confundirse con problemas frecuentes del embarazo. Esto puede hacer que sea fácil que la depresión durante el embarazo pase inadvertida. Para que un proveedor de cuidados de salud diagnostique depresión, la mayoría de los siguientes factores deben estar presentes la mayor parte del día, casi todos los días, por lo menos durante dos semanas:

- Trastornos del sueño
- Pensamiento o concentración deficientes
- Aumento o pérdida de peso importante e inexplicable debido al incremento o la disminución del apetito
- Agitación o lentitud de los movimientos corporales
- Fatiga
- Baja autoestima
- Pérdida de interés en el sexo
- Pensamientos de muerte

La depresión también puede causar una amplia gama de quejas físicas. Éstas pueden incluir comezón, visión borrosa, sudor excesivo, sequedad bucal, dolor de cabeza y de espalda y problemas gastrointestinales. Mucha gente con depresión también tiene síntomas de ansiedad, como preocupación persistente.

Si piensa que puede estar deprimida, es importante hablar con su proveedor de cuidados de salud acerca de ello. Es posible que su proveedor haga un historial detallado de sus signos y síntomas, y que haga pruebas para descartar otros padecimientos que puedan causar síntomas semejantes a los de la depresión.

Tratamiento

Si le diagnostican depresión, siga los consejos de su proveedor de cuidados de salud. La depresión es una enfermedad seria que requiere tratamiento. Ignorar este diagnóstico puede ponerlos a usted y a su bebé en riesgo.

Durante el embarazo, lo más frecuente es que la depresión se trate con asesoría y psicoterapia. Asimismo, es probable que se empleen medicamentos antidepresivos. Muchos de estos fármacos parecen implicar muy poco riesgo para los bebés en desarrollo, y es mejor usar dicho medicamento si la depresión es grave.

Consulte con su proveedor de cuidados de salud para discutir sus opciones de tratamiento y cómo puede manejar mejor su depresión durante el embarazo. Éste le puede ayudar a encontrar apoyo y desarrollar un plan de tratamiento individualizado. Si se recomienda medicamento, su proveedor de cuidados de salud puede determinar cuál es el más seguro para que lo tome durante el embarazo.

Tome en cuenta que tener depresión durante la gestación puede incrementar su riesgo de padecerla después del parto. La depresión sin tratar puede convertirse en una condición crónica que puede regresar antes de o durante los embarazos subsecuentes. Lo mismo que con otras enfermedades, la depresión debe tratarse, ya sea que ocurra antes, durante o después del embarazo.

Diabetes gestacional

La diabetes es una condición en la cual los niveles de azúcar sanguíneo (glucosa) no se regulan de la manera adecuada. El padecimiento está relacionado con una hormona llamada insulina que controla los niveles de glucosa. Cuando la diabetes se desarrolla en una mujer que no tenía la enfermedad antes del embarazo, se llama diabetes gestacional. Se cree que este problema es el resultado de los cambios metabólicos que provocan los efectos de las hormonas en el embarazo. Cerca de tres a cinco por ciento de las mujeres embarazadas en Estados Unidos desarrollan esta forma de diabetes.

El riesgo de desarrollar diabetes gestacional es mayor en algunas mujeres, en particular en aquellas que:

- Son mayores de 30 años
- Tienen un historial familiar de diabetes
- Son obesas
- Presentaron un embarazo complicado previo

Si ha presentado un parto de un feto muerto, un bebé demasiado grande o diabetes gestacional en un embarazo previo, se encuentra en mayor riesgo de desarrollar la afección. Por razones que no están claras, las mujeres negras, hispánicas e indoamericanas se encuentran en mayor riesgo de desarrollar diabetes gestacional.

Aunque la diabetes gestacional por lo general no es una amenaza para la salud de la madre, los proveedores de cuidados de salud hacen pruebas de ella porque implican ciertos riesgos para el bebé. El principal peligro para los bebés de las madres con diabetes gestacional es el peso excesivo al nacer (macrosomía). La mayoría de los proveedores de cuidados de salud definen la macrosomía como un peso al nacer de 4.5 kilogramos o más.

Estos bebés se encuentran en mayor riesgo de lesión al nacer que los demás. Esto se debe en gran parte a la distocia del hombro, que ocurre cuando la cabeza sale por el canal de nacimiento, pero los hombros son demasiado grandes para salir, lo que evita que el bebé nazca. Otros problemas que pueden desarrollarse como resultado de la diabetes gestacional incluyen el bajo nivel de azúcar en sangre (hipoglucemia) en el bebé poco después del nacimiento, icteria y síndrome de sufrimiento respiratorio, el cual es una condición en la cual se dificulta la respiración.

Si la diabetes gestacional pasa desapercibida, hay un mayor riesgo de parto de un feto muerto o que muera el recién nacido, pero cuando el problema se diagnostica y trata de la forma adecuada, su bebé no se encuentra en mayor riesgo de aquél en el cual estaría un bebé cuya madre no tiene diabetes gestacional.

Signos y síntomas

Por lo general, la diabetes gestacional no causa ningún síntoma. Dado que el padecimiento no puede diagnosticarse con base en los signos y síntomas de la madre, es necesario hacer pruebas de glucosa para detectarla.

Por lo general se lleva a cabo una prueba de tolerancia a la glucosa alrededor de la 26ª a 28ª semanas de gestación. Esto se puede hacer antes si su proveedor de cuidados de salud piensa que se encuentra en alto riesgo de desarrollar diabetes gestacional. Cerca de la mitad de las mujeres que desarrollan diabetes durante el embarazo no tienen ningún factor de riesgo para la enfermedad. Por esta razón, muchos proveedores de cuidados de la salud prefieren evaluar a todas las mujeres respecto a la diabetes gestacional, sin importar su edad o sus factores de riesgo.

Para la prueba de tolerancia a la glucosa, le pedirán que beba una solución de glucosa. Después de una hora, se toma una muestra de su sangre y se revisa el nivel de glucosa. Cerca de 15 por ciento de las mujeres embarazadas a las que se aplica esta prueba tendrán niveles anormales de glucosa sanguínea. Si éste es el caso, se lleva a cabo una segunda prueba, llamada prueba de tolerancia a la glucosa oral.

Para la prueba de seguimiento, se ayuna una noche y luego recibe otra solución de glucosa para beber. De nueva cuenta, se toman pruebas de sangre durante un periodo de tres horas y se mide su nivel de glucosa varias veces. De las mujeres cuyo primer resultado en las pruebas fue anormal, la diabetes gestacional se diagnosticará en cerca de 15 por ciento de las mujeres que se someten a esta prueba de seguimiento.

Tratamiento

Controlar su nivel de azúcar sanguíneo es vital para el tratamiento de la diabetes gestacional. En la mayoría de los casos, esto puede hacerse a través de una dieta planeada con cuidado, suficiente ejercicio y pruebas regulares del nivel de glucosa sanguínea.

Hoy en día, la mayoría de los proveedores de cuidados de la salud le pedirán que vigile su glucosa en casa en forma regular para asegurar un control adecuado de los niveles de glucosa. Esto por lo general es lo primero que se hace en la mañana antes de comer y de nuevo después de las comidas, para ver cómo se elevan sus niveles de glucosa después de los alimentos.

Si, a pesar de la dieta y el ejercicio, el nivel de su azúcar sanguíneo permanece demasiado alto, se requiere un mayor tratamiento. En esta situación el tratamiento por lo general incluye inyecciones de insulina. La insulina no cruza la placenta para llegar al bebé, pero sí controla de manera efectiva los niveles de azúcar en la sangre de la madre.

Se puede usar un medicamento oral llamado gliburida antes de añadir insulina para intentar controlar el azúcar sanguíneo. Se tiene menos experiencia con este método, pero parece ser seguro para el bebé y efectivo para muchas mujeres.

Además de ayudar a mantener el nivel normal de azúcar sanguíneo, su proveedor de cuidados de salud puede aconsejar una vigilancia regular del bebé durante las últimas semanas del embarazo. Se puede emplear el ultrasonido para evaluar el crecimiento del feto. Es bueno recordar que el ultrasonido tiene una tasa importante de error para estimar el peso fetal. Es una herramienta útil para evaluar las tendencias de crecimiento, pero no lo es tanto para determinar el peso exacto del bebé al nacer.

Hay poco riesgo para el bebé antes de término, pero la mayoría de los proveedores de cuidados de la salud intentan que éste nazca a término. Con el riesgo de un bebé grande, algunas opciones para ayudar en el nacimiento vaginal no se usan en las mujeres con diabetes gestacional debido al riesgo de distocia de hombros. El nacimiento por cesárea es un resultado común.

Si el parto no se ha iniciado por sí solo alrededor de las 40 semanas, puede ser iniciado (inducido). Si el nacimiento está planeado antes de las 39 semanas, por lo general se realiza una amniocentesis de antemano para determinar si los pulmones del bebé son lo bastante maduros para que nazca.

La diabetes gestacional casi siempre desaparece después del parto. Para asegurarse de que su nivel de glucosa ha regresado a la normalidad, su proveedor de cuidados de la salud puede revisarla una o dos veces al día después del parto.

Si ha tenido diabetes gestacional en un embarazo, aumenta su probabilidad de presentarla en el siguiente. Asimismo, tiene mayores probabilidades de desarrollar diabetes de tipo 2 (antes llamada diabetes adulta no dependiente de insulina) en el futuro. Cerca de la mitad de las mujeres con diabetes gestacional llega a desarrollar la forma no gestacional de ésta. Por esta razón, es importante seguir los consejos de su proveedor de salud acerca de la dieta y el ejercicio después del nacimiento y que revise los niveles de glucosa por lo menos cada año.

Hiperemesis gravídica

La náusea y el vómito son comunes al inicio del embarazo; pero, en ocasiones, el vómito durante la gestación se vuelve excesivo. Esto se conoce como hiperemesis gravídica, y se define como vómito frecuente, persistente y grave.

La hiperemesis gravídica afecta a cerca de una de cada 300 mujeres. La causa de este padecimiento no se conoce con seguridad, pero parece estar relacionada con niveles mayores de los acostumbrados de las hormonas del embarazo gonadotropina coriónica humana (GCH) y estrógeno. Es más común en los primeros embarazos de mujeres jóvenes y en las que tienen embarazos múltiples.

Signos y síntomas

El vómito excesivo persistente es el signo principal de la hiperemesis gravídica. En algunos casos, puede ser tan serio que la mujer embarazada presenta pérdida de peso, aturdimiento o desmayos y tiene signos de deshidratación.

Si tiene náuseas y vómito tan graves que no puede mantener ningún alimento ni líquido en el estómago, o si esto persiste más allá de la 20ª semana de gestación, comuníquese con su proveedor de cuidados de salud. Hágalo de inmediato si el vómito va acompañado de fiebre o si tiene dolor persistente después de vomitar.

Si no se trata, la hiperemesis gravídica puede impedir que obtenga la nutrición y los líquidos que necesita. Si esto dura lo suficiente, puede amenazar a su bebé.

Antes de que la traten para su padecimiento, es posible que su proveedor de cuidados de la salud desee descartar otras posibles causas del vómito. Es posible que revise para determinar si su embarazo es de más de un bebé. Otras posibilidades incluyen trastornos gastrointestinales, diabetes o un padecimiento raro en el cual una masa anormal, en lugar del embrión normal, se forma dentro del útero (embarazo molar). Las evaluaciones pueden incluir sangre, orina y estudios de ultrasonido.

Tratamiento

Los casos leves de hiperemesis gravídica se tratan tranquilizando a la paciente, evitando los alimentos que disparan el problema, con medicamentos de venta sin receta y comidas pequeñas y frecuentes. Los casos graves con frecuencia requieren líquidos intravenosos (IV) y fármacos de prescripción. Los casos muy graves pueden requerir la hospitalización con alimentación IV.

Las mujeres con hiperemesis gravídica que colaboran con sus proveedores de cuidados de la salud para asegurarse de obtener la nutrición y los líquidos adecuados no deben presentar ninguna complicación seria para ellas mismas o para sus bebés.

Retraso del crecimiento intrauterino

Retraso del crecimiento intrauterino (RCIU) es un término que se emplea para describir un padecimiento en el cual los bebés no crecen con la rapidez que deberían dentro del útero. Estos bebés son más pequeños de lo normal durante el embarazo. Al nacer, pesan menos de la percentila 10 para su edad de gestación.

Cada año, en Estados Unidos, una cantidad cercana a los 40,000 bebés nacen a término con un peso al nacer menor de 2.75 kilogramos. El RCIU puede ser producto de problemas con la placenta que impiden que ésta proporcione suficiente oxígeno y nutrientes al feto. La situación puede ser producto de:

- Presión arterial alta (hipertensión) en la madre
- Fumar cigarrillos
- Desnutrición grave o poco aumento de peso en la madre
- Abuso de drogas o de alcohol
- Enfermedad crónica en la madre, como diabetes tipo 1 complicada (antes llamada diabetes juvenil o dependiente de insulina); padecimientos en corazón, hígado o riñones, trastornos reumatológicos como lupus o alteraciones en los anticuerpos como anticuerpos contra glóbulos rojos
- Preeclampsia o eclampsia
- Anormalidades placentarias o umbilicales
- Fetos múltiples
- Síndrome de anticuerpos antifosfolipídicos, un raro trastorno inmune

El RCIU también puede ocurrir debido a un problema con el feto en el cual la nutrición que envía la placenta puede ser adecuada, pero el crecimiento del embrión se ve restringido por la enfermedad. Los ejemplos incluyen:

- Infecciones como rubéola, citomegalovirus y toxoplasmosis
- Defectos de nacimiento o anormalidades cromosómicas

El RCIU puede ocurrir por causas desconocidas.

Los avances médicos han reducido en gran medida los riesgos de los infantes con crecimiento restringido. Sin embargo, estos bebés todavía están en riesgo de tener problemas. Los infantes más pequeños tienen almacenes reducidos de grasa corporal y glucógeno, un tipo de carbohidrato que se convierte con facilidad en glucosa, una fuente de energía. Como resultado, son incapaces de conservar el calor. Pueden desarrollar una temperatura corporal por debajo de la normal (hipotermia). Los partos de fetos muertos y el sufrimiento fetal también son más comunes en los fetos con crecimiento restringido. Debido a su bajo almacenamiento de energía, pueden presentar un nivel bajo de azúcar sanguíneo (hipoglucemia) después de nacer. Por último, cuando la placenta no logra proporcionar la cantidad adecuada de fuentes de oxígeno y energía, estos fetos son menos capaces de tolerar el estrés del parto que los infantes de tamaño normal.

Signos y síntomas

Si está embarazada de un bebé con retraso del crecimiento, es posible que tenga pocos o ningún signo ni síntoma, pero durante su embarazo su proveedor de cuidados de la salud puede revisarla con regularidad para ver si su bebé está creciendo en forma normal.

Su proveedor de cuidados de salud puede medir su útero en cada una de sus visitas prenatales, en parte para detectar el RCIU en una etapa temprana. Al analizar la manera en que esta medición crece con el tiempo, el proveedor de cuidados de salud puede estar alerta ante dicha restricción.

Si se sospecha RCIU, es probable que le hagan un examen de ultrasonido para medir el tamaño del bebé. Pueden medirse el ancho y la circunferencia de la cabeza del feto, la longitud del hueso del muslo, el tamaño del abdomen y la cantidad de líquido amniótico.

Si su embarazo es de gemelos, el RCIU puede afectar a ambos bebés en el mismo grado, o afectar a uno de los bebés más que al otro. Es probable que su proveedor de cuidados de salud determine que la diferencia en la tasa de crecimiento es significativa si es mayor de 15 por ciento.

Tratamiento

Para tratar el retraso del crecimiento, el primer paso es identificar e invertir cualquier factor contribuyente, como el tabaquismo, el uso de drogas o la mala nutrición. A veces, se recomienda la hospitalización o el reposo en cama.

Usted y su proveedor de cuidados de salud pueden seguir vigilando la condición del bebé. Es posible que le pidan que lleve un registro diario de los movimientos del feto. Por lo general se hacen exámenes por ultrasonido cada tres a cuatro semanas para dar seguimiento al crecimiento del embrión y al volumen de líquido amniótico. Es posible que su proveedor haga pruebas para evaluar la salud del bebé.

Es posible que se realice una amniocentesis para verificar si hay anormalidades cromosómicas o infección. En esta situación, los cromosomas con frecuencia se examinan mediante la hibridación *in situ* por fluorescencia (HISF), lo mismo que pruebas completas para obtener un análisis rápido. En pocas ocasiones se requiere un análisis de sangre del feto. Si es así, la muestra de sangre se toma del cordón umbilical. Este procedimiento se conoce como muestreo percutáneo de sangre umbilical (MPSU).

Es posible que su proveedor de cuidados de la salud discuta con usted las ventajas y desventajas de estas técnicas si es que se están tomando en cuenta. Si las muestras y los ultrasonidos indican que el bebé está creciendo y no se encuentra en peligro, el embarazo puede continuar hasta que se inicie el parto por sí mismo. Pero si los resultados indican que el feto puede estar en peligro o no está creciendo en la forma adecuada, es posible que su proveedor recomiende adelantar el parto.

Dependiendo de las circunstancias, se puede inducir el trabajo de parto por vía vaginal o realizar una cesárea. Si el trabajo de parto se induce, el bebé puede vigilarse de cerca. Si el patrón de ritmo cardiaco del feto u otras pruebas indican que el bebé no está tolerando el trabajo de parto, es posible que aun sea necesaria una cesárea.

Sin importar cómo nazca un bebé con crecimiento retrasado, estos también son riesgos en un bebé sano. Un bebé con crecimiento retrasado puede necesitar la administración de líquido con azúcar (glucosa) después del nacimiento. La temperatura del bebé se debe monitorizar para asegurar que está caliente.

Si usted tuvo un bebé con crecimiento retrasado, se encuentra en alto riesgo de dar a luz otro bebé demasiado pequeño. Por fortuna, la vigilancia cuidadosa y la intervención oportuna con frecuencia pueden reducir algunos de los peligros que enfrentan los bebés con crecimiento retrasado. En algunos casos, la restricción del crecimiento incluso puede revertirse. Además, al concentrarse en un buen cuidado prenatal, incluyendo obtener una excelente nutrición y eliminar el tabaco y el uso de alcohol, se incrementa la probabilidad de dar a luz un bebé sano.

Incluso si tiene un bebé de crecimiento retrasado, el tamaño al nacer puede no ser una indicación de qué tan bien crecerá y se desarrollará éste. Muchos bebés de crecimiento retrasado tienden a alcanzar a sus contrapartes normales alrededor de los 18 a 24 meses. A menos que estos bebés tengan defectos serios de nacimiento, las probabilidades de que la mayoría tenga un desarrollo intelectual y físico normales a largo plazo son buenas.

Anemia por deficiencia de hierro

Ésta es una afección marcada por una reducción en el número de glóbulos rojos en su cuerpo. Se presenta cuando su bebé no está obteniendo el hierro que necesita para fomentar la producción de glóbulos rojos. La anemia por deficiencia de hierro se desarrolla casi siempre en la segunda mitad del embarazo, después de la 20ª semana. Esto se debe a que, durante las primeras 20 semanas de la gestación, a medida que su cuerpo hace más y más sangre, fabrica la porción de líquido de la sangre (plasma) con mayor rapidez que la de los glóbulos rojos. Esto da como resultado, en general, concentraciones bajas de glóbulos rojos.

Las estadísticas indican que hasta 20 por ciento de las mujeres embarazadas presenta deficiencia de hierro. Esto significa que no ingieren los 30 miligramos diarios recomendados de hierro —un factor de riesgo para desarrollar anemia por deficiencia de hierro. Cuando está embarazada, es un reto mantener un nivel adecuado de hierro sólo a través de la dieta. A esto se debe que muchos proveedores de cuidados de salud prescriban suplementos de hierro durante la segunda mitad del embarazo. Si está obteniendo cuidado prenatal regular y toma vitaminas prenatales a diario, en general podrá librarse de la anemia por deficiencia de hierro.

Signos y síntomas

Si tiene un caso leve de anemia por deficiencia de hierro, es posible que ni siquiera note algún problema. Sin embargo, si presenta un caso moderado o grave, es posible que esté pálida, demasiado cansada y débil, con falta de aire y mareada o aturdida. Las palpitaciones cardiacas y los episodios de desmayo también son signos y síntomas de anemia por deficiencia de hierro.

Un síntoma raro, pero frecuente de la deficiencia de hierro es el deseo de consumir cosas extrañas. Los objetos normales de estos antojos incluyen trozos de hielo, fécula de maíz e incluso arcilla. Si tiene cualquiera de estos signos y síntomas, comuníquese con su proveedor de cuidados de salud.

Si le diagnostican anemia por deficiencia de hierro, no se alarme, aunque la anemia por deficiencia de hierro puede hacer que se sienta cansada y más susceptible a la enfermedad, es poco probable que dañe a su bebé a menos que sea grave. También es fácil de tratar.

Tratamiento

El tratamiento consiste en tomar suficiente hierro, el cual se prescribe en forma de cápsulas o tabletas. En muy raras ocasiones, es posible que se necesiten transfusiones sanguíneas, pero éstas sólo se usan si una mujer embarazada está muy anémica y presenta una fuente continua de pérdida sanguínea.

Abrupción (desgarro) placentaria

Este problema se da cuando su placenta se separa de la pared interna del útero antes del parto. Puede causar problemas que pongan en peligro su vida y la de su bebé. Usted puede entrar en choque debido a la pérdida de sangre. Su bebé puede verse privado de la sangre rica en oxígeno que necesita para sobrevivir. La abrupción placentaria se da en cerca de uno de cada 150 nacimientos. Su causa se desconoce.

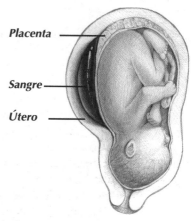

Placenta

Sangre

Útero

El padecimiento más común relacionado con la abrupción placentaria es la presión arterial alta (hipertensión) en el embarazo. Esto se aplica ya sea que la hipertensión se haya desarrollado durante el embarazo o antes de la concepción.

La abrupción placentaria también parece ser más común en las mujeres negras, las de mayor edad —en especial las mayores de 40 años— las que han tenido muchos hijos, las que fuman y las que abusan del alcohol o de drogas, como la cocaína, durante el embarazo.

La abrupción placentaria también se ha relacionado con la presencia de anormalidades en el sistema de coagulación de sangre materno. En muy raros casos, el trauma o las lesiones en la madre pueden provocar abrupción placentaria.

Signos y síntomas

En las etapas tempranas de la abrupción placentaria, es posible que no presente signos ni síntomas. Cuando éstos se presentan, el más común es sangrado vaginal. Dicho sangrado puede ser leve, abundante o moderado. La cantidad de sangre no necesariamente corresponde a la proporción de la placenta que se ha separado del interior del útero. Otros signos y síntomas que pueden ser producto de la abrupción placentaria incluyen:

- Dolor abdominal o de espalda
- Sensibilidad uterina
- Contracciones rápidas
- Una sensación dura y rígida del útero

Para diagnosticar la abrupción placentaria, es muy posible que su proveedor de cuidados de salud intente excluir otras posibles causas de sangrado vaginal. Es probable que realice un ultrasonido para asegurar que el sangrado no se debe a una placenta previa. Las abrupciones placentarias rara vez se observan en el ultrasonido.

Tratamiento

Si se sospecha una abrupción placentaria, el tratamiento depende en gran parte de la condición de la madre y del bebé, así como de la etapa del embarazo. Por lo general se emplea la vigilancia electrónica para examinar los patrones del ritmo cardiaco del bebé. Si la vigilancia no muestra signos de que el bebé se encuentra en peligro inmediato y de que el embarazo no ha alcanzado un momento seguro para que nazca el bebé, es posible que se hospitalice a la mamá, de manera que su condición pueda ser vigilada de cerca durante varios días.

Si el bebé ya alcanzó la madurez y la abrupción placentaria es mínima, es posible el nacimiento por vía vaginal. Si la abrupción progresa y los signos indican que la madre o el bebé están en peligro, es muy probable que sea necesario un nacimiento inmediato, casi siempre por cesárea. Además, una madre que presenta sangrado grave puede requerir transfusiones sanguíneas.

Hay una probabilidad en 10 de que la abrupción placentaria sea recurrente en el embarazo subsiguiente. Algunas de las causas posibles —como presión arterial alta, trastornos maternos de la coagulación o abuso de sustancias— pueden tratarse antes del siguiente embarazo.

La abrupción es una complicación seria. Se requiere un cuidado inmediato y experto para evitar complicaciones serias para la madre y el bebé. En casos raros, la abrupción puede darse con tal rapidez y en forma tan extensa que no puede evitarse el daño al bebé.

Placenta previa

En algunos embarazos, la placenta se localiza en la parte baja del útero y puede cubrir parte o toda la abertura del cérvix. Este problema se conoce como placenta previa. Implica un peligro potencial para la madre y el bebé debido al riesgo de que se presente un sangrado excesivo durante el parto.

La placenta previa se presente en cerca de uno de cada 200 embarazos y puede tomar una de varias formas, incluyendo:

- **Marginal.** En ella, el borde de la placenta se encuentra en el margen de

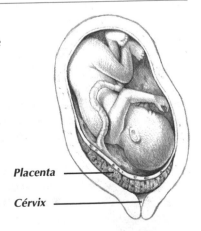

Placenta ———

Cérvix ———

la abertura cervical. Al dilatarse el cérvix durante el parto, el borde de la placenta puede alterarse pero permite al bebé entrar a la pelvis. El parto vaginal es posible bajo ciertas condiciones.

- **Parcial.** En este caso, la placenta cubre una parte de la abertura cervical. Para evitar un sangrado significativo, se hace un nacimiento por cesárea.
- **Total.** Aquí, la placenta cubre por completo la abertura cervical, lo que hace imposible el nacimiento por vía vaginal debido al riesgo que existe de sangrado masivo.

La causa de la placenta previa se desconoce, pero lo mismo que la abrupción placentaria, es más común en las mujeres que han tenido hijos antes, las mujeres mayores y las fumadoras. La cirugía uterina previa, como la dilatación y el curetaje (D y C), en la cual se raspa el recubrimiento del útero por razones médicas, parece incrementar el riesgo. Las cicatrices del parto por cesárea también parecen incrementar en forma importante el riesgo.

Signos y síntomas

El sangrado vaginal sin dolor es el signo principal de placenta previa. Dicho sangrado casi siempre se presenta cerca del final del segundo trimestre o el inicio del tercero. La sangre por lo general es de color rojo brillante, y la cantidad puede ir de ligera a abundante. El sangrado puede detenerse, pero casi siempre regresa unos días o algunas semanas después. Cualquier sangrado en el tercer trimestre debe informarse a su proveedor de cuidados de salud de inmediato.

Casi todos los casos de placenta previa pueden detectarse mediante un examen de ultrasonido antes de que se presente cualquier sangrado. Dado que hasta el examen cervical más cuidadoso puede causar hemorragia, este tipo de examen sólo se hace cuando está planeado el nacimiento y nada más si se puede efectuar un parto por cesárea. La hemorragia debida a placenta previa es rara, ya que el ultrasonido o la imagenología por resonancia magnética (IRM) pueden definir la localización de la placenta. Si sabe por un ultrasonido previo que puede tener este problema, informe a todos los proveedores de cuidados de salud que pueda ver durante su embarazo antes de que éste considere un examen vaginal. Además, no tenga relaciones sexuales hasta que su proveedor de cuidados de salud le informe que cualquier cuestión sobre la placenta previa esté resuelta.

Tratamiento

Éste depende de varios factores, incluyendo que el feto sea lo bastante maduro para nacer y si usted presenta o no sangrado vaginal.

Si la placenta está cerca pero no cubre el cérvix, y no hay sangrado, es posible que le permitan reposar en casa —con instrucciones de llamar a su proveedor de cuidados de salud u hospital de inmediato si se inicia el sangrado. Es posible que se den medicamentos al inicio del embarazo para detener el trabajo de parto prematuro.

Por lo general, después del episodio inicial de sangrado, las mujeres con placenta previa se mantienen en el hospital y se planea un parto por cesárea tan pronto como el bebé pueda nacer sin peligro.

Si el sangrado se inicia y no puede ser controlado, es probable que sea necesario un nacimiento por cesárea inmediato por el bien del bebé, incluso si el parto es prematuro.

Las mujeres que han tenido placenta previa en un embarazo anterior tienen una probabilidad de entre cuatro a ocho por ciento de presentarlo en un embarazo futuro. No obstante, en la mayoría de los casos, la placenta previa puede detectarse con exactitud antes de que el feto esté en peligro significativo. Sin embargo, si la placenta cubre en el útero el área de una herida previa de cesárea, es posible que la siguiente cirugía de este tipo sea mucho más complicada.

Preeclampsia

Ésta es una enfermedad que produce un aumento en la presión arterial en las mujeres embarazadas. Se caracteriza por:
- Presión arterial alta
- Inflamación de cara y manos
- Proteínas en orina después de la 20ª semana de embarazo

El padecimiento solía llamarse toxemia porque hubo un tiempo en que se creyó que era producto de una toxina en el torrente sanguíneo de las mujeres embarazadas. Ahora se sabe que la preeclampsia no se produce debido a una toxina, pero se ignora su verdadera causa.

La preeclampsia es un trastorno relativamente común. Afecta entre seis y ocho por ciento del total de embarazos. Ochenta y cinco por ciento de los casos se dan en el primer embarazo.

Otros factores de riesgo incluyen llevar más de dos fetos (embarazo múltiple), diabetes, presión arterial elevada crónica (hipertensión), enfermedad del riñón, padecimientos reumatológicos como lupus y un historial familiar. La preeclampsia es más común en las adolescentes y en las mujeres mayores de 35 años.

Signos y síntomas

Las mujeres con preeclampsia han tenido la enfermedad desde muy al principio del embarazo, pero ésta no se hace obvia sino hasta mucho más adelante de éste. Para el momento en que aparecen los signos y síntomas obvios —presión arterial alta, inflamación en cara y manos y proteínas en la orina— la preeclampsia está en estado avanzado.

En algunas mujeres, el primer signo de preeclampsia puede ser un aumento de peso repentino. En forma típica, esto significa más de un kilogramo en una semana o tres kilogramos en un mes. Este aumento de peso se debe a la retención de líquidos más que a la acumulación de grasa. Pueden presentarse dolores de cabeza, problemas de visión y dolor en la parte superior del abdomen.

Los proveedores de cuidados de salud dan seguimiento a la presión arterial de la madre a lo largo de la gestación. Es típico que el diagnóstico de preeclampsia se inicie cuando la presión arterial se mantiene elevada de manera consistente durante un tiempo. Una sola lectura elevada de presión arterial no significa que tenga preeclampsia. Las lecturas normales de presión arterial para las mujeres embarazadas son menores de 130/85 milímetros de mercurio (mm Hg). En las mujeres embarazadas, una lectura de presión arterial de 140/90 mm Hg o más se considera por arriba del rango normal.

La preeclampsia tiene varios grados de gravedad. Si el único signo que tiene es presión arterial elevada, es posible que su proveedor de cuidados de salud llame a su padecimiento hipertensión gestacional.

La preeclampsia también se diagnostica haciendo detección de proteínas en muestras de orina. Es probable que su proveedor de cuidados de salud también desee hacer algunas pruebas de sangre para ver la eficiencia del funcionamiento de su hígado y sus riñones. Las pruebas sanguíneas pueden confirmar si el número de plaquetas en su sangre es normal. Las plaquetas son necesarias para que la sangre se coagule.

También hay una forma grave de preeclampsia conocida como síndrome HELLP. Se distingue de otras formas más leves del padecimiento por los niveles elevados de enzimas hepáticas y el bajo nivel de plaquetas sanguíneas.

Tratamiento

La única cura para la preeclampsia es el parto. En ocasiones se usan medicamentos para tratar la presión arterial alta en el embarazo, pero por lo general se prefieren otros métodos.

Un caso leve de preeclampsia puede manejarse en casa con reposo en cama y vigilancia regular de su presión arterial. Es probable que su proveedor de cuidados de salud desee verla varias veces por semana para revisar su presión sanguínea, los niveles de proteínas en su orina y el estado de su bebé.

Un caso más grave de preeclampsia con frecuencia requiere la hospitalización. La evaluación del bienestar del bebé mediante pruebas no estresantes o perfiles biofísicos puede hacerse con regularidad. Además, con frecuencia se usan exámenes de ultrasonido para medir el volumen del líquido amniótico. Si la cantidad es demasiado baja, es signo de que la provisión de sangre para el bebé ha sido inadecuada y de que puede ser necesario el parto.

Si no se trata, la preeclampsia puede convertirse en eclampsia. Con esta última, pueden presentarse convulsiones, y esta grave complicación tiene riesgos significativos para ambos, madre y bebé. Es probable que su proveedor de cuidados de salud trate la preeclampsia en forma vigorosa para evitar estas complicaciones.

Muchos casos de preeclampsia se hacen evidentes lo bastante cerca de la fecha de término como para que puedan tratarse induciendo el trabajo de parto cuando se reconoce. En casos más graves, sin embargo, puede ser imposible tomar en cuenta la edad de gestación del bebé. En esos casos, puede ser necesario inducir el parto o llevar a cabo una cesárea para proteger la vida de la madre y del bebé. El sulfato de magnesio es un fármaco que puede administrarse por vía intravenosa a la madre con preeclampsia para incrementar el flujo de sangre al útero y evitar las convulsiones.

Un embarazo complicado por una preeclampsia conocida por lo general no se deja ir más allá de las 40 semanas debido al incremento del riesgo para el feto. La disponibilidad del cérvix —si está comenzando a abrirse (dilatarse), adelgazarse (borramiento) y ablandarse (madurar)— también puede ser un factor para determinar cuándo se inducirá el trabajo de parto.

Después del parto, la presión arterial por lo general regresa a la normalidad en unos días o algunas semanas. Es posible que le prescriban medicamentos para la presión arterial cuando la den de alta en el hospital. Si es necesario un fármaco para la presión arterial, por lo general su uso puede suspenderse poco a poco un mes o dos después del parto. Es posible que su proveedor de cuidados de salud desee verla con frecuencia después de que haya sido dada de alta, con el fin de vigilar su presión arterial.

El riesgo de que la preeclampsia se presente en un embarazo subsecuente depende de la gravedad que presentó ésta en el primer embarazo. Con la preeclampsia leve, el riesgo de recurrencia es bajo, pero si la preeclampsia fue grave en el primer embarazo, el riesgo en embarazos futuros puede ser hasta de 25 a 45 por ciento.

Incompatibilidad de factor rhesus

La incompatibilidad del factor rhesus (Rh) se presenta cuando una madre embarazada y su feto tienen un tipo diferente de Rh sanguíneo. El factor Rh es un tipo de proteína que en ocasiones se encuentra en la superficie de los glóbulos rojos. Los que tienen factor Rh se llaman Rh positivos, los que carecen de éste se llaman Rh negativos.

Ochenta y cinco por ciento de los blancos son Rh positivos. Entre los negros, el porcentaje es ligeramente mayor, y casi todos los indoamericanos y los asiáticos son Rh positivo. Cerca de 15 por ciento de los blancos y siete por ciento de los negros son Rh negativo, lo cual significa que su sangre carece del antígeno Rh.

Cuando no está embarazada, su tipo de Rh no tiene efecto sobre su salud. Si es Rh positiva, tampoco tiene causas para preocuparse durante el embarazo. Pero si es Rh negativa y su bebé es Rh positivo —lo cual puede suceder si su pareja es Rh positivo— se da un problema llamado incompatibilidad de factor Rh. Su cuerpo considera al factor Rh positivo de la sangre de su bebé como una sustancia extraña que debe destruirse y comienza a hacer anticuerpos para combatirla. El resultado puede ser la destrucción de los glóbulos rojos en su bebé (anemia fetal). Si no se trata, esto puede causar un daño leve o grave a su bebé. En casos muy raros, puede causar la muerte.

En el lado brillante, si es Rh negativa, su pareja es Rh positivo y éste es su primer embarazo, lo más probable es que la incompatibilidad de Rh no sea un problema para usted. Esto se aplica incluso si su bebé resulta Rh positivo. Por lo general se requiere un embarazo de Rh incompatible para que su cuerpo forme suficientes anticuerpos hasta el punto de que pudieran dañar a su bebé. Su riesgo, si no se trata, será mayor durante cualquier embarazo futuro.

Signos y síntomas

Si se le detectó Rh negativo al inicio de su embarazo, es probable que le hagan una prueba de sangre para buscar anticuerpos Rh alrededor de la 28ª o 29ª semanas del embarazo. Si los resultados muestran que todavía no ha producido anticuerpos Rh, es probable que su proveedor de cuidados de la salud le administre una inyección intramuscular de inmunoglobulina Rh (RhIg). Dicha inyección destruirá cualquier célula de Rh positivo que pueda andar flotando en su torrente sanguíneo. Si no hay factor Rh que combatir, no se formarán anticuerpos. Piense en ello como en una medida preventiva contra la formación de anticuerpos Rh. Debido al desarrollo de la RhIg, la enfermedad fetal por Rh es rara en la actualidad.

Si es una de las pocas mujeres que tiene anticuerpos Rh, puede hacerse pruebas regulares a lo largo del segundo trimestre para determinar el nivel de anticuerpos en su sangre. Es posible que le recomienden pruebas adicionales para vigilar la salud del feto. Estas pruebas pueden incluir mediciones de ultrasonido del flujo sanguíneo, lo cual se relaciona con la anemia fetal, o el uso de amniocentesis para medir la proporción de destrucción en la sangre del feto.

Si el nivel de anticuerpos es demasiado alto, se pueden tomar medidas para evitar el daño al bebé. Dichas medidas pueden incluir transfusiones sanguíneas al feto mientras aún se encuentra en el útero o, en algunos casos, el nacimiento prematuro. Después del parto, el bebé puede presentar anemia y desarrollar ictericia, lo cual requiere tratamiento.

Otra nota importante: si es Rh negativa y su feto es Rh positivo, no es necesario llegar a término de la gestación para desarrollar anticuerpos Rh. Los anticuerpos se pueden formar incluso durante un embarazo de Rh incompatible que haya terminado en aborto. Asimismo, se pueden formar durante un embarazo ectópico o molar. Si vuelve a embarazarse y no recibió tratamiento para prevenir el desarrollo de los anticuerpos Rh, un feto con Rh positivo se encuentra en riesgo.

Aunque los anticuerpos Rh son del tipo más común, hay muchos otros tipos raros de glóbulos rojos que pueden necesitar una detección similar. Por desgracia, para estos anticuerpos irregulares no hay tratamientos preventivos. Por esta razón, se hacen pruebas de tipo sanguíneo y determinación de anticuerpos para cada embarazo.

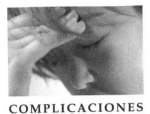

infecciones durante el embarazo

El embarazo no la hace inmune a las infecciones y enfermedades comunes.
No obstante, puede cambiar la manera en que su proveedor de cuidados de
salud trata la infección. Esta sección explora la manera en que su embarazo
puede verse afectado por diversas infecciones.

Varicela

El virus varicela zóster produce la varicela. Ésta es una enfermedad de la
infancia común y muy contagiosa que se caracteriza por manchas rojas y
picantes en la piel. Cerca de cuatro millones de estadounidenses, en su
mayoría niños, contraen la enfermedad cada año. Los adultos también se
contagian de varicela.

En 1995 se hizo disponible una vacuna para evitar la varicela. Ahora, los
niños se vacunan de rutina contra la enfermedad, y se espera que el número
de casos actuales y futuros se reduzca. Es típico que aquellos que han tenido
varicela o fueron vacunados contra ella sean inmunes al virus. Si no está
segura de ser inmune, su proveedor de cuidados de salud puede realizar una
prueba de sangre para averiguarlo.

La vacuna no está aprobada para mujeres embarazadas, pero si es
susceptible a la enfermedad y aún no ha concebido, es probable que su
proveedor de cuidados de salud le recomiende vacunarse y posponer el
embarazo por un mes o más. En la infancia, la varicela por lo general es una
enfermedad leve, no obstante, en adultos —y en especial en mujeres
embarazadas—puede ser seria. Si no se trata, puede llevar a complicaciones
como la neumonía.

Tratamiento de la varicela durante el embarazo

La varicela al inicio del embarazo en raras ocasiones provoca defectos de
nacimiento. La mayor amenaza para el bebé es cuando la madre desarrolla la
enfermedad la semana antes del nacimiento. Ésta puede causar una infección
seria y potencialmente fatal en un recién nacido. Por lo general, la inyección
de un medicamento llamado inmunoglobulina varicela zóster (IGVZ) puede

reducir la gravedad de la infección si el bebé se trata con rapidez después de nacer.

Las mujeres embarazadas expuestas a la varicela también necesitan protección con este fármaco para disminuir la gravedad de la enfermedad. Tratar una madre embarazada con la IGVZ en las 72 horas siguientes a la exposición parece reducir el riesgo de neumonía y de otras complicaciones serias.

Citomegalovirus

El citomegalovirus (CMV) es una infección viral común. En adultos sanos, casi todas las infecciones por CMV pasan desapercibidas. No obstante, los adultos infectados en ocasiones presentan signos y síntomas como fiebre, dolor de garganta, dolor muscular y fatiga.

Hasta 85 por ciento de los adultos en Estados Unidos están infectados con CMV para la edad de 40 años. La infección puede ser recurrente, pero tales recurrencias casi siempre pasan desapercibidas. Una vez que se ha infectado con CMV, puede diseminar el virus durante años en la saliva, la orina y la leche materna.

Tratamiento del citomegalovirus durante el embarazo

El CMV puede pasar de una persona a otra a través de los líquidos corporales infectados. Una mujer embarazada con CMV puede infectar a su bebé con el virus antes del nacimiento, durante el parto o mientras amamanta. En Estados Unidos, el CMV es la infección viral que con mayor frecuencia pasa de madre a hijo antes del nacimiento.

Cuando una mujer presenta una infección recurrente por CMV durante el embarazo, menos de uno por ciento de los fetos se infecta. Aquellos que contraen el CMV rara vez desarrollan algún problema serio relacionado con la infección.

Las mujeres que contraen el CMV por primera vez durante el embarazo tienen mayor riesgo de pasar una infección congénita grave a sus bebés. Con frecuencia, las infecciones de CMV pasan desapercibidas en los infantes dado que no tienen signos de ella al nacer. No obstante, el CMV puede tener efectos serios en estos niños. Un pequeño número de ellos puede cursar con problemas neurológicos como trastornos del aprendizaje. Hasta 10 por ciento tendrá cierto grado de pérdida del oído.

Cerca de uno por ciento de los infantes presenta signos y síntomas de CMV al nacer. Éstos incluyen problemas graves del hígado, convulsiones, ceguera, sordera y neumonía. Hasta 20 por ciento de estos bebés muere. La mayoría de los que sobreviven presentan defectos neurológicos serios.

Una amniocentesis puede determinar si hay infección en el feto si se diagnostica CMV en la mujer embarazada. Es posible que su proveedor de cuidados de salud recomiende una serie de ultrasonidos para ver si el feto desarrolla problemas estructurales relacionados con la infección. En la actualidad no hay tratamiento para el CMV congénito, pero se están estudiando nuevas vacunas.

Eritema infeccioso

El eritema infeccioso (la quinta enfermedad) es una infección contagiosa común entre niños de edad escolar. El parvovirus humano B19 causa esta enfermedad. En ocasiones, también se llama enfermedad de la mejilla abofeteada debido a que la parte más notoria de la enfermedad en niños es la brillante erupción roja sobre las mejillas. También puede observarse una erupción roja irregular en piernas, tronco y cuello. Muchos niños con el eritema infeccioso se sienten bien, otros pueden presentar una fiebre leve, alteraciones estomacales y otros síntomas semejantes a los de influenza.

En adultos, el síntoma más notorio es el dolor articular, el cual puede durar días o semanas. Los adultos tienen una probabilidad mucho menor de desarrollar la erupción característica que presentan los niños. La infección también puede presentarse sin signos ni síntomas en niños y adultos. Por esta razón, muchos adultos pueden ignorar si sufrieron la infección en la infancia. Una vez que se ha tenido la infección, por lo general se es inmune a padecerla de nuevo.

El eritema infeccioso es contagioso incluso una semana antes de que aparezca la erupción facial, así que es difícil detener su diseminación. El tiempo entre la exposición y el desarrollo de la enfermedad va desde cuatro hasta 14 días. En la actualidad, no existe una vacuna para prevenir el eritema infeccioso. No se ha demostrado que la terapia antiviral beneficie a las mujeres con la infección.

Tratamiento del eritema infeccioso durante el embarazo

Entre una cuarta parte y la mitad de las mujeres embarazadas siguen siendo susceptibles al virus B19 durante el embarazo, así que es común que las madres en espera contraigan la enfermedad. La gran mayoría de estas mujeres tendrán bebés sanos.

Sin embargo, en casos contados, el eritema infeccioso en la madre puede causar anemia grave, incluso fatal, en el feto. Dicha anemia puede provocar falla cardiaca congestiva en el bebé, la cual se manifiesta por una forma grave de inflamación (edema) llamada hidropesía fetal. Si un feto desarrolla esta complicación, puede ser posible administrarle una transfusión a través del cordón umbilical.

Si una mujer embarazada se ha expuesto al eritema infeccioso o se sospecha que lo tiene, las pruebas sanguíneas pueden ayudar a determinar la inmunidad o confirmar la infección. Si las pruebas sanguíneas confirman la inmunidad, no hay por qué preocuparse, pero si muestran evidencia del eritema infeccioso, pueden realizarse ultrasonidos adicionales hasta por 12 semanas para estar atentos a posibles signos de anemia y falla cardiaca congestiva en el feto.

Estreptococo del grupo B

Hasta 35 por ciento de los adultos en Estados Unidos son portadores de una bacteria conocida como estreptococo del grupo B (EGB). Para las mujeres con EGB es normal que el organismo resida en su colon y recto. En forma típica, el EGB vive sin causar daño en el cuerpo. No obstante, las mujeres embarazadas que albergan EGB pueden pasarlo a sus bebés durante el parto y alumbramiento. Los bebés que adquieren esta infección pueden enfermarse de gravedad.

Tratamiento del estreptococo del grupo B durante el embarazo

Sólo un pequeño número de bebés nacidos de mujeres portadoras del estreptococo del grupo B se enferma. No obstante, ahora está claro que el uso de antibióticos durante el embarazo para tratar a las mujeres que portan la bacteria evitará casi todas estas infecciones. Las mujeres portadoras del EGB no presentan síntomas, así que todas las mujeres deben evaluarse respecto al germen.

Si el EGB infecta a un recién nacido, la enfermedad resultante puede tomar una de dos formas: infección de inicio temprano o de inicio tardío. En la primera, es típico que el bebé se enferme unas horas después de nacer. Los problemas pueden incluir infección del líquido que se encuentra en y alrededor del cerebro (meningitis), inflamación e infección de los pulmones (neumonía) y una afección que amenaza la vida llamada sepsis, la cual puede causar fiebre, dificultad para respirar y choque. Hasta 20 por ciento de los bebés con infección por EGB de inicio temprano presenta problemas a largo plazo o muere, incluso con tratamiento inmediato.

La infección de inicio tardío se da en la siguiente semana o varios meses después del nacimiento. Por lo general da meningitis como resultado. Aunque la meningitis es seria, la tasa de mortalidad no es tan alta como en la forma de inicio temprano.

Los niños que sobreviven a cualquiera de los tipos de esta infección pueden tener problemas neurológicos a largo plazo.

Listeriosis

Ésta es una enfermedad ocasionada por un tipo de bacteria llamada *Listeria monocytogenes*. La mayoría de las infecciones se produce por consumir alimentos contaminados. Casi siempre están implicadas comidas procesadas como carnes frías y salchichas, leche sin pasteurizar y lácteos como quesos suaves.

La mayoría de la gente sana que se expone a la *Listeria* no se enferma, pero a veces la infección puede ocasionar problemas de tipo influenza como fiebre, fatiga, náusea, vómito y diarrea. Estos problemas son en cierta forma más probables durante el embarazo.

Tratamiento de la listeriosis durante el embarazo

Si contrae listeriosis durante el embarazo, puede pasarle la infección al feto a través de la placenta. Esto puede conducir a un parto prematuro, aborto, parto de un feto muerto o fallecimiento del bebé poco después de nacer.

Es importante hacer todos los esfuerzos para evitar la exposición a la *Listeria* durante el embarazo. Los casos de contaminación con *Listeria* por lo general se reconocen y es frecuente que se publiquen advertencias en las noticias. Si está embarazada, ponga atención a estas advertencias. Además, evite siempre consumir los productos lácteos sin pasteurizar.

Rubéola (sarampión alemán)

La rubéola (sarampión alemán) es una infección viral. Causa fiebre, inflamación de los nódulos linfáticos, dolor en articulaciones y erupción. La rubéola en ocasiones se confunde con el sarampión, pero cada una de estas enfermedades es producida por un virus diferente.

La rubéola es muy rara en Estados Unidos. La mayoría de los niños pequeños está vacunado contra ella mediante la vacuna de sarampión-paperas-rubéola (MMR). Como resultado, la mayoría de las mujeres en edad fértil son inmunes a dicha enfermedad. La inmunidad a largo plazo se desarrolla en por lo menos 95 por ciento de la gente que recibe la vacuna.

No obstante, siguen ocurriendo pequeños brotes de rubéola en Estados Unidos. Esto significa que es posible que se infecte durante el embarazo si no es inmune.

Tratamiento de la rubéola durante el embarazo

El sarampión alemán es una infección leve. Sin embargo, si la contrae mientras está embarazada, puede ser peligroso. La infección puede ocasionar abortos, partos de productos muertos o defectos de nacimiento. Estos defectos pueden incluir retraso en el crecimiento o retraso mental, cataratas u otros problemas oculares, sordera, defectos congénitos en corazón y defectos en otros órganos. El mayor riesgo para el feto se da durante el primer trimestre, pero la exposición a la rubéola durante el segundo trimestre también es peligrosa.

Al inicio del embarazo, se hacen pruebas de rutina a las mujeres para determinar su inmunidad a la rubéola. Si está embarazada y se determina que no es inmune, evite el contacto con cualquiera que pueda haber estado expuesto a la rubéola. Las vacunas MMR no se recomiendan durante el embarazo. No obstante, puede ser vacunada después de dar a luz de manera que sea inmune a la enfermedad en futuros embarazos. Si no está embarazada y elige recibir la vacuna, se le recomendará esperar por lo menos tres meses antes de embarazarse.

Toxoplasmosis

Ésta es una infección parasitaria que portan los gatos que comen roedores. El riesgo de infección derivado de limpiar la caja de arena de un gato en interiores es bajo. La tierra o las cajas de arena en exteriores pueden contener el parásito de gatos callejeros, en especial en climas calientes.

La vía más probable para adquirir la infección es a través de alimentos contaminados. Las buenas prácticas para la preparación de alimentos son la forma más efectiva de evitar esta infección.

En muchos casos, la toxoplasmosis no causa signos ni síntomas. Con frecuencia no es diagnosticada. Cuando los signos y síntomas se presentan, con frecuencia son similares a los que provoca la influenza, como inflamación de ganglios linfáticos, fatiga, dolores musculares y fiebre.

La infección activa por lo general sólo ocurre una vez. Por lo general da como resultado la inmunidad a la enfermedad. Las mujeres embarazadas que son inmunes no pasarán la infección a sus bebés. Sin embargo, las mujeres que contraen toxoplasmosis por primera vez durante el embarazo tienen una probabilidad de 40 por ciento de infectar al feto.

Si no está segura de ser inmune, use estos consejos para ayudar a evitar la infección:

• Sólo coma carne muy bien cocida.
• Lave bien sus manos después de preparar los alimentos.
• Use guantes cuando haga jardinería o maneje tierra.
• Si tiene un gato, haga que alguien más limpie su caja de arena.

Tratamiento de la toxoplasmosis durante el embarazo

La infección con toxoplasmosis durante el embarazo puede provocar problemas. Puede dar como resultado aborto, problemas de crecimiento para el feto o trabajo de parto prematuro (antes de la 37ª semana). La mayoría de los fetos que adquieren toxoplasmosis se desarrollan con normalidad, sin embargo, es posible que la enfermedad cause problemas en los bebés, incluyendo ceguera o visión deficiente, agrandamiento de hígado o bazo, ictericia, convulsiones y retraso mental.

Por lo general, en la mayoría de las áreas la evaluación de rutina por toxoplasmosis en mujeres embarazadas no se realiza. Si se sospecha una infección, es posible que su proveedor de cuidados de salud lo pueda verificar con una prueba de sangre. Si dicha prueba indica que la infección está presente, las pruebas prenatales como amniocentesis y ultrasonido, pueden ayudar a determinar si hay una infección fetal. Para diagnosticar la toxoplasmosis en un bebé después del nacimiento, es posible que el proveedor de cuidados de salud estudie la placenta, haga pruebas de líquido espinal y someta a su bebé a un escaneo por tomografía computada de la cabeza.

El tratamiento de la toxoplasmosis durante el embarazo puede ser difícil. No está claro si los medicamentos empleados para tratarla son efectivos para el feto, y la madre rara vez requiere tratamiento. Éste dependerá de sus circunstancias.

problemas del trabajo de parto y el parto

Aunque haga todo bien durante el trabajo de parto y el parto, pueden presentarse complicaciones. Si algo sale mal, confíe en que su proveedor de cuidados de salud hará lo mejor para usted y su bebé. Si no está cómoda antes del parto con las atenciones que está recibiendo, es el momento de hacer un cambio. Es importante que confíe en el equipo de cuidados de salud cuando se presentan problemas durante el trabajo de parto, porque el tratamiento por lo general debe iniciarse con rapidez. Éste no es el momento de dudar sobre la capacidad de su proveedor.

Si las cosas comienzan a ir mal, es fácil sentirse fuera de control. Con frecuencia, lo mejor es ser lo más flexible que se pueda. Su proveedor de cuidados de salud puede explicarle sus preocupaciones y discutir los posibles resultados y los nuevos cursos de acción. Juntos, pueden tomar decisiones acerca de cuál debe ser el siguiente paso.

Cuando el trabajo de parto no se inicia

A veces, el trabajo de parto no se inicia por sí solo. Si esto le sucede, es probable que su proveedor de cuidados de salud decida iniciar (inducir) el trabajo de parto por medios artificiales, a través de una intervención médica.

Signos y síntomas
Es posible que su proveedor de cuidados de salud induzca el trabajo de parto por diversas razones. Puede ser que le recomiende la inducción del trabajo de parto si su bebé está listo para nacer pero las contracciones aún no se han iniciado o si le preocupa su salud o la del bebé. Algunas situaciones en las cuales pueden inducirla incluyen:
- Su bebé ha pasado el término. Han transcurrido más de 42 semanas o, en algunos casos, 41 semanas de embarazo.
- Se rompió su fuente (ruptura de membranas), pero el trabajo de parto no se ha iniciado.

- Hay una infección en su útero.
- Su proveedor de cuidados de salud está preocupado de que su bebé ya no esté progresando debido a que su crecimiento se ha retrasado o detenido, el bebé no es lo bastante activo, hay una cantidad reducida de líquido amniótico o su placenta ya no nutre al bebé.
- Tiene presión arterial alta como resultado de su embarazo (preeclampsia).
- Tiene diabetes o complicaciones por enfermedad pulmonar, renal o por otra condición médica previa que pueda poner en riesgo a su bebé.
- La placenta ha comenzado a separarse de la pared de su útero.
- Tiene complicaciones por el factor rhesus (Rh), los cual significa que su sangre y la de su bebé pueden no ser compatibles.

Es posible que induzcan su trabajo de parto por otras razones, como que viva a gran distancia del hospital o que haya tenido un parto rápido la última vez que dio a luz.

Si estaba planeando tener un parto natural, pero su proveedor de cuidados de salud desea inducir el trabajo de parto, intente ver el lado positivo: hacer una cita para tener a su bebé puede ser mucho más conveniente a esperar que la naturaleza tome su curso. La inducción puede permitirle estar más preparada, en el aspecto mental y físico, cuando vaya al hospital.

Tratamiento

Su proveedor de cuidados de salud puede inducir el trabajo de parto de muchas maneras, pero antes de poder inducirlo, su cérvix debe ablandarse (madurar) y abrirse (dilatarse). Si no lo hace en forma natural, es posible que su proveedor de cuidados de salud le administre ciertos medicamentos —conocidos como fármacos de maduración cervical— para que se inicien las cosas.

Es posible usar formas sintéticas de prostaglandinas, los compuestos naturales que disparan las contracciones del útero, para suavizar y dilatar su cérvix. El misoprostol es uno de tales medicamentos y la dinoprostona es otro. Estas sustancias con frecuencia actúan también para iniciar el trabajo de parto, y es posible que reduzcan la necesidad de otros agentes inductores del trabajo de parto, como la oxitocina. Además, tienden a reducir el tiempo entre la inducción y el nacimiento.

Todos los medicamentos que inducen el trabajo de parto implican un riesgo mayor: pueden ocasionar contracciones exageradas que pueden afectar la provisión de oxígeno de su bebé. Debido a este riesgo, su proveedor de cuidados de la salud puede vigilar el ritmo cardiaco de su bebé mientras se administra cualquiera de estos agentes. De esa manera, la dosis puede ajustarse en respuesta a cualquier efecto indeseable.

Además de las prostaglandinas en las preparaciones, se pueden emplear otros medios para suavizar y dilatar el cérvix. Una manera es colocar en el útero, a través del cérvix, un pequeño catéter con un globo lleno de agua. El útero se irrita con el globo y lo expulsa por el cérvix, con lo cual se suaviza y se abre en cierto grado. Otra técnica consiste en colocar en el cérvix pequeños cilindros de hojas secas de la planta de laminaria. Los cilindros absorben agua y se hacen más gruesos, lo que dilata ligeramente el cérvix.

Si necesita que se madure su cérvix, es posible que deba ir al hospital la noche anterior a la inducción del trabajo de parto para dar al medicamento tiempo de actuar.

Para inducir el trabajo de parto, su proveedor de cuidados de salud puede usar una o ambas de las siguientes técnicas:

Ruptura artificial de su fuente

Cuando su fuente se rompe, el saco amniótico que envuelve a su bebé se rompe y los líquidos comienzan a fluir hacia fuera. En forma normal, esto indica que el bebé no tarda mucho en salir. Uno de los resultados de esta ruptura es un incremento en la producción de prostaglandinas en su cuerpo, lo que lleva a un aumento en las contracciones uterinas.

Una forma de inducir o acelerar el trabajo de parto es romper en forma artificial el saco amniótico. Para hacer esto, su proveedor de cuidados de salud inserta un gancho de plástico largo y delgado en su cérvix y crea una pequeña rasgadura en las membranas. Este procedimiento se sentirá justo como un examen vaginal, y es muy probable que sienta la salida del fluido caliente. Esto no es dañino ni doloroso para usted ni para su bebé.

El que su proveedor de cuidados de salud rompa su fuente puede acortar la duración de su trabajo de parto. También permite a su proveedor examinar el líquido amniótico, el cual puede examinarse en busca del primer movimiento intestinal del bebé (meconio). Las heces del bebé en el líquido amniótico lo manchan de un color café verdoso y exige que se tomen algunas precauciones. Si se encuentra meconio, es probable que su trabajo de parto se vigile un poco más de cerca.

Administración de oxitocina

La oxitocina es una hormona que su cuerpo produce en niveles bajos durante todo el embarazo. Estos niveles se elevan en el trabajo de parto activo. Es posible que su proveedor de cuidados de salud utilice una versión sintética de oxitocina para la inducción. Por lo general, la oxitocina se administra después de que su cérvix comienza a dilatarse y adelgazarse (borrarse).

La oxitocina se administra por vía intravenosa. Se inserta un catéter intravenoso (IV) en una vena en su brazo o en la parte posterior de su mano. Conectada a su IV hay una bomba que envía pequeñas dosis reguladas de oxitocina hacia su torrente sanguíneo. Estas dosis pueden ajustarse durante toda su inducción, en caso de que sus contracciones se vuelvan muy fuertes o que no sean lo bastante frecuentes. Las contracciones casi siempre se inician después de 30 minutos si está a término o cerca de él, y en general son más regulares y frecuentes que las que se dan en un parto natural.

La oxitocina es uno de los fármacos de mayor uso en Estados Unidos. Puede iniciar un trabajo de parto que de lo contrario podría no haberse iniciado, y también puede acelerar las cosas si las contracciones se estancan en la mitad del trabajo de parto y no hay avance. Las contracciones uterinas y el ritmo cardiaco de su bebé se vigilan de cerca para reducir el riesgo de complicaciones.

Si la inducción del trabajo de parto tiene éxito, comenzará a sentir signos de trabajo de parto activo y progresivo, como contracciones más prolongadas que son más fuertes y frecuentes, dilatación de su cérvix y ruptura de su saco amniótico —si no se rompió o lo rompieron antes.

La inducción del trabajo de parto sólo debe hacerse por buenas razones. Si su salud o la de su bebé están en duda o si la inducción no tiene éxito, es posible que su doctor decida realizar una intervención adicional, como parto por cesárea.

Cuando el trabajo de parto no avanza

Si su parto no progresa, un problema llamado distocia, por lo general se debe a alguna dificultad con uno o más componentes del proceso de nacimiento. El progreso en el trabajo de parto se mide por la eficiencia con que se abre (dilata) su cérvix, y por el descenso de su bebé a través de la pelvis. Un buen avance es la dilatación progresiva de su cérvix y el descenso del bebé. Este avance requiere lo siguiente:

- Contracciones fuertes
- Un bebé que pueda pasar a través de la pelvis de la madre y que esté en la posición correcta para el descenso

Nacimiento asistido

Si el trabajo de parto es prolongado o se desarrollan complicaciones, es posible que requiera cierta ayuda (intervención médica). Por ejemplo, es posible que se requieran instrumentos —como fórceps o un extractor de vacío— para ayudarle a dar a luz si su cérvix está dilatado por completo pero su bebé no avanza por el canal de nacimiento. También puede necesitarse un nacimiento asistido si la cabeza de su bebé está orientada en la dirección equivocada y está encajado en su pelvis o si el infante es muy grande. Si su bebé presenta sufrimiento y debe nacer con rapidez o si está demasiado exhausta para pujar más, es posible que su proveedor de cuidados de salud deba intervenir en forma médica con un nacimiento asistido por fórceps o una bomba.

Nacimiento asistido por fórceps

Los fórceps tienen la forma de un par de cucharas que, cuando se enganchan, semejan un par de pinzas para ensalada. El proveedor de cuidados de salud inserta con cuidado cada una de las cucharas por su vagina y rodea con ellas la cabeza de su bebé. Las dos piezas se juntan, y las piezas curvadas alojan la cabeza del bebé. Mientras su útero se contrae y usted puja, el proveedor de cuidados de salud jala con cuidado los fórceps para ayudar al bebé a pasar por el canal de nacimiento, lo cual a veces sucede justo con el siguiente pujido.

Los fórceps pueden tener un aspecto intimidante, pero puede darle la bienvenida a su uso si le ayudan a evitar la cesárea. Muchos proveedores de cuidados de salud intentarán el uso cuidadoso de fórceps cuando sientan que puede realizarse sin peligro.

Los fórceps se usan en la actualidad sólo cuando la cabeza del bebé ha descendido bien en la pelvis de la madre o está en la salida de la pelvis. Si la cabeza del bebé no está en buena posición, se hace necesaria la cesárea.

Nacimiento asistido por vacío

Un instrumento conocido como extractor de vacío se usa en ocasiones en lugar de los fórceps. El doctor presiona una vasija de caucho o de plástico contra la cabeza del

- Una pelvis con suficiente espacio para permitir el paso del bebé

Si sus contracciones no son lo bastante fuertes para abrir el cérvix, es posible que le ofrezcan un medicamento para hacer que su útero se contraiga. Las contracciones en ocasiones pueden iniciarse con regularidad, para luego detenerse a la mitad del trabajo de parto. Si esto sucede y el avance del trabajo de parto se detiene por algunas horas, es probable que su proveedor de cuidados de salud proponga la ruptura de la fuente —si ésta aún no se rompe— o la estimulación artificial del trabajo de parto con oxitocina.

Signos y síntomas

Los problemas que se pueden desarrollar durante el trabajo de parto incluyen:

Trabajo de parto inicial prolongado (latente)

Éste se presenta cuando su cérvix no se dilata ni siquiera a tres centímetros (cm) —después de 20 horas de trabajo de parto si es madre primeriza o después de catorce horas si ha dado a luz antes. A veces, el progreso es lento porque no se encuentra en trabajo de parto verdadero. Las contracciones que

---

bebé, crea succión con una bomba y jala con cuidado el instrumento para ayudar al bebé a pasar por el canal de nacimiento mientras la madre puja.

La vasija del extractor al vacío no requiere de tanto espacio como los fórceps y está relacionada con menos lesiones en la madre, pero es probable que el nacimiento asistido por vacío sea un poco más arriesgado para el bebé.

Qué esperar del nacimiento asistido

Un nacimiento asistido no lleva mucho tiempo, pero es probable que tarden de 30 a 45 minutos en prepararla para el procedimiento. Es posible que necesite un anestésico epidural o espinal. Quizá alguien en su equipo de cuidado de la salud inserte de antemano un tubo delgado de plástico (catéter) en su vejiga para vaciar la orina. Es posible que la trasladen a una sala de operaciones, si es probable que la intervención no tenga éxito y que requiera un nacimiento por cesárea. Su proveedor de cuidados de salud puede hacer una cortada para agrandar la abertura de la vagina (episiotomía) para facilitar la salida del bebé.

¿Lastimará el uso de fórceps o un extractor al vacío a su bebé? Los fórceps pueden dejar raspones o marcas rojas a los lados de la cabeza del bebé. Es posible que el extractor de vacío deje una protuberancia en la parte superior de la cabeza. Las raspaduras tardan cerca de una semana en desaparecer. Las marcas rojas o la protuberancia desaparecen en unos días. El daño serio con cualquiera de las técnicas es muy raro.

Si tiene cualquier pregunta acerca del nacimiento asistido, no dude en hacerla. El uso de instrumentos para el nacimiento de los bebés es una práctica normal hoy en día y por lo general se considera segura, aunque está relacionado con un incremento en los desgarres o en la extensión de la episiotomía. Es mejor dejar la elección del método —fórceps o extractor de vacío— a su proveedor de cuidados de salud. La experiencia con el instrumento es la mejor defensa contra las complicaciones.

siente son las de trabajo de parto falso (contracciones de Braxton-Hicks) y no son eficaces para abrir su cérvix. Ciertos analgésicos que se administran durante el trabajo de parto pueden tener la consecuencia involuntaria de retrasar el trabajo de parto, en especial si se dan con demasiada anticipación.

Trabajo de parto activo prolongado

Su trabajo de parto puede transcurrir sin problemas durante la fase inicial, sólo para estancarse durante la segunda fase o parte activa del parto. Éste es el caso si su cérvix no se dilata a razón de un centímetro o más por hora, después de que el cuello de la matriz alcanza los tres o cuatro centímetros de diámetro. La causa puede ser el debilitamiento o la irregularidad de las contracciones.

Pujidos prolongados

A veces, no es efectivo pujar para impulsar al bebé por el canal de nacimiento, lo cual puede dar como resultado el agotamiento de la madre.

Tratamiento

Para el trabajo de parto inicial prolongado (latente)

Cualquiera que sea la causa de la prolongación del inicio del trabajo de parto, si su cérvix todavía está bastante cerrado cuando llegue al hospital o la clínica de maternidad y sus contracciones no son muy fuertes, es probable que su proveedor de cuidados de salud sugiera opciones para acelerar el trabajo de parto. Quizá le digan que camine o que regrese a su casa y descanse. Con frecuencia, el tratamiento más eficaz para una fase temprana prolongada es el reposo. Es posible que le administren un medicamento que le ayude a descansar.

Para el trabajo de parto activo prolongado

Si tiene cierto progreso en el trabajo de parto activo, es posible que su proveedor de cuidados de salud permita que su trabajo de parto continúe en forma natural; también que le sugiera que camine o cambie de posición para ayudarle en el

¿NECESITARÁ UNA TRANSFUSIÓN DE SANGRE DURANTE EL TRABAJO DE PARTO?

Las transfusiones sanguíneas se necesitan en una cantidad muy pequeña de nacimientos. Las mujeres pierden algo de sangre durante el trabajo de parto y el parto de rutina, pero no es mucha —por lo general no la suficiente para requerir una transfusión.

Las mujeres en alto riesgo de necesitar una transfusión sanguínea son las que presentan una enfermedad de la coagulación, han tenido problemas de sangrado en partos anteriores o tienen placenta previa. Éste es un padecimiento en el cual la placenta está cerca o bloquea la abertura del cérvix. A veces, la transfusión sanguínea es necesaria si se sometió a una cesárea. Desde luego, el pequeño porcentaje de mujeres que presentan pérdida de sangre (hemorragia) durante o después del trabajo de parto y el parto pueden necesitar una transfusión.

Si le preocupa la posibilidad de necesitar sangre durante el trabajo de parto, discuta sus preguntas y temores con su proveedor de cuidados de salud. Tenga la seguridad, sin embargo, de que el riesgo de contraer una enfermedad por una transfusión en Estados Unidos es muy baja.

trabajo de parto. Quizá le administren líquidos por vía intravenosa, para mantenerla hidratada, si presenta un trabajo de parto prolongado.

Sin embargo, si ha estado en trabajo de parto activo y no ha hecho ningún progreso durante varias horas, puede ser que su proveedor de cuidados de salud inicie el tratamiento con oxitocina y la ruptura de sus membranas —si es que su fuente no se ha roto por sí sola— en un intento por activar las cosas. Estos pasos pueden ser suficientes para reiniciar el trabajo de parto y permitirle dar a luz de manera natural.

Es posible que su proveedor de cuidados de salud considere la posibilidad de que la cabeza de su bebé es demasiado grande para pasar a través de su pelvis. Esto puede significar que necesita un nacimiento por cesárea.

Para los pujidos prolongados
Es posible que su proveedor de cuidados de salud considere el parto por cesárea si no ha avanzado después de pujar por dos o tres horas o más. Sin embargo, si es capaz de continuar y el bebé no muestra signo alguno de sufrimiento, es posible que le permitan pujar por más tiempo. A veces, cerca del final del trabajo de parto, la cabeza del bebé puede jalarse con cuidado mediante fórceps o con un extractor de vacío. Es posible que le pidan probar con una posición semisentada o acuclillada o de rodillas, lo cual puede ayudarle a expulsar al bebé.

Complicaciones del bebé

Posición anormal del bebé

Su trabajo de parto y parto pueden complicarse si su bebé se encuentra en una posición anormal dentro de su útero —lo que hace que el parto por vía vaginal sea difícil si no es que imposible.

Alrededor de la 32ª y 34ª semanas de embarazo, la mayoría de los bebés se acomodan de cabeza para descender por el canal de nacimiento. A medida que se acerca su fecha de término, su proveedor de cuidados de salud será capaz de determinar la posición de su bebé simplemente sintiendo su abdomen en busca de indicios externos acerca de la colocación del bebé, quizá haciendo un examen vaginal o, a veces, mediante un ultrasonido. En ocasiones, se hace el ultrasonido mientras se encuentra en trabajo de parto para determinar la presentación del bebé.

Si éste último no está en una posición que permita una salida fácil a través de su pelvis durante el trabajo de parto, pueden desarrollarse problemas. Hay varias posiciones problemáticas.

Signos y síntomas
Su bebé tiene la cara hacia arriba
Su pelvis es más ancha de lado a lado en la parte superior (entrada). La cabeza del bebé es más amplia del frente hacia atrás. En forma ideal, la cabeza del bebé debe girar hacia un lado una vez que se encaja en la parte superior

de la pelvis. Entonces, el mentón es empujado hacia abajo en dirección al pecho de manera que la parte angosta de atrás de la cabeza abra camino. Después de descender a la parte media de la pelvis, el bebé debe girar ya sea con la cara hacia arriba o con la cara hacia abajo para alinearse con la parte inferior de la pelvis. La mayoría de los bebés nacen cara abajo, pero cuando el bebé tiene la cara hacia arriba, el avance del trabajo de parto puede retardarse. Los proveedores de cuidados de salud llaman a ésta la posición de occipucio

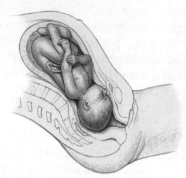

Posición de occipucio posterior

posterior. Un intenso trabajo de parto de espalda o un trabajo de parto prolongado pueden acompañar esta posición.

Tratamiento

La mayoría de los bebés se dan la vuelta solos, si hay suficiente espacio. A veces, cambiar de posición puede ayudar a girar al bebé. Es posible que su proveedor de cuidados de salud le haga colocarse sobre sus manos y rodillas con los glúteos en el aire. Esta posición hace que su útero se cuelgue hacia delante y que el bebé gire.

Si esto no funciona, es posible que su proveedor intente hacer girar al bebé en forma manual. Al meter la mano por su vagina y usarla como cuña, puede hacer que la cabeza del bebé gire hacia abajo. Si esta técnica no tiene éxito, es posible que su equipo de cuidado de la salud dé seguimiento a su trabajo de parto para determinar si su bebé tiene probabilidades de pasar por su pelvis cara arriba o si sería más segura una cesárea. La mayoría de los bebés pueden nacer cara arriba, pero puede tomar un poco más de tiempo.

Signos y síntomas
La cabeza de su bebé está en un ángulo extraño
Cuando al cabeza de un bebé entra a la pelvis, lo ideal es que la barbilla esté comprimida hacia el pecho. Si el mentón no está hacia abajo, un diámetro grande de la cabeza debe pasar a través de la pelvis. No obstante, el bebé puede entrar al canal de nacimiento presentando la parte superior de la cabeza, la frente o incluso la cara —ninguna de las cuales son posiciones de preferencia para el descenso.

Si la cabeza de su bebé se mueve a través de su pelvis en un ángulo extraño, puede afectar la localización e intensidad de sus molestias y la duración del trabajo de parto.

Tratamiento
Es posible que su doctor considere un nacimiento por cesárea si su bebé no está avanzando por el canal de nacimiento o muestra signos de que no está tolerando el trabajo de parto.

Signos y síntomas
La cabeza de su bebé es demasiado grande para pasar por su pelvis
Cuando la cabeza de un bebé es demasiado grande para pasar a través de la pelvis, el problema se llama desproporción cefalopélvica. El problema puede ser que la cabeza del bebé sea demasiado grande, o que la pelvis de la madre sea demasiado pequeña. O que la cabeza del bebé no esté alineada de la manera adecuada y de que la dimensión más pequeña no esté abriendo camino. Sin importar cuál sea el problema causante, el trabajo de parto no puede avanzar más allá de cierto punto, y el cérvix no seguirá dilatándose. El resultado es la prolongación del trabajo de parto.

Tratamiento
Puede esperar que su proveedor de cuidados de la salud tenga con anticipación cierta idea de si la cabeza de su bebé pasará por su pelvis. Con un examen de ultrasonido es posible estimar el tamaño de su bebé, pero es casi imposible predecir el curso que seguirá el trabajo de parto. Las fuerzas del trabajo de parto pueden moldear en forma temporal la cabeza del bebé, incluso cuando su posición es mala, y hacerlo pasar por la pelvis, y el aflojamiento de los ligamentos permiten que se muevan los huesos de la pelvis. Debido a estas variables, la mejor manera para que un proveedor de cuidados de salud averigüe si la cabeza de su bebé concuerda con el espacio de su pelvis es vigilar su trabajo de parto mientras progresa. Si es necesario, el bebé puede nacer por cesárea.

Signos y síntomas
Su bebé está sentado
Su bebé está en la presentación de nalgas cuando los glúteos o uno o ambos pies entran primero a la pelvis.

La presentación de nalgas implica problemas potenciales para el bebé durante el nacimiento, y estos problemas pueden, a su vez, crear complicaciones para usted. Un cordón umbilical prolapsado es serio y más común en los nacimientos de nalgas. Además, es imposible estar seguro de que la cabeza del bebé cabrá por la pelvis. La cabeza es la parte más grande y

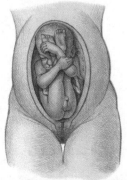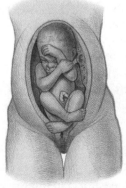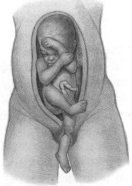

Tres ejemplos de presentación de nalgas

menos comprimible del bebé de las que pasan por el canal de nacimiento, y puede quedar atrapada aunque el cuerpo nazca con facilidad.

Tratamiento

Es posible que su proveedor de cuidados de salud intente voltear al bebé a la posición adecuada, por lo general unas semanas antes de su fecha de término. Esta técnica se llama versión externa. Si el bebé no está muy encajado en la pelvis, quizá su proveedor pueda mover al bebé a que quede cabeza abajo simplemente empujándolo a través de su abdomen.

Si la versión externa no funciona, es probable que su proveedor discuta con usted la opción de una cesárea. Aunque la mayoría de los bebés nacidos en presentación de nalgas no tienen problemas, la evidencia actual indica que la cesárea es más segura para casi todos los infantes en esta posición.

Signos y síntomas
Su bebé está atravesado
Un bebé acomodado en forma cruzada (horizontal) en el útero se encuentra en la llamada presentación transversa.

Tratamiento
Lo mismo que en la presentación de nalgas, la versión externa puede tener éxito. Todos los bebés que permanecen en esta posición nacen por cesárea, e incluso el trabajo de parto con el bebé en esta presentación puede ser dañino.

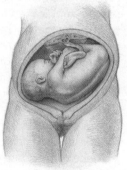

Presentación transversa

Signos y síntomas
Prolapso del cordón umbilical
Si el cordón umbilical se escurre a través de la abertura del cérvix, el flujo sanguíneo hacia el bebé puede retardarse o detenerse. El prolapso del cordón tiene más probabilidades de ocurrir en un bebé pequeño o prematuro, con un feto en posición de nalgas o cuando se rompe el saco amniótico antes de que el bebé haya descendido lo suficiente por la pelvis.

Tratamiento
Si el cordón se sale cuando su dilatación es completa y está lista para pujar, quizá todavía sea posible un parto vaginal. De lo contrario, por lo general la mejor opción es una cesárea.

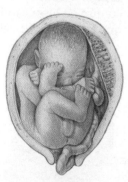

Prolapso del cordón umbilical

Signos y síntomas
Compresión del cordón umbilical
El cordón umbilical se comprime entre cualquier parte del bebé y la pelvis de la madre, o si hay una disminución en la cantidad del líquido amniótico, el cordón

umbilical puede pellizcarse (comprimirse). El flujo sanguíneo hacia el bebé se retrasa o se detiene durante una contracción. Este problema por lo general se desarrolla cuando el bebé ya está bien encajado en el canal de nacimiento, cerca de la hora del alumbramiento. Si la compresión del cordón es prolongada o grave, el bebé puede mostrar signos de reducción de la provisión de oxígeno.

Tratamiento

Para minimizar el problema, es posible que le pidan realizar el trabajo de parto en diversas posiciones, para quitarle peso al cordón. Quizá le administren oxígeno para incrementar la cantidad de éste que obtiene su bebé. Puede ser necesario para su proveedor de cuidados de la salud sacar al bebé con fórceps o con un extractor de vacío o, si el bebé está muy arriba, mediante una cesárea.

Intolerancia fetal al trabajo de parto

Se considera que un feto es intolerante al trabajo de parto si éste muestra en forma persistente una reducción en la provisión de oxígeno. Estos signos por lo general se detectan estudiando el ritmo cardiaco fetal en un monitor electrónico. La disminución de la provisión de oxígeno para el bebé por lo general ocurre cuando se reduce el flujo sanguíneo de la placenta hacia el bebé, lo cual significa que no está recibiendo suficiente oxígeno de la madre. Esto puede implicar que el bebé debe nacer rápidamente.

Las causas potenciales para este problema incluyen compresión del cordón umbilical, reducción del flujo sanguíneo hacia el útero de la madre y una placenta que no funciona en forma adecuada.

Signos y síntomas

El ritmo cardiaco de su bebé puede vigilarse en forma regular durante el trabajo de parto. Si dicho ritmo cardiaco es persistentemente rápido o lento, puede significar que el feto no está recibiendo suficiente oxígeno. Al utilizar un monitor fetal, su proveedor de cuidados de salud puede detectar las irregularidades del ritmo cardiaco que puedan ser importantes. Dos métodos de vigilancia fetal son:

Vigilancia fetal externa

En este método, se colocan dos bandas anchas en torno a su abdomen. Una en la parte alta del útero para medir y registrar la longitud y frecuencia de sus contracciones. La otra se coloca en la parte inferior de su abdomen para registrar el ritmo cardiaco del bebé. Ambas bandas se conectan con un monitor que indica e imprime ambas lecturas al mismo tiempo de manera que pueden observarse sus interacciones.

Vigilancia fetal interna

Esto se puede llevar a cabo sólo después de que su fuente se rompe o de que el médico la rompe por usted. Una vez que el saco amniótico se rompe, su proveedor de cuidados de salud puede de hecho introducir su mano en la vagina y el cérvix dilatado y tocar al bebé. Para seguir el ritmo cardiaco del feto, su doctor adhiere un diminuto alambre en el cuero cabelludo del bebé. Para medir la fuerza de las contracciones, el médico inserta un tubo angosto, lleno de líquido y sensible a la presión entre la pared de su útero y el bebé. El tubo responde a la presión de cada contracción. Como en la vigilancia externa, estos dispositivos están conectados a un monitor que indica y registra las lecturas, además de amplificar el sonido de los latidos cardiacos del bebé.

Otras pruebas pueden ser necesarias para indicar qué tan bien está tolerando el trabajo de parto su bebé. Éstas pueden incluir:

Prueba de estimulación fetal

En forma ordinaria, cuando el proveedor de cuidados de salud estimula el cuero cabelludo del bebé al tocarlo, el bebé se moverá, y su ritmo cardiaco puede aumentar. Si no se da este aumento del ritmo, es posible que el bebé no esté recibiendo suficiente oxígeno.

Muestreo de sangre fetal

Es posible hacer una prueba más precisa del bienestar de su bebé revisando el pH (equilibrio ácido-base) en una muestra de la sangre del feto. Si el pH es bajo, se confirma que el bebé no está obteniendo suficiente oxígeno. En la prueba, se inserta un tubo por la vagina y el cérvix dilatado y se presiona contra la cabeza del bebé. Empleando una pequeña hoja adosada a un mango largo, el proveedor de cuidados de salud corta con cuidado el cuero cabelludo del bebé para obtener una gota de sangre, que se envía al laboratorio para su análisis.

Tratamiento

Un bebé cuyo pH es muy bajo debe nacer con rapidez y recibir tratamiento, si es necesario. Sin embargo, la mayoría de los bebés cuya vigilancia fetal provoca preocupación son normales, y muchos ritmos cardiacos anormales regresan a la normalidad con una intervención mínima.

Hay maneras de ayudar a un bebé a obtener más oxígeno. Es posible que su proveedor de cuidados de salud le dé medicamentos durante el trabajo de parto para retardar sus contracciones, lo cual incrementa el flujo sanguíneo en el feto. Si su presión arterial es baja, es posible que le administren un medicamento para aumentarla. Quizá también le apliquen oxígeno si es necesario.

En muy raras ocasiones, una falta muy grave de oxígeno en el bebé puede causar daño cerebral. En situaciones extremas, la deficiencia de oxígeno puede ser fatal. Su proveedor de cuidados de salud está capacitado para identificar los signos de estos problemas y minimizar el riesgo de que se desarrolle cualquier complicación.

La mayoría de los casos de daño al sistema nervioso (neurológico) ocurre antes de que se inicie el trabajo de parto. Las altas tasas actuales de nacimientos por cesárea no han reducido el riesgo de estos problemas. En la mayoría de los casos, debe permitirse que continúe el trabajo de parto, incluso cuando hay signos de que el bebé está respondiendo a un estrés temporal.

condiciones posparto

Después de que nace su bebé, se encuentra en el periodo posparto. Éste es un tiempo de transición para usted, tanto en lo físico como en lo emocional. Esta sección explica los problemas que se pueden desarrollar durante las semanas posteriores al parto.

Tromboflebitis de venas profundas

Un coágulo sanguíneo dentro de una vena interna, llamado tromboflebitis de venas profundas (TVP), es una de las complicaciones potenciales más serias después del nacimiento. Si se deja sin tratar, un coágulo sanguíneo de la pierna puede viajar hacia su corazón y pulmones. Ahí, puede obstruir el flujo sanguíneo, lo que ocasiona dolor del pecho, falta de aire y, en casos raros, incluso la muerte.

Los cambios hormonales del embarazo incrementan el riesgo de todas las nuevas mamás de desarrollar TVP. Dicho esto, el padecimiento es raro, y sólo se presenta en cerca de 0.5 de uno por ciento del total de parto. No obstante, su riesgo de desarrollar un coágulo sanguíneo dentro de una de las venas de sus piernas es entre tres y cinco veces mayor después de una cesárea que de un parto vaginal. Es frecuente que los trombos se formen en las piernas, pero también pueden ocurrir en las venas pélvicas. Esto, también, es más común después de una cesárea.

Signos y síntomas
Los signos y síntomas de la TVP incluyen sensibilidad, dolor o inflamación en su pierna, en particular alrededor de la pantorrilla. También puede presentar fiebre. Se encuentra en mayor riesgo de desarrollar TVP si posee un índice de masa corporal (IMC) de 30 o más, tiene más de 35 años o no puede caminar después de la cirugía tanto como se le recomiende. Además, estudios recientes indican que muchas, si no es que la mayoría de las personas con TVP, tienen una predisposición genética a ella.

Es típico que la TVP aparezca en los primeros días después del parto y que se detecte en el hospital. No obstante, puede ocurrir varias semanas después de que sea dada de alta. Si nota cualquier signo o síntoma de TVP, llame de inmediato a su proveedor de cuidados de salud.

Tratamiento

Si tiene TVP, es probable que deba ser hospitalizada con las piernas elevadas y que le administren el medicamento heparina para adelgazar su sangre y evitar el desarrollo de más coágulos.

Endometritis

Ésta es una inflamación e infección de la mucosa que recubre el útero (endometrio). Las bacterias que causan la infección por lo general crecen en el sitio de la placenta. La infección luego se disemina a través del útero y, a veces, incluso a los vasos sanguíneos de ovarios y pelvis.

La endometritis se da en uno a ocho por ciento de los nacimientos. Es una de las infecciones más comunes después del parto. La infección puede desarrollarse después de un nacimiento vaginal o por cesárea, pero es mucho más común después de esta última. Un trabajo de parto prolongado y la ruptura temprana de las membranas que rodean al bebé en el útero pueden contribuir a la endometritis.

Signos y síntomas

La endometritis por lo general se presenta de 48 a 72 horas después del parto. Los signos y síntomas pueden variar dependiendo de la gravedad de la infección. Estos pueden incluir:

- Molestia general
- Fiebre
- Escalofríos
- Dolor de espalda
- Dolor de cabeza
- Descarga vaginal anormal o maloliente
- Útero agrandado y sensible
- Dolor uterino

Para diagnosticar el padecimiento, su proveedor de cuidados de salud puede presionar la parte baja de su abdomen para determinar si hay sensibilidad. Si se sospecha una infección, es probable que le hagan un examen pélvico, pruebas sanguíneas y de orina. En algunos casos, es probable que su proveedor de cuidados de salud tome cultivos de su cérvix para verificar que no haya enfermedad de transmisión sexual u otros organismos que pudieran contribuir a una infección.

Tratamiento

Las mujeres con endometritis casi siempre son hospitalizadas y se les administran antibióticos. Es típico que estos últimos se apliquen por vía intravenosa por dos a siete días en el hospital. Se administran líquidos por vía oral o intravenosa. Si tiene fiebre, es probable que le den acetaminofeno para ayudar a aliviarla. Quizá la aíslen de otras nuevas mamás, aunque hay pocas probabilidades de que la infección se extienda. Si está amamantando a su bebé, por lo general podrá seguir haciéndolo durante el tratamiento. En casos leves, el tratamiento puede darse en forma ambulatoria.

Los antibióticos resuelven la mayoría de los casos de endometritis, pero si la infección no se trata, puede conducir a problemas más serios, incluyendo esterilidad. Comuníquese con su proveedor de cuidados de la salud si desarrolla signos o síntomas de endometritis.

Mastitis

Ésta es una infección que puede ocurrir cuando las bacterias entran a las mamas mientras amamanta. Los pezones pueden agrietarse o lastimarse al amamantar. Esto puede suceder si su bebé no está en la posición correcta mientras lo alimenta o se cuelga del pezón en lugar de poner sus labios y encías alrededor del área que rodea a este último (areola). La mastitis puede afectar a una o a ambas mamas.

Signos y síntomas
Cuando un pecho se infecta, puede presentar sensibilidad y estar duro y caliente. Es posible que se inflame, tome un color rojo y haga que le dé fiebre. En forma típica, no se necesitan pruebas para confirmar un diagnóstico de mastitis en mujeres que están amamantando. En mujeres que no lo están haciendo, puede realizarse un mamograma o una biopsia de la mama para ayudar a determinar la causa de una infección. Si desarrolla cualquier signo o síntoma de mastitis en una de sus mamas, asegúrese de llamar a su proveedor de cuidados de salud.

Tratamiento
Pueden prescribirle antibióticos para la mastitis. Asimismo, es posible que su proveedor de cuidados de salud recomiende acetaminofeno para ayudar a reducir cualquier fiebre y aliviar las molestias. Dado que la mastitis puede ser dolorosa, es posible que se sienta tentada a dejar de amamantar. Lo mejor es seguir amamantando o bombeando la mama. Hacer esto ayudará a vaciar su mama y a aliviar la presión. La infección no se extenderá a la leche que consume su bebé, y los antibióticos que toma no dañarán al infante, aunque quizá note un cambio en el color de los movimientos intestinales de éste.

Para que pueda estar más cómoda, es posible que desee amamantar por periodos más cortos. Aplicar compresas calientes a la mama infectada varias veces al día también ayuda. Seque sus pechos entre cada sesión de alimentación y dé aplicación de compresas de manera que puedan sanar de la manera adecuada.

Aunque las infecciones en mamas pueden ser dolorosas, casi nunca son serias y pueden tratarse con éxito mediante antibióticos. El buen cuidado de las mamas puede reducir el riesgo de desarrollar infecciones, pero es probable que el problema no pueda evitarse por completo. Esté pendiente de los signos y síntomas, y notifique a su proveedor de cuidados de salud de inmediato si se desarrollan.

Infecciones en heridas poscesárea

La mayoría de las incisiones para cesárea sanan sin problemas. En algunos casos, una de estas incisiones puede infectarse. Las tasas de infección después de los nacimientos por cesárea varían. Las cesáreas electivas y repetidas por lo general tienen una incidencia de infección cercana a dos por ciento. Las cesáreas que siguen al trabajo de parto, en particular si se rompió su fuente (ruptura de membranas), tienen una tasa de infección de cinco a 10 por ciento. Sus probabilidades de desarrollar una infección en la herida después de una cesárea son mayores si abusa del alcohol, padece diabetes tipo 2 (antes llamada adulta o no dependiente de insulina) o es obesa, lo cual se define como tener un índice de masa corporal de 30 o más. El tejido graso tiende a cicatrizar mal.

Signos y síntomas
Si la piel a los lados de su incisión presenta nuevo dolor, color rojo o inflamación, es posible que esté infectada, en especial si la herida presenta drenaje de cualquier tipo. La infección de las heridas también puede causar fiebre. Si sospecha que su incisión está infectada, llame a su proveedor de cuidados de salud.

Tratamiento
Si su proveedor de cuidados de salud confirma que tiene una infección, es muy probable que deba drenar la incisión para liberar las bacterias atrapadas. Esto por lo general se hace como procedimiento de consultorio.

Sangrado posparto

Presentar un sangrado serio (hemorragia) después de dar a luz no es común. Ocurre en cuatro a cinco por ciento de los partos. Por lo general tiene lugar durante el nacimiento o en las 24 horas después de éste. Esto es lo que se conoce como hemorragia posparto temprana. En la hemorragia posparto tardía, el sangrado puede darse hasta seis semanas después del parto.

Una serie de problemas pueden causar sangrado serio después del nacimiento. En la mayoría de los casos, la pérdida de sangre es el resultado de una de las siguientes tres causas:

- **Atonía uterina.** Después de dar a luz, su útero debe contraerse para controlar el sangrado en el sitio de la placenta. De hecho, la razón por la cual su enfermera frota en forma periódica su abdomen después del parto es para estimular dicha contracción. Con la atonía uterina, el músculo del útero no se contrae. La razón por la cual sucede esto no está bien entendida. Hay una ligera probabilidad mayor de que suceda cuando el útero fue estirado por un bebé grande o por gemelos o si el trabajo de parto fue prolongado.

- **Placenta retenida.** Si la placenta no se expulsa por sí misma en los 30 minutos siguientes al nacimiento de un bebé, puede presentar sangrado excesivo. Incluso si la placenta se expulsa por sí misma, su doctor la examina con cuidado para asegurarse de que esté intacta. Si falta cualquier parte del tejido, hay un riesgo de sangrado.
- **Rasgadura (laceraciones).** Si su vagina o cérvix se desgarran durante el nacimiento, puede producirse un sangrado excesivo. La rasgadura puede ser producto de un bebé grande, un nacimiento asistido por fórceps o extractor de vacío, porque el bebé paso demasiado rápido por el canal de nacimiento o por el desgarre de una episiotomía.

Otras causas, menos comunes, de sangrado posparto incluyen:

- **Inserción anormal de la placenta.** En muy raras ocasiones, la placenta se une con mayor profundidad de la que debería en la pared del útero. Cuando esto sucede, no se desprende con facilidad después del nacimiento. Estas uniones anormales de la placenta pueden causar sangrado grave. Suceden con mayor frecuencia en mujeres con cicatrices uterinas de incisiones previas, como las debidas a una cesárea.
- **Hematoma.** Los hematomas se producen cuando el sangrado se da dentro del tejido y no puede escapar a través de la piel. En el tracto genital inferior, la inflamación en el tejido puede ser muy dolorosa. Puede llegar a un grado tal que se vuelva difícil orinar o imposible por un tiempo.
- **Inversión uterina.** En menos de uno de cada 2,000 nacimientos, el útero se voltea al revés después de que el bebe nace y se extrae la placenta. Esto puede suceder sin ningún factor de riesgo, pero es un poco más probable cuando hay una inserción anormal de la placenta.
- **Ruptura uterina.** En cerca de uno de cada 1,500 nacimientos, el útero se desgarra durante el embarazo o el trabajo de parto. Si esto sucede, la madre pierde sangre, y la provisión de oxígeno del bebé se reduce. El desgarre puede ocasionar sangrado grave.

Su riesgo de sangrado puede incrementar si ha tenido problemas de hemorragia con parto anteriores. Asimismo, su riesgo aumenta si tiene una complicación como placenta previa, un problema en el cual la placenta se localiza en una zona baja del útero y puede cubrir en parte o por completo la abertura de la cérvix. Este segmento inferior del útero no se contrae de manera tan activa como la parte superior del útero, y puede provocarse un sangrado.

Signos y síntomas

El cuerpo responde a las hemorragias desviando la mayor parte de su provisión de sangre al cerebro y el corazón. Éste es un mecanismo de supervivencia diseñado para proteger los órganos más importantes, pero el organismo los cuida a expensas de otros órganos. Dado que la provisión de oxígeno que va a las células corporales se reduce en gran medida, puede iniciarse el choque.

Con un sangrado posparto abundante, pueden presentarse los siguientes problemas:

- Palidez
- Escalofríos
- Mareos o desmayos
- Manos húmedas
- Náusea y vómito
- Aceleración del corazón

Estos son signos y síntomas que buscará el personal si presenta sangrado. La pérdida de sangre es una situación de emergencia que requiere acción inmediata.

Tratamiento

En la mayoría de los casos, todavía se encontrará en el hospital cuando se presenten los signos y síntomas de pérdida sanguínea, y el equipo médico puede tomar varias medidas para responder al problema, incluyendo bajar la cabecera de su cama y dar masaje a su útero. Es probable que también le administren líquidos intravenosos (IV) y oxitocina —una hormona que estimula las contracciones uterinas.

Los tratamientos adicionales pueden incluir todo desde medicamentos diferentes hasta la estimulación de las contracciones o la intervención quirúrgica y las transfusiones de sangre. Todo depende de la gravedad del problema. En general, la probabilidad de que una mujer requiera una transfusión sanguínea después del parto es menor de dos por ciento. Incluso las cesáreas requieren una transfusión sólo en tres por ciento de los casos. Aún así, la mayoría de las decisiones del tratamiento dependerán de las causas del sangrado. Las causas y los tratamientos específicos incluyen lo siguiente:

- **Atonía uterina.** Si el músculo uterino está demasiado cansado para contraerse por sí mismo, es posible administrar medicamentos para ayudar al proceso. Además, su proveedor de cuidados de salud puede estimular la contracción del útero presionando su abdomen con una mano y su útero desde dentro de su vagina con la otra. Los fármacos para estimular las contracciones también son muy útiles. Si estas medidas no son suficientes para controlar el sangrado, es posible que se requiera cirugía.
- **Hematomas.** Por lo general se permite que los hematomas pequeños sanen por sí mismos, pero es probable que los grandes deban ser drenados. Los vasos que siguen sangrando pueden atarse. Si la pérdida de sangre es demasiada, puede ser necesaria una transfusión sanguínea. En ocasiones, se presentan hematomas en la cavidad abdominal que necesitan drenarse en forma quirúrgica a través de una incisión en abdomen (laparotomía). Los hematomas, en especial los que deben abrirse, pueden infectarse. Por tanto, es esencial mantener el área limpia. Con frecuencia se administran antibióticos para tratar cualquier infección que se presente.
- **Placenta retenida.** Si la placenta permanece en el útero después del nacimiento, o si ésta no se expulsa del todo, es probable que su proveedor de cuidados de salud deba introducir la mano para extraer la

placenta o cualquier tejido restante de la pared uterina. Si esto no funciona, el útero puede rasparse, en un proceso llamado curetaje, y succionarse para limpiarlo.

- **Rasgadura (laceraciones).** Su proveedor de cuidados de salud deberá encontrar y reparar la herida.
- **Inversión uterina.** Si el útero se voltea al revés después del parto, su proveedor intentará empujarlo de nuevo a su lugar a través del cérvix.
- **Ruptura uterina.** Si el útero se rasga durante el embarazo o el trabajo de parto, se requerirá intervención quirúrgica inmediata para retirar al bebé y reparar la herida. Si su proveedor de cuidados de salud no puede reparar la rasgadura, en ocasiones la extirpación de parte o de todo el útero (histerectomía) es la única manera de controlar el sangrado.

Si la causa del sangrado excesivo produce daño al útero, es posible que afecte su capacidad de quedar embarazada de nuevo o de llevar a cabo la gestación. Las transfusiones sanguíneas pueden salvar su vida, y en Estados Unidos y Canadá, implican un riesgo mínimo de enfermedad infecciosa.

En casos muy raros, la hemorragia puede ocasionar la muerte materna. De hecho, en Estados Unidos, la hemorragia es una de las causas principales de muertes relacionadas con el embarazo. Estas complicaciones son sucesos raros que hacen importante que dé a luz a su bebé en un centro médico bien equipado.

Depresión posparto

El nacimiento de un bebé puede traer consigo muchas emociones potentes, incluyendo excitación, gozo e incluso miedo. Pero hay otra emoción que puede ser inesperada para muchas nuevas madres: la depresión.

Unos cuantos días después del parto, muchas nuevas madres sufren una depresión leve que en ocasiones se llama melancolía posparto. Ésta puede durar unas horas o hasta unas semanas después del parto.

Cerca de 10 por ciento de las nuevas madres sufre una forma más grave de la melancolía posparto que se llama depresión posparto. Se puede presentar desde unas semanas hasta unos meses después de dar a luz. Si no se trata, puede durar un año o más.

En casos raros, las mujeres pueden desarrollar una psicosis posparto unos días o meses después de tener un bebé. Aunque algunos síntomas de esta psicosis son similares a los de la depresión posparto, son más extremos. La psicosis posparto puede llevar a pensamientos y conductas que pueden amenazar la vida.

No hay una causa clara de la depresión posparto. En lugar de ello, es probable que una combinación de interacciones físicas, mentales y sociales jueguen un papel. Durante el embarazo, el trabajo de parto y parto, el cuerpo de la mujer sufre cambios enormes. Los niveles de las hormonas estrógeno y progesterona caen en forma dramática justo después del nacimiento.

Además, hay cambios en el volumen y la presión sanguíneos, en el sistema inmune y en el metabolismo. Estos cambios pueden hacer impacto en la forma en que se siente una mujer tanto física como emocionalmente.

Otros factores que pueden contribuir a la depresión posparto y que incrementan el riesgo en las nuevas madres incluyen:

- Una historia familiar o personal de depresión
- Una experiencia insatisfactoria en el parto
- Dolor posparto o complicaciones en el parto
- Un bebé con un alto nivel de necesidades
- Agotamiento debido a los cuidados para el bebé o para muchos hijos
- Ansiedad o expectativas poco realistas sobre la maternidad
- Estrés por cambios en la vida doméstica o laboral
- Sentir una pérdida de identidad
- Falta de apoyo social
- Dificultades en su relación

Signos y síntomas

Los signos y síntomas de la melancolía posparto o de la depresión leve incluyen episodios de ansiedad, tristeza, irritabilidad, llanto, dolor de cabeza, agotamiento y sensación de insignificancia. Con frecuencia, estos signos y síntomas pasan en unos días o algunas semanas. En algunos casos, la melancolía se vuelve depresión posparto.

En la depresión posparto, los signos y síntomas de depresión son más intensos y pueden durar más tiempo que los de la melancolía.

Estos incluyen:

- Fatiga constante
- Falta de gozo en la vida
- Sentido de adormecimiento emocional o sensación de estar atrapada
- Aislamiento de amigos y familiares
- Falta de interés en usted misma o el bebé
- Insomnio grave
- Preocupación excesiva por el bebé
- Pérdida de interés o de respuesta sexual
- Un fuerte sentido de fracaso o inadaptación
- Fuertes cambios del estado de ánimo
- Altas expectativas y actitud muy exigente
- Dificultad para encontrarle sentido a las cosas

Muchos de los signos y síntomas de la psicosis posparto son los mismos que los de la depresión posparto, pero son todavía más extremos. Con la psicosis posparto, las mujeres se sienten muy deprimidas y ansiosas. Pueden presentar angustia intensa, confusión y desorientación, sentimientos de paranoia e histeria y temor de dañarse a sí mismas o lastimar a sus bebés.

Si se siente deprimida después del nacimiento de su bebé, es posible que se sienta renuente o avergonzada para admitirlo, o quizá piense que no pueden ayudarla o que sus problemas no se tomarán en serio, pero es

Autocuidado para la depresión posparto

Si le diagnosticaron depresión posparto, inicie su recuperación buscando cuidado profesional. Además, puede ayudar a su recuperación. Pruebe estos consejos:
- Descanse lo más posible. Haga un hábito de reposar mientras su bebé duerme.
- Coma adecuadamente. Haga énfasis en los granos, las frutas y verduras.
- Ejercítese en forma moderada.
- Permanezca en contacto con familiares y amigos.
- Pida ayuda ocasional a familiares y amigos con el cuidado de los niños y las responsabilidades domésticas.
- Tome tiempo para sí misma. Arréglese, salga de la casa y visite a una amistad o haga algún mandado.
- Hable con otras madres. Pregunte a su proveedor de cuidados de salud sobre grupos de nuevas madres en su comunidad.
- Pase tiempo a solas con su pareja.

importante informarle a su proveedor de cuidados de salud si usted o un ser amado —su pareja también puede sentirse así— presenta signos o síntomas de depresión posparto. Informar sobre los signos y síntomas de la psicosis posparto y buscar tratamiento es de especial importancia si sospecha que usted o alguien que conoce está en riesgo de dañar una vida.

Tratamiento

Para evaluarla respecto a la posibilidad de presentar una depresión posparto, es muy probable que su proveedor de cuidados de salud desee revisar sus signos y síntomas en personas. Dado que un gran número de mujeres se sienten cansadas y agobiadas después de tener un bebé, es posible que su proveedor emplee una escala de evaluación de la depresión para distinguir un caso a corto plazo de melancolía de una forma más grave de depresión.

La depresión posparto es un problema médico reconocible y tratable. El tratamiento varía de acuerdo con las necesidades individuales. Éste puede incluir:
- Grupos de apoyo
- Asesoría individual o psicoterapia
- Medicamentos antidepresivos
- Terapia hormonal

Si está amamantando, discuta esto con su proveedor de cuidados de salud antes de tomar algún antidepresivo. Algunos de estos fármacos pueden utilizarse sin peligro durante la lactancia, pero otros pueden afectar la leche materna.

Si presentó depresión después de un parto, presentará mayor riesgo de depresión después de un embarazo subsecuente. De hecho, la depresión posparto es más común con el segundo hijo. No obstante, con una intervención oportuna y el tratamiento adecuado, hay una menor probabilidad de problemas serios y mayor probabilidad de una recuperación rápida.

Infección del tracto urinario

Después de dar a luz, es posible que no sea capaz de vaciar su vejiga por completo. La orina restante proporciona un medio de cultivo ideal para las bacterias, las cuales pueden provocar una infección en vejiga, riñones o uretra —el conducto que transporta la orina de la vejiga al orinar. Las infecciones del tracto urinario (ITU) pueden darse después de los nacimientos vaginales o por cesárea. Se encuentran en segundo lugar, después de la endometritis, como la complicación más frecuente después de una cesárea. Se encuentra en mayor riesgo de desarrollar una ITU si tiene diabetes, o si conserva un catéter más tiempo del normal después de una cirugía.

Signos y síntomas

Si tiene una ITU, es posible que presente una urgencia frecuente, casi de pánico, por orinar, dolor al hacerlo, una fiebre ligera y sensibilidad sobre el área de la vejiga. Si llega a casa y presenta cualquiera de estos signos y síntomas, llame a su proveedor de cuidados de salud. Necesitará proporcionar una muestra de orina de manera que le puedan examinar su contenido bacteriano.

Tratamiento

El tratamiento de una ITU por lo general implica tomar antibióticos, beber muchos líquidos, vaciar su vejiga con regularidad y tomar acetaminofeno para la fiebre.

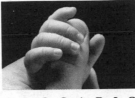

G L O S A R I O

A

aborto espontáneo. Terminación prematura y espontánea del nacimiento.

abrupción placentaria. Separación de la placenta de la pared interna del útero antes del parto.

aligeramiento. Una nueva colocación del bebé más abajo en la pelvis. Esto por lo general ocurre varias semanas antes de que se inicie el trabajo de parto.

altura del fondo. La distancia desde la parte superior del útero al hueso púbico; se emplea para ayudar a evaluar el crecimiento del feto en el útero.

amniocentesis. Una prueba en la que se toma una pequeña cantidad del líquido amniótico de la madre, que se usa para detectar diversas características genéticas, evidencia de infección o madurez pulmonar del feto.

amoldamiento. La forma temporal aplanada, torcida, alargada o puntiaguda que toman los huesos del cráneo del bebé al pasar por el canal de nacimiento.

anemia. Un padecimiento en el cual la sangre tiene muy pocos glóbulos rojos. Puede causar fatiga y una disminución de resistencia a la infección.

anencefalia. Un defecto del tubo neural que da como resultado el desarrollo anormal del cerebro y cráneo del bebé.

anestesia regional. Anestésico que adormece un segmento del cuerpo.

anticuerpos. Sustancias proteicas que fabrica el cuerpo para protegerse a sí mismo contra células extrañas e infecciones.

apnea. Cese de la respiración.

areola. El área circular y pigmentada alrededor del pezón de la mama.

asfixia. Mal funcionamiento orgánico debido a la falta de oxígeno, una acumulación de dióxido de carbono y pH bajo.

aspiración de meconio. Situación en la cual un recién nacido inhala líquido amniótico mezclado con meconio. Esto puede causar un bloqueo parcial o total de las vías respiratorias e inflamación.

atonía uterina. La falta de tono muscular en el útero después del nacimiento, que impide las contracciones necesarias para controlar el sangrado del sitio placentario.

B

bioquímicas, pruebas. Uso del análisis químico de la sangre o del líquido amniótico para detectar un padecimiento fetal. Son ejemplos las pruebas de alfa-fetoproteína, estriol, inhibina y proteína plasmática relacionada con el embarazo.

blastocisto. El huevo fertilizado en rápida división una vez que entra al útero, que tiene células dedicadas al desarrollo placentario y fetal.

bloqueo espinal. Técnica anestésica en la cual se inyecta un medicamento en el líquido que rodea a los nervios espinales, dando como resultado una anestesia inmediata en un segmento del cuerpo.

bloqueo pudendo. Anestésico local que se inyecta en la pared vaginal para evitar el dolor durante el parto o al reparar cualquier desgarre vaginal o una episiotomía.

borramiento. El adelgazamiento progresivo del cérvix a medida que su tejido conjuntivo envuelve la cabeza del bebé. Puede medirse en longitud cervical en centímetros o como porcentaje de borramiento. Cien por ciento implica borramiento total.

bradicardia. Un periodo sostenido durante el cual el ritmo cardiaco es más lento de lo normal.

C

calostro. El líquido amarillento producido por los pechos hasta que "baja" la leche; por lo general se observa en la última parte del embarazo.

cérvix. La parte inferior del útero, que es semejante a un cuello, el cual se dilata y borra durante el trabajo de parto para permitir el paso del feto.

cesárea, nacimiento por. Un nacimiento operativo en el cual se hace una incisión a través de la pared abdominal y el útero para retirar al bebé. A veces se le llama sección cesárea o sección-C.

ciática. Un padecimiento temporal ocasionado por presión adicional sobre uno o ambos nervios ciáticos. Esto puede producir dolor, hormigueo o adormecimiento que corre por sus nalgas, muslos y pantorrillas.

cigoto. El resultado de la unión de óvulo y espermatozoide; el huevo fertilizado antes de que comience a dividirse y crecer.

circuncisión. Un procedimiento que se hace en infantes varones para eliminar la piel que recubre el pene.

compresión del cordón umbilical. Complicación en la cual el cordón umbilical se comprime o pellizca, lo cual puede hacer que se retrase o incluso se detenga el flujo de sangre hacia y desde el bebé a la placenta.

contracción posparto. Contracciones uterinas que ayudan a controlar el sangrado.

contracciones (dolores de parto). La tensión en los músculos uterinos.

contracciones de Braxton-Hicks. Contracciones uterinas irregulares que se dan durante el embarazo pero no producen cambios en el cérvix. A veces se les llama trabajo de parto falso.

cordón umbilical. La estructura tubular que lleva la sangre fetal a la placenta, donde pueden proporcionarse oxígeno y nutrientes y eliminarse productos de desecho.

D

depresión posparto. Un tipo de depresión clínica que puede afligir a una madre entre dos semanas a seis meses meses después de que nace el bebé.

desproporción cefalopélvica. Una circunstancia en la cual la cabeza del bebé no pasa a través de la pelvis de la madre debido a que la cabeza es demasiado grande para el canal de nacimiento.

diabetes gestacional. Una forma de diabetes que se desarrolla durante el embarazo, que da como resultado una regulación inadecuada de los niveles de glucosa en sangre.

dilatación. Indica el diámetro de la abertura cervical y se mide en centímetros; 10 centímetros es la dilatación completa.

distocia. Parto difícil por cualquier razón.

Doppler. Se usa en forma común para referirse a un aparato con el cual su doctor puede escuchar el latido cardiaco fetal alrededor de la decimosegunda semana. Denominado por el efecto Doppler, intrínseco a su función.

E

ejercicios de Kegel. Ejercicios que se hacen para fortalecer los músculos de la base de la pelvis; pueden prevenir la fuga de orina.

embarazo ectópico. Un embarazo que se da fuera del útero; la variedad más común es el que se presenta en trompas.

embrión. El óvulo fertilizado desde un momento poco después de la fertilización hasta las ocho semanas de gestación.

endometrio. El recubrimiento del útero, en el cual se adhiere el óvulo fertilizado para nutrirse.

endometritis. Una inflamación e infección de la membrana mucosa que recubre el útero.

epidural. Un método anestésico empleado para reducir o eliminar las molestias durante el trabajo de parto. A veces se le llama bloqueo epidural.

episiotomía. Incisión quirúrgica en el perineo empleada para agrandar la abertura vaginal.

escala de Apgar. Una escala de calificación que se da a un recién nacido de uno a cinco minutos después de nacido para evaluar su color, ritmo cardiaco, tono muscular, respiración y reflejos. Se dan de cero a dos puntos por cada factor. Las calificaciones cercanas a 10 son las deseables.

espina bífida. Un defecto en la columna que da como resultado que las vértebras no se fusionen. Esto puede suceder en cualquier vértebra, pero es más común en la parte baja de la columna.

estreptococo del grupo B (EGB). Una bacteria que es parte de las floras normales del tracto genital de muchas mujeres. Esta bacteria puede causar infecciones graves en recién nacidos si se transmite al bebé durante el nacimiento.

extractor de vacío. Herramienta con una vasija de látex o plástico que puede colocarse con cuidado en la cabeza, para proporcionar succión que ayuda en el nacimiento del infante.

F

factor rhesus. Una proteína de los glóbulos rojos muy similar a las proteínas que determinan los tipos sanguíneos A, B y O. Por lo general se considera que está presente o ausente en las personas; por tanto, uno es Rh positivo o negativo.

fertilización *in vitro* (FIV). El proceso mediante el cual óvulos y espermatozoides se combinan en un medio artificial fuera del cuerpo, y luego se transfieren de regreso al útero de la mujer para su crecimiento.

feto. Un bebé nonato después de las ocho primeras semanas de la gestación.

fibronectina fetal. Una sustancia que se encuentra entre la membrana fetal y la pared uterina. La sustancia puede analizarse para evaluar el riesgo de parto prematuro (antes de la 37ª semana).

fontanelas. Las "zonas blandas" en la cabeza de un bebé donde el cráneo aún no se fusiona. Al nacer, el bebé tiene estas zonas en la parte superior y posterior de la cabeza. La de la parte posterior se cierra cerca de seis semanas después del nacimiento, y la de arriba tarda cerca de 18 meses en cerrarse.

fórceps. Un instrumento obstétrico que se acopla alrededor de la cabeza del bebé para guiarlo a través del canal de nacimiento durante el parto.

G

gonadotropina coriónica humana (GCH). Hormona producida por la placenta. Su medición es clave para todas las pruebas de embarazo.

H

hidramnios o polihidramnios. Un exceso de líquido amniótico.

hipoglucemia. Un padecimiento en el cual la concentración de azúcar (glucosa) en el torrente sanguíneo es menor que el normal.

hormona foliculoestimulante. Hormona que promueve el desarrollo de óvulos en los ovarios.

hormona luteinizante. Hormona de la pituitaria que hace que el folículo ovárico se inflame, rompa y libere el óvulo.

I

ictericia. Tono amarillo de la piel y las escleróticas de los ojos ocasionado por un exceso de bilirrubinas en el torrente sanguíneo.

incompetencia cervical. Un padecimiento en el cual el cérvix comienza a abrirse sin contracciones antes de que el embarazo llegue a término; una causa de aborto y parto prematuro (antes de la 37ª semana) en el segundo y tercer trimestres.

inducción del trabajo de parto. Un medio artificial para iniciar el trabajo de parto, casi siempre administrando oxitocina, un medicamento de prostaglandinas o rompiendo la fuente.

inmunoglobulina Rh (IgRh). Medicamento empleado en mujeres Rh negativas para evitar que su sistema inmune reconozca la sangre Rh positiva y proteger así a los futuros embarazos.

L

labios. Dos juegos de dobleces de piel que rodean la abertura de la vagina y uretra. El juego exterior está cubierto de vello púbico, pero el interior no.

lactógeno placentario humano (LPH). Una hormona placentaria que altera su metabolismo para hacer que haya nutrientes disponibles para su bebé y estimula sus pechos para que se preparen para producir leche.

Lamaze. Una técnica de preparación física y emocional de la madre para el trabajo de parto con el fin de reducir el dolor y el uso de medicamentos durante el nacimiento.

lanugo. Vello fino tipo pelusa que crece en la piel del feto alrededor de la 26ª semana.

loquios. La descarga de sangre, moco y tejido del útero durante las seis semanas después del parto (posparto).

M

macrosomia. Peso al nacer mayor de lo normal (por lo general más de 9.75 libras o cerca de 4,500 gramos).

mastitis. Una infección en mama que ocurre cuando las bacterias entran en ésta.

meconio. El producto del primer movimiento intestinal del bebé, cuyo color característico es verde.

melancolía posparto. Un periodo de desánimo (disforia) que se presenta hasta en 80 por ciento de las nuevas madres.

muestreo de vellosidades coriónicas (MVC). Un procedimiento en el que se toma una pequeña muestra de vellosidades coriónicas de la placenta en donde ésta se une con el útero, para buscar anormalidades cromosómicas o de otro tipo.

músculos de la base de la pelvis. Un grupo de músculos de la base de la pelvis. Sostiene vejiga, uretra, recto y (en mujeres) vagina y útero.

N

nacimiento asistido. Parto asistido por intervención médica, como una episiotomía, nacimiento asistido por fórceps o por vacío.

neonatólogo. Médico con capacitación avanzada en el diagnóstico y tratamiento de los problemas del recién nacido.

NVDC. Nacimiento vaginal después de una cesárea.

O

ovulación. La liberación de un óvulo del ovario. La fertilización puede ocurrir sólo un día o dos después de la ovulación.

P

perfil biofísico. Una evaluación del estado del feto basada en pruebas del ritmo cardiaco y en los resultados del ultrasonido.

perinatólogo. Obstetra que se especializa en el diagnóstico y tratamiento de los problemas del embarazo.

perineo. El área entre las aberturas vaginal y anal en las mujeres.

pica. Una necesidad extraña durante el embarazo por comer sustancias que no son alimentos, como almidón de lavandería, tierra, polvo de hornear o escarcha del congelador. Esto sugiere con fuerza una deficiencia de hierro.

placenta. Órgano circular y plano que es responsable del intercambio de oxígeno y nutrientes, así como de la eliminación de desechos entre la madre y el feto. También se conoce como secundinas.

placenta ácreta. Una adhesión anormal de la placenta en la cual este órgano se une con demasiada firmeza en la pared del útero.

placenta previa. Una localización anormal de la placenta en la cual ésta cubre el cérvix en forma parcial o total.

placenta retenida. Cuando la placenta no es expulsada en los 30 minutos siguientes al nacimiento; puede causar sangrado excesivo.

plan de nacimiento. Una guía por escrito o verbal preparada por usted y su proveedor de cuidados de salud que explica cómo desea dar a luz a su bebé.

plano. Medición del descenso de un feto por el canal de nacimiento en relación con un punto en el hueso que puede sentirse en un examen pélvico.

posición de nalgas. Una posición en la cual el bebé está colocado con los pies o los glúteos hacia el cérvix en el momento del nacimiento.

posición de occipucio posterior. Una posición en la cual la cara del bebé se orienta hacia el abdomen de la madre en lugar de la posición de preferencia del nacimiento, de cara hacia atrás.

posición del sastre. Sentarse con las plantas de los pies juntas. Esta posición puede fortalecer los músculos de la base de su pelvis y ayudar en la recuperación del parto.

preeclampsia. Una enfermedad que ocurre durante el embarazo, marcada por hipertensión y por proteína en orina. Antes se denominaba toxemia.

presentación transversa. Una posición en la cual un bebé se encuentra cruzado en el útero antes de nacer. Es incompatible con el parto vaginal.

primer movimiento. La primera percepción de la madre de los movimientos fetales. Éstos por lo general se sienten entre la 18ª y 20ª semanas de embarazo en el caso de madres primerizas, pero con frecuencia antes en aquellas con un embarazo previo.

progesterona. Una hormona que inhibe al útero impidiéndole contraerse y promueve el crecimiento de vasos sanguíneos en la pared uterina.

prolapso del cordón umbilical. Complicación en la cual el cordón umbilical se desliza por la abertura del cérvix, con frecuencia seguido por su compresión ocasionada por la parte de presentación del bebé.

prostaglandinas. Sustancias producidas por el recubrimiento del útero y las membranas fetales en o cerca del inicio del trabajo de parto.

prueba de estrés de contracción. Una de varias pruebas diseñadas para ayudar a evaluar las condiciones del feto y su placenta. Mide el ritmo cardiaco fetal en respuesta a las contracciones del útero de la madre.

prueba de glucosa sanguínea. Una prueba que determina si hay diabetes gestacional midiendo su nivel de glucosa en sangre después de beber una solución de este azúcar.

prueba de la alfa-fetoproteína (AFP). Una proteína específica producida por el feto pero que no se presenta en grado alguno en las personas no embarazadas. Evaluar los niveles de esta proteína tiene implicaciones para el bienestar del bebé.

prueba de no estrés. Una prueba que ayuda al médico a examinar la condición de un feto midiendo el ritmo cardiaco en respuesta a sus propios movimientos.

prueba de Papanicolau. Examen para detectar cáncer y precáncer del cérvix.

R

relaxina. Hormona producida por la placenta que ablanda los tejidos conjuntivos, lo cual permite que la pelvis se abra más durante el parto.

restricción del crecimiento intrauterino (RCIU). Retraso importante del crecimiento fetal, casi siempre definido como menos del décimo percentil de una edad de gestación dada.

S

saco amniótico (bolsa de agua). Un saco formado de dos membranas delgadas que contiene líquido acuoso (amniótico) y al feto. Las membranas se rompen en forma espontánea o el médico las rompe para acelerar el trabajo de parto.

secundinas. La placenta y las membranas que se descargan del útero después del nacimiento.

síndrome alcohólico fetal (SAF). Una afección ocasionada por el consumo de alcohol durante el embarazo. Puede causar defectos de nacimiento como deformidad facial, problemas cardiacos, bajo peso al nacer y retraso mental.

síndrome de sufrimiento respiratorio (SSR). Dificultad para respirar ocasionada por la falta de surfactante en bebés prematuros.

surfactante. Una sustancia que cubre el recubrimiento interno de los sacos de aire en los pulmones que permite que los pulmones se expandan en forma normal durante la respiración.

T

tapón mucoso. Una colección de moco que bloquea al canal cervical durante el embarazo para evitar la entrada de gérmenes en el útero. El tapón se afloja y pasa cuando el cérvix comienza a adelgazarse y abrirse. Esta descarga casi siempre es rosada o manchada de sangre.

taquipnea transitoria (pulmón húmedo). Un padecimiento respiratorio leve y temporal en los recién nacidos que se caracteriza por una respiración rápida.

tecnologías de reproducción asistida. La intervención médica que ayuda a la concepción, como la fertilización *in vitro*.

teratógenos. Agentes que causan defectos en un feto en desarrollo, como alcohol, ciertos medicamentos, contaminantes y drogas recreativas.

trabajo de parto activo. La fase del parto en la cual se puede esperar progreso continúo en la dilatación del cérvix, con frecuencia acompañada de contracciones más fuertes. Esta fase se extiende desde los cuatro centímetros hasta la dilatación total en los 10 centímetros.

trabajo de parto de un feto muerto. Nacimiento de un bebé que murió en el útero.

trabajo de parto prematuro. Contracciones que comienzan a abrir el cérvix antes de la 37ª semana de embarazo.

trabajo de parto temprano (latente). La fase más temprana del trabajo de parto, durante la cual las contracciones uterinas comienzan a cambiar el cérvix, pero los cambios con frecuencia son paulatinos. Esta fase casi siempre se acaba cuando el cérvix alcanza los cuatro centímetros de dilatación.

transfusión gemelo a gemelo. El paso de sangre de un gemelo idéntico a otro a través de conexiones de vaso sanguíneos dentro de la placenta.

transición. La etapa del trabajo de parto activo donde las contracciones son más intensas, es típico que se dé entre los siete centímetros y la dilatación total.

traslucidez de la nuca. Una estructura normal que se ve en el ultrasonido entre la decimoprimera y decimocuarta semanas, que puede estar crecida en la presencia de diversos trastornos congénitos.

trastorno congénito. Un padecimiento con el cual nace la persona.

trastorno genético. Un padecimiento que un individuo puede pasar a sus hijos y que puede haber adquirido de sus padres.

tromboflebitis de venas profundas (TVP). Un coágulo sanguíneo dentro de una vena, lo cual es una complicación potencial del nacimiento.

trompas de Falopio. Estructuras que recogen al óvulo cuando es liberado del ovario al mismo tiempo que impulsan el esperma hacia su extremo donde puede tener lugar la fertilización. A continuación, el óvulo se nutre y pasa al útero por estos conductos.

tubo neural. La estructura del embrión que se desarrolla para formar cerebro, médula espinal, nervios espinales y columna vertebral.

U

útero (matriz). El órgano femenino en el cual se desarrolla el bebé antes de nacer.

V

venas varicosas. Venas dilatadas y protuberantes, casi siempre localizadas en piernas o vulva.

vernix caseosa o vernix. Sustancia resbalosa, blanca y grasosa que cubre la piel del feto.

versión externa. Intento de un médico al final del embarazo para dar la vuelta a un bebé en mala posición para que su presentación al nacer sea mejor.

Í N D I C E

Los números de página en negritas indican la información más completa sobre el tema.

E

N O T A S

NOTAS

N O T A S

NOTAS

BIBLIOTECA DE SALUD FAMILIAR

GUÍAS DE LA SALUD

Los mejores libros de salud en español

Guía de la Clínica Mayo sobre artritis

Contiene las respuestas que usted necesita para el control de la artritis, contestadas por los médicos de la famosa Clínica Mayo.

Guía de la Clínica Mayo sobre tratamiento de la diabetes

Prácticas respuestas que le ayudarán a disfrutar una vida activa y saludable.

Guía de la Clínica Mayo sobre depresión

Respuestas que le ayudarán a entender, reconocer y controlar la depresión.

Guía de la Clínica Mayo sobre dolor crónico

Lleve una vida más activa y productiva con las respuestas de los especialistas de la Clínica Mayo.

Guía de la Clínica Mayo sobre la enfermedad de Alzheimer

Respuestas prácticas sobre pérdida de memoria, envejecimiento, investigación, tratamiento y cuidados.

Guía de la Clínica Mayo sobre envejecimiento saludable

Respuestas para ayudarlo a obtener el máximo del resto de su vida.

Guía de la Clínica Mayo sobre hipertensión

Los médicos de la prestigiosa Clínica Mayo le brindan las respuestas que usted necesita para tratar y prevenir la hipertensión.

El libro del corazón de la Clínica Mayo

Lo último de la salud del corazón, conjuntando el conocimiento y la experiencia de los cardiólogos de la Clínica Mayo, se encuentra en este manual.

Visítenos en www.librosdesalud.com.mx

Compruebe la utilidad de estas publicaciones; comentarios o sugerencias:
librosdesalud@intersistemas.com.mx • teléfono directo 11070195 o 01 800 504 4720,
de lunes a viernes de 8:00 a 20:00 horas

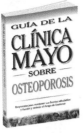

Guía de la Clínica Mayo sobre osteoporosis

Respuestas para mantener sus huesos saludables y fuertes y reducir el riesgo de fracturas.

Guía de la Clínica Mayo sobre peso saludable

Lleve una vida más activa y productiva con las respuestas de los especialistas de la Clínica Mayo.

Guía de la Clínica Mayo sobre salud de la próstata

Respuestas de la mundialmente reconocida Clínica Mayo sobre enfermedades de la próstata: inflamación, crecimiento y cáncer.

Guía de la Clínica Mayo sobre salud digestiva

Disfrute de una mejor digestión con respuestas a más de 12 condiciones frecuentes.

Guía de la Clínica Mayo sobre visión y salud ocular

Prácticas respuestas sobre glaucoma, cataratas, degeneración macular y otros trastornos.

Guía de la Clínica Mayo sobre la audición

Estrategias para manejar la pérdida auditiva, el mareo y otros problemas del oído.

MANUALES DE LA SALUD

La salud al alcance de sus manos

Visítenos en www.librosdesalud.com.mx

Compruebe la utilidad de estas publicaciones; comentarios o sugerencias:
librosdesalud@intersistemas.com.mx • teléfono directo 11070195 o 01 800 504 4720,
de lunes a viernes de 8:00 a 20:00 horas

Este libro ha sido editado y producido
por Intersistemas, S.A. de C.V. Aguiar y Seijas 75
Col. Lomas de Chapultepec 11000 México, D.F.
Teléfono 5520 2073 Fax 5540 3764
e-mail: intersistemas@intersistemas.com.mx.
Hecho en México.
El tiro de esta edición consta de 3,000 ejemplares
más sobrantes para reposición.